新注釈民法
(19)

相続(1)

§§882〜959

〔第2版〕

潮見佳男
編集

大村敦志・道垣内弘人・山本敬三
編集代表

有斐閣コンメンタール

『新注釈民法』の刊行にあたって

『新注釈民法』の編集委員会が発足したのは，2010年秋のことであった。『注釈民法』（全26巻），『新版注釈民法』（全28巻）は，民法学界の総力を結集して企画され，前者は1964年に，後者は1988年に刊行が始まった。その後の立法・判例・学説の変遷を考えるならば，第三の注釈書が登場してよい時期が到来していると言えるだろう。

編集にあたっては次の3点に留意した。

第一に，『新版注釈民法』が『注釈民法』の改訂版であったのに対して，『新注釈民法』はこれらとは独立の新しい書物として企画した。形式的に見れば，この点は編集代表の交代に表れているが（『注釈民法』の編集代表は，中川善之助，柚木馨，谷口知平，於保不二雄，川島武宜，加藤一郎の6名，これを引き継いだ『新版注釈民法』の編集代表は，谷口知平，於保不二雄，川島武宜，林良平，加藤一郎，幾代通の6名であった），各巻の編集委員も新たにお願いし，各執筆者には『新版注釈民法』の再度の改訂ではなく新たな原稿の執筆をお願いした。もっとも，『注釈民法』『新版注釈民法』が存在することを踏まえて，これらを参照すれば足りる点については，重複を避けてこれらに委ねることとした。

第二に，『新注釈民法』もまた，「判例に重きをおき，学説についてもその客観的状況を示して，現行の民法の姿を明らかにする」という基本方針を踏襲している。もっとも，判例に関しては，最高裁判例を中心としつつ必要に応じて下級審裁判例にも言及するが，必ずしも網羅的であることを求めないこととした。また，『注釈民法』『新版注釈民法』においては詳細な比較法的説明も散見されたが，『新注釈民法』では，現行の日本民法の注釈を行うという観点に立ち，外国法への言及は必要な限度に限ることとした。法情報が飛躍的に増加するとともに，かつてに比べると調査そのものは容易になったことに鑑み，情報の選別に意を用いることにした次第である。

第三に，『新注釈民法』は，民法（債権関係）改正と法科大学院の発足を強く意識している。一方で，民法（債権関係）改正との関係では，全20巻を三つのグループに分け，民法（債権関係）改正と関係の少ないグループから刊行を始めることとした。また，改正の対象となっていない部分についても，変動しつつある日本民法の注釈という観点から，立法論の現況や可能性を客観的に示すことに意を用いた。他方，実務との連携という観点から，要件事実への言及が不可欠な条文を選び出し，各所に項目を設けて実務家に執筆してもらうこととした。

刊行にあたっては，多くの研究者のご協力をいただいているが，この十数年，大学をめぐる環境は厳しさを増しているのに加えて，民法（債権関係）改正法案の成立時期がはっきりしなかったこともあり，執筆者の方々はスケジュール調整に苦心されたことであろう。この場を借りて厚く御礼を申し上げる。

冒頭に述べたように，注釈民法の刊行は1964年に始まったが，実は，これに先立ち，有斐閣からは註釈民法全書として，1950年に中川善之助編集代表『註釈親族法（上下）』，1954年に同『註釈相続法（上下）』が刊行されていた。有斐閣は2017年に創業140周年を迎えるが，民法のコンメンタールはその後半70年を通じて，歩みをともにしてきたことになる。熱意を持ってこの企画に取り組んで来られた歴代の関係各位に改めて敬意と謝意を表する次第である。

2016年10月

『新注釈民法』編集代表
大村敦志
道垣内弘人
山本敬三

本巻第2版はしがき

本巻の編者・潮見佳男教授は，初版「はしがき」において，「改正法施行直後の時期に注釈書を刊行すること」の意義を3点に分けて説いた上で，「わが国では，現在，所有者不明・所有者不在土地問題を扱う法制審議会民法・不動産登記法部会での審議が進行中である。本巻に関係する箇所でも，遺産共有・遺産分割・相続人不存在制度のあたりを中心として，同部会の進捗次第では，近い将来，解説内容のアップデートを求められることが予想される。将来において，補正が必要な時期が来れば，上述した3つの意義を踏まえ，適切な対応をしていく所存である」と述べておられた。

予期されていた改正は，令和3年法律第24号（2021年4月28日公布）によって実現したが，初版「はしがき」の方針に従い，潮見教授は以下のような対応策を講じられた。すなわち，改正法の成立に先立ち，2021年3月には改訂のための相談が始められ，4月に改訂方針が確定され，執筆依頼が行われた。その迅速さはまさに潮見教授ならではのものであった。

この過程で，「第204回国会（常会）において4月21日に成立した『民法等の一部を改正する法律』への対応を第一義的な目的とし，併せて初版刊行後の判例・学説等について最新の内容とする。とくに，平成30年改正について，刊行後の議論の深化を踏まえた見直しを行う。」という改訂方針が定められるとともに，新規項目が設定され，新たに執筆依頼がなされた。その後，執筆辞退をされた方があったこともあり，同年6月には，執筆者自身による旧稿補訂とは別に，次の諸項目につき新規執筆および補筆がなされることになった。一見して明らかなように，潮見教授は新規の総論的項目を担当されるとともに，補筆をすべて引き受けられた。編者としての強い責任感に基づく対応であったといえよう。

新規執筆	執筆者
令和3年民法・不動産登記法改正と相続制度〔新設〕	潮見佳男（①）

897条の2〔新設〕	幡野弘樹
904条の3〔新設〕	本山　敦
908条2項～5項	藤巻　梓
補筆	補筆者
906条～908条1項〔前注を含む〕	潮見佳男（②）
909条	潮見佳男（②）
910条～914条	潮見佳男（②）

翌2022年5月には当初の予定に従い，執筆者が原稿を持ち寄って会合が開かれ，その際に，相続財産管理人・清算人，遺言執行者等の訴訟法上の地位が新規の執筆項目に加えられた。ここまで改訂作業は順調に進んでいたが，同年8月に潮見教授の逝去という誰もが予想しなかった事態が出来した。

多くの方々と同様，編集代表である私たちも茫然自失しつつも，同年12月に本巻の改訂の方針を相談し，次のような対応策を講ずることとした。第一に，潮見教授の新規執筆部分のうち新設された総論にあたる部分（①）は本来の総論を担当されている吉田克己教授に，補筆が予定されていた部分（②）については藤巻教授に依頼する，第二に，もともと潮見教授が担当されていた部分（882条～885条）については，道垣内を中心に編集代表が，改正に伴う形式的な修正など必要最小限の補筆を行う，第三に，編者は潮見教授のままとし，「第2版はしがき」には改訂の経緯等を記すにとどめる。

こうして本巻第2版は完成した。追加的な作業を新たにお願いしたこともあり，刊行時期は当初の予定よりもやや遅れることになったが，執筆者の皆さんにはご多用のなかベストを尽くしていただいたものと理解している。遅延の責めは編集代表が負うべきであるが，自己に厳しく他者に優しかった泉下の潮見教授は，苦笑しつつもお許しくださることと思う。

2023年6月

潮見教授の没後1年を前に

編集代表

大 村 敦 志

道 垣 内 弘 人

山 本 敬 三

本巻初版はしがき

本巻は，民法第5編「相続」の前半部分を扱うものであり，条文としては民法882条から959条までを対象とする。

相続法の分野は，2018（平成30）年7月6日に成立した民法の一部改正法と「法務局における遺言書の保管等に関する法律」（遺言書保管法）により，大きく様変わりした。そして，本巻に当たる改正部分は，既に，本年（令和元年）7月1日に施行されている。

このような時期に本巻を刊行することには，大きく3つの意義がある。

第1は，改正後の相続法をめぐる解釈を，従前の学説・判例と対照させながら，かつ，今回の改正の過程を踏まえて，人々に提供することである。従前の理論と実務の到達点を確認し，改正後の相続法に関する解釈を展開することは，理論と実務の継続形成を促し，先学が築いた基礎の上に安定した解釈論を世に送り出すことにつながる。これこそが，『注釈民法』・『新版注釈民法』が担ってきたミッションであり，本巻も，こうしたミッションを継承し，現代の社会で実現するために刊行されたものである。

第2は，改正後の相続法をめぐる解釈を，改正法の施行後遠くない時期に，しかも，きちんとした理論的な検証を経たうえで提示することである。改正後の相続法のもとでの解釈がどのようになるのかは，実務の最前線に立つ方々のみならず，大学で教鞭をとり，あるいは研究活動を遂行していく研究者にとっても，きわめて関心の高いところであろう。ところが，理論的水準を維持した解釈論を改正法の施行直後に提示するのは，勇気のいるものであるし，執筆者にとっては責任が重くのしかかるものでもある。それでも，「改正相続法のもとでの解釈は，このようにするのが適切である」という方向性を，きちんとした理論的な裏付けの下でタイムリーに示すことは，学説・実務の期待に応えるものであり，非常に重要かつ有意義な作業である。

第3は，改正法施行直後の時期に注釈書を刊行することで，改正前と改正後の相続法の解釈論を同時に示すことができることである。もとより，方向を誤れば，どっちつかずで，新旧どちらの解釈論を述べているのか判然としないような解説になりかねない。他方で，改正前と改正後の相続法の共通点と相違点を知覚し，理論と実務の両面で両者を比較対照させながら解説をすることができれば，改正後の相続法のみならず，改正前の相続法をめぐる解釈にとっても価値の高いものができあがる。とりわけ，改正後の相続法が施行されたからといって，改正前の相続法の対象となる案件が残る以上，改正前の相続法を対象とした本巻に対応する『新版注釈民法』の26巻・27巻が刊行されてから相当の月日を経た現時点での，改正前の相続法をめぐる理論と実務の到達点を示すことには，なお大きな価値がある。

もっとも，以上に述べたことを裏返せば，本巻の執筆を担当していただいた方々には，上記3点を踏まえて解説をするという，大変な作業をお願いしたことになる。しかも，研究者の方々には，大学をめぐる環境が激変し，職務に忙殺される中で，相続法改正の動きをにらみながら試行錯誤を繰り返し，かなりの時間を割いていただくこととなった。このような執筆者各位のご尽力の結果，本巻が成るに至ったことは，学界および実務界にとって，非常に喜ばしい限りである。編者として，執筆に当たられた先生方に対し，心よりの感謝を申し上げる次第である。

わが国では，現在，所有者不明・所有者不在土地問題を扱う法制審議会民法・不動産登記法部会での審議が進行中である。本巻に関係する箇所でも，遺産共有・遺産分割・相続人不存在制度のあたりを中心として，同部会の進捗次第では，近い将来，解説内容のアップデートを求められることが予想される。将来において，補正が必要な時期が来れば，上述した3つの意義を踏まえ，適切な対応をしていく所存である。

本巻が多くの研究者，実務家，民法を学ぶ学生，ひいては一般の市民にとっての導きの星となることを期待する。

2019年8月

潮 見 佳 男

目　　次

第5編　相　　続

第 2 節　相　続　分

第 3 節　遺産の分割

第 4 章　相続の承認及び放棄

第 1 節　総　　則

第 2 節　相続の承認

第 1 款　単 純 承 認

第 2 款　限 定 承 認

第 3 節　相続の放棄

第 5 章　財 産 分 離

第6章　相続人の不存在

凡　例

1　関係法令

関係法令は，2023年7月1日現在によった。

2　条　文

条文は原文どおりとした。ただし，数字はアラビア数字に改めた。なお，各注釈冒頭の条文において，「民法及び家事事件手続法の一部を改正する法律」（平成30年法律72号）および「民法等の一部を改正する法律」（令和3年法律24号）による改正前の規定を枠内に併記した。

3　比較条文

各条文のつぎに，〔対照〕欄をもうけ，フランス民法，ドイツ民法など当該条文の理解に資する外国法・条約等の条項を掲げた。

4　改正履歴

各条文のつぎに，〔改正〕欄をもうけ，当該条文の改正・追加・削除があった場合の改正法令の公布年と法令番号を掲げた。最初に民法旧規定（明治31年法律9号〔明治民法〕）の対応条文を示した。（　）は形式的な改正の場合，〔　〕は実質的な改正がされた場合の旧規定の条数である。ただし，表記の現代語化のための平成16年法律147号による改正は，実質的改正がある場合を除き省略した。

5　法令の表記

民法は，単に条数のみをもって示した。その他の法令名の略記については，特別なものを除いて，原則として有斐閣版六法全書巻末の「法令名略語」によった。ただし，民法第4編（親族）・第5編（相続）の旧規定（明治民法）は，例えば明民1060条として示した。

なお，旧民法（明治23年法律28号・法律98号）および外国法については，以下の略記例に従う。

旧財	民法財産編	ス民	スイス民法
旧財取	民法財産取得編	ド民	ドイツ民法
旧担	民法債権担保編	フ民	フランス民法
旧証	民法証拠編		
旧人	民法人事編		

6　判例の表記

①　判例の引用にあたっては，つぎの略記法を用いた。なお，判決文の引用は原文通りとしたが，濁点・句読点の付加，平仮名化は執筆者の判断で適宜行った。

最判平 12・9・22 民集 54 巻 7 号 2574 頁＝最高裁判所平成 12 年 9 月 22 日判決，最高裁判所民事判例集 54 巻 7 号 2574 頁

②　判例略語

最大	最高裁判所大法廷
最	最高裁判所
高	高等裁判所
支（○○高△△支）	○○高等裁判所△△支部
地	地方裁判所
支（○○地（家）△△支）	○○地方（家庭）裁判所△△支部
家	家庭裁判所
出（○○家△△出）	○○家庭裁判所△△出張所
簡	簡易裁判所
大	大審院
大連	大審院連合部
控	控訴院
判	判決
中間判	中間判決
決	決定
審	審判

③　判例出典略語

家　月	家庭裁判月報
家　判	家庭の法と裁判
下民集	下級裁判所民事裁判例集
刑　集	〔大審院または最高裁判所〕刑事判例集
刑　録	大審院刑事判決録
金　判	金融・商事判例
金　法	金融法務事情
交　民	交通事故民事裁判例集
高民集	高等裁判所民事判例集
裁判集民	最高裁判所裁判集民事
裁判例	大審院裁判例（法律新聞別冊）
訟　月	訟務月報
新　聞	法律新聞
東高民時報	東京高等裁判所民事判決時報
判決全集	大審院判決全集
判　時	判例時報
判　タ	判例タイムズ
評　論	法律〔学説・判例〕評論全集
民　集	〔大審院または最高裁判所〕民事判例集
民　録	大審院民事判決録
LEX/DB	TKC ローライブラリーに収録されている LEX/DB インターネットの文献番号
WLJPCA	Westlaw Japan の判例データベースの判例 ID 番号
裁判所ウェブサイト	裁判所ウェブサイト内「裁判例情報」

7　文献の表記

①　文献を引用する際には，後掲③の文献の略記に掲げるものを除き，著者（執筆者）・書名（「論文名」掲載誌とその巻・号数）〔刊行年〕参照頁を掲記した。

② 判例評釈・解説は，研究者等による評釈を〔判批〕，最高裁調査官による解説を〔判解〕として，表題は省略した。

③ 文献の略記

ⓐ 体系書・論文集

青山	青山道夫・相続法〈新法学全書〉〔1956〕（評論社）
青山・家族法論Ⅰ・Ⅱ	青山道夫・改訂家族法論Ⅰ・Ⅱ〔1971〕（法律文化社）
荒井・Q＆A	荒井達也・Q＆A令和3年民法・不動産登記法改正の要点と実務への影響〔2021〕（日本加除出版）
有泉	有泉亨・新版親族法・相続法（法律学講座双書）〔補正第2版〕〔1988〕（弘文堂）
有地	有地亨・家族法概論〔新版補訂版〕〔2005〕（法律文化社）
泉ほか	泉久雄＝久貴忠彦＝久留都茂子＝宮井忠夫＝米倉明＝上野雅和＝加藤永一・民法講義8相続〔1978〕（有斐閣）
一問一答	堂薗幹一郎＝野口宣大編著・一問一答新しい相続法――平成30年民法等（相続法）改正、遺言書保管法の解説〔第2版〕〔2020〕（商事法務）
伊藤	伊藤昌司・相続法〔2002〕（有斐閣）
犬伏ほか	犬伏由子＝石井美智子＝常岡史子＝松尾知子・親族・相続法〔第3版〕〔2020〕（弘文堂）
上原ほか編著	上原裕之＝高山浩平＝長秀之編著・遺産分割〔改訂版〕〔2014〕（青林書院）
内田	内田貴・民法Ⅳ〔補訂版〕親族・相続〔2004〕（東京大学出版会）
梅	梅謙次郎・民法要義巻之五相続編〔18版〕〔1900〕（有斐閣）
遠藤ほか・双書	遠藤浩＝原島重義＝水本浩＝川井健＝広中俊雄編・民法（9）相続（有斐閣双書）〔第4版増補補訂版〕〔2005〕（有斐閣）
近江	近江幸治・民法講義Ⅶ親族法・相続法〔第2版〕〔2015〕（成文堂）
大江・相続	大江忠・要件事実民法（8）相続〔第4版補訂版〕〔2019〕（第一法規）
太田	太田武男・相続法概説〔1997〕（一粒社）
大村	大村敦志・新基本民法8相続編〔2017〕（有斐閣）
大村・家族	大村敦志・家族法〔第3版〕〔2010〕（有斐閣）
大村監修・比較研究	大村敦志監修・相続法制の比較研究〔2020〕（商事法務）

奥田	奥田義人・民法相続法論〔1888〕（有斐閣）
於保	於保不二雄・相続法〔1949〕（インターナショナル・ブック社）
梶村・実務講座	梶村太市・実務講座家事事件法〔新版〕〔2013〕（日本加除出版）
梶村＝貴島	梶村太市＝貴島慶四郎・遺産分割のための相続分算定方法〔2015〕（青林書院）
梶村＝徳田編	梶村太市＝徳田和幸・家事事件手続法〔第3版〕〔2016〕（有斐閣）
梶村ほか・実務講義	梶村太市＝岩志和一郎＝大塚正之＝榊原富士子＝棚村政行・家族法実務講義〔2013〕（有斐閣）
片岡＝管野	片岡武＝管野眞一編著・家庭裁判所における遺産分割・遺留分の実務〔第4版〕〔2021〕（日本加除出版）
片岡ほか	片岡武＝金井繁昌＝草部康司＝川畑晃一・家庭裁判所における成年後見・財産管理の実務――成年後見人・不在者財産管理人・遺産管理人・相続財産管理人・遺言執行者〔第2版〕〔2014〕（日本加除出版）
金子・一問一答	金子修編著・一問一答家事事件手続法〔2012〕（商事法務）
川島	川島武宜・民法（三）〈有斐閣全書〉〔改訂増補〕〔1951〕（有斐閣）
久貴編・遺言と遺留分	久貴忠彦編集代表・遺言と遺留分第1巻，第2巻〔第3版〕〔2020・2022〕（日本評論社）
窪田	窪田充見・家族法〔第4版〕〔2019〕（有斐閣）
近藤・上，下	近藤英吉・相続法論上〔1936〕，下〔1938〕（弘文堂）
潮見	潮見佳男・詳解相続法〔第2版〕〔2022〕（弘文堂）
潮見・債権改正	潮見佳男・民法（債権関係）改正法の概要〔2017〕（金融財政事情研究会）
潮見編・改正	潮見佳男編著・民法（相続関係）改正法の概要〔2019〕（金融財政事情研究会）
七戸・新旧対照解説	七戸克彦・新旧対照解説改正民法・不動産登記法〔2021〕（ぎょうせい）
鈴木	鈴木禄弥・相続法講義〔改訂版〕〔1996〕（創文社）
鈴木＝唄Ⅱ	鈴木禄弥＝唄孝一・人事法Ⅱ相続法〔1975〕（有斐閣）
高木	高木多喜男・口述相続法〔1988〕（成文堂）
常岡	常岡史子・家族法〔2020〕（新世社）
堂薗＝神吉・概説	堂薗幹一郎＝神吉康二編著・概説改正相続法――平成

	30年民法等改正，遺言書保管法制定〔第2版〕〔2021〕（金融財政事情研究会）
床谷＝犬伏編	床谷文雄＝犬伏由子編・現代相続法〔2010〕（有斐閣）
中川＝泉	中川善之助＝泉久雄・相続法〔第4版〕〈法律学全集〉〔2000〕（有斐閣）
仁井田	仁井田益太郎・改訂増補親族法相続法論〔1919〕（有斐閣）
日弁連WG編	日本弁護士連合会所有者不明土地問題等に関するワーキンググループ編・新しい土地所有法制の解説――所有者不明土地関係の民法等改正と実務対応〔2021〕（有斐閣）
二宮	二宮周平・家族法〔第5版〕〔2019〕（新世社）
原田・史的素描	原田慶吉・日本民法典の史的素描〔1954〕（創文社）
深谷	深谷松男・現代家族法〔第4版〕〔2001〕（青林書院）
穂積Ⅰ～Ⅲ	穂積重遠・相続法第一分冊～第三分冊〔1946・1947〕（岩波書店）
前田ほか	前田陽一＝本山敦＝浦野由紀子・民法Ⅵ　親族・相続〔第6版〕〔2022〕（有斐閣）
松川	松川正毅・民法親族・相続〔7版〕〔2022〕（有斐閣）
松阪	松坂佐一・民法提要親族法・相続法〔第4版〕〔1992〕（有斐閣）
松原Ⅰ～Ⅴ	松原正明・判例先例相続法Ⅰ〔全訂第2版，2022〕，Ⅱ〔全訂第2版，2022〕，Ⅲ〔全訂，2008〕，Ⅳ〔全訂，2010〕，Ⅴ〔全訂，2012〕（日本加除出版）
水野編著	水野紀子編著・相続法の立法的課題〔2016〕（有斐閣）
村松＝大谷編・Q＆A	村松秀樹＝大谷太編著・Q＆A令和3年改正民法・改正不登法・相続土地国庫帰属法〔2022〕（金融財政事情研究会）
柚木	柚木馨・判例相続法論〔1953〕（有斐閣）
我妻＝有泉	我妻栄＝有泉亨・民法3（親族法・相続法）〔第3版全訂〕〔1978〕（一粒社）
我妻＝有泉ほか	我妻栄＝有泉亨＝遠藤浩＝川井健・民法③親族法・相続法〔第4版〕〔2020〕（勁草書房）
我妻＝立石	我妻栄＝立石芳枝・親族法・相続法〔1952〕（日本評論社）
我妻・解説	我妻栄・改正親族・相続法解説〔1949〕（日本評論社）
我妻・親族法	我妻栄・親族法（法律学全集）〔1961〕（有斐閣）

我妻編・戦後	我妻栄編・戦後における民法改正の経過〔1956〕(日本評論社)

ⓑ　注釈書・講座

注民	注釈民法〔1964〜1987〕(有斐閣)
新版注民	新版注釈民法〔1988〜2015〕(有斐閣)
新注民	新注釈民法〔2017〜〕(有斐閣)
基本法コメ	島津一郎＝松川正毅編・基本法コンメンタール相続〔第5版〕〔2007〕(日本評論社)
新基本法コメ	松川正毅＝窪田充見編・新基本法コンメンタール相続〔2016〕(日本評論社)
新基本法コメ・人事	松川正毅＝本間靖規＝西岡清一郎編・新基本法コンメンタール人事訴訟法・家事事件手続法〔2013〕(日本評論社)
島津編・判例コメ	島津一郎編・判例コンメンタール民法Ⅴ〔1978〕(三省堂)
新判例コメ(14)(15)	島津一郎＝久貴忠彦編・新・判例コンメンタール民法14相続1，民法15相続2〔1992〕(三省堂)
注解家審法	斎藤秀夫＝菊池信男編・注解家事審判法〔改訂版〕〔1992〕(青林書院)
注解家審規	斎藤秀夫＝菊池信男編・注解家事審判規則――特別家事審判規則〔改訂版〕〔1992〕(青林書院)
金子・逐条	金子修編著・逐条解説家事事件手続法〔第2版〕〔2022〕(商事法務)
注解全集	泉久雄＝野田愛子編・民法Ⅹ〔相続〕(注解法律学全集19)〔1995〕(青林書院)
注解判例	林良平＝大森政輔編・親族法・相続法(注解判例民法4)〔1992〕(青林書院)
中川監修・註解	中川善之助監修・註解相続法〔1951〕(法文社)
中川編・註釈上，下	中川善之助編・註釈相続法上〔1954〕，下〔1955〕(有斐閣)
中川ほか・ポケット註釈	中川善之助＝千種達夫＝市川四郎＝平賀健太・親族・相続法(ポケット註釈全書)〔1953〕(有斐閣)
中川(淳)・逐条上，中，下	中川淳・相続法逐条解説上〔1985〕，中〔1990〕，下〔1995〕(日本加除出版)
民コメ	川井健＝西原道雄＝吉野衛＝山田卓生＝淡路剛久編・民法コンメンタール親族1,2,3相続1,2〔1987・1988〕(ぎょうせい)

柳川・註釈上，下	柳川勝二・日本相続法註釈上，下〔1918・1920〕（巌松堂）
我妻・判コメ	我妻栄＝唄孝一・判例コンメンタール第8相続法〔1966〕（コンメンタール刊行会）
岡垣・家審講座Ⅱ	加藤令造編・岡垣学著・家事審判法講座第2巻〔1965〕（判例タイムズ社）
家族法大系Ⅰ～Ⅶ	中川善之助教授還暦記念・家族法大系I～VII〔1959・1960〕（有斐閣）
現代家族法大系Ⅰ～Ⅴ	谷口知平＝川島武宜＝加藤一郎＝太田武男＝島津一郎編集代表・現代家族法大系Ⅰ～Ⅴ〔1979・1980〕（有斐閣）
新実務大系Ⅰ～Ⅴ	野田愛子＝梶村太市総編集・新家族法実務大系第1巻～第5巻〔2008〕（新日本法規出版）
判例民法Ⅺ	能見善久＝加藤新太郎編・論点体系判例民法Ⅺ〔第3版〕〔2019〕（第一法規）
百年Ⅰ～Ⅳ	広中俊雄＝星野英一編・民法典の百年Ⅰ～Ⅳ〔1998〕（有斐閣）
民法講座	星野英一編集代表・民法講座1～7〔1984・1985〕，別巻1・2〔1990〕（有斐閣）

ⓒ　判例評釈・判例解説等

最判解	最高裁判所判例解説民事篇（法曹会）
総判民	総合判例研究叢書・民法〔1960〕（有斐閣）
判民	東京大学判例研究会・判例民事法（大正10年度・大正11年度は，「判例民法」）〔1954～1989〕（有斐閣）
民百選Ⅰ○版	民法判例百選Ⅰ総則・物権〔1974〕，第2版〔1982〕，第3版〔1989〕，第4版〔1996〕，第5版〔2001〕，第5版新法対応補正版〔2005〕，第6版〔2009〕，第7版〔2015〕，第8版〔2018〕，第9版〔2023〕（有斐閣）
民百選Ⅱ○版	民法判例百選Ⅱ債権〔1975〕，第2版〔1982〕，第3版〔1989〕，第4版〔1996〕，第5版〔2001〕，第5版新法対応補正版〔2005〕，第6版〔2009〕，第7版〔2015〕，第8版〔2018〕，第9版〔2023〕（有斐閣）
民百選Ⅲ○版	民法判例百選Ⅲ親族・相続〔2015〕，第2版〔2018〕，第3版〔2023〕（有斐閣）
家族百選○版	家族法判例百選初版〔1967〕，新版〔1973〕，新版・増補〔1975〕，第3版〔1980〕，第4版〔1988〕，第5版〔1995〕，第6版〔2002〕，第7版〔2008〕（有斐閣）

重判解	重要判例解説（ジュリスト臨時増刊）（有斐閣）
主判解	主要民事判例解説（判例タイムズ臨時増刊，別冊判例タイムズ）（判例タイムズ社）
新争点	内田貴＝大村敦志編・民法の争点（新・法律学の争点シリーズ）〔2007〕（有斐閣）
速判解	速報判例解説，新・判例解説 Watch（法学セミナー増刊）（日本評論社）
リマークス	私法判例リマークス（法律時報別冊）（日本評論社）

ⓓ　立法・改正資料

法典調査会民法議事	法典調査会民法議事速記録〔学振版〕（学術振興会）
法典調査会民法議事〔近代立法資料〕	日本近代立法資料叢書・法典調査会民法議事速記録（商事法務研究会）
理由書	民法修正案理由書〔1898〕（博文館）
部会資料	法務省法制審議会民法（相続関係）部会部会資料
会議議事録	法務省法制審議会民法（相続関係）部会議事録
中間試案	民法（相続関係）の改正に関する中間試案〔2016〕
中間試案補足説明	法務省民事局参事官室・法務省民事局参事官室民法（相続関係）の改正に関する中間試案の補足説明〔2016〕
追加試案	中間試案後に追加された民法（相続関係）等の改正に関する試案（追加試案）〔2017〕
追加試案補足説明	法務省民事局参事官室・中間試案後に追加された民法（相続関係）等の改正に関する試案（追加試案）の補足説明〔2017〕
要綱	民法（相続関係）の改正に関する要綱〔2018〕
債権部会資料	法務省法制審議会民法（債権関係）部会部会資料
民不登部会資料	法務省法制審議会民法・不動産登記法部会部会資料
民不登会議議事録	法務省法制審議会民法・不動産登記法部会議事録
民不登中間試案補足説明	法務省民事局参事官室・民事第二課・民法・不動産登記法（所有者不明土地関係）等の改正に関する中間試案の補足説明〔2020〕
民不登要綱	民法・不動産登記法（所有者不明土地関係）の改正等に関する要綱〔2021〕

④　雑誌略語

家判	家庭の法と裁判
関法	法学論集（関西大学）
金判	金融・商事判例
金法	金融法務事情
銀法	銀行法務 21
神戸	神戸法学雑誌
戸時	戸籍時報
戸籍	月刊戸籍

略称	誌名	略称	誌名
私法	私法	法教	月刊法学教室
ジュリ	ジュリスト	法研	法学研究（慶應義塾大学）
志林	法学志林（法政大学）	法雑	法学雑誌（大阪市立大学）
新報	法学新報（中央大学）	法時	法律時報
曹時	法曹時報	法セ	法学セミナー
判時	判例時報	北法	北大法学論集
判タ	判例タイムズ	民商	民商法雑誌
判評	判例評論（判例時報に添付）	名法	名古屋大学法政論集
		論ジュリ	論究ジュリスト
法学	法学（東北大学）	論叢	法学論叢（京都大学）
法協	法学協会雑誌（東京大学）		

8　他の注釈の参照指示

他の注釈箇所を参照するよう指示する場合には，→印を用いて，参照先の見出し番号で示した。すなわち，

同一箇条内の場合　　　例：→Ⅰ 1 (1)(ア)
他の条文注釈の場合　　例：→§175 Ⅱ 1 (2)(イ)
他巻の条文注釈の場合　例：→第1巻§9 Ⅱ 3 (2)(イ)

編者紹介

潮見佳男（しおみ・よしお）　元京都大学大学院法学研究科教授

執筆者紹介（執筆順）

吉田克己（よしだ・かつみ）　北海道大学名誉教授・弁護士

冷水登紀代（しみず・ときよ）　中央大学法学部教授

川　淳一（かわ・じゅんいち）　成城大学法学部教授

幡野弘樹（はたの・ひろき）　立教大学法学部教授

本山　敦（もとやま・あつし）　立命館大学法学部教授

副田隆重（そえだ・たかしげ）　南山大学名誉教授

藤巻　梓（ふじまき・あずさ）　国士舘大学法学部教授

中川忠晃（なかがわ・ただあき）　岡山大学大学院社会文化科学研究科准教授

中島弘雅（なかじま・ひろまさ）　専修大学法学部教授・慶應義塾大学名誉教授

杉本和士（すぎもと・かずし）　法政大学法学部教授

山口亮子（やまぐち・りょうこ）　関西学院大学法学部教授

常岡史子（つねおか・ふみこ）　横浜国立大学大学院国際社会科学研究院教授

関根澄子（せきね・すみこ）　東京地方裁判所判事

第5編　相　　続

相 続 総 論

細　目　次

Ⅰ　相続法の基本的仕組み

人の法主体性は，自然人にかかわる場合にはその死亡によって消滅する。私有財産制の下では，人には所有権や債権債務を始めとする一連の権利義務が帰属している。人の死亡によって帰属点を失ったそれらの財産上の権利義務関係を，誰にどのように承継させるか。これを規律することが，相続法の基本的課題である。この総論では，西欧の主要な相続法との比較において，日本相続法の特徴がどのようなところに見いだされるのかを概説する。

最初に，相続の前提問題と根拠論および相続法に基づく財産承継の基本的仕組みに関する考え方の対立を整理しておく。

1　相続の前提問題と根拠論

⑴　相続をめぐる前提問題

相続に関する前提問題は，そもそも相続による財産承継を認めてよいかである。これが，歴史的には，相続をめぐる最も根本的な対立軸であった。

この論点をめぐる議論の一方の極には，相続否定論がある。相続否定論は，西欧諸国において社会主義的潮流を中心に強力に主張された。社会主義国ソ連では，一時期相続法が廃止されていた。しかし，私有財産制度の否定に帰着するこの主張は，現在ではほとんど力を失っている。この議論は，相続制度の存在を認めるということでは，決着がついている。

とはいえ，社会主義的観点とは別の観点から相続否定論に連なる議論を展開する見解は，現在でも有力に主張されている。たとえば，日本から例を挙げると，自己の身体や自由への権利から出発して私有財産権を正当化する「自己所有権テーゼ」を踏まえて，人が死後まで遺産の処分権を持つべきだと考える理由がないとして，相続も遺贈も否定的に評価する見解がある（森村進・財産権の理論〔1995〕111頁以下）。この見解が具体的に提示するのは，相続税の大幅引上げである（同書201頁以下）。ここに示されているように，相続制度に対する基本的評価が争われる問題領域は，現在では相続税の領域に移ってきている。

⑵　相続の根拠論

㈠　相続の根拠論の整理　　日本では，西欧諸国と異なり，相続否定論が強力に主張されることはなかった。今日に至るまで圧倒的に多数の論者は，相続制度を肯定的に評価する。とはいえ，その根拠づけ（相続の根拠論）には多様なものがある。それを大きく整理すると，次の2つの方向になる（同じまとめ方ではないが，学説を詳細に検討するものとして，伊藤昌司「相続の根拠」民法講座(7)341頁以下を参照）。

まず，被相続人の意思に相続の根拠を求める「意思説」がある。この見解は，被相続人の所有権に基づく処分の自由の帰結として遺言に第一義的重要性を認め，法定相続における相続人の範囲・順位とその相続分は，死者の意思の推測に基づくものと考える（川島118頁。我妻＝有泉226頁は，遺留分を除外した相続制度について同旨を語る）。意思説によれば，遺言相続が相続の本来のあり方であり，法定相続はそれを補完する制度である。

これに対して，被相続人の意思とは独立したいくつかの客観的要素に相続の根拠を求める見解が対峙する。指摘される客観的要素の代表的なものは，①もともと相続人に属していた潜在的持分の実現，②遺族の生活保障すなわち扶養の実践，③取引社会が要請する法律関係安定の確保（ここでは債務承継が念頭に置かれる。なお，債務承継まで視野に入れる場合には，相続を被相続人の意思に依拠して合理的に説明することは構造的に困難であるという指摘もある。窪田充見「相続という制度」法時89巻11号〔2017〕17頁）である（中川＝泉9-14頁は，これら3つのすべてを現代相続権の根拠とし，多元的に説明する）。④さらに，相続制度は，私有財産制度の下での「一国の富」の増殖と「民人の幸福」の増進を確保する制度であって，国家経済上大きな意味があるとする見解もある（柳川・註釈上1-2頁）。いわゆる公益説である。これらの見解は，遺言相続ではなく法定相続を相続の本来のあり方と捉える方向に親しむ。

(イ)　相続の根拠論と相続制度の制度設計・相続法の解釈　　これらの相続の根拠論は，個々の解釈に際しての指導原理として機能するようにも思われるし，相続制度の制度設計とその評価に関しても参照規準として用いられるようにも思われる。しかし，現実には，相続の根拠論は，法定相続と遺言相続の基本的位置づけの違いを除けば，そのような機能を十分に果たしてはいない。現在の相続の根拠論には，一定の価値的な指導原理を提示するというよりも，現実の相続制度の存在根拠を説明しそれを正当化するという性格が強いということである。

それでは，相続制度の設計と相続法解釈の参照規準としては，何が用いられるべきか。最高裁は，これに関連して，「相続制度を定めるに当たっては，それぞれの国の伝統，社会事情，国民感情なども考慮されなければならない。さらに，現在の相続制度は，家族というものをどのように考えるかということと密接に関係しているのであって，その国における婚姻ないし親子関係に対する規律，国民の意識等を離れてこれを定めることはできない」と説いている（最大決平25・9・4民集67巻6号1320頁）。ここでは，価値的な特定の指導原理というよりも，国民の意識を含めた社会的事実が制度設計の参照規準とされている。これらの諸要素は，相続法解釈の際にも，当然に参照されるべきである。

これに加えて，憲法上の諸原則が相続制度の制度設計に際して考慮されるべきことは当然である。現に，上記の大法廷決定は，憲法14条の平等原則に基づいて，婚内子と婚外子の相続分に差異を設けるという制度設計を違憲と判断した。憲法上の諸原則はさらに，解釈上の指導原理としても機能しうる。民法2条は，個人の尊厳と両性の本質的平等に即して，その点を具体化するものである。

2　当然包括承継主義と積極財産承継主義

先に示した相続法の基本的課題のうち，相続承継のプロセスをどのように組み立てるかについては，2つの対蹠的システムがある。当然包括承継主義と積極財産承継主義である。両者の違いは，相続承継の対象は人格か財産かという問題とも密接に関連する。

(1)　西欧法における当然包括承継主義と積極財産承継主義

当然包括承継主義とは，相続承継は，被相続人に属する全財産を対象として，被相続人の死亡によって当然に即座に生じるとする考え方である。古くはローマ法に由来する。ローマ法においては，相続人は死者の人格を承継するものと考えられ，相続の対象は財産に限ったものではなく，祭祀や友好関係，保護者関係も含まれるものと考えられていた（原田・史的素描167頁）。債務も承継され，相続人は無限責任を負うものとされた（原田・同書238頁）。その後，債務に関するこの厳格な責任は緩和され，相続放棄や限定承認が承認されてくる。この緩和された形での包括承継主義が，フランス法やドイツ法を典型とする大陸法系の諸国に受け継がれてくるのである。それは，緩和されているとはいえ，相続を人格承継と捉える考え方と親和的である。

これに対して，積極財産承継主義は，相続承継を基本的に積極財産の承継と捉える考え方である。包括的財産を観念することなく，財産を個別性・具体性において把握するゲルマン法の考え方に由来するものであり，これが，イングランド法を始めとするコモン・ロー系の諸国によって承継されることになる。ここでは，相続財産を被相続人の死亡によって直ちに相続人等に移転させるのではなく，その間に被相続人の財産関係を清算する機関（人格代表者 personal representative）を介在させ，その機関による債務等の法律関係の決済が行われた後に，積極財産のみが相続人に承継される。ここには，人格承継的な考え方は一切存在しない。

この2つのシステムは，考え方の点において大きく異なる。しかし，現実の適用における差異は，さほど大きなものではなくなってきていることが指摘されている。大陸法系の当然包括承継主義がコモン・ロー系の積極財産承継主義に接近しつつあるのである。ドイツ法においては，民法典に，相続債権者のイニシアティブに基づいて，遺産債務弁済のために遺産裁判所が遺産管理を命じるという制度が定められている（ド民1981条以下)。遺産裁判所がこの遺産管理命令を発すると，相続人は遺産の管理・処分権を失い，遺産管理人が遺産裁判所の監督の下で債務の弁済を行う（金子敬明「相続財産の重層性をめぐって(3)」法協120巻9号〔2003〕1770頁参照)。フランス法の場合には，相続のほとんどすべての場合に公証人が関与しており，その実務においては，遺産分割に先立って消極財産を弁済してしまうことが一般になされている（宮本誠子「フランス法における可分債務の相続と清算」金沢法学55巻2号〔2013〕232頁。フ民815-17条も参照)。

(2) 日本法の特徴

日本法は，フランス法などの大陸法と同様に，当然包括承継主義を採用している。それは，前述のように，人格承継の考え方と親和的である。しかし，現在では人格承継の考え方でこれを説明しようとする発想（たとえば，穂積I 14-15頁）は，まず見られなくなっている。一般には，相続承継は純粋の財産承継であることが強調される。

日本法は，この当然包括承継主義をフランス法から継受している。しかし，その運用においては，フランス法と大きく異なっている。フランスのように，公証人が相続承継に関与して遺産分割に先立って債務を弁済してしまうということがないのである。日本法は，当然包括承継主義をかなり純粋な形で保存している。しかし，それは，必ずしも積極的に評価しうるものではなく，たとえば相続債務者や相続債権者との関係あるいは遺産管理の局面において，さまざまな問題を惹き起こしている（金子敬明「相続財産論」吉田克己＝片山直也編・財の多様化と民法学〔2014〕727頁以下など参照）。

3 法定相続主義と遺言相続主義

相続法におけるもうひとつの基本的問題は，誰にどれだけどのように承継させるかを，どのように決めるかである。これについても，2つの対蹠的システムが存在する。法律で決める考え方（法定主義）と被相続人の意思で決める考え方（遺言主義）である。

(1) 相続人決定に関する遺言主義と法定主義

(ア) 西欧法における遺言主義と法定主義　まず，誰に相続承継させるかの決定を被相続人が行いうるかが問題になる。問題の焦点は，相続人の指定が認められるかである。ローマ法においては遺言相続が原則であったが，ローマ法の遺言の基本的目的は，相続人の指定であった。遺言の冒頭で相続人の指定を行うことが必要とされ，それを行わないで財産処分を遺言で定めても，そのような遺言は無効とされた。大陸法ではドイツ法がこの伝統を承継し，遺言による相続人の指定を認める（ド民1937条）。相続人が指定されると，法定相続は当然に排除される。

これに対して，ゲルマン法においては当初は遺言制度が知られておらず，遺言による相続人の指定も存在しなかった。フランス法がこの考え方を承継する。フランス古法においては，ローマ法の強い影響を受けた成文法地帯とゲルマン法の影響下にある慣習法地帯との対立があったが，結局，フランス民法典は，この点では慣習法地帯の伝統を採用し，遺言によって定めることができるのは，遺贈のみであって，相続人の指定を行うことはできないものとした（フ民1002条2項）。

(イ) 日本法とフランス法との比較　日本法は，法定主義に属し，遺言による相続人指定を認めていない。日本法は，その意味でフランス法の系譜に属する。ただし，包括受遺者の捉え方において，日本法とフランス法との間には違いがある。

フランス法においては，遺贈は，包括遺贈（相続財産全部の遺贈），包括名義遺贈（相続財産の一定割合での遺贈），特定遺贈（特定の財産の遺贈）の3種に分けられる（フ民1002条1項）。これに対して，日本法では，包括遺贈と特定遺贈の2種類であり（964条），フランス法の包括遺贈と包括名義遺贈が，日本法では包括遺贈に統合される。

日本法は，その上で，「包括受遺者は，相続人と同一の権利義務を有する」（990条）と規定する。判例および学説は，この規定に基づいて，包括受遺者を相続人に準じて扱う傾向にある。これは，包括遺贈を相続人指定に準じて考えることを意味する。フランス法においては，包括受遺者は，被相続人の権利義務を承継するから相続人と類似の法的地位に立つが，他に遺留分を有する相続人がいる場合には，法定占有（saisine. 伝統的には相続による人格承継を表現し，現在では遺産管理権限を中核的内容とするフランス相続法上の重要概念である。日本法には継受されていない）を当然には取得せず，法定占有付与手続を経ることが必要である。この点で，包括受遺者は，当然に法定占有を取得する相続人とは画然と区別される。また，包括名義の受遺者は，常に法定占有付与手続を経ることが必要である。判例および学説による日本相続法の理解は，相続人指定の可能性を被相続人に事実上認めるという点で，ドイツ法に近づいている。

(2)　財産承継のあり方に関する遺言主義と法定主義

(ア)　主要な相続法制における問題状況　　次に，どれだけ，どのように承継させるかという点に関して，最も遺言の自由を尊重するのは，イングランド法である。そこでは，遺留分制度は存在しない。また，生前贈与等の無償処分がある場合に相続人間の平等を確保するための調整法理（日本法の特別受益など）も，かつては存在したが，現在では廃止されている（大村監修・比較研究89頁〔金子敬明〕）。

相続人指定が認められる相続法（ドイツ法）の下では，この問題も，基本的には相続人指定に回収される。これも遺言主義である。指定から排除された一定の推定相続人には，義務分（遺留分）制度による保護がある。しかし，義務分は，共同相続人としての相続分の性格を持たない。他方，相続人指定が行われない場合には，以下の法定主義を採用する国と同じ問題状況になる。

相続人決定に関して法定主義を採用する場合でも（フランス法），財産承継のあり方を被相続人の意思によって決めることはもちろん可能である。遺贈は可能であり，生前贈与による被相続人の財産処分も当然に可能である。ただし，それらの自由については，一定の調整原理が存在する。遺留分によって被相続人の財産処分の自由と共同相続人間の相続権確保との間の調整が行われ，また，生前贈与については持戻しによる調整が行われる。

(イ)　日本法の特徴　　日本法においても，遺留分による調整が行われ，また，生前贈与（特別受益）がある場合には，相続における承継分の調整（フランスと同様に「持戻し」と呼ばれる）が行われる。これらの基本的考え方は，フランス法と共通する。しかし，その具体的内容，運用のあり方に関しては，日本法は，フランス法とは大きく異なり，独自の特徴を備えたものとなっている。詳細は後述する。

II　相続人と相続分

被相続人の権利義務を，誰が，どれだけ承継するか。これが相続人と相続分の問題である。相続人決定に関する法定主義の下では，これらの問題を法律が規律する。相続人決定に関して遺言主義が採用される場合でも（相続人指定制度の採用），遺言がない場合（無遺言相続）に備えて，これらの問題を法律が決めておく必要がある。以下では，相続人と相続分の法律による決定に関する主要な西欧法の立法例の考え方を概観する。

1　血族相続人

(1)　西欧法における血族の扱い

(ア)　ドイツ法は，典型的な親系主義（Parentelensystem）を採用している。すなわち，相続人指定がない場合には，血族は，次の順序で法定相続人の資格を与えられる（来栖三郎「相続順位」同・著作集Ⅲ家族法〔2004〕267頁以下，大村監修・比較研究6-8頁〔浦野由紀子〕）。①被相続人の直系卑属，②父母およびその直系卑属（被相続人の兄弟姉妹，おい，めいなど），③祖父母およびその直系卑属（被相続人のおじ，おば，いとこなど），④曾祖父母およびその直系卑属，⑤高祖父母以上無制限に遠親等の直系尊属およびその直系卑属。相続人の範囲がきわめて広いことが特徴的である。それへの批判や立法上の制限の試みも存在したが，現在に至るまでこの親系主義の考え方が維持されている。ただし，これらのうち，①，②および③のうちの祖父母までは被相続人に生存配偶者がいても相続権を認められるが，その他の血族は，生存配偶者がいれば相続権はない。

(イ)　イングランド法も，基本的には親系主義によっている。次の順序で無遺言相続受益者としての資格が与えられる（来栖・前掲論文268頁以下，大村監修・比較研究86-87頁〔金子〕)。①子（代襲を含む)，②両親，③全血の兄弟姉妹，④遠い親族，すなわち，半血の兄弟姉妹，祖父母，全血のおじ・おば，半血のおじ・おば。④に属する者は，被相続人に生存配偶者がいれば相続権はない。

(ウ)　フランス法においては，血族は，4つのクラスに類別され，次の順序で法定相続人の資格を与えられる（来栖・前掲論文269頁以下，大村監修・比較研究53-55頁〔幡野弘樹＝宮本誠子〕)。①直系卑属（子およびその卑属)，②父母（優先直系尊属）および兄弟姉妹とその卑属（優先傍系血族)，③父母以外の直系尊属（普通直系血族)，④兄弟姉妹およびその卑属以外の傍系血族（普通傍系血族)。後述の三系主義の修正であろうかと評価されている（来栖・前掲論文269頁)。相続人を直系卑属・直系尊属・傍系血族の3種に類別する三系主義の考え方を基礎としつつ，兄弟姉妹およびその卑属を祖父母より優先している点で親系主義の精神を取り入れているからである（新版注民(26)167頁〔島津一郎〕参照)。傍系血族については，もともとは12親等まで相続可能であったが，その後，6親等までに制限されている（1917年の改正による)。ドイツ法と比較すれば限定的であるが，それでも，日本法と比較すると相続人の範囲が広い。

(2)　日本法の特徴

血族は，次の順序で法定相続人の資格を与えられる。①子（代襲，再代襲あり。887条1項〜3項)，②直系尊属（父母，祖父母……。889条1項1号)，③兄弟姉妹（代襲あり，再代襲なし。889条1項2号・2項)。このように，血族相続人は，子（1962年改正前は直系卑属)・直系尊属・兄弟姉妹の順序で3グループに類別され，先順位のグループが後順位のグループを相続から排除するものとされる。この点で，日本民法は，三系主義を採用したと言われる（新版注民(26)166頁〔島津〕)。

親系主義との対比における三系主義の特徴は，祖父母の順位が兄弟姉妹よりも上位に来るところに求められる（新版注民(26)166頁〔島津〕)。そこには「家」制度の意識的ないし無意識的な影響があるのではないかと指摘されている（来栖・前掲論文275-276頁）。なお，日本法同様に三系主義を採るスペイン民法も，この点では同様の考え方である。

日本法の特徴としてはさらに，血族相続人の範囲が他の立法例と比較して限定的なことを指摘することができる。この点は，同様に三系主義を採用するスペイン民法との関係でも，日本法の特徴となっている。ここでも，「家」制度の影響が指摘されている（来栖・前掲論文274頁）。戦前の遺産相続においては，①直系卑属（代襲あり），②配偶者，③直系尊属，④戸主の順位であった（明民994条〜996条）。血族相続人の範囲はきわめて狭い（傍系血族は兄弟姉妹すら登場しない）。①〜③がいない場合には，④戸主が相続人として直ちに登場するところが特徴的である。ここに「家」の論理を見いだすことはたやすいことである。現行相続法は,「家」制度の廃止に伴って戸主を除外し，これに代えて兄弟姉妹を入れるだけの改正にとどめた。この結果，諸外国の立法と比較して，相続人の範囲が顕著に狭いということになったのである。

2　配偶者相続人

⑴　西欧法における配偶者の扱い

㈠　ドイツ法（大村監修・比較研究8-12頁〔浦野〕）においては，配偶者（同性パートナーシップ法に基づく同性パートナーを含む）は常に相続人となる。そして，所有権の相続を確保される。西欧法においては，用益権相続の伝統がある。そのような中で所有権相続が確保されていることは，ドイツ法の特徴として指摘することができる。なお，スイス法も，1984年の改正によって，それまでの用益権相続と所有権相続の併用を廃止して，所有権相続一本に改められた（新版注民(26)274頁〔中川良延〕）。

ドイツ法における生存配偶者の相続分は，①直系卑属と共同のときは遺産の4分の1，②父母およびその直系卑属と共同のときは遺産の2分の1，③祖父母およびその直系卑属と共同のときは場合が分けられ，祖父母と共同の場合には4分の3，その直系卑属との共同の場合には遺産の全部を配偶者が取得する。④曾祖父母以上の血族が相続すべき場合には，遺産の全部を配偶者が取得する。

なお，以上の原則に加えて，夫婦財産のあり方に応じた調整が用意されている。たとえば，法定夫婦財産制である付加利得共通制に服する夫婦については，配偶者の相続分を4分の1増加させるという形で調整が行われる。この結果，配偶者の相続分は，上記の①については2分の1に，②については4分の3になる。ドイツにおける生存配偶者の地位は，「かなり強力なものといえる」（新版注民(26)273頁〔中川〕）。

(イ)　イングランド法（大村監修・比較研究85-86頁〔金子〕）においては，生存配偶者は，債務弁済後の積極財産（ネットの遺産）から次の権利を得る（被相続人よりも28日以上長く生存することが必要）。①被相続人に子がいる場合には，ネットの遺産から被相続人の身の周りの動産および定額の金銭（現在は25万ポンド）を取得する。さらに，ネットの遺産からこれらを差し引いた残余の2分の1について終身収益権を取得する。これに対応する元本は，人格代表者を受託者とする制定法上の信託の形式で保有される。②被相続人に子はいないが一定範囲の親族がいる場合には，上記の扱いのうち，定額部分の額が異なってくる（現在のところ45万ポンド）。③上記2つのいずれにも当てはまらない場合には，ネットの遺産の全部を得る権利を有する。ここでは，用益権相続と所有権相続とが併用されている。

(ウ)　フランス法（大村監修・比較研究56-57頁〔幡野＝宮本〕）においては，伝統的には，用益権相続の考え方が支配的で，生存配偶者は，血族相続人（当初は12親等の傍系血族まで可能）がいない場合に初めて所有権相続を認められた。その後しだいに配偶者の相続法上の地位が高められてきた。現在では，直系卑属と共同して相続する場合には，すべての子が被相続人と生存配偶者との間に生まれているときは，財産全体に対する用益権か4分の1の所有権を選択することができる。その夫婦から生まれたのではない子が相続人として入っている場合には，4分の1の所有権相続だけが可能である。長期の用益権に伴う紛争を避ける趣旨から，用益権相続が否定されるのである。その他の血族相続人との競合の場合には，競合する血族相続人のカテゴリーに従って，生存配偶者の所有権レベルの権利は，2分の1，4分の3，そしてそのすべてを受け取るところまで増加させられる。用益権相続からしだいに所有権相続システムに移行してきているわけである。

(2)　日本法の特徴

(ア)　戦前の家督相続制度の下では，配偶者は，順位は低いが，単独相続である家督相続の相続資格を認められていた。すなわち，法定または指定の家督相続人がいない場合には，まず父，次いで母が家督相続人になり，父母がともにいない場合には，家女である配偶者，兄弟，姉妹，家女でない配偶者，そして兄弟姉妹の直系卑属という順序で，親族会による家督相続人選定の対象になったのである（明民982条）。他方で，共同相続である遺産相続においては，直系卑属がいない場合の法定相続人のうちの第1順位として位置づけられていた（明民996条）。いずれの場合においても，常に相続人になるわけではない。

(イ)　戦後の民法改正によって，配偶者は常に相続人となり（890条），相当に大きな割合の所有権レベルの相続権が認められるようになった。子とともに相続人になるという通常の場合には，当初は3分の1であったが，1980年改正後は2分の1になった（900条1号）。西欧諸国における相続法とりわけフランス法と比較すると，所有権相続における配偶者の位置づけが高くなっていることが日本法の特徴である。他方で，日本法にはそもそも用益権という利用権制度が継受されなかったので，用益権相続の考え方は採られていない。この点も，西欧法との比較における日本法の顕著な特徴として指摘しなければならない。

生存配偶者の所有権相続の意義は，夫婦財産制のあり方とも関連している。日本法においては，夫婦財産制において別産制が法定夫婦財産制とされている（755条・762条1項）。したがって，生存配偶者が他方配偶者の死亡による夫婦財産制の解消の場合に，共通財産から所有権レベルの配分を受けることはない。これに対して，フランス法においては，動産後得財産共通制が法定夫婦財産制として採用されているので，共通財産の半分は，生存配偶者に帰属し，残りの半分について相続承継が問題になる。フランス法においては，たしかに所有権相続レベルにおける配偶者の地位が低く抑えられてきた。しかし，日本法との差異は，夫婦財産制のあり方も考慮に入れれば，機能的にはそれほど大きくないとの評価も可能である。

(ウ)　2018年の相続法改正の立法過程においては，法律婚の配偶者保護の強化という観点から，配偶者相続分の見直し案も提示された。2つの案が提示されたが，たとえばそのうちの1つは，婚姻成立後一定期間（20年または30年）が経過した場合に，その夫婦の合意によって，または当然に，配偶者の法定相続分を引き上げるという提案を行っていた（中間試案第2・1乙案）。

しかし，中間試案を対象とするパブリック・コメントにおいては，配偶者相続分見直し案に対する反対意見が多数を占めた。反対意見は，配偶者相続分を現行以上に引き上げる立法事実に欠ける，相続に関する紛争が複雑化・長期化するおそれがあるなど，中間試案の考え方の基本的部分や制度設計に対して根本的な疑問を提示した（部会資料14・4-7頁参照）。このようにして，配偶者相続分の見直しは国民生活に与える影響がきわめて大きいところ，国民的なコンセンサスを得ることが困難な状況にあると判断されて，2018年改正から落とされた。代わって実現したのは，婚姻期間が20年以上の夫婦の一方である被相続人が，他の一方に対して，その居住の用に供する建物等について遺贈または贈与をしたときに，持戻し免除の意思表示を推定するという規定の新設である（903条4項）。2018年改正は，この点に関して，結局は微温的な改革に終わった。

このようにして，結局は，所有権相続における配偶者の地位の高さという日本相続法の特徴が強化されるということにはならなかった。

III　被相続人の意思と共同相続人間の利害調整

被相続人は，遺言によって自己の財産を完全に自由に処分することができるであろうか。また，生前の無償処分についてはどうであろうか。これが，被相続人の意思と共同相続人との間の利害調整にかかわる最も基本的な問題である。他方で，被相続人が共同相続人の１人または数人に対して生前に財産を無償で処分していた場合には，相続時の共同相続人間の平等はどのようにして確保されるであろうか。これもまた，被相続人の意思と共同相続人間の利害調整にかかわる問題である。日本法に即して言えば，前者が遺留分の問題であり，後者が特別受益の持戻しの問題である。

１　遺　留　分

(1)　遺留分に関する２つの考え方と日本法の位置

イングランド法などコモン・ローに属する法においては，遺言の自由が貫徹しており，遺留分によるその制約は存在しない。これに対して，大陸法系においては，遺留分による遺言の自由の制約が存在する。もっとも，遺言の自由の制約という点で共通しているとはいえ，大陸法の考え方は，２つの対蹠的なものに分かれる（五十嵐清「遺留分制度の比較法的研究」法協68巻5号，69

巻2号，3号〔1950-1951〕。また，高木多喜男・遺留分制度の研究〔1981〕73頁以下参照)。

第1は，ローマ法の考え方であり，これをドイツ法が承継している。ここでは遺言相続主義が採用されており，遺言または相続契約による相続人指定が可能である（ド民1937条・1941条)。これを前提として，遺留分は，相続人指定から外れた一定の近親者が指定相続人に対して債権的に請求しうる義務分（Pflichtteil）として構成される（ド民2303条以下)。

第2は，ゲルマン法の考え方であり，これをフランス法が承継している。ここでは法定相続主義が採用され，相続人指定は認められない（フ民967条・1002条2項)。遺留分は，相続人が相続による取得を保障される最低限の取得分（réserve）として構成される（フ民912条)。つまり，ここでの遺留分は，相続人に対して一定の相続権を確保することを目的とする。

日本の相続法は，第2の系列の遺留分制度を採用しており，大きく括ればフランス法の系譜に属する。しかし，その内容は，フランス法とは顕著に異なっている（両法制の差異を強調する文献として，西希代子「遺留分制度の再検討(1)～(10・完)」がある。同論文(1)法協123巻9号〔2006〕1750頁，同論文(10・完)法協125巻6号〔2008〕1328頁以下参照)。

(2)　遺留分制度における日仏比較

(ア)　日本法における遺留分の基本的考え方　　日本法においては，遺留分権者である相続人の個別的遺留分侵害の有無を個別的に判断する。すなわち，各相続人の個別的遺留分額（α）と，生前贈与を含めた相続プロセスにおいて各相続人が被相続人から承継する個別的純取分額（β）とを比較し，βがαを下回ると遺留分侵害があると考える。いわば「どれだけもらったかを問題にする遺留分」（松川正毅「遺留分減殺請求」論ジュリ10号〔2014〕126頁）である。そして，遺留分を侵害された各相続人が，侵害者に対して個別に遺留分減殺請求権を行使する。返還された現物または価額は，減殺請求権行使者に帰属し，相続財産から排除される。すなわち，その財産は，もはや遺産分割手続の対象にならない。なお，相続法の2018年改正は，遺留分減殺請求権の行使によって物権的効果が生じるという考え方を改め，遺留分侵害額に相当する金銭債権が生じるものとした（1046条1項)。請求権の名称も，「遺留分侵害額請求権」に改められた。しかし，遺産分割の対象から外れるという上記の考え方に変化はない。

(イ)　フランス法における遺留分制度の基本的考え方　　これに対して，フランス法においては，遺留分は，被相続人による過大な無償処分の効力を否定し，遺留分権者に一定の相続分（遺留分）を確保するために，分割すべき相続財産を再構成することを内容とする。そのために，おおむね次のような計算と操作が行われる（後述の持戻しも含めて，中川忠晃「遺留分・相続分算定に関する一試論」九大法学78号〔1999〕538-539頁，西・前掲論文(2)法協123巻10号〔2006〕1946頁以下も参照。ただし，本稿の理解は，これらの先行文献と必ずしも同じではない。本稿の理解に最も近いのは，松川正毅「遺留分と自由分」新実務大系Ⅳ 369頁以下である。また，同「フランス法における遺留分」水野編著250頁以下も参照）。

【設例】　理解の便宜から，具体例を想定しておこう。以下の設例は，Bernard Beignier et Sarah Torricelli-Chrifi, *Libéralités et successions*, LGDJ, 2015, pp. 447-455に挙げられている設例に依拠しながら，それを単純化したものである。

Aが2008年に死亡し，相続が開始した。相続人は，息子Bと娘C，娘Dの3人である。相続開始時のAの遺産は200,000ユーロ（以下，通貨単位は省略する）であり，葬儀費用および相続費用で7,000支出している。Aから相続人に対して，以下のような贈与がなされている。①1994年にCに対して小さなアパルトマンの贈与を公正証書で行った。相続分外（持戻し免除）である。当時の時価は65,000であったが，相続開始時には100,000に値上がりしていた。②1998年にDに45,000の現金を口座振込みの方法で贈与した。Dは，この金銭で不動産を購入し，その評価額は，相続開始時で60,000である。③2000年にAの姉のEに対して小切手で10,000を贈与した。④2001年にBに公正証書で家屋を贈与した。この公正証書には相続分の前渡しである旨が記され，贈与時の時価である45,000で持ち戻す旨が約されていた。ところが，この家屋は，Aの死亡時には85,000に値上がりしていた。それはさらに遺産分割時には100,000に値上がりしていた。

①遺留分額を算定するために基礎財産を算定する。そのために，現存財産から消極財産を控除してネットの積極財産を求め，これに過去の恵与の評価額を加算して（計算上だけの合算なので，擬制的合算 réunion fictive と呼ばれる），基礎財産額を求める。合算される恵与には，その種類の限定もなく（したがって，公正証書による贈与だけではなく，現実贈与も含まれる。もちろん，合算を主張する

者が恵与の存在を立証することは必要である），時間的な限定もない（したがって，古い恵与でも合算される）。恵与の評価は，贈与時の状態に従って，相続開始時の価額で行われる（以上，フ民922条2項）。

先の設例では以下のようになる。(i)ネットの積極財産：200,000－7,000＝193,000，(ii)擬制的に合算されるべき贈与（相続開始時の価額で評価）：C100,000，D60,000，E10,000，B85,000。合計255,000。(iii)基礎財産額：上記2つの項目の数値の合計で，448,000。

②これに遺留分率を乗じて，被相続人が自由に処分しうる自由分額と遺留分権者の全体に確保されるべき全体遺留分額が計算される。さらに，この全体遺留分額から，個別遺留分額が算出される。

設例では，相続人が子3人であるので，遺留分は4分の3である（フ民913条1項）。したがって，448,000の基礎財産額が次のように計算の上で分けられる。自由分（4分の1）：112,000，全体遺留分額（4分の3）：336,000，個別遺留分額：3人がそれぞれ112,000となる。

③その上で，遺留分侵害があるかないかを判断するために，恵与の充当が行われる。この充当が自由分に対してなされるか遺留分に対してなされるかが重要な問題である。相続人に対して相続分の前渡しとして相続分内でなされた恵与（持ち戻される恵与）は，個別遺留分に充当される。それを超える部分は，自由分に充当される。相続分外でなされた恵与は，自由分に充当される。非相続人に対してなされた恵与は，相続分内ということはありえないので，自由分に充当される。

充当の順序は，遺贈より贈与を先にし，贈与中では古いものを先にする（充当とは逆の遺留分減殺の順序を定めるフ民923条参照）。このようにして，もはや自由分への充当ができなくなった恵与が，遺留分を侵害しているとして，遺留分減殺請求の対象になる。

設例では，Cへの贈与が最も古く，次いでD・E・Bの順なので，この順序で充当する。①Cへの贈与：相続分外（持戻し免除）の贈与なので自由分に充当する。112,000－100,000＝12,000。この額が自由分の残額である。②Dへの贈与：相続分の前渡しとしての贈与なので，個別遺留分に充当する。その額は60,000なので，個別遺留分額の112,000を下回っている。それゆえ，自由分への充当は行われない。③Eへの贈与：Eは相続人ではないので当然に相続分外の贈与となり，自由分に充当される。自由分の残額が12,000であったので

（①の計算参照），ここからEへの贈与10,000を引くと，自由分が2,000残る。
④Bへの贈与：Bに贈与された家屋は，相続開始時に85,000に値上がりしていた。この価額が充当の対象になる。ところで，Bへの贈与には，贈与時の時価である45,000を持ち戻す旨の約定があったので，この部分は，相続分の前渡しとして，Bの個別遺留分112,000に充当される。超過していないので，自由分への充当は行われない。残額の40,000は，相続分外の贈与ということになり，自由分に充当される。自由分の残額は2,000であるから（③の計算参照），40,000はこれを超過する。すなわち，Bへの贈与は，遺留分を38,000侵害している。これが遺留分減殺請求の対象になる。

④遺留分を侵害する恵与は，相続財産に返還され，後述の持戻しの手続を経た上で，遺産分割の対象になる。この返還は，かつては現物でなされたが，現在では金銭で（減殺補償という形を採る）なされる。

設例においては，Bは，38,000の減殺補償を相続財産に対して支払うべきことになる。

このように，フランス法の下では，相続財産を自由分と遺留分に分けた上で，恵与をその性質に応じて自由分または遺留分に順番に充当していき，自由分が尽きたところから遺留分侵害ということになり，遺留分減殺が行われる。いわば「どれだけ処分しえたかを問題にする遺留分」（松川・前掲論ジュリ128頁）である。自由分は相続財産全体について観念され，それゆえ，遺留分侵害も相続財産全体との関係で観念される。遺留分減殺の効果も，相続財産全体について生じる。個別遺留分侵害という考え方は存在しない。個別遺留分は，遺留分を有する相続人への相続分内の恵与の受け皿となり，個別遺留分への充当が可能であるかぎり自由分に充当されないという計算上の機能を果たすにすぎない。

フランス法は，このように遺留分減殺制度を通じて相続開始時を基準時とする相続財産の再構成を行った上で，次に，持戻し制度を通じて遺産分割時を基準時とする相続財産の再構成を行い（→2⑴），それを対象として遺産分割を行う。遺留分減殺と持戻しとは，遺産分割を支える二大支柱である。遺留分制度が遺産分割とまったく切り離された形で機能している日本法との差異は大きい。

2　生前贈与（特別受益）の持戻し

それでは，生前贈与（特別受益）の持戻しについては，日本法とフランス法とでは，制度の共通性を見いだすことができるのであろうか。以下，この点を見ていくが，結論を先に述べれば，持戻しについても，日仏の差異は大きい。

(1)　フランス法の基本的仕組み

ここでは，まずフランス法における持戻し（rapport）の基本的考え方を確認することから始める。なお，日本法においては，生前贈与が一般的に持ち戻されるのではなく，「特別受益」と性格づけられる贈与に限定される（903条1項）。これに対して，フランス法においては，このような限定は存在しない（フ民843条1項）。したがって，「特別受益」という観念は存在しない。しかし，贈与は，要式行為であって原則として公正証書による必要があること（フ民931条），例外的に現実贈与の有効性が認められることはあるが，金銭については銀行口座への振込み・小切手等の形を取ることが要求されること（判例），哺育，養育，育成の費用，結婚式の費用や誕生日等の機会に提供される「慣例の贈り物」などは持戻しを免除されること（フ民852条）などを考慮すると，両法制の間には，現実にはそれほど大きな違いはないと言うべきであろう。

先に，遺留分侵害の判断に関する基本的仕組みを概観した。そこでは，各財産評価の基準時は相続開始時であった。そのようにして，第1段階の相続財産再構成が行われる。遺産分割を行うためには，次に，遺産分割時を基準時として，遺留分減殺請求による財産の回復，持戻しによる財産の回復を加えて，遺産分割の対象財産を再構成することになる。これが，第2段階の相続財産再構成である。

持戻しの目的は，相続人間の平等の確保である。相続時だけを見るのではなく，被相続人からの財産承継をプロセスとして捉えることによって，相続人間の実質的平等を確保しようというわけである。

被相続人による持戻し免除も可能であるから，この平等は，公序として確保されるほど強いものではない。とはいえ，持戻し免除には，もちろん遺留分による歯止めがある。前述のように，持戻しが免除された贈与は，自由分に充当される。このようにして自由分を使い尽くして遺留分に食い込んでいく場合には，その贈与は，遺留分減殺の対象になる。このような意味で，持戻し免除の自由が制約されるわけである。

持戻しが行われる形式としては，現物持戻しと価額持戻しとがある。フランス民法典の制定当初は，現物返還に重点が置かれていた（不動産については現物持戻しが原則であった。フ民旧859条）。しかし，しだいに価額持戻しが原則的考え方とされるようになっていく。この場合には，その価額をその者の相続分から控除するという方式，すなわち差引持戻しが原則とされる。

重要な点は，現物持戻しであれ価額持戻し（差引持戻し）であれ，恵与のすべてが持ち戻されることである。日本のような超過特別受益の返還免除という考え方はない。この結果，恵与が相続分の前渡しとして行われ持戻しの対象になるかぎり，恵与によって相続人間の価値的平等が害されるという事態が生じない。それらの恵与の意味は，現物返還を免れる場合に，その現物を被相続人の意思で処分の相手方に付与するところにのみある。

【設例】 先の設例を再び用いて，遺産分割の対象となる財産の再構成をどのように行うかを見ておこう。(i)分割されるべきネットの積極財産は，先に遺留分算定のために基礎財産を算出したときの計算と同じである。それゆえ，現存財産200,000から葬儀費用および相続費用の合計7,000を引いて，193,000となる。(ii)これに恵与の持戻しを行う。持戻しの対象になるのは，相続分の前渡しとされる恵与である。先の設例では，DとBが持戻しを行うことになる。原則は価額持戻しである。注意すべきは，持ち戻すべき価額は，遺産分割時を基準時として評価するので，遺留分算定の基礎財産算出の際の数字とは異なる可能性があることである。①Dについては，不動産の時価が相続開始時の60,000から遺産分割時には67,500に値上がりしているので，この値上がりした価額を持ち戻すことになる。②Bについてはやや複雑である。まず，先にBは，遺留分を38,000侵害しているとした。これが減殺の対象になる。しかし，これは相続開始時の評価なので，遺産分割時を基準時としてこの評価替えを行う必要がある。そうすると，相続開始時に85,000に値上がりしていた受贈財産が遺産分割時にはさらに100,000に値上がりしていたわけであるから，85,000に対応する38,000の侵害額は，100,000に対応して，44,706に評価替えされる。そして，これが減殺補償の額となる。他方で，AB間の贈与契約には45,000を持ち戻すべき旨が定められていた。したがって，Bは，この額を持ち戻すことになる。しかし，減殺補償と持戻しを二重に行う必要はなく，Bは，減殺補償を差し引いた294だけ持ち戻せばよい。あるいは，45,000を持ち戻せば，それを下回る減殺補償は支払う必要がなくなると言ってもよい。(iii)このようにして，先に示した分割されるべきネットの積極財産193,000に減殺補償(44,706)と恵与の持戻し(67,500＋294)を加えた305,500が分割財産になる。(iv)これを3分した101,833がCDBの取得分となる。日本で「一応の相続分」と称されるものに対応する。しかし，フランス法においてはこれは相続分ではない。(v)各相続人が「具体的取分 lot」として現実に配分を受けるのは，そこから減殺補償と持戻しを控除した額になる。具体的には，C：101,833，D：34,333（持戻しとして控除された額が67,500ある），B：56,833（減殺補償と持戻しとして控除された額が合計で45,000ある）である（これらの現実の配分額の合計が，先に示した分割されるべきネットの積極財産額193,000になる）。日本での「具体的相続分」に対応するが，フランス法におけるこの部分は，先の「一応の相続分」に対応する部分と同様に，相続分ではないことに，注意を要する。

(2) 日本法における特別受益

(ア) 超過特別受益の返還免除　　以上のようなフランス法の基本的仕組みと対比すると，日本法における特別受益制度の最大の特徴は，超過特別受益の返還が免除されている点にある（903条2項）。立法理由においては，この考え方を採用した理由として，返還を認めると，受贈者，受遺者に「意外ノ損害」を被らせる危険があること，容易に紛争を生じさせることが挙げられている（注民(25)173–174頁〔有地亨〕）。

この結果，共同相続人間の平等確保の理念がそれだけ後退する。また，このゆえに，持戻しが行われる場合でも，共同相続人間の遺留分侵害の問題が出てくる。超過特別受益の返還免除を認めず全額返還であれば，特別受益による遺留分侵害の問題は，生じる余地がない。

この考え方の背景には，特別受益に関する基本的位置づけの違いがある。フランス法においては，生前贈与等を返還して分割すべき相続財産を再構成し（「持戻し」という言葉はこの考え方に親しむ），それを法定相続分で分割するという考え方になる。ここでは，最終的な具体的取分の観念はあっても，具体的相続分という観念は存在しない。これに対して，日本法の下では，特別受益は，「相続分ノ定方ニ関スルモノ」と位置づけられている（奥田182頁。それがゆえにこの規定は「相続分」の節に置かれていると説かれる）。ここで行われるのは，具体的相続分の算定という形での相続分の修正である。修正された相続分は，割合ではなくて，金額で示される。「……控除した残額をもってその者の相続分とする」という日本民法903条1項の規定ぶりも，この位置づけを明瞭に表現している。したがって，それは，修正された法定相続分なのであって，法定相続分と同様に，明確に実体的権利義務を表現する相続分なのである（以上の理解に対して，日本民法903条1項は実はフランス民法と同様の考え方に立っており，したがって，解釈論としてもフランス法と同様の方向を志向しうると説く近時の論稿として，阿部裕介「具体的相続分と持戻し」法時89巻11号〔2017〕30頁以下がある）。

この考え方の下で，特別受益について行われるのは，相続開始時の相続財産への計算上の合算であって，対象財産の返還（持戻し）ではない。このような操作の特徴を表現するために，一般に用いられる「持戻し」ではなくて，「仮想の合算」という用語を用いるべきだという提言もある（伊藤284頁）。しかし，日本法における「持戻し」は，合算されてみなし相続財産を再構成するために行われるだけでなく，その分を法定相続分から控除して新たな相続分（具体的相続分）を算定するためにも行われる。「持戻し」という用語は，このような調整プロセスの全体を指すためにも用いられるのである。そのような日本法の考え方を示すためには，たとえば「合算とそれを通じた法定相続分の修正」というような説明的用語のほうが正確であろう。しかし，本稿においては，便宜上，従来の用語法を踏襲している。

日本法の以上のような考え方からすれば，超過特別受益の返還は，そもそも問題となる余地がない。特別受益が法定相続分の価額を超えるときであっても，行われるのは相続分の修正であって，マイナスの相続分を観念することができない以上，相続分をゼロとする以上の措置を講じることはできないからである。ドイツ法と異なり（超過特別受益の返還免除を明記している。ド民2056条），日本民法が超過特別受益の返還を免除する旨を明示しなかったのは，そのような考え方に由来するものと捉えることができる。

(イ)　時価評価の基準時　　日本では，個々の特別受益は，相続開始時の状態を基準として（904条参照），相続開始時の価額で評価される（相続開始時説。判例通説）。これに対して，フランス法においては，贈与時の状態に従って遺産分割時の価額で評価される（遺産分割時説。フ民860条1項）。日本法における持戻しは相続分の修正のために行われるのに対して，フランス法のそれは遺産分割の対象財産の再構成のために行われる。この違いが，基準時の違いにも現れているものと考えられる。

(ウ)　2021年相続法改正　　2021年の相続法改正は，特別受益および寄与分の規定は，相続開始から10年を経過した後にする遺産分割については，適用しないものとした（904条の3）。この改正の動因のひとつは所有者不明土地問題への対処であり，そのために，遺産分割を促進することが要請された。遺産分割促進策のひとつとして導入されたのが，この規律である。具体的相続分が法定相続分や指定相続分を超える相続人についてその主張の期間制限を設けることによって，遺産分割をその期間内に行う動機づけを与えようとする趣旨である。この結果，具体的相続分に基づく遺産分割という日本相続法の特徴的規律が適用される局面はそれだけ縮減され，法定相続分による遺産分割がそれだけ増大する。それは，その限りでフランス相続法の下での遺産分割に接近したように見えないでもない。しかし，ここでの法定相続分による遺産分割は，分割される遺産の再構成を伴わないものであって，フランス法の遺産分割の考え方とは，似て非なるものである。相続人間の平等を重視するフランス遺産分割法からは，かえって遠ざかることになっている。

IV　遺産共有・遺産管理・遺産分割

1　遺産の帰属関係

(1)　当然包括承継主義と積極財産承継主義

先に，相続承継のプロセスをどのように組み立てるかについて，当然包括承継主義と積極財産承継主義との2つの対蹠的な仕組みがある旨を述べた。この基本的な仕組みに応じて，遺産帰属関係のあり方が大きく異なってくる。

(ア)　積極財産承継主義を採用するイングランド法は，前述のように，遺産の管理・清算機関である人格代表者に遺産を包括的に移転させ，人格代表者の下で被相続人の債務を弁済して遺産の清算を行うという仕組みを採用している。人格代表者の選任は，遺言（裁判所の認可が必要）または裁判所によって行われる。ここでは，遺産が人格代表者にすべて帰属するから，共同相続人間の遺産共有という考え方が存在しない。共同相続人は，人格代表者の下での遺産清算手続が終了してなお積極財産が残っている場合に初めて，遺言相続の法または無遺言相続の法に従って，遺産中の積極財産を取得する。

(イ)　これに対して，大陸法系の諸国が採用する当然包括承継主義の下では，遺産は，相続開始によって相続人に当然に包括承継される。そこで，相続人が複数いる場合には，相続財産の帰属形態は，共同相続人の共同所有ということになる。ただし，そのあり方は，国によって異なっている。

(2)　遺産の共同所有に関する2つの考え方と日本法の位置

大陸法の当然包括承継主義の下で生じる遺産の共同所有関係については，ローマ法的共有構成とゲルマン法的合有構成という対蹠的な2つの仕組みがある。

(ア)　ドイツ法は，多少緩和された形態でゲルマン法的合有構成を採用する（来栖三郎「共同相続財産に就いて」同・著作集Ⅲ家族法〔2004〕201頁以下，有地亨「共同相続関係の法的構造(1)」民商50巻6号〔1964〕842頁以下など参照）。合有一般の原則に従えば，合有財産全体に対する持分を処分することも，個々の構成財産に対する持分を処分することも認められない。ドイツ法において，組合財産や夫婦財産の合有についてはこの原則がそのまま適用される。しかし，遺産の合有に関しては，この原則が緩和され，共同相続人は，遺産全体に対する持分（相続分）を処分することができるものとされる（ド民2033条1項）。とはいえ，遺産を構成する個々の目的物については，共同相続人は，その持分を処分することができない（ド民2033条2項）。個々の目的物は，共同相続人が全員で共同してのみ処分することができる（ド民2040条1項）。この点に，遺産の合有構成の特徴が現れている。

この合有関係の最終的な目的は，遺産を共同相続人間で分割して合有関係を終了させることであるが，その前に，相続債務を弁済すべきことが定められている（ド民2046条1項）。弁済後に残った残余財産が，相続分の割合に応じた遺産分割の対象になる（ド民2047条1項）。

(イ)　これに対して，ローマ法的共有構成を承継したとされるのが，フランス法である。ここでは，共同相続人は，相続開始とともに当然に共有関係に入る。各共同相続人は，遺産全体についての持分であれ，個々の構成財産に対する持分であれ，自由に譲渡することができる。譲渡の相手方は，他の共同相続人であってもよいし，共同相続人以外の第三者であってもよい。ただし，後者の場合には，他の共同相続人に先買権が認められていることに注意を要する（フ民815-14条～815-16条）。家族によって構成される遺産共有関係と遺産分割関係に部外者が入ってくることに伴う混乱を避けるために，旧制期から認められている制度である。このように，持分処分の自由は完全ではない。

また，債権者との関係では遺産と相続人の財産とが直ちに混合しない扱いとなっていることにも注意を要する。相続人債権者は，遺産に対する執行を認められず，他方で，相続債権者は，遺産に対する執行を認められ，相続人債権者に優先して遺産分割前に遺産から債権の回収を図ることができるのである（フ民815-17条）。

このように，ローマ法的共有構成を承継しているとはいえ，フランス法の下では，日本の学説が合有説によって達成しようとしたところに近い結果が，法改正などによって実現している（小粥太郎「遺産共有法の解釈」論ジュリ10号〔2014〕115頁）。

(ウ)　日本法は，フランス法と同様にローマ法的共有構成の系譜に属する（898条）。日本民法の起草者は，遺産共有は，物権法上の共有と性質において異なるところはないと考えていた。判例もこれと同様に，古くから一貫して共有説を採用している（その旨を明確に説く戦後の判例として，最判昭30・5・31民集9巻6号793頁がある）。学説上は合有説が主張されることもあったが，一般化することはなかった。

そのようにして，日本法の下では，遺産全体についての持分であれ，個々の構成財産に対する持分であれ，当然に自由に譲渡することができるものと考えられている。民法の戦後の改正では，909条ただし書が新設され，個別財産の持分譲渡が遺産分割によって覆ることがないよう措置が講じられた。個別財産持分譲渡の自由を強化する性格の改正であり，この場合に他の共同相続人に先買権が認められるフランス法とは反対方向での立法の展開である。他方で，民法905条の相続分取戻権は，フランスの先買権と同一の機能を果たすが（フランス古法の解決を取り入れたものとされる。原田・史的素描225頁），取戻し対象になるのは，相続分譲渡だけであって，個別財産の持分譲渡にはこの取戻権の適用はない（類推適用も否定される。最判昭53・7・13判時908号41頁）。

日本法の下では，フランス法とは異なり，相続債権者が遺産から優先的に弁済を受けることができる制度は設けられていない。財産分離（第1種財産分離。941条以下）の制度は存在するが，家庭裁判所の審判によるという重い手続になっているということもあってか（この考え方は，フランス法とは異なる。ローマ法起源のようである。原田・史的素描251頁），ほとんど利用されていない。

要するに，同じローマ法的共有構成を採用しているとは言っても，日本法における具体的解決は，共有の理念型にかなり近いものになっている。その結果，現在では合有的解決をかなり取り入れているフランス法とは，相当な違いが生じるに至っている。

2　遺産管理

(1)　積極財産承継主義と当然包括承継主義

積極財産承継主義を採用するイングランド法の下では，遺産分割までの遺産管理は，遺産分割までの遺産の帰属主体である人格代表者に委ねられる。

これに対して，大陸法の当然包括承継主義の下では，相続人が複数存在する場合には，遺産分割までの遺産の管理に当たるべきなのは，まずもって共同相続人である。特に問題となるのは，単純承認後遺産分割までの遺産管理である。遺産分割までの期間が短期であれば，この管理に大きな問題はないであろう。しかし，現実には，この期間が長期にわたることも少なくない。法律関係の明確化が要請される所以である。フランス法と日本法は，ローマ法的共有という同じ法的構成を採用しているが，この点でもかなりの差異が存在していた。2021年の相続法改正は，この差異をある程度縮小させた。

(2)　遺産管理に関する日仏比較

(ア)　遺産管理人の選任　　まず，2021年相続法改正前の問題状況に関する日仏比較を行っておく。

日本法の下で，単純承認後遺産分割までの期間について，共同相続人のうちの1人または第三者を遺産管理人として選任し，その者に遺産管理を委ねることはもちろん可能である。ただし，この選任には，共同相続人全員の同意を要する。共同相続人間の協議がまとまらない場合に備えて，共同相続人には，家庭裁判所に管理人の選任を請求する可能性が与えられていることが望ましい。しかし，日本法では，そのような可能性が認められていなかった（なお，放棄か単純承認かが未定の熟慮期間中については，相続人を含む利害関係人の請求によって家庭裁判所が管理人選任を含む「相続財産の保存に必要な処分」を命じることが認められていた。令3改正前918条2項)。「法の欠缺」が指摘されていた所以である。

フランス法の現在の状況はこれと異なる。まず，共同相続人の全員一致に基づく遺産管理人の選任は当然に可能である。管理人は，共同相続人の1人でもよいし，第三者でもよい（フ民813条)。他方で，これが従前の日本法との差異であるが，共同相続人の1人や債権者の請求に基づく裁判上の管理人選任の可能性が広く認められている（フ民813-1条)。さらに重要な点は，2006年の法改正によって死後委任の制度が認められたことである（フ民812条以下)。この制度によって，被相続人は，自己の死後の遺産管理のあり方を自らの意思で決めることができるようになった。日本法に見られたような「法の欠缺」はここには存在しない。

(イ)　遺産の共同管理　　単独で遺産を管理する管理人の選任がない場合には，共同相続人が遺産を共同管理することになる。これは，日本法でもフランス法でも同じである（ドイツ法でも同じである。ド民2038条1項)。日本法においては，この場合の意思決定は，物権法上の共有に関する民法249条以下の規定によって処理される。すなわち，①保存行為，②管理行為，③処分行為の別に応じた規律が適用され，①は単独実施可能，②は持分の価格に応じた過半数での決定，③全員一致が必要とされる。それ以上の規律は，置かれていなかった。

これに対して，フランス法の下では，管理に関する意思決定は，共有（indivision）法理に基づいて行われる（フ民815-2条以下)。ここでの伝統的考え方は，全員一致であった。すなわち，保存行為は別として，管理行為であれ処分行為であれ，権利者全員の合意が必要とされていた。この点では，管理行為に関して多数決を導入した日本民法のほうが，柔軟化の点で先行した。しかし，フランス法においても，2006年の法改正によって，この点の柔軟化が大きく進展している。管理行為について3分の2の多数決で決定することが認められたほか，一定の種類の処分行為についても，同様に3分の2の多数決による決定が認められたのである（フ民815-3条)。

フランス法の下ではさらに，これらの原則を補完する種々の措置が定められている。共同相続人の1人が意思を表明しえない状態にある場合に裁判所が他の共同相続人に代理権を付与する制度（フ民815-4条）や，ある共同相続人の拒絶によって「共通の利益」が危殆に瀕するような場合に，裁判所が他の共同相続人に単独で法律行為を行える権限を付与する制度（フ民815-5条）などである。また，共同相続人の1人が保存行為を行う場合に，遺産からその費用を支出しうる旨の規定も設けられている（フ民815-2条2項）。

遺産管理に関しては，日本法とフランス法とで考え方が大きく異なるわけではない。しかし，民法による規律の密度は，相当に異なっていたと言わなければならない。

(ウ)　2021年相続法改正・物権法改正　　2021年の相続法改正は，従来の制度を拡充して，相続人が数人ある場合における遺産分割前の相続財産の管理に関する一般的な財産管理制度を創設した。すなわち，家庭裁判所は，利害関係人または検察官の請求によって，いつでも，相続財産の保存に必要な処分を命ずることができる（897条の2）。必要な処分の典型は，相続財産管理人の選任である。従来のように，熟慮期間中に限定されない措置である。このようにして，先に指摘した「法の欠缺」が克服される。

これまで，単純承認以降は，相続人が確定した権利を取得していることから，相続財産の管理は，相続人が行うべきものとされていた。今回の改正は，そのような基本的考え方を変更した。その正当化の根拠としては，適正な管理による相続財産の価値の維持は，相続人の利益にもなることが指摘された。パターナリズムの論理による正当化である。また，そのようにして相続債権者の利益を確保しうることも挙げられた。しかし，正当化の論理として重要なのは，相続財産中の不動産などが管理不全によって荒廃するような事態を，適切な管理によって回避することである。所有者不明土地問題と管理不全土地問題への対応は，日本の法政策全体の課題であるが，相続法にとっても，対応を迫られる重要課題である。

2021年の物権法改正もまた，主要には，所有者不明土地問題と管理不全土地問題への対応を図るものであった。そこでは，次のような改正が実現した。①共有物を使用する共有者がいる場合のルールが明確化される（249条2項・3項，252条1項後段・3項）。②管理行為の範囲が拡大され，軽微変更も含められることとされた（251条1項括弧書）。③所在等不明共有者がいる場合の共有物の変更・管理に関して，その決定ルールの合理化が図られた（251条2項，252条2項1号）。④賛否不明共有者がいる場合の管理に関して，その決定ルールの合理化が図られた（252条2項2号）。これらの規定は，遺産管理についても適用されるので，遺産管理に関する規律の密度は，高まることになる。

3　遺産分割

遺産分割に関する日本法の特徴は，遺産分割が軽視されているというところに尽きる。その特徴は，少なくない財産が遺産から逸出し，遺産分割の対象から外れるというところに現れている。フランス法と比較しつつ，2つの側面からその点を確認しておく。

⑴　遺産分割対象財産再構成の否定

㋐　遺留分侵害の場合の扱い　すでにその仕組みを見たように，フランス法においては，遺留分を侵害する恵与は，遺産に返還され，遺産分割の対象になる。すなわち，遺留分減殺請求権は，分割対象財産の再構成を目的としている。共同相続人が減殺請求権行使に伴う返還義務者になる場合には，遺産からの取り分の減額という形で決済され，実際の返還はなされない。しかし，遺産分割の枠内で処理されるという枠組みは，維持されている。

これに対して，日本法においては，遺留分侵害額請求権行使によって支払請求の対象になる財産は，遺産再構成の対象にならない。それは，請求権行使者の財産に入って，遺産分割から排除される。遺留分制度と遺産分割制度は分断されて，連携を確保されないのである。

㋑　持戻しの扱い　持戻しに関しても基本的考え方は同様である。フランス法においては，遺留分減殺請求権の行使によって相続財産が再構成された後に，今度は共同相続人の平等を確保するために，恵与の持戻しによる遺産再構成が行われる。現在では，現物持戻しを原則とする考え方は変更され，価額持戻し，より具体的にはその価額を相続人の相続分から控除する差引持戻しが原則とされるようになっている。しかし，それでも，返還によって遺産が再構成され，遺産分割の対象になるという考え方は維持されている。

これに対して，日本法は，生前贈与中の特別受益を計算上遺産に合算し，その計算に基づいて相続分を修正するという考え方を採る。遺産への返還ではないので，遺産の再構成はなされない。その結果，特別受益は，持戻しの対象になったとしても，遺産分割の対象からは外れる。

⑵　遺産分割対象財産からの逸出

さらに，日本法においては，遺留分減殺請求権および特別受益の持戻しによる遺産の再構成が否定されるだけではなく，少なくない財産が相続開始を契機に積極的に遺産から逸出して，遺産分割の対象から外れる。

(ア) 可分債権　まず指摘されるのは，金銭債権を典型とする可分債権が当然分割されて各相続人に帰属することである（古くからの判例である。戦後のものとして，最判昭29・4・8民集8巻4号819頁など。ただし，共同相続人間の合意がある場合には，例外的に可分債権も遺産分割の対象とすることが認められる）。この当然分割の考え方を支えてきたのは，債権債務に複数の主体がある場合における分割主義の原則である（427条）。

フランス民法典においても同様の規定がある（フ民1220条）。しかし，フランスにおいては，債務については当然分割の原則が適用されるが，相続財産に属する債権については，同条の存在にもかかわらず，遺産分割の対象になることが古くから肯定されていた。可分債権に関するこの扱いは現在でも一貫しており，日本でとりわけ問題となる預貯金債権についても，フランスにおいては，遺産分割の対象になることで問題がない。

可分債権当然分割の考え方に対しては，とりわけ預貯金債権に関して銀行実務の根強い抵抗があり，学説の強い批判もある。判例も，近時，普通預貯金債権について当然分割を否定して遺産分割の対象になることを認めた（最大決平28・12・19民集70巻8号2121頁）。定期預金債権および定期積金債権についても同様である（最判平29・4・6判タ1437号67頁）。2018年の相続法改正の立法過程においては，可分債権についてより一般的に遺産分割の対象にする方向での案も提示された（中間試案第2・2）。しかし，この方向は結局断念されたので，この点における日本法の特徴は，部分的にはなお残ることになった。

(イ) 「相続させる」旨の遺言　公証実務の中から生み出されてきた「相続させる」旨の遺言は，現在では，自筆証書遺言を含めて広く用いられている。その法的性質については議論があったが，判例は，それを遺産分割方法の指定（908条）と解しつつ，それが遺産分割の効果を有することを認めた（最判平3・4・19民集45巻4号477頁）。その結果，この遺言がなされる場合にも，その目的財産が遺産分割手続から逸出することになる。また，全遺産がこの遺言の対象になる場合には，遺産分割手続は行われない。たしかに，従来から存在する遺言処分である遺贈の場合にも，目的財産は遺産から逸出することになる。しかし，「相続させる」旨の遺言のほうが，遺贈的なものに限定されない多様な形の処分を受け入れることができるので，実際の相続において大きな影響を及ぼすであろう。

「相続させる」旨の遺言における遺産分割効果説は，フランスの遺言分割（testament-partage）を参考にしたものと言われている。たしかに，フランスの遺言分割は，遺言の指定によって遺産分割手続を代替するものである。しかし，それは，遺産分割の効果を持つことに伴う厳格な要件に服している（当初は相続人の全員を対象にすることが必要であったことなど）。相続人間に価値的な不平等をもたらすことも，想定されていなかった。また，この制度は，贈与分割（donation-partage）とは異なり，実際には稀にしか利用されていないという。日仏のこれら2つの制度は，似て非なるものというべきであろう。

(ウ)　遺産の持分譲渡　　日本法においては，相続財産に含まれる個々の構成財産の持分譲渡は，前述のように自由である。そして，この譲渡がなされると，当該持分は，遺産分割の対象財産から逸出するものとされ，その結果，当該持分に基づく分割手続は共有物分割であって，遺産分割ではないとされる（最判昭50・11・7民集29巻10号1525頁など。残余持分部分はなお遺産分割の対象とされる）。ここでも遺産分割対象財産が容易に縮減する。

フランス法においても，個々の構成財産の持分譲渡は自由である。しかし，共同相続人以外の第三者への譲渡がなされる場合には，他の共同相続人に先買権が認められる。先買権が行使されない場合には，フランス法では，遺産分割と共有物分割を別の手続にするという発想がないから，持分を取得した第三者は，当然に遺産分割手続に参加することになる。共同相続人の先買権は，そのような事態を回避したい相続人のための権利として位置づけられているのである。なお，遺産分割によって当該財産が他の相続人に分与される場合には，遺産分割の遡及効（フ民883条）によって，持分譲受人の権利取得は，結局否定される。ともあれ，フランス法は，個別財産の持分譲渡によって当該持分が遺産分割手続から逸出するという事態とは無縁である。

V　相続のインフラストラクチャー

相続は，多数の関係者の利害が錯綜する複雑な法分野である。特別受益など生前の財産承継プロセスをも対象に広義の相続承継を考える場合には，複雑性はさらに増す。相続法の課題は，そのような複雑なプロセスを，当事者間の利害の公平な調整を図りつつ遂行していくことである。それは，法律専門家や公的機関の援助なしには困難だと言わなければならない。相続におけるインフラストラクチャー整備の必要性は大きい。

1 西欧相続法システムの概観

(1) 大陸法のシステム

(ア) 相続プロセスにおいて法律専門家が顕著な役割を果たしているのは，フランスである。ここでは，相続の全プロセスにおいて，公証人の果たす役割が大きい。フランスの公証人は，量的にも充実しており，2021年末の時点で1万6747人を数える。

公証人の中心的職務は公正証書の作成であるが，フランス法上，贈与契約は要式行為であり，原則として公正証書によって行わないかぎり無効となる（フ民931条）。生前贈与がある場合には，相続の処理に必ず公証人が関与すべきものとされている。このようにして，遺産分割時の持戻し等の実効性が確保される。

公証人はまた，相続に際して，被相続人の家族状況・資産状況を明らかにし，相続税の申告書を作成し，遺産分割まで遺産を管理し，持戻しや遺留分減殺の処理も含めて分割すべきネットの遺産を確定してそれを各相続人等に配分するという重要な役割を果たしている（大村監修・比較研究73-74頁〔幡野弘樹＝宮本誠子〕参照。また，金子敬明「相続財産の重層性をめぐって(5)」法協121巻6号〔2004〕744頁以下も参照）。

(イ) ドイツにおいても，公証人は量的に充実しており，やや古いが2003年の数値を挙げると，ドイツ全体で1万24人の公証人が登録されている（専業公証人が1654人，弁護士公証人が8370人）。ドイツの場合には，公証人業務の中心は土地の売買契約に関する公正証書の作成で，相続についてフランスほど深く関与しているわけではないようである。とはいえ，公正証書遺言と相続契約（ドイツではこれが許容されている）には，公証人の関与が不可欠である。そして，公証人の使命は当事者の真意を証書中に再現することであるとされ，日本とは異なり，公証人に厳格な教示義務が課せられている。そのため，公正証書の内容上の信頼性は，きわめて高い（以上の全体について，日弁連消費者問題対策委員会・ドイツ公証人制度調査報告書〔2004年3月〕参照)。

ドイツではまた，遺産裁判所が相続関係の処理に重要な役割を果たす。相続債務がある場合について，遺産裁判所が遺産管理命令を発して債務の清算を行うことは前述した。遺産裁判所はまた，相続人の申立てに基づいて，相続証書を付与する（ド民2353条以下。この制度については，金子・前掲論文(4)法協120巻11号〔2003〕2179頁以下参照)。この証書は，相続人にとって各種手続の円滑な実施のために，また相続財産についての取引安全を保護するために，重要な役割を果たす。

(2)　コモン・ローのシステム

イングランド法においては，先に述べたように，人格代表者による被相続人の財産関係の清算が行われた後に，積極財産のみが相続人に承継される。人格代表者の選任は，遺言または裁判所によって行われる（誰がどのような手続によって選任されるかの詳細については，川淳一「英国における相続財産管理(1)」法学54巻3号〔1990〕148-161頁参照)。イングランドの法システムにおいては，大陸法におけるような文書の公証を主たる任務とする法律専門家（公証人）は存在しない。それに代わって登場するのが，ソリシタ（事務弁護士）である。人格代表者については，法律専門家であることは要求されていないから，素人が人格代表者を務めることもありうる。しかし，ソリシタがその役を務めることは少なくないし，それが推奨されてもいる（金子敬明「相続財産論」吉田克己＝片山直也編・財の多様化と民法学〔2014〕753-754頁)。

2　日本の状況とその問題点

(1)　相続と法律専門家

日本の状況は，以上の西欧法システムと比較して見劣りがする。日本の公証人は，独仏と比して量的に大きな差があるし（公証人定員規則で定められた定数は2018年の改正時点で678であるが，実数はそれより少なく，2017年の数値で496名である)，相続に関しては，公正証書遺言の作成にかかわる以上には関与していない。相続プロセス全体にその関与を拡大しようとしても，現在の公証人数では，それは困難であろう。また，公正証書遺言の内容に関して，当事者の真正な意思を反映した証書作成という観点から問題性を指摘されることもある。

他方で，司法書士は，不動産登記や商業登記を中心的職務とする法律専門家であり，簡裁代理権の付与も可能である。近時は成年後見業務などにも積極的に取り組んでいる。相続に関しても，相続登記を担当するほか，遺産分割の協議や調停に際して本人支援に取り組むこともある。しかし，フランス公証人の活動の域には達していない。弁護士も，相続に関して紛争発生前に中立的に関与する態勢にはなっていない。なによりも，公証人は，公共的観点から公平中立に活動するよう位置づけられているのに対して，司法書士や弁護士は，基本的には依頼者の権利利益の擁護をその使命とするという点に違いがある。そのため，司法書士や弁護士には，全相続人から依頼を受けて相続の公平な処理に当たろうとしても，利益相反行為になってしまうという問題がある。

(2)　相続と家庭裁判所

家庭裁判所が遺産分割を中心として相続プロセスに積極的に関与する可能性はどうであろうか。通常裁判所とは別に家事事件に当たる特別の裁判所が存在することは，日本の特徴であり，メリットでもある。家庭裁判所は，遺産分割の調停・審判において，相続人や遺産の範囲を確定し，遺産を評価し，特別受益や寄与分の主張を整理した上で遺産の公平な分割を実現するために大きな役割を果たしている。しかし，現実の相続の多くは，調停手続を利用することなく処理されている。また，現在の家庭裁判所が擁する人的資源は乏しく，遺産分割の調停・審判を超えて相続プロセスに積極的に関与すること（たとえばドイツのような相続証書の発行）がどれだけ可能かは，不透明である。

日本の相続法運用の歪みにかかわる問題もある。ひとつには，前述のように，相続プロセスの集約点であるべき遺産分割の役割が大きく縮減されてしまっていることである。遺産分割の対象から，さまざまな財産が容易に逸出してしまうのである。もうひとつには，相互に連関し合っている一体の手続が家庭裁判所と地方裁判所との間で分断されてしまっているという問題がある。たとえば，遺産分割の前提となる財産の帰属に争いがある場合には，地方裁判所で遺産確認の訴えが必要になる。また，遺留分侵害額請求権（従前の遺留分減殺請求権）にかかわる紛争が地方裁判所の管轄とされていることも指摘しうる（これらの問題点について，水野紀子「日本相続法の形成と課題」同編著17-19頁参照）。これらは，家庭裁判所の関与の実効性を大きく減殺する。

(3) 所有者不明土地問題への対応と法律専門家

すでに触れたように，2021 年の相続法改正を主導した動因は，所有者不明土地問題への対応の要請であった。この要請に応えるために，遺産分割の促進にせよ，義務化による相続登記の促進にせよ，相続プロセスを支える法律専門家が果たすべき役割は大きい。しかし，2021 年の法改正がこの点に関する配慮を十分に行ったとは言いがたい。

このように，日本の相続法システムにとって，インフラストラクチャー整備という観点から見て克服すべき課題は多い。

〔吉田克己〕

2021 年（令和 3 年）不動産登記法改正と相続制度

細　目　次

I　不動産登記制度の改正

(ア)　2021 年（令和 3 年）に，物権法・相続法に関する民法改正とともに，不動産登記法についても大きな改正が行われた（同年 4 月 28 日公布の「民法等の一部を改正する法律」〔令和 3 年法律 24 号〕。以下，単に「2021 年改正法」とする）。この改正は，所有者不明土地問題に対して対処策を講じることを重要な立法事実としている。民法・不動産登記法改正に向けた法務大臣から法制審議会への諮問第 107 号（2019 年 2 月 14 日）においても，その旨が明示されている。このように政策的観点を前面に出して不動産登記法の改正が行われることは，これまでにはなかった。

この改正によって，不動産の権利関係の変更に関する情報を登記記録に反映させるという不動産登記の機能が強化されることになった。この改正はまた，一定の登記原因について，共同申請ではなく，単独申請の可能性を認めた。登記手続を簡略化して不動産登記を促進することを狙いとする。この改正はさらに，不動産登記情報を社会に提供するという不動産登記の機能についても，その強化を図っている。

(イ)　2021年改正法はまた，ドメスティック・ヴァイオレンス（DV）被害者等保護の観点から，その住所情報の公開を制限する性格の措置をも講じている。すでに運用上はそのような取扱いがなされていたが（これについては，吉田克己「不動産登記と個人情報・プライバシー」ジュリ1502号〔2017〕40頁以下参照），それを法制上の措置とするものである。個人情報保護の一環である。(ア)で示した改正とは，逆方向の理念に基づく。今回の改正において大きな部分を占めるものではないが，理念的には重要なものを含んでいる。

(ウ)　ここでは，相続制度との関係という観点から2021年改正法を採り上げる。この観点から重要な意味を持つのは，(ア)の系列の改正である。これが2021年改正法の主要部分を占める。なお，この中には，(イ)に示される個人情報保護の観点に基づく措置も含まれている。

II　権利関係変更の登記への反映

1　概　　要

2021年改正法は，権利関係に変更があった場合に，それを登記に反映させるための種々の措置を講じた。ここでの最重要の改正は，相続登記申請の義務化である（→2）。この改正の重要性は，前出の諮問第107号において，「相続等による所有者不明土地の発生を予防するための仕組み」のひとつとして，「相続登記の申請を土地所有者に義務付けること」の検討が明示的に要請されていたことにも示されている。それ以外にも，登記名義人の氏名および住所変更に関する変更登記の義務化や（→3），登記官による職権登記の制度（→4）が新たに設けられている。

2　相続登記申請の義務化

(1)　制度創設の背景

2021年改正法への動因であった所有者不明土地問題発生の原因のひとつに，相続未登記問題があった。相続が開始されても相続登記がなされず，放置されているという問題である。相続未登記問題に対処するために，まずもって講じられたのは，相続登記へのインセンティブ喚起策である。法定相続情報証明制度の創設（2017年不登則改正。新37条の3・247条。→前注（§§886-895）IV），中間省略の相続登記の許容（平29・3・30法務省民二第237号通知），相続に係る所有権の移転登記等の登録免許税の免税（2018年租特改正。新84条の2の3〔2025年3月31日までの時限装置〕）などである。また，2018年民法（相続法）改正によって，法定相続分を超える権利の承継について対抗要件が要求されることになった（新899条の2第1項）ことも，相続登記の法的意味を高め，相続登記へのインセンティブの喚起につながる性格の改正であった。

以上のようなインセンティブ喚起というソフトな措置に加えて，相続登記を義務化すべきだという議論も，所有者不明土地問題への対応をめぐる議論の初期から提示されていた。この措置への積極論は，一般に，所有者不明土地問題への対応のためには，相続登記を義務化することが必要だという議論を展開した。要するに，必要性の論理に基づく正当化である。これに対して，消極論も有力であり，そこでは，本来対抗要件である登記を義務化しうるかという理論的問題点と，登記を義務化しても実効性が欠如するのではないかという政策的問題点が指摘された。

今回の改正作業に向けての法制審議会の審議やパブリック・コメントにおいても，根強い消極論が存在した。しかし，結局，所有者不明土地問題への対応には相続登記申請の義務化が必要だという必要性の論理がまさって，この点に関わる改正が実現した。また，積極論においては，2020年の土地基本法改正によって，土地所有者には適正な管理の責務があるとの規定（6条1項）が入ったことも，相続登記申請義務化の根拠として援用された。

(2)　制 度 内 容

2021年改正法は，次のような内容の制度を新設した。

(ア)「所有権の登記名義人について相続の開始があったときは，当該相続により所有権を取得した者は，自己のために相続の開始があったことを知り，かつ，当該所有権を取得したことを知った日から3年以内に，所有権の移転の登記を申請しなければならない」（不登新76条の2第1項前段）。特定財産承継遺言（いわゆる「相続させる」旨の遺言）によって所有権を取得する場合も，相続による所有権取得に含まれる（村松＝大谷編・Q&A 264頁）。

相続登記を履行すべき3年の期間の始期は，単に自らが相続人となる相続が開始したことを知るだけではなく，具体的に不動産を取得したことを知った日である。したがって，抽象的に相続財産中に不動産があるらしいことは被相続人から聞かされて知っていたが，具体的な地番等までは把握していないようなケースは，この要件を満たしておらず，相続登記申請義務は生じないと解される（村松＝大谷編・Q&A 267頁）。

(イ)「〔不登法76条の2第1項の〕規定による申請をすべき義務がある者が正当な理由がないのにその申請を怠ったときは，10万円以下の過料に処する」（不登新164条1項）。

「正当な理由」が認められる場合の例として，立案担当者は次のようなケースを挙げている。①数次相続が発生して相続人が極めて多数に上り，戸籍謄本等の必要な資料の収集や他の相続人の把握に多くの時間を要するケース，②遺言の有効性や遺産の範囲等が争われているケース，③登記の申請義務がある者自身に重病等の事情があるケース，④登記申請義務を負う者がいわゆるDV被害者等であり，その生命・身体に危害が及ぶ状態にあって避難を余儀なくされているケース（村松＝大谷編・Q&A 298頁）。

(ウ)　これらの規律は，相続人が遺贈によって所有権を取得する場合にも適用される（不登新76条の2第1項後段・164条1項）。

(3)　相続登記申請義務化の理論的根拠

(ア)　伝統的には，登記の本来的機能である対抗力確保という私的利益の実現については，私的イニシアティブにまかせる（私的自治）という発想が採られてきた（登記における申請主義。不登16条）。この発想は正当であって，相続登記申請の義務化を正当化するためには，相続登記に，私的利益の実現に加えて何らかの公共的意義を求めるほかないであろう。

そうすると，相続登記が権利関係を公示して社会に対する情報提供を行う点に公共的意義を見出して，それを根拠に義務化を正当化するということになる（村松＝大谷編・Q&A 260頁も参照）。相続登記の意義を，対抗要件としての機能と権利関係の公示による社会的情報提供手段としての機能という形で，二元的に把握するわけである。

(イ)　私人に公共的意味を持つ行動を義務づけることは，不可能ではない。現に，登記について言えば，表示登記の申請は，義務的である（新たに生じた土地について不登36条，土地の滅失について同法42条，新築建物について同法47条1項，建物滅失について同法57条など。罰則として同法164条）。表示登記によって法律関係の客体である不動産の現況を正確に公示することには公共的意味のあることが，このような措置の前提となっている。この意味で，今回の改正は，権利登記の一部を表示登記化するものと評価することもできる。

しかし，当然のことながら，このような義務づけはあくまで例外であって，その範囲についても，その内容についても，過度にわたらないように注意する必要がある（日弁連WG編294頁〔姫野博昭〕参照）。相続登記の申請は，提出書類の煩雑さからしても，その義務の履行は簡単ではない。この点で，より簡易な手続で相続登記申請義務の履行に代替しうるものとして創設された相続人申告登記の制度が注目される。

(4)　相続人申告登記

(ア)　制度内容　　相続登記申請の義務を負う者は，「登記官に対し，所有権の登記名義人について相続が開始した旨及び自らが当該所有権の登記名義人の相続人であることを申し出ることができる」（不登新76条の3第1項）。これを「相続人申告登記」という。この申出をした者は，相続による「所有権の移転の登記を申請する義務を履行したものとみなす」（同条2項）。登記官は，この申出があった場合には，職権で，申出を行った法定相続人の氏名および住所を所有権の登記に付記することができる（同条3項）。これによって，住所・氏名だけが登記され，持分については登記されない新たな登記が創設される。この登記は，所有権の登記名義人に相続が発生したことおよび当該登記名義人の相続人である蓋然性のある者を報告的に公示する趣旨のものである（民不登中間試案補足説明180頁参照）。

(イ)　制度の趣旨と機能

①　このように，相続人申告登記は，義務的な相続登記申請の代替手段となる。相続登記申請の義務化に対する消極的意見にも配慮した，この義務の緩和措置と位置づけることができる。立案担当者の説明によれば，相続人申

告登記は，「相続人が当該申請義務を簡易に履行することができるようにする観点から」設けられたものである（村松＝大谷編・Q&A 261 頁）。

②　相続人申告登記の手続は，相続登記の申請と比較して，簡易である。そのような簡易な手続によって相続登記の申請義務の履行に代えることができるのであるから，実際には，この相続人申告登記が主要に用いられるようになると予想される（七戸・新旧対照解説 177–178 頁）。

⑸　遺産分割成立時の追加的な登記申請義務

㋐　追加的申請義務の内容

①　相続による権利移転は，最終的には遺産分割によって確保される。したがって，相続開始後に相続登記を行っても，それだけで相続に伴う権利移転関係の最終的な変更が登記に反映されるわけではない。そこで 2021 年改正法は，相続登記後に遺産分割があったときは，「当該遺産の分割によって当該相続分を超えて所有権を取得した者は，当該遺産の分割の日から 3 年以内に，所有権の移転の登記を申請しなければならない」ものとした（不登新 76 条の 2 第 2 項）。この義務は，相続登記申請義務に追加して課されるものなので，「追加的申請義務」と呼ばれている（村松＝大谷編・Q&A 279 頁）。

②　この義務を正当な理由なしに怠ったときは，相続登記申請義務違反の場合と同様に，10 万円以下の過料に処される（不登新 164 条 1 項）。

㋑　追加的申請義務の範囲

①　この追加的申請義務が課されるのは，法定相続分に基づく相続登記が行われていた場合に限定される（不登新 76 条の 2 第 2 項括弧書）。相続分の指定も含めて遺言内容に従った登記がなされていた場合には，追加的申請義務は課されない。この義務が過料の制裁を伴うものであることを考慮した措置だと説明されている（村松＝大谷編・Q&A 280 頁）。

②　相続人申告登記が行われることによって相続登記申請義務を履行したものとみなされている者も，その後の遺産分割によって所有権を取得したときは，追加的申請義務を課される（不登新 76 条の 3 第 4 項）。相続人申告登記においては，法定相続分での相続登記とは異なり，相続による権利移転はまったく公示されていないため，上記の者が法定相続分を超えて所有権を取得したかどうかにかかわらず，遺産分割の結果を踏まえた所有権移転の登記を申請する義務が課される（村松＝大谷編・Q&A 280 頁）。

3　氏名・住所に関する変更登記申請の義務化

(ア)　権利関係の変更を登記に反映させるために，氏名・住所に関する変更登記の申請が義務化されている。すなわち，所有権の登記名義人の氏名や住所について変更があったときは，当該所有権の登記名義人は，その変更があった日から2年以内に，それらの変更の登記を申請しなければならない（不登新76条の5）。正当な理由がないのにこの申請を怠ったときは，5万円以下の過料に処するものとされている（同新164条2項）。相続登記申請義務のいわばミニ・ヴァージョンである。

(イ)　この義務づけについても，相続登記申請の義務化と同様に，パブリック・コメントなどで意見が分かれたが，最終的には法改正に至った。住所等の変更登記がされていないことは，所有者不明土地問題の原因として，相続登記がされていないことに次いで大きな割合を占めている，都市部の人口集中地区においては，むしろ相続登記がされていないことよりも大きな原因であるという事実認識（民不登部会資料38・38頁参照）が，立法の背景にある。

4　登記名義人の死亡情報の公示等

(1)　死亡情報等の職権での符号による公示

(ア)　登記官は，所有権の登記名義人が権利能力を有しないこととなったと認めるべき場合には（典型的には自然人の死亡），職権で，当該所有権の登記名義人についてその旨を示す符号を表示することができる（不登新76条の4）。

(イ)　改正前の実務では，特定の不動産の所有権の登記名義人が死亡しても，その相続人等の申請に基づいて相続登記がされない限り，当該登記名義人が死亡した事実を登記記録から読み取ることはできない。この読取りが可能になれば，公共事業や民間の土地開発事業の計画化の際に有益な情報となる。そのような配慮に基づく制度である（民不登部会資料38・8-9頁参照）。

この制度は，死亡情報を記録するだけのもので，これがなされたからと言って，相続登記申請義務が解除されるものではない。

(2)　氏名・住所変更の職権での変更登記

(ア)　登記官は，所有権の登記名義人の氏名や住所について変更があったと認めるべき場合には，職権で，氏名や住所について変更の登記をすることができる。ただし，当該所有権の登記名義人が自然人であるときは，その申出があるときに限る（不登新76条の6）。この登記が実行されると，3で述べた氏名・住所に関する変更登記申請の義務は，履行済みとなる。

(イ)　この改正は，所有者不明土地問題対応の観点から，所有権の登記名義人の氏名や住所についての変更情報を登記記録に反映させることが重要であるという理解に立った立法措置である。しかし，プライバシーおよび個人情報の保護の重要性に鑑みれば，登記官が所有権の登記名義人の住所等が変更されたという情報を取得したとしても，これを直ちに登記記録上に公示することは必ずしも妥当ではない。そこで，自然人については，本人の申出があることを要件としたものである（民不登部会資料38・45頁）。

(3)　他の公的機関からの死亡情報等の取得

以上の措置の前提であるが，登記所が他の公的機関から所有権の登記名義人の死亡情報や氏名または名称および住所の変更情報を取得するために，次のような仕組みを設けることが予定されている（民不登要綱第2部第3「登記所が他の公的機関から所有権の登記名義人の死亡情報や氏名又は名称及び住所の変更情報を取得するための仕組み」参照）。

(ア)　自然人である登記名義人は，登記官に対して，氏名および住所の情報に加えて，生年月日等の情報（検索用情報）を提供する。検索用情報は，登記記録上に公示せず，登記所で保有するデータとして扱う。

(イ)　登記官は，氏名・住所および検索用情報を検索キーとして，住民基本台帳ネットワークシステムに定期的に照会を行うなどして，死亡情報や氏名や住所の変更情報を把握する（不登新151条参照）。これらによって死亡情報や氏名や住所の変更情報を把握した場合に，上記(1)や(2)の措置を講じることになるわけである。なお，検討の過程においては，マイナンバー制度に基づく情報連携という考え方も提起されたが，この方向は困難であるとして，結局，断念された（民不登部会資料53・25-26頁）。

5　施行期日

(ア)　2021年改正法の施行期日は，原則的には，公布の日（2021年4月28日）から起算して2年を超えない範囲内において政令で定める日である（2021年改正法附則1条柱書）。この施行期日は，令和3年政令332号によって，2023年4月1日と定められた。

(イ)　2021年改正法のうち，相続登記申請の義務化や相続人申告登記（→上記2）に関する規定の施行期日は，公布の日から起算して3年を超えない範囲内において政令で定める日である（2021年改正法附則1条2号）。(ア)の原則よりも施行期日が遅くされているのは，不動産登記情報システムの改修やこれに伴う具体的な手続規律等について政省令等の整備を行う必要があるからである（村松＝大谷編・Q&A 386頁）。この施行期日は，上掲の政令332号によって，2024年4月1日と定められた。

(ウ)　2021年改正法のうち，氏名・住所変更の場合における変更登記申請の義務化（→上記3），登記名義人の死亡情報等の符号による公示等（→上記4）に関する規定の施行期日は，公布の日から起算して5年を超えない範囲内において（すなわち2026年4月27日までの範囲で）政令で定める日である（2021年改正法附則1条3号）。これを具体的に定める政令は，いまだ制定されていない。(ア)および(イ)よりも施行期日が遅くされているのは，これらの措置は，他の公的機関とのシステム連携等を前提にしているところ，この前提を整えるためには，情報連携や検索機能の実装のためのシステム改修を行うといった大規模なシステム改修等が必要となり，その準備等のために相応の期間を要するからである（村松＝大谷編・Q&A 386頁）。

Ⅲ　登記手続の簡略化――単独申請の許容

1　概　　要

(ア)　権利登記の申請は，原則として，登記権利者および登記義務者が共同してしなければならない（不登60条）。登記官が実質的審査権を持たない日本の登記制度の下では，登記によって利益を受ける登記権利者の単独申請を認めるならば，虚偽の申請に基づいて虚偽の登記が実行される危険がある。そこで，不利益を受ける登記義務者との共同申請によって，申請の真正を担保し，虚偽の登記出現を防止しようとしているわけである。

しかし，相続登記は，登記権利者が単独で申請することができる（不登63条2項）。相続登記の場合には，登記義務者が死亡しているので，共同申請を行うことができない。相続人を登記義務者の地位に立たせようとしても，相続人は登記権利者であるので，うまく制度を仕組むことができない。包括承継である相続承継の登記を共同申請で行うのは，本来的に適切ではないのである。他方で，他の共同相続人が存在する場合には，他の相続人との関係においては，法定相続分に従った相続登記の申請は，保存行為と性格づけられるから，共同相続人の１人が単独で申請することができる。

(イ)　2021年改正前の扱いを確認しておくと，相続に関連していても，遺贈に基づく所有権移転の登記は，共同申請で行われる。遺贈の相手方が共同相続人の１人である場合でも同様である。遺贈が意思表示に基づく物権変動である以上，共同申請の原則を外すべきではないからである。しかし，登記義務者が死亡しているという点では，上記の相続登記と変わりはない。そこで，共同申請のために登記義務者の地位に立つ者が必要になってくる。これを行う義務を負う者を「遺贈義務者」という（潮見602頁)。遺贈義務者は，共同相続人である。さらに，遺言執行者も，遺贈義務者に当たるものと解されている。このようにして，遺贈に基づく所有権移転の登記は，登記権利者である受遺者と登記義務者の地位に立つ共同相続人または遺言執行者との共同申請によって行われる。

法定相続分による相続登記が行われている不動産について，その後，権利関係が変動したり（遺産分割の成立)，登記とは異なる権利関係であることが判明したりするような場合（たとえば特定財産承継遺言があったことが判明する場合）にも，権利関係と合致させるための登記は，共同申請によって行うべきものとされている。

(ウ)　2021年改正法は，相続に関連して共同申請が必要であるこれらのケースのうち一定のものについて，例外的に，単独申請の可能性を認めた。手続を簡略化して登記を促進することを目的とする。

2　遺贈に関する例外の許容

(ア)　2021年改正法によって，相続人に対する遺贈による所有権の移転の登記は，共同申請の原則（不登60条）にもかかわらず，登記権利者が単独で申請することができるものとされた（同新63条3項)。

従前から，特定財産承継遺言による不動産所有権の取得は，「相続」によるものであるから，単独申請が可能であるとされてきた。その真正性は，登記原因証明情報として遺言書が提供されることによって担保される。相続人に対する遺贈は，機能的には特定財産承継遺言と類似の性格を有する。また，遺贈による不動産所有権の移転の際にも，登記原因証明情報として遺言書が提供される。したがって，遺贈による所有権移転の真正性も，特定財産承継遺言と同程度に担保されている。

加えて，2021年改正法は，遺贈による所有権移転についても，前述のように登記申請義務を課している。その申請を促進し，所有者不明土地の発生を予防する観点からも，登記手続の簡略化を図ることが有益である。

以上の点が，相続人に対する遺贈による所有権移転について，登記権利者（受遺者）よる単独申請を可能にした理由として挙げられている（村松＝大谷編・Q&A 303頁）。

(イ) 単独申請が可能とされる遺贈は，相続人に対するものに限定される。この「相続人」には，先順位の相続人の放棄によって相続人となった者や，代襲によって相続人となった者も含まれるが，相続人以外の包括受遺者は含まれない（民不登部会資料26・6–7頁）。

相続人以外の第三者に対する遺贈については，これを特定財産承継遺言と同視することができない。そこで，この遺贈は，不登法新63条3項の例外からは除外されるものとされている（同項括弧書）。これについては，従前と同様に，共同申請に基づいて所有権移転登記を行うことが必要である。この扱いの根拠としては，次の点も挙げられている。すなわち，相続人以外の第三者に対する遺贈においても，登記原因証明情報として遺言書等が提供されることは，相続人が受遺者である場合と同様である。しかし，被相続人の財産であった不動産の所有権移転の登記が相続人の関与なくされることを認めると，相続人が受遺者である場合とは異なり，遺贈の真正性に疑義のある事案が生じてしまう懸念を払拭することができない（民不登中間試案補足説明184頁）。なお，この理由づけの説得力には疑義があると評されている（潮見390頁）。

(ウ) 特定財産承継遺言との機能的類似性を強調する場合には，不動産を対象とする所有権以外の権利移転の登記についても，単独申請をみとめてよいという議論もありうるはずである。しかし，単独申請の例外は，特定財産承継遺言との機能的類似性だけではなく，相続登記申請の義務化と併せて，所有者不明土地問題の解決を図るという観点から，手続の簡略化を認めるものであるから，その対象は，所有権移転の登記に限るものとされた（民不登部会資料53・9頁）。

(エ) 単独申請は，それも可能ということであって，遺贈による所有権移転の登記を，登記権利者と登記義務者の共同申請によって行うことが排除されるわけではない（村松＝大谷編・Q&A 304頁）。

3　法定相続分での相続登記がなされている場合における例外の許容

(1)　法定相続分での相続登記後の遺産分割

(ア)　これまでの不動産登記実務においては，被相続人X名義の不動産について共同相続人AおよびB名義での法定相続分による相続登記がなされ，その後，Aが単独で当該不動産を所有する旨の遺産分割が成立する場合には，BからAへの持分の移転登記をAおよびBが共同で申請することが必要であった。今回の法改正に伴う法務省の方針では，この場合にも，後記(2)における扱いと同様に更正登記によることができるものとした上で，登記権利者であるAが単独で当該更正登記の申請をできることとするものとされている（「民法等の一部を改正する法律の施行に伴う不動産登記事務の取扱いについて」令5・3・28法務省民二第538号通達第3の1(1)一）。

(イ)　更正登記によらず，従前通りに所有権の移転登記によることが排除されるわけではない。移転登記による場合にも，単独申請によることが可能である。しかし，このようにすると，更正登記による場合と比べて登録免許税額に差異が生じる（村松＝大谷編・Q&A 338頁）。実務上は，更正登記がもっぱら用いられることになろう。

(2)　法定相続分での相続登記後に相続放棄があった場合等

(ア)　被相続人X名義の不動産について共同相続人AおよびB名義での法定相続分による相続登記がなされ，その後，Bが相続放棄をしたとする。当該不動産は，結局，Aの単独所有になる。これまでの不動産登記実務においては，Aの単独所有とする更正登記をAおよびBが共同で申請しなければならなかった。今回の法改正に伴う法務省の方針では，登記権利者Aは，単独でこの更正登記を申請することができるようになる（前掲通達第3の1(1)二）。

(イ)　上記(ア)と同じケースにおいて法定相続分での相続登記後に，Aが単独で当該不動産を所有する旨の特定財産承継遺言やそのようなAへの遺贈を定める遺言が発見されたとする。この場合にも，従前の扱いにおいては，錯誤を原因とする変更登記をAとBとが共同で申請することが必要であったが，今後は，登記権利者Aの単独申請が認められるようになる（前掲通達第3の1(1)三および四)。

これらの場合には，特定財産承継遺言の受益相続人ではない相続人（上記のB）あるいは当該不動産の受遺者ではない相続人（上記のB）が当該遺言の効力を争うという事態も想定される。そこで，そのような機会を確保するために，登記官は，法定相続分での登記によって公示されているBに対して，当該単独申請があった時点で，その旨の通知を行うことが想定されている（村松＝大谷編・Q&A 338頁。なお，その後，令和5年3月20日法務省令6号によって不動産登記規則183条に4項が追加され，登記官の上記通知義務が定められた）。

IV　登記情報の社会への提供

1　概　　観

(ア)　登記記録を不動産に関する情報提供の手段として用いるとすれば，情報を収集してそれを登記記録に反映するだけではなく，社会に登記情報を提供することが重要である。登記記録はもちろん公開されており，誰でも，登記官に対して，手数料を納付して，登記事項証明書の交付を請求することができる（不登119条1項)。登記事項証明書は，法務局で直接に取得することができるほか，オンラインでも取得することができる。

(イ)　2021年改正法は，そのような一般的可能性に加えて，次の諸制度を設けて，登記の情報提供機能の強化を図った。なお，そこでは，個人情報保護の観点にも配慮がなされている。

2　附属書類の閲覧制度の見直し

(1)　改正前の扱い

登記簿の附属書類の写しの交付および閲覧に関する改正前の扱いを確認しておくと，次のようである。

(ア)　登記簿の附属書類のうち政令で定める図面（土地所在図，地積測量図，建物図面および各階平面図等。不登令21条1項）については，登記事項と同様に，誰でも，登記官に対して，手数料を納付して，その全部または一部の写しなどの交付を請求することができる（不登121条1項)。閲覧請求も可能である（同条2項本文)。

(イ)　これに対して，政令で定める図面以外の附属書類については，写し等の交付請求は認められない。その閲覧請求は可能であるが，請求人が利害関係を有する部分に限定されていた（不登121条2項ただし書）。

⑵　**改正の問題意識とその内容**

㋐　改正の問題意識　　所有者不明土地問題との関係で考えると，登記記録を見ても直ちに所有者またはその所在が判明しない場合等には，附属書類を閲覧して所有者探索のための端緒を見つけることが考えられる。他方で，附属書類として保存されているものの中には，個人情報として保護されるべき情報が含まれ得ることからすれば，安易に閲覧が認められることは問題である（民不登中間試案補足説明215頁）。

㋑　改正の内容　　このような両面の配慮を踏まえて，政令で定める図面以外の附属書類の閲覧（上記⑴㋑）に関して，次のような改正が実現した。

①　閲覧請求に関する原則として，何人も，正当な理由があるときは，政令で定める図面以外の附属書類の閲覧を請求することができるとの準則を導入する（不登新121条3項）。

一方で閲覧請求を認めつつ，他方で個人情報保護の観点から，「正当な理由」を求めることによって閲覧請求権の限定が図られるわけである（具体的にどのような理由が想定されているかについては，村松＝大谷編・Q&A 330–331頁参照）。改正前には，請求人が「利害関係を有する部分」という形で限定を図っていたが，この運用が柔軟に流れる傾向があったこと，そのような弊害を避けつつ，他方で過度に厳格になることは避ける必要があることから，「正当な理由」という文言が選ばれたものである（民不登中間試案補足説明217頁）。この文言の下で，単に閲覧することに理由があるという請求人側の事情だけでなく，これに加えて，個々の附属書類に含まれる情報の重要度なども考慮して，総合的に閲覧請求の可否が判断されることになる（村松＝大谷編・Q&A 328頁）。

②　自己を申請人とする登記記録に係る附属書類については，正当な理由を問題とされることなく，閲覧請求が認められる（不登新121条4項）。自己が登記の申請人となっている登記に関しては，附属書類として保存されている書類を閲覧に供したとしても，個人情報保護の趣旨に反するものではないということである（村松＝大谷編・Q&A 328頁）。

上記②の改正については，改正前の扱いにおいても，本人の閲覧請求については利害関係が当然に肯定されていたから，改正によって閲覧の可能性が拡大したというわけではない。①の改正については，閲覧要件の厳格化が図られていると見てよい。ここでは，個人情報保護の観点が，以前よりも前面に出ている。

3　所有不動産記録証明制度の創設

(1)　制度創設の問題意識

2021年改正法においてはさらに，所有不動産記録証明制度が創設された。その問題意識は，次のようなものである。

(ア)　登記記録は，いわゆる物的編成主義を採用しているために，被相続人がどのような不動産を所有しているかを相続人が調査するところから相続手続を始めなければならないことがあり，煩雑である。相続人が被相続人の所有不動産を把握しきれず，見逃された不動産が放置されるという事態も少なからず生じている。そして，これが相続未登記問題の原因にもなってきた。

「そこで，相続登記の手続的負担を軽減して相続登記の促進を図り，所有者不明土地問題の発生を抑制するなどの観点から，所有権の登記名義人について相続が開始した場合のその相続人は，被相続人が所有権の登記名義人である不動産の一覧を知ることができるものとする新たな制度を創設することが考えられる」（以上について，民不登中間試案補足説明190–191頁）。いわゆる「名寄せ」である。

(イ)　併せて，自己が所有権の登記名義人である不動産についても，この制度の対象にする。自己が所有権の登記名義人として記録されている不動産を一覧的に把握するニーズは，幅広く存在すると考えられるからである。具体的には，将来の相続発生に備えて遺言を用意するために不動産の把握を行いたいといったケースや，全国に点在する自社の所有する不動産を一覧的に把握したいといったケースが挙げられている（村松＝大谷編・Q&A 324頁）。

(ウ)　他方で，「名寄せ」については，プライバシー保護の観点からの配慮も必要である。登記名義人本人および相続人等については，その配慮は必要ないにせよ，登記名義人が第三者から「所有不動産目録証明書」の提出を求められる場合に備えて何らかの規律を設けるべきかも問題とされた（民不登中間試案第2部第6の4（注2））。

(2)　改 正 内 容

以上の問題意識に立って，次のような改正が実現した。

⑺ 何人も，自らが所有権の登記名義人として記録されている不動産に係る登記記録に記録されている事項を証明した書面（所有不動産記録証明書）の交付を請求することができる（不登新119条の2第1項）。上記⑴⑷の一般的要請に応える措置である。

⑷ 相続人その他の一般承継人も，同様に所有不動産記録証明書の交付を請求することができる（同条2項）。上記⑴⑺の相続未登記問題への対応を意識した措置である。

⑼ 以上に対して，登記名義人が第三者から所有不動産目録証明書の提出を求められる場合に備えた何らかの規律（上記⑴⑼）については，業法等に基づく監督等や，そのような義務はないことを国民に周知することで対応することができ，法的な対応策を講じるまでの必要性は認められないということで，特に法的規律は設けられなかった（民不登部会資料38・36頁）。

⑶ 施 行 期 日

この所有不動産記録証明制度に関する規定の施行期日は，原則（前記II 5⑺参照）とは異なり，氏名・住所に関する変更登記申請の義務化に関する規定や登記名義人の死亡情報等の符号による公示等に関する規定（前記II 3・4参照）と同様に，公布の日から起算して5年を超えない範囲内において（すなわち2026年4月27日までの範囲で）政令で定める日とされている（2021年改正法附則1条3号）。この政令は，いまだ制定されていない。他の改正規定（前記II 5⑺および⑷参照）よりも施行期日が遅くされている理由は，登記名義人の死亡情報等の符号による公示等に関する規定について述べたところと同じである（前記II 5⑼参照）。

〔吉田克己〕

第1章　総　　則

（相続開始の原因）

第882条　相続は，死亡によって開始する。

〔対照〕 フ民720，ド民1922 Ⅰ，ス民537 Ⅰ

〔改正〕〔992〕

Ⅰ　本条の経緯と趣旨

本条は，人の死亡が相続開始原因であること，および，死亡が相続開始の時期である旨を定めるものである。

わが国の民法旧規定（明治民法）のもとでは，遺産相続については，「何人も生存者の相続人とならない（nemo est heres viventis）」との法理が採用されていたが，家督相続については，戸主の地位につき，戸主の死亡による相続のほか，一定の事由のもとでの生前相続が認められていた（隠居〔戸主権を放棄するという単独行為〕ほか。明民964条）。

これに対して，現行民法は，家督相続の制度を廃止した上で，財産の相続に関しても，死亡を唯一の原因とした（882条）。

Ⅱ　相続の開始原因――人の死亡

(1)　人 の 死 亡

死亡を原因とする相続という枠組みは，かつてのように心停止をもって一元的に死亡と評価していたときには，大きな問題は生じなかったが，臓器移植との関連で「脳死も人の死か」がクローズアップされ，かつ，「臓器の移植に関する法律」（臓器移植法）が制定されたこともあって，議論は流動的かつ複雑な様相を呈している。

臓器移植法は，1997（平成9）年に成立したものが，2009（平成21）年に大きく改正され，改正法は2010（平成22）年より施行されている。同法では，「臓器の機能に障害がある者に対し臓器の機能の回復又は付与を目的として行われる臓器の移植術……に使用されるための臓器を死体から摘出すること」に関して，6条1項で，以下の場合に，医師が，「移植術に使用されるための臓器」を，「死体（脳死した者の身体を含む。以下同じ。）」から摘出することができるとしている。

① 「死亡した者が生存中に当該臓器を移植術に使用されるために提供する意思を書面により表示している場合であって，その旨の告知を受けた遺族が当該臓器の摘出を拒まないとき又は遺族がないとき。」（1号）

② 「死亡した者が生存中に当該臓器を移植術に使用されるために提供する意思を書面により表示している場合及び当該意思がないことを表示している場合以外の場合であって，遺族が当該臓器の摘出について書面により承諾しているとき。」（2号）

そのうえで，同条2項は，「前項に規定する『脳死した者の身体』とは，脳幹を含む全脳の機能が不可逆的に停止するに至ったと判定された者の身体をいう」とする（判定方法・判定手続については，「臓器の移植に関する法律施行規則」2条以下が定める）。

なお，2009年改正では，上記のように，本人の意思が不明な場合であっても，家族の承諾により脳死判定と臓器移植をすることができるようにしたほか，臓器提供の意思に併せて書面により親族への臓器の優先提供の意思を表示することができるようにした点（6条の2）が重要である。

もっとも，「臨床上の脳死」と「臓器移植法に言う脳死」とは，定義も目的も異なる。「臨床上の脳死」が何を意味するのかについても，議論がある。したがって，臓器移植法が制定されたからといって，ただちに，人の権利能力の終期を心停止に見る考え方が否定されるべきであるとか，「脳死が人の死である」という見方が一般的に採用される傾向にあると短絡するべきではない。同法に言う脳死に該当し，かつ，臓器移植のために臓器の摘出がされる場合に限り，同法に言う「脳死」と判定された時点をもって，私法上の権利関係についても人の死と見るのが適切である（基本法コメ13頁〔右近健男〕。

これに対して，伊藤26頁は，脳死を承認することによって相続法の原則は根本的には変更されないとする）。

とはいえ，判例上で意識喪失時における婚姻届等の届出意思の存在について緩和された態度がとられており，かつ，相続・遺贈について胎児の出生擬制（886条・965条）が認められているわが国では，この脳死の際の死亡時期に関する議論が相続問題上の処理に重大な影響を及ぼすことは，同時死亡の問題を除けばそれほど多くないであろう。

(2) 認 定 死 亡

認定死亡とは，水難，火災その他の事変によって，死亡したことが確実視される場合に，死体の確認に至らなくても，その取調べをした官公署が死亡地の市町村長に死亡の報告をし，それに基づいて戸籍に死亡の記載をする制度である（戸89条）。死亡したことが確実であるけれども死体の確認ができない等の場合に，戸籍に死亡の記載をすることで，相続を開始させ，また，保険金の請求ができるようにすることを企図して設けられた制度である。同条に基づく戸籍の記載には，死亡時についての推定力がある（最判昭28・4・23民集7巻4号396頁）。

ただし，認定死亡は，あくまでも行政手続上の便宜的な取扱いであるため，生存の証拠があがると当然に効力を失う。

なお，国民年金法18条の3，厚生年金保険法59条の2などには，「死亡の推定」という制度がある。これも，船舶の沈没・航空機の墜落による行方不明の場合に，搭乗者について死亡の推定をすることで，遺族年金等の支給の基準とすることを企図したものである。

認定死亡の詳細は，民法3条の注釈（→第1巻§3A III 3(2)）に譲る。

(3) 失 踪 宣 告

従来の住所または居所を去った者（不在者）が生死不明となった場合に，民法は，一定の手続を経た上でこの者が死亡したものとみなす制度を設けた。それが，失踪宣告の制度である。

生死不明となった不在者も，生死不明や不在の事実だけでは，依然として権利能力を失っていない。自然人の権利能力の終期が死亡に限られているからである。したがって，この者をめぐる私法上の法律関係は，これまでどおり存続している。しかし，この私法上の法律関係を不在者が生死不明となった状況でそのまま維持することが，問題の法律関係につき利害関係を有する者にとって過酷になる場合がある。そこで，民法は，不在者が一定の期間生死不明となっている場合に，その者を死亡したものとして扱うため，「利害関係人の申立てを受けて家庭裁判所が失踪宣告をする」制度を設けた（30条，家事39条・別表第一56項）。失踪宣告があると，その不在者は死亡したものとみなされる（31条）。ここでは，①一定期間生死不明の事実，②利害関係人の申立て，③家庭裁判所の宣告が，失踪宣告の要件である。利害関係人の申立てを受けて家庭裁判所により失踪宣告がされると，その不在者（「失踪者」という）の死亡が擬制される。これにより，失踪者について相続が開始する。

失踪宣告の詳細は，民法30条以下の注釈（→第1巻§30〜§32）に譲る。

〔潮見佳男〕

（相続開始の場所）

第883条　相続は，被相続人の住所において開始する。

〔対照〕 フ民720，ス民538 I

〔改正〕（993・965）

本条は，家督相続について本条と同一の内容を定めていた民法旧965条（同993条で遺産相続に準用）を引き継いだものである。本条が設けられたのは，相続に関する訴訟や家事審判において，相続に関する裁判籍を決定するために必要であると考えられたことによる（我妻・判コメ9頁，中川＝泉39頁）。

本条を受けて，民事訴訟法5条14号（なお，15号も参照せよ），家事事件手続法188条1項，189条1項，190条1項，191条1項，201条1項，202条1項1号，203条1号・3号，209条1項，216条1項1号の規定が設けられている。

〔潮見佳男〕

（相続回復請求権）

第884条 相続回復の請求権は，相続人又はその法定代理人が相続権を侵害された事実を知った時から5年間行使しないときは，時効によって消滅する。相続開始の時から20年を経過したときも，同様とする。

〔対照〕 フ民730-4，ド民2018・2026，ス民598〜601

〔改正〕 （993・966）

細 目 次

I 相続回復請求権の出自

相続回復請求権は，ローマ法のactio petitio hereditatisに由来する。この権利は，相続権保護のための訴権であり，相続権を侵害された相続人が，みずからの相続権を立証して，相続権の確認と相続財産の返還を求めることを目的とするものであった。また，所有権返還請求訴権とは異質なものであり，相続全体を包含する訴権であった（マックス・カーザー（柴田光蔵訳）・ローマ私法概説〔1979〕585頁を参照）。これがフランス民法（当時のフランス民法137条。この条は，1977年改正で削除された）を経由して，旧民法証拠編155条（「相続人又ハ包括権原ノ受遺者若クハ受贈者ノ分限ヲシテ効用ヲ致サシムル為メノ遺産請求ノ訴権ハ相続人又ハ包括権原ノ受贈者若クハ受遺者ノ権原ニテ占有スル者ニ対シテハ相続ノ時ヨリ30个年ヲ経過スルニ非サレハ時効ニ罹ラス」）に導入され，さらに，民法旧966条

(家督相続回復請求権)(「家督相続回復ノ請求権ハ家督相続人又ハ其法定代理人カ相続権侵害ノ事実ヲ知リタル時ヨリ5年間之ヲ行ハサルトキハ時効ニ因リテ消滅ス相続開始ノ時ヨリ20年ヲ経過シタルトキ亦同シ」) と993条 (遺産相続回復請求権。966条を準用) に導入された。この間の事情からは，わが国の旧規定における相続回復請求権は，フランス法に由来するものとみることができる。

ところが，その後のわが国においては，ドイツ民法理論の学説継受が起こり，相続回復請求権も，ドイツ民法2018条以下の「遺産請求権 (Erbschafts-anspruch)」のもとでの解釈論によって席巻されることとなった (ドイツ民法2018条〔遺産占有者の返還義務〕は，「相続人は，実際には認められない相続権に基づいて遺産からあるものを獲得した者 (遺産占有者) に対して，その獲得したものの返還を求めることができる」とする。なお，ドイツの相続回復請求権に関する包括的な検討を加えた論稿として，副田隆重「相続回復請求権に関する一考察(1)～(4)」名法78号30頁以下，79号335頁以下，80号281頁以下，81号326頁以下〔1979〕がある〔相続財産の所在等に関する通知交付義務の制度をわが国の相続法制に導入することの提言を含む〕)。わが国の裁判実務も，その上に形成されたものである。そうした理論状況のもとで戦後の法改正がされ，現行民法884条ができあがった。その後の裁判実務も，学説継受後の理論を基礎に展開を続けている。

このような背景事情があるため，現行民法884条の基礎となる相続回復請求権をどのような内容のものとして捉えるのが適切かを考える際には，安易に母法に立ち返る解釈をしてよいのか，そもそも現行民法下における相続回復請求権の母法とは何か等，非常に困難な問題が待ち受けている。従前の学説も，それぞれの法解釈学の方法論に依拠して，多様な見解を提示している。

その全体の傾向をまとめれば，相続回復請求権とは「相続権」という包括的地位への侵害からの保護を目的とする権利であるとする見解 (包括的請求権説〔独立権利説〕) その他の見解もあるが，戦後の民法下では，相続回復請求権とは，相続を「権原」(原因) として相続人に帰属する個別の物権的請求権および対人的権利の集合体 (あるいは，端的に，相続を「権原」(原因) として相続人に帰属する単体の個別的請求権そのもの) であるとする個別的請求権説 (集合権利説) が多くの支持を集めており，実務もこの考え方を基礎に展開されている。以下では，この個別的請求権説 (集合権利説) を基礎に据えて解説を加える (この間の史的展開は，注民(24)82頁以下〔泉久雄〕，新版注民(26)89頁以下〔泉〕および副田隆重「相続回復請求権」民法講座(7)433頁以下，新基本法コメ16頁以下〔幡野弘樹〕に譲る。最近のものとしては，水野紀子「相続回復請求権に関する一考察」加藤一郎古稀・現代社会と民法学の動向(下)〔1992〕409頁以下は，わが国の戸籍制度のもつ身分関係公示機能と関連づけて相続回復請求権を捉えることで，相続回復請求権とは，戸籍上の表記からは相続人となる者（表見相続人）に対して戸籍上の相続人ではない真正の相続人が戸籍の訂正を請求する権利とその時的限界を定めた制度および一定の期間の経過を条件とする戸籍上の相続人の相続権を承認する制度と捉える方向を示す。また，加藤雅信「相続回復請求権の『雲散霧消』と，その再生」家月45巻3号〔1993〕1頁以下は，相続回復請求権を相続財産の包括占有者に対する真正相続人の抽象的持分相当額の返還請求権〔価額返還請求権〕として再構成すべきであるとする。さらに，伊藤262頁以下は，相続回復請求権は実体法上の請求権ではないとし，かつて被相続人の占有・支配に属していた財産を被相続人の包括承継人という外観をもつ占有者が占有・支配しているときに，真正な資格のある包括承継人である相続人がその者の包括承継資格を争い，みずからの正当な包括承継資格を証明して，個々の特定財産の占有の回復や登記名義の抹消などを求めることのできる権利〔包括承継資格に由来する訴権〕であるとする)。

裁判実務では，884条の抗弁を援用することのできる表見相続人の範囲に自己の相続分を超えて遺産の占有その他の支配をしている者（表見共同相続人）が含まれるものの，同条に基づく抗弁で防御されるのは善意無過失の表見相続人に限定されることから（後述V)，現在では，884条の存在意義は，相続回復請求権の出自・沿革を視野に入れて，初期の相続回復請求権と比較したとき，きわめて乏しいものとなっている。

これを受けて，学説においても，たとえば，次のような指摘がされている。「本当は相続権がない者が，善意・無過失で相続人として振舞っているという事態，ないし，本当は共同相続人の一人にすぎない者が，善意・無過失で唯一の相続人として振舞っているという事態は，めったに存在しないから，この判例〔最大判昭53・12・20民集32巻9号1674頁―引用者〕によると，884条によって相続回復請求権の行使期間が制限されることはほとんどなく，それゆえ，これにしたがうならば，いわゆる相続回復請求権なる制度の存在意義は，その行使期間の制限という点でもほとんどないことになり，884条は，ほぼ無用のものと帰しつつある，といってよい」(鈴木60頁)。

著者自身も，個別的請求権ベースで相続回復請求の問題を捉えるとき，

「相続」・「相続権」を「権原」ないし基礎とするとの理由で884条のような特別の期間制限を設けて請求者の権利を封じ，相手方の保護を図るという特別扱いをする必要はないものと考える（884条廃止論にもつながる）。

そのような中で，個別的請求権説（集合権利説）に立ち返ることなく，884条の相続回復請求権の存在意義を積極的に評価し，かつ，相続回復請求権の生き残りをかけるのであれば，（法改正を待つべきであろうと目される点も含んでいるが）わが国の戸籍制度の持つ身分関係公示機能と関連づけて相続回復請求権を捉えることで，相続回復請求権とは，戸籍上の表記からは相続人となる者（表見相続人）に対して戸籍上の相続人ではない真正の相続人が相続回復を請求する権利であると捉えるような方向，すなわち，真正相続人からの戸籍訂正請求とその時的限界および一定の期間の経過を条件とする戸籍上の相続人の相続権の承認という視点のもとに，相続回復請求権を位置づけ（相続に係る身分の回復と確認を目的とする権利としての相続回復請求権と言ってよいであろう），相続に係る身分関係の早期確定をめざすものとして5年の短期消滅時効を捉えなおす方向（水野・前掲論文）を新たに模索するほかないように思われる。

II　相続回復請求権と民法884条

民法884条は，「相続回復の請求権は，相続人又はその法定代理人が相続権を侵害された事実を知った時から5年間行使しないときは，時効によって消滅する。相続開始の時から20年を経過したときも，同様とする」と定める。

ここには，相続回復請求権とはどのような権利かに触れることなく，この請求権の期間制限が定められている。しかも，民法には，相続回復請求権の意味を明らかにするその他の規定もない。884条の条文見出し（「相続回復請求権」）を除き，「相続回復請求権」という用語すら存在しない。884条からは，せいぜい，相続回復請求権とは「相続権を侵害された」ときに相続人が行使できる権利であって，長短2様の期間制限があることしか示唆されない。

そのため，学説では，相続回復請求権はいかなる性質の権利であるのかをめぐり，様々な見解が示されてきた。判例であり，通説でもある個別的請求権説（集合権利説）の立場からは，884条は，相続に関する争いをなるべく長期化しないために，本来は無制限に許される物権的返還請求権の行使期間に制限を加えたものであるという位置づけになる。

III　884条に書かれていること──相続回復請求権の期間制限

(1)　5年の期間

相続回復請求権は，相続人またはその法定代理人が「相続権を侵害された事実を知った時」から5年で消滅する。これは，消滅時効期間である。相続関係の早期安定のために設けられた短期の期間制限である。

「相続権を侵害された」というためには，侵害者において相続権侵害の意思があることは必要でなく，客観的に相続権侵害の事実状態が存在すれば足りる（最判昭39・2・27民集18巻2号383頁〔事案そのものは，20年の期間に関するもの〕，最判平11・7・19民集53巻6号1138頁）。

「相続権を侵害された事実を知った時」とは，真正相続人による権利行使の期待可能性を考慮すると，単に相続開始の事実を知った時ではなく，自らが相続人であることおよび侵害の事実を知った時と解すべきである。

ただし，相続財産を構成する個別財産（α）について相続人Aの相続回復請求権の時効が進行を開始した後に，期間満了前にAが死亡し，BがAを相続したとき，αについての相続回復請求権の消滅時効が改めてBについて起算しなおされるのではない。5年の期間が第三者保護および相続関係の早期安定のためという趣旨のものであるならば，Aについての相続回復請求権の起算点で問題を処理すべきである。

また，「侵害された事実」を知ったという点については，個別的請求権説（集合権利説）の立場からは，相続回復請求権の内容が個別財産についての物権的請求権その他の個別的請求権であるということになるから，相続財産中のある個別財産についての侵害の事実を認識すれば，その時点からその個別財産についての884条の期間が進行を開始する。しかし，他の個別財産については，期間は進行しない。これに対して，包括的請求権説（独立権利説）の立場からは，侵害の事実＝「相続権を侵害された事実」ということになるうえに（中川＝泉61頁以下），ある個別財産についての侵害の事実を認識すれば相続財産全体についても884条の期間が進行を開始することになる（高木

252頁)。

⑵　20年の期間

相続回復請求権は，相続開始の時から20年を経過した時に消滅する。始期は，相続権侵害の事実の有無にかかわらず，相続開始時である（最判昭23・11・6民集2巻12号397頁)。この期間について，判例は，これを消滅時効であるとして，更新の可能性や完成後の放棄の可能性を認める（大判昭8・12・1民集12巻2790頁，前掲最判昭23・11・6，前掲最判昭39・2・27)。これに対して，学説は，圧倒的に除斥期間説である（中川善之助「相続回復請求権の20年は時効なりや」志林36巻8号〔1934〕45頁以下，高木249頁。これに対して，伊藤270頁は「訴権の時効」であるとする)。

Ⅳ　相続回復請求権の主体

相続回復請求権を有するのは，相続人とその法定代理人である。学説は，被相続人の包括承継人であれば足り，その結果，包括受遺者，相続分譲受人，相続財産管理人も相続回復請求権の主体となりうるとする（伊藤267頁)。相続人の相続人も，相続回復請求権の主体となりうる（鈴木65頁，高木253頁。前掲最判昭39・2・27もそれを前提とする。新版注民(26)113頁〔泉久雄〕は，相続人の相続人が有する固有の相続回復請求権として肯定)。これに対して，相続財産に属する個別財産の特定承継人は，相続回復請求権の主体となりえない（最判昭32・9・19民集11巻9号1574頁)。遺言執行者も，遺言の執行に必要な限りで，相続回復請求権を行使することができる（1012条・1013条参照)。

Ⅴ　相続回復請求権の相手方①――真正相続人をめぐる問題

⑴　問題の所在

民法旧規定下においては，家督相続における相続回復請求が中核を形成していたため，そこでは，「相続人ではないにもかかわらず，相続人と称して，真正相続人の権利を侵害している者」（非相続人・僭称相続人・表見相続人）と「真正相続人」との間の対立という構図で問題が捉えられていた。

これに対して，戦後は，財産相続で，かつ，共同相続が相続制度の中核をなしたことの帰結として，これとは違った形での対立の構図も，議論の俎上に載せられるようになった。すなわち，「他の共同相続人の相続分を侵害した真正相続人」と「自分の相続分を他の共同相続人に侵害された真正相続人」の対立という場面である。

これらについても，相続回復請求権（したがってまた，884条）は適用対象としているのか。それとも，相続回復請求権が妥当するのは，あくまでも「非相続人」対「相続人」という対立の場面に限定されるのか。

(2) 適用肯定説

判例の採用する立場である。昭和53年の最高裁大法廷判決は，「共同相続人のうちの一人又は数人が，相続財産のうち自己の本来の相続持分をこえる部分について，当該部分の表見相続人として当該部分の真正共同相続人の相続権を否定し，その部分もまた自己の相続持分であると主張してこれを占有管理し，真正共同相続人の相続権を侵害している場合につき，民法884条の規定の適用をとくに否定すべき理由はないものと解するのが，相当である」とした（最大判昭53・12・20民集32巻9号1674頁）。その理由とされるものは，以下の諸点である。

① 884条は家督相続回復請求権の消滅時効を定めていた旧966条を遺産相続に準用した同993条の規定を引き継いだものであるが，この993条は遺産相続人相互間における争いにも適用があるとの解釈のもとに運用されていた（大判明44・7・10民録17輯468頁，最判昭39・2・27民集18巻2号383頁）。また，上記の民法改正の際に，共同相続人相互間の争いについては884条の適用を除外する旨の規定が設けられなかったという経緯もある。

② 相続人が数人あるときは，各相続財産は相続開始の時からその共有に属する（896条・898条）ものとされ，かつ，その共有持分は各相続人の相続分に応じる（899条）ものとされるから，共同相続人のうちの一人または数人が，相続財産のうち自己の本来の相続持分を超える部分について，当該部分についての他の共同相続人の相続権を否定し，その部分もまた自己の相続持分であると主張してこれを占有管理し，他の共同相続人の相続権を侵害している場合は，本来の相続持分を超える部分に関するかぎり，共同相続人でない者が相続人であると主張して共同相続人の相続財産を占有管理してこれを侵害している場合と理論上なんら異なるところがない。

③　〔後述する否定説の挙げる③の論拠に対する批判としての意味をもつものであるが〕遺産分割に関する907条は，共同相続人の意思により民法の規定に従い各共同相続人の単独所有形態を形成確定することを原則としていつでも実施しうる旨を定めたものであるにとどまる。相続開始と同時に，かつ，遺産分割が実施されるまでの間は，各共同相続人がそれぞれその相続分に応じた持分を有することとなると同時に，その持分を超える部分については権利を有しないものであり，共同相続人のうちの一人または数人による持分を超える部分の排他的占有管理がその侵害を構成するものであることを否定するものではない。遺産分割がおこなわれるまで遺産の共有状態が保持存続されることが望ましいとしても，遺産分割前に共同相続人のうちの一人または数人による相続財産の侵害の結果として相続財産の共有状態が崩壊し，これを分割することが不能となる場合があることは，事実として否定できない。907条は，遺産の共有状態が崩壊した後においてもその共有状態がなお存続するとの前提で遺産の分割をすべき旨をも定めていると解すべきではない。

④　第三者との関係でみたときも，当該部分についての表見共同相続人と真正共同相続人との間の相続権の帰属に関する争いを短期間のうちに収束する必要のあることは，共同相続人でない者と共同相続人との間に争いがある場合と比較して格別に違いがあるわけではない。たとえば，共同相続人相互間の争いの場合に884条の規定の適用がないものと解するときは，表見共同相続人からその侵害部分を譲り受けた第三者は相当の年月を経た後においてもその部分の返還を余儀なくされ，また，相続債権者は共同相続人の範囲またはその相続分が相当の年月にわたり確定されない結果として債権の行使につき事実上の不都合を来すこと等が予想される。

⑶　**適用否定説**

昭和53年の最高裁大法廷判決における大塚喜一郎裁判官ほかの意見は，次のような論拠を示して，共同相続人相互間における相続持分権の侵害排除，回復を求める請求に884条は適用されるべきでないとする。

①　旧民法証拠編155条の規定とその解釈に照らせば，旧民法が相続回復請求権を相続人の地位を包括的に回復することを目的とする権利として定めていたことは，明らかである。家督相続回復請求権について定めた旧966条は，この旧民法の規定の趣旨を引き継ぎ，真正家督相続人が表見家督相続人

から家督相続人の地位を回復すべき場合について規定した。そして，遺産相続回復請求権について定めた旧993条は，旧966条を単に準用したものであるから，真正遺産相続人が表見遺産相続人から遺産相続人の地位を回復すべき場合について規定したものであって，遺産相続人相互間の関係について規定したものではない。なぜなら，遺産相続人はすべて真正な相続人の地位を有する者であり，遺産相続人相互間で相続権侵害が生じても，相続人の地位の回復ということは考えられないからである。884条は旧993条をそのまま引き継いだものであるから，真正共同相続人が表見共同相続人（相続人の地位を有しないのにもかかわらず共同相続人であるように見られる地位にある者）から相続人の地位を回復すべき場合について規定したものであって，共同相続人相互間の関係について規定したものではないと解すべきである。

② 共同相続人はすべて真正な相続人の地位を有する者であるから，これらの者の間に相続人の地位の回復ということは考えられない。相続人の地位と相続権とは別個の観念であって，共同相続人は自己の相続分を超える部分については相続権を有しないだけであり，そのため相続人の地位がないということはできない。したがって，共同相続人の一人が他の共同相続人の相続持分権を侵害した場合でも，相続人の地位の回復ということが本来考えられないこれらの者の間においては，持分権の侵害排除・回復を求めるために相続回復請求権によることはできないのであって，この請求に884条を適用することは，相続回復請求制度の沿革・本質にそぐわない。

③ 共同相続制度は，真正な相続人の地位を有するすべての相続人にいつでも相続分に応じた相続財産の分配を受ける権利を保障するものであり，その権利を実現する手段として遺産分割の方法が設けられている。遺産分割がされるまでは，公平円満な遺産分割の目的を達成するために，それに必要な遺産共有の状態が維持されなければならない。そのため，共同相続人の一人による相続財産に対する事実上の独占支配によって他の共同相続人の持分権が侵害されたときは，他の共同相続人は，共有持分権侵害として物権的請求権たる妨害排除請求権を行使して，いつでもその侵害排除を求め，共有関係を回復することができるものとしなければならない。それなのに，884条を適用して，他の共同相続人の持分権を侵害して相続財産を占有支配する共同相続人による相続財産の取得を結果的に認め，遺産共有の状態を早急に解消

させることは，他の共同相続人の犠牲において専横な共同相続人を保護する結果を招きやすく，共同相続制度の趣旨に反する。なるほど，表見相続人が真正相続人の相続権を侵害した場合は，共同相続人相互間における公平円満な遺産分割を考慮する必要はなく，相続財産を，真正相続人に帰属させるか，あるいは表見相続人のもとに形成された事実状態（相続の外観）を尊重して表見相続人に帰属させるかだけを決めれば足りるから，相続関係早期安定の要請をそのまま容れても他に弊害を生じないのであって，ここに884条の存在意義を見いだすことができる。ところが，共同相続人相互間においては，後記の共同相続制度の趣旨に従ってまず相続財産の公平円満な分配を実現しなければならないのであるから，相続関係早期安定の要請をそのまま容れるべきでなく，同条を適用することは相当ではない（なお，この考え方の背後には，相続回復請求権の「実質は，相続財産を構成する個々の不動産，動産等の所有権〔共有持分権〕その他に基づく妨害排除請求〔物権的請求〕である」とみたうえで，884条はこの物権的請求を短期の期間制限で制約することによって相続関係の「早期安定」を図ったものであるとの認識がある）。

④　第三者保護の問題は，相続持分権を侵害された共同相続人の利益と第三者の利益とを比較衡量して解決されるべきであるところ，共同相続制度の趣旨に照らせば，第三者の利益を共同相続人の利益より優先させるのは相当でなく，第三者保護をもって884条を適用すべき理由としてはならない。このように解したとしても，第三者は，取得時効や即時取得の制度によって保護される場合もあるから，第三者保護に欠けるものではない。

(4)　問題の「転回」――肯定説＋相手方の範囲を制約する法理

(ア)　制約の基準――「善意かつ合理的な事由」のある表見相続人　　相続回復請求権の相手方は，884条の短期消滅時効の援用をすることができることになる。そうなると，相続回復請求権の相手方となる表見相続人の範囲を広げれば広げるほど，相続回復請求権の射程が広がる反面，884条の短期消滅時効が妥当する結果として――請求権者が物権的請求権（こちらは，そもそも消滅時効にかからない）に依拠して侵害状態の回復を求めるのに比べて――保護の範囲が縮小するという結果を招いてしまう。

この点を考慮して，前述した昭和53年の最高裁大法廷判決の法廷意見は，「表見相続人」（非相続人の場合のみならず，共同相続人の場合も含む）として相続回復請求権の対象となる――したがって，884条の短期消滅時効の恩恵を受ける――には，この者において相続権侵害につき「善意かつ合理的な事由」がなければならないとした。

法廷意見によれば，「当該財産について，自己に相続権がないことを知りながら，又はその者に相続権があると信ぜられるべき合理的事由があるわけではないにもかかわらず，自ら相続人と称してこれを侵害している者は，自己の侵害行為を正当行為であるかのように糊塗するための口実として名を相続にかりているもの又はこれと同視されるべきものであるにすぎず，実質において一般の物権侵害者ないし不法行為者であって，いわば相続回復請求制度の埒外にある者にほかならず，その当然の帰結として相続回復請求権の消滅時効の援用を認められるべき者にはあたらない」。このような者が「相続財産に属する財産を占有管理してこれを侵害する場合にあっては，当該財産がたまたま相続財産に属するというにとどまり，その本質は一般の財産の侵害の場合と異なるところはなく，相続財産回復という特別の制度を認めるべき理由は全く存在せず，法律上，一般の侵害財産の回復として取り扱われるべき」だとされたのである。

これを共同相続の場合についていえば，「共同相続人のうちの一人若しくは数人が，他に共同相続人がいること，ひいて相続財産のうちその一人若しくは数人の本来の持分をこえる部分が他の共同相続人の持分に属するものであることを知りながらその部分もまた自己の持分に属するものであると称し，又はその部分についてもその者に相続による持分があるものと信ぜられるべき合理的な事由（たとえば，戸籍上はその者が唯一の相続人であり，かつ，他人の戸籍に記載された共同相続人のいることが分明でないことなど）があるわけではないにもかかわらずその部分もまた自己の持分に属するものであると称し，これを占有管理している場合は，もともと相続回復請求制度の適用が予定されている場合にはあたらず，したがって，その一人又は数人は右のように相続権を侵害されている他の共同相続人からの侵害の排除の請求に対し相続回復請求権の時効を援用してこれを拒むことができるものではないものといわなければならない」ということになる。

相続回復請求制度の沿革を捨象するならば，①個別的請求権説（集合権利説）に立つとともに，②884条は「真正相続人」対「表見相続人」との関係での真正相続人の物権的請求権その他の権利行使に制約を加えることで相続関係の早期安定（およびこれによる相手方の保護）をめざしたものであり，権利の期間制限以上の意味はないものと解し，③こうした期間制限を援用できるにふさわしい表見相続人は誰かを考えて，その者を相続権侵害につき「善意かつ合理的な事由」のある表見相続人（共同相続人の一人である場合を含む）に限定し，④第三者との関係では，もっぱら物権法の法理で処理する（ただし，後述する消滅時効の援用権者の問題は残る）という方向は，一貫性を有しており，支持に値する（相続回復請求というラベルを剥がしたほうが適切である）。

(イ)「善意かつ合理的な事由」の主張・立証責任　　相続回復請求を受けた表見相続人（共同相続人の一人である場合を含む）が相続権のないことを知っているかまたは合理的な事由なしに相続人と称していることについての主張・立証責任は，いずれの側が負担するか。考え方としては，次の2つのものが提示されている（道垣内弘人〔判批〕法教232号〔2000〕115頁。原告をX，被告をYと表記する）。

Ⓐ　Xによる相続回復請求に対し，Yが民法884条に基づく消滅時効の抗弁を出したときに，Xが再抗弁として，「Yが相続権のないことを知っていたこと」（悪意）または「Yが相続人と称していることについて合理的な事由のないこと」を主張・立証しなければならない（合理的事由の不存在は規範的要件とみるべきであろう）。

Ⓑ　Xによる相続回復請求に対し，Yが884条に基づく消滅時効の抗弁を出すときに，Yとしては，「みずからに相続権のないことを知らなかったこと」（善意）および「みずからが相続人と称していることについて合理的な事由があること」を主張・立証しなければならない（合理的事由の存在は規範的要件とみるべきであろう）。

判例は，Ⓑの立場を採る（最判平11・7・19民集53巻6号1138頁。事案をやや簡略化すれば，A所有の甲土地がB市による区画整理の対象地となっていたが，Aが死亡し，X，YらがAを相続した。その後，B市が換地処分の前提として相続人に代わり甲土地に職権で所有権保存登記をした際に，Xを脱漏し，Yらを共有者とする登記をしてしまった。Yらが甲土地を売却し，代金5000万円余を登記簿上の持分に従い自分たちだけで分配したため，XがYらに対し不当利得の返還請求をしたものである。最高裁は，Ⓐの立場を採っていた原判決を破棄した）。

もとより，いずれの考え方を採るにしても，ここでは，「善意かつ合理的な事由」という要件が「相続権の侵害」の有無を決定するための要件として要求されているわけでもないし，相続回復請求権の「成立要件」として要求されているわけでもない点が重要である。「共同相続人の一人に対する関係でも相続回復請求権が認められるべきか」という問題そのものが，「884条の短期の期間制限（消滅時効）による利益を享受することができる者は誰か」という問題に置き換えられ（問題の「転回」），悪意者および「合理的な事由」のない者から短期消滅時効の援用権を奪うという手法が採用されている（星野英一〔判批〕法協98巻1号〔1981〕136頁。さらに，「884条は，期間制限のほかに，何らか訴訟上メリットのあるものであろうか」と問う林良平〔判批〕家族百選3版179頁も参照）。こうすることにより，昭和53年の最高裁大法廷判決における大塚裁判官ほかの意見が「一般的な法理論からすれば，権利の侵害排除，回復の請求は，善意・無過失の侵害者又はその者に権利があると信ぜられるべき合理的な事由がある侵害者に対してもすることができるのであり，まして，悪意・有過失の侵害者又は右のような合理的な事由のない侵害者に対してはなおさらというべきである」と指摘することにより法廷意見に対して加えた批判や，「最高裁によれば，相続回復請求権の成立要件である『相続権の侵害』は，遺産占有者が自分や自分たちのみに相続権があると信じる合理的理由がある場合にしか存在しない。遺産占有者の自主占有は常に善意のそれでなければならず，故意や過失によって相続人資格を僭称したり共同相続人を排除したりしての自主占有は，かえって『相続権の侵害』に該当しないというのである」との批判（伊藤266頁）を，平成11年の最高裁判決により回避したのである。

なお，「善意かつ合理的な事由」の主張・立証責任に関する判例法理は，請求相手方が共同相続人の一人の場合であれ，非相続人の場合であれ，妥当するものである（「悪意」または「合理的な事由」のない請求相手方に対する関係では，一般の物権的請求権と等しく，物の返還を求める請求権に期間制限はないものとして処理される）。

(ウ)「善意かつ合理的な事由」の基準時　「善意かつ合理的な事由」の基準時は，いつか。考え方としては，次の2つのものが提示されている。

Ⓐ　相続権侵害の開始時点とする立場（辻正美〔判批〕民商81巻3号〔1979〕

407頁，副田隆重〔判批〕平11重判解89頁)。相続財産の占有管理を取得するにあたっての信頼を保護すべきこと，昭和53年の最高裁大法廷判決が「善意かつ合理的な事由」を要求したのは実質的に取得時効の裏返しである点を考慮したときの取得時効制度のアナロジーなどから，相続権侵害の開始時点で「善意かつ合理的な事由」があれば足りるとする。

Ⓑ　全期間について「善意かつ合理的な事由」が必要であるとする立場（星野・前掲判批131頁，〔被告も共同相続人である場合につき〕道垣内弘人「相続回復請求権」道垣内弘人＝大村敦志・民法解釈ゼミナール⑤親族・相続〔1999〕172頁)。相続人としての相続財産の占有管理による侵害という態様，相続権侵害をおこなう者が請求相手方とされるのは，この者が実質的に物権侵害・不法行為者と評価されるからであること，長期にわたって築き上げられている相続人という外観（占有管理）を覆すのは酷であると評価される事実の積み重ねがあってはじめて，884条が適用されるべきであるとの評価などから，侵害期間を通して築かれた相手方の信頼保護が884条の目的であると捉えることで，全期間にわたる「善意かつ合理的な事由」を要求すべきだとされる。

判例は，Ⓐの立場を支持し，「相続権侵害の開始時点」を基準時とする（前掲最判平11・7・19。既に，昭和53年の最高裁大法廷判決の調査官解説で，（理由が示されることなく）相続権侵害の開始時点とする見方が示唆されていた。岨野悌介〔判解〕最判解昭53年586頁)。しかし，その理由は示されていない。

VI　相続回復請求権の相手方②――特定承継人をめぐる問題

(1)　問題の所在

真正相続人は，相続財産に属する個別財産を表見相続人から譲り受けた第三者や，表見相続人に帰属するかにみえる相続財産を差し押さえた第三者に対して，どのような主張をすることができるか。また，第三者の側は，884条の5年の消滅時効を援用して，真正相続人の権利行使に対抗できるか。真正相続人の権利行使に対抗できるその他の方法はないか（以下では，表見相続人から相続財産を特定承継した者の場合を例にとって説明をおこなう)。

(2)　物権的請求権と権利外観保護の法理

相続回復請求権として行使されるのは物権的請求権（等）であるから，表見相続人から相続財産を個別権原に基づいて取得した特定承継人に対しても，相続回復請求権を行使することが可能となる（柚木91頁，高木247頁。むしろ，所有権に基づく返還請求権プロパーの問題であるといってよい）。

このとき，無権利者である表見相続人のもとでの外観を信頼して取引に入った特定承継人は，譲り受けた財産が動産であれば192条により，不動産であれば94条2項の類推適用により，保護されることになる（94条2項類推ではなく，32条1項後段の類推による処理も考えられる。中川編・註釈上40頁〔於保不二雄〕。早くには，近藤・上473頁。反対，新版注民(26)127頁〔泉〕）。

(3) 884条の援用権者としての特定承継人

884条が適用された結果として，既に表見相続人のところで真正相続人からの所有権に基づく追及力が――期間制限のため――遮断される場面では，表見相続人からの特定承継人は，みずからが884条の時効援用権者（消滅時効の援用につき「正当な利益」を有する者）であるとして，同条に基づく真正相続人からの相続回復請求権の消滅を主張することで，真正相続人からの追奪から保護される（高木247頁）。もとより，そのためには，（判例理論に依拠するならば）取引相手方である表見相続人は相続権侵害につき「善意かつ合理的な事由」のある者であったのでなければならない。

他方，判例は，相続財産を処分した表見相続人が相続権侵害につき「善意かつ合理的な事由」を有しないために884条の消滅時効を援用できない場合には，この者が同条の消滅時効を援用できない以上，譲受人もまた，この者自身が相続権侵害につき「善意かつ合理的な事由」を有していたとしても884条の消滅時効を援用することができないとする（最判平7・12・5家月48巻7号52頁。共同相続人の一人が甲土地について自己が単独承継した者として所有権移転登記をして，第三者に売却し，所有権移転登記をしたという事案である）。「善意かつ合理的な事由」のない表見相続人に対しては相続回復請求権による回復，したがって，884条による5年の消滅時効の適用はそもそも問題とならず，もっぱら物権的請求権による処理にゆだねられるのであり，それゆえに，特定承継人も884条の消滅時効を援用することができないというのが，判例の基礎にある考え方といえる。

VII　表見相続人による取得時効の援用

(1)　個別財産についての取得時効援用権

相続回復請求権がいまだ消滅していない（884条の消滅時効・除斥期間にかかっていない）段階で，真正相続人から相続回復請求をされた表見相続人（判例によれば，相続権侵害につき「善意かつ合理的な事由」のある表見相続人）は，自己のもとで162条の要件を充たす取得時効が完成しているときに，個別財産につき取得時効を援用することができるか。

旧規定下での家督相続回復請求が問題となった事案を扱った判決では，相続回復請求権につき特別の消滅時効が定められていることを理由に，取得時効による個別財産の所有権の取得を否定したものがある（大判明44・7・10民録17輯468頁〔遺産相続〕，大判昭7・2・9民集11巻192頁〔家督相続〕）。これらの裁判例の背後にある基本的な考え方と同様に，相続回復請求権が884条の規定によって消滅していない状況下では，同条の規律目的を無にしない意味で，表見相続人による取得時効の援用は否定されるのが相当であるようにもみえる。

しかし，これだと，884条の適用がない「悪意」または「合理的な事由」のない表見相続人の場合には，真正相続人からの物権的請求権の行使に対して，相手方である表見相続人が取得時効法の原則どおりに取得時効の完成を主張して登記抹消・土地明渡しを拒むことができることとの均衡を失する。884条は相続回復請求にさらされる相手方（「善意かつ合理的な事由」のある表見相続人）の利益を保護するために消滅時効・除斥期間を定めたものと理解するときには，相手方保護の制度がかえって相手方が主張できたはずの取得時効を援用することの障害になるという結果は認めるべきでない。それゆえ，884条の期間内でも，相手方は取得時効を援用できるものと解すべきである（相続回復請求が争点を成さなかったが，相続回復請求の問題となりえた事案を扱った最判昭47・9・8民集26巻7号1348頁は，時効取得を肯定。取得時効の援用を肯定するものとして，中川＝泉66頁，鈴木67頁，高木254頁，二宮375頁，窪田565頁など）。

(2)　第三取得者による取得時効の援用と占有継続期間

相続財産に属する個別財産については，表見相続人のみならず，この者からの第三取得者も，取得時効を援用することができる。このとき，第三取得者としては，前主である表見相続人の占有期間と自己の占有期間を合算することができる（187条。大判昭13・4・12民集17巻675頁，中川＝泉66頁・70頁，鈴木67頁，新版注民(26)126頁〔泉〕）。

〔潮見佳男〕

（相続財産に関する費用）

第885条　相続財産に関する費用は，その財産の中から支弁する。ただし，相続人の過失によるものは，この限りでない。

〔対照〕　フ民803・808・815-17，ド民1967・1968

〔改正〕　（993・967）〔②〕＝平30法72削除

（相続財産に関する費用）

第885条①　（略，改正後の本条）

②　前項の費用は，遺留分権利者が贈与の減殺によって得た財産をもって支弁することを要しない。

I　本条の意義

(1)　本条制定の経緯

本条は，家督相続について本条と同一の内容を定めていた民法旧967条（同993条で遺産相続に準用）を引き継いだものである。本条は，「相続財産に関する費用」を一部の相続人が支出したときに，これらの費用について，相続財産を引当てとすることができる旨を述べたものである。

本条は，相続財産に関する費用は相続財産を保護するために必要な費用であるから，相続財産をもって支弁するのは当然のことであるとの理由により定められたものである（梅12頁）。

(2)　本条が機能する場面

本条が本来意味をもつのは，相続財産と固有財産とを分離して処理すべき場合，すなわち，限定承認，相続放棄，財産分離，相続財産の破産（破222条）などの場合である（我妻・判コメ21頁）。相続人が不存在の場合についても，その手続に必要な費用は相続財産から支出されることから，本条が適用されるものと解してよい（中川(淳)・逐条上45頁）。

しかし，それ以外の場合であっても，遺産分割において「相続財産に関する費用」の清算が問題となる場合や，費用を支出した相続人から他の相続人に対する費用償還請求が問題となる場合には，相続人各自が相続財産をどれだけ承継したかという割合が問われることとなり，その割合を算定する際に，「相続財産」の中から「相続財産に関する費用」を支弁するという本条の規定が意味をもつことになる。

(3)　本条と関連する制度

共有物の管理費用については253条に規定があるが，相続財産に属する共有物の管理費用については，本条が優先的に適用される（中川＝泉238頁。これと異なる見解として，松原Ⅰ129-130頁）。また，相続人が相続開始後に遺産の管理のために支出した費用は，共益費用として一般の先取特権（306条1号参照）により，優先的に保護される（共益費用の先取特権一般については，306条の注釈〔→第6巻§306〕を参照せよ）。

Ⅱ　相続財産に関する費用

(1)　「相続財産に関する費用」に含まれるもの

「相続財産に関する費用」とは，相続財産を管理するために必要な費用，相続財産の換価，弁済その他清算に要する費用，財産目録の作成費用ほか，相続人，財産管理人，破産管財人らが相続財産についてなすべき一切の管理・処分等に必要な費用を意味する（梅13頁，我妻・判コメ21頁，基本法コメ19頁〔右近健男〕，二宮362頁）。

(2)　相続財産を管理するために必要な費用

相続に関する熟慮期間中に相続人が管理した相続財産の管理費用（918条），相続放棄者が放棄時に相続財産に属する財産を占有していたとき，その者が，相続人または相続財産の清算人に当該財産を引き渡すまでの間における当該財産の管理費用（940条），限定承認をした相続人による管理費用（926条），共同で限定承認した相続人の中から選任される相続財産の清算人による管理費用（936条），財産分離の際の相続人による管理費用（944条），相続財産管理人による管理費用（897条の2・943条），相続人不存在に伴う手続に関する費用（昭35・6・13民事甲1459号民事局長回答），相続財産の破産の場合に破産管財人が相続財産についてなすべき管理処分に必要な費用などが，ここに属する。さらに，単純承認によって相続人としての権利が確定した場合における遺産の管理費用も，ここに含まれると解すべきである（伊藤208頁。鈴木100頁も同旨。これに対して，松原Ⅰ32頁は，本条に該当する費用は，熟慮期間中で相続人がいまだ確定しない場合や，清算中の財産で最終の権利者が確定しない場合など，相続財産の帰属者が確定的に決せられるまでの間に生じたものというべきであるとして，これに反対する）。

⑶　遺言執行の費用

遺言執行の費用は，「相続財産に関する費用」であるが（中川＝泉609頁），これについては1021条に規定が設けられている（→第20巻§1021）。

⑷　葬式の費用（葬儀費用）

葬式の費用（葬儀費用）については，そもそも，これが相続財産に属するか否かについて争いがある（なお，香典は，死者である被相続人に対する贈与ではないから，そもそも相続財産ではない。中川＝泉217頁）。近時の裁判例では，葬儀費用は，葬式の主宰者である喪主が負担すべきであるが，喪主が形式的なものにすぎないときは，実質的な葬式主宰者が自己の債務として負担すべきであるとするものが目立つ（東京地判昭61・1・28家月39巻8号48頁，東京地判平25・3・11/2013 WLJPCA03118005，東京地判平25・4・25/2013 WLJPCA04258012。これを支持するものとして，松原Ⅰ133頁）。他方，学説の中には，(a)葬儀費用は，喪主に支払われる葬祭料や埋葬料をもって充てられるべきであるが，不足額については相続財産の負担とすべきであるとするもの（我妻・判コメ21頁，中川＝泉217頁），(b)葬儀費用は相続財産の維持・管理のための費用という本来の意味では「費用」に該当しないものの，相続人保護の見地からこれを「費用」と同視すべきだとするもの（鈴木100頁），(c)葬儀費用は原則として遺産から支出されるべき性質のものであって，常に相続人や喪主が個人的に負担すべき費用であると考えることはできないとし，葬式の主宰者（喪主）が相続人である場合は，相続人間に別段の合意・了解がなければ，葬儀費用は原則として相続財産の負担となるべきであるし，葬式の主宰者が相続人でない場合も同様に解してよいとするもの（伊藤210頁。死者が意図的に自らの葬儀費用を預貯金にしておく例は多いので，死者の社会的地位に相応する葬儀費用を相続財産の負担とすることは常識に合致するともいう。同209頁。中川(淳)・逐条上45頁も同旨と思われる）などがある。しかし，葬儀を実施した者が負担した葬儀費用は，遺産分割の手続外で，被相続人との生前の委任に基づく事務処理費用償還請求・代弁済請求（650条1項2項）または事務管理に基づく有益費用償還請求・代弁済請求（702条1項2項）として，相続人に対して請求すべきであり，本条にいう「相続財産に関する費用」には当たらないというべきである。

なお，葬式の費用（葬儀費用）に関する一般の先取特権を定めた309条も，併せて参照せよ。同条は，債務者自身の葬式の費用について，その費用のうち相当な額の限度で，その債務者の総財産（相続財産）の上に先取特権が成立すること（309条1項），債務者がその扶養すべき親族のためにした葬式の費用について，その費用のうち相当な額の限度で，その債務者の総財産の上に先取特権が成立すること（309条2項）を定めるものである（詳細については，→第6巻§309）。

(5) 相 続 税

相続税は，相続人が被相続人の財産を相続によって承継することを理由として各相続人および受遺者に対してその取得利益に応じて課される税であって，相続税法上，その引当てとなるのは相続財産に限られないし，第一義的に相続財産を引当てとすべきものでもないから，本条にいう「相続財産に関する費用」に当たらないというべきである（大阪高決昭58・6・20判タ506号186頁，鈴木100頁，基本法コメ19頁〔右近〕，伊藤209頁，松原Ⅰ 131頁。反対は，梅13頁，我妻・判コメ21頁。中川(淳)・逐条上45頁は，納税手続上の便宜もあり，遺産分割前に相続財産から一括して相続税を支払うことも可能であり，その意味において，相続財産に負担をさせることもできるとする）。

(6) 相 続 債 務

相続債務は，可分債務の共同相続が問題となる場合には，共同相続と同時に相続分に応じて当然に分割され，各相続人に帰属することになる。それゆえ，自己の相続分を超えて債務を弁済した相続人が他の共同相続人に対して求償する場面は，本条の扱うところではない。また，不可分債務の共同相続が問題となる場合には，相続人の一人がその債務を弁済したときは，その後の求償は430条の準用する442条以下の規定によって処理されることとなり，これまた本条の扱うところではない（もっとも，この場合における求償の問題を遺産分割協議・審判の中に取り込んで他の遺産とともに清算処理することができるかどうかという問題は残るが，この点については，§898 Vを参照せよ）。

III 「相続財産に関する費用」を調整する方法

本条は，遺産分割までの遺産管理について適用される。それゆえ，「相続財産に関する費用」を支出した相続人は，訴訟により，他の相続人に対して本条に基づき償還請求権を行使することができるし（鈴木100頁。この場合の償還請求権は，不当利得返還請求権としての性質を有するものである），「相続財産に関する費用」を遺産の分割にあたって同時に清算する方法をとってもよい（東京高決昭54・3・29家月31巻9号21頁。同旨，中川＝泉350頁）。

IV 「相続人の過失」による相続財産に関する費用の支出

本条ただし書は，「相続人の過失」により「相続財産に関する費用」の支出を招来したときには，その費用は相続財産の負担とならないことを述べるものである。相続人の過失を判断する際に標準となる注意は，自己の財産におけるのと同一の注意である（918条・926条1項・936条3項・940条1項・944条1項・950条2項。自己の財産におけるのと同一の注意の意味については，→第14巻§659 II 2，§918を参照せよ）。

「相続人の過失」により相続財産に関する費用を支出した場合としては，たとえば，相続人が上記意味での注意を欠いたために，無益な費用を支出した場合や相続財産を損傷したために修復のための費用を支出した場合が，これに当たる（梅14頁）。なお，相続財産の管理人（897条の2・943条）による管理の費用，遺産分割審判の申立て後に選任される財産の管理者（家事200条1項），遺産分割方法の一つとして行われる遺産の競売・換価のために選任される財産の管理者（家事194条6項）による管理の費用も，相続財産の負担となるところ，これらの管理人や管理者の過失によって増加した費用は，本条ただし書の対象とするものではないものの，これらの者に弁償義務があるものと解されている（伊藤209頁）。

本条ただし書がある結果，本条本文にいう「費用」とは，相続財産の維持・保全のために客観的に必要な費用を指すことになる（鈴木100頁）。

V　平成30年改正前民法885条2項

平成30年改正前民法885条2項（平成30年改正につき→VI）は，相続財産に関する費用は，遺留分権利者が「贈与の減殺によって得た財産」をもって支弁することを要しないとするものであった。この規定の基礎に据えられているのは，次の考え方である。すなわち，遺留分権利者が贈与を減殺して得た財産もまた「相続財産」である。しかし，この財産は，遺留分権利者の利益のためにのみ与えられたものであるから，他の相続財産とは性質を異にする。贈与を減殺して得た財産から，遺留分権利者以外の者が利益を受けるものではない。それればかりか，「相続財産ニ関スル一般ノ費用」により，遺留分権利者が贈与を減殺して得た財産が利益を受けるものでもない。このようにみれば，「一般ノ相続財産」と贈与を減殺して得た財産は，それぞれ「独立ノ財産」であると考えられるから，本条では，贈与を減殺して得た財産をもって「相続財産ニ関スル一般ノ費用」を支弁することを要しない（梅13頁）。

もっとも，このように考える場合には，遺留分権利者が遺贈を減殺することによって得た財産についても同様に解すべきではないかという問題があるとされていた（中川編・註釈上42頁〔於保〕）。

さらに，同条2項が設けられた際には，上記のように，遺留分権利者が贈与を減殺して得た財産は相続財産に取り戻されるという考え方が基礎に据えられていたが，その後の裁判実務およびこれを支持する学説では，減殺された贈与財産は遺留分権利者の固有財産としてこの者に帰属する（相続財産には取り戻されない）ものと理解されていて，同条2項とはそもそも異なる前提に立っていた。したがって，同条2項の適用が想定される事例については，この規定がなくても同様の結論に至りうるものであった（とはいえ，そもそも同条2項が何を規定したのかが明らかでないことは，以前より指摘されていたところである。我妻・判コメ24頁以下）。

さらに，同条2項は相続財産に関する費用の引当てとなる財産が何かを定めたものであって，遺留分の算定（基礎財産，個別的遺留分，遺留分侵害額の算定）とは無関係であった。また，同条2項は，遺留分減殺のために遺留分権利者の必要とした費用が何を引当てとするかについて触れるものでもないが，遺留分減殺請求によって取り戻されるのが個々の財産またはその持分的価値であろうが，相続財産に対する持分割合であろうが，いずれの場合であれ，取り戻された財産または価値が当該遺留分権利者にその固有財産として帰属すると解されている状況下では，この種の費用を同条1項にいう「相続財産に関する費用」と解し，相続財産を引当てとすることを認めるのは適切でないものであった。

VI 本条の改正

平成30年改正後の本条では，改正前885条2項が削除されている。これは，平成30年の改正で，遺留分侵害に対して遺留分権利者に与えられる権利が遺留分減殺請求権から遺留分侵害額請求権へと変更され，遺留分侵害に対する効果が贈与・遺贈の減殺ではなく，金銭債権の付与となったことに伴うものである。すなわち，この変更の結果，改正前885条2項に言う「贈与の減殺によって得た財産をもって支弁する」という前提自体が成り立たなくなったため，同項が削除されたものと考えられる（潮見編・改正2頁〔前田陽一〕）。

〔潮見佳男〕

＊ 本章については，潮見佳男教授が2022年8月に逝去したため，編集代表において法改正に整合させるためなどの最低限の補訂を行った。

第2章　相　続　人

前注（§§886-895〔相続人〕）

細　目　次

I　相続の根拠と法定相続人の相続権をめぐる議論

民法886条から890条までは，推定相続人に関する規定であり，891条から895条までは，相続欠格と推定相続人の廃除に関する規定である。これらの相続人に関する規定は，被相続人の財産上の地位を承継するのに値する範囲，その範囲において複数の推定相続人がいる場合の順位を定めるとともに，推定相続人としての地位にある者であって相続秩序を乱す者に対してはその資格を奪う基準を定めることで，被相続人の遺産の帰属主体を画一的に定めることに寄与している。日本では，民法上，被相続人が推定相続人を指定する制度や，複数の推定相続人がいる場合にその順序をどうするのかを指定する制度（→相続総論I 3参照）は認めておらず，相続人の決定に関しては，被相続人の意思が介在し修正する余地はなく，もっぱら上記規定に従うことになる。そのため，民法886条以下の規定が，どのような基準で，推定相続人の範囲を画し，その順位を決定しているのかを確認することは，推定相続人として位置づけられている者が，今日の社会や家族関係のなかで，正当な者として承認できるかどうかを確認するために必要な作業となる。相続制度は，社会の変化や家族関係の変化に対応する形で，見直しが行われてきたからである。とりわけ，相続人に関する規定は，887条・889条・890条の解説でみるように，戦後の昭和22年の家族法改正において，本質的な改正が行われ，その後も昭和37年，昭和55年に個別の条文の修正がされており，2018（平成30）年相続法改正作業の中でも配偶者相続権をめぐっては中心的な課題として検討された（ただし配偶者の相続分を引き上げることは見送られた。→§903 II）。

以下では，法定相続制度の位置づけと法定相続人の相続権の根拠をめぐる議論を概観しておく（なお，個別の法定相続人に関する規定が法定相続制度の位置づけや相続権の根拠との関係でどのように捉えられてきたかについては，該当条文の解説のなかで説明している）。

1 「遺言自由の原則」を本則とする考え方

戦後の相続法の分野では，戦前の家督相続制度と家族主義的な相続法の解釈と対置する形で個人主義の思想が相続の場面でも強調され，家の財産ではなく，個人の財産（私有財産）を個人の意思で処分できることの延長線上に相続制度があると考えていた。したがって，「遺言自由の原則」が相続の本則であると位置づける。

(1) 意 思 説

遺言自由の原則を相続の本則とする考え方に従えば，法定相続制度は，遺言がない場合の補充的制度にとどまり，法定相続人に関する諸規定の根拠は，被相続人の「意思」に求めることになる（「意思説」。我妻＝有泉ほか221頁では，「法は無遺言相続に備えて，人類の本然の愛情・近代市民の共通の意識を推測して，相続人の範囲とその順位とその相続分とを定め，遺産の承継を認め」ると説明する。ただし，この説も相続の根拠として，財産の承継，清算や扶養の要素を検討し，一つの考え方で示すのは難しいとしている〔同218-220頁〕）。

(2) 二 元 説

もっとも，戦後の伝統的通説は，被相続人の意思に基づく遺言相続を相続制度の本則としつつ，遺言がない場合になぜ法定相続が認められるのかという法定相続権の根拠（個人の財産を相続人に承継取得させる根拠）は，①遺産の中に含まれていた相続人に属していた潜在的持分の払戻し（清算），②家族的共同生活におけるその構成員のための生活保障と③一般的取引社会の要請（中川＝泉9頁以下）という三つの観点から説明する。①②の要素をもって，相続制度をもっぱら被相続人の意思を根拠とする説と対立させて説明することもあるが（基本法コメ3頁〔島津一郎＝松川正毅〕は，②の要素を強調する。また，相続総論Ⅰ 1 (2)(ア)も参照），①②を法定相続制度の根拠として説明することと，相続の本則を遺言自由の原則と位置づけることとは矛盾しておらず，被相続人の意思を前提に，①②③の客観的要素も加味して二元的に相続の根拠を示しているといえる（「二元説」とする。中川＝泉6頁では，「私所有というものが，次第に集団所有の拘束を払い落とし，完全な自由所有権へ近づくに従って，相続法は単純化され，遺言の自由が大きくなり，法定相続は，漸く遺言相続に相続法上の主役を譲り，自らは，無遺言相続として補足的役割を演ずるところにまで退き下がるのである」とする。このほか，相続制度の根拠を二元的に説明する説として，被相続人と相続人との意思の合致の擬制〔「被相続人の，子，配偶者に承継させたいという念願と，子，配偶者などの，承継されるだろうという期待」〕と上記①②が社会的根拠として，法定相続の根拠となると説明する説もある〔遠藤浩「相続の根拠」現代家族法大系Ⅳ 3頁以下〕）。

2　法定相続を本則とする考え方

1の考え方に対し（上記の遺言自由を原則とした二元的構成で相続の根拠を捉える説に対して，遺言を中心とした意思で捉える枠組みは家族主義に結びついていること，相続制度は社会制度の基礎である親族制度が作り上げている副次的な制度であり，二元説が相続を支える根拠として挙げる扶養をもとに相続制度の説明はできないと批判する説もある〔伊藤4頁・14頁〕），近年，憲法が定める個人の尊厳，夫婦・男女の平等の理念を基礎として，相続の根拠を被相続人と財産の帰属先とされた相続人の権利を保障することにすえる有力な考え方がある（潮見3頁以下）。1の考え方（意思説や伝統的通説〔二元説〕）に従えば，推定相続人の規定は，遺言がなかった場合の補充的な意味となるが，仮に遺言があった場合でも推定相続人のうち遺留分権利者である者（1042条）の遺留分を侵害することができず，また，遺言によって相続人の指定が認められていないという意味で，遺言自由の原則が完全な原則として相続法を貫いているとはいえない。しかも，相続法は，相続人となる資格を画一的に定め，個人の意思で相続人を操作することを認めていない。この有力説は，このようなことを踏まえ法定相続制度が原則で，遺言自由の原則はそれを修正する例外則に過ぎないと説明する（なお，戦前の国家体制と家制度を中心にすえた家督相続制度を重視する立場からは，法定相続を重視する説もあるが〔一相続総論 I 1 (2)(ア)を参照〕，この説は，現行憲法のもとでは受け入れられず，憲法を中心とした相続法の設計を考える今日の有力説とは本質的に異なる考え方である）。この考え方は，法定相続を本則とし，遺言自由を例外則と位置づけることから，1の二元説以上に，法定相続人・相続権の根拠が相続法上重要な意義をもつことになる。この考え方に従えば，血族相続人の承継資格の基礎には，被相続人と血族関係のある者に遺産を承継させるという考え方，配偶者相続人の承継資格の基礎には，夫婦が婚姻中に築いた財産の清算と未成熟子を含む配偶者の生活保障という考え方があると説明する。この考え方は，血族相続人と配偶者相続人の相続の正当化の根拠を統一的には捉えておらず，各相続人における個別の要素（配偶者については，上記二元説の根拠とする①②の要素，血族相続人には，「血族関係にある者の財産承継」，すなわち血縁に基づく承継という要素）を加味している。

3　相続人の地位と相続権の根拠をめぐる議論状況

相続の根拠，相続人や相続権の根拠に関する上記の議論は，純粋な意思説（1 (1)）を除き，①②の要素との関連で説明がされており，①②の要素は相続人と相続財産に対する相続権の割合を決定する要素として一定の機能を果たしているともいえる。しかし，個別の条文の解説でみるように，相続人に関する規定の沿革をたどってみると（887条・889条・890条の解説を参照されたい），①の要素は，明治民法の制定の段階では，議論の対象とはなっておらず，②の要素だけが取り上げられていたが，卑属の相続権との関係では立法当初の意義が今日用いられているものとは必ずしも一致しない（配偶者相続権とは馴染む）。①の要素は戦後の昭和22年改正の議論のなかで注目され（西希代子「配偶者相続権」水野編著73頁は，戦前の学説にもこの萌芽があることを指摘する。例えば，穂積重遠「寡婦の相続権(3)」法協36巻4号〔1918〕515-516頁は，夫の残した財産が先祖伝来のものである場合でもその財産の管理保存または適切な消費などで内助の功があり，それを多少でも認めるべきとする），その後の解釈に影響を与えてきた要素といえる。さらに，相続人制度の沿革をたどった場合，上記2の有力説がそうであるが，①②の要素は，配偶者相続権との関係では意味のある要素であるが，血族相続人との関係では，必ずしも決定的な要素であるとはいえない。また，2018（平成30）年に成立した改正相続法にむけ活発に交わされた配偶者相続権の改正をめぐる議論のなかには，血族相続人とのバランスをとりながら配偶者相続権の意義を確認する必要性が指摘されている（西・前掲論文74頁。このほか，大村敦志「偶感・現代日本における相続法学説」水野編著294頁）。

4　外国法の状況

相続人に関する規定は，血族相続人に関しては，子・卑属を第1順位とする規定はある程度普遍的なものといえるが，尊属や兄弟姉妹，さらにはそれらよりも以遠の親等の血族が相続人となりうる範囲は，各国で異なる。配偶者の相続法上の位置づけは，歴史的にみても血族以上に普遍的なものとはいえず，私有財産制の広がりや男女の平等の思想，さらには生存配偶者の保護意識の高まりなどを背景に影響を受け議論が展開している。

以下では，特に日本の相続人に関する規定の特徴を把握する助けとなるため，ドイツ法とフランス法の血族相続人と配偶者相続人の位置づけを確認しておく。

(1)　ドイツ法

ドイツ法（大村監修・比較研究1頁〔浦野由紀子〕を参照）は，親系主義をとっており，第1順位の直系卑属がいない場合に，第2順位の父母およびその直系卑属が相続人となる（ド民1925条）。相続開始時に父母が生存していれば，父母のみが均分で相続し（同条2項），父または母のいずれかが死亡していれば，その直近の親等の卑属がいればその卑属（被相続人の兄弟姉妹がいればその兄弟姉妹となる）が，死亡した父または母が受け取るはずであった相続分を代襲相続し（株分け）（同条3項），その直系卑属がいない場合には生存している父母の一方が死亡した父母の一方の分も相続する（同条3項）。仮に，第2順位の親系統の相続人がいなければ，第3順位の祖父母とその直系卑属が相続人となり，祖父母が生存していれば祖父母が，祖父母が死亡していれば，その直近の親等の卑属（おじ，おば，いとこ）が相続人となる（ド民1926条）。第4順位は，被相続人の曾祖父母とその直系卑属（ド民1928条），第5順位は，被相続人の高祖父母以遠の直系尊属とその直系卑属となる（ド民1929条）。

ドイツ法も日本法と同様に，配偶者は常に相続人となる（ド民1931条1項）。しかし，その相続権の内容は，法定血族相続人がいる場合には，その法定血族相続人が第何順位の者なのか，また被相続人と婚姻中どのような夫婦財産制に服していたのかによって，異なる（ド民1931条）。

第1順位の血族とともに相続する場合には，配偶者の法定相続分は，4分の1（血族が残り4分の3）であるが（同条1項），夫婦が法定夫婦財産制である付加利得共通制に服しており，夫婦の一方の死亡により夫婦財産制も終了する場合には，生存配偶者は，付加利得の清算も含めた一括調整を求めることができ，4分の1を増加させた2分の1が法定相続分となる。第2順位の相続人・祖父母とともに相続する場合は，2分の1を増加させた4分の3となる。これに対して，上記のような一括調整を行わない場合がある。相続から廃除された生存配偶者や相続放棄をした生存配偶者は，付加利得清算請求とともに4分の1を増加させない法定相続分（第1順位の血族とともに相続する場合は4分の1）に遺留分率2分の1を掛けた遺留分（ド民2303条1項）（「小さい遺留分」と呼ばれる。大村監修・比較研究23頁以下〔浦野〕を参照）の請求をすることもできる。

なお，生存配偶者が，第2順位以上の血族相続人とともに法定相続人となる場合には，土地とその従物を除く婚姻家庭に属した物や結婚祝いには先取分を取得し，第1順位の血族相続人とともに法定相続人となる場合には，上記の物を相当な家政を営む限度で先取分として取得する（ド民1932条）という制度があるほか，被相続人から扶養を受けていた者であれば，相続人に対して相続開始後30日間は，被相続人がしていたのと同じ限度で，扶養を受けることや住居・家財道具の利用を許容するよう求めることができる（ド民1969条）（30日権）。

第1順位・第2順位の血族相続人と祖父母がいない場合には，配偶者が全て相続する（1931条2項）。

この他，居住用不動産の賃借権については，相続に関する特則も設けられている（ド民563条・563a条）（詳細は，常岡史子「住居賃借権の承継と居住の保護――ドイツにおける相続的承継と特別承継」横浜法学22巻3号〔2014〕89頁を参照されたい）。

(2) フランス法

フランス法（大村監修・比較研究45頁〔幡野弘樹＝宮本誠子〕を参照）における血族相続人に関する規定は，三系主義をとり，第1順位は被相続人の直系卑属，第2順位が父母と兄弟姉妹と兄弟姉妹の卑属（優先傍系血族），第3順位が，父母以外の直系尊属，第4順位が優先傍系血族以外の傍系血族である（フ民734条1項）。また，子の卑属と優先傍系血族の卑属については代襲相続が認められる（フ民752条〜755条）。第2順位につき，父母と優先傍系血族がいる場合には，父母の相続分は各4分の1となり，残りを優先傍系血族が取得し，父母の一方のみと優先傍系血族が相続する場合には，父または母の相続分は4分の1で，優先傍系血族が残りを取得する（フ民738条）。父母がいない場合には，すべてを優先傍系血族が相続する（フ民737条）。優先傍系血族がいない場合で，父母が共にいる場合は，父母が各2分の1を取得し（フ民736条），優先傍系血族がいない場合で，父母の一方のみがいる場合には，生存している父母の一方がすべてを相続することになる。ただし被相続人よりも先に死亡した父または母の系に直系尊属がいる場合には，その直近の親等の尊属が，生存した父母の一方と相続財産を折半する（フ民747：両系ルール）（直近の尊属が複数人いれば頭分け）。第2順位の相続人がいない場合に，第3順位の尊属が相続する場合にも，両系ルールに従って，父系，母系の尊属がそれぞれ2分の1を取得し，一方の系がいなければ他方の系の尊属がすべてを取得する（フ民748条3項）。第3順位の相続人がいない場合にも同様に両系ルールが適用される（フ民749条）（大村監修・比較研究53-55頁〔幡野＝宮本〕）。

生存配偶者は，血族相続人がいる場合に，居住用不動産につき一定の保護を受けられる制度が設けられており，この制度はフランスの特徴的な制度といえる。生存配偶者には，死亡配偶者と居住していた不動産について，1年間の無償の居住権が認められるが（フ民763条1項），この権利は相続法上の権利ではなく婚姻の効果とみなされている（同条3項）。生存配偶者が終身の居住権とその居住用不動産に備えられた動産の使用権を求める場合には，その価額が居住権と使用権の対価として，配偶者が受け取る相続権の価額から控除される（フ民765条1項。ただし対価が相続権の価額を超えるときは余剰分の償還義務を負わない〔同条3項〕）。また，賃貸不動産に居住する夫婦の場合にも，一方の死亡により生存配偶者は賃借権を排他的に取得することができる（フ民1751条3項）。生存配偶者は遺産分割に際して，上記権利について法律上当然に優先分与権が認められている（フ民831-3条1項）。このように居住権の確保につき保護があることを前提とし，夫婦財産制の清算ないし相続分についての権利の主張が行われることになる（大村監修・比較研究47-50頁〔幡野＝宮本〕を参照）。

フランスの法定夫婦財産制（約定夫婦財産制の詳細については，大村監修・比較研究50頁以下〔幡野＝宮本〕を参照）は，法定共通制という制度が採られており，共通財産は夫婦それぞれの固有財産と夫婦の婚姻中の共通後得財産から構成されている。配偶者の死亡により，共通制が解消され清算が行われるが，清算にあたっては，共通財産から各自の特有財産を取り戻し，双方の債務が共通財産から便宜を受けていた場合にはそれを共通財産に償還し，残った共通財産が清算の対象となる。持ち分は各2分の1である（フ民1475条）。そのうえで，生存配偶者は，死亡した配偶者が残した残りの2分の1についても一定の権利を相続分として有することになる（大村監修・比較研究50-52頁〔幡野＝宮本〕，幡野弘樹ほか・フランス夫婦財産法〔2022〕3頁〔幡野〕）。

被相続人の遺産（現有財産）は，夫婦財産の清算を行って残った財産と被相続人の特有財産の残りとなる。この財産に対する配偶者の相続分に関する規律は，直系卑属と競合するかその他の血族と競合するかにより異なる。夫婦の共通子である直系卑属と競合する場合には，現在財産全体に対する用益権か4分の1の所有権かを選択して行使することができる（フ民757条。行使期間は3か月で，この間に選択権を行使しなければ用益権の選択とみなされる〔フ民758-3条〕。なお，用益権を選択した場合には，用益権から終身定期金への転換の請求も可能である〔フ民759条〕。直系卑属の中に夫婦の共通子ではない子がいる場合には，配偶者に選択権はなく，4分の1の所有権のみを取得する〔フ民757条〕）（大村監修・比較研究56-57頁〔幡野＝宮本〕）。

配偶者が直系卑属以外の者とともに相続する場合，被相続人に父母双方がいれば，配偶者は2分の1を受け取り，父母は各4分の1を受け取る（フ民757-1条1項）。父母の一方のみが生存する場合には，生存配偶者は4分の3を受け取る（フ民757-1条2項）。父母と卑属がいない場合，生存配偶者がすべての財産を受け取ることになる（フ民757-2条）。もっとも，優先傍系血族がいて，死亡配偶者の残した財産のなかに亡き父母から受け取った（贈与・相続により取得した）財産が現物で存在している場合にかぎり，生存配偶者と優先傍系血族がその財産を二分することになる（フ民757-3条）（大村監修・比較研究57頁〔幡野＝宮本〕）。

その他，イギリス，アメリカ，韓国，台湾における相続人とその順位について大村監修・比較研究81頁以下，新版注民(26)258頁〔中川良延〕を参照されたい。

II　相続資格の重複

ある者が，養子縁組や婚姻をすることで，その者の相続資格が重複することがある。理論的には，相続資格の重複をすべて肯定する考え方と重複資格をすべて否定する考え方（重複資格否定説：中川＝泉116頁）とに分類できる（新基本法コメ57頁〔木村敦子〕参照）。

(i)通説（条件付重複肯定説：鈴木禄弥「被相続人と相続人とのあいだに二つ以上の親族関係が存する場合，相続人はいかなる地位をもつか」幾代通ほか・民法の基礎知識(1)〔1964〕207頁，前田ほか249頁〔浦野由紀子〕，潮見42頁）は，相続資格が重複する場合，「その身分が相互に排斥しあう関係にない限り」（「相続資格が両方しうる限り」）という条件つきで重複の可能性を認めるとする（通説に対し山本正憲「二重資格の相続人」現代家族法大系Ⅳ161頁以下は，通説が重複する身分が相互に排斥しあう関係とする事例〔以下の③〕でも，重複する資格を認めるが，完全に重複資格を肯定する立場ではない〔(i)'〕）。

(ii)登記実務は，事案により処理を異にするという折衷的な考え方をとっている。

(iii)なお，重複資格否定説に従った場合，以下の①から⑥のいずれの場合でも相続資格の重複は問題とならない。

以下の①から⑥は，重複資格を肯定する説を条件付きで採用する通説（(i)）または通説を修正する説（(i)'）を中心に検討している。

1　同系列・同順位の相続資格の重複

①　AがAの嫡出でない子Bを，Aの養子とした場合（嫡出子と非嫡出子の相続分が等しい現行法の下では非嫡出子を養子とする相続法上のメリットはないが，配偶者の未成年の非嫡出子を養子にする場合には，夫婦共同養子縁組となるため〔795条。同条ただし書は適用されない〕，自己の非嫡出子を養子とする必要性はある），Bは，非嫡出子としての地位と養子としての地位を両立しえない。Bは，身分の転換が生じて非嫡出子の身分を喪失する。したがって，Aが死亡した場合でもB

は相続権の重複はなく，養子としてのみ相続権が残ると考えられる（鈴木・前掲論文204頁，山畠正男「相続資格の重複」山畠正男＝泉久雄・演習民法（親族・相続）（演習法律学大系6）〔1972〕384頁，前田ほか250頁〔浦野〕）。

② 上記①において，Aには嫡出子Cがいて，Cが死亡した場合，Bには半血兄弟姉妹としての資格と全血兄弟姉妹としての資格の重複は生じない。半血兄弟姉妹としての身分を養子縁組により失っているからである（潮見41頁）。

このような通説に対し，確かに，相続資格の重複は①②のような本位相続の事例を問題とするかぎり，相続合算の問題は生じないとしても矛盾はないかもしれないが，養子の身分の取得により非嫡出子の身分を喪失すると考えると，①の事例を展開させた場合（③）に矛盾が生じるため，非嫡出子の身分は，「潜在化」されるにとどまるべきとの指摘がある。

③ ①の事例において，BがAと養子縁組をする前に，Bの養子となる前に生まれた子Dがいて，養子縁組後に子Eが生まれた場合に，BがAよりも先に死亡し，代襲相続が問題となる場面である。この場面には，EはAの嫡出子であるB（809条）の子であり，代襲相続する。これに対しDは，Bの養子縁組前の子であるためBの養子としての地位を受け継いで代襲相続はできないが，Aの非嫡出子Bの子として代襲相続できるはずで，この場合には，潜在化していた非嫡出子としての相続資格は顕在化するとし，Bの相続資格の重複が認められると考えられる（山本・前掲論文175頁は，相続資格の重複は認められると解しているが，養子縁組後の嫡出子の相続分と非嫡出子の相続分とを合算するとは説明しておらず，「相続分の算定に当っては，困難な問題が生ずると思われる」とだけ述べている）。②の事例においても，被相続人Cの兄弟姉妹（B）が相続開始前に死亡し，その卑属が養子縁組前からいる場合には，代襲相続が起こるため，③と同様の問題は起こりうる。

④ 孫が被相続人（祖父母）の養子となっていた場合に，その実親（祖父母からみれば子）が先死しており，被相続人の子としての資格と実親の代襲相続人としての資格が重複する場合，(i)通説・実務（昭26・9・18民事甲1881号民事局長回答）は養子の相続権と代襲相続権を合わせて主張可能とする（鈴木・前掲論文205頁，山本・前掲論文176頁，深谷220頁。これに対し，(ii)重複資格否定説は，孫としての代襲相続権が消滅するとする。中川＝泉116頁）。

2　異系列・同順位の相続資格の重複

⑤　実子と養子が婚姻した場合に，一方が死亡した場合，配偶者の地位と兄弟姉妹の地位が重複する。この場合，登記実務は，配偶者としての相続資格のみを肯定する（昭23・8・9民事甲2371号民事局長回答。学説としては，山畠・前掲論文46頁）。これに対して，上記同系列・同順位の相続資格の重複の場面で，一方の資格が他方に吸収されると考える説（(i)および(i')）でも，この場面は，一方の資格が他の資格を排斥する関係にないとして，両資格による相続が認められるとする（鈴木・前掲論文205頁，潮見42頁，山本・前掲論文173頁，新版注民(27)157頁〔有地亨＝二宮周平〕，中川(淳)・逐条(上)52頁）。また，相続分についても合算すべきと解されている（潮見42-43頁，山本・前掲論文173頁）。

3　異順位の相続資格の重複

異順位の相続資格が重複する場合には，(i)の相続資格の重複を肯定する通説でも(iii)の重複資格否定説でも，同時に二つの資格を主張することはできず，先順位の資格のみを主張することができると考える。

しかし，先順位の相続資格において相続資格を喪失した場合（相続欠格，廃除，放棄）に，後順位の資格で相続ができるかが問題となる（(ii)重複資格否定説に従うとこのような問題は生じない）。重複肯定説では，相続欠格，廃除，放棄についてそれぞれ議論がされ，それぞれについて見解が分かれている。

⑥　相続放棄　　弟Aを養子にした兄Bが死亡し，Aが相続放棄をする場合，Aに第1順位の直系卑属としての放棄と次順位の兄弟姉妹としての相続放棄について，相続人の意思を尊重する説（山本・前掲論文169頁は，相続放棄の性質からして，相続人の意思の自由を多く認めるべきとする。この他，金山正信「相続放棄の効果」家族法大系Ⅶ 113頁）と，放棄者が，後順位の相続資格を排斥する趣旨の意思表示をしないかぎり，相続放棄の効力が生じるとする説（新版注民(26)269頁〔中川良延〕），第1順位の放棄に次順位の放棄も含まれるとする説（選択権を否定）との対立がある（鈴木・前掲論文206頁）。選択権を否定する説は，相続放棄をすることは，「相続人としての地位」を離脱することを重視しているといえる。

登記実務は，⑥の例では，選択権を否定する考え方（昭32・1・10民事甲61号民事局長回答）にあったが，近年この立場を変更している。すなわち，従前の回答は当時の相続放棄の申述書の記載として「被相続人との続柄」を要求していなかったため，いずれの相続人の資格をもって相続放棄をしたか明らかでなかった場合の扱いを示したものであった。しかし，被相続人Aの妻で妹でもあるB〔AとBは，ともに亡き養母の養子〕が，戸（徐）籍の謄本，相続放棄申述証明書，相続放棄申述受理証明書に，配偶者としての資格をもって放棄したということが明らかに分かる情報を添付している場合（この事案では，配偶者として相続放棄したことを確認できる相続資格申述書の謄本と妹としては相続の放棄をしていない旨を記載した印鑑証明書付きの上申書を提出）には，妹としての資格には相続放棄の効果を及ぼさないものとして扱うという立場が示されている（平27・9・2民二第363号民事局民事第二課長通知〔登記情報661号105頁〕，幸良秋夫・新訂設問解説相続法と登記〔2018〕218-219頁）。なお，下級審裁判例では，養子としての放棄は当然に兄弟姉妹としての放棄にはならないが，放棄者が放棄に際して，養子の資格としても兄弟姉妹の資格としても消滅させる意思があれば，両資格において相続放棄の効力が生じるとするとして，相続人の意思を考慮するものもあった（京都地判昭34・6・16下民集10巻6号1267頁）。

⑦　相続欠格　　弟Aを兄Bが養子にし，AがBを殺害して処刑された場合，Aは相続欠格者（891条1号）に当たる。この場合，Aは，子の地位においても相続欠格となるが，Bの兄弟姉妹の地位においても相続欠格となるため，いずれの資格でも相続権を失うことになる。もっともこれは先順位での欠格の効果が，後順位に及ぶのではなく，同一の非行がそれぞれの欠格事由に該当するからに過ぎない（山本・前掲論文171-172頁，松原I 168頁）。

⑧　廃除　　弟Aを兄Bが養子にし，AをBが廃除した場合（892条・893条）にも相続欠格と同様の問題が生じる。学説上，廃除によりすべての相続資格が剝奪されると解する説が多数である（鈴木・前掲論文207頁は，遺留分を有しない兄弟姉妹は廃除の対象にはならないから兄弟姉妹としても廃除するという被相続人の意思に介入することはできないとする。この他，松原I 168-169頁。これに対して山本・前掲論文170-171頁では，Bが養子Aを廃除し，Aの他にも実子Cがいたが，その後Cが死亡した場合に，Bに子がいなければ兄弟にでも相続させたいという意思が考えられるので，二重の資格を尊重し，Aに相続資格を認めるとする）。

III 再転相続

被相続人Aが死亡し，相続が開始し（第1の相続），Aの相続人Bが熟慮期間中に第1相続について放棄・承認の選択をしない間に死亡し，Bの相続も開始した場合（第2の相続），Bの相続人C（再転相続人）は，第2の相続の放棄・承認を選択できるとともに第1の相続についても放棄・承認を選択することができる。このことを（狭義の）再転相続という。

再転相続の場合において，Cがまず第2の相続を放棄し，その後第2の相続とは無関係に第1の相続についての選択権を行使することができるかが問題となる。通説・判例は，再転相続人Cの第1の相続の選択権は，Bの地位を承継したものと解している（承継説。反対説として固有理論〔雨宮則夫＝石田敏明編著・相続の承認・放棄の実務〔2003〕95頁〔岡部喜代子〕〕参照）。したがって，Cが第2の相続を放棄した場合，Bの地位の承継を放棄することになり，その結果第1の相続についても選択する地位を失うことになる（最判昭63・6・21家月41巻9号101頁）。

第2の相続を承認していれば，第1の相続についての熟慮期間中に承認・放棄の選択権をCは自由に行使することができる。第2の相続を承認している場合の第1の相続の熟慮期間の起算点は，Cが「その者の相続人が自己のために相続の開始があったことを知った時」（916条）が基準となる。もっとも，この解釈について，通説は，CがBを相続したことを知った時と解していたところ（第2次相続認識説。新版注民(27)〔補訂版〕477頁〔谷口知平＝松川正毅〕，前掲最判昭63・6・21参照），最高裁令和元年8月9日判決（民集73巻3号293頁）は，「相続の承認又は放棄をしないで死亡した者の相続人が，当該死亡した者からの相続により，当該死亡した者が承認又は放棄をしなかった相続における相続人としての地位を，自己が承継した事実を知った時をいうものと解するべきである」とし，それぞれ独立して判断するものと解している（再転相続認識時説。→§916 III）。

Cが第1の相続について選択権を先に行使した場合，第2の相続について選択権が行使できるかも問題となる。なぜなら第2の相続について放棄すれば，CはBの死亡時に遡ってBの相続人にならなかったものとみなされ（939条），そうすると，理論的にはCは第1の相続について再転相続人として選択する地位をはじめから承継していなかったことになり，Cが第1の相続について承認しても無権利者による意思表示として，無効と評価される可能性があるからである。しかし判例は，第2の相続について放棄していなければ，第1の相続について放棄することができ，その後第2の相続についてCが相続放棄をしても，すでに再転相続人としての地位に基づいて第1の相続につきした相続放棄の効力が遡って無効になることはないとした（前掲最判昭63・6・21，中川＝泉372頁。潮見73-74頁は，この理由について明確でなく，一度行われた相続放棄を撤回することができないとする919条1項と同様身分関係の安定性の要請を重視する結果であるといわざるを得ないとする）。

なお，第1の相続および第2の相続の発生を順次認識している場合には，前掲最高裁令和元年8月9日判決以前は，第1の相続の熟慮期間は，必要な期間を確保するために，第2の相続と同一に延長されると解されていたが（前掲最判昭63・6・21，本山敦〔判批〕民百選Ⅲ3版167頁は，第1の相続および第2の相続の発生を順次認識している場合には，この解釈が妥当するとする），最高裁令和元年8月9日判決以降は，第1の相続と第2の相続についてそれぞれ判断するものと解している（→§916 Ⅲ）。

第1の相続が開始し，複数の相続人（A・B・C）が，単純承認したまま遺産分割をしていない状態で，その相続人の一人（A）が死亡し，B・CがAを相続した（第2の相続）場合のことを広義の再転相続という。そしてこの場合において，遺産分割協議が不調に終わり，審判で分割する場合，Aから特別受益を受けたBがいる場合には，その持戻しをしてB・Cの具体的相続分の算定が行われる（最決平17・10・11民集59巻8号2243頁）。

なお，相続人が遺産分割協議の当事者になるかどうかという遺産分割の前提問題に関する解説は，→§907 Ⅱ 1。

IV　法定相続情報証明制度

法定相続情報証明制度は，不動産登記規則の一部を改正する省令（平成29年法務省令第20号）が平成29（2017）年5月29日に施行されたことにより，不動産登記規則（平成17年法務省令第18号）の改正という形式で創設されたものである（沼田知之「法定相続情報証明制度の概要」金法2067号〔2017〕34頁）。この制度が創設された背景には，被相続人が死亡後に必要となる相続手続は，相続登記の申請手続，被相続人の名義の預金の払戻し，相続税の申告，被相続人の死亡に起因する年金等の請求，保険金の請求など様々あるが，従来は法定相続人の範囲を確認するため，それぞれの手続を採るたびに被相続人が生まれてから死亡するまでの戸籍関係書類の束を一式提出する必要があった。このような手続の煩雑さにより，不動産の所有権の登記名義人（所有者）が死亡した場合には，相続登記が未了のまま放置されていることが指摘されていた。法定相続情報証明制度は，このような状況を改善し，各種の相続手続の際に戸籍関係書類一式を提出する手間を省略するとともに，この制度により取得できる証明書，すなわち「法定相続情報一覧図の写し」（不登則 37 条の3。以下「一覧図の写し」とする）の交付の際に，相続に直面した相続人に対し相続登記のメリットや放置するデメリットを登記官が説明することを通じて，相続登記の必要性の意識を向上させ，相続登記の促進を狙うために創設された。そして，一覧図の写しが相続登記手続以外の場面での各種相続手続にも活用されることで，その手続ごとに戸籍関係書類等一式を集める相続人の負担が緩和されるとともに，関係機関の審査にかかる社会的コスト全体が軽減されることも期待されている（宮﨑文康「相続登記の促進に向けた新たな取組み――法定相続情報証明制度」金法 2061 号〔2017〕6 頁）。

一覧図の写しを取得するためには（法定相続情報証明制度の手続の詳細は，法務局ホームページ参照〔https://houmukyoku.moj.go.jp/homu/page7_000013.html〕），登記所に，法定相続情報一覧図の保管および一覧図の写しの交付の申出書とともに①被相続人が生まれてから死亡するまでの戸籍謄本・除籍謄本などの戸籍関係の書類（これらの書類は，従前同様相続人が収集する必要がある），②上記①の記載に基づく法定相続情報一覧図（被相続人の氏名・最後の住所・最後の本籍（任意）・生年月日・死亡年月日の情報，同順位の相続人の氏名・住所（任意）・生年月日・続柄の情報が記載された一覧図）を作成し，提出する（不登則 247 条 1 項）。法定相続情報一覧図の保管の申出は，相続人本人だけでなく，代理人によってもできるが，代理人になることができる者は，法定代理人，委任による代理の場合には親族または弁護士，司法書士，土地家屋調査士，税理士など（戸 10 条の2 第 3 項）に限られている（不登則 247 条 2 項 2 号）。

登記官は，①②の内容を確認し，「これは，令和◯年◯月◯日に申出のあった当局保管に係る法定相続情報一覧図の写しである。」という認証文付きの一覧図の写しを無料で交付する（同条5項）。一覧図の写しは，偽造防止措置の施された専用紙で作成されている。一覧図は，作成の日の翌年から5年間保存される（不登則28条の2第6号）。

一覧図の保管期間であれば，何度でも写しの再交付を受けることができるが，再交付を申し出ることができるのは，当初の申出人に限られている（不登則247条7項）。それ以外の者が再交付を申し出るには申出人からの委任が必要となる（潮見21頁）。

法定相続情報の一覧図の保管期間中に，戸籍の記載に変更があった場合，例えば，被相続人の死亡後に子の認知があった場合，非相続人の死亡時に胎児であった者が生まれた場合，一覧図の写しの交付後に廃除があった場合など，被相続人の死亡時点に遡って相続人の範囲が変わるようなときには，当初の申出人は，再度法定相続情報一覧図の保管および一覧図の写しの交付の申出をすることができる（沼田・前掲論文37頁）。

なお，法定相続情報証明制度は，相続手続に必要な戸籍謄本・除籍謄本等の束に代えて，一覧図の写しの提出を認める手続で利用することができるが，これまで通り戸籍謄本・除籍謄本の束で手続をすることはできる。

〔冷水登紀代〕

（相続に関する胎児の権利能力）

第886条①　胎児は，相続については，既に生まれたものとみなす。

②　前項の規定は，胎児が死体で生まれたときは，適用しない。

〔**対照**〕　フ民725，ド民1923・1912，ス民544

〔**改正**〕　（993・968）

I　本条の意義

相続法上，相続人であるといえるためには，相続開始の瞬間，相続人は被相続人とともに存在しなければならない（同時存在の原則）。相続権が認められるためには，権利主体である必要があるからである。しかし，この原則を貫くと，権利能力は出生により取得するため（3条1項），胎児は，近く出生する予定にもかかわらず，相続開始時には権利能力がなく相続人にはなれないことになる。そこで，本条1項は，「胎児は，相続については，既に生まれたものとみなす」と胎児の出生を擬制し，胎児に相続権を認めた。

これに対し，「胎児が死体で生まれたとき」は，1項の擬制は不要であることから，本条2項は，1項を適用しないことを規定する。なお，同項は，当然のことを定めた注意規定と解されている（松原Ⅰ144頁）。

ところで，胎児に一般的に法律上権利能力を与える一般主義の立場の考え方と，個々の権利関係につき，個別に胎児を生まれたものとみなし，個別の利益を保護する個別主義の考え方がある。一般主義の趣旨は，旧民法人事編のように，「胎内ノ子ト雖モ其利益ヲ保護スルニ付テハ既ニ生マレタル者ト看做ス」（旧人2条）と規定することで，網羅的に胎児の利益の保護を図ることにある。しかし，どのような場面に適用があるかが明確ではなく，個々の場面に胎児の利益に適するか否かに疑義を生じることから，明治民法（これを受けて現行民法）は，個別主義を採用し，本条や不法行為による損害賠償請求権（721条），受遺能力（965条による本条の準用）を定めた（梅14頁以下）。

II　懐胎の推定

本条の適用にあたっては相続開始時に懐胎していたかどうかの判断が必要となる。しかし，懐胎の立証についての規定がない。このため，懐胎の立証を一般原則に従い行うべきであるとする説（中川＝泉76頁）と，772条が当然には適用されないとしても，772条を援用することができるとする説（新版注民(26)219-220頁〔阿部浩二〕。本山敦編・逐条ガイド相続法〔2022〕25頁〔羽生香織〕は772条の類推適用が認められるとする）との対立がある。後者は，相続開始後300日以内に生まれた子は，相続開始時に胎児であったという推定がされ，それに対して反対を主張する者が，反証する必要があるとする。前者の説においても，相続開始後300日以内に生まれたことを立証の補助資料とすることは妨げられないとする。しかし，長期の疾患により死亡した者の配偶者が，相続開始後300日以内に子を出産した場合に推定を受ける場合の危険を指摘する。推定した事実が真実に反する可能性があるからである。

772条は，嫡出推定に関する規定であり，妻が懐胎している状態での婚姻取消しや離婚による解消の場合だけでなく，夫の死亡による解消の場合にも適用される（前田ほか124頁〔本山敦〕，常岡128頁の図）。妻が相続開始から300日以内に子を出産すれば，772条1項，2項の推定を受け，胎児（生まれた子）は被相続人の嫡出子と推定され，被相続人の嫡出子として相続することになる。したがって，本条の相続開始時の懐胎を推定するために，772条を援用することができるものと解される。

令和4年民法の一部を改正する法律（令和4年法律102号）により，再婚禁止期間（733条）が廃止され，女性は離婚や死亡による婚姻解消後ただちに再婚することが可能となり，その女性が前婚中に懐胎し，再婚後300日以内に出産した場合は，生まれた「子は，その出生の直近の婚姻における夫の子と推定」されることになった（772条3項）。死亡による婚姻解消の場面では，相続開始時に妻が懐胎していた子であっても，772条3項の推定により，前夫（被相続人）の子と法的親子関係はないということになるため，772条3項の推定が覆され，前夫の子であることが確定しなければ，本条が適用される場面ではないということになる。

Ⅲ2でみる解除条件説または制限能力説に従い，本条の「既に生まれたものとみなす」を解釈した場合，生まれる前であったとしても，通常生まれた子の法定代理人となる母Bが胎児Aの権利を行使することが可能となる。相続開始後，BがAに代わり遺産分割を行い，Bが再婚をし，再婚後300日以内にAを出産した場合，Aは後夫の子と推定されるため，前夫の相続人とみなされることはない。前夫の尊属側は，Aに相続資格がないことを理由にAが取得した財産について相続回復請求をするか，遺産分割の無効を求めることが考えられる。なお，相続開始時に，Aを懐胎しているBがAの権利を行使する前に再婚した場合，Aが生まれれば772条3項の推定が働くため，Bが相続開始時にAを懐胎していたと推定されても，Bの前夫との関係で，Aは相続人とみなされない。本条に従いAが相続人とみなされるためには，772条3項の推定を覆す必要がある。

Ⅲ1の停止条件説または人格遡及説に従えば，Aが生まれるまでは本条を根拠に権利行使ができないため，胎児中に遺産分割がされるという問題は生じないはずである。仮にAの権利をBが行使すれば，権利能力のない者の権利の行使であり，無効となる。Aの出産後Bが婚姻したとしても，Aは前夫の子と推定されるため（772条1項・2項），本条に従い，Bは前夫の相続人とみなされる。これに対し，Bが再婚後300日以内にAを出産した場合には，772条3項の推定が働くため，Bが相続開始時にAを懐胎していたと推定されても，本条の適用は適用されず，Aは前夫の相続人とみなされない。

Ⅲ 「既に生まれたものとみなす」

本条1項の「既に生まれたものとみなす」の解釈をめぐっては，以下の説の対立がある。

1 停止条件説または人格遡及説

停止条件説は，胎児が生きて生まれたときに，相続開始時に遡及して権利能力が認められると解する説で，明治民法時も現行法のもとでもこの説を支持するものが多い（人格遡及説とも呼ばれる）（穂積Ⅰ137頁，柳川・註釈上156頁，中川編・註釈上45-47頁〔青山道夫〕，幾代通・民法総則〔2版，1984〕28頁，中川＝泉74頁，二宮322頁）。判例（大判大6・5・18民録23輯831頁）も，「胎児ハ出生ニヨリ始メテ相続開始ノ時ニ遡リ相続権ノ主体ト為ルモノニシテ開始前ニ於テ人格ヲ享有スルモノニ非」ずとして，相続開始時に遡及して胎児の権利能力が認められるとする。また，721条の損害賠償請求権の行使に関する事案ではあるが，胎児の（代理人による）権利行使を否定する判決がある（胎児の父〔被害者〕が電車にひかれて死亡し，父の内縁の配偶者であった胎児の母に依頼された被害者の実父が，胎児の代理人として電鉄会社とした和解契約は無効とされた〔大判昭7・10・6民集11巻2023頁〈阪神電鉄事件〉〕）。

この考え方に従うと，胎児の段階では権利能力がないので，出産した場合に法定代理人となる母であったとしても，胎児を代理して権利行使をすることができない。胎児が生まれる前に，他の相続人が遺産分割をした場合には，権利能力のない者による無効な遺産分割としてやり直しが必要となる（前田ほか242頁〔浦野由起子〕）。そのため，胎児がいる場合には，胎児の出生を待って遺産分割を行うことが求められ，こうした解釈の方が，胎児の出生後法定代理人のもとで（利益相反行為となる場合には，特別代理人を選任したうえで），遺産分割が行われるため，胎児中の法定代理人にだれがなるかであるとか，法定代理人が代理権を濫用したのではないかとか，死産の場合に法律関係が覆るなどの法的不安定さは回避できるなどの利点がある（潮見26-27頁では，このような指摘をしつつ，後掲のとおり解除条件説を支持する）。

2　解除条件説または制限能力説（制限人格説）

解除条件説は，胎児自身の相続についての権利能力を認めるが，死産となったときに，相続開始時に遡及して権利能力を失うと解する説である（有力説：近藤・上52頁，中川監修・註解37頁〔山畠正男〕，於保不二雄・民法総則講義〔1959〕43-44頁，我妻栄・新訂民法総則〔1965〕52頁，新版注民(26)216頁〔阿部〕，潮見26-27頁）。この説によると，胎児に権利能力（説によっては，相続能力）を認め，死産の場合には，相続開始時に遡ってその能力が消滅するということになる。したがって胎児の段階で遺産分割をすることができ，死産の場合にはその遺産分割をやり直すということになる。この説に対する批判は，そもそも胎児に権利能力を認めることには無理があり，そのため法定代理人を認めるのであれば，明確な規定が必要であること，死産の場合には遺産分割のやり直しか相続回復請求権の問題が生じ，法的に煩雑であること，相続や不法行為について胎児に法定代理人を認めることは論理的一貫性を欠くことなどが指摘されている。しかしながら，民事訴訟法分野では，胎児が出生する前に証拠保全を申し立てる必要がある場合（民訴234条）や，出生前の保全処分（仮差押え・仮処分）を申し立てる必要がある場合（民保20条・23条）には，胎児の出生を待っていては胎児の権利保護が図られないおそれがあることから，胎児にも権利能力を認め権利行使が可能であると解する解除条件説を支持する説が多いとされている（潮見27頁）。

なお，不動産登記実務では，胎児については既に生まれたものとみなして，「何某（母の氏名）胎児」と表示して法定相続分による相続登記をすることができるとの取扱いがされており（令5・3・28法務省民二第538号通達），法定解除条件説と親和的であるが，出生前に遺産分割協議をして，これによる登記申請はできないものとされている（潮見27頁注8，山野目章夫・不動産登記法〔2版，2020〕90頁）。

また，平成30（2018）年7月6日成立の「法務局における遺言書の保管等に関する法律」（平成30年法律73号。令和2（2020）年7月10日施行）により，胎児の母にも，遺言書情報証明書の交付請求権が認められている（同法9条1項2号柱書括弧書・同号ロ括弧書）。

IV　死後懐胎子の相続資格

死後懐胎子については，懐胎前に父が死亡しているため，法的父子関係は生じる余地はない。民法の実親子に関する法制度が，死後懐胎子と死亡した父との間の親子関係を想定していないからである（最判平18・9・4民集60巻7号2563頁は，死後懐胎子からの血縁上のつながりのある者への死後認知請求を認めなかった〔なおこの最判の原審高松高判平16・7・16家月56巻11号41頁によると，本件訴えの前の嫡出子出生届が受理されなかった処分に対する不服申立てがg家庭裁判所f支部で平成13年12月20日に却下され（平成13年(家)第516号），その後即時抗告も高松高裁に棄却され（平14・1・29〔平成14年(ラ)第6号〕），それに対する特別抗告も棄却されている〕。そうすると，死後懐胎子は父の相続人になることはなく，祖父母の代襲相続人にもならない）。

しかし，現在の医療技術を用いれば，被相続人である夫が死亡した後（相続開始後）に，妻が人工生殖補助技術を用いて懐胎し，300日以内に分娩するということも不可能ではなく，相続人を人工的に作り出す可能性がでてきている。そうすると，死後懐胎子か否かが届出の際に判然としなければ，事実上出生届が受理される可能性がある（小池泰〔判批〕民百選Ⅲ3版73頁）。上記Ⅱのように死後300日以内に出生した子は相続開始時に772条を援用する説に従った場合，死後300日以内に出生した死後懐胎子は，死後懐胎の事実が立証されないかぎり，父子関係の推定を受け，相続人となることになる。

〔冷水登紀代〕

（子及びその代襲者等の相続権）

第887条①　被相続人の子は，相続人となる。

②　被相続人の子が，相続の開始以前に死亡したとき，又は第891条の規定に該当し，若しくは廃除によって，その相続権を失ったときは，その者の子がこれを代襲して相続人となる。ただし，被相続人

の直系卑属でない者は，この限りでない。

③　前項の規定は，代襲者が，相続の開始以前に死亡し，又は第891条の規定に該当し，若しくは廃除によって，その代襲相続権を失った場合について準用する。

〔対照〕　フ民734①・735・744Ⅰ・751・752・754・755・805・733・368Ⅰ・364，ド民1924Ⅰ～Ⅲ・1754・1770・1938・2333・2344Ⅱ・1953Ⅱ，ス民457ⅠⅢ，540・478ⅡⅢ

〔改正〕　(994・995)　本条＝昭37法40全部改正

細　目　次

Ⅰ　本条の意義

本条は，被相続人の相続人のうち，血族が複数いる場合に，子が第1順位の相続人となること（1項），子に代襲原因が生じ，子に直系卑属がいる場合にはその者が代襲相続すること（2項），直系卑属は再代襲，再々……代襲すること（3項）を定める規定である（子とその直系卑属との関係については，→Ⅱ3)。

なお，被相続人に配偶者がいる場合には，第1順位の子と配偶者とが同順位となる（890条)。

Ⅱ　子および直系卑属の相続権

1　沿　革

明治民法が制定された当初から，直系卑属は家督相続でも遺産相続でも第

1順位の相続人とされていた（明民970条・994条。明治23年の旧民法下でも同様であった。また，直系卑属が複数人ある場合の順序についても法定されていた）。相続は，身分相続である戸主権相続だとされていたが，「家産」の管理権を承継するのではなく，実質は前戸主の財産全部が家督相続人の単独所有となる財産相続そのものであり，戸主は自由にこれを処分することもできた（大里知彦・旧法親族・相続・戸籍の基礎知識〔1995〕436頁）。このように戸主となった者に財産が集中する制度は，家の承継を図ることをその基本思想としていた（大里・前掲書452頁）。もっとも，戸主は，財産的な権利のみならず，家にいる者が困窮している場合で，先順位の扶養義務者が扶養できない場合には，扶養義務者となることも定められていた（明民955条）。これに対して，遺産相続は，直系卑属が第1順位の相続人として相続し，複数の相続人がある場合には，均分で相続するという制度で，男女・長幼，実子養子，嫡出非嫡出（相続分は，非嫡出子は嫡出子の2分の1とされた）の区別はなかった。

家督相続制度は現行憲法の理念に反するため戦後の昭和22年の改正で廃止されるのに対し，遺産相続に関する規定は，現行憲法のもとで，法定相続制度として引き継がれているため，遺産相続においてなぜ直系卑属が第1順位の相続人と位置づけられたのかということについて確認しておく。

明治民法の起草時の議論をみると，遺産相続において直系卑属が第1順位の相続人とされた理由は，「子供ノ方ハ段々発達シテ何カノ職業ヲ覚エテ自分モ妻ヲ持チ子ヲ持テ段々ト子孫ノ繁栄ヲ謀ツテ往カナケレバナラヌ」ため，女子であっても男子と同様に第1順位となるのは「女子ト雖モ幾ラカノ財産ヲ持テ居ラヌト……良イ所ニ嫁付ク事ハ六ケ敷〔＝難〕クナツテ来ル……女子モ即チ相当ノ夫ヲ持テ之レカラ先ハ夫婦共稼ギト云フ事ニナツテ共稼ギデ段々ト人口ノ増殖ヲ図ツテ往ク事モ一ツノ義務デアル」ためと説明されている（法典調査会民法議事〔近代立法資料7〕541頁〔梅謙次郎発言〕）。この他，直系卑属の相続順位を配偶者の相続順位に優先させた理由としては，明治民法制定以前の慣習であるとか，直系卑属は尊属を扶養する義務があるということも影響している（梅謙次郎・民法要義巻之四〔1910〕528頁以下でも親族扶養の根拠として，愛情，生まれしめたること，「鞠育」への恩，「家産ヲ相続シタルニ因リ」，相扶くことの約束による「救助スヘキ天然ノ地位ニ在ル者」の義務とする。この他配偶者の相続権に関して，→§890）。直系卑属のみを第1順位の遺産相続人とした立法時の経緯をみるかぎり，少なくともこの当時は，男女を問わず平等に子である直系卑属に，被相続人の財産を承継させることが重視されていたといえる。

2　根拠に関する議論

相続の根拠をめぐっては，「遺言自由の原則」を本則とする通説的考え方にたつのか，法定相続を本則とする考え方にたつのかという相続制度を支える理念をめぐる対立があり（→前注（§§886-895）I 1・2），いずれの考え方をとるのかにより以下でみる相続権の根拠と説明されてきた要素の重みが異なる（→前注（§§886-895）I 1・3）。以下では，子および卑属の相続権の根拠の中心的な要素として議論されてきた要素をとりあげている。

(1)　血　　縁

子，その他の直系卑属の相続権の根拠は，1の通り，血縁的つながり，その繁栄にあるとされてきた。

さらに，相続の根拠に関する議論が進むなかで，血縁を中心とした生活状況も考慮され，「相続は人類が先祖から子孫へと過去現代未来に互つての『縦の共同生活』の必然現象である」とも説かれている（穂積 I 27頁）。

ただし，扶養制度と相続制度の問題点が指摘される大正期になると，扶養法における子（未成熟子）と配偶者が，それ以外の一般親族とは異なる位置づけがされるべきであるという議論がおこる（前者を「生活保持義務」と位置づけ，後者を「生活扶助義務」と位置づける）。そしてこの議論のなかで，子は相続法においても他の一般親族とは異なる位置づけにあると説明される。親族が相互に相続権を有するのは，とりわけ，子が第1順位の法定相続人となるのは，「親の経済に関しては，その子が一番強く経済共通の立場に在るが故であ」ると説明されている。相続権と扶養義務とは同じ基礎の上に成り立つ制度であり，同一の社会関係，すなわちある程度の経済共通関係を土台として，その関係があるために，相続の利益があり，扶養義務を負うと考えるのである（中川善之助「親族的扶養義務の本質(2)」新報38巻7号〔1928〕12頁。ただし続けて，実際に個人としてみれば，扶養された者が財産を残して死亡し，扶養した者がそれを取得するというような報酬関係はほとんどないだろうとも説明し，あくまでも相続と扶養とを同じ基礎の上に成り立たせるのは，制度上の理論である旨の説明をしている）。

(2)　扶養的要素

ところで，(1)で説明されている「扶養」は，明治民法の議論において相続権を根拠づけている「相続する者が，その他の親族を扶養しなければならない」という意味での「扶養」を根拠としているのではない。子は親である被相続人との関係で共通の経済基盤にあるため，親の生活を保障する義務を負うという意味での扶養であり，そのような義務を負う子であるから，親が財産を残して死亡すれば子がその財産を承継することが正当化されると考えられている。もっとも，たとえ具体的な場面では相続できる財産はなくとも，扶養義務は負担しなければならない。しかし，高齢化社会を背景として，特に子が親の世話をした場合には相続において優遇する考え方がある（過去の扶養の求償と寄与分との関係がとくに問題となっている。この考え方は，実質的平等への動きにつながっているが，均分相続の理念との整合性を図り，一方的な扶養・介護の心理的強制とならないようにすべきとの指摘もある（新版注民(25)〔改訂版〕752-753頁〔床谷文雄〕））。しかし，近年では，「対価的発想」から扶養における平等の観念と相続における平等の観念が，二つ共に曖昧化されていくことは問題で，子の一人が将来における相続利益の独占を（特別の協議もなく）漠然と念頭において親の「面倒をみる」という家族制度の名残ではなく，個人主義の観点に立って，親の「面倒をみる」ことも相続も平等に行うことが理想であることを強調する必要があるとし，そもそも相続と扶養は別の制度であり一方の制度で他の制度を説明することはできないとする指摘も有力である（伊藤8頁・14頁）。

さらに，扶養を相続権の根拠の一つとする学説には，相続人となる子が親から「扶養を受けている」という意味で「扶養」の観点から説明するものもある。この考え方は，「家の責任」から「自己責任」へと転換された時代でも，各個人が孤立した生活を送るのではなく，「有限家族」を形成して生活するが，その有限家族は，家族構成員のために協力して生活を行うので，その中の構成員が死亡した場合には家族は一種の解散ないし改組されることになり，その際に相続権が生活保障的意義を有すると説明する。そして特に「扶養をされている未成年の子」は，成年まではその生活は保障されており相続権は生活保障的意義があるとする（中川＝泉11頁。もっとも，子に対する親の扶養義務が生活保持義務であることに照らせば，優先度が高い相続権となるはずであるが，このような議論が展開されていないのも，個別の事例を前提とした理論ではないからと考えられる）。しかし，「扶養を受けていること」を根拠とした場合，すでに成年に達し，自立している子は，厳密な意味での「扶養」を根拠としてのみ相続権を根拠づけることは難しくなる。そのため，扶養の概念を拡張した意味・あるいはあくまで抽象化した扶養の意味で，「生活保障」ないし「広義の扶養」という用語で相続権を根拠づけることがあるが，この根拠に基づき相続権を正当化することは，法的な意味での扶養の概念を曖昧にする。

⑶　**清算的要素**

この他，相続権の根拠として，ある者が死亡した際には，その者の財産の形成にあたり家族構成員が貢献していることが挙げられ，この財産を残された家族が清算するという側面があるとも説明されている（この考え方は，特に配偶者相続権の根拠を中心に議論されてきたが〔→§890 II〕，血族相続人にも広げて考える説もある〔中川＝泉9頁では，自営家族を例に説明する〕）。しかし，現行法上，相続人である子が被相続人の財産形成に貢献していることは，具体的相続分の算定に際して寄与分として考慮される要素である。また法定相続は，実際に貢献がなくとも一定の割合が認められる制度であり，清算的要素が相続をすることを正当化する根拠には必然的につながらない。なお，寄与分として相続法上処理される家族内での貢献であったとしても，財産法上の理論で処理できる場合には，財産法上の理論で解決することが排斥されるわけではない。子の財産・労務の提供により形成された財産をその子に将来譲渡・清算する旨の合意（契約）がある場合はその合意に従い，仮に合意がない場合でも不当利得の要件を満たす場合には，不当利得の規定に従い，また子が親と共に出資した財産については共有分分割の法理に従い，子は他の共同相続人に清算を求めうる。

3　子と子の直系卑属との関係

第1順位の相続人は「子」である（本条1項）。直系卑属が相続につき最先順位の相続人であることは例外なく認められた原則であるが，そのなかでも孫その他の直系卑属に先立ち子に相続権を認めたのは，現行民法が近親等優先の原則を採用したからである（昭和37年改正により本条1項に明確に示されている。新版注民(26)222頁〔阿部浩二〕）。

昭和22年改正による規定は，被相続人の直系卑属は，親等の異なった者の間では，その近い者が（1号），親等が同じである者は，同順位で（2号）相続人となるというもので，近親等優先の原則が採用され，孫は子に先立って相続人とならないことが原則とされていた。しかし，続く888条に代襲相続の規定がおかれていたため，被相続人の子をA・BとしてAが相続開始前に先死した場合のAの子C・DがBと相続する場合には，BとC・Dが均分で相続するのか（本位相続）（均分説），C・DはAの相続分を株分けで相続するのか（代襲相続）（代襲説）との対立が生じていた（対立の詳細については，一Ⅳ2)。そのため，昭和37年の民法の一部改正は，887条1項で，第1順位の相続人を直系卑属とはせず，「子」のみを規定し，孫以下の直系卑属は，本位相続人ではなく，代襲相続人として明確に規定した（2項・3項。この改正に伴い，888条は削除)。さらに，孫はそれぞれの孫として平等に相続に参加するのではなく，被代襲者の株分けによって相続する旨が明確に規定された。

したがって，現行法のもとでは，子の直系卑属である孫は，本位相続人とはならない。孫は，代襲相続人であり（本条2項)，曾孫は，再代襲相続人であり（本条3項)，さらに再代襲相続人に代襲の原因があれば，直下直近の直系卑属が再々代襲相続人となる（以下，再々々……代襲相続人と続く)。

Ⅲ　本条1項の「子」

1 「子」とは

被相続人の子が，実子か養子か，男子か女子か，既婚か未婚か，戸籍の異同があるかどうか，嫡出か非嫡出か，親権・監護権の有無，被相続人と同国籍かどうかは，子の相続人である地位に影響を与えることはない。

2 実　子

嫡出子は，法律上の親子関係が覆されないかぎり，父母の相続人となる。ところで判例は，他人の子を嫡出子として届け出た場合，その届出をもって養子縁組届とみなすことはできないとする（最判昭25・12・28民集4巻13号701頁)。この考え方を貫くと，虚偽の嫡出子の場合，出生届を出した父母との関係では，相続関係は生じないことになる。しかし，近時の判例はこのような場合であっても一定の要件のもとで親子関係不存在確認の訴えを権利濫用の法理を用いて否定する。すなわち，「戸籍上の両親以外の第三者である丁が甲乙夫婦とその戸籍上の子である丙との間の実親子関係が存在しないことの確認を求めている場合においては，甲乙夫婦と丙との間に実の親子と同様の生活の実体があった期間の長さ，判決をもって実親子関係の不存在を確定することにより丙及びその関係者の被る精神的苦痛，経済的不利益，改めて養子縁組の届出をすることにより丙が甲乙夫婦の嫡出子としての身分を取得する可能性の有無，丁が実親子関係の不存在確認請求をするに至った経緯及び請求をする動機，目的，実親子関係が存在しないことが確定されないとした場合に丁以外に著しい不利益を受ける者の有無等の諸般の事情を考慮し，実親子関係の不存在を確定することが著しく不当な結果をもたらすものといえるときには，当該確認請求は権利の濫用に当たり許されないものというべきである」とする（最判平18・7・7民集60巻6号2307頁。なお，同日に行われた戸籍上の母からの親子関係不存在確認の訴えについての判決でも，「改めて養子縁組の届出をすることにより丙が甲乙夫婦の嫡出子としての身分を取得する可能性の有無」に関する要素を除き，同じ考慮要素に基づき権利濫用に当たるとの判断がされている〔最判平18・7・7家月59巻1号98頁〕）。この場合には，実親子関係が真実に反したとしても，法律上の親子関係は維持され，虚偽の嫡出子出生届をされた子であったとしても，法律上の親の相続人となる。

また，婚外の親子関係のうち，子と母との関係は，認知を待たずに，分娩の事実により当然に親子関係が発生する（最判昭37・4・27民集16巻7号1247頁）ため，子は母の相続人となる。

これに対して，婚外の子と父との関係は，認知（779条）がなければ法律上の親子関係は生じない（784条参照）。子が父に任意に認知されるか（781条），子，その直系卑属または法定代理人による認知の訴えが認められる（787条）必要がある。

3　養　　子

養子は，養子縁組後に相続が開始した場合にのみ，養親の相続人となる。かつては，養子縁組前の養子の直系卑属も，養親との間に血族関係が発生するとの説もあったが（谷口知平〔判批〕民商22巻2号〔1948〕119頁，山畠正男「養親子関係の成立および効力」総判民(15)〔1960〕188頁以下），昭和37年の改正により，「被相続人の直系卑属でない者」は代襲相続人となれないと明確に定められた（本条2項ただし書）。

また，特別養子となった子は，実方の血族との関係が終了するため（817条の2第1項），実親の相続人とはならない。

養子縁組が離縁された場合，法定血族関係が消滅するため（729条），相続関係はおこらない。

現行法下では，継親子・嫡母庶子関係はなくなり，いずれも姻族1親等の関係（いわゆる連れ子と継父（まま）／母との関係）では，養子縁組がないかぎり相続関係は生じない（松原Ⅰ155頁）。

Ⅳ　代襲相続（2項）

1　趣　　旨

代襲相続制度は，被代襲者が相続していたならばその者の死亡によって財産を承継しえたはずであるという代襲者の期待を保護するために，一定の原因が生じている場合に，被代襲者の直近親等の卑属に相続人となることを認めた制度である。代襲相続権は，立法当初より代襲者が推定相続人の地位を承継し被相続人を相続するのではなく，法が当然に代襲者に「自己の固有の権利」を与えたものと解されている（新版注民(26)235頁〔阿部浩二〕）。

2　沿　　革

代襲制度は例外なくすべての国に採用されている制度で，その根拠は，ローマ法のころより，公平の原則にあると説明されている（詳細は，新版注民(26)231頁以下〔阿部〕，外国法の詳細は，同229頁以下を参照されたい）。日本でも，沿革をたどると大宝・養老令にまでさかのぼり，明治民法下でも代襲制度の根拠として公平原則があげられているが，家督相続と遺産相続という二本立ての相続制度を認めていた明治民法下では，とくに家督相続においては，嫡長子孫に相続すべき義務があり，代襲相続は家督相続にともなう必然の結果ともいえるから，本質的には公平の原則によるとはいえないとも指摘されている（新版注民(26)226頁以下〔阿部〕）。

ところで，昭和22年改正により制定された旧887条および旧888条が昭和37年の改正により現行法に改められた経緯は，現行法の代襲相続の要件（→3）を理解するのに役立つ。

昭和22年改正のもとでの旧887条および旧888条は，その適用をめぐり均分説と代襲説の対立が生じていた。均分説は，子と孫という親等が異なる者が相続人となる場合には子が優先するという旧887条の規定を文字どおり読み，そのうえで例外として，代襲相続の要件を満たす場合には，孫が子の順位に引き上げられ相続人となり，複数人の孫だけが相続人となる場合は同じ親等であるため，代襲相続の適用はなく，原則として固有の資格に基づき平等に相続することになると考える。これに対して，代襲説は，明文には反するものの，子と孫以下の卑属の場合にも孫以下の複数人の卑属だけが相続人となる場合にも，被代襲者の株分けにより相続すると解するべきであるとする（実務の扱いは，後者の代襲説〔昭28・7・31民甲1182号通達〕）。均分説が支持されたのは，代襲相続は家系に基づくものであって，それを広く認めることは問題であり，平等とする方が民主主義的な相続に合致するとの理由からとされていた。

このほか，旧888条1項で，代襲相続原因につき，被代襲者が，「死亡し，又はその相続権を失った場合」と規定されていたため，孫が相続に参加するのは，子が先死したか，欠格または廃除により相続資格を失った場合のほか，被代襲者の放棄も含めるかどうかについても争いがあった（新版注民(27)〔補訂版〕630頁〔犬伏由子〕）。

そこで，昭和37年の民法の一部改正により現行法のとおり改め，孫以下の直系卑属は，本位相続人ではなく，代襲相続人として明確に規定した（本条2項・3項。この改正に伴い，888条は削除）。さらに，孫はそれぞれの孫として平等に相続に参加するのではなく，被代襲者の株分けによって相続する旨が明確に規定された。このような改正に至った理由としては，以下のような説明がされている。均分説がもっとも批判するのが代襲説に基づく相続は家系に基づくものであるというところであるが，このことがただちに封建的ないし家制度的なものということができず，財産承継の秩序としての合理性があれば，近代的な相続関係に適用しても差し支えがない。均分説に従うと，子の最後の一人が死亡すると途端に孫が本位相続することになり，株分けの方が最後の一人の生死という偶然によって左右されず合理的であるということである（加藤一郎「民法の一部改正の解説(2)」ジュリ250号〔1962〕31頁。また，旧887条の趣旨は，孫の代よりも子の代を先にというだけで，相続開始の際に現存する直系卑属中の親等の近いものという意味でなく，代襲の規定には，孫は常に子を代襲してという趣旨があるとも説明されている。我妻＝立石382頁）。

また，この改正により，相続放棄は，代襲原因に含まれないということが明確になった。日本では相続放棄は，一部の相続人に相続財産を集めるために行うという理由もあるが，放棄する者は自分だけでなく自分の血統には遺産はいらないとの趣旨から行うこともあり，子とその卑属が個別に放棄をすることになると手続を複雑化することにもつながるという理由からである。そのため，すべての子が相続放棄をした場合には，孫ではなく第2順位である直系尊属が相続人となることで確定した（加藤一郎「民法の一部改正の解説(3・完)」ジュリ251号〔1962〕51頁。これに対して，改正前の反対説として，谷口知平「相続放棄の効果について」民商27巻1号〔1952〕45-46頁）。相続放棄を代襲相続原因としない根拠は必ずしも明確でなく，親が任意に行った放棄によりその子までが代襲相続権を失うことは不合理であるとの指摘がある（新版注民(27)〔補訂版〕630-631頁〔犬伏〕，中川＝泉144-145頁）。外国の立法例では相続放棄を代襲相続原因として認めているものもある（ド民1953条2項。フランス法では2006年の相続法改正で認められた〔フ民805条2項〕）。相続人間の公平（親系の平等）を理由とするが，祖父母から孫へのより若い世代への財産承継を可能にすることもフランスの2006年改正の狙いにあると説明されている（新版注民(27)〔補訂版〕631頁〔犬伏〕）。

3 要　件

(1) （被代襲者に）代襲原因があること

本条2項は，代襲相続原因として，①相続人の先死，②相続人が欠格事由に該当する場合，③相続人が廃除された場合を定める。代襲者は，被代襲者に①から③の原因がある場合に，自己固有の代襲相続権で祖父母を相続するのであって，代位相続（代理相続）ではない。

なお，相続放棄は代襲原因にはならない。すなわち，子が，相続放棄をした場合，その者は，初めから相続人とならなかったとみなされるため（939条），孫がいたとしても孫は代襲相続人とならない。

①相続人の先死　　本条2項は，相続人が「相続の開始以前に死亡した」ときと規定していることから，同時死亡のときも代襲相続が開始する。同時死亡の推定を受けるとき（32条の2）も，子は親を相続できないが，代襲相続はおこる。

相続開始後に②③の代襲原因があっても，代襲相続はおこる。②相続欠格については，→§891，③推定相続人の廃除は，→§892・§893。

(2) 代襲者

代襲者の要件は，①被代襲者（相続人）の子であること，②被相続人の孫であること，③相続開始時に存在することである。

①被代襲者の子であること　相続人となることが予定されている者の子が代襲相続人となる（本条2項）。相続人の子であればよく，相続人の子が，相続人との関係で相続欠格者であっても，また相続人から廃除されていたとしても，原則として代襲相続は可能である。たとえば，被相続人の実子（被代襲者）の遺言書を代襲者が故意に破棄した場合（891条5号），代襲者は被代襲者との関係では相続欠格者であるが，代襲して，被相続人を相続することができる（潮見33頁）。これに対して，代襲相続者（被相続人の孫）が，先順位の相続人である子（被代襲者）を殺し，または殺そうとして刑に処せられた場合には（891条1号），代襲相続をすることは認められない（新版注民(26)247頁〔阿部〕，潮見33頁）。

相続時に胎児である者も，出生が擬制されることから，代襲資格がある（886条1項）。

②被相続人の孫であること　相続人の直系卑属であるだけでなく，被相続人の直系卑属でもなければならない（本条2項ただし書）。したがって，縁組後の養子の直系卑属は，養子を通して養親と法定血族関係が生じるため（727条），代襲相続人となる。これに対し，養子に縁組前から直系卑属がいる場合，この直系卑属は，代襲相続人にはならない（昭和37年改正以前は，縁組前の養子の直系卑属も養親と血族関係が発生するとする説もあった。→III 3。詳細は，新版注民(26)247頁〔阿部〕）。日本の伝統的な養子制度のもとでは，養子のみを養親の親族団体に取り込み，縁組前の養子の直系卑属は，親族団体には入らないという発想に由来する（二宮319頁）。

養子縁組前に子Aがいる非嫡出子Bと養子縁組をした養親Cが死亡し，さらに養子Bが先死している場合には，養子Bの子Aが養親Cを代襲相続することができると解されている。この考え方は，代襲相続権は代位的な権利ではなく，通常の相続と同じく代襲者A固有の相続権で，被相続人Cを直接相続する権利として構成されることを前提に，「被相続人と一定の親族関係にある者に相続権が付与される」という法定相続の構造を重視する。そうすると，確かに本来，代襲者Aにも被相続人Cと一定の血族関係が要求されるべきではあるが，ここで重視するのは，あくまで被代襲者を通じての子，すなわち実子であれ養子であれ（いずれもB），被相続人の直系卑属であればよいと解することも可能であるからである（本城武雄「養子の連れ子の代襲相続権」法時34巻7号〔1962〕85頁，浦野由紀子「35年後の再会」窪田充見ほか編著・民法演習ノートⅢ〔2013〕314頁。大阪高判平元・8・10高民集42巻2号287頁は，この場合は887条2項ただし書の趣旨に違反しないとする）。

③相続開始時に同時に存在すること　被相続人と相続人は，相続開始時にともに存在していなければならないという同時存在の原則は，代襲相続の場合にも適用される（新版注民(26)251頁〔阿部〕）。

被代襲者の子として，また胎児は，胎児として存在すれば足りる（886条1項）。

欠格により失権した後にその欠格者が養子縁組をした場合に，その養子が代襲相続ができるかについて，昭和37年改正以前は，判例は代襲相続権はないとの立場にあり，学説は分かれる状況にあった（対立の状況については，新版注民(26)252頁〔阿部〕を参照されたい）。しかし昭和37年改正前の旧888条2項（代襲相続における胎児がいる場合の出生擬制に関する規定）が削除されたことで，相続権を失った後に出生した子がいる場合や相続権を失った後に養子縁組をした養子がいる場合にも代襲相続権を認めることが解釈上肯定されうる（加藤・前掲ジュリ250号35頁）。

V　再代襲（3項）

本条3項は，昭和37年改正で明文化された規定であるが，それ以前についても承認されていた。再代襲は，代襲者が被相続人より先に死亡している場合，代襲者が相続欠格者である場合または代襲者が廃除されている場合におこる（本条3項による再代襲）。

再代襲の原因，要件の詳細は，代襲相続の説明（Ⅳ）を参照されたい。

Ⅵ　効　果

代襲相続により，代襲者は，被代襲者の相続権を承継する。同一の被代襲者について代襲者が数人いる場合には，同順位となり，相続分は均分となる(900条4号・901条)。被相続人Aについて相続が開始した際に，Aの子BがAよりも先に死亡しており，Bの子Cがいる場合には，CがAの相続人となる。Aに子B_1とB_2がいたが，B_2がAより先に死亡しており，B_2に子C_1とC_2がいる場合には，C_1とC_2が，B_2を代襲相続し，相続人は，B_1（$\frac{1}{2}$），C_1とC_2は，B_2の相続分が株分けされる（各$\frac{1}{4}$）。B_1が相続欠格に該当する場合や廃除される場合も同様である（詳細は，→§901 III）。

被代襲者の妻に寄与がある場合には，相続人の履行補助者としてこの寄与も考慮されてきた（東京高決平元・12・28家月42巻8号45頁参照）。なお平成30年改正により特別寄与者に関する規定が新設されている（→第20巻§1050）。

VII 「相続させる」旨の遺言と代襲相続の関係

被相続人が相続人の一人に「相続させる」旨の遺言を残していたが，その相続人が被相続人より前に死亡していた場合に，代襲相続できるかが問題となる。最高裁平成23年2月22日判決（民集65巻2号699頁）は，「通常，遺言時における特定の推定相続人に当該遺産を取得させる意思を有するにとどまるものと解される」として，代襲相続は起こらないとする。その結果，代襲相続を定めた規定（本条2項・889条2項）は，「相続させる」旨の遺言を書いた被相続人の意思を補充する規定とはならない（潮見605頁）。議論の詳細は→§901 III(5)，「相続させる」旨の遺言については→§902，§908。

〔冷水登紀代〕

第888条　削除

〔改正〕　本条＝昭37法40削除

（直系尊属及び兄弟姉妹の相続権）

第889条①　次に掲げる者は，第887条の規定により相続人となるべき者がない場合には，次に掲げる順序の順位に従って相続人となる。

一　被相続人の直系尊属。ただし，親等の異なる者の間では，その近い者を先にする。

二　被相続人の兄弟姉妹

②　第887条第2項の規定は，前項第2号の場合について準用する。

〔対照〕 フ民734②～④・736・737・739・740・745・750・752①②・754・755・805，ド民1925・1926・1927・1928・1929・1930，ス民458・459・460

〔改正〕〔996〕 ①＝昭37法40改正　②＝昭37法40・昭55法51改正

I　本条の意義

本条1項は，第1順位の相続人である子およびその代襲相続人がいない場合の血族相続人について定める規定であり，第2順位を直系尊属とする（1号）。直系尊属につき親等が異なる場合には，被相続人に近い親等の者が最先順位の相続人となる（同号ただし書）。

第3順位を兄弟姉妹とし（2号），兄弟姉妹が相続人である場合には代襲相続が認められる（本条2項）。

本条1項1号は，被相続人の父母だけでなく，父母がいない場合には，祖父母が，祖父母がいない場合には，曾祖父母が相続人となるというように，1親等以遠の直系尊属も含めた直系尊属全体が第2順位の相続人となることを定める。このように直系尊属全体が，兄弟姉妹に優先する地位におく順位づけは比較法的には特異な例とされている（新版注民(26)258頁〔中川良延〕，外国法の状況については，→前注（§§886-895） I 4を参照）。

本条1項2号は，第3順位の相続人として兄弟姉妹を，さらに2項は兄弟姉妹が先死した等でいない場合に限り，代襲相続を認める。また，本条2項は，887条3項の再代襲の規定を準用していない（代襲相続にのみとどめられた経緯については，→II 1）。そのため，比較法的にみても相続人となる傍系血族の範囲は狭いということが特徴といえる（→前注（§§886-895） I 4参照）。

民法は，血族相続人を第3順位までしか認めていないため，第3順位までの血族相続人が存在せず，配偶者も存在しない場合には，相続人不存在の規定（951条～959条）に従って相続財産の清算が行われ，特別縁故者に該当する者がいる場合にはその者に分与され，残余財産は最終的には国庫に帰属することになる（II 1で説明するように，兄弟姉妹が相続人として認められたのは昭和22年改正においてである）。ただ，戦前は戸主が第4順位の遺産相続人とされたため相続人の不存在が回避できたこと（大里知彦・旧法親族・相続・戸籍の基礎知識〔1995〕522頁），また日本では，成年養子が認められており，養子縁組をすることで，実質的には相続人不存在となる場面を回避しているとの見方がある（来栖三郎「相続順位」家族法大系VI 332頁）。

このように本条は，法定相続における血族相続人の範囲を画するための規定ともなる。

II　沿革および根拠に関する議論

平成30（2018）年の相続法改正に至る議論における，配偶者の相続権の強化に向けた議論のなかで，配偶者の法定相続分の引上げが検討された（この改正では，配偶者の法定相続分の引上げは行われなかった）。そして，配偶者の地位の強化は，配偶者の共同相続人となる血族相続人の相続法上の地位を弱めることにもつながる（配偶者の相続分の議論に関しては，→§900参照，配偶者の居住権については，→第20巻§1028）。そこで，以下では，このような議論に至る前提ともいえる，本条が尊属相続人を第2順位とし，兄弟姉妹（とその卑属）を第3順位の相続人として定めた経緯を確認するとともに，これらの者になぜ相続権が認められてきたのかという根拠について検討する。

1　沿　　革

現行法の淵源ともなる遺産相続人の順位について，旧民法は，第1順位を直系卑属，第2順位を被相続人の配偶者，第3順位を戸主とし（旧財取313条），相続人の範囲を極めて限定していた。そのため，明治民法の制定にあたり法典調査会にて，直系卑属や配偶者がいない場合には，直系尊属や兄弟姉妹にも相続させるかどうかについて議論がされ，直系尊属のみが加えられた。明治民法起草者には，兄弟姉妹までを加えることには，肯定的な意見もあったが，兄弟姉妹のみならず伯父叔母，甥などに相続人の範囲を広げるのは，「大変ニ嬉シガル」者（いわゆる「笑う相続人」）がいることが西洋ではみられるという理由から認められなかった（法典調査会民法議事〔近代立法資料7〕544-545頁〔穂積陳重発言〕）。またこの際に直系尊属の順位をどうするかについては，配偶者がない場合に戸主よりも尊属に相続させるほうが，実際の事情に適するとされ（理由書262頁），第3順位の相続人とされた（明民994条～996条）。このように，直系尊属が遺産相続人とされた経緯をみる限りでは，必ずしも積極的な理由は示されていない。なお，第4順位となる戸主との関係では，直系尊属は被相続人の家族との関係では戸主よりも先順位の扶養義務者となったため（明民955条），相続順位も先順位となったとされた議論があり（前掲法典調査会民法議事542頁〔梅謙次郎発言〕参照），扶養義務との関係も考慮したうえで相続人としての順位が優先的に位置づけられたことが窺われる。

明治民法は，大正期になると，親族法の規定とともに見直しが検討されることになる。昭和2年に発表された臨時法制審議会「民法相続編中改正ノ要綱」では，家督相続人の独占的相続を緩和し，家督相続人は，相続財産から家を維持するのに必要な相当の額を留保し，なお余分がある場合には，その部分を被相続人の配偶者や他の弟妹に分与すべきことが提案され（もっとも，家督相続そのものが廃止されるというような提案はされなかった〔中川＝泉32頁〕），遺産相続人にも兄弟姉妹を加えること（第6の3）が提案された。このような提案がされたのは，もしこの規定がなければ，戸主が兄で弟姉妹が数人いる場合にその弟姉妹が死亡すれば，戸主である兄がその全財産を相続するが，伯父が戸主で甥が死亡した場合には，その者に兄弟姉妹があっても兄弟姉妹間で相続がおこらず遺産は伯父に行くことになり不公平であるとの理由からであった（穂積重遠「民法改正要綱解説(5)」穂積重遠＝中川善之助編・家族制度全集・法律篇V〔1938〕377頁）。ただし，この改正要綱は，法制化には至っていない。

兄弟姉妹の相続法上の地位が民法上に明文化されたのは，昭和2年の臨時法制審議会による「民法相続編中改正ノ要綱」にならって，現行憲法の理念のもとに改正された昭和22年改正においてである。このような経緯をたどって，兄弟姉妹は推定相続人となる地位を与えられたことになるが，その根拠は戸主となる兄と他の弟姉妹間の公平性から認められたにすぎず，他の血族相続人が推定相続人として規定された根拠と比較すると積極的な根拠づけが議論されていたわけではない。

さらに昭和22年の改正で兄弟姉妹にも代襲相続に関する規定（昭和37年改正で削除された旧888条）が準用されることになったが（本条2項），昭和37年の改正で，887条3項が準用されることになったため，甥姪だけでなくその直系卑属も代襲相続人になることになり，無限に代襲相続を認めることとなった。このような改正は形の上では，子の直系卑属の代襲相続と兄弟姉妹の直系卑属の代襲相続とを同じように扱うことになり，相続人不存在の状態を回避することができる。しかし，同時に，明治民法の起草時に問題となった「笑う相続人」の出現の可能性も高まり，同じく昭和37年の改正で設けられた特別縁故者制度の空文化の危険性もあった。他方で，代襲相続を認めなければ，親族間では877条2項に従い「特別の事情」のもと扶養義務が発生することとの均衡をとれない，あるいは被相続人の遺産を親族でもない者に帰属させ（ほしいままにさせ）ることを回避する必要もあり，傍系血族の相続人の拡大について，無限に拡大することなく，しかし限定する必要があるとの議論が残っていた。そこで昭和55年の民法改正により，887条3項の準用規定は削除され，代襲相続の範囲は甥姪に限定された（中川善之助「民法の一部改正(中)」法セ79号〔1962〕7頁において，すでに昭和37年改正の批判はあった)。

平成30（2018）年の相続法改正に至る議論のなかで，配偶者の相続法上の地位の保護をより図る見直しとともに，兄弟姉妹の代襲相続を再度廃止し，さらに相続人の範囲を限定するべきという意見もあった。この方向性での改正の議論が進むことはなかったが，その理由も兄弟姉妹の代襲相続がなくなれば，相続人不存在の場面が増えることを危惧してのことであり，必ずしも積極的な理由から残されたわけではなく（相続法制検討ワーキングチーム第3回議事要旨（平成26年4月4日）1頁の法定相続分等の見直し事項に，889条2項も挙げられている〔「兄弟姉妹に代襲相続権まで認める必要はあるのか」「兄弟姉妹に一切代襲相続を認めないと，配偶者がいないと相続人不存在となってしまい，遺産が国庫に帰属することになってしまう。配偶者がいるときに限り，兄弟姉妹の代襲相続を認めないという考え方はあり得るのではないか」という意見がみられる〕)，まさに相続の最低限の機能でもある死者の財産の承継先を決定するというところに意味があるように思われる。このような観点からみたとき，兄弟姉妹の代襲相続人の相続法上の根拠は，以下2の根拠に関する議論とつながっているとはいえない。

2　根拠の検討

相続の根拠をめぐっては，「遺言自由の原則」を本則とする通説的考え方にたつのか，法定相続を本則とする考え方にたつのかという相続制度を支える理念をめぐる対立があり（→前注（§§886-895）I 1・2)，いずれの考え方をとるのかにより以下でみる相続権の根拠と説明されてきた要素の重みが異なる（→前注（§§886-895）I 1・3）。

本条でも，子および卑属の相続権の根拠の要素の一つである「血縁」もあげられる。しかし，未来への財産承継の必要性から子および卑属の相続権の場面で説明される「縦の共同生活」という要素は，逆相続となる尊属や傍系血族である兄弟姉妹等の相続権を正当化する要素とはならない。

直系尊属も兄弟姉妹（および兄弟姉妹を代襲相続した甥姪）も，被相続人との間では相互に扶養する関係にあるため（877条），「扶養を受けている」ということを根拠として相続権を正当化するという考え方（→§887 II 2(2)）は本条でも意味をもつ。しかし，相続と扶養制度の相互性の観点から，相続権の根拠を導く場合，甥姪を被相続人としておじ・おばが相続することはできないため（尊属には，887条2項の代襲相続の規定が準用されていない），制度としての理論であるとの説明はできたとしても，具体的な場面での一貫性は保てないといえる。

§887 II 2(3)でみた清算に関する要素については，被相続人が個人営業をしていてそれを直系尊属・兄弟姉妹が手伝っているという場面では，相続権の正当化につながるが，この場合でも，財産法上の法理に従い処理をすることは可能である（→§887 II 2(3)）。

III 第2順位の相続人――直系尊属（本条1項1号）

(1) 直系尊属が相続人となる場合

本条の対象となる直系尊属は，血族である者に限られ，姻族は含まれない。

第2順位の直系尊属が相続人となるのは，887条で相続人となる直系卑属がいない場合である。ここでの相続人となる直系卑属がいない場合とは，子またはその代襲者が現実にいない場合（それらの者が死亡している場合も含む）のみならず，それらの者が相続欠格（891条），廃除（892条・893条），相続放棄（938条以下）により先順位の相続資格を失っている場合も含まれる。

直系尊属で親等が異なる者がいる場合は，親等が近い者が最先順位の相続人となる（本条1項1号ただし書）ため，被相続人の父母がいる場合には，祖父母は相続人とならない。親等が同じであれば同順位の相続人となる。被相続人である子が普通養子縁組を締結した場合，実親と養親が複数人いてもすべての者が同順位の相続人となる。また相続人となる者が父方か母方かで順位に差は生じない。

⑵　養　　親

被相続人と養子縁組をした養親も法定血族関係が生じることから（727条），普通養子の場合には，実親とともに本条の相続人となる。

特別養子が被相続人の場合，実方との関係が養子縁組に従い消滅するため，実親・その直系尊属は相続人とはならない。

⑶　代　　襲

直系尊属については，代襲相続はない（本条2項は，兄弟姉妹〔本条1項2号〕についてのみ，代襲相続に関する887条2項の規定を準用し，尊属については準用していない）。

Ⅳ　第3順位の相続人――兄弟姉妹（本条1項2号）

⑴　兄弟姉妹が相続人となる場合

第1順位，第2順位の相続人がいない場合に，兄弟姉妹が相続人となる。複数人いる場合には，同順位で相続人となり，年齢，性別，未既婚の区別，氏・戸籍の異同で相続順位に影響はない（相続分については，→§900 Ⅴ⑷）。

養子となった者が養親の実子と婚姻した場合や，親が兄弟姉妹の子を養子にした場合には，二重の資格の問題が生じる。この問題については，→前注（§§886-895）Ⅱ参照。

⑵　代 襲 相 続

兄弟姉妹の卑属，すなわち被相続人の甥・姪に代襲相続権がある（本条2項・887条2項）。代襲相続が認められるには，①兄弟姉妹に代襲相続原因がある場合（→§887 Ⅳ 3⑴），②代襲者の要件 ――ⅰ)被代襲者（相続人）の子であること，ⅱ)被相続人の甥姪であること，ⅲ)相続開始時に存在すること ――を満たす場合である。

なお，第3順位の相続においては，再代襲はおこらない（再代襲に関する規定が削除された経緯については，Ⅱ 1 を参照）。

⑶ 効　果

代襲相続により，代襲者は，被代襲者の相続権を承継する。同一の被代襲者について代襲者が数人いる場合には，同順位となり，相続分は均分となる（900条4号・901条2項）（→§900・§901）。

〔冷水登紀代〕

（配偶者の相続権）

第890条　被相続人の配偶者は，常に相続人となる。この場合において，第887条又は前条の規定により相続人となるべき者があるときは，その者と同順位とする。

〔対照〕 フ民731・732・301・756，ド民1931・1932，ス民462

〔改正〕〔996〕

I　本条の意義

本条は，被相続人の配偶者は，常に相続人になる旨（前段），血族相続人がいる場合には，その者と同順位で相続する旨（後段）を規定する。血族相続人が存在しない場合には，被相続人の遺産をすべて相続することになる。

II　沿革および根拠に関する議論

配偶者の相続権は，比較法的にも普遍的なものではなく，日本法の沿革をみてもその時代の社会的・文化的影響を受けており，平成30（2018）年の相続法改正に至る議論のなかで高齢社会を背景として配偶者と死別した生存配偶者の法的地位をいかに保護するのかという観点から見直しが検討された。そこで以下では，生存配偶者の相続法上の地位がなぜ今日のような位置づけとなっているのかということを検討しておく。

1 沿　革

民法が制定されて以降生存配偶者の相続法上の地位は脆弱な状況にあった。明治23年の旧民法上も明治民法上でも家の存続と承継を目的とする家督相続の場面では，血統を重視した規定となっており，家督相続人の順位は，被相続人の直系卑属，兄弟姉妹，兄弟姉妹の卑属，さらに尊属と続き，その次に配偶者が家督相続人と位置づけられていたし，明治民法下でもきわめて例外的な場面に限り家督相続人となりえた（明民979条・982条。詳細は，大里知彦・旧法親族・相続・戸籍の基礎知識〔1995〕452頁以下）。

これに対して，遺産相続の場面では，旧民法上も明治民法上も配偶者は，卑属に次いで第2順位ではあるが，卑属がいない場合に初めて配偶者が相続人となるにとどまる（ただし，現行法のように，血族相続人とともに相続人となるわけではなかったため，卑属がいなければ，被相続人の遺産はすべて配偶者が相続することができた。すなわち遺産相続の対象となる家の財産ではない財産について，尊属に優先してすべて取得することが認められたともいえ，遺産相続の場面では尊属以下の順位の相続人との関係では配偶者は優先的な地位にあったともいえる）。

この状況は，第二次世界大戦後まで続くことになる。ただし生存配偶者の相続法上の地位がこのような状況で問題がないかについては，明治民法の立法作業のなかでは，諸外国の立法などをもとに議論されており，配偶者の地位が劣位であることについて見過ごされていたわけではない（直近卑属と配偶者が同順位である例や配偶者が第1順位とされる例，配偶者に用益権が認められ子が相続する例なども参照され，日本の慣習をみてみても，生存配偶者をまず通してから子が相続するという慣習や子と同順位で相続分を異にする時代〔大宝令〕もあったことが紹介されている）。しかしながら，「近頃ノ沿革ニ徴シテ見マスルト云フト御承知ノ通リ妻ガ特別財産ヲ持ツト云フコトハナカツタモノデアリマスカラ夫タル生存配偶者ガ遺産相続ヲ為スト云フ慣習モナイ法律上サウ云フコトニナツテ居ル別シテ妻ガ子ガアルノニ子ニ先立ツテ遺産相続ヲ為スト云フ慣習モナイヤウニ思ヒマス」（法典調査会民法議事〔近代立法資料7〕539-540頁〔穂積陳重発言〕）との理由から，遺産相続では配偶者を第2順位とする提案がされている。ただし，この提案に対しては，起草者の一人である穂積八束からは，直系相続が家族制度の本則としても，「自分ノ妻子ニ飢エヌヤウニ財産ヲ分ケテヤルト云フノガ当リ前ノコトダラウト思フノデアリマスサウスレバ自分ノ子ト妻ト同ジヤウニ財産ヲ遺シテ置クト云フコトガ人情ニ近イ」のではないか（前掲法典調査会民法議事540頁〔穂積八束発言〕）など，遺産相続の場面での生存配偶者の生活保障としての財産の分配の必要性と，またそうすることが「人情ニ近イ」という被相続人となりうる者の客観的な意思を重視すべきとの指摘がされていることは注目されるべきである。もっともこの指摘に対して，梅謙次郎から，家に関することではない遺産相続についてのこのような意見は一応の理由があるが，通常生存配偶者となるのは妻の方で，妻が夫の財産を相続する場合には，「財産ヲ以テ利用シテ往カウ抔ト云フヤウナコトデナシニ詰リ自分ノ生涯安楽ニ食ヘテ往ケバ宜イト云フ考ヘデアラウ」が，これに対して子はその財産を子孫の繁栄のために活かすことを考えると説明しており（→§887 II 1 参照），――つまり財産の承継と活用という観点からは生存配偶者よりも子の方が意味があり――，さらに生活保障については，仮に妻が生活に窮した場合には，（実子・継子問わず）子に扶養義務があると定められていることから（明民 955 条では，直系卑属が，配偶者につぐ第 2 順位の扶養義務者となり，直系尊属は，明民 957 条に従うと第 1 順位の扶養権利者であった），子は，母親を路頭に迷わせることはなく，妻という者は財産を分けてもらう必要はないとも説明していた。このような議論を経て，子が第 1 順位，配偶者が第 2 順位となる原案が承認されている（前掲法典調査会民法議事〔梅謙次郎発言〕540-541 頁）。

この経緯をみるかぎり，この当時，財産の増殖という観点からは生存配偶者よりも子が相続による財産承継をする方が好ましく，しかし扶養制度なども含めた観点から劣位に置いても生活上は支障がないとの配慮はされていた。しかし，このような相続法上の生存配偶者の地位について，生存配偶者である者が妻である場合には，家の財産を承継できないことで，夫の全財産を相続した長子がその財産を浪費したり，自己の子でない夫の養子・継子が夫を相続したときに，生存配偶者は不遇な状況におちいるといった問題点は，明治民法下でも指摘されていた（穂積 I 123-124 頁）。大正期には，親族法の規定とともに家督相続制度の見直しが検討されることになるが（→§889 II 1），家督相続制度が廃止されるにいたったのは第二次世界大戦後である。

それは，昭和 22 年 5 月 3 日に現行憲法が施行された際に憲法 24 条の「個人の尊厳と両性の本質的平等」の要請に反する親族・相続の 2 編を改正する必要に迫られ，憲法との整合性をとるために，「日本国憲法の施行に伴う民法の応急的措置に関する法律」（昭和 22 年法律 74 号）が施行されたときである。そこでは，家督相続に関する規定は適用されないこと（同法 7 条 1 項），さらに配偶者の相続権と各法定相続人の相続分の定めも見直された（同法8条)。

続いて昭和22年12月22日に公布された「民法の一部を改正する法律」（昭和22年法律222号）により相続編の改正（昭和23年1月1日施行）が行われ，憲法に反する家督相続という戸主の地位の承継に関する身分相続が廃止され，配偶者の相続権についても，血族相続人に並んで相続人と位置づけられた。

このような改正にあたり，国会の審議では，相続法上の配偶者の地位のみならず，家庭生活のなかでの妻の労力を評価し，夫が妻の内助または協力によって作り上げた財産を共有財産にする案もあったが（我妻編・戦後255-256頁〔村岡花子発言〕)，立案担当者は，夫が妻の内助または協力によって作り上げた財産を共有財産とすることで一方が事業を行う場合に不都合が生じる可能性があるため，離別の場合には財産分与，死別の場合には相続権として妻の生活保障をすることで妥協したと説明している（我妻編・戦後257頁〔中川善之助発言〕)。このような経緯からして，現行の配偶者相続権に，夫婦が協力して婚姻中に形成した財産に対してのその協力した配偶者の潜在的持分を清算するという意味が与えられることになる（我妻栄・新しい家の倫理（湯沢雍彦監修・「家族・婚姻」研究文献選集戦後篇7）〔1990〕91頁でも，配偶者の代襲相続権が認められない理由として，婚姻中に夫が取得する財産は，たとえ夫の名義になっていたとしても，実質的には妻との共有財産に基づいているとしており，配偶者の死亡においては，相続権が認められるが，夫が先に死亡し，夫の父母が死亡しても代襲相続については認める必要はない，とも説明していることから，生存配偶者の相続権は，婚姻財産の清算を根拠とする規定と位置づけていたことがわかる)。この結果，生存配偶者は，血族相続人がいる場合にはその者とともに遺産に対して一定の割合について相続権を取得し（分割主義)，相続財産に対して一定割合の「所有権」を取得することを認めることで，憲法24条の要請に応えることが目指された（配偶者の相続分は，昭和22年の改正案では，まず第2小委員会の起草委員会において当初は配偶者の相続分を子と相続する場合には，嫡出子の1人分とし，直系尊属あるいは兄弟姉妹と相続する場合は，遺産の2分の1とする〔第1次案〕であったが，第2次案で，血族相続人の種類に応じて配偶者の相続分を遺産の3分の1，2分の1，3分の2とする別案〔中川案〕が加えられ，第2小委員会ではじめて別案が賛成多数で成立した。我妻編・戦後39頁・48頁・227頁)。

昭和22年改正当時の議論をみるかぎり，配偶者相続権は，当時の改正によりその趣旨にふさわしい相続順位・相続分に改められたというよりは，新たに実質的夫婦共有財産の清算の役目を果たさせるために，相続順位・相続分の強化が図られたにすぎないとも指摘できる（西希代子「配偶者相続権」水野編著72-74頁）。

その後配偶者相続権に関する改正がされたのは，昭和55年改正である。改正の趣旨は，「相続における配偶者（実質的には妻）の優遇にあることはいうまでもな」く，「一夫婦あたりの子の数が減少していること，配偶者の婚姻共同生活への貢献に対する評価が高まってきたこと等を背景と」し，「生存配偶者の生活の安定に資する」改正であると立案担当者による説明がされている（橘勝治「相続に関する民法改正の概要」金法926号〔1980〕4頁）。この改正作業のなかでは，配偶者居住権についての立法措置も検討されたが，居住権の性質その他に困難が多いとして特別措置は見送られ（橘・前掲論文5頁），配偶者の相続分が現行法のとおり改正された。配偶者の相続分を引き上げることにより（子と共に相続する場合には，3分の1から2分の1となった），改正前は，居住用不動産の持分が全体の半分を超える他の相続人により，生存配偶者が退去をせざるを得ない事態が生じる可能性もあったが，少なくとも改正により遺産分割前はそのおそれはなくなり，遺産分割に際して，改正後の906条は，「遺産の分割は，遺産に属する物又は権利の種類及び性質，各相続人の年齢，職業，心身の状態及び生活の状況その他一切の事情を考慮して」なされるよう規定したが，これは，生存配偶者の生活の状況も一つの事情として考慮され，可能なかぎり居住の安定が実現されるものとの期待が込められてのことである（橘・前掲論文5頁）。ところで，この改正にあたっては，現行法へ導入された寄与分とともに，「扶養分」の提案がされていた。しかし，この制度は，扶養請求権を行使することで代替できるという理由から，実務上それを認める必要があまりないとの反対意見が多数で認められなかった。また，検討された扶養分は相続分の修正要素という性質をもつにすぎず，遺留分的性格をあわせもつものではなく，扶養分採用の提案が十分な説得力を持ち得なかった。将来検討するのであれば，遺留分にかわる裁量処分という角度からの検討を合わせて行うべきであるとの指摘がされている（新版注民(26)184-185頁〔島津一郎〕）。

このときに，夫婦財産制の改正も検討され，とくに改正しないものとされていたが（改正要綱試案8。ジュリ699号〔1979〕44頁・46頁），このような対応については批判も多い。

上記のように，配偶者相続権の沿革をたどると，戦前は，慣習，愛情など被相続人の意思に関連する要素も議論されているが，遺産相続における相続順位が第2順位の位置づけとされたのは生存配偶者の扶養ないし生活保障の観点からであり，血族相続人である子・卑属とは異なり，被相続人の財産を承継する者としての意義はない。またこの当時から配偶者相続権の議論の前提は，財産のない妻に対しての保護の観点であったため，「扶養を受ける」者として議論されている。しかも，家の財産ではない遺産相続においては，卑属には優先しないものの，尊属以下の相続人に優先して取得できる地位を認めていた。ただし，配偶者の協力によって増殖した財産であっても，あるいは維持できた財産であっても，卑属には劣後した地位におかれていた。家督相続が問題となる場合には配偶者の地位は例外的に認められる地位にすぎなかった。このような配偶者の地位にかんがみると，夫婦の協力によって婚姻中得た財産の清算の要素が配偶者相続権の根拠として意味をもつのは，第二次世界大戦後の民法の一部改正以降ということになる。

2 根拠に関する議論

相続の根拠をめぐっては，「遺言自由の原則」を本則とする通説的考え方にたつのか，法定相続を本則とする考え方にたつのかという相続制度を支える理念をめぐる対立があり（→前注（§§886-895）I 1・2），いずれの考え方をとるのかにより以下でみる相続権の根拠と説明されてきた要素の重みが異なる（→前注（§§886-895）I 1・3）。しかし，いずれの考え方にたっても，①婚姻中，被相続人の単独名義の財産につき，その取得・維持に協力した生存配偶者のためにその潜在的持分を清算すること（最大判昭36・9・6民集15巻8号2047頁参照），②被相続人が生きていれば受けられた扶養ないし生活保障とすること（中川＝泉125頁，松原I 158頁，内田333頁，二宮312頁，潮見5頁，新版注民(26)277頁〔中川良延〕）の二つの要素から配偶者相続権の根拠を正当化している（これに対して前田ほか243頁〔浦野由起子〕では，①のみを挙げる）。

ところで配偶者相続分を引き上げた昭和55年改正以降，配偶者相続権は，性別役割分業を前提とする主婦の法的保護の意味がより濃厚になっているとの見方がある（二宮313頁）。また，高齢社会を背景として，相続財産の必要性は子よりも配偶者の方が高いとの指摘もある（新版注民(26)197頁以下〔島津〕では，相続人（886条〜895条）の前注に「高齢社会の相続法」という一節があり，この問題を指摘する。有地亨「現今の相続の機能の変化とその考え方の再検討」家族史研究3集〔1981〕103頁以下，同「現代家族と家族関係に関する諸法」同編・現代家族法の諸問題〔1990〕12-13頁も参照）。

これに対して夫婦財産制を見直すことなく配偶者相続権を引き上げることは夫婦の財産関係の法的処理のあり方の歪みを大きくするなど，夫婦財産制度の見直しをすることなく単純に配偶者相続分の割合を引き上げることには懐疑的な見方も有力である（原田純孝「扶養と相続――フランス法と比較してみた日本の特質」奥山恭子ほか編・扶養と相続〔1998〕226頁，伊藤170頁，また同7-8頁では，配偶者の相続権を強化する議論に対して「夫婦が終生の結合を維持し，生存配偶者の共同相続人となる子は当然この者の子でもあることを前提にした議論にすぎず，そういう家族モデルを一般化する誤りを犯している。高齢社会について論じる場合には，高齢者の再婚の可能性を考慮に入れる必要がある」とも指摘する）。大村・家族82頁でも，離婚と同様に死亡の場面においても配偶者の潜在的持分の清算を持ち出すことに疑問が示され，離婚の際は財産分与の対象となる財産は婚姻成立後に形成された財産の一部分（2分の1ルールが適用されれば半分）であることと，死亡の際は被相続人である配偶者の遺産すべてに対する持分の取得が認められることとの違いを示し，夫婦財産制の改正とあわせて配偶者相続権を検討する必要性が指摘されている（大村敦志「婚姻法・離婚法」中田裕康編・家族法改正〔2010〕42頁以下では，夫婦財産〔後得財産〕のみをまず清算して，その後遺産分割をするという方法の提案ではなく，現行の法定相続分を維持しつつ，先に夫婦財産の清算のみをする仕組みが提案されており，このような制度を設計することで夫婦財産の清算部分とそれ以外を区別することが可能となり，配偶者としての夫婦財産に対する権利を明確に守るとともに血族相続人にとってはその特有財産が明らかとなるとする）。

比較法的にみても配偶者の相続法上の地位および配偶者相続権の内容は多様であり（→前注（§§886-895）Ⅰ4参照），相続財産に対して一定割合の所有権を取得するだけではなく居住用不動産に対する賃借権や用益権の設定なども考えられる。最高裁平成25年9月4日大法廷決定（民集67巻6号1320頁）後，900条4号ただし書が改正されたが（→§900 Ⅳ(6)参照），この決定後すぐに生存配偶者を保護するための法制度の見直し作業がされ，平成30（2018）年の相続法改正では，配偶者の居住の権利に関する規定が新設された（詳細は，西希代子「配偶者相続権」水野編著57頁。→第20巻§1028以下）。

III 「配偶者」とは

通説は，本条の配偶者は，被相続人と民法739条に従い婚姻届をした者であるとする（内縁配偶者の相続権否定説）。資本主義的私的所有権の相続制のもとでは相続人が明確である必要があり（新版注民(26)279頁〔中川〕，浅井清信「内縁と相続権」家族法大系II 333頁以下では，相続人の明確化とは，婚姻によって公示すること，すなわち届出をすることであると説明する），相続関係は画一的に処理されることが要請される（我妻・親族法205頁）。相続人が戸籍から一応推定できるものでなければ，内縁関係の成否を認定することの困難が生じ（中川＝泉129頁），取引の安全が害されるからである（基本法コメ24頁〔右近健男〕）。このように考えれば，内縁配偶者は，本条の「配偶者」には当たらない（これに対して，東京家審昭31・7・25家月9巻10号38頁は，すべての内縁配偶者を「括一的に考察せず」，「段階的に考察するのが家事事件解決に際して実情に添う」と判断しているが，「特異な審判例」と説明されている〔松原I 158-159頁〕）。配偶者相続権は法律婚主義の帰結である（二宮313頁）。

IV 生存内縁配偶者の保護

内縁配偶者が死亡し，内縁関係が解消され，死亡内縁配偶者に相続人がいない場合には，生存内縁配偶者は特別縁故者として遺産の分与が認められる（→§958の2参照）。しかし，相続人がいた場合には，特別縁故者として遺産の分与を求めることができず，また生存内縁配偶者に本条に基づく相続権が認められないため，離婚の際に行う財産分与に関する768条の規定を類推適用することができるかどうかが議論されてきた。

判例（最決平12・3・10民集54巻3号1040頁）は，「民法は，法律上の夫婦の婚姻解消時における財産関係の清算及び婚姻解消後の扶養については，離婚による解消と当事者の一方の死亡による解消とを区別し，前者の場合には財産分与の方法を用意し，後者の場合には相続により財産を承継させることでこれを処理するものとしている。このことにかんがみると，内縁の夫婦について，離別による内縁解消の場合に民法の財産分与の規定を類推適用することは，準婚的法律関係の保護に適するものとしてその合理性を承認し得るとしても，死亡による内縁解消のときに，相続の開始した遺産につき財産分与の法理による遺産清算の道を開くことは，相続による財産承継の構造の中に異質の契機を持ち込むもので，法の予定しないところである」として，768条の類推適用を否定している（768条類推適用否定説)。ただし，類推適用否定説に立った場合でも，一般の財産法理などにより，生存内縁配偶者が相続人に一定の請求をすることは可能である（大村敦志〔判批〕民百選Ⅲ 3版51頁，また下級審ではあるが，内縁の夫婦が共同で家業を経営している場合〔大阪高判昭57・11・30家月36巻1号139頁〕，双方の収入で生計を維持していた場合〔名古屋高判昭58・6・15判タ508号112頁〕，建築費用の一部を拠出している場合〔東京地判平4・1・31判タ793号223頁〕には，共有が認められている)。

これに対して，学説上，768条の類推適用を肯定する説もある。768条類推適用肯定説は，相続権がないことによる内縁配偶者の利益を守るために財産分与の規定を考慮しても，そのことで相続による承継を認める解釈が必然化するわけではなく（青竹美佳「相続における内縁配偶者の法的地位について」阪大法学66巻6号〔2017〕62頁)，内縁配偶者の死亡と同時に，すなわち内縁関係が解消することによって，死亡配偶者に抽象的に財産分与義務が生じ，その義務が相続人に相続されると解すれば，「相続による財産承継の構造の中に異質の契機を持ち込む」ことにはならないとする（二宮158-159頁)。また，同時に生前の内縁関係の解消であれば，財産分与の規定を類推適用できることとのバランスを欠くことも指摘する（二宮159-160頁)。

これらの説の対立には，内縁・事実婚カップルが変容している今日，従来これらのカップルのために伝統的な意味での内縁の保護法理として機能してきた準婚理論を積極的に認める方向で考えるのか，逆にあえて婚姻の形をとらない者に対して準婚理論を積極的に適用することには慎重であるべきと考えるのか，内縁・事実婚に関する根本的な考え方の対立がある（大村・前掲百選Ⅲ 51頁)。

なお，平成30（2018）年の相続法改正により新設された「特別の寄与」（1050条）制度において，特別寄与料の請求権者である「被相続人の親族」

に生存内縁配偶者（事実婚や同性カップルのパートナー）も加えるべきであるとの意見が立案過程および国会での審議において議論された（水野紀子「家族観と親族を考える」法教489号〔2021〕110頁）。立案担当者は，内縁配偶者を請求権者に加えると，その該当性をめぐって当事者間で主張・立証が繰り返され相続をめぐる紛争がいっそう複雑化，長期化するおそれがあるとの理由から，このような考え方を採用しなかったと説明する（一問一答182頁注1。→第20巻§1050）。

V　婚姻の解消手続中の配偶者死亡と生存配偶者の相続権

1　婚 姻 無 効

婚姻無効に基づき，婚姻の解消手続が係属しているなか，夫婦の一方が死亡した場合，他の一方に①当然に相続権はないとするか，②一定の者の訴えによる無効判決が確定するまでは，相続権を有するものとするかの対立が考えられるが，この問題は婚姻無効の性質論と関連する。民法学説は，婚姻無効は当然無効であり，利害関係人であればだれでも無効の主張ができると考えることから，婚姻無効の判決が確定することを待つことなく，血族相続人は，配偶者に対し相続回復請求等の訴えをすることができ（したがって，①），この手続の中で，婚姻無効の主張をすることができる（新版注民(26)282頁〔中川〕）。

2　婚姻の取消し

婚姻の取消しは，その請求が認容され，判決が確定したときに効力が生じるが（遡及効はない〔748条1項〕），死亡後に取り消されたときは，死亡時に取消しによって解消されたと解され（我妻・親族法67頁），そうするとその時から生存配偶者は相続権を失う（新版注民(26)282頁〔中川〕）。

重婚についても，取り消されるまでは後婚も有効である以上，前婚配偶者と後婚配偶者が配偶者の相続分の各2分の1の相続権を取得するとする説がある（新版注民(26)〔中川〕282頁）。

3　離婚訴訟係属中の配偶者の死亡

離婚係争中に配偶者が死亡した場合，死亡時点では，生存配偶者は，「配偶者」としての地位にある。したがって，生存配偶者は有効に相続権を取得することができる。

〔冷水登紀代〕

（相続人の欠格事由）

第891条　次に掲げる者は，相続人となることができない。

一　故意に被相続人又は相続について先順位若しくは同順位にある者を死亡するに至らせ，又は至らせようとしたために，刑に処せられた者

二　被相続人の殺害されたことを知って，これを告発せず，又は告訴しなかった者。ただし，その者に是非の弁別がないとき，又は殺害者が自己の配偶者若しくは直系血族であったときは，この限りでない。

三　詐欺又は強迫によって，被相続人が相続に関する遺言をし，撤回し，取り消し，又は変更することを妨げた者

四　詐欺又は強迫によって，被相続人に相続に関する遺言をさせ，撤回させ，取り消させ，又は変更させた者

五　相続に関する被相続人の遺言書を偽造し，変造し，破棄し，又は隠匿した者

〔**対照**〕　フ民726〜728，ド民2333・2339・2340，ス民540

〔**改正**〕　(997)

細　目　次

I 本条の意義

本条は，本条所定の行為（欠格事由に該当する行為）をした推定相続人につき，法律が当然に相続資格を剥奪する制度である。被相続人の意思・意向は問われない。

相続欠格は，892条以下の廃除とともに推定相続人の相続資格を奪う制度である。しかし，廃除は被相続人の意思（または遺言）に基づき家庭裁判所に審判を求める必要があり審判で認められなければ効果が生じないのに対し，相続欠格では欠格事由に該当する行為を行った推定相続人は当然にその地位が剥奪される。また，廃除は被相続人の意思で，審判の取消しを請求できるのに対し，相続欠格には取消制度は設けられていない。このような違いは，各制度の根拠・性質の違いによるところが多いが，立法論としては相続欠格も被相続人の意思にかからしめる制度に統一するべきであるとの主張もある（幾代通「相続欠格」家族法大系Ⅵ 68頁，新版注民(26)317-318頁〔加藤永一〕）。

II 相続欠格制度の根拠・本質

相続欠格制度の根拠をめぐる対立は，相続制度の根拠に関する議論の対立と通底する問題で，相続欠格制度の根拠をどのように捉えるかが，要件面，とくに「故意」をどのように捉えるかという問題，さらには相続欠格者の宥恕が認められるのかという問題につながっている。ただし，各学説の対立は，必ずしも相続制度の根拠（→前注（§§886-895）I参照）と相続欠格の制度の根拠とを厳格に結びつけて論じていないものもあり，細かな点では多岐にわたるが，以下の4つに大別できる。

①家族協同体関係破壊説　この考え方は相続法の根拠について，相続の本則を法定相続におき，相続制度は家族協同体の物質的基礎である財産の個人的な承継であると考える（我妻＝立石358-359頁）。この説からは，相続欠格制度は，このような倫理的・経済的な結合を前提とする相続「協同体的結合」を破るような非行を行った者には相続権を認めるべきではない，との理由から設けられた制度であると説明する（ただこのような考え方は，「協同体」的結合を貫く思想が明治民法下での「家」制度に根ざす家族主義的思想とつながることを考慮し〔我妻＝立石358-359頁〕，現行法のもとでは相続欠格の範囲は広すぎるため解釈にあたっては厳格に制限する必要があるとする〔我妻＝立石392頁〕。この他，相続制度の本則を遺言相続としている点では①とは異なるが，法定相続権の根拠を共同生活関係から生じた財産の清算ないし生活保障に求め，相続欠格制度は相続的協同関係〔潮見45頁では，「相続的協同関係」を「相互に相続権を付与されている者の家族的共同生活関係」と説明としている。「家族協同体関係」も同義と考えられる〕を破壊した者に対する相続権の剝奪であると捉える説もある〔中川＝泉78頁以下・6頁・9頁以下〕。相続欠格制度の根拠を，相続的協同関係の破壊に求める点で，①と共通するため，「①'」と表記する）。

②財産取得秩序破壊説　この説は，相続の本則を，（相続的協同体関係を重視する家族主義的思想を持ち込まず）意思主義を前提とした遺言相続にすえ，個人主義的観点から，相続欠格制度の根拠を相続による財産的取得秩序を乱し，違法に利得しようとしたことに対する民事制裁と考える（幾代通「相続欠格」家族法大系Ⅵ67-68頁，中川編・註釈上68-69頁以下〔山中康雄〕。ただし，後述するように，両説は，宥恕の捉え方は異なる。幾代・前掲論文68頁は，宥恕を肯定し，中川編・註釈上80頁〔山中〕は，宥恕を論理的には否定する）。

③公益目的・民事制裁説　①とは異なり家族主義的な思想を持ち込まずに相続制度の本則を法定相続とし，遺言制度を例外と位置づける。この説は，相続欠格制度は，相続により利益を受けるために行われる相続による財産取得の秩序に対する違法行為を列挙し，それらを当然の相続資格喪失に結びつけた公益的観点からの制裁で，したがって，被相続人の意思を問題とせず相

続資格を剝奪した民事制裁の一種であると説明する（潮見45-46頁）。

④二元説　相続欠格制度の根拠・本質を一元的に捉えようとする①から③説に対して，被相続人または先順位・同順位の相続人への生命侵害またはそれに関する非行（本条1号・2号は，上記①または③の根拠に馴染む）と被相続人の遺言への違法な干渉（本条3号～5号は，上記②の根拠に馴染む）とに大別し，前者を相続的協同関係の破壊に対する制裁，後者を違法な利得を得ようとしたことに対する制裁と考える（新版注民(26)286頁以下，特に288頁〔加藤〕。また，同315頁以下でドイツ・スイス・フランス民法との比較を行い，ドイツ民法では遺言の作成・破棄を不可能にさせた相続人が相続欠格となるのに対し，遺言自由を妨げ，違法に遺産取得した者への制裁〔ド民2339条・2340条〕で宥恕が認められており，フランス民法は，本条1号および2号と同じ事由についてのみ公益的性質から相続欠格を認め〔フ民727条〕，廃除の制度はおいていないことなどを紹介し，本条は制度としての一貫性に欠けると指摘する。このほか床谷＝犬伏編29頁以下〔床谷〕，石川博康〔判批〕民百選Ⅲ3版110頁参照）。

Ⅲ　欠格事由

Ⅱでみた本条の根拠・本質をめぐる学説上の対立は，以下でみる欠格事由を構成する要件，特に「故意」をどのように捉えるかという点でも対立をもたらしている。

1　故意に被相続人または先順位・同順位の相続人を死亡に至らせ，または至らせようとしたために，刑に処せられた者（1号）

1号は，①故意に，②被相続人または先順位・同順位の相続人を，③死に至らせ，または至らせようとしたため，刑に処せられた者に対する制裁の規定である。

(1)　故　意

殺人行為について既遂であるか未遂であるかは問われないが，故意の行為であることが必要であり，以下のいずれの説に立っても過失致死や殺意のない傷害致死は相続欠格事由には当たらない。

ところで，(i)故意は殺人について存在すればよいのか，(ii)被害者が被相続人または先順位・同順位の相続人であることの認識を要するのか，さらに(iii)

相続法上の利益を受けることを目的としたものまでが必要なのかについて，学説は分かれる（基本法コメ 25 頁〔右近健男〕）。なお，起草者は，家督相続人の資格の剥奪規定である明治民法 969 条で説明する。同条における規定の趣旨は，相続をなすために他人を殺しまたは殺そうと謀った者に，家督相続をさせると，この目的で殺人罪を犯す者が生じ，特に殺人のために財産上その他の利得を被るようなことは「公安ニ害アル」ものだと説明する（梅 18 頁）。その上で故意について，「(第二) 被害者ノ被相続人又ハ家督相続ニ付キ先順位ニ在ル者タルコトヲ知レルコトヲ要ス」。「相続ヲ希望スルノ余人ヲ殺シ又ハ殺サント謀リタル者」に対する制裁であるからである。しかし，「相続ヲ希望スル」という目的についての証拠は不要で，上記(i)(ii)を充たしていれば，この目的があったものとみなされると解している。このような目的は証明することが困難であるからである（梅 20-21 頁）。

家族協同体関係破壊説（II①）は，故意の殺害であるかぎり，相続的協同関係は破壊されるから殺害の故意で足りるとする（中川 = 泉 80 頁は，殺人により相続的協同関係は破壊されており，加害者の意思を厳格に解釈しても無意味であるとし，(ii)について特に言及していない。我妻 = 立石 393 頁は，(i)だけでなく(ii)までは必要であるとするとし，(iii)については明確に否定しているが，起草者意思や以下にみる「二重の故意」説に近い）。また，二元説（II④）も本号の根拠・本質は，II①と同趣旨であると捉えるため，(i)で足りるとする（新版注民(26)296 頁〔加藤〕，床谷 = 犬伏編 32 頁〔床谷〕）。この考え方は，本号で問題となる親族殺人の場合，相続に関連した争いだけでなく，財産に直接関係のない日常の感情のもつれや，老老介護のもたらす不幸な結末としての介護殺人，さらには家庭内での暴力（DV，虐待）を原因とするものも多く，このような場合でも相続的協同関係は破壊されていると考えるからである。犯罪防止という趣旨から(i)で足りるとする説もある（基本法コメ 25 頁〔右近〕）。

これに対し，相続法の本則を遺言におくか法定相続におくかは別として，本条の根拠・本質に，財産の取得秩序を乱し，それにより違法に利得を得ようとする者に対する制裁を見いだす立場（II②③）は，殺人についての故意だけでなく，殺人により相続上の利益を得るということについての故意（二重の故意）も要すると考える（幾代通「相続欠格」家族法大系VI 70 頁は，相続法上有利となることについての故意を「当然これを肯定すべきである。すなわち，被害者が被相続人……または相続につき先順位もしくは同順位に在る者であることの認識を要する」とし，(ii)＝(iii)と考えており，起草者意思に近い。潮見47頁)。

(2)　対象者：被相続人，先順位・同順位の相続人

本号の殺人行為の対象となる者は，「被相続人又は相続について先順位若しくは同順位にある者」である。すなわち，先順位の者とは，第1順位の血族相続人である被相続人の子を第2順位の尊属（被相続人の親）が殺害したり，無子の被相続人の親を子（被相続人の兄弟姉妹）が殺害するというように887条および889条に従い文字通り先順位の者に対する殺害の場合もあれば，被相続人の子をその代襲相続人となる孫が殺害する場合もこれに当たる。「同順位の相続人」の殺害には，被相続人の子が他の子を殺害（兄弟姉妹間での殺人）するなど血族相続人で同一親等内の者の間の殺害もあれば，被相続人の配偶者が同順位の相続人となる子，直系尊属および兄弟姉妹を殺害する場合や，逆に被相続人の子，直系尊属および兄弟姉妹が被相続人の配偶者を殺害する場合もある。

包括受遺者は相続人と同一の権利義務を有することから（990条），相続人に準じて扱うべきであるが，特定受遺者については適用すべきでないと解されている（幾代・前掲論文70頁，新版注民(26)293頁〔加藤〕)。

(3)　殺人または殺人未遂により処刑されていること

殺人罪（刑199条），殺人未遂罪（刑203条）だけでなく，殺人予備罪（刑201条）も含み，正犯・従犯による区別はない。被相続人等を教唆しまたは幇助して自殺させる場合や嘱託殺人も含まれる（刑202条）（幾代・前掲論文70頁，新版注民(26)293頁〔加藤〕)。これらの罪により，有罪判決が確定している場合には，相続欠格に当たることに異論はないが（新版注民(26)297頁〔加藤〕)，加害者の行為が正当行為（刑35条），正当防衛（刑36条），緊急避難（刑37条）に当たる場合や，加害者に刑事責任を追及することがない場合には，本号の欠格にはならない（基本法コメ25頁〔右近〕，広島地判昭49・5・27判タ310号230頁)。

執行猶予付判決を受けた者について，通説は，執行猶予期間が経過すれば，刑の言渡しが効力を失うため，相続欠格にならないとする（我妻＝立石393頁，中川＝泉80-81頁，幾代・前掲論文71頁。これに対して，刑法27条は将来に向かって刑の言渡しの効力を失わせるものであり，刑の言渡しをないものと考えることはできない〔佐伯仁志＝道垣内弘人・刑法と民法の対話〔2001〕354頁〕ことから，執行猶予付きの判決がされたとしても，相続欠格に該当すると解すべきで，相続開始前に，執行猶予期間が執行猶予の取消しを受けることなく経過した場合には，刑の言渡しの効力を失う結果，相続欠格に該当しないと解すべきとする説〔松原Ⅰ 189頁〕と，執行猶予が取り消されるかどうかにかかわらず相続欠格に該当しないと解すべきであるとする説〔新版注民(26) 298頁〔加藤〕〕との対立がある)。なお，令和4年6月13日成立の「刑法等の一部を改正する法律」により執行猶予期間中に新たな犯罪について起訴がされた場合の執行猶予の取消しに関する規定が新設されたが，ここでの解釈には影響を与えることはない。

また，公訴棄却の判決・決定（刑訴338条・339条）や免訴判決（刑訴337条）の場合について，従来の通説は本号の文理から相続欠格に当たらないとする（これに対して，新版注民(26)297頁〔加藤〕は，刑事責任は問えないとしても，有罪事実的なものがあれば，別途民事上の制裁である相続欠格の判断をすることができるとする)。

2　被相続人が殺害されたことを知って告発せず，または告訴しなかった者（2号）

2号は，被相続人が殺害されたときに告発・告訴するのが相続人の義務であり，それを怠り，犯罪の発覚を妨げたことに対する制裁の趣旨から定められている（松原Ⅰ 190頁)。このような者が相続欠格となるのは，被害者が殺害されたことを知ってそれを告発・告訴しない者は，「人情ニ戻ル」だけでなく，それにより自身が相続できることを喜んでいるのと同じであり，「他人ノ手ヲ仮リテ被相続人ヲ殺シタル」者は，「公安ヲ害スル」おそれがあるからであると立法当初は説明されていた（梅22頁)。すなわち本号も公益目的で制定されたことが窺われる。もっとも，後者の「他人ノ手ヲ仮リテ被相続人ヲ殺シタル」者は，今日では殺人の教唆（刑61条）または共同正犯（刑60条）として1号に該当するため，本号で問題となるのは前者の徳義上の義務に違反した者に限られる。したがって，告訴・告発できない者，難しい者，その是非の弁別ができない者や加害者の配偶者，直系血族は除かれる（同号ただし書)。配偶者や直系血族を除くのは，もっとも身近な親族であるがゆえに「人情」により隠してしまい，それにより相続権を失わせるべきとまではいえないからである（梅23頁)。

告発は，資格を問わず，犯人以外の者で，被相続人の死亡につき殺害があると考える者が（刑訴239条），告訴は，犯罪の被害者（刑訴230条）が死亡していることから，被害者の配偶者，直系の親族または兄弟姉妹が（刑訴231条2項），検察官または司法警察員に対し犯罪事実を書面・口頭で申し出ることで（刑訴241条1項），公訴権の発動を求める意思表示である。本号との関係では，告訴権者が広いため，何人でもできる告発は兄弟姉妹の代襲相続人にのみ当てはまるだけである（新版注民(26)299-300頁〔加藤〕，基本法コメ26頁〔右近〕）。もっとも，刑事訴訟法上は，犯罪があると思料されれば，告発・告訴がなくとも，捜査が開始されるのが原則である（刑訴189条2項・191条1項）。したがって，告発・告訴前に公訴権の発動があれば，本号を適用する余地はなく（大判昭7・11・4法学2巻829頁），犯罪事実が窺えるにもかかわらず，捜査機関が動き出していないときに限って，本条を適用するべきであると解されている（基本法コメ26頁〔右近〕）。もっとも，立法論としては，徳義上の義務に違反したことを理由に相続欠格に当たるとする本号については廃止すべきであるとの立場も強い（新版注民(26)229頁〔加藤〕，基本法コメ26頁〔右近〕）。

3　詐欺または強迫によって，被相続人が相続に関する遺言をし，撤回し，取り消し，または変更することを妨げた者（3号）

(1)　本号の趣旨

被相続人の遺言自由を保障するための規定であり，それを妨害し，相続法上不当に有利な地位を得ようとした者に対する制裁に関する規定である。ところで，本号の趣旨に関して，家督相続人の欠格事由について起草者は，「被相続人ハ法律ノ許ス範囲内ニ於テハ相続ニ関シ自由ニ遺言ヲ為スノ権アリ」と述べ，そして，遺言の自由を守るために，被相続人が行った遺言を被相続人は自由に取り消し，変更等をすることが認められているが，その被相続人の行為についてそれがなければ自己に利益となる遺言であるため詐欺・強迫により妨げる相続人は，「遺言ノ自由ヲ害スルノミナラス不法行為ニ因リテ自己カ当然受クヘキ利益以外ノ利益ヲ強取セント謀リタルモノニシテ其所為最モ悪ムヘク若シ之ヲ仮借スルトキハ不法行為者ノ為メニ公益ニ関スル相続ノ規定ヲ蹂躙セラルルニ至ルモノト謂フモ可ナルカ」と説明していた（梅24-25頁）。つまり，本号の趣旨についても，遺言自由を害するだけでなく不法行為により本来得られる利益以外の利益を得ようと謀る者は，「公益」

の観点から相続権を剝奪する趣旨で捉えていたことが窺われる。このような立法当初の趣旨に対して，近年では，本号から5号までは，遺言自由を保障するための趣旨という点では立法時の議論と変わりはないが，遺言者に対して不当な干渉を加えて不当な利得を得ようとする者との関係での制裁規定であることを重視し，公益的制裁を根拠とする1号・2号とは区別して捉えられている（特に，上記二元説〔II④〕は，本号から5号までの規定がならったドイツ法では相続欠格について宥恕が認められており，逆に，フランス法は本号から5号に関する事由は，公益的制裁には馴染まず，相続資格を奪う事由とはなっていない）との理由から，相続欠格の規定を見直すべきと指摘する（新版注民(26)315-318頁〔加藤〕）。

(2) 被相続人による相続に関する遺言

本号の対象となる「相続に関する遺言」とは，相続財産・相続人の範囲に影響を与える民法その他の規定により遺言事項となる事項についての遺言である（我妻＝立石394頁）。したがって，後見人または後見監督人の指定をする遺言（839条・848条）のように相続に関係のない遺言を除き，相続分の指定（902条・903条），遺産分割の方法の指定・指定委託・遺産分割の禁止（908条），相続人相互の担保責任（914条）のように相続自体に関するものだけでなく，遺産の範囲に影響を及ぼす遺贈（964条），相続人の範囲に影響を及ぼす認知（781条2項），相続人の廃除または廃除の取消し（893条・894条2項），一般財団法人の設立（一般法人152条2項）や一般財団法人への財産の拠出（同164条2項）のほか，遺留分侵害額の負担方法の指定（1047条1項2号ただし書），遺言執行者の指定または指定の委託（1006条1項），遺言信託（信託3条2号），保険金受取人の指定（保険44条1項・73条1項）（新版注民(26)300-301頁〔加藤〕参照）に関する遺言が対象となりうる。

なお，妨害行為により，被相続人が遺言の取消し，変更等を妨げられた場合（本号が適用される場合）の遺言書の効力については，妨害行為がなければ遺言書が取り消されたか変更されたはずであり，取り消されて遺言の効力の発生が阻止されたり，別の遺言になったはずであるにもかかわらず，妨害により遺言者の意思が不明となったため，既存の遺言はその効力を生じないと解されている（新版注民(26)303頁〔加藤〕）。

(3) 被相続人の遺言行為

本号の適用を受けるのは，被相続人による遺言（967条以下），遺言の取消し・撤回（1022条以下），既存の遺言書の加除訂正その他の変更（968条3項・970条2項・982条）に関するあらゆる遺言行為である。

問題は，被相続人が「無効な遺言」をしたり，「無効な遺言」の取消し・撤回，変更等をしたりする際に，相続人から妨害を受けた場合である。従来の通説は，本号の対象は，無効な遺言行為ないし無効な遺言につき取消し，撤回，変更等をすることを妨害しても，無意味で実害が生じる余地はないため有効な遺言行為に限られるとする（中川編・註釈上75頁〔山中〕，幾代・前掲論文73頁，松原Ⅰ191頁）。しかし，近年では，本号の趣旨は，遺言制度・秩序ひいては私的自治の制度そのものを保護するものであり，この点に注目すれば，遺言に関する不当な干渉行為かどうかは，問題の遺言の有効・無効とは無関係に判断すべきであるとの批判も強い（潮見49頁。このほか新版注民(26)301頁〔加藤〕では，方式違反である遺言が無効であると遺言者が知ったため訂正しようとした場合に，相続人から干渉を受けたようなときには，本号の欠格に当たるとしており，無効な遺言を対象としても欠格になる場合はありうるとする）。

(4) 被相続人の(3)の行為につき，詐欺または強迫による妨害をしたこと

(ア) 詐欺または強迫行為による妨害　(i)欺罔行為により，被相続人を錯誤に陥らせること（詐欺行為），または被相続人に害悪を示して畏怖を生じさせることで（強迫行為），(ii)被相続人が遺言行為をしなかった（妨害した）ことが必要となる（幾代・前掲論文73頁は，未遂は欠格には当たらないとする。この他，新版注民(26)302頁〔加藤〕，中川編・註釈上77頁〔山中〕）。

詐欺行為または強迫行為により，被相続人が遺言行為をしなかった（妨害された）というだけで十分で，相続人が現実に有利となったという結果は必要とはしない（幾代・前掲論文74頁，新版注民(26)302頁〔加藤〕）。被相続人から遺言書の破棄を命じられた相続人が，その命令に違反し，ひそかに遺言書を保管する場合（遺言の撤回の妨害），危急時遺言の証人である相続人が遺言者の口授の趣旨とは異なった趣旨で筆記した場合（遺言作成行為の妨害）なども ここでの妨害に当たる。

詐欺行為・強迫行為があっても，被相続人が遺言行為をしたときには本号は適用されない（新版注民(26)302頁〔加藤〕）。

なお，詐欺・強迫行為が止み被相続人が遺言できるようになった場合に，本号の適用があるかについては争いがある。被相続人が自由に遺言できることを保障する趣旨で本号を捉えた場合には，被相続人がすでに自由に遺言をすることができる以上，本号が適用されないということになる（新版注民(26) 302頁〔加藤〕）。これに対して，妨害行為を行ったこと自体が非難されるべきであると考えるのであれば，妨害行為が止んだ後，被相続人が遺言行為をすることができても，一度行った妨害行為による欠格が治癒されるものではないため，本号は適用されるということになる（基本法コメ26頁〔右近〕）。

(イ) 妨害行為の故意　　妨害行為の故意は，(i)詐欺・強迫の故意だけでなく，(ii)相続法上有利になろうとし，または不利になることを妨げる故意が必要であるというのが通説である（二重の故意）（松原Ⅰ 195-196頁）。本号の二重の故意の要件は，財産秩序の維持に対して不当な干渉をし，不当な利益を得ようとした者への制裁の意味で本条を捉える立場からは共通して導かれる要件となる。すなわち，本条の趣旨を公益的観点から相続による財産の取得秩序の維持を重視し，遺言秩序を乱すことになりかねない不当な干渉を行い，それにより利益を得ようとした者に対する制裁と考える説（上記公益目的・民事制裁説〔Ⅱ③〕〔潮見45頁，49頁〕），また遺言自由を重視し，本号は個人の財産の取得秩序に対して不当な利益を得る目的で違法行為を行った者への制裁と考える説（財産取得秩序破壊説〔Ⅱ②〕〔幾代・前掲論文，中川編・註釈上75-76頁〔山中〕〕），また本条を二元的に捉える説（〔Ⅱ④〕新版注民(26)301-302頁〔加藤〕）が，二重の故意の要件を求める。これに対し，家族協同体関係破壊説（Ⅱ①）を貫いた場合には，詐欺・強迫により遺言をすることを妨げること，あるいは取消しや変更を妨げること自体を問題とし，(ii)の故意は不要と考えることになる（中川＝泉84頁注10，基本法コメ26頁〔右近〕参照）。

4　詐欺または強迫により，被相続人に相続に関する遺言をさせ，撤回させ，取り消させ，または変更させた者（4号）

本号は，3号と同じ趣旨であり，被相続人の遺言行為に不当に介入した者に対する制裁に関する規定である。本号は，「詐欺行為または強迫行為」により，被相続人に「遺言行為」をさせた場合である。本号の趣旨については，3号と同様の対立が生じるため，要件（①相続に関する遺言の存在，②被相続人による遺言行為〔遺言をすること，遺言の撤回，取消しまたは変更をすること〕，③②が相続人による「詐欺行為または強迫行為」により行われたこと）についても，3号と同様の対立が生じる（潮見50頁，新基本法コメ33頁〔幡野弘樹〕）。解説についてはそちらを参照されたい（一3(1)）。

本号特有の問題は，以下の点についてである（新版注民(26)304頁〔加藤〕）。詐欺・強迫により，遺言の作成，取消し，撤回および変更がされた場合には，この遺言行為自体を，96条に従い取り消すことも可能である。遺言行為が取り消された場合には，遺言は遡及的に無効となるため（121条），相続人・相続財産の範囲には影響する余地がなくなる（相続人は，不当な干渉行為により利得を得ることもない）。そのため，このような場合であっても，不当な干渉を行った相続人は，相続欠格になるのかという問題が生じる。

不当な妨害行為を行ったこと自体が非難されるべきであるという立場を採った場合には，96条による取消しの有無と関係なく本号が適用されることに異論はない。これに対して，3号において，詐欺行為または強迫行為の状態が止んだ場合には，被相続人は改めて遺言行為をすることができること（場合によっては自らの意思で，不当な干渉を行った者を廃除することができること）を理由に，同号の適用を否定するとの立場（一3(4)(ア)）がある。この考え方に従った場合，本号の場面においても，詐欺・強迫から脱した者は改めて遺言行為をすることができるため（1022条），生前に96条により遡及的に遺言の効力を消滅させる必要はないと解され，詐欺・強迫の状態が止んで新たに遺言ができる状態であるにもかかわらず，遺言行為をしなかったのであるから本号の適用は排除されるということになる。96条の取消権を行使することができるのは，被相続人の死後に取消権も包括承継で取得した相続人に限定されることになる（新版注民(26)304頁〔加藤〕，中川編・註釈上76-77頁〔山中〕。ただしこの考え方に対しては，96条の要件が充足されるにもかかわらず遺言の場面では被相続人の取消権を否定することになり，このような処理をすることについて十分な理由はなく，取消権の時効〔126条〕による制限のみが考慮されれば足りるという批判も成り立ちうる）。さらにこの考え方は，相続人により96条による取消しがされた場合でも，不当な干渉を行った相続人に対しては本号が適用されるとする。なぜなら，仮に適用されないとすれば，96条により取り消されれば相続欠格者にならず，取り消されなければ相続欠格者になることになり，取消しの有無が結果を左右することになるため，均衡を失することを理由とする（新版注民(26)304頁〔加藤〕，中川編・註釈上77頁〔山中〕，中川(淳)・逐条(上)91頁）。

5　相続に関する被相続人の遺言を偽造し，変造し，破棄し，または隠匿した者（5号）

⑴　自筆証書保管制度による偽造等の防止

本号の趣旨も3号・4号と同様，被相続人の遺言に対して著しく不当な干渉行為を行った相続人に対し相続人となる資格を失わせるという民事制裁を課そうとする趣旨である（最判昭56・4・3民集35巻3号431頁）。要件も，①相続に関する遺言であること，②相続人が①の遺言について，偽造，変造，破棄または隠匿したこと，③②の行為が故意に基づくものであることであり，3号に類似する（→3。なお，二重の故意については，3号・4号と同様，不要とする説もある）。

ところで，自筆証書遺言は，遺言者自身が作成して保管することができるが，その反面作成者が紛失したり，遺産分割に際して相続人に気づかれなかったり，また本号の欠格事由となる相続人による偽造，変造，破棄，隠匿の可能性も生じやすいことが問題とされていた。このような問題点を踏まえ，平成30（2018）年相続法改正にいたる議論のなかで，公正証書遺言よりもより安価で保管しやすい制度の必要性が指摘され，平成30（2018）年7月6日に「法務局における遺言書の保管等に関する法律」（平成30年法律73号。以下，「遺言書保管法」という）が成立し，令和2（2020）年7月10日より施行された。

この制度により，自筆証書遺言の遺言者は，遺言書保管所（法務大臣が指定する法務局）に（遺言書保管法2条）作成した自筆証書遺言を保管する申請をし（同法4条），その遺言書が保管されるとともに（同法6条），その画像データが保存されることとなり（同法7条），遺言者が死亡後，「何人も」法務大臣が指定する全国の法務局に遺言書の保管事実の有無を「遺言書保管事実証明書」の交付請求をすることで確認でき（同法10条），相続人等を含む遺言書の関係者は遺言書の閲覧請求や「遺言書情報証明書」の交付請求ができることになった（同法9条）。この制度を利用した遺言書は，その真正が確保されるため，検認の手続は不要となる（同法11条）。この制度の利用は，本号の欠格事由となる相続人による遺言書の偽造，変造，破棄，隠匿の防止に寄与する。

⑵　相続に関する遺言であること

→3⑵参照。

⑶　相続人が⑵の遺言について，偽造，変造，破棄または隠匿したこと

本号は，相続人による被相続人の遺言書の(i)偽造，(ii)変造，(iii)破棄，(iv)隠匿という4つの行為を欠格事由に当たる行為として規定している。

(i)偽造とは，相続人が被相続人名義で遺言書を作成することである。被相続人が意思表示できない状態を利用して，相続人が発議し，公正証書遺言などを作成させる場合も偽造に当たると解されている。「偽造」に当たるかどうかが問題となった事例として，相続人の一人が第二遺言を発見したという経緯が極めて不自然，不合理なその相続人の言動・事象を伴っていることから，その者が遺言を偽造したと推察され，本号に該当するとした裁判例がある（東京地判平9・2・26判時1628号54頁）。

(ii)変造とは，被相続人が自己名義で作成した遺言書に相続人が加除訂正その他の変更を加えることである（新版注民(26)304-305頁〔加藤〕）。

ところで，遺言書が方式違反のため無効となる場合や訂正が訂正方式不備である場合に，相続人が遺言書に加除訂正等をし，有効な法形式を整えた遺言にした場合，相続人が行った行為は，本号の偽造変造に当たるのかが問題となる。学説は，本号の対象となる遺言は有効に成立したものでなければならないとする説（新版注民(26)305頁〔加藤〕，中川編・註釈上77頁）と有効な遺言だけでなく，方式違反のために無効な遺言であったとしても，相続人が欠けていた方式を具備させて有効な遺言書の外観や訂正の外観を作出することは，偽造変造に当たるとする説（潮見佳男・相続法〔5版，2014〕32頁）とが対立する。

判例は，上記の相続人の行為は，「5号にいう遺言書の偽造又は変造にあたる」としつつも，「相続人が遺言者たる被相続人の意思を実現させるためにその法形式を整える趣旨で右の行為をしたにすぎないときには，右相続人は同号所定の相続欠格者にはあたらないものと解するのが相当である」とし（前掲最判昭56・4・3），相続人の行為の形式面では偽造変造行為となったとしても，5号の欠格者であるかどうかの判断には，その行為の趣旨が「被相続人の意思の実現」のための行為であるかどうかという基準を付加することで，5号の適用の有無を厳格に判断している（新基本法コメ33頁〔幡野〕参照。潮見52頁では，⑷の二重の故意のうち利得目的のところで判断する趣旨で捉えている）。確かに，遺言の方式が非常に厳格であるために，自筆証書遺言が無効となる可

能性が高い状況が問題視されている。上記判例の立場は，遺言者の意思を実現しようとした者に，相続欠格という重大な効果を導くことは回避できる。しかし上記最高裁昭和56年判決の法廷意見に対して示された宮﨑梧一裁判官の反対意見（このような相続人の行為は，「そのことが発見されない場合には，相続による財産取得の秩序を乱す結果となり，また，相続的協同関係を破壊することとなるのは明らかであって，この点は，右のような偽造変造行為をした者が遺言者の意思を実現させるために法形式を整える趣旨で右の行為をしたかどうかによって左右されるべき問題ではない。相続人が，遺言者の真の最終意思を知っているからといって，ほしいままに，遺言書を全く新たに作出したり，有効に作成されている遺言書を訂正したときには，遺言書を偽造又は変造した者として相続欠格者となることについては，おそらく異論があるまい」と説示する）にならい，上記相続人の行為を「偽造変造」行為に当たると考える説からは，方式が具備されていない遺言はそれ自体は無効とするべきで，そのうえで，相続人の当該行為の目的については，(4)の要件のなかで判断すべきではないかと指摘されている（潮見・前掲相続法32頁）。なお，方式違反の遺言書につき仮に相続人が遺言者の意思を実現するために方式を整えたとしても，その遺言の方式の不備が治癒されるわけではないので，その遺言は無効であり（窪田391頁），その相続人により方式が整えられた遺言書の内容が実現されるわけではない。

(iii)破棄とは，遺言の効力を消滅させるような行為のすべてである。遺言書を完全に毀滅させたり，判読できない程度に塗抹した場合だけでなく，前に書かれた遺言書の日付をその後に書かれた遺言書の日付以後に書き替えた結果，1023条の「撤回」になる場合も破棄に当たる（新版注民(26)305頁〔加藤〕）。

(iv)隠匿とは，遺言書の発見を妨げるような状態におくことである（神戸地判平4・3・27判タ801号219頁）。自筆証書遺言は，検認の申立てをする必要がある（1004条）。下級審裁判例ではあるが，被相続人の自筆証書遺言により遺産全部の遺贈を受けたAが，被相続人の死亡後，遺言書を公表することで他の相続人から遺留分減殺請求を受けることをおそれ，相続税納付の必要に迫られて遺言書の検認請求するまで公表しなかった場合には，隠匿に当たるとされている（東京高判昭45・3・17高民集23巻2号92頁）。これに対して，自筆証書遺言が，それを保管していた者A・他の相続人B・弁護士の立会いのもと開封され，開封後は早い時期からその写しがBと弁護士の手元にある場合には，Aの行為は隠匿にはならないとされている（前掲神戸地判平4・3・27）。

自筆証書遺言とは異なり，公正証書遺言は，原本は公証人役場に保管される（公証則26条1項）。公正証書遺言は，昭和64年1月1日以降いずれの公証人役場からでも遺言検索システムを利用して遺言書の存否等の調査をすることが可能である（松原Ⅰ203頁）。そのため，隠匿はないとする考え方もある（中川＝泉86頁注13）。しかし，被相続人から公正証書遺言の正本の保管を託された者Aが，遺産分割協議の成立までその存在を一部の相続人に告げなかった事案では，一部の相続人は遺言の存在を知っていたことや，遺言書の作成に当たり証人がいたこと，遺言執行者の指定もされていたこと，さらにAは一部の相続人には遺産分割協議の成立前に，公正証書遺言の正本を示しその存在と内容を告げていたなどの事情を指摘して，一定の事情のもと，隠匿にならないとの判断がされている（最判平6・12・16判タ870号105頁）。すでにみたように自筆証書遺言について遺言書保管法に従い遺言者が保管している場合，相続人であれば，遺言書情報証明書の交付請求も遺言書の閲覧請求・遺言書保管事実証明書の交付請求も可能である（一⑴参照）。この制度のもとでは，遺言書の存在を知っている相続人が知らない相続人に遺言書の存在を告げなかった場合に，前述した事案のように遺言書の証人や遺言執行者が存在しなかったとしても，ただちに本号の隠匿にはならない。

⑷　⑶の行為が故意に基づくものであること

本号は，上記のように，偽造，変造，破棄，隠匿という4つの行為を同じレベルで規定しているが，偽造と変造は，相続人の積極的な行為が必要であるのに対し，隠匿は必ずしも相続人の関与を必要としない場合もあるため，相続人の意思に関する要件についても同じ基準を設定することができるかが問題となる。この問題について，相続人は，偽造，変造，破棄，隠匿をする故意にくわえ，その行為により自らに不当な利益をもたらす故意も必要であると解する説が有力である（二元説。公益目的・民事制裁説は，3号と同様に二重の故意を要するとする〔新版注民(26)308頁〔加藤〕，潮見49頁，50-51頁〕。二重の故意を否定する説については，新版注民(26)307頁〔加藤〕を参照）。

判例も，遺言書の破棄・隠匿行為について，相続に関して不当な利益を目的とするものでなかったときには不当な干渉とはいえず，本号の趣旨に沿わないため相続欠格とはならないとして，本号の要件として二重の故意を求めている（最判平9・1・28民集51巻1号184頁）。

これに対して，相続人による偽造，変造が問題となった事案では（前掲最判昭56・4・3），被相続人の方式違反の遺言の場面に限定して，相続人が「方式を整える行為」は，偽造，変造に当たるとしており，遺言に対する不当な介入を行っているという点で前掲最高裁平成9年判決と共通する。しかし，最高裁昭和56年判決は不当な干渉とならないとする基準として，方式を整える偽造，変造行為を，相続人が「被相続人の意思を実現させるため」にしたときには欠格事由に該当しないとして，二重の故意とは異なる基準を設定している（窪田390-391頁）。この基準が，偽造，変造の場面に一般化できるかについては疑問が残る（前掲最判昭56・4・3宮﨑裁判官反対意見，潮見・前掲相続法44頁など参照）。

IV 効　　果

1 効果の当然性（絶対性）と発生時期

欠格の効果は法律上当然に生じ，裁判による宣告は必要ない（昭3・1・18民事83号民事局長回答，松原Ⅰ225頁）。「当然」というのは，欠格原因である事実のみで発生するということである。

効果の発生時期について，通説（欠格事由発生時説）は，相続開始前に欠格事由が発生したときは，その時に欠格が発生し，相続開始後に欠格事由が発生したときは，相続開始時に遡って効果が生じると考える（我妻＝立石392頁，中川＝泉87頁，中川（淳）・逐条(上)93頁，松原Ⅰ222頁など）。

ただし，1号は，殺害・未遂行為により刑に処せられたことが要件となっているため，相続開始時にまだそれが確定していないこともある。このような場合には，厳密には，処刑が確定されれば，行為の時に遡って効力が生じると解することになる（中川＝泉87頁）。

通説に対し，欠格事由となりうる行為があった時ではなく，被相続人の死亡時，すなわち相続開始時に確定的に相続欠格の効果は生じると考えるべきであるとする説がある（新版注民(26)310-311頁〔加藤〕，中川編・註釈上79頁〔山中〕，幾代通「相続欠格」家族法大系Ⅵ75頁。以下「死亡時説」とする）。死亡時説は，被相続人Aの子Bが，同じAの子Cの子D（Bからすれば甥姪）を殺害し，Cが死亡しその後Aが死亡したような場合に問題が生じるとする。すなわち，DがBに殺されていなければ，BとDとがAの共同相続人になるはずであったが，DがBの殺害により死亡しているため代襲相続ができず，Dの代襲相続人がいなければ，Bは欠格者にならず，単独で相続人となるということである。通説（欠格事由発生時説）に従えば，この場合，DはBの後順位の相続人となりえ（中川＝泉79-80頁参照），少なくとも本号でいう「同順位」の相続人とはならない可能性がある。このように考えると，通説ではBは相続欠格者には当たらないということになる。しかし，昭和37年改正では，直系卑属間での相続順位を異にする規定（旧887条1号）が廃止されたため，子とその直系卑属は同順位と解する余地もある。このように考えれば，殺害行為の時点では，確かにDがAの相続人とはならないとしても，Aの相続開始時点では，BによるDの殺害がなければBがDとともに共同相続人となっていたことから，Bは，相続欠格になると解するべきであるとする。同様のことは，血族第3順位の相続人となる兄弟姉妹とその代襲相続人との間でも起こりうる問題である。なお，死亡時説の考え方は，3号から5号の解釈において，遺言行為の妨害が相続開始時まで継続している場合にのみ，相続欠格に当たるとする考え方とも調和すると説明されている（新版注民(26) 310頁〔加藤〕）。

2 特定の相続についての欠格（相対的効果）

相続欠格は，本条の要件を充足した特定の相続（特定の被相続人とその特定の推定相続人である欠格者との間での相続）についてのみ効果が生じる。父Aを子Bが殺害したとしても，Bの子Cとの関係では，Bは推定相続人の地位を失わない。しかし，Bは，Aの妻Dとの関係では，Dの相続について，AとBは同順位の相続人となるため，本条1号の要件を満たす場合，相続欠格者となりうる（床谷＝犬伏編33頁〔床谷〕）。

3 相続欠格者との取引

欠格事由に当たる者は，相続資格を失うため，欠格者が参加してなされた遺産分割協議（907条1項）は，その者に関する部分は無効となる。欠格者から相続財産を譲り受けたとしても，この譲渡行為は無効と解され，相続人から返還を求められた場合には返還しなければならない（大判大3・12・1民録20

輯1019頁）。ただし，動産の場合，即時取得による保護の可能性はある。

4 相続債務の承継

推定相続人が相続欠格者に当たる場合，被相続人の債務を，相続欠格を理由に承継しないという主張をすることができるかが問題となる。この問題は，相続欠格は，一定の非行行為をした者から相続権を剝奪する制裁である以上，「非行をした者自身もしくはその承継人が義務を免れるために利用しうる制度ではない」との見方があるからである（仙台地判昭63・5・31判タ678号126頁。なお，この事件は，被相続人を殺害した者が執行猶予付きの有罪判決を受けていた事案であったため，執行猶予付きの有罪判決を受けた者は1号の要件を満たさないと解する通説に従えばいずれにしても相続欠格者とはならず，結論としては，相続債務の承継を否定する旨の主張をすることはできない）。しかし，相続人の財産には，通常，積極財産だけでなく消極財産も含めて解されていることから，相続権の剝奪の場面では積極財産のみが剝奪されると解釈することは法文からも離れすぎているため，相続債務も承継しないと解されるべきである（佐藤陽一〔判批〕昭63主判解158頁）。

5 受遺能力の喪失

本条は，受遺者についても準用される（965条）ため，欠格者は，受遺能力も喪失することになる。

V 手　続

欠格事由に該当する者は，当然に相続権を失うが，ある者が相続欠格であることを相続開始前に確認するための訴訟はできない（床谷＝犬伏編33頁〔床谷〕）。

相続人の一人に欠格事由が生じている場合には，相続開始後に，相続回復請求（884条），遺産分割（907条・908条）の手続において，欠格の効力を主張することになる。また，欠格事由があることを理由に，相続権不存在確認の訴えを独立に行うことも可能である。この訴えは，固有必要的共同訴訟であるため，共同相続人全員を当事者としなければならない（最判平16・7・6民集58巻5号1319頁，最判平22・3・16民集64巻2号498頁）。

VI　相続欠格の証明と相続登記の申請

欠格者であることは戸籍には記載されないため（昭3・1・18民事83号民事局長回答，松原Ⅰ225頁），戸籍によって相続欠格を証明することはできない（廃除については，戸籍に記載される。→§892 VI 3）。そのため，相続欠格者を除外して相続登記を申請する場合には，当該欠格者が作成した書面または確定判決の謄本を証明書として提出する必要があるというのが登記先例である（昭33・1・10民事甲4号民事局長心得通達，松原Ⅰ225頁，床谷＝犬伏編33頁〔床谷〕）。

VII　宥　　恕

相続欠格事由が生じ，相続が開始するまでの間に，被相続人が欠格事由に該当する相続人に相続資格を回復させたいと望む場合に，その意思で相続資格を回復することができるのか，すなわち宥恕することができるのかについて，相続欠格制度の趣旨をどのように解するかにより学説と裁判例が分かれている。

⑴　肯　定　説

相続の根拠をめぐる議論において，遺言相続を本則とし被相続人の意思を前提とする考え方は宥恕を肯定する考え方と親和的である。

家族協同体関係破壊説（→Ⅱ①および①′）は，相続欠格の制度上の根拠が，欠格事由に当たる行為をした者が相続的協同関係を破壊したことにあるため，その被相続人が宥恕した場合には，欠格者の相続資格は回復すると考える（宥恕を肯定。中川＝泉89頁は，被相続人が宥恕をし欠格者を自己の相続人とすることを希望した場合，破壊された相続的協同関係の回復が認められることを理由とし，我妻＝立石393頁は，家督相続制度のもとでは客観的規範が強く働き，被相続人の意思だけで相続権の回復は認められないが，現行法のもとでは被相続人の宥恕の意思表示を無効とする理由はないとし，被相続人の意思を重視する）。

財産取得秩序破壊説（→Ⅱ②）は，相続の本則を遺言相続とし，意思主義を前提としていることから，被相続人の意思，すなわち宥恕による相続資格の回復を認める。相続欠格が民事的制裁である以上，制限的に捉えるべきであることを理由とする（幾代通「相続欠格」家族法大系VI 68頁・78頁）。

近年の学説には，相続欠格の趣旨に関する議論と宥恕の可否を結びつけて検討するのではなく，相続欠格が遺産分割の前提問題として争われることを注視し，相続欠格等による相続資格の喪失は，遺産分割審判で欠格者の宥恕の有無を判断する構造になっているため，宥恕事由の有無を審判で判断することは許されるという見方がある（常岡287頁。二宮326頁は，遺産分割の構造に注視しつつ，遺産分割審判は，遺産分割調停を前提としていることから，当事者の意思を優先する構造にあるとの理由から宥恕を肯定する）。

なお，宥恕の方法については，以下のように分かれる。

①′説は，宥恕は感情表示であり，欠格の効果を消滅させようとする効果意思の存在は不要であり，ただ欠格者の過誤を許し，相続的協同関係の生活事実が回復することを意図すれば足りるため，欠格者に対する通知その他の形式も必要ではないと考える（中川＝泉90頁，新版注民(26)315頁〔加藤〕など。広島家呉支審平22・10・5家月63巻5号62頁は，兄弟の一人を殺害した相続欠格者Aに対し，殺害の経緯や母が服役中のAの将来につき「心配ないから」などと話した事実を考慮し，宥恕を認めている）。

これに対して，遺言によって明確に意思表示がされているのであれば，相続能力を回復すると考える説もある（我妻＝有泉ほか241頁，幾代・前掲論文78頁は，遺贈の形であれば認めてもよいとする）。

⑵　否　定　説

相続制度の本則を法定相続におき，相続欠格の公益性を重視する立場（一Ⅱ③）は宥恕を否定する。相続欠格は，相続制度の基盤維持という公益的理由から被相続人の意思を問題とせずに相続資格を剝奪する制度であり，この考え方を徹底すれば，被相続人の意思で相続資格を回復させる可能性を認めるべきではないとの理由からである。また，同じく相続資格を奪う制度であっても取消しの手続が必要となる廃除とのバランスも問題となると指摘する（潮見46頁，窪田393頁）。

〔冷水登紀代〕

（推定相続人の廃除）

第892条　遺留分を有する推定相続人（相続が開始した場合に相続人

となるべき者をいう。以下同じ。）が，被相続人に対して虐待をし，若しくはこれに重大な侮辱を加えたとき，又は推定相続人にその他の著しい非行があったときは，被相続人は，その推定相続人の廃除を家庭裁判所に請求することができる。

〔対照〕 フ民727・728，ド民2333

〔改正〕 〔998〕 本条＝昭23法260改正

細目次

I 意　義

廃除は，廃除事由がある場合に，被相続人の意思により，家庭裁判所が，遺留分を有する推定相続人である被相続人の直系卑属，直系尊属および配偶者（1042条）の相続資格を剥奪する制度であり，相続欠格とともに民事制裁を与える制度である（相続欠格との違いは，→§891 I参照）。

廃除は家庭裁判所に対して審判を求めることになる。その方法は，本条による生前に家庭裁判所に申し立てる方法と893条の遺言による方法がある。廃除が家庭裁判所の判断により相続資格を剥奪する制度となっているのは，被相続人が恣意的に特定の相続人の相続権を剥奪することを回避し，法定相続制度の厳格性と相続人の権利を保護することと，本条が規定する廃除事由に該当する者に対しては，相続権を剥奪することで相続法秩序を維持することのバランスをとるためである。

なお，民法が，遺留分を有する者に対してのみ廃除を認めるのは，被相続人が遺留分を有さない者に対して相続をさせたくない場合には，相続分の指定によりその相続分をゼロとするか，遺産の全部をその相続人以外の者に対して包括遺贈するかにより相続させることを回避することができるため，廃除の手続をとるまでもないと考えられたからである（我妻＝立石396頁）。

II　沿革および根拠をめぐる議論

1　沿　革

本条には，被相続人に対する「虐待」または「重大な侮辱」，「その他の著しい非行」という3つの廃除事由が定められるが，これらの廃除事由が定められたのは，日本独自の沿革をもつ（法典調査会民法議事〔近代立法資料7〕320頁〔梅謙次郎発言〕参照）。

明治民法のもとでは，家督相続の目的が「家運ヲ隆盛」させ，「家名ヲ顕揚」し，「家産ヲ増殖」することにあるとされたため，この目的に反した原因があるときとして，廃除原因が定められた（したがって，家督相続における廃除原因は，「被相続人ニ対シテ虐待ヲ為シ又ハ之ニ重大ナル侮辱ヲ加ヘタルコト」〔明民975条1項1号〕，「疾病其他身体又ハ精神ノ状況ニ因リ家政ヲ執ルニ堪ヘサルヘキコト」〔同項2号〕，「家名ニ汚辱ヲ及ホスヘキ罪ニ因リテ刑ニ処セラレタルコト」〔同項3号〕，「浪費者トシテ準禁治産ノ宣告ヲ受ケ改悛ノ望ナキコト」〔同項4号〕，さらに「此他正当ノ事由アルトキハ被相続人ハ親族会ノ同意ヲ得テ其廃除ヲ請求スルコトヲ得」〔同条2項〕とされている）。これに対し，遺産相続における廃除制度の精神自体は家督相続に共通するが，単に被相続人の遺産を相続するだけで家政に関する制度でないため，「被相続人ニ対シテ虐待ヲ為シ又ハ之ニ重大ナル侮辱ヲ加ヘタルトキ」（明民998条）に限って廃除が認められていた（前掲法典調査会民法議事548頁〔穂積陳重発言〕参照，梅105頁）。

被相続人に対する①虐待または②重大な侮辱が廃除原因とされたのは，このような行為をする相続人に対しては，「廃嫡ヲシテ宜シイ」という推定家督相続人の身分剝奪の考え方が影響するとともに，「刑ニ処セラレルト云フコトヲ俟タナクテ宜シイ」という民事制裁的理由と，「自分ノ相続シヤウト云フ人ニ向ツテ虐待或ハ侮辱ヲシテ置テサウシテ自分ガ相続ノ利益ヲ得ルト云フコトハ甚ダ不都合デアル」との理由が説明されている（前掲法典調査会民法議事322頁〔梅発言〕）。その後，戦後の昭和22年改正により家督相続が廃止され（家督相続における廃除に関する制度も廃止），遺産相続における廃除原因に，③「推定相続人にその他の著しい非行があったとき」が廃除原因に盛り込まれた。現行法における廃除制度は，家制度的基調に立って推定家督相続人の相続権を剥奪したいわゆる「廃嫡」とは思想的には全く別の制度である（新版注民(26)319頁〔泉久雄〕）。しかし，廃除原因に該当する行為を行った者が相続の利益を得ることを回避するための民事制裁としての意味はなお受け継がれている。また，③の廃除原因が盛り込まれたことに対しては，廃除原因が拡大したことを意味し，この一般条項の解釈しだいでは，旧規定の家督相続人廃除と同じように相続を被相続人の意思に従属させる制度が形を変えて復活する恐れもあり，注意する必要があるとの指摘もされている（伊藤184頁）。

2　根拠をめぐる議論

廃除制度の根拠については，相続欠格の根拠をめぐる学説の対立ほど顕著ではないが，以下の①から③の対立がある。

①相続的協同関係破壊説　　廃除事由は，相続的協同関係の破壊の「可能性があるに止まる程度の事由」ではあるが，被相続人の取り方によっては時には相続的協同関係を破壊する行為となり，また，時にはならない場合もあり，相続的協同関係を破壊する行為となる場合には，相続の根拠を失うため相続資格を剥奪することができると考える（中川＝泉91頁。なお，中川＝泉の相続制度の根拠をめぐる位置づけについては，前注（§§886-895）Ⅰ 1および§891 Ⅱ。この他，叶和夫「推定相続人の廃除」岡垣学＝野田愛子編・講座・実務家事審判法(3)〔1989〕2頁）。この説が用いる「相続的協同関係の破壊」とⅣでみる裁判例が用いる「相続的協同関係の破壊」とは同じレベルで用いられていない（→Ⅳ）。

②個人的理由説　　この説は，相続欠格を社会的理由に照らして相続を受ける利益がない場合に相続権を剥奪する制度であると捉えるのに対して，廃除は，廃除事由が個人的理由に照らして相続人となることが不適・不当と認められる場合に相続権を剥奪する制度であると考える（舟橋諄一「相続人の廃除」家族法大系Ⅵ 80頁。「個人的理由説」とする。この説は，相続制度の本則が遺言制度にあることを重視する〔同80頁〕）。

③人的信頼関係破壊説　相続制度の本則を法定相続におき，相続欠格制度の根拠を公益的観点から説明する立場からも，廃除は「人的信頼関係を破壊」した者に対する民事制裁であると説明される（潮見54頁，窪田395頁）。

このように廃除の根拠は，学説上差異があるものの，相続欠格制度とは異なり，被相続人と相続人との「相続的協同関係」あるいは「人的信頼関係」という「個人的な関係性」の破壊（①③），または廃除事由が被相続人からみた「個人的理由」（①②）という共通する要素もある。廃除は，相続欠格と異なり，被相続人が相続権を奪おうと思ったときにはそれを奪うことができるという，被相続人の意思に相続資格の喪失が依拠された制度であるからである。

ところで，相続欠格は，公益性の観点から制定されたことに対し（→§891 Ⅲ），廃除事由は，公益的理由にまで至らない事由である（この意味で，廃除の本質は，軽度の相続欠格といえる。中川＝泉91頁，新版注民(26)319頁〔泉〕）。そして，被相続人の意思，すなわち主観でのみ廃除が認められるとすると，法定の相続人の順位が被相続人の恣意・偏愛などによって歪められ，法定相続制度，遺留分制度の趣旨が骨抜きになってしまう（特に「著しい非行」の問題点については，上述したとおりである。伊藤184頁）。そこで民法は，廃除事由に該当するかどうかの判断については家庭裁判所の審判を求めた（我妻＝立石394-395頁）。

Ⅲ　廃除対象者

遺留分を有する推定相続人である。本条が，1042条の者に限定して廃除を認めているのは，被相続人は，遺言によって相続分の変更をし，優先する相続人以外の者に対しても遺贈をすることができるが，法定相続人の順位を変更することができず，仮に最先順位の推定相続人の相続分をゼロとするような遺言を行っても，1042条で定められた相続人は遺留分を有するため，相続から完全に排除することができないからである。なお，1042条の推定相続人に含まれない推定相続人が廃除事由に該当する行為を行ったとしても，遺留分権がないため，被相続人が相続させることを望まないのであれば，遺贈・贈与することで，別の者に財産を取得させたり（新基本法コメ34頁〔幡野弘樹〕），当該相続人の相続分をゼロと遺言で指定することも可能である（窪田395頁)。

Ⅳ　廃除事由および廃除基準

廃除は，民法が一定の相続人に対して相続権を与えているにもかかわらず，その相続権を奪う制度であるため，廃除される相続人には相続権を奪われるだけの十分な理由が求められる。本条は，以下の事由を廃除事由として規定する（廃除事由が定められた経緯についてはⅡ1で説明した)。

1　被相続人に対する虐待もしくは重大な侮辱

民法は，廃除原因として虐待と重大な侮辱を規定するが，虐待と重大な侮辱について必ずしも厳密な区別はしていない（舟橋諄一「相続人の廃除」家族法大系Ⅵ 84頁)。Ⅱ2①は廃除制度の根拠に照らし，被相続人との「相続的共同生活関係」の継続を不可能とする行為を基準とし（新版注民(26)326頁〔泉〕)，Ⅱ2③は，「人的信頼関係」を破壊する行為（潮見55頁）を基準とし，廃除の対象となる虐待・侮辱かどうかを判断する。ただしⅡ2①は，被相続人に対する直接の行為でなくその家族との不和が理由となり共同関係が回復不能となった場合も含めて判断するが（新版注民(26)332頁〔泉〕)，Ⅱ2③は，被相続人に対する行為に限定する（潮見55-56頁）という点が異なる。

具体的には，刑法上の傷害罪（刑204条）や暴行罪（刑208条）だけでなく，遺棄罪（刑217条)，逮捕監禁罪（刑220条以下）の構成要件を満たすような被相続人に対する非行が虐待に，また名誉毀損罪（刑230条)，侮辱罪（刑231条)，虚偽告訴罪（刑172条）を構成する行為が侮辱と判断されうるが，それほどの行為でなくとも，他の「非行」に該当する事情などと総合考慮し，被廃除者の行為により被相続人との「相続的協同関係」ないし「人的信頼関係」が継続できなくなるような場合かどうかを基準として判断される（新版注民(26)326頁〔泉〕，判例民法Ⅺ 30-31頁〔本山敦〕)。

2　著しい非行

1に該当しないがそれに類する行為を廃除事由とするために設けられている受皿条項である（この条項が設けられた経緯とそれに対する批判は，前述した。一Ⅱ)。具体的には，被廃除者による被相続人の財産の浪費，借財，素行不良，犯罪などが問題となる。そして，これらの行為が，被相続人との間で「相続的協同関係」ないし「人的信頼関係」を破壊するほどの行為であるかどうかが「著しい非行」の判断基準となりうる（新版注民(26)333-334頁〔泉〕，判例民法Ⅺ 31頁〔本山〕）。

3 裁 判 例

廃除が認められた裁判例でも，被廃除者の暴行による虐待だけでなく，暴言や異性関係，家出，浪費借財，その他（暴力団員との婚姻など）の事情を考慮して重大な侮辱があった，あるいは2の「著しい非行」があったことも合わせて考慮され，廃除事由に当たるかの判断がされている。なお，893条の遺言による廃除の場合も同様の考慮要素と判断基準となるため，以下で紹介する。

(1) 肯 定 例

①大阪高裁令和元年8月21日決定（判タ1474号19頁）は，被廃除者が被相続人（遺言者）を3回暴行したことを認定し，そのうち2度は，被相続人の言動に被廃除者が立腹するような事情があっても，「当時60歳を優に超えていた被相続人に暴力を振るうことをもって対応することは許され」ないとし，一連の暴行は，「虐待」または「著しい非行」に当たると判断している（なお，この事案の原審である大阪家審平31・4・16判タ1474号21頁は，被相続人の言動が被廃除者の暴力行為を誘引している可能性を認定し，申立てを却下していた。後述(2)⑳㉑のように，被相続人に責任がある場合には，廃除請求を否定する裁判例もあるが，大阪高決令元・8・21は，被相続人との責任と比較しても，被廃除者の暴力は許されないとする）。②和歌山家裁平成16年11月30日審判（家月58巻6号57頁。大阪高決平17・10・11家月58巻6号65頁で抗告棄却）では，被廃除者が申立人の顔を平手打ちし，さらに押し倒して身体の上に覆いかぶさり，その首を絞めるなどの行為や，被廃除者が申立人に対して根拠なく「精神障害」や「人格異常」の主張をしていること，申立人の郵便貯金につき無断で3500万円を超える払戻しを受けていることなどから，「虐待をし，重大な侮辱を加えたほか，著しい非行に及んだものであるといえる。これにより，申立人と相手方の相続的協同関係は破壊されたものといわざるを得ない」として廃除を認めている。

この他にも虐待・重大な侮辱の認定がされている③京都家裁昭和36年11月24日審判（家月14巻11号122頁）（なお，同審判は，遺言による廃除の事例で，遺言書の効力を争い即時抗告されているが，④大阪高決昭37・5・11家月14巻11号119頁は遺言書は有効なものとして第1審の審判どおり廃除を認めている）は，被廃除者による再三にわたる暴行とそれに伴う流産などについて虐待とし，女性関係や，被廃除者の母や妹と折り合いが悪く被廃除者と口論になっていることなど重大な侮辱があったことを認定しているが，⑤仙台高裁昭和32年2月1日決定（家月9巻3号23頁）も，暴行だけでなく「暴言もはいていること」について虐待または「著しい非行」があったと認定している。

⑥躁鬱的性格でアルコール中毒の夫の入院中に，妻が夫と子を置き棄てて使用人と駆け落ちしたため，夫が悲嘆にくれて自殺した事案で，新潟家裁高田支部昭和43年6月29日審判（家月20巻11号173頁）は，遺言書の内容から自殺の一因が妻の家出によるものであること等の事実が認められるとして，妻の行為は「精神的虐待」もしくは「重大な侮辱」に当たると判断している（遺言の内容については，§893 II②）。

被廃除者の浪費や借財の支払と暴行等の事実などを考慮して廃除を認めた事案もある。⑦事業の不振により生じた巨額の借財と滞納した税金を申立人（被相続人）に支払わせ，申立人夫婦と相手方（推定相続人）の妻に対して暴行脅迫を加え，偽造の申立人の印鑑登録をして印鑑登録証明書の交付を受け，申立人の土地を相手方に対する贈与予約を登記原因とする所有権移転登記請求権仮登記を済ませた事案では，暴行脅迫行為は本条の虐待に当たり，相手方の妻に対する暴行脅迫や申立人に巨額の債務等の支払をさせたこと，不実の所有権移転登記請求権仮登記をしたことは本条の「著しい非行」に当たるとした（東京家八王子支審昭63・10・25家月41巻2号145頁）。⑧高校を中退した者が親と協調できず，自室に引きこもり，通信販売を通して物品を購入し，親に支払を負担させ，親が意見をすると暴力をふるい家出をし，就職後に会社の遣い込み金を親に弁償させたり，交通違反の罰金の支払をさせたり，サラ金業者や以前勤務していた会社からの借金の返済をせずに，行方不明となっているような状況では，「親族関係を維持し，互いに親族，親子として協力していこうという姿勢は全くみられない」として，本条の虐待，重大な侮辱またはその他著しい非行があるというべきとして廃除が認められている（岡山家審平2・8・10家月43巻1号138頁）。

被廃除者が行った告訴・訴えの提起が侮辱に当たりうるとされた事案として，⑨高松高裁昭和38年3月19日決定（家月15巻6号51頁）がある。この事案では，父と子がそれぞれの不動産について交換する旨の調停による契約を解除し，従前の紛争を円満に解決したことにしておきながら，その後子が「父子間の紛争を再然させ，右調停に基く強制執行により抗告人〔父〕から重ねて金40万円を利得しようと意企し，抗告人〔父〕が調停上の義務に違反している旨の虚構の事実を主張して，右調停調書に執行文の付与を求める旨の理由のない不当な訴を提起したものとすれば，その行為は抗告人〔父〕に対する違法行為であって」（カッコ内は引用者），本条の廃除原因に該当する余地があるとして，子の訴えの意図がこのような目的のものかどうかを審理するために原審に差し戻している。また，⑩家督相続制度のもとでの推定家督相続人の廃除を求める事案ではあるが，養子（被廃除者）が十数年間養家にいなかったため娘に婿養子をとったところ被廃除者が見つかったことから養父が被廃除者を行方不明者として届け出たため，養父が行った虚偽の戸籍届につき被廃除者が告訴をした事案（東京控判大4・12・17新聞1078号13頁），⑪被廃除者Aが，内縁の妻およびその実父をして，Aの実父で被相続人Bに立替え扶養料の償還請求の訴えをさせた（AがBに不利な証言をしている）という事案（大判昭15・3・9民集19巻363頁）でも，告訴や訴えが重大な侮辱に当たると認定されている。⑨から⑪の裁判例をみるかぎりでは，被廃除者が行った訴えの提起や告訴のうち違法なものや濫用的なものが「重大な侮辱」の認定につながっている。近年では，⑫奈良家裁葛城支部令和元年12月6日審判（判タ1485号117頁。4(iii)の事例の原審）は，被廃除者と夫婦関係にあり，共同で株式会社を営んでいた夫から，離婚請求，不当訴訟（会社の資金の使い込み），刑事告訴をされ，対応せざるをえなくなったこと（いずれも否定）や，その他の夫の一連の行動が被廃除者に対する虐待および重大な侮辱に当たると判断したものがある。

また，一見本条にいう虐待または重大な侮辱に当たらない例でも，精神的苦痛などから「相続的協同関係」が破壊されているかどうかの基準に従い廃除事由に当たるとされた例もある。⑬東京高裁平成4年12月11日決定（判時1448号130頁）は，「民法第892条にいう虐待又は重大な侮辱は，被相続人〔X〕に対し精神的苦痛を与え又はその名誉を毀損する行為であって，それにより被相続人と当該相続人との家族的協同生活関係が破壊され，その修復を著しく困難ならしめるものをも含むものと解すべきである」とし，娘である

Yが小学校低学年から問題行動をし，中学校および高等学校在学中を通じて家出，怠学，犯罪性のある者等との交友等の虞犯事件を繰り返し，少年院送致を含む保護処分を受け，さらにはスナックやキャバレーに勤務し暴力団員Aと同棲し，次いで暴力団の中堅幹部であるBと同棲し，Bと婚姻届をし，その披露宴をするにあたり，Xらがこの婚姻に反対であることを知悉していながら，招待者としてBの父とX名義で招待状を知人等に送付するなどの一連の行為により，Xらは精神的苦痛を受け，その名誉が毀損されその結果XらとYとの相続的協同生活関係が全く破壊されるに至り，今後もその修復が著しく困難であるとの理由から，XのYに対する廃除の申立てが認められた。

「虐待」や「重大な侮辱」は考慮されず，「著しい非行」のみを根拠に廃除を認める事例もある。⑭（遺言による廃除の事例であるが）被相続人（母）の遺言執行者が長男について廃除の申立てをした事案では，長男は，その妻に母の介護を任せ，妻と子を残して他の女性と出奔し，離婚にいたったが母と妻子にはその所在も明かさず，扶養料を支払っていない，さらに父から相続した田を他の親族に相談せずに他人に売却したという状況においては，「悪意の遺棄に該当するとともに，相続的共同関係を破壊するに足りる著しい非行に該当する」としている（福島家審平19・10・31家月61巻4号101頁。このほか同様の事例に⑮被廃除者が，闘病中の妻〔被相続人〕の療養看護をせず他女と生活をともにしていた事例〔名古屋家審昭61・11・19家月39巻5号56頁〕や⑯娘の婿養子〔被廃除者〕が他女と出奔し養父〔被相続人〕に療養看護の情を示さなかった事例〔横浜家審昭55・10・14家月33巻10号98頁〕等がある）。

また，⑭から⑯については，被廃除者の出奔が不倫等に起因するが，このような明確な非行といえない婚姻による海外への居住と疎遠に別の事情（後述⑯の事案では養子との離縁訴訟）が加わった場合にも「著しい非行」に当たると判断した事例がある。⑰東京高裁平成23年5月9日決定（家月63巻11号60頁）は，離縁訴訟を提起したが，死亡により終了した後，遺言執行者により廃除の審判が申し立てられた事案である。この事案では，A（被相続人）は，その妹Cの子B（被廃除者）と養子縁組をしたが，Bはインドネシア国籍の男性と婚姻しインドネシアに移住したため，年1回程度帰国しただけで（その際50万〜100万円の金員を受け取る），特にAの世話をすることはなかった状況で（AはCに自己所有のマンションを無償で使用させていたが，不和が生じたため使用貸借契約を解除したうえで，建物明渡訴訟を提起している），Bに離縁訴訟を提起していたが，訴訟係属中にAの死亡により終了した。このようななか遺言執行者DからBに対して廃除の申立てがされたが，東京高決平成23年は，「平成10年から10年近くの間，Aが○○で入院及び手術を繰り返していることを知りながら，年1回程度帰国して生活費等としてAから金員を受領する以外には看病のために帰国したりその面倒をみたりすることはなかったこと，AのCに対する別件建物明渡訴訟及びB自身に対する本件離縁訴訟が提起されたことを知った後，連日Aに電話をかけ，Aが体調が悪いと繰り返し訴えるのも意に介さず長時間にわたって上記各訴訟を取り下げるよう執拗に迫ったこと，信義に従い誠実に訴訟を追行すべき義務に違反する態様で本件離縁訴訟をいたずらに遅延させたことなどのBの一連の行為を総合すれば，Bの行為は民法892条にいう『著しい非行』に該当するものというべきである」との判断をしている。本件では，養子との離縁訴訟が，廃除の判断に影響を与えているが，仮に実子がBと同じ行動をした場合には法律上親子関係を切ることはできない。養子・離縁訴訟というファクターが廃除にどの程度影響を及ぼすかについては，さらに検討を要する（新基本法コメ35頁〔幡野〕は，実子と離縁制度がある養子との相違が廃除の判断に影響を与える可能性を認める）。

(2) 否定事例

廃除の事件は，親族間の複雑で微妙な葛藤や衝突を背景にしているものが多く，実際の裁判例のなかでは，虐待や重大な侮辱，著しい非行に当たるような行為があったとしても，他の考慮要素（一時性〔後述⑱⑲〕，誘発行為〔後述⑳㉑〕，宥恕〔後述㉒〕，正当な理由に基づく訴え〔後述㉓㉔〕，遺産の形成に寄与した者からの離婚請求を拒絶した事情〔→4(iii)〕）により廃除の申立てが認められないものもある。

⑱父であり雇用主でもある被相続人に長年抑圧されてきた相続人が，自分を保証人にし，自己の居住する土地建物を担保にして借金をしようとする被相続人に反対したことにより訴訟で争わなければならない立場となり，そのような葛藤のなかで，被相続人に解雇され鬱積した感情が飲酒により爆発したような事案では，相続人を一方的に非難できず，また相続人の行為は一時

的なものであり，廃除を正当づける根拠と断じえないとした事例がある（名古屋高決昭46・5・25家月24巻3号68頁）。この事案では，本条の廃除事由に該当するためには，「重大な」もの，すなわち相続的協同関係を危殆ならしめるものと認められなければならず，この評価にあたっては，「相続人の行為のよってきたる原因にまで遡り，その原因について被相続人に責任があるかどうか，あるいはそれが一時的なものにすぎないかどうか」を考究して斟酌考量して判断されるべきとの基準が示されている。⑲一時的な感情による所為についても廃除原因を欠くものといわなければならないと判断した大阪高裁昭和40年11月9日決定（家月18巻5号44頁）がある（公正証書遺言により廃除意思が表明された事案ではあるが，推定相続人である子〔相手方〕が被相続人である父に対して，非難するがごとき言辞を弄したことは穏当を欠くとしても，日頃信頼してきた相手方の気持ちを父が傷つけたことから，昂奮のあまり，売り言葉に買い言葉のたとえをそのままに思わず口にしたというのが実情であるという事情が考慮されている）。なお，⑲の事例は，そもそも廃除事由に当たらないとされている。

また，被相続人にも原因がある場合には，⑳相続人である相手方に「重大な侮辱」があったとはいえないとされた事例や（佐賀家審昭41・3・31家月18巻11号67頁では，相手方〔子2名〕が被相続人の火事見舞いや病気見舞いをしなかったことから廃除の申立てがされているが，被相続人宅が大家族となったことで被相続人と相手方の妻が不仲となったため別居に至ったもので，別居後被相続人を訪問した際に「気嫌（ママ）とりに来た」と言われたことなどがあり，別居に至った事情から疎遠となっていたことが考慮されている），㉑「相手方の相続権を奪うことを正当視する程度に重大なものと評価する」に至らないとされた事例（名古屋高金沢支決平2・5・16家月42巻11号37頁）でも，相続人である相手方が被相続人の妻の看病の手伝いをしなかったため，家族の円満を欠くようになり被相続人が寂しい思いをしたとか，相手方が老人に対し暴力を加えたことは「無視できるものではない」としつつも，相手方の暴行・傷害・精神的虐待の直接の原因は被相続人の繰り返し行った非難・謝罪要求にある，と認定し，被相続人にも「かなりの責任」があることを認めている。㉒遺留分減殺請求事件のなかで廃除の主張がされたが，被相続人が暴行に対する損害賠償請求権の免除をしていることから宥恕の認定がされた事例もある（東京地判平27・6・25 LEX/DB25541132）。

告訴や訴えの提起が，正当な理由に基づくものであれば，廃除事由に該当しない（松原Ⅰ250頁）。㉓子が被相続人である父に対して父所有の農地のほとんど全部に対して立入耕作禁止の仮処分をした事例につき，この仮処分が果たしていかなる事情でされるに至ったかにつき明らかでないかぎり，この仮処分の事実のみで，本条の「重大な侮辱」に該当する事実があったとは認められないとする決定例（仙台高決昭29・2・9家月6巻3号95頁），㉔被廃除者が被相続人の放埒な生活を反省させるために準禁治産宣告の申立てをし，その後取り下げたという事案でも，この申立てがただちに「重大な侮辱」を加えたものとはいえないとした審判例（釧路家審昭33・10・3家月10巻10号73頁）がある。

被相続人に直接向けられていない非行（犯罪行為等）については，廃除を認めることには慎重といえる（松原Ⅰ265頁）。㉕推定相続人が勤務先（被相続人が事実上支配していた同族会社ではあるが，大手企業であり会社と被相続人個人とは業務執行面や財産所有関係等も区別されている）の財産を業務上横領したとしても，その行為を事実上被相続人の個人財産の横領行為とみることはできず，個人として被相続人の面目や体裁が著しく失墜したわけではないとの理由から，「被相続人との間の相続的協同関係を破壊するほどの『著しい非行』」に当たるものとするには，なお不十分であるとした決定例がある（東京高決昭59・10・18判時1134号96頁）。この他㉖福島家裁平成元年12月25日審判（家月42巻9号36頁）も，被相続人の子が孫らを債務者として借金をさせ孫らがそれを弁済するはめになったことを契機として行われた申立てであるが「著しい非行」があったとはいえないとして廃除請求を認めていない。

また，上記の否定例とは異なり，廃除者に責任がない場合でも，㉗子の成長過程での非行や親の意に沿わない婚姻は，行為が相続関係の維持が期待できない廃除の原因となる「重大な侮辱」に当たるとはいえないと判断されている（⑬の原審であり，「成人に達した子が配偶者として選択した者の過去の経歴が，親の社会的地位にふさわしくなく，当該婚姻が親の意に沿わないものであったとしても，その者の現在の生活態度が反社会的・反倫理的であって，その者との婚姻を継続する子と親との間に相続関係を維持することを期待することが社会的に酷であると認められる特段の事情のない限り」，「被相続人に対する重大な侮辱その他の廃除事由に該当するということはできない」と判断する〔東京家審平3・12・26判時1448号132頁〕）。

(3) 判断構造

廃除原因である虐待，重大な侮辱，著しい非行が推定相続人にあると被相続人が考える場合には，被相続人は，本条に基づく廃除の申立てをするか，遺言により廃除の意思表示（893条）を示しておくことは可能である。廃除の請求を行うかどうかの段階では，被相続人のそれを行う意思が尊重されることになる。しかし，被相続人が主観的に廃除事由に該当する事実があると考えていても，廃除事由に該当するに足りる行為があったかどうかの判断は，被相続人と被廃除者との間に「相続的協同関係の破壊」があるかどうかという客観的な基準に従って行われる。ここで裁判例が用いる「相続的協同関係の破壊」基準はⅡ 2①相続的協同関係破壊説が用いる被相続人の意思が判断に影響を与える「相続的協同関係」とは異なる（①説は廃除の請求レベルと裁判所での判断のレベルを必ずしも区別することなく廃除事由を捉えている）。この判断においては，そもそも廃除事由に当たるとはいえない状況で廃除請求がされているかどうかが，また廃除原因となる事実があったとしても別の考慮要素を検討し，廃除請求は認められないという帰結にいたるかどうかが検討されている。その意味では，被相続人の廃除の意思を尊重することには限界もある（田中通裕「相続人の廃除に関する若干の考察――制度の根拠と廃除の判断基準を中心として」判タ1037号〔2000〕56頁。⑬の事例は，相続人の意向を重視すべきとの主張もあるが，主観を重視しつつも客観事実の積み上げにより「重大な侮辱」の認定がされており，単純に被相続人の主張だけが重視されているのではないと指摘されている〔川淳一〔判批〕民百選Ⅲ 3版113頁〕）。

なお，この判断基準は抽象的で具体性を欠くとの批判があるが（羽生香織〔判批〕本山敦＝奈良輝久編・相続判例の分析と展開（金判増刊1436号）〔2014〕17頁），892条の規定にある重大な侮辱の判断や著しい非行の判断にあたって，家庭裁判所が，侮辱や非行となりうる行為だけでなく被相続人の宥恕や相続人の改心等の諸般の事情を考慮して後見的立場から廃除が相当かどうかを判断するため（最決昭55・7・10家月33巻1号66頁，最決昭59・3・22家月36巻10号79頁，潮見58頁），具体的事例において被相続人の意思と積み重ねられた客観的事実をもとに個別に評価せざるをえない。

4 廃除事由と離縁原因・離婚原因との関係

夫婦間や普通養子縁組による親子関係においては，自らの財産を配偶者や子に相続させたくないと考えた場合，廃除の請求のほかに，離婚や離縁をすることも可能である。離婚や離縁の効果として，配偶者の地位・子ないし親であるという地位を喪失するため，相続人でもなくなるからである。もっとも，配偶者や子ないし親が離婚や離縁に応じない場合には，最終的には訴訟により離婚・離縁するほかない。この場合には，離婚原因（770条）や離縁原因（814条）が必要となるが，離婚の訴えや離縁の訴えとともに廃除の申立てがある場合や，離婚の訴えや離縁の訴えの係属中に死亡した者が遺言で相手方を廃除していた場合に，特に離婚原因の「その他婚姻を継続し難い重大な事由があるとき」や離縁原因の「その他縁組を継続し難い重大な事由があるとき」と廃除原因の「著しい非行」との関係が問題となる。

裁判例では，(i)廃除事由である「著しい非行」を，離縁原因である「縁組を継続し難い重大な事由」に従い判断する事例（名古屋高金沢支決昭60・7・22家月37巻12号31頁は，後継者を得る目的で縁組を行っていたが，養親子間が不仲となり，養親と養子がともに離縁訴訟を起こしていたところ，養親が死亡したという事案であり，離縁訴訟が係属していれば，破綻主義の観点から「離縁を継続し難い重大な事由」があったと判断された可能性は高い〔最判昭40・5・21家月17巻6号247頁参照〕）と，(ii)離縁原因とは切り離して「著しい非行」についてのみ判断をしている事例（⑯東京高決平23・5・9。⑯に関して，養親側からのみ離縁の訴えをし，養親が死亡したため，廃除の請求のみが判断された事案であったため，学説には，離縁の訴えを認容すべきでない事案であり〔羽生・前掲判批17頁，浦野由紀子〔判批〕民商146巻2号〔2012〕226頁〕，廃除事由である「著しい非行」の判断も実子が廃除される事例と比べて重大性・非難可能性が幾分弱いとの批判がある〔田中通裕〔判批〕リマークス45号〔2012〕65頁〕。青竹美佳〔判批〕月報司法書士484号〔2012〕56頁は反対）がある。

離婚事由と廃除原因との関係が問題となる裁判例では，(iii)遺言による廃除をしていた妻が有責配偶者である夫からの離婚請求を拒絶していた事案において，廃除事由を離婚原因と同程度の非行があるかどうかで判断するべきであるとする事例（大阪高決令2・2・27判タ1485号115頁は，廃除は，「被相続人の意思によって遺留分を有する推定相続人の相続権を剝奪する制度であるから，廃除事由である被相続人に対する虐待や重大な侮辱，その他著しい非行は，被相続人との人的信頼関係を破壊し，推定相続人の遺留分を否定することが正当であると評価できる程度に重大なものでなければならず，夫婦関係にある推定相続人の場合には，離婚原因である『婚姻を継続し難い重大な事由』（民法770条1項5号）と同程度の非行が必要であると解するべきである」とする。この事案では，妻が夫からの離婚請求を，婚姻を継続し難い重大な事由はないとして離婚を争い，離婚原因が認められないとの判断がされたこと，妻の遺産は夫と共に営んだ事業を通じて形成されたものであること，夫婦の不和は，この事業をめぐる紛争に関連しており，約44年間に及ぶ婚姻のうち5年余りの間に生じたものに過ぎないことや，夫が妻の遺産形成に寄与しているという事情が考慮されている)，(iv)不貞行為など有責性がある妻が離婚調停・離婚訴訟を申し立て（夫は拒絶），夫が妻について生前廃除の申立てをした事案において，離婚原因と廃除原因とを切り離して判断する事例（大阪高決昭44・12・25家月22巻6号50頁は，夫婦関係における廃除であっても，廃除は遺留分を有する推定相続人の相続権を剥奪することをもってその目的とし，廃除を求めるか離婚を求めるかは，当該配偶者の自由であり，婚姻を継続しながら，配偶者の相続権を剥奪するところに，廃除を認めた法の趣旨があるとし，廃除の原因が離婚原因に当たるとしても，離婚原因の有無にかかわることなく，当該廃除の申立てについてその当否を判断すべきであるとした。なお，大津家審昭44・10・13家月22巻6号53頁は，配偶者間の廃除では，離婚できない特別の事由がある場合に限り許されるとし，廃除事由に要件を加重した〔梅澤彩〔判批〕リマークス64号〔2022〕72頁〕)，(v)妻が，末期がんの状態にあるなか，夫が劣悪な環境で生活を強いるなどの肉体的虐待や精神的虐待を加えたことなどを理由に，廃除を公正証書遺言で残すとともに，離婚訴訟を起こしたが，訴訟係属中に死亡した事例では，夫の一連の行為は虐待と認定し，妻が夫との「離婚につき強い意思を有し続けていたといえるから，廃除を回避すべき特段の事情も見当たらない」と判断した事例（釧路家北見支審平17・1・26家月58巻1号105頁）がある。(iv)は離婚事由と廃除事由を切り離して判断した事例であり，(v)は，廃除を肯定する事情として，廃除者の離婚意思を考慮する。

学説は，離婚を請求して財産分与の制度に従い夫婦の財産関係を清算するか，離婚をせずに廃除を求めるかは，当該当事者の自由であり，要件面でも有責行為者から一定の条件のもとで離婚が認められる（最大判昭62・9・2民集41巻6号1423頁参照）ことや，遺留分を含めた相続権の喪失を認める廃除の要件である著しい非行は内容が異なることなどを理由に，(iv)大阪高裁昭和44年決定の枠組みに拠りつつ（潮見56頁，常岡290頁，梅澤・前掲判批73頁），廃除の基準を厳格に解するべきとする（潮見57頁，伊藤189頁）。

(iii)大阪高裁令和2年2月27日決定の事案では，廃除を求められた夫が濫用的な訴えをしているものの，遺言廃除をした妻が，遺産の形成に寄与した夫からの離婚請求に対し，離婚を拒絶していた――夫婦関係の継続は望んでいた――ことから，「人的信頼関係」，すなわち従前の裁判例のいう「相続共同的関係」の破壊には至っていないとの判断がされており（梅澤・前掲判批73頁），廃除者が夫婦関係の継続や養親子関係の継続を希望する事情が，廃除を制限する事情として機能している（一3(3)）。⑨から⑪の事例では，濫用的訴えを理由に肯定していることとのバランスからみても，(iii)の事例は，従来の審判と比べても，厳格な基準で廃除の判断がされたともいえる。

相続権・遺留分に夫婦財産の清算を含める現行法において，特に(iii)大阪高裁令和2年2月27日決定の事案において遺言廃除をした夫婦の一方が死亡し，生存配偶者の廃除が認められると，生存配偶者が夫婦の財産関係を清算する手段が残されてないこと自体が制度的な欠陥であるとの指摘がある（宮本誠子〔判批〕速判解31号〔2022〕108頁）。理論的には，夫婦ないし親子が協力して形成した実質的には共有となる財産（α）と被相続人自身の特有財産（β）が現行制度のもとでは相続財産（$\alpha+\beta$）となってしまっているため，本来は，前者の財産について清算する制度を整備し，そのうえで被廃除者が清算により取得するであろう財産（財産分与と同様に2分の1ルールが妥当するのであれば，$\alpha\times\frac{1}{2}$）と被相続人の特有財産（β）を合わせた財産について推定相続人の廃除を問題とすることになるはずである。確かに，平成30（2018）年の相続法改正の立案過程において，夫婦財産の清算を前提とし，配偶者の相続分を上乗せする制度（民法（相続関係）部会・中間試案第2遺産分割に関する見直し・1配偶者の相続分の見直し(1)甲案参照）は，遺産分割の計算が複雑になることなどを理由に見送られているが，法定相続権の根拠として清算的要素があることを重視すれば，α財産については上記制度がない現状でも，財産法理に基づき清算できる可能性は残されている。

5 高齢者虐待防止法との関係

高齢社会を背景として家庭内での高齢者に対する虐待の防止のため，2005（平成17）年に「高齢者虐待の防止，高齢者の養護者に対する支援等に関する法律」（高齢者虐待防止法）が制定された。65歳以上の者（高齢者）に対し，養護者が，「身体に外傷が生じ，又は生じるおそれのある暴行を加え」たり

(身体的虐待),「衰弱させるような著しい減食又は長時間の放置」をしたり(監護懈怠。なお，高齢者虐待防止法2条4項1号ロにしたがうと，養護者の同居人が，身体的虐待（同号イ），精神的虐待（同号ハ），性的虐待（同号ニ）と同様の行為をしているときに，養護者が，これらを放置する場合も監護懈怠による虐待とされる),「著しい暴言又は著しく拒絶的な対応その他の」「心理的外傷を与える言動を行」ったり(精神的虐待),「わいせつな行為」をしたり「わいせつな行為をさせ」たり(性的虐待)，養護者または高齢者の親族が「財産を不当に処分することその他当該高齢者から不当に財産上の利益を得る」場合（経済的虐待）に，同法に基づき虐待と認定され，その認定を根拠に廃除の申立てがなされることも考えられる。同法に従えば，従来の裁判例では，「著しい非行」の問題とされていた親の財産に対する経済的搾取も，「経済的虐待」として考慮される可能性はある(判例民法XI 31頁〔本山〕参照)。

3(1)①大阪高裁令和元年8月21日決定の廃除請求の認否の判断枠組みは従来のものといえるが，「暴力行為」に対する評価という点で時代に即した判断といえる(鈴木伸智〔判批〕速判解28号〔2021〕140頁)。

V 手　　続

本条による廃除は，家庭裁判所の審判により行われる(家事別表第一86項)。

廃除請求権は，一身専属権であり，被相続人の意思に基づくことが必要である。

1　手続の性質および保障

推定相続人の廃除は，一定の要件のもとに被相続人に対して実体法上の廃除権ないし廃除請求権を付与したものではなく，被相続人の請求に基づき，家庭裁判所が後見的立場から，具体的に廃除を相当とすべき事由が存するかどうかを審査，判断することにしたものであり，このような推定相続人の廃除請求の手続は，訴訟事件ではなく非訟事件たる性質を有すると解されている（最決昭55・7・10家月33巻1号66頁。叶和夫「推定相続人の廃除」岡垣学＝野田愛子編・講座・実務家事審判法(3)〔1989〕5頁は，前掲最決昭55・7・10以前は訴訟事件と解する説との対立があったが，同決定の考え方は判例として確定したものと説明する)。

ところで，推定相続人の廃除請求は，家事審判法の下では，9条1項乙類

9号に分類されており審判または調停（旧家審17条・18条・21条）により行われていた。しかし，平成23年成立（同25年施行）の家事事件手続法により，廃除の審判の取消しとともに調停をすることができない事項についての審判事項として位置づけられるようになった（家事188条1項により別表第一86項・87項）。このような位置づけとなったのは，廃除は，遺留分を有する推定相続人の相続権を剝奪するという重大な効果が生じること，したがって，廃除の要件を満たさないにもかかわらず，廃除されようとする者が廃除を受け入れるとして廃除を請求する者との間で合意が成立し，それをもとに調停を成立させるべきではないこと，すなわち廃除事由については当事者による処分を許すものではない，との理由からである（金子・一問一答53頁）。

廃除の審判は申立人と推定相続人とが対立する紛争性の高い事件であるため，廃除を求められた推定相続人に別表第二に掲げられる事項の審判事件と同程度かそれ以上の手続が保障される必要がある。家庭裁判所は廃除を求められた推定相続人の陳述を審問期日において聴取すること（家事188条3項），さらに別表第二に掲げる事項についての審判事件の特則である申立書の写しの送付（家事67条），審問の期日への立会い（家事69条），事実調査の通知（家事70条），審理の終結（家事71条）と審判日（家事72条）の規定を準用すること（家事188条4項）が定められている（金子・一問一答202頁）。

なお，廃除請求の手続は，上述したとおり，非訟事件たる性質を有すると解され，家事事件手続法の定めに従うものとされている。そのため，公開の法廷における対審を経ないで審理，裁判したとしても，憲法31条・82条には違反しない（最決昭59・3・22家月36巻10号79頁）。

2　手続行為能力

推定相続人の廃除請求権またはその取消請求権は，被相続人の一身専属権であり，その意思に基づくかぎり有効な権利として扱われなければならない。そこで，被相続人は，一般的に手続能力が制限されていても意思能力を有するかぎり有効に手続をすることができるとの特則もおかれている（家事188条2項における家事118条の準用）（金子・一問一答202頁）。

本条の請求は一身専属権であるため，相続もできず，代理にも親しまない。したがって，法定代理人が廃除権の行使に関与する余地はなく（大判大6・7・9民録23輯1105頁），第三者による代理権行使も認められない（叶・前掲論文19頁)。そうすると，意思能力のない被相続人は廃除権を行使することはできないということになる（舟橋諄一「相続人の廃除」家族法大系Ⅵ86頁，新版注民(26)341頁〔泉〕)。高齢者虐待などを理由として推定相続人の廃除が認められるべき場面（特に養護者である親族〔子や配偶者〕による経済的搾取の場面など）では，高齢者自身が認知症などで意思能力がないか著しく低下している状態で，成年後見人が選任されることもある（未成年後見の場面でも同様のことが起こりうる)。このような場面では，虐待を受けた者が自ら廃除の手続を講じられないことが想定されるため，本人の意思を尊重しつつ，法定後見人による廃除の請求についても検討する必要がある。

これに対して，相手方となる推定相続人が意思無能力の場合には法定代理人が相手方となる（未成年者の場合について東京控判大10・10・28評論10巻民1060頁，舟橋・前掲論文86頁)。推定相続人が制限行為能力者の場合には争いがある（舟橋・前掲論文87頁は，みずからが相手方となると考えるのに対し，新版注民(26)341頁〔泉〕は，意思能力がある未成年者の場合は法定代理人に代理されるか，その同意を得て廃除手続に応じるべきで，成年被後見人の場合は常に法定代理人が応じるべきであるとする)。

3　審判中の被相続人または被廃除者が死亡した場合

被相続人が死亡した場合については，家庭裁判所は，親族，利害関係人等の請求により，895条に従い遺産管理について必要な処分を行う。

推定相続人を廃除する審判手続中にその推定相続人が死亡した場合，その者に子がいれば，推定相続人の廃除によりその子が代襲相続をすることになるため（887条2項)，被廃除者の死後に廃除の手続を継続する意味はなく，当該手続は当然に終了する（東京高決平23・8・30家月64巻10号48頁)。またその被廃除者に子以外の相続人がいれば，審判は当然には終了せずその相続人が相手方の地位を承継すると解されている（前掲東京高決平23・8・30では，被廃除者の子はおらず，廃除に関する審判係属中に婚姻した妻がいたため，配偶者は被廃除者を相続すべき理由があるため被廃除者を廃除する利益は消滅しないとの理由から，被廃除者の審判手続上の地位は配偶者に承継されるとされた。なお，大判昭2・11・12新聞2788号9頁では，相手方の死亡により廃除自体の利益はなくなるとしても，審判費用の分担の必要性からその限度で相手方の相続人に承継されるとしており，廃除の利益がなくなる場合には手続が終了することを前提とした判断となっている〔守谷俊宏〔判批〕本山

敦＝奈良輝久編・相続判例の分析と展開（金判増刊1436号）〔2014〕22頁〕）。

VI 廃除の効力

1 相続資格の喪失

廃除を求める審判が確定すると，被廃除者は相続資格を奪われる。この場合，被廃除者は，廃除を求めた被相続人との関係でのみ相続資格が奪われるにすぎず，それ以外の者との関係には効果は及ばない（相対的効力）。

相続資格が消滅するだけで，その他の身分関係には影響を及ぼさない。扶養の権利義務や親権・後見の関係にも影響を及ぼさない。受遺者となることも可能と解されている（965条参照）（新版注民(26)344頁〔泉〕）。なお，審判確定後に被廃除者と養子縁組を締結したなどの身分上の変更がある場合については，→4。

被相続人に債務がある場合，被廃除者は相続放棄をしないかぎり，債務のみを承継し債権者からの責任追及を免れることができないのかが問題となる。

廃除の審判が確定し，相続が開始したとき，または相続開始後廃除の審判が確定したときには，被廃除者は相続資格を奪われる以上，債務も承継しないと解した場合には，被廃除者は相続債権者からの責任追及を免れることになる（→相続欠格についての§891 IV 4参照）。これに対して，本条の廃除の場合，審判が確定しても取消しがされる可能性もあり，廃除の審判が確定しただけでは当然に相続資格を奪われないと解する場合には，相続放棄をしないかぎり，被廃除者は相続債権者からの責任追及を免れないということになる。

2 効力の発生時期

審判の確定により法律上当然に発生する（大判昭17・3・26民集21巻284頁）。戸籍の届出は効力発生要件ではない（報告的届出）。

廃除確定前に相続が開始した場合には，廃除は相続開始時まで遡って効力が生じると解されている。相続権の有無は相続開始時を基準とすべきだからである（893条後段類推適用。新版注民(26)344頁〔泉〕，潮見59頁）。

3 届　出

推定相続人の廃除の審判が確定すると，その請求をした者が，被廃除者の本籍地または届出人所在地で，10日以内に審判書の謄本を添付して届け出なければならない（報告的届出）（戸97条・63条・25条）。廃除の届書は，一般的記載事項（戸29条）のほかに，審判の確定日が記載され（戸97条・63条），同日付で受理される（木村三男監修・改訂設題解説戸籍実務の処理Ⅶ死亡・失踪・復氏・姻族関係終了・推定相続人廃除編〔2014〕368頁）。

4　廃除後の廃除者と被廃除者との養子縁組

廃除審判確定後に廃除者と被廃除者とが養子縁組をした場合，被廃除者は，養子縁組の効果として，新たに相続権を取得できる（大判大9・2・28民録26輯120頁）。

5　第三者との関係

廃除の審判が確定した後に被廃除者の債権者が，相続財産に属する不動産に代位登記に基づいて差押登記をした場合でも，その差押登記は無効となる（東京高判昭60・3・7判時1152号138頁）。

審判前に債権者が被廃除者の共有持分を差し押さえたとしても，その差押えは無効となる。したがって登記なくして第三者に対抗できる（大阪高判昭59・3・21判タ527号108頁）。

〔冷水登紀代〕

（遺言による推定相続人の廃除）

第893条　被相続人が遺言で推定相続人を廃除する意思を表示したときは，遺言執行者は，その遺言が効力を生じた後，遅滞なく，その推定相続人の廃除を家庭裁判所に請求しなければならない。この場合において，その推定相続人の廃除は，被相続人の死亡の時にさかのぼってその効力を生ずる。

〔対照〕　ド民1938・2336，ス民477〜479

〔改正〕　（1000・976）　本条＝昭23法260改正

I　本条の意義

本条は，廃除は遺言においてもすることができる旨を規定する。

遺言により廃除を求める者は，遺言能力（961条）が必要である（遺言能力については→第20巻§961）。

II　廃除の意思表示に関する遺言解釈

遺言による廃除の場合についても，廃除原因は，892条が定める事由であり，同条と同じ基準で廃除が認められるかどうかが判断されるが，遺言により廃除を行う場合には，「廃除の意思表示」を明示しておく必要がある（なお，廃除事由に当たるかどうかについては→§892 IV）。

遺言において，「廃除をする」旨の記載はなくとも，遺言書作成の経緯などから客観的に廃除の意思が認められる場合には，廃除の請求ができると解されている（松原I 271頁）。ただし，遺言において「廃除」の意思があるかが明確でない場合には，効果の重大性に鑑み廃除の判断に慎重を期す必要があるとの指摘もある（潮見59頁。森山浩江「遺言による廃除と遺言認知」新実務大系IV 199頁では，特に遺言者の真意における廃除の理由が，不十分な場合があることを懸念する）。

裁判例では，①自分の荷物を無断で持ち出しいかなる事があっても絶対に帰らないと言って家を出た養女に対し「後を継す事は出来ないから離縁をしたい」との文言が遺言書にある場合（最判昭30・5・10民集9巻6号657頁。同最判は，「意思表示の内容は当事者の真意を合理的に探究し，できるかぎり適法有効なものとして解釈すべきを本旨とし，遺言についてもこれと異なる解釈をとるべき理由は認められない」とし，原審が養女を廃除したことを支持する），②妻Bが他の男性と駆け落ちしたことに対して「土地建物外すべてを申立人XとAに委任する。法律上Bとなるが，自分の病気中子供らを置いて且つ事務経理の引継ぎもしないで男と逃げるとは許せない」という趣旨の遺言書がある場合（新潟家高田支審昭43・6・29家月20巻11号173頁〔→§892 IV 3(1)⑥〕。この事件では遺言者が自殺）でも廃除の請求が認められている。

遺言により，相続分の指定や変更をすることができるため（902条1項），被相続人が特定の相続人の相続分をゼロとする遺言を残した場合，当該遺言を単に相続分がないと指定したと解釈するのか（そうであれば当該相続人は遺留分侵害額請求権を行使できる），あるいは廃除の意思表示をしたと解釈するのかが問題となる（松原I 274頁）。裁判例では，③他女と関係のある夫に暴力を振るわれ流産をし，その後別居にいたった妻が，「乙〔夫〕，A〔夫の母〕は親から貰った金も俸給もボーナスも全部しぼり取ったから乙らには1円の金もやれないし，うちの物や退職金などには指一本もふれさせへん」という記載の遺言を残していた場合には，相続分をゼロとしたのではなく，推定相続人として遺留分を奪う廃除の意思表示があったものと解するとした事例がある（京都家審昭36・11・24家月14巻11号122頁。大阪高決昭37・5・11家月14巻11号119頁は支持する）。また，④被相続人である夫が，妻の入院中に家の中を探したところ妻名義の預金通帳しか出てこず，自分名義の預金等がなかったことなどから，妻が財産目的で婚姻したのではないかと疑念を抱くようになり，両者の仲が悪化し，妻は退院後も帰宅しなかったため，夫が自らの財産を相続させないように，自筆証書遺言にて「事実上離婚が成立しているものと考えて私〔夫〕の現在の財産年金の受給権はY〔妻〕にわ一切受取らせないようお願ひします」と遺言に記載している事案において，抗告審である広島高裁平成3年9月27日決定（家月44巻5号36頁）は，被相続人はYを推定相続人から廃除する意思表示をしているとし，原審が相続分ゼロとしてYの遺産分割の申立てを却下した審判を取り消し，Y以外の相続人に遺言執行者選任の申立てをさせ，執行者をしてYの廃除の申立てをさせるとともに，「相続人廃除の確定審判を待たずにYを交えて遺産分割の審判をする」か「確定審判を待って遺産分割の効力を争うべき」とし，被相続人の廃除の意思表示を実現するためには，Y以外の相続人により遺言執行者の申立てと選任，さらに遺言執行者により廃除の手続を行うことを促した（Ⅲを参照）。

遺言解釈により，廃除の意思を認定する場合であっても，具体的事案において廃除事由に該当する事実が存在してはじめて廃除が認められるべきである（森山・前掲論文199頁。§892 Ⅳ 3(3)）。

Ⅲ　手　　続

遺言による廃除の意思が明確である場合には，家庭裁判所が職権により，その事実調査，証拠調べをすることになる（新版注民(26)348頁〔泉久雄〕）。

遺言廃除の申立人は，遺言執行者であり，遺言執行者は，遺言の効力が生じた後遅滞なく，廃除の手続をとらなければならない（本条前段，家事188

条・別表第一86項）。遺言執行者がいない場合については，その選任をする必要がある（1010条）。

遺言執行者が申し立てた廃除の請求が却下された場合には，遺言執行者は即時抗告することができる（家事188条5項2号）。これに対し，被廃除者以外の相続人は，廃除の申立てを却下する審判に対して即時抗告をすることができない（最決平14・7・12家月55巻2号162頁）。

Ⅳ　廃除の効力

遺言廃除の審判の確定は，常に相続開始後になる。しかし，廃除の効力は，審判の確定により被相続人の死亡時に遡る（本条後段）（届出については→§892 Ⅵ3）。

(1)　第三者との関係

審判確定前に被廃除者が行った財産処分は無効となる。そのため被廃除者による不動産取引において，相手方である譲受人は，たとえ登記を備えていたとしても，177条の第三者には当たらず，真正相続人に対してその権利を主張することはできない（大判昭2・4・22民集6巻260頁）。

(2)　遺産分割との関係

遺言廃除が争われている場合に遺産分割を行うことができるかが問題となる。学説は，①被廃除者を除外して遺産分割することができると考える説，②遺産分割に参加させ，廃除が確定した場合にその者の分を再分配すると考える説，③審判の確定まで分割手続を禁止すべきであるとする説に分かれる（新版注民(26)349頁〔泉〕）。

(3)　遺産の管理

家庭裁判所は，相続廃除の審判前に遺産の管理が問題となる場合（上記(1)のように廃除審判確定前に廃除されうる推定相続人が財産処分する可能性がある(2)①②の場合など）には，親族，利害関係人等の請求により，895条による遺産の管理について必要な処分を命ずることができる。

〔冷水登紀代〕

（推定相続人の廃除の取消し）

第894条①　被相続人は，いつでも，推定相続人の廃除の取消しを家庭裁判所に請求することができる。

②　前条の規定は，推定相続人の廃除の取消しについて準用する。

〔対照〕フ民728，ド民2337

〔改正〕（999・1000・976）①＝昭23法260改正

I　意　義

廃除は，相続欠格と同様に民事上の制裁であるが，相続欠格とは異なり，廃除者の意思表示を前提として認められる制裁であるため，被相続人が被廃除者を許すのであれば，それを認め，被廃除者の相続権を回復することが相当であるため，本条により廃除の取消しを認めている。

本条1項は，廃除の請求と同様に，被相続人は，生前廃除の審判の効果についていつでも取消しを請求することができること，2項は遺言による廃除の取消しについても準用されることを規定する。

廃除は，被相続人による宥恕は認められておらず，被相続人が被廃除者の相続資格を回復したい場合には，本条に従いその取消しを家庭裁判所に請求しなければならない。家庭裁判所による審判により，手続の慎重を期し，権利関係を明確にするためである（新基本法コメ37頁〔幡野弘樹〕）。

II　生前廃除の「生前」の取消し（1項）

1　取消権者

取消権者は，被相続人である。相続人が廃除の取消しを請求することはできない（判例民法XI 35頁〔本山敦〕）。

2　取消原因

民法上，取消原因は規定されていないが，被相続人により，取消しの意思が表示されれば足りると解されている（新版注民(26)351頁〔泉久雄〕）。

廃除の取消しに関して，家庭裁判所は，廃除者の真意による請求かどうかを判断することになる。

3 廃除の取消しの方法

取消権者が，家庭裁判所に廃除の取消しを申し立てる。申立ての相手方は，被廃除者である。

本条の申立ては，892条と同様，調停をすることができない審判事件として家事事件手続法上別表第一の87項に位置づけられており，家庭裁判所が審判を行うことになる。

家庭裁判所は，廃除の取消しが被相続人の真意であるか否かを判断し，真意に基づくものであることが確認されれば，必ず取消しの審判をすることになる（松原Ⅰ 295-296頁）。

本条が，家事事件手続法別表第一に位置づけられた理由と手続能力については，→§892 V 1参照。

III 遺言による生前廃除の取消し（2項）

遺言執行者は，遺言の効力が生じた後に遅滞なく，家庭裁判所に生前廃除の取消しを請求する。以前の遺言による廃除を後の遺言で撤回するのではない（1022条）。以前の遺言により廃除の審判が確定した場合には，改めて廃除の取消しの申立てが必要となる（新版注民(26)351頁〔泉〕）。

家庭裁判所による審理の内容については，生前廃除の取消請求の場合と同様である。

遺言廃除の手続中に被廃除者が死亡した場合の手続の承継については，→§892 V 3参照。

IV 取消しの効果

生前廃除について，生前に取消しの審判がされたときは，取消しの審判が確定したときから将来に向かって効力を生じる。これにより，被廃除者の推定相続人としての地位が回復する。

相続開始後に廃除の取消しの審判がされたときは，被相続人の死亡の時に遡り，被廃除者は相続人としての地位を回復する。

V 届　出

廃除の取消しの審判が確定すると，その請求をした者は，被廃除者の本籍地または届出人所在地で，10日以内に審判書の謄本を添付して届け出なければならない（報告的届出）（戸97条・63条・25条）。

〔冷水登紀代〕

（推定相続人の廃除に関する審判確定前の遺産の管理）

第895条①　推定相続人の廃除又はその取消しの請求があった後その審判が確定する前に相続が開始したときは，家庭裁判所は，親族，利害関係人又は検察官の請求によって，遺産の管理について必要な処分を命ずることができる。推定相続人の廃除の遺言があったときも，同様とする。

②　第27条から第29条までの規定は，前項の規定により家庭裁判所が遺産の管理人を選任した場合について準用する。

〔改正〕（999・1000・978）②＝昭23法260改正

I 意　義

被相続人が生前に推定相続人の廃除請求をしたが，審判確定前に死亡した場合や廃除の遺言があった場合，その審判が確定するまでの間は，その廃除を申し立てられた者の相続権が剝奪されるかどうかが不明であり，一応相続人の地位にある。また逆に廃除の取消手続の係属中に被相続人が死亡した場合には，廃除されていた者の相続権が回復するかどうかが不明であるが，この者は相続人の地位にはない。

このような状態で廃除請求されている者が財産処分をし，その後廃除の審判が確定すれば，その処分行為は無効となる。また，廃除の取消前に代襲相続人や次順位の相続人が遺産分割をしてしまった場合，被廃除者の利益が害されることになる。このような事態を防ぐために定められたのが本条である。

本条は，一定の者の請求により，家庭裁判所が遺産管理について必要な処分をすることができ（1項），家庭裁判所がそのために遺産の管理人を選任した場合には，遺産の管理人は不在者の財産管理に関する規定（27条～29条）に従い権利を有し，義務を負う旨を規定する（2項）。

本条は，被相続人の死亡後の手続の受継（家事44条）を前提とした規定である。

II 手　　続

本条の遺産管理に関する処分も審判事項に分類されている（家事別表第一88項）。本条の管轄は，推定相続人の廃除・廃除の取消しの審判がすでに係属している場合には，当該事件が係属する裁判所の管轄に属する（家事189条1項）。

1 請求権者

親族，利害関係人または検察官である。

ここでの親族とは，被相続人の親族と解されている（我妻＝立石401頁ほか）。

利害関係人は，遺産の管理保全について法律上の利益を有する者を広く含み，相続債権者，受遺者，相続人の債権者や遺言執行者も含まれる（新版注民(26)353頁〔泉久雄〕）。

2 遺産管理に必要な処分

遺産管理に必要な処分とは，遺産の処分禁止，占有移転禁止以外に，遺産の管理人を選任することである。遺言による廃除・取消しでは，遺産処分に関する事項が含まれていれば遺言執行者が選任されており，遺言執行者は，遺言執行に関し必要な行為をする権利義務を有する（1012条1項）。この場合相続人は遺言執行を妨げることはできず（1013条1項），改めて遺産の管理人を選任する必要はない。

本条により選任された遺産の管理人には，不在者財産管理人に関する規定が準用される（本条2項）。不在者の財産管理に関する規定（27条～29条）が準用されるため，遺産の管理人は，財産目録の作成義務があり，103条の規定する権限を超える行為をする必要がある場合には家庭裁判所の許可が必要となる。遺産の管理人が，103条が定める行為を超えて相続財産を処分した場合には，その処分が①絶対的無効となるか②権限を超えた無権代理となるかについても争われ，判例は後者とする（大判昭14・11・18民集18巻1269頁〔家督相続人の財産管理人についての判断〕）。

また，遺産の管理人は，家庭裁判所の監督に服するとともに，財産状況の報告等（家事189条2項の準用する家事125条2項）の義務や委任契約上の善管注意義務等を負うほか，必要な費用の支出がある場合には費用償還請求権を有する（家事189条2項に準用される家事125条6項が準用する民644条・646条・647条・650条を参照）。

遺産の管理人が選任された場合には，相続人は遺産の管理権限を失う（我妻＝立石401頁）。

受遺者は，本条1項の手続が進行する中，相続人から遺贈の目的物を譲り受けた第三者に対し仮処分を申請することもできる（最判昭30・5・10民集9巻6号657頁）。

本条の処分について，不服申立てはできない。

3　廃除・廃除の取消しの審判が確定した場合

審判確定前の遺産の管理に関する処分を命じた裁判所は，推定相続人の廃除または取消しが確定したときは，廃除を求められた推定相続人，管理人もしくは利害関係人の申立てにより，または職権でその処分の取消しの裁判をする（家事189条3項）。遺産に関する処分は仮処分としての性質を有し，審判が確定したときには，処分の効力を維持する必要がないからである（新基本法コメ38頁〔幡野弘樹〕）。

〔冷水登紀代〕

第3章　相続の効力

第1節　総　　則

（相続の一般的効力）

第896条　相続人は，相続開始の時から，被相続人の財産に属した一切の権利義務を承継する。ただし，被相続人の一身に専属したものは，この限りでない。

〔対照〕　フ民711・724，ド民1922・857・38

〔改正〕　（1001）

細　目　次

I　本条の意義

(1)　本条は，原則として，被相続人に属していた「一切の権利義務」が相続人に承継されること，すなわち包括承継原則を規定している。このことの基本的な意義は，相続人への承継が原則として権利義務の種類・性質および由来によって左右されないということを宣言することにある。

包括承継の対象となるのは，具体的には，物権（典型的には所有権），債権債務，知的財産権などの個別の権利義務であるのはもちろんであるが，それらの権利義務が有機的に一体をなし，財産法上の法的地位（典型的には契約上の地位）と呼ぶべき実体を有している場合には，その法的地位が承継の対象とされる。なお，取消権などの形成権も本条による包括承継の対象となるとするのが一般的であるが，形成権はもっぱら一定の財産法上の法的地位の中でのみ意義を有するのであって，それ自体が独立のものとして承継されるわけではないという指摘があり，これは適切であると思われる（新版注民(27)〔補訂版〕34頁〔右近健男〕)。

(2)　本条は，「相続開始の時から」包括承継が生じること，すなわち当然承継原則を規定している。相続人が相続開始を知っていたかどうか，特定の権利義務が相続財産であるかどうかを知っていたかどうか，登記等の権利移転のための手続が踏まれたかどうか等にはかかわりがないという趣旨である（中川＝泉161頁)。

(3)　本条は，「相続人」が相続財産を包括当然承継することを規定している。これは，英米法系における制度とは異なり，相続人がいる場合には，中間的な機関を経ることなしに，相続人が権利義務を承継するということである。

もっとも，このことは，相続人が権利義務関係の再分配過程における字義通りの終局的帰属主体になることを当然には意味しない。少なくとも積極財産に関しては，相続人が単独であっても，相続人の役割は遺贈などの遺言執行の主体としての義務を負うにとどまることはありうるし，共同相続の場合には，具体的相続分（903条・904条の2）による分割の結果，遺産管理の主体であった相続人の全員が相続によって承継した権利義務の終局的帰属主体となるとはかぎらない。また，消極財産に関しても，限定承認を介して責任が限定されることがある。

(4)　本条は，「被相続人の財産に属した」権利義務が承継の対象となることを規定する。このこと自体はいうまでもないことである。ただし，被相続人の死亡を原因として相続人が取得した財産であることには間違いないが，それが被相続人に属していた財産と評価されるかどうかが判例上問題になった財産があること，および，被相続人に属した財産ではないと法性決定された財産であっても，なお，そのような財産が903条にいう特別受益には当たる場合があるという形で遺産分割の割合に影響を及ぼすことがあることには留意が必要である。

(5)　本条本文が規定する包括・当然承継原則には，まず，ただし書による除外，すなわち，「被相続人の一身に専属した」権利義務（帰属上の一身専属権）の除外がある。さらに，祭祀財産（位牌，墳墓など）は，897条の定める規律によって承継され，本条の規律は及ばない。

(6)　無権代理人としての地位，占有権，さらには善意悪意などの状態の承継も，本条を根拠と解するのが普通である（中川＝泉162頁）。もっとも，これらの地位や権利を相続人が包括当然承継するということの実質的意義は，相続人が所有権や債権・債務を包括当然承継するということのそれとは若干異なるように思われる。相続人によって所有権や債務が承継されるという場合には，問題になっているのは，権利義務の帰属の有無や仕方であるのに対して，たとえば，無権代理人としての地位が承継されるという場合には，問題になっているのは，権利義務の帰属の有無や仕方というよりもむしろ，実質的には，帰属の変化に応じて代理法上どのような手当てをするかということであるように思われる。

(7)　なお，本条によって承継されるものは，被相続人の権利義務なのかそれとも財産法的地位なのかという議論がある（財産法的地位とするものとして，中川＝泉162頁以下）。いずれにしても両説の間に格別実質的な開きはないとも評されているが（中川＝泉162頁），現行法における相続の比較的一般的な形態である共同相続の場合に即して言えば，被相続人に属していた財産法的地位が多かれ少なかれ分解されて共同相続人に終局的に分属するという結果からみれば権利義務の承継という理解の方が落ち着きがよく，そのように分解される過程における権利義務の担い手が共同相続人であるという点からみれば，財産法的地位の承継という理解の方が落ち着きがよいということであるようにも思われる。

II　承継される財産に関する各論的検討

1　所有権その他の物権

所有権および民法典に規定されている他物権（制限物権）が相続による承継の対象となることには疑いがない。このとき，相続人は，その承継を，対抗要件を具備することなくして第三者に対して主張することができる（最判昭38・2・22民集17巻1号235頁。共同相続人のうちの一人が共同相続した土地所有権について勝手に単独相続の登記をしたうえで第三者に譲渡したのに対して，他の共同相続人は，自己の持分については登記を経ることなく第三者に対抗できるとされた。なお，899条の2第1項参照）。この点にも，本条による包括承継が単なる個別の権利義務の承継以上の意味を持つことの意義を見出す指摘があり（窪田充見「民法896条」百年Ⅳ198頁），その指摘は適切であるように思われる。

他方，慣習法上の物権である入会権については事情が異なる。入会権の得喪は，その権利の性質上，入会権を保有する者の属する集落の慣習的規範によって決まるものであって，相続による承継の対象とはならない（仙台高決昭32・7・19家月9巻10号27頁，東京高判昭45・10・29判タ259号247頁）。

2　債　　権

帰属上の一身専属権を除いて，債権は相続によって承継される。可分債権が共同相続の場合にどのように承継されるかについては，898条の注釈を参照のこと（→§898 Ⅳ 2）。

(1) 建物賃借権

建物賃借権も債権の一種として相続の対象となることには，少なくとも判例上は疑いがない。もっとも判例は，公営住宅法の適用対象である住宅の入居者が死亡した事案において，公営住宅法の趣旨（目的，入居条件，収入基準超過の場合の明渡請求）から考えて，入居者が死亡した場合に，その入居者の相続人が公営住宅を使用する権利を当然に承継すると解する余地はないとしている（最判平2・10・18民集44巻7号1021頁。住宅地区改良法に基づく改良住宅について同旨，最判平29・12・21民集71巻10号2659頁）。

建物賃借権に関しては，従来，住居の賃借人が死亡した場合であって賃借人の同居人が賃借人の相続人でないとき，その同居人（以下，同居非相続人）の居住の保護が，判例・学説・立法上問題になってきた。

この点に関して，まず，判例は，賃貸人との関係において，相続人が承継した賃借権を死亡した賃借人の同居非相続人が援用できるという法理（援用法理）を確立した。すなわち，最高裁は，最高裁昭和37年12月25日判決（民集16巻12号2455頁）において，死亡した賃借人と同居していた事実上の養子が賃借人の死亡前と同様に賃借権を援用することができる旨を宣言し，最高裁昭和42年2月21日判決（民集21巻1号155頁）において，賃借人の相続人が相続した賃借権を死亡した賃借人の内縁の妻が援用できる旨を宣言した。これらの事案においては，賃借権を相続した相続人の側で同居人の居住を容認しているという事情があったが，最高裁は，さらにすすんで，最高裁昭和42年4月28日判決（民集21巻3号780頁）において，賃借人の唯一の相続人が行方不明で生死も不明であるという事実関係の下でも，相続人が相続した賃借権を内縁の夫が援用できる旨を宣言した。

以上の場合は賃貸人と死亡した賃借人の同居非相続人との間に紛争が生じた場合であるが，これとは異なり，死亡した賃借人の相続人と同居非相続人との間に紛争が生じた場合には，援用法理では同居非相続人の居住を保護することができない。この点について，最高裁は，死亡した借家人の内縁の妻に対する相続人（借家人の養子）からの明渡請求を権利濫用として認めないとしたことがある（最判昭39・10・13民集18巻8号1578頁）。この事案では，養親子間の紛争状況，内縁の妻と相続人それぞれの側での建物の使用状況・必要度等の事情が勘案されている。

このように，判例は，紛争類型に応じて援用法理と権利濫用法理を使い分けて，死亡した賃借人の同居非相続人の居住を保護しているが，その際，やはり，援用法理と権利濫用法理をどのような根拠に基づいて正当化するかが問題になる。判例は，援用法理を宣言した3つの判決において，同居非相続人は「家族共同体の一員」として賃借権を援用できるとしているが，権利濫用法理の適用を宣言した判決においては，特にその根拠を明示してはいない。

これに対して学説は，住居の賃借権の相続による承継を承認しつつ，同居非相続人が相続された賃借権を援用できる根拠を，同居非相続人を占有補助者と構成することに求める見解，賃借人を家団ないし家族共同体とする見解ないしはそのバリエーションの見解，相続によって承継される財産権とは別に社会権としての居住権を承認する見解などを提示した（学説の概観については，新版注民(27)69頁以下〔右近健男〕，岡本詔治「借家権の相続」民法講座(5)385頁，401頁以下参照）。

他方，立法は，相続人が存在する場合にはついては特に手当てをしてはいないが，相続人不存在の場合について，まず特別縁故者への遺産分与制度（958条の3〔現958条の2〕）の創設（1962年）によって内縁配偶者が建物賃借権の分与を受ける可能性を開き，ついで借家法改正（1966年）によって内縁配偶者・内縁親子が建物賃借権を原則として承継することを認めた（旧借家7条ノ2，借地借家36条）。

なお，同居非相続人の居住の保護の必要ということが借家の場合に限定されないのはもちろんである。この点で，判例（最判平10・2・26民集52巻1号255頁）は，内縁夫婦の一方死亡の場合において，生存内縁配偶者が問題の住居についてもとから2分の1の持分を持っていたことを前提に，「内縁の夫婦がその共有する不動産を居住又は共同事業のために共同で使用してきたときは，特段の事情のない限り，両者の間において，その一方が死亡した後は他方が右不動産を単独で使用する旨の合意が成立していたものと推認するのが相当である」とし，生存内縁配偶者に共有不動産の全面的な使用権を与えて従前と同一の目的・態様の不動産の無償使用を継続させることが両者の通常の意思に合致するとしていることにも留意すべきである。

(2)　損害賠償請求権

不法行為または債務不履行に基づく損害賠償請求権一般が相続による承継

の対象になることは確かである。もっとも，死亡損害の場合には，財産的損害に対する損害賠償請求権と非財産的損害に対する損害賠償請求権（慰謝料請求権）の双方に共通の問題として，そもそも死者（被害者本人）に権利主体性があるのかという問題があるほか，死亡損害に対する損害賠償請求権としての慰謝料請求権に固有の問題として，判例上，その一身専属性が問題にされたことがある。いずれも後述する（→III 1，IV 3）。

3　債　　務

債務一般という捉え方をする場合には，それが相続によって承継されることは疑いがない。もっとも，債務が人的信頼関係に基礎を置くものである場合には，原則として相続による承継は生じない。典型的には使用貸借契約に基づく債務や身元保証における保証債務などが問題になる。いずれも後述する（→IV 5）。

III　問題の権利義務がそもそも被相続人に帰属していたかどうかが問題になる場合

1　死亡損害の場合における損害賠償請求権

死亡損害そのものに対する損害賠償請求権については，財産的損害と非財産的損害の両方に共通の事柄として，死亡によって被相続人は法主体性を喪失しているのに，死亡損害そのものに対する損害賠償請求権が被相続人本人に帰属するということは，論理的にはありえないのではないかという問題がある。

判例は，被害者の死亡によって生じる損害賠償請求権は被害者の相続人が原始取得するという見解を示したこともあったが（大判昭3・3・10民集7巻152頁），結局のところ，いわゆる即死事例の場合であっても致死傷害と死亡の間には観念的には常に時間的間隔が存在するのであって，致死傷害を受けた時点で死亡損害に対する損害賠償請求権相当の損害賠償請求権が被害者自身に発生し，その損害賠償請求権を相続人が相続によって承継するという見解（時間的間隔説）で固まっており（受傷10日後に死亡した事例について，大判大9・4・20民録26輯553頁。即死事例について大判大15・2・16民集5巻150頁），現在，実務的にも定着している（なお，時間的間隔説以外の相続肯定の論理としては，極限概念説〔生命侵害を身体傷害の極限ととらえる〕，原始取得説〔相続による地位の承継によって損害賠償請求権を相続人が原始取得する〕というものなどがある〔学説については，床谷＝犬伏編77頁〔吉田克己〕参照〕）。

これに対して昭和40年代以降の学説においては，相続否定説＝固有損害説がむしろ主流であるといわれる（新基本法コメ42頁〔副田隆重〕）。相続否定説が肯定説に対して指摘している問題点はつぎのようなものである（潮見佳男・不法行為法〔1999〕342頁，幾代通＝徳本伸一・不法行為法〔1993〕252頁）。すなわち，①死亡によって被相続人は法主体性を喪失しているのに，死亡損害そのものに対する損害賠償請求権が被相続人本人に帰属するとすることの論理的矛盾，②相続制度一般に存在する問題である「笑う相続人」の問題がここでも現出する可能性と，そのことの反面として相続人に当たらない者に保護が及ばないという問題，③逸失利益の計算においては被害者が平均余命を全うしたならばという仮定に立ちながら，損害賠償請求権を有するのは被害者が現実に死亡した時点における相続人であるとするという，いわゆる前提の矛盾，などである。

このような有力な批判にもかかわらず，相続肯定説が確立された判例となっている理由は，①被害者たる死者の所得を基準にした方が賠償額の算定および立証が容易であること，②請求権者の範囲が明確であること，③認定される賠償額が固有損害説によるよりも高額になるように思われることなどであり，相続肯定説は，理論というよりも司法政策的配慮に基礎づけられているという指摘がなされている（幾代＝徳本・前掲書252頁）。→第15巻§711 II

2　生命保険金

被相続人が生命保険の保険契約者であり，かつ，被保険者である場合に，被相続人死亡によって生じる生命保険金請求権は，相続によって相続人に承継されるのか，それとも受取人の固有財産となるのかが問題になってきた。

(1)　受取人として特定の者が指定されており，その者が相続人である場合

この場合には，受取人として指定された者が相続人ではない場合と同じく，指定された相続人は，保険契約の効果として生命保険金請求権を固有の権利として原始取得するのであって，相続によって承継取得するのではないというのが確立した判例の準則である（この準則を前提とした比較的近時の判決・決定として，最判平14・11・5民集56巻8号2069頁，最決平16・10・29民集58巻7号

1979頁。平成14年判決の事案は，遺留分減殺請求の対象に関するものであって，「自己を被保険者とする生命保険契約の契約者が死亡保険金の受取人を変更する行為は，民法1031条〔現1046条〕に規定する遺贈又は贈与に当たるものではなく，これに準ずるものということもできない」と判示したものである。また，平成16年決定は，保険金は，原則として特別受益に当たらないことの前提として，相続財産に属さないとしたものである)。

なお，当初受取人に指定されていた者が被相続人よりも先に死亡した場合には被相続人は受取人を再指定することができるが（保険43条1項），この指定をせずに被相続人が死亡した場合には，もともと指定されていた保険受取人の「相続人の全員」が保険受取人になる（保険46条）。もっとも，ここで「相続人」ということについて，判例は，指定受取人の地位の相続による承継を定める趣旨ではないとし，「相続人」は原始的に保険金請求権を取得するとする（最判平5・9・7民集47巻7号4740頁。事案は，保険法制定前の商法旧676条2項の解釈が問題になったもの)。同判例は，また，指定受取人だった者に多数の相続人がある場合には，保険金請求権の取得が相続による取得ではなく原始取得であることを理由に，各自の取得割合を決するのは427条であり，その結果，各自は平等の割合によって保険金請求権を取得するとする。このことの論理的帰結として，相続については相続放棄をした相続人も，保険金請求権については，なお，その取得を認められることになる（東京地判昭60・10・25家月38巻3号112頁，大阪地判平16・12・9交民37巻6号1654頁，横浜地判平元・1・30判タ701号262頁)。

(2)　受取人が「相続人」という文言で指定されている場合

受取人が「相続人」という文言によって指定されている場合にはどうか。判例は，この場合にも受取人の指定は有効であり，特段の事情がないかぎり「保険金請求権発生当時の相続人たるべき者個人を受取人として特に指定したいわゆる他人のための保険契約と解するのが相当で」あるとする（最判昭40・2・2民集19巻1号1頁)。「相続人」という指定は有効であるが，保険金請求権の取得原因は相続ではなく保険契約であり，したがって「相続人」は固有の財産として保険金請求権を取得するということである。

この場合，相続人が多数だったときにはそれぞれの相続人はどのような割合で保険金請求権を取得するか。判例は，「相続人」という文言での指定の中には，「特段の事情のない限り，右指定には，相続人が保険金を受け取るべき権利の割合を相続分の割合によるとする旨の指定も含まれている」とし，これが427条にいう「別段の意思表示」に当たるとして，それぞれの「相続人」は相続分の割合によって保険金請求権を取得するとした（最判平6・7・18民集48巻5号1233頁）。

このように解するときには，二つ問題が生じる。

一つは，判例のいう相続分とは法定相続分をさすのか，それとも具体的相続分を指すのかということである。普通銀行預金債権の共同相続について，法定相続分による当然分割を否定し，普通銀行預金債権は遺産分割の対象となり，したがって具体的相続分による分割となることを宣言した最高裁平成28年12月19日大法廷決定（民集70巻8号2121頁）と実質的に平仄を合わせるという点でも，一応問題になりうる。もっとも，そもそも平成6年判決の論理は，「相続人」という文言を用いたことが意思表示の解釈として「相続分」による承継を基礎づけるというものであるから，当然に遺産分割の対象となるにいたった普通銀行預金の場合とは異なる。したがって，保険金請求権の場合には，「相続分」とは法定相続分または指定相続分を指すという解釈は，現時点でも維持可能である。もちろん，意思解釈の結果として「相続分」とは具体的相続分を指すという解釈も可能ではあるが，その解釈には若干無理があるようも思われる。具体的相続分なるものは遺産分割協議または審判においてはじめて明らかになるものであるが，保険金請求権は相続によって承継されるものでない以上，保険金請求権を分割の対象として遺産分割協議または審判を求めることはできないからである。

もう一つは，被保険者のした「相続人」という文言による指定の中に相続分に相当する割合による承継という趣旨を読み込むというならば，受取人の再指定がないまま被相続人が死亡した場合に関する保険法46条にいう「相続人」についても同様の解釈が可能なのではないか，ということである。一方は意思表示の解釈であり，他方は条文の文言の解釈であるので，両者を区別することはもとより可能であるが，両者を区別することにはあまり合理的な理由はないようにも思われる（松原Ⅰ330頁は，平成6年判決によって商法旧676条2項〔現保険法46条〕に関する前掲最判平5・9・7は実質的には変更されたとみる）。

(3)　被相続人＝被保険者本人が受取人と指定されている場合

この場合に関する判例は見当たらない。学説上は，被相続人の死亡によりその相続人が相続を原因として受取人としての地位を承継するという見解（泉久雄・総判民(26)〔1965〕169頁）と，相続人が固有の財産として原始的に取得するという見解がある（新版注民(27)101頁〔三島宗彦＝右近健男〕）。後者の見解の中には，保険事故＝被相続人の死亡時には被相続人自身が権利能力を喪失しているのだから，死者に保険金請求権が発生すると考える余地はなく，したがって，相続による承継も考える余地がないという根拠に基づいて主張されるもの（遠藤浩「相続財産の範囲」家族法大系Ⅵ 175頁）と保険契約の性質を根拠にするもの（新版注民(27)101頁〔三島＝右近〕）がある。また，比較的最近では，被保険者＝被相続人の合理的意思解釈を重視して問題を考えるべきであるとしたうえで，貯蓄性の高い養老保険などでは保険受取人の地位を相続人が承継し，現実の受取人は相続人であることを想定した保険の場合には相続人が保険契約にもとづいて固有の権利として保険金請求権を原始的に取得すると解すべきとする見解もある（床谷＝犬伏編74頁〔吉田〕）。

3　死亡退職金・遺族給付

ある人が退職金を受け取った後に死亡した場合には，退職金は相続による承継の対象になることには疑いがない。問題は，在職中の死亡を原因として支給される死亡退職金はどうなるのかということである。また，社会保障関係の特別法によって死者の遺族に支払われる遺族給付（遺族厚生年金，遺族補償年金，弔慰金，葬祭料等）の性質も同様に問題になる。

(1)　死亡退職金

死亡退職金の支給に関して民法の規律とは異なる範囲や順位を定める法令（例，国家公務員退職手当法）や内部規程がある場合には，判例は，受給権は受給権者固有の権利であり，受給権者は相続を原因として受給権を取得するのではないとする（支給規程を有する特殊法人における支給について，最判昭55・11・27民集34巻6号815頁。県学校職員退職手当支給条例による支給について，最判昭58・10・14判タ532号131頁）。判例の事案においては，配偶者がある場合には他の遺族はまったく支給を受けないこと，死亡した者の収入によって生計を維持していたかによって順位に差が生じること等の点で，問題となった規律内容は，民法の規律内容とは異なっていた。もとより遺された者の生活保障ということは民法中の相続の根拠としても挙げられるものであるが，判例の事案における規律内容は，死亡退職金が目指す生活保障と民法上の相続制度が目指す生活保障の間には相違があることを示しているということができ，このことが判例の結論の実質的根拠であるということができる。

では，死亡退職金支給の内部規程において「遺族に支給する」とのみ定められている場合はどうか。「遺族」という文言は民法の規定する相続人とも解釈できることから，問題になる。判例には，内部規程の趣旨が民法の立場とは異なる立場から「遺族」の生活保障を目的とするものであると解すべき場合に内縁の配偶者に受給権を認めた，すなわち，受給権は相続によって承継されるものではなく，遺族が固有の権利として取得するとしたものがある（最判昭60・1・31家月37巻8号39頁）。

それでは，法人に死亡退職金についての内部支給規程が存在せず，理事会の特別の議決によって，死亡した理事長の配偶者に退職金を支給した場合はどうか。判例には，原審の事実認定にもとづき，問題の退職金は，相続財産として相続人の代表者としての配偶者に支給されたものではなく，相続という関係を離れて死亡した理事長の配偶者個人に対して支給されたものであるとしたものがある（最判昭62・3・3家月39巻10号61頁。この事案の原審では，法人の理事会において退職金支給の相手方を死亡した理事長の配偶者と決議したのは，配偶者が理事長の生前において法人の運営その他を物心両面にわたり支えた内助の功に報いるためであり，その形式として東京都職員退職手当に関する条例，同施行規則等において配偶者が第一順位とされていることに倣った結果であるという旨の事実認定がされており，この事実認定が最高裁の判断の決め手になっていると思われる）。

⑵　遺族給付

遺族給付は社会保障法上の規定によって受給権者の範囲・順位が法定されていることから，それらの受給権は受給権者固有の権利であり，相続を原因として死亡した者から遺族たる相続人に承継されるものではないというのが一般的な見解である。このことは，遺族年金，すなわち，死亡した者が生前拠出金として出捐したものを含めて遺族が給付を受けるものであっても同じである。

なお，生命保険金，死亡退職金・遺族給付については，その遺族への帰属が相続を原因とする承継取得なのかそれとも原始取得なのかという問題とは区別される問題として，なんらかの形で903条にいう特別受益に当たるかどうかということも議論されてきている。この点については903条の解説を参照のこと（→§903 III 3)。

4　遺体・遺骨

被相続人自身の遺体・遺骨に関しては，そもそもそれらは所有権の対象なのかという問題がある。仮に，自然人において人格から肉体を区別し，生前においては人格が肉体を所有すると考えるならば，それらも，被相続人に属していた財産の承継という法的枠組みの中に納まることにはなろう。ただ，いずれにせよ，祭祀の対象としての遺体・遺骨の所有権の帰属と医療の分野におけるヒト由来物質や臓器移植における臓器の所有権の帰属は，考慮されるべきファクターの違いという点から考えて，別の問題として検討すべきであるように思われる。

まず，祭祀の対象としての遺体・遺骨に関しては，審判例・裁判例上は，少なくとも遺骨（おそらくは焼骨）については，祭祀のための財産に準じるものとして，祭祀の承継者が所有権を取得するという見解が有力である。もっとも，審判例・裁判例の比較多数は，その所有権の取得が原始取得なのか承継取得なのかについては，必ずしも明確には述べていない（以上の点については，→§897 III(3)を参照)。

つぎに，医療の分野におけるヒト由来物質や臓器移植における臓器に関しては，臓器の移植に関する法律6条に規定される臓器の摘出のための承諾をする者としての「遺族」の範囲に関する「『臓器の移植に関する法律』の運用に関する指針（ガイドライン)」が留意されるべきである。同指針は，遺族の範囲として，「一般的，類型的に決まるものではなく，死亡した者の近親者の中から，個々の事案に即し，慣習や家族構成等に応じて判断すべきものであるが，原則として，配偶者，子，父母，孫，祖父母及び同居の親族」とし，さらに，「これらの者の代表となるべきものにおいて，前記の『遺族』の総意を取りまとめるものとすることが適当であること」としている。もっとも，法および指針は，「遺族」が承諾をなしうる根拠についてはなんら触れるところがなく，この点については白紙であるといわざるをえない。

IV　帰属上の一身専属を理由とする承継の否定が問題になる場合

1　被相続人自身による履行であることが重視される債務

被相続人自身による履行であることが重視される債務は，その性質から当然に一身専属性を有する。これには，芸術家や著述家が負う作品を制作する債務や講演会で講演をする債務などだけではなく，雇用契約に基づく労働者の債務も含まれる。

2　人　格　権

名誉・プライバシー・氏名等の保護にかかわる人格権ないし人格的利益の他人による侵害は，法的救済の対象になる（709条・710条参照）。もっとも，それらの行使によってその内容が具体的な金銭債権に変化している場合は別として，そうでない場合には，人格権ないし人格的利益は本人の人格と一体であるため，性質上一身専属である。

なお，著作権法上の著作者死後の著作者人格権の保護は（著作59条・60条・116条1項2項），この原則を前提として，一定の保護を特別法によって構築したものであるとされる（床谷＝犬伏編64頁〔吉田克己〕）。

すなわち，著作者人格権は，著作者の一身に専属するものであって，譲渡不可能であるが（著作59条），著作者が存しなくなった後にも著作者人格権の侵害は許されず（著作60条），著作者の死後に法の規定する「遺族」に著作者に代わって著作者人格権の保護を求める権利を認めている（著作116条）。このとき，この遺族の権利は，著作権法によって遺族に特別に認められる遺族固有の権利であり，相続とは無関係である（新版注民(27)〔補訂版〕57頁〔板倉集一〕）。

3　死亡損害における慰謝料請求権

先に述べたように，死亡損害に対する損害賠償請求権としての慰謝料請求権に固有の問題として，判例上，その一身専属性が問題にされたことがある（以下に述べる判例学説の概観については，吉村良一「慰謝料請求権」民法講座(6)429頁・445頁以下，および，樫見由美子「慰謝料請求権の相続性をめぐる問題」星野英一古稀・日本民法学の形成と課題(下)〔1996〕929頁以下を参照）。

すなわち，判例は，当初，相手方への到達は不問ながらも，不法行為の被害者が慰謝料を請求する意思表示をした場合にはじめて慰謝料請求権は金銭の支払を目的とする債権として相続されるとした（不法行為について，大判明43・10・3民録16輯621頁。債務不履行について大判大2・10・20民録19輯910頁。相手方への到達は不問という点について大判大8・6・5民録25輯962頁）。

しかし，この準則の下では，とりわけ被害者の受傷と死亡の間の時間的間隔に余裕がない場合に被害者が慰謝料請求の意思表示をすることが実際上むずかしく，その時間的間隔に余裕がある場合と比較して均衡を失するという問題，また，そのことと関連して，被害者にどのような行態があれば慰謝料請求の意思表示ありと評価できるのかという問題が生じる（「助ケテ呉レ」と叫んだだけでは足りないとする判決として，東京控判昭8・5・26新聞3568号5頁。「残念残念」と叫んだ場合に請求の意思表示ありとしたものとして，大判昭2・5・30新聞2702号5頁，大判昭8・5・17新聞3561号13頁。なお，これらの判例・裁判例には，「『相続を否定する』という原則を『帰属上の』一身専属性から正当化しようとしながら，例外的に相続可能となる場合には慰謝料請求権の『行使』の意思表示を要求する――『行使上の』一身専属というレベルで問題を捉えている――点において，一身専属性の意味の混線が見られる」という指摘がある（潮見佳男・不法行為法〔1999〕345頁））。

このような状況の中で，最高裁は，「ある者が他人の故意過失によって財産以外の損害を被った場合には，その者は，財産上の損害を被った場合と同様，損害の発生と同時にその賠償を請求する権利すなわち慰藉料請求権を取得し，右請求権を放棄したものと解しうる特別の事情がないかぎり，これを行使することができ，その損害の賠償を請求する意思を表明するなど格別の行為をすることを必要とするものではない。そして，当該被害者が死亡したときは，その相続人は当然に慰藉料請求権を相続するものと解するのが相当である」（最大判昭42・11・1民集21巻9号2249頁）と判示し，慰謝料請求権について，被害者本人の権利主体性を当然の前提としたうえで，その一身専属性を否定した。このように，慰謝料請求権の相続を承認する場合には，遺族に固有の慰謝料請求権（711条）との異同が問題になるが，最高裁昭和42年判決は，被害法益を異にするとして，両請求権の並存を認めている。

学説にあっては，慰謝料請求権は不法行為の被害者が請求の意思表示をしてはじめて相続の対象となるという大審院判例に対して，日本民法が財産的損害と非財産的損害を区別せず，いずれに対する救済も金銭賠償であることなどを根拠に，財産的損害に対する賠償請求権が当然相続の対象となることを前提として，当然相続説が唱えられ（我妻栄「慰謝料請求権の相続性」同・民法研究Ⅵ〔1969〕295頁・306頁〔初出，志林29巻10号〔1927〕〕），これ以降，当然相続説が通説化していた。

昭和42年判決は，当然相続説を受け入れたものであるが，この前後から学説上はむしろ相続否定説が有力化し，1990年代には否定説が通説であるという評価がなされるにいたっている（平井宜雄・債権各論Ⅱ〔1992〕171頁）。それらの見解によれば，死亡損害については，遺族は，もっぱら711条の適用または類推適用による遺族固有の慰謝料請求権を有することになる。

このように慰謝料請求権の相続を否定し，遺族には711条による固有の慰謝料請求権のみを認める場合には，相続肯定説が相続によって相続人が取得する慰謝料請求権と遺族に固有の慰謝料請求権の並存を認めることと対比して，相続人でもある遺族が受け取ることができる慰謝料の額が小さくなるのではないかという懸念はありえなくはない。しかし，慰謝料額はもともと裁判官の裁量によって決まるのであって，裁判実務では，固有の慰謝料のみを請求する場合と相続した分を併せて請求する場合とで大きな差が生じないように扱われているとのことである（松原Ⅰ318頁）。

なお，相続否定説の中には財産的損害については相続を肯定しながら慰謝料請求権についてだけ相続を否定する見解もなかったわけではないが（加藤一郎・不法行為〔増補版，1974〕256-260頁），昭和42年判決前後からの相続否定説は，死亡損害に関して，財産的損害についても非財産的損害についても遺族には遺族固有の損害賠償請求権のみを認めるという見解を前提にしている（好美清光「生命侵害の損害賠償請求権とその相続性について」田中誠二古稀・現代商法学の諸問題〔1967〕675頁，加藤一郎「慰謝料請求権の相続性――大法廷判決をめぐって」ジュリ391号〔1968〕34頁）。

4　親族法上の一身専属的地位およびその地位から生じる権利義務

(1)　親族法上の地位など

夫婦，親子等の親族法上の地位それ自体だけでなく，夫婦間の同居・協力・扶助義務（752条），親権等，権利義務の性質上親族法上の特定の地位を有する者自身による履行・行使が当然である権利義務が相続によって承継されないのはいうまでもない。

(2) 扶養請求権・扶養義務

婚姻費用分担の権利義務および親族法上の扶養の権利義務も一身専属であり，相続による承継の対象にはならない。婚姻費用分担の権利義務については，それが夫婦であるという地位と不可分だからである。また，親族法上の扶養の権利義務は，それが親族法上の特定の地位と不可分であることに加えて，扶養請求権の性質，すなわち，現に一方に要扶養状態があり他方に扶養能力がある場合に認められるという性質のゆえである。

(3) 財産分与請求権

財産分与請求権について，比較的古い下級審裁判例には，財産分与請求権は一身専属権であるが，権利者が請求の意思表示をすれば，その内容が調停・審判等によって確定する前であっても普通の財産権として相続による承継の対象となるとしたものがあり（名古屋高決昭27・7・3高民集5巻6号265頁），財産分与の義務についても同様に解したものがある（仙台高判昭32・10・14下民集8巻10号1915頁）。財産分与の権利義務が相続による承継の対象となるかを直接判断した最高裁判例は存在しないが，離婚後扶養の要素を含むがゆえに財産分与の義務が相続による承継の対象となるのは不適切であるという法解釈を前提にしたと解しうる判決として，内縁の死亡解消に財産分与請求権の類推適用を認めなかった最高裁平成12年3月10日決定（民集54巻3号1040頁）を挙げることはできよう。

学説には，相続による承継を承認する見解と否定する見解，および，基本的には否定しつつ分与請求の意思表示があった場合には肯定する見解がある（学説について，新版注民(27)88頁〔三島宗彦＝右近健男〕参照。なお，分与請求の意思表示があればそれだけで財産分与の権利義務が相続によって承継されるとする見解――下級審裁判例の採る見解でもある――を採る場合には，慰謝料請求権に関して潮見が指摘する一身専属性の混線がここでも生じることになろう）。いずれにせよ，被相続人が相続開始前に財産分与請求権を行使し，その内容が審判等によって具体的に確定している場合には一般の金銭債権または債務として相続によって承継されることには疑いがない。問題はその段階にいたる前に相続開始があった場合をどのように解するかである。財産分与請求権の構成要素として，夫婦財産の清算および離婚後扶養があることが一般に承認されているほか，判例によれば慰謝料も構成要素になりうるのであって（最判昭46・7・23民集25巻5号

805頁参照)，しかもそれら3つの要素は，一身専属性という点で異なる性質を有することから，このことが問題になる(3つの要素ごとに検討を行うものとして，新版注民(27)〔補訂版〕68頁〔右近〕参照)。

比較的最近の学説としては，理論的には財産分与請求権を構成する要素ごとに分解して解決を考えるべきであることを承認しつつも，現実の財産分与においてはそれら3つの要素は渾然一体となっていること，および，日本における夫婦財産制のありかたからすると，財産分与請求権には夫婦財産清算の機能を期待するところが大きいという理由を挙げて，財産分与請求一般に相続性を肯定すべきとする見解もある(床谷＝犬伏編66頁〔吉田〕)。

5　人的信頼関係に基づく契約の権利義務であることが問題になる場合

(1)　使用貸借上の借主の地位，定期贈与契約上の地位，および委任契約上の地位

使用貸借は，原則として，借主の死亡によって終了する(597条3項)。使用貸借が当事者間の人的信頼関係を基礎としていることの論理的帰結である。もっとも，明示の特約がある場合はもとより，明示の特約がない場合であっても，問題の使用貸借が人的信頼関係を契約関係の存続・終了にとって規定的な要素としていないと評価されるときには，当事者の通常の意思解釈として，597条3項の適用を排除すべきである。たとえば，土地に関する使用貸借契約がその敷地上の建物を所有することを目的としている場合には，通常は，当事者間の個人的要素以上に敷地上の建物所有の目的が重視されるべきであり，原則として，建物所有の用途に従ってその使用を終えたときに，その返還の時期が到来するものと考えるべきであり，借主の死亡によって，土地に関する使用貸借契約は当然には終了しないというべきである(東京地判平5・9・14判タ870号208頁)。

また，同様のことは，定期贈与契約の当事者の死亡による終了を定める552条，委任契約の当事者の死亡による終了を定める653条についても当てはまる(床谷＝犬伏編68頁〔吉田〕)。

(2)　保証契約上の債務(身元保証を含む)

判例通説は，保証契約一般については，連帯保証の場合も含めて，保証契約上の保証人の地位の相続による承継を承認し，したがって保証債務の相続による承継を承認する。

なるほど，保証契約の中でも相続による承継の有無が問題になる個人保証契約は，機関保証の場合とは異なり，ほとんどの場合，その基礎は保証人と主債務者の間の人的な信頼関係にある。この点を重視すれば，保証人の死亡によって保証契約は終了し，保証債務は相続によって承継されることはないと解することもありえなくはない。しかし，(1)に示した諸契約とは異なって，保証人と主債務者の間の人的信頼関係は，債権者と保証人の間の保証契約を直接基礎づける形にはなっていない。また，そもそもいつ生じるかわからない保証人の死亡という事実によって保証債務が消滅するというのでは，債権者の計算可能性に対する合理的な期待は十分には保護されないというほかない。

では，保証契約の中でも保証人の責任範囲がとりわけ不確定であるものはどうか。判例は，身元保証契約について，保証契約一般と比較して保証人の責任の及ぶ範囲が広汎であること，および，債務者と保証人の間の人的な信頼関係に基礎を置く契約であることを理由に，原則として，相続人には身元保証契約上の保証債務を承継しないとしている（大判昭2・7・4民集6巻436頁，大判昭18・9・10民集22巻948頁）。もっとも，例外として，主債務者と保証人の相続人との間にも問題の身元保証契約の基礎となる人的な信頼関係が存在する場合には，相続人は身元保証契約上の保証人の地位を相続によって承継する（大判昭12・12・20民集16巻2019頁）。また，相続開始前に具体的に発生していた債務は相続によって相続人が承継する（大判昭10・11・29民集14巻1934頁）。

それでは，保証の限度額が定められている信用保証，すなわち，限定根保証契約上の保証債務についてはどうか。この場合には，責任の範囲は予測可能であることから，相続によって相続人に承継されると解されてきた（新基本法コメ43頁〔副田隆重〕）。

なお，平成16年民法改正により，個人が保証人となる貸金等根保証契約では必ず極度額の定めを要することとされ（465条の2第2項〔平29改正前〕），しかも，限定根保証人の死亡後の債務についてその相続人は保証債務を負わないものとされた（465条の4第3号〔同〕）。さらに，この限定根保証人死亡後の債務の扱いは，平成29年民法改正によって個人根保証契約一般に拡張されていることに注意を要する（465条の2第2項・465条の4第1項3号）。

6　団体構成員としての地位

(1)　社　員　権

社員権が相続による承継の対象になるかどうかは，問題の団体の性格に応じて定まる。すなわち，問題の団体が社員間の人的結合が強いということによって特徴づけられる場合には社員権は一身専属的なものとなり，社員権が財産権的性質によって特徴づけられる場合には社員権は相続による承継の対象になる。

たとえば，一般社団法人の社員については，死亡が法定退社事由であり（一般法人29条3号），持分会社（会社法上の合名会社，合資会社および合同会社）（会社575条1項）の社員も，約款で別段の定めがされないかぎり死亡によって退社する（会社607条1項3号・608条1項）。他方，株式，すなわち株式会社の社員権は当然に相続による承継の対象となる（会社127条参照）。

(2)　ゴルフクラブ会員権

日本のゴルフクラブには，社団法人会員制，株主会員制，預託金会員制の3つの形態があるが，そのほとんどを占めるのは預託金会員制である。そこで，以下，預託金会員制クラブの会員権について述べる。

まず，預託金会員制ゴルフクラブとは，施設利用希望者が，ゴルフクラブ経営会社に一定金額の金銭（保証金）を預託し，ゴルフ場利用者の団体としてのゴルフクラブの理事会等の審査・承認を経ることによってゴルフ場利用者の団体としてのゴルフクラブの会員となり，会費を支払い，ゴルフクラブの会則等に従って施設を利用することになり，メンバーとして少なくとも観念的には施設の優先利用権を取得するものをいう。預託金に関しては，一定の据え置き期間を経て，退会時にその返還を受ける。このとき，ゴルフクラブの会員契約上の地位（会員権者たる地位）は，ゴルフクラブの理事会の入会承認を停止条件とする入会契約によって発生する。なお，一般的にはゴルフ場経営会社とゴルフクラブは別組織として編成されているが，実態としては，ゴルフクラブはゴルフ場経営会社の業務代行機関であるとされる（都築民枝「ゴルフ会員権」野田愛子ほか編・家事関係裁判例と実務245題（判タ1100号）〔2002〕348頁）。

近時の判例・学説は，理事会による入会承認を経て取得する会員権（会員資格）と理事会の入会承認を得ることを停止条件として会員となることのできる地位（会員契約上の地位）を区別しているとされる（都築・前掲論文349頁）。

まず，会員資格は，理事会による入会承認が対象者の人的属性に着目して行われるということから考えて，一身専属権としての性格を有すると解されるのが一般的である（都築・前掲論文349頁，床谷＝犬伏編71頁〔吉田〕，新基本法コメ43頁〔副田〕。副田は，「会員は死亡により資格を失う」旨の会則があった場合に関する最判昭53・6・16判タ368号216頁を引きつつ，その定めがない場合であっても，会員死亡によって会員資格は消滅し相続されないとする）。

これに対して，会員契約上の地位，すなわち，停止条件付権利は，その地位が「ゴルフ場会員権」として取引の対象となっていること等に照らして，原則として，一身専属性は認められないと解されている（都築・前掲論文349頁，床谷＝犬伏編71頁〔吉田〕，新基本法コメ43頁〔副田〕）。判例としては，会則に会員死亡時の扱いは規定されていないが会員としての地位の譲渡に関する規定があった場合に問題の地位の相続性を認めた最高裁平成9年3月25日判決（民集51巻3号1609頁），会則に会員死亡の場合の会員資格喪失に関する定めがある一方で相続に伴う名義変更手続が定められている場合に問題の地位の相続性を認め，死亡した会員の相続人は，会員の死亡を理由として直ちに預託金返還請求権だけを行使することはできないとした最高裁平成9年12月16日判決（家月50巻5号57頁）を挙げることができる。

V　特殊問題

1　占有権

(1)　占有権の承継

日本法は物権の一つとして占有権を承認している。このことから，日本法の体系の下では，占有権も一つの物権として相続による承継の対象となると一応はいうことができる。他方で，日本法が承認している占有権の基礎は，物への事実的支配にある。仮にこのことを重視すれば，被相続人が有していた占有権は被相続人の死亡によって消滅し，相続人は相続による財産の承継の過程の中で対象への事実的支配を現実に獲得することによってはじめて固有の占有権を取得するということになり，占有権の相続を原因とする取得は否定されることになる。

この点について判例は，被相続人が死亡して相続が開始する場合には，特別の事情がないかぎり，従来被相続人の占有に属していたものは，当然に相続人の占有に移るとし，占有権の相続による承継を承認しており（大判大4・12・28民録21輯2289頁，最判昭44・10・30民集23巻10号1881頁），学説も現在は一般的にはこのことを肯定している（学説について，新版注民(27)〔補訂版〕46-48頁〔右近健男〕参照）。このことの帰結として，相続人は相続を原因として承継した占有にもとづいて占有訴権を行使できるようになり，被相続人の下で進行していた取得時効完成のための期間も，被相続人の死亡によって中断されることはない。

(2)　187条1項の適用の有無

では，相続による占有権の承継が問題になる場合に，187条1項の適用はあるか。以前の判例は，相続人の占有権は被相続人の占有をそのまま承継したものであるとして，187条1項の適用を否定し，相続人が自己の占有のみを主張することを認めなかった（大判大4・6・23民録21輯1005頁）。

これに対して学説上は，相続人の占有に二面性を承認して187条1項の適用を認める見解（我妻栄・物権法〔1952〕329頁，鈴木禄弥「占有権の相続」家族法大系Ⅵ106頁等）が有力であったところ，最高裁は，このような学説を受けて，占有権の相続の場合に187条1項の適用を認め，相続人の占有開始時に相続人が善意無過失であれば，10年の取得時効の完成を認めるにいたった（最判昭37・5・18民集16巻5号1073頁）。

(3)　相続は185条にいう「新たな権原」に当たるか

被相続人の占有が他主占有であった場合に，相続人が自己の占有を自主占有とすることができるかが，相続人による対象の時効取得の可否との関係で問題になる。相続を原因とする占有の承継について，それが包括承継であることを重視するか，それとも相続人が現実に占有を始めた場合にそのことに意義を見出すかによって答えは変わりうる。

判例は，相続人が被相続人の死亡により，問題の土地建物に対する被相続人の占有を相続により承継したにとどまらず，問題の土地建物を新たに事実上支配することによりその土地建物に対する占有を開始し，それへの所有の意思があるとみられる場合には，相続人は，被相続人の死亡後185条にいう「新たな権原」により問題の土地建物の自主占有を始めたと評価できるとする（最判昭46・11・30民集25巻8号1437頁）。

2　無権代理

無権代理が行われた後に，本人または無権代理人が死亡した場合であって，本人と無権代理人の間に相続が生じるときに，無権代理に関する規律から生じる権利義務がどのような扱いになるのかという問題が896条との関係で説明されるのが通常である。具体的には，「本人の地位」および「無権代理人の地位」の相続による承継というのがそれである。しかし，そこで論じられている問題は，「本人の地位」および「無権代理人の地位」が相続によって承継されるかどうかではなく，むしろ，それらの地位が相続によって承継されることを所与としたうえで，その承継の結果代理法上どのような権利義務関係が生じるのかということであるように思われる。そこで無権代理の相続といわれる問題の説明は，代理法に譲ることにする（→第3巻§113）。

〔川　淳一〕

（祭祀に関する権利の承継）

第897条①　系譜，祭具及び墳墓の所有権は，前条の規定にかかわらず，慣習に従って祖先の祭祀を主宰すべき者が承継する。ただし，被相続人の指定に従って祖先の祭祀を主宰すべき者があるときは，その者が承継する。

②　前項本文の場合において慣習が明らかでないときは，同項の権利を承継すべき者は，家庭裁判所が定める。

〔対照〕　ド民1968

〔改正〕　②＝昭26法260改正

細　目　次

I　本条の趣旨

1　本条の趣旨

本条は，系譜，祭具および墳墓の所有権が被相続人に帰属することを前提として，それらの所有権を誰が承継すべきかについて規定するものである。被相続人の指定に従って祖先の祭祀を主宰すべき者がある場合にはその者が承継し，その指定がない場合には，慣習に従って祖先の祭祀を主宰すべき者が承継することを定め（1項），慣習もない場合には，家庭裁判所が系譜，祭具および墳墓の所有権を承継する者を定めるとする（2項）。

条文の文言上は，1項による承継においては，まず「祖先の祭祀を主宰すべき者」が定まり，その者が系譜等の所有権を承継するという順序になっているのに対して，2項においては，それらの所有権の承継は，そのような順序を踏むようには規定されていない。しかし，2項による定めが問題になった審判例においても，裁判所は，例外なく，だれが相応しいかという判断を踏まえて祭祀を主宰すべき者を決定し，そのうえで，その祭祀を主宰すべき者に祭祀のための財産を帰属させるという順序を踏んでいる。もっとも，それらの判断全体を通じて，「祖先の」という部分は必ずしも重視されていない場合があること，また，祭祀のための財産として帰属が争われる財産も，被相続人が所有していた系譜，祭具および墳墓には必ずしも限られてはいない場合があることには留意が必要である。具体的にいうと，本条のもとで，祖先一般とは区別された形で，直近に開始した相続における被相続人のための祭祀を誰が行うかが争われる事件がある。この場合，系譜，祭具および墳墓というよりもむしろ，直近に開始した相続における被相続人の遺骨（焼骨）の帰属が争われる一方で，祖先一般の祭祀については実質的には争いがない。このような事態は，少なくとも本条制定時には想定されていなかったように思われる。したがって，このことは，自ずと本条の守備範囲と解釈に変化を生じさせることになる（南方暁〔判批〕速判解2号〔2008〕127頁は，「現在，祭祀承継は，直系の系譜的先祖の祭祀（家的先祖）から『夫婦・親子関係を主とする，近親の故人への追憶行為』とする『近親追憶的』祭祀への移行期にある」と述べる。移行期とまで評価できるかには，なお，状況を見極める必要があるようにも思われるが，近親追憶的祭祀が法的紛争の場に登場し，しかも法的に承認されるに至っていることは確かである）。

2　本条の立法過程と立法論的批判

(1)　立 法 過 程

明治民法下では，「系譜，祭具及ヒ墳墓ノ所有権ハ家督相続ノ特権ニ属ス」（987条）と規定されていた。この規定は，系譜，祭具および墳墓を戸主となる家督相続人が単独で承継することを定めるものであり，戸主が長として司る家の一系をもって縦に連なる連続性を象徴する役割を果たしたとされる（新版注民(27)〔補訂版〕80頁〔小脇一海＝二宮周平〕，池田恒男「埋葬・死者祭祀及び祭祀財産の承継と相続法体系」鈴木龍也編著・宗教法と民事法の交錯〔2008〕156頁）。

明治民法における系譜，祭具および墳墓の所有権の扱いがこのような性格を有していた以上，家制度を廃止する現行民法においてそれらの扱いをどうするかは，当然問題になった。戦後の民法改正案策定の比較的初期には，それらの財産は祖先の祭祀を主宰すべき「相続人」に専属し，誰が祭祀を主宰すべき者になるのかは慣習によって定まるとされていたが，最終的には，祭祀を主宰すべき「者」に専属するとなって，系譜，祭具および墳墓の権利の承継は相続とは分離されることになり，かつ，だれが祭祀を主宰すべき者となるかは，慣習よりも被相続人の指定が優先することになった（これらの立法過程については，二宮周平「葬送の多様化と民法897条の現代的意義」戸時698号〔2013〕3-5頁参照）。この規定をこのような内容で置くことは，戦後の民法改正時の国民感情や保守派の抵抗の中で，それらをある程度配慮しつつも，家制度の廃止を達成するための妥協であったと評価されている（新版注民(27)〔補訂版〕80頁〔小脇＝二宮〕）。これに関しては，立法過程において終始一貫して存在したとされる祭祀主宰者の相続分を増やすべしという主張が退けられているという点も，相続制度との切断という観点からは重要である（我妻編・戦後178-179頁参照）。

このように，現行民法においては，系譜，祭具および墳墓の権利の承継と相続制度とは一応切断されたのであるが，その一方で，系譜，祭具および墳墓の権利の承継と氏との間には，一定の関係を残す規定群が用意された。すなわち，婚姻によって氏を改めた者や養子が系譜，祭具および墳墓の権利を承継した後に復氏する場合または姻族関係を終了させる場合には，当事者その他の関係人の協議でその権利を承継すべき者を定めなければならず，協議が調わない場合または協議をすることができない場合には，家庭裁判所がこれを定めるとする規定群である（769条・749条・751条・771条・808条・817条）。これらの規定群については，戦後の民法改正時における国民感情から生じうる紛争の解決を意図したものであるという説明がなされている（我妻・親族法79頁。なお，我妻編・戦後180頁には，養子が養家の系譜を持って逃げていくというのでは困るし，また，養子が系譜を持って出ていくという脅しを養親に対してできないようにしておくことが必要であった旨の記述がある）。

⑵　立法論的批判

立法が以上に確認したような妥協の結果であることに対応して，系譜，祭具および墳墓の権利の承継に関する本条と本条に関連する条文については，学説上，早い時期から比較的厳しい批判が展開された。

すなわち，まず，897条本体に関しては，それが，縦に連なる家の承継を象徴する祭祀の承継を前提にしているという評価が可能であること，系譜等の承継者にその管理のための費用として相続財産をより多く分配することの契機となりえ，そのことが系譜等の承継者に相続上の特権的地位を法的にも承認することになりかねないこと等への批判がなされた（我妻・判コメ53頁・75頁など）。

つぎに，婚姻によって氏を改めた者や養子が系譜，祭具および墳墓の権利を承継した後に復氏する場合または姻族関係を終了させる場合に関する規定については，「明治民法が『家』制度におけるヒエラルヒーの徴表として祭祀財産の所持を家督相続の特権とするという一カ条の太い線で示したもの（旧987条）を，現行民法は格別に細い薄い数カ条（897条・769条およびその準用規定）に分散して示したのだといってよかろう」という評価までされている（石川利夫「民法上の祭祀財産承継条項批判」染野義信古稀・法と現代司法〔1989〕121頁。また同「祭祀承継と相続」川井健ほか編・講座・現代家族法Ⅴ〔1992〕88頁も参照）。

II　祭祀の対象

本条によって承継される財産である，系譜，祭具および墳墓は，基本的にはその時点で生存していない人に対する感謝，祈り，慰霊・鎮魂等のための儀礼に用いられるものであり，本条にいう祭祀とはそのような儀礼のことである。そこで本条による財産の承継を検討する前提として，本条に規定される財産がどのような存在にむけられた祭祀のための財産なのかが問題になる。

この点について検討すると，まず，「祖先」という文言から，本条が，本来は，個別の死者というよりもむしろそれらが観念的には一体となった，ないしは将来的には一体となるものを対象としていることはたしかである。このことは，本条によって承継される財産の筆頭に系譜が挙げられていることからも明らかである。

では，祖先一般とは区別された個別の死者，とりわけ，もっぱら直近に開始した相続における被相続人のみを対象とする祭祀はどうか。本条の制定時には，そのようなものはおよそ想定されていなかったのは，被相続人が生前に所有していた系譜等を承継するという規範の構造からも立法の経緯からも明らかである。しかし，比較的最近の審判例の中には，祭祀の主宰を争っている当事者の少なくとも一方は，祖先一般を対象とする祭祀には関心をもっていないかあるいは持っていたとしても比較的薄い関心しか持っておらず，もっぱら直近に開始した相続における被相続人のための儀礼の主宰者であることの承認を裁判所に求め，裁判所もこれを認めている審判例がある。具体的には，①大阪家裁平成28年1月22日審判（判タ1431号244頁），②福岡高裁平成19年2月5日決定（判時1980号93頁），③高知地裁平成8年10月23日判決（判タ944号238頁），④東京高裁昭和62年10月8日判決（家月40巻3号45頁）を挙げることができる。すなわち，①事件では被相続人の姪および甥（代襲による相続人）と長年にわたって被相続人と親密な関係を持ってきた男性が被相続人のための祭祀をめぐって争い，裁判所は男性を「被相続人の祭祀を主宰すべき者」と認めている（なお，姪および甥以外にも共同相続人がいたが，共同相続人間で姪らを被相続人の祭祀財産の承継者とする合意がなされている）。②事件では，被相続人の実母と被相続人の実子（ただし，被相続人の離婚により，自らの選択によって離婚復氏した母の氏を名乗り，相続開始の比較的直前まで交流が断絶していた。裁判の時点では被相続人のための個人墓を建てている）が被相続人のための祭祀をめぐって争い，裁判所は実子を「祭祀承継者」と認めている。③事件では，被相続人の法律婚の配偶者および子と被相続人の重婚的内縁の配偶者が被相続人のための祭祀をめぐって争っており，裁判所は内縁の配偶者を被相続人のための祭祀を行う者と認めている（なお，被相続人は，その兄弟と合意して被相続人の先祖の位牌等を2か所で祀るうちの1か所を祀っていたが，法律婚の配偶者および子は，その先祖の位牌等の引渡しは求めていない。また，被相続人と内縁配偶者は，生前2人の共同墓を作る合意をしており，被相続人の遺骨は裁判の時点で，その合意に基づいて購入された墓碑のもとに納められている）。そして，④事件では，生存配偶者が，被相続人の生前から被相続人の母と同居していた住居において，従前，被相続人の先祖のための祭祀とともに被相続人のための祭祀を行ってきたが，被相続人の母との間に生じた不仲に端を発して姻族関係終了の意思表示をした生存配偶者と被相続人の母および被相続人の兄弟姉妹の間で，被相続人のための祭祀が争われ，裁判所は，生存配偶者を被相続人のための「祭祀を主宰する者」として認めているのである（なお，この事件では，すでに家族墓の中に納められていた被相続人の焼骨の生存配偶者による引取りが認められている）。

III　祭祀の主宰者が所持すべき財産

(1)　本条によって祭祀の主宰者に「承継」される財産

本条によって承継される財産として明示されているのは，代々承継されてきた，系譜，祭具および墳墓であり，これらについては問題はない。系譜とは，歴代の家長を中心として祖先以来の家系を示すものであり，祭具とは位牌等の仏具，仏壇，十字架等，祖先の祭祀，礼拝の用に供されるものであり，墳墓とは，遺体や遺骨を葬っている設備（墓石，埋棺等）をいう（新版注民(27)〔補訂版〕82頁〔小脇一海＝二宮周平〕）。

若干問題になることがあるのは，墓地の所有権または使用権である。審判例・裁判例は，墓地の所有権または使用権を墳墓と同じに扱っている（比較的最近の審判例として，⑤松江家審平24・4・3家月64巻12号34頁）。墳墓が建っている土地のうち，どの範囲を墳墓と同じに扱うかについては，「墳墓が墳墓として遺骨などを葬る本来の機能を発揮することができるのは，墳墓の敷地である墓地が存在することによるのであって，墳墓がその敷地である墓地から独立して墳墓のみで，その本来の機能を果たすことができないことを考慮すると，社会通念上一体の物ととらえてよい程度に密接不可分の関係にある範囲の墳墓の敷地である墓地は，墳墓に含まれる」とする裁判例がある（⑥広島高判平12・8・25高民集53巻2号109頁）。

(2)　被相続人本人のための位牌等

本条に依拠する審判例・裁判例の中には，祭祀の主宰者としての地位の承認を求めると同時に，位牌のうち，直近の相続における被相続人のために作成された位牌の扱いが問題になっているものがある。具体的には，①事件，③事件，⑦東京高裁平成18年4月19日決定（判タ1239号289頁），⑧東京高裁平成31年3月19日決定（判タ1472号110頁）がそうである（これらのうち，①事件，③事件，⑦事件では，現に位牌を所持している方の当事者が位牌の作成者であることが認定されている。これに対して⑧事件では，位牌の作成者が当事者のどちらであるかは判然とせず認定されていない）。このうち，①事件，⑦事件，⑧事件においては，位牌が被相続人の死亡後に作成されたものであることを理由に，本条によって承継される財産であることが否定されているのに対して，③事件においては，「本件位牌は，原告〔内縁配偶者〕において，A〔被相続人〕を供養するために製作させたもので，Aの遺骨，供養と一体となるものであるから，その所有権は原告に属し，被告らに帰属するとは考えられない。したがって，被告らの請求は認められない」とされており，①事件，⑦事件，⑧事件と③事件の間にはニュアンスに相違がある。①事件，⑦事件，⑧事件に示されている論理に従えば，仮に現に位牌を所持していない方が祭祀の主宰者と認められる場合であっても被相続人本人のための位牌の引渡しは認められないことになる。この場合には，祭祀の主宰者と認められた方の当事者が別の位牌を新たに作成することになろう。他方，③事件に示されている論理に従えば，現に位牌を所持していない方の当事者が祭祀の主宰者と認められた場合には，おそらくは位牌作成費用の償還と引換えにではあろうが，位牌の引渡請求が認められることになるように思われる。

なお，③事件においては，死後叙勲によって授与され，現に被相続人の祭祀を行っている原告（内縁配偶者）が所持している勲章の引渡請求もなされている。これについても裁判所は引渡請求を認めていないが，その論理は，

「勲章その他栄典の授与は，これを受けた者一代に限り効力を有するものであって（憲法14条3項），勲章は，生前叙勲の場合を考えると，被叙勲者本人のみがこれを保有できるというべきであり，被叙勲者の相続人は，被叙勲者本人が保有していた勲章について返還を免除される（保管を許される）に過ぎないと考えるのが相当であるから，相続人以外の者に勲章が伝達され，相続人において占有権を取得していない場合には，所有権は勿論占有権に基づく引渡請求権も有しない」というものである。勲章というものの特殊性に依拠した判断である。

(3) 遺　　骨

本条に依拠する審判例・裁判例においては，しばしば遺骨（おそらくはほとんどの場合には焼骨であろう）の扱いも争われている。もっとも，審判例・裁判例において明示的に「遺骨」という言い方で争われているものは，確認できるかぎり，先祖一般の遺骨ではなく直近に開始された相続における被相続人のそれである。おそらくは先祖一般の遺骨は墳墓と一体のものと観念されていることのゆえであろう。

審判例・裁判例上，遺骨が所有権の客体であることは，明治民法以来，一般に承認されている（明治民法下の判例として，⑨大判大10・7・25民録27輯1408頁，⑩大判昭2・5・27民集6巻307頁。比較的最近の審判例・裁判例として，⑪名古屋高決平26・6・26判タ1418号142頁。ただし，例外として，⑫東京地八王子支判昭48・9・27判時726号74頁は，遺骨は，「埋葬，礼拝，供養のために存在しこれらの行事を主宰するものが右の目的のために管理すべき一種特別の存在であって所有権の客体とはならない」とする）。

もっとも，審判例・裁判例は，遺骨が所有権の客体であるとしながらも，その所有権者は，「性質上埋葬，管理，祭祀，供養の範囲内で権限を行使できるものであって，通常の所有権の概念からは著しく離れており，むしろ，祭具と近似するもの」としている（③事件。①事件，④事件も同様の判断を示す）。

遺骨が一応所有権の客体であるとして，それでは，誰がどのようにして遺骨の所有権を取得するか。明治民法下では，相続によって承継されるとされていたようである（⑨事件，⑩事件。なお，新版注民(27)〔補訂版〕89頁〔小脇＝二宮〕参照）。これに対して，④事件は，遺骨の性質が祭祀財産に近似することを根拠として，遺骨の所有権（その実体は，祭祀のために支配，管理する権利）は，通常の遺産相続によることなく，その祭祀を主宰する者に原始的に帰属するとした（祭祀主宰者原始取得説）。さらに，⑬最高裁平成元年7月18日判決（家月41巻10号128頁）は，事案の事実関係において遺骨の所有権は慣習に従って祭祀を主宰すべき者に帰属するとした原審の判断を支持した。なお，④事件，⑬事件では，結論を支える条文解釈は明示されていないが，①事件，③事件，⑪事件，および⑭東京家裁平成21年3月30日審判（家月62巻3号67頁）では，祭祀の主宰者が遺骨の所有権を取得する根拠として，本条準用という解釈が示されている。

学説は多岐に分かれている（新版注民(27)134頁以下〔小脇一海〕参照）。

IV　祭祀のための財産の承継

1　本条による承継と権利承継放棄の可否

本条によって決定された承継者は被相続人の死亡の時点から法律上当然に祭祀のための財産の権利を承継する。このとき，通説は，承継者は権利承継を放棄したり辞退したりすることはできないとする。もっとも，権利承継をしたからといって祭祀を行う義務を負うということはないし（⑮宇都宮家栃木支審昭43・8・1家月20巻12号102頁。また，⑦事件においても，裁判所は「祖先の祭祀は今日もはや義務ではなく，死者に対する慕情，愛情，感謝の気持ちといった心情により行われるものである」とする），承継後の処分も自由である（⑯広島高判昭26・10・31高民集4巻11号359頁）。それゆえ，本条による権利承継の放棄・辞退ができないということには，法的な意味はないと評価されている（新版注民(27)〔補訂版〕83頁〔小脇一海＝二宮周平〕）。

2　共同承継の可否

文言と共同相続による承継を回避した立法の経緯から判断すれば，本条は，単独の承継者による財産の承継を前提にしているというべきであり，その趣旨を述べる審判例・学説もある（審判例・裁判例として⑰大阪高決昭59・10・15判タ541号235頁。学説については，松原Ⅰ393頁参照。松原はこれを通説とする）。もっとも，審判例には，同祖の2つの家系の墳墓として管理されてきたという事情を踏まえてではあるが，本条2項によって2名が共同して承継することを認めたものがある（⑱仙台家審昭54・12・25家月32巻8号98頁）。

3　財産ごとの承継の可否

(1)　本来の祭祀のための財産

審判例裁判例上，祭祀のための財産を一括して承継させるのではなく，財産ごとに分けて別々の者に承継させることはできるかが問題になることがある。祭祀のための財産は，一般的には一括して承継されることを前提としているように思われるが，従前の管理の状況から財産ごとの承継を本条2項によって認めたもの（⑲東京家審昭42・10・12家月20巻6号55頁），祭祀の承継を争う者の間の対立状況等を考慮して財産ごとの承継を本条2項によって認めたものがある（⑦事件，⑳東京高決平6・8・19判タ888号225頁および㉑奈良家審平13・6・14家月53巻12号82頁）。また，④事件および⑧事件も，実質的には，先祖一般のための祭祀と直近の相続における被相続人のための祭祀を分けて祭祀のための財産の分属を認めたものであると評価できる。

(2)　分　　骨

最近の審判例・裁判例におけるように，遺骨の所有権を祭祀の主宰者が取得するという根拠を本条に求める解釈を採るとすると，個々の祭祀のための財産を別々の者に分属させ，それぞれの者に祭祀を行うことを認める場合には，本条による分骨請求が認められる余地も生じうるように思われる。遺骨の所有権の帰属を本条によって基礎づけるということは，遺骨を性質において祭祀のための財産とかなりの程度同一視することだからである。この点に関して，㉒大阪高裁平成30年1月30日決定（判タ1455号74頁）は，一般論としては，特別の事情がある場合には本条2項によって裁判所は分骨を命じることができるという解釈を示している（もっとも，当該事案においては「特別の事情があるということはできない」として分骨請求を退けている）。

V　承継者と承継者の決定方法

1　承　継　者

本条による祭祀のための財産の承継者については，とくに資格要件のようなものは存在しない。本条の文言が祭祀を主宰すべき「者」となっているのは，立法過程に照らせば，本条による財産の承継者は相続人であることを要しないことを示すものである（一Ｉ２(1)）。相続人ではない者や血縁者ではない者を承継者と認めた例としては，内縁配偶者を承継者と認めた③事件および㉓大阪高裁昭和24年10月29日決定（家月2巻2号15頁），共同墓地の管理者を承継者と認めた㉔福岡家裁柳川支部昭和48年10月11日審判（家月26巻5号97頁），被相続人が有していた祭祀のための財産を事実上承継していた被相続人の内縁配偶者の孫を承継者と定めた㉕高松家裁平成4年7月15日審判（家月45巻8号51頁）等がある。

2　承継者の決定方法

(1)　優 先 順 位

条文の規定によれば，祭祀のための財産の承継者の第一順位の者は，被相続人の指定に従って祖先の祭祀を主宰すべきものであり，第二順位の者は，慣習に従って祖先の祭祀を主宰すべき者であり，第三順位の者は，家庭裁判所によって定められる者である。もっとも，現実には，祭祀のための財産の承継者は，ほとんどの場合には，利害関係者間の合意によって定められているといわれており，その法的効力も問題になる。

(2)　被相続人の指定

被相続人は，祖先の祭祀を主宰すべき者を指定することによって，祭祀のための財産の承継者を定めることができる。このとき，指定の方式については，特に定めはない。生前行為によっても遺言によっても可能である。また，祖先の祭祀を主宰すべき者への指定は，必ずしも明示にされるものであることを要しない。もっとも，いずれにせよ，被相続人の死後に効力を生じるものであるから，「表意者の真摯さ，表示内容の明確さにおいて，一般の意思表示より慎重にその存在を判断すべき」である（㉖前橋家審平3・5・31家月43巻12号86頁）。

祭祀の主宰者という文言が明示されることはなかったものの，墓地墓石購入の経緯等も勘案して，「墓を守ってくれ」との発言を被相続人による祭祀の主宰者の指定であると解した審判例としては，㉖事件がある。もっとも，この審判例と，指定があったとは評価できないが，生前の生活関係を勘案して家庭裁判所が祭祀の主宰者を定め，その定めを被相続人の遺志に沿うとした㉓事件や，生前の生活関係だけでなく被相続人が経営していた会社の経営権移譲の状況などをも勘案して家庭裁判所が祭祀の主宰者を定めたうえで，その定めは被相続人が有していた希望内容であると考えるのが自然であるとした㉗東京家裁平成12年1月24日審判（家月52巻6号59頁）との境界は，それほど明確なものではないように思われる。

なお，③事件においては，被相続人と内縁配偶者との間の「一緒の墓に入る」旨の合意が被相続人による内縁配偶者の祭祀を主宰すべき者への指定と評価されたというべきであるが，そこにいう祭祀の対象は「祖先」ではないように思われる。

被相続人による指定があった場合に関するやや特殊な問題として，被相続人による指定があるにもかかわらず家庭裁判所による指定を求める審判の申立てがあった場合に，家庭裁判所はどう対応すべきかという問題がある。本来は却下すべきであるようにも思われるが，㉖事件では，指定の存在を前提として祭祀のための財産の引渡しを求めて普通裁判所に訴訟を提起することに関わる訴訟経済，争いがある場合の裁判の選択の困難，黙示の指定があったどうかが微妙である場合の扱い等を理由に，「『被相続人の指定に従って祖先の祭祀を主宰すべき者』が存在すると認定した場合は，家庭裁判所は，それに基づいて祭祀財産の承継者を指定する旨の審判をなすべき」とされた。

⑶　慣　　習

被相続人による指定がない場合には，慣習によって祖先の祭祀を承継すべき者が祭祀のための財産を承継する。ここで，本条にいう慣習とはどのようなものかが問題になる。

可能性があるのは，祭祀のための財産の承継が生じた地域または被相続人の出身地の慣習，職業上の慣習などであろうが，現行民法施行後のごく早い時期に，㉓事件がその時点において依拠すべき慣習は存在しないと宣言し，以後，この決定が事実上の先例として機能してきているとされる（新版注民(27)〔補訂版〕85頁参照〔小脇＝二宮〕)。すなわち，㉓事件は，明治民法下で家督相続人が祭祀のための財産を相続したのは，明治民法の規定によるものであって，封建的な家族制度を廃止し個人の尊厳自由等を基礎として制定された現行民法のもとでは，明治民法の内容は慣習としても認めることができないという旨を宣言し，さらに，本条の趣旨は，現行民法施行後に新たに育成される慣習に従わせようとするものである旨を宣言して，現状においてはそのような社会慣習の成立を認めるに足りる資料は存在しないとしたのである。

これ以降の審判例裁判例において地域的慣習，職業的慣習あるいは武家社会の慣習なるものが当事者の一方から主張されたことはある。しかし，結論において，裁判所が，少なくとも直系の系譜的祭祀について，慣習に従った判断として祭祀を主宰すべき者を認定した例は，確認できる限りでは存在しない（なお，近親追憶的祭祀に関しては，④事件において，被相続人の生存配偶者が主宰者になるという慣習の成立が示唆されている。ただ，同事件における判示も，言及している慣習が本条1項にいう慣習に該当すると明言するところまでは踏み込んでいないように思われる）。むしろ，現状は，本条2項に基づく裁判所による決定の前提として半ば決まり文句的に慣習の不存在を裁判所が宣言するというものであるようにさえ思われる（たとえば最近の事件である①事件，⑤事件，㉘さいたま家審平26・6・30判タ1416号391頁等でもそのように宣言されている）。

今日における祭祀の対象の多様化も考慮すれば（一I），今後，法的意義を有する慣習の成立の可能性は，ますます低くなるように思われる。

(4)　家庭裁判所の定め

被相続人による指定がなく，慣習もない場合には，2項によって家庭裁判所が祭祀のための財産の承継者を定める。承継者を定める審判は，家事事件手続法別表第二事件である。別表第二事件であるので，本来は，相手方を定めて申立てをするべきであるが，相手とすべき者が不明の場合には，相手方を定めずに申立てをすることができる（⑤事件）。また，申立人が後見開始の審判を受けている場合には，成年後見人が申立てをすることができる（㉙東京家審平21・8・14家月62巻3号78頁）。

家庭裁判所が承継者を定める場合，条文上は，なんら基準は明示されていない。審判例裁判例上は，「現行民法親族編，相続編制定の趣旨に徴し，いたずらに，家制度の復活乃至家父長制度の維持助長となることを避けるべき」（㉚鳥取家審昭42・10・31家月20巻5号129頁）ことを所与として，一切の事情を考慮して定められている。ここで一切の事情として具体的に挙げられているのは，一般的には，被相続人との身分関係や生活関係，被相続人の意思，祭祀承継の意思および能力，祭具との場所的関係，祭具等の取得の目的や管理の経緯などである。また，それらとならんで，比較的最近の審判例裁判例には，一つには被相続人に対する慕情・愛情・感謝のような心情を強く持つ者であるかどうか，二つには，被相続人からみて被相続人が生存していれば指定したであろう者であるかどうかを考慮事由として挙げるものがある

（両者を考慮事由として挙げるものとして⑦事件，一つめを挙げるものとして②事件，二つめを挙げるものとして⑳事件がある）。妥当な考慮の仕方であると考えるが，祖先一般というよりもむしろ被相続人との関係を重視する判断になっていることに留意すべきであろう。

⑸　関係人の合意の効力

協議に基づく関係人間の合意によって祭祀のための財産の承継者を定めることはできるか。本条がこの点を明確にしていないことから問題になる。

⑥事件は，被相続人が関係者間の協議によって定めるとの指定方法を採る場合を除いて，関係者間の合意にもとづいて祭祀のための財産の承継者を決めることはできないとするが，④事件と⑧事件は関係当事者間の合意が有効であることを前提にした判断をしている。

現実には，ほとんどの場合には祭祀のための財産の承継者は関係人の協議に基づく合意によって決定されているように思われること，合意による決定を有効だとしても，合意に参加しなかった者は合意に拘束される理由がなく，本条による申立ては可能であると考えられることから，合意による決定は有効であるとすべきである（松原Ⅰ 416-417頁は，調停による指定を認めていることとの均衡も指摘する）。

〔川　淳一〕

（相続財産の保存）

第897条の2①　家庭裁判所は，利害関係人又は検察官の請求によって，いつでも，相続財産の管理人の選任その他の相続財産の保存に必要な処分を命ずることができる。ただし，相続人が一人である場合においてその相続人が相続の単純承認をしたとき，相続人が数人ある場合において遺産の全部の分割がされたとき，又は第952条第1項の規定により相続財産の清算人が選任されているときは，この限りでない。

②　第27条から第29条までの規定は，前項の規定により家庭裁判所が相続財産の管理人を選任した場合について準用する。

〔改正〕 本条＝令3法24新設

細　目　次

I　総　説

本条は令和3年法律第24号により追加された条文であり，相続が開始すれば，相続の段階に関わらず，いつでも，家庭裁判所は，相続財産管理人の選任その他の相続財産の保存に必要な処分をすることができるという包括的な規定である（村松＝大谷編・Q & A 223頁）。令和3年改正前には，家庭裁判所が，相続財産管理人の選任などの相続財産の保存に必要な処分をすることができる仕組みは，相続のすべての段階において認められているものではなく，相続の段階ごとに設けられた制度であった。

そこで，本条の趣旨を理解するために，令和3年改正が改正前の制度にどのような修正を加えたのかを確認することとしたい。

(1)　令和3年改正前の相続財産の保存に必要な処分に関する法制度

令和3年改正前における相続財産の保存に必要な処分に関する法制度は，以下のようなものであった（村松＝大谷編・Q & A 222頁・224頁，七戸・新旧対照解説105頁以下，日弁連WG編253頁以下〔入江寛〕，荒井・Q & A 180頁）。

相続人が判明している場合に関して，①熟慮期間中に家庭裁判所が相続財産の保存に必要な処分を命ずることができる仕組みが存在した（改正前918条2項）。②限定承認がなされた後に，改正前926条2項は同918条2項を準用していた。③相続放棄がなされた後，その放棄によって相続人となった者が相続財産の管理を始めることができるまでの期間においても，改正前940条2項は同918条2項を準用していた。他方で，④共同相続人が相続の単純承認をしたが遺産分割が未了である場合については，相続財産の保存に必要な処分に関する規定が設けられていなかった。

相続人のあることが明らかでない場合については，相続財産の清算を職務とする相続財産管理人を選任する仕組みがあった（改正前952条）が，相続財産の保存に必要な処分に関する規定が設けられていなかった。

このような改正前の規律について，次のような問題が指摘されていた（以下について，民不登部会資料34・8頁以下）。

第1に，相続人が数人あり，相続財産に属する財産が遺産分割前の暫定的な遺産共有状態にある場合において，共同相続人が相続財産の管理について関心がなく，相続財産の管理をしないときなどは，民法上，相続財産の保存に必要な処分を命ずる相続財産管理制度が設けられておらず，相続財産の管理不全化に対応することができなかった。

第2に，法定相続人の全員が相続の放棄をしたときを含む相続人のあることが明らかでない場合について，改正前には相続財産管理制度（951条以下）が設けられていたが，これは，相続財産の清算を目的とするものであるため，手続が重く，コストがかかることから，土地を含めた相続財産を適切に管理しようとしても，この制度を利用することができない場合があった。

そこで，これらの場合における相続財産の保存のための相続財産の管理を可能とする仕組みを創設することが提案されていた。

その際，上記の場合における保存のための相続財産管理人による相続財産の管理を可能とするのであれば，これと改正前の相続財産管理制度を一つの制度とすることによって，熟慮期間中に選任された相続財産の保存のための相続財産管理人が熟慮期間経過後遺産分割前または全員により相続放棄のされた後もそのまま相続財産を管理することができるようにすることを可能とすることが合理的であると考えられた。

(2)　令和3年改正法の規律

(ア)　統一的な相続財産の保存に必要な処分の仕組みの創設　　以上のような議論を踏まえて，本条により，①熟慮期間中，②限定承認がなされた後，③相続放棄がなされた後，その放棄によって相続人となった者が相続財産の管理を始めることができるまでだけでなく，④相続人が数人あり，相続財産に属する財産が遺産分割前の暫定的な遺産共有状態にある場合，⑤法定相続人の全員が相続の放棄をしたときを含む相続人のあることが明らかでない場合について，統一的な相続財産の保存に必要な処分に関する仕組みがもうけられることとなった（なお，七戸・新旧対照解説109頁は，推定相続人の廃除に関する審判確定前の遺産の管理についての「遺産の管理人」（895条）について改正審議の対象となっていない点を指摘する）。

統一的な規定が置かれたことにより，改正前918条2項・3項が削除されるとともに改正前926条2項および同940条2項における同918条2項・3項の準用が削除されることとなった。

また，改正前は，数人の相続人が限定承認をした場合に改正前936条1項に基づいて選任される者や，相続人のあることが明らかでない場合に改正前952条1項に基づいて選任される者を，「相続財産の管理人」と呼称していたが，これらの者は，単に相続財産の維持等の管理を行うだけでなく，相続財産の清算を行うこともその職務としているため，改正法によりその名称が「相続財産の清算人」と改められた（改正936条1項・952条1項）。

(イ)　限定承認をした際に選任された相続財産の清算人との関係　　共同相続の場合，家庭裁判所が職権で共同相続人の中から相続財産の清算人を選任しなければならず（936条1項），この相続財産清算人（以下「職権による清算人」とする）は，「相続人のために，これに代わって，相続財産の管理及び債務の弁済に必要な一切の行為をする」（936条2項）こととされている。

この職権による清算人が選任された場合にも，本条に基づき相続財産の保存のための相続財産管理人の選任請求をすることができる（改正前936条3項も同様。以下「請求による管理人」とする）。これは，職権による清算人は相続人の中から選任されなければならないため，職権による清算人が不適任である場合であっても，改任によって相続人ではない第三者を職権による清算人として選任することができないことから，相続人ではない第三者による管理を可能とするためである（改正前の規定をもとに説明するものとして民不登部会資料34・9頁以下（この説明は改正後の規定についても妥当する））。

このため，職権による清算人と請求による管理人が併存する事態が生じうる。この場合に，請求による管理人に清算権限まで認めるかが問題となる。この点，改正前民法下の学説上は，改正前936条3項に基づき請求による管理人が選任されることにより，職権による相続財産管理人（改正後の職権による清算人）が管理権限を失うことについては争いがなかった。さらに，職権による相続財産管理人の清算権限も喪失させ，請求による管理人に清算のための権限を付与する学説も存在した（新注民(19)〔初版〕586頁〔中島弘雅〕は，相続人が管理者として不適当な場合に相続人ではない第三者から選任される請求による管理人と破産管財人の地位の類似性を指摘し，請求による管理人に破産管財人と同様の清算権限を認めることが，相続債権者と限定承認者との相反する利益を保護する上でも適切であるとする)。もっとも，改正前民法下の通説は，相続人から選任される職権による相続財産管理人が，弁済その他の清算をするものと規定されているため（改正前936条3項による929条から932条までの準用），請求による相続財産管理人に清算権限を認めることはできないものとしていた（新注民(19)〔初版〕586頁〔中島〕)。

令和3年改正の際の法務省法制審議会の審議においても，「過渡的な状態にある相続財産の適切な管理を実現しようとする今回の相続財産管理制度の見直しの趣旨からすると，限定承認の場面でこの管理人に清算権限を与えることは難しいと考えられる」（民不登部会資料45・4頁）と述べられており，限定承認がされた場面で選任される場合も含めて，相続財産の保存のための相続財産管理人に清算権限を与えることはしないこととされた（村松＝大谷編・Q & A 223頁)。

(ウ)　相続人の存在が不分明である場合における所有者不明土地管理命令との関係　　相続人の存在が明らかではない場合については，相続財産に属するものが土地であり，その所有者である相続人の所在等が不明である場合に，相続財産の保存のための相続財産管理制度を利用することが考えられるだけでなく，所有者不明土地管理命令の請求（改正264条の2）をすることも可能である。そこで両者の関係が問題となるが，次のような指摘がなされている（民不登部会資料34・11頁以下，村松＝大谷編・Q & A226頁)。

相続財産の保存のための相続財産管理制度においては，相続人の所在が判明しているが相続財産の管理に意欲を失っている場合でも対応可能であることや，土地以外の相続財産も含めて管理の対象となること，相続財産の管理の費用は相続財産から支弁されること（885条。これに対して，所有者不明土地管理人による所有者不明土地の管理に必要な費用は，所有者不明土地等の所有者の負担となる〔264条の7第2項〕）などの差異があるため，事案に応じていずれの管理制度を用いるかの使い分けがなされるものと考えられている。

II　家庭裁判所による相続財産の保存に必要な処分

(1)　処分の必要性

本条1項の処分を命ずるためには，その処分が相続財産の保存のために必要であると認められなければならない（村松＝大谷編・Q & A 225頁）。法制審議会における審議段階では，「相続財産に属する物について相続人が保存行為をせず，又は相続人のあることが明らかでないためにその物理的状態や経済的価値を維持することが困難であると認められ，相続人に代わって第三者に保存行為をさせる必要があるときは，この必要性の要件を満たすことがある」とされており，管理人の選任する必要性が認められるケースとして，「被相続人が遺した物品を何らかの理由で保管している者など，相続財産に属する物の引渡し債務を負っている者がその債務を履行しようとしたが，相続人がこれを受領せず，又は相続人のあることが明らかでないために相続財産を保存する必要がある場合」を挙げている（部会資料34・11頁）。以下では，相続人が判明している場合と相続人の存在が明らかでない場合に分けて，要件の検討を行う。

(ア)　相続人が判明している場合　　相続人が判明している場合に関しては，相続人が相続財産に注意を加えない場合や相続人が遠隔地に居住している場合（以上につき理由書286頁），所在不明の場合（以上につき新版注民(27)〔補訂版〕487頁〔谷口知平＝松川正毅〕）などに，本条1項による処分の必要性が認められる。上記の処分の必要性の具体例は，熟慮期間中に関する令和3年改正前918条2項の解釈として挙げられていたものであるが，相続人が数人あり，相続財産に属する財産が遺産分割前の暫定的な遺産共有状態にある場合においても同様であろう。改正前918条2項の解釈としては，共同相続人間の紛争により管理が困難な場合も，処分が必要な場合の例として挙げられていた（たとえば，新版注民(27)〔補訂版〕487頁〔谷口＝松川〕）。改正後の解釈としても，このような場面において，相続財産に属する物について相続人が保存行為をしないためにその物理的状態や経済的価値を維持することが困難であるという事情が生じた場合には，処分の必要性の要件を満たすものと思われる（共同相続人間の紛争の場面は，保存に必要な処分として相続人の管理処分権を制限することができるかという問題とも関係する。この点については，(3)および(5)(エ)も参照）。ただし，遺産分割について争いがある場合の遺産管理については，家事事件手続法200条の遺産管理人制度を用いることもできる。

限定承認の場面では，相続財産の清算手続が終了するまでは，相続人の相続財産管理義務は継続する（926条1項）。したがって，相続人が管理者として不適当であるか，管理を行うことができない事情があるときに，本条1項による処分の必要性の要件を満たすこととなる（新注民(19)〔初版〕585頁〔中島弘雅〕）。

相続人が相続放棄をした場合，放棄をした者がその放棄の時に相続財産に属する財産を「現に占有している」ときは，相続人に対して当該財産を引き渡すまでの間，その財産を保存しなければならない（940条1項。当該財産の引渡の相手方として相続財産の清算人も含まれているが，ここでは他に相続人がいる場合を前提にしている）。相続財産の保存のための相続財産管理人が既に選任されている場合には，放棄をした者は相続財産管理人にも引き渡すことができる（村松＝大谷編・Q＆A 235頁）。これにより，放棄者の管理は終了する。相続財産の保存のための相続財産管理人が選任されていない場合にも，事案に応じて，保存義務を負う放棄者は，利害関係人として相続財産管理人の選任の申立てができる（民不登部会資料29・4頁）。

熟慮期間中について，令和3年改正前は法定単純承認（921条1号）にあたる事情がある場合には，相続財産管理人を選任すべき場合にあたらないと解されていた（包括受遺者が遺産に含まれる不動産の所有権を主張する訴えを提起した場合には，921条1号の準用により包括遺贈を承認したとみなされるため，改正前918条により相続財産管理人を選任すべき場合にはあたらないとする大阪家審昭43・1・17家月20巻8号79頁がある）。改正後は，法定単純承認が生じても，相続人が数人あり，遺産分割前の暫定的な遺産共有状態にある場合であれば相続財産管理人を選任することが可能となる。限定承認の申述後に相続人の1人に法定単純承認事由が生じたとしても（どのような場合に法定単純承認事由が認められるかにつき争いがあるが，921条3号所定の事由となろう。→§937 II 2），937条に基づき，限定承認の効果自体は保持される（→§937 I）。本条が統一的に相続財産の保存のための相続財産管理人の選任を認めるものである以上，この場合についても，法定単純承認事由が生じたことが相続財産管理人の選任のための要件に影響を与えないものと解される。相続放棄後については，放棄をした相続人は初めから相続人にならなかったものとみなされる（939条）ため，そもそも法定単純承認事由が生じえない。

(イ)　相続人の存在が明らかでない場合　　令和3年改正のための法務省法制審議会の審議の際，中間試案段階においては，「必要であると認めるとき」に相続財産の保存のための相続財産管理制度を利用できることとしていた（第2の4(2)①）。その「必要があると認めるとき」について，「例えば，相続財産に属する不動産が荒廃しつつあったり，物が腐敗しつつあったりする場合において，相続人のあることが明らかでないためにその物理的状態や経済的価値を維持することが困難であるときに認められることを想定して，引き続き検討する。」とされていた（第2の4(2)（注1））。改正後の処分の必要性の要件該当性を判断する指針としても有用であろう。

相続人が全員相続放棄をした場合に，放棄をした者が相続財産に属する財産を現に占有しており，かつ，相続財産清算人も相続財産の保存のための相続財産管理人も選任されていないときには，(ア)で論じたのと同様に，事案に応じて，保存義務を負う放棄者が利害関係人として相続財産管理人の選任を申立てができる。これにより，放棄者は相続財産管理人に管理をしている相続財産を引き渡すことができる。

相続人が全員相続放棄をした場合に，放棄をした者が相続財産に属する財産を現に占有していない場合には，放棄者は相続財産を保存する義務を負わない。このような場合において，相続財産清算人が選任されていないときに，相続財産の保存のための相続財産管理人の選任が認められるかが問題となる。このような場合にも，「相続財産に属する不動産が荒廃しつつあったり，物が腐敗しつつあったりする場合において，相続人のあることが明らかでないためにその物理的状態や経済的価値を維持することが困難であるとき」という上記の指針に合致する場合には，処分の必要性の要件を満たす場合があろう。

(2)　**処分を命ずることができない場合**（本条1項ただし書）

本条1項ただし書は，①相続人が一人である場合においてその相続人が相続の単純承認をしたとき，②相続人が数人ある場合において遺産の全部の分割がされたとき，③952条1項の規定により相続財産の清算人が選任されているとき，という3つの場面で相続財産の保存に必要な処分を命じることができないこととしている。

本条ただし書の趣旨については，次のような説明がなされている（民不登部会資料34・12頁）。

①相続人が一人である場合においてその相続人が相続の単純承認をしたとき，②相続人が数人ある場合において遺産の全部の分割がされたときについては，いずれも，相続財産に属する財産が浮動的・暫定的な状態にあるわけではなく，その財産の帰属は確定していることから，その所有者においてその財産を本来自由に管理することができるはずであり，そのような場合にまで第三者が所有者の判断に介入することを一般的に正当化することは困難である。

また，③相続人のあることが明らかでない場合において，952条1項に基づく相続財産清算人が先に選任されていたときは，この相続財産清算人の権限は，本条に基づく相続財産管理人の権限を包摂する関係にあるため，別途，本条に基づく相続財産管理人を選任する必要性に乏しい。

以上のような理由に基づき，これら3つの場面においては，相続財産の保存に必要な処分を命じることができないこととしている。

(3)　申 立 権 者

処分の必要性の要件が満たされた場合，利害関係人または検察官の請求により，家庭裁判所がいつでも相続財産の保存に必要な処分を命ずることができる（本条1項，家事別表一89項，同190条の2第2項）。令和3年改正の検討段階でも，改正前918条2項と同様の「利害関係人又は検察官」という文言が提案され（中間試案第2の4(1)①），そのまま維持されて本条のような文言となっている。

申立権者とされる利害関係人とは，相続債権者，共同相続人，次順位相続人など広く法律上の利害関係のある者をいう（注解全集310頁〔中川良延〕）。包括受遺者も含まれる（松原III 123頁）。相続人のあることが明らかでない場合における相続財産清算人（改正前の相続財産管理人）の解釈として，包括受遺者だけでなく特定受遺者も利害関係人に含まれると解した裁判例がある（東京地判昭30・8・24下民集6巻8号1668頁）。その他，いかなる者が利害関係人に当たるかについては，個別の場面により異なるため，処分の必要性の要件（一(1)）に関する叙述も参照されたい。

共同相続人が申立権者になるかについては，熟慮期間中に関する改正前918条2項の解釈としては申立権者となるとする理解が多数であった（注解全集310頁〔中川〕（熟慮期間中の単独相続人も含まれるとする），注解判例690頁〔笹本忠男〕，新版注民(27)〔補訂版〕487頁〔谷口＝松川〕)。令和3年改正を受けて，相続人の申立権を否定する見解が現れている（本山敦編著・逐条ガイド相続法 民法882条〜1050条〔2022〕66頁〔遠藤隆幸〕）。この見解は，共同相続人間の紛争があった場合に，遺産の隠匿等を防ぐためには，保存のための相続財産管理人が選任される場合に併せて相続人の管理処分権を制限しなければ実効的に機能しないという理解を前提としている。その上で，令和3年改正の検討段階において，保存のため相続財産管理人が選任された場合に相続人の管理処分権を制限することの可否について検討がなされ，制限をすることにつき消極的な立場がとられた（民不登部会資料34・13-14頁）以上，本条は，「共同相続人間の調整等のためではなく，相続債権者や問題のある財産についての利害関係人等，第三者に損害を与えないための管理に関する規定と位置づけられる」としている（本山編著・前掲書66頁〔遠藤〕）。このような理解から，相続人の申立権を否定するという解釈を導いている。もっとも，法制審議会では，家庭裁判所が相続人の管理処分権を制限することを可能とする規律を提案していないのみであり，相続人自身の管理権が制限されるかについて「引き続き解釈に委ねられる」（民不登部会資料34・14頁）とされているにとどまる（一(5)(エ)を参照)。また，本改正による相続財産管理人制度の理解についても，中間試案段階ではあるが，「中間試案は，相続財産に属する土地が荒廃しつつある等，相続財産に属する個別財産に問題がある場合に対処することを想定している。最終的に遺産分割をする相続人のための管理であり，相続債権者等のためではない」（宮本誠子「相続財産の管理」ジュリ1543号〔2020〕39頁）という理解もある。遺産分割について争いがある場合の遺産管理については，家事事件手続法200条の遺産管理人制度により手当てがなされていることは確かであるが，本条のような広い射程を有する制度において，相続人の申立権を一切否定するための論拠としては，上記のような説明では十分ではないように思われる（たとえば，相続財産である不動産が遠隔地にあるという理由で相続人が利害関係人として相続財産の管理人を申し立てることは認められてしかるべきであるように思われる)。

検察官にも，公益の代表者として申立権がある。相続人のあることが明らかでない場合に関して，国庫や都道府県知事等行政の長に申立権があるかが問題となるが，952条1項の相続財産清算人の申立権者に関する議論と基本的には同様になるものと思われるため，同条の請求権者に関する叙述を参照されたい（→§952 II 1⑵）。

⑷　処分の内容

保存に必要な処分の内容としては，財産管理人の選任（本条1項）および改任（家事190条の2第2項の準用する同125条1項。管理者の改任とは，旧管理者を解任し，新管理者を選任することをいう（新基本法コメ・人事347頁〔宮本誠子〕)），財産の封印，換価その他処分の禁止，占有移転禁止，財産目録の調製・提出などが挙げられる（なお，我妻・判コメ165頁は，「保存に必要な処分には制限がない」とする）。その他にも，熟慮期間中の相続人が，相続財産を管理するに際し，管理行為か処分行為か判断が難しい行為をする際に，確実に選択権を留保するべく家庭裁判所に保存に必要な処分を請求することもできよう。同様に，限定承認の申述をした者が，相続財産を管理するに際し，法定単純承認事由（921条3号の事由）があることとされ，937条が適用されることのないよう家庭裁判所に保存に必要な処分を請求することもありうるだろう。

なお，保存に必要な処分の申立てを認容する審判または申立てを却下する審判のいずれにも，不服申立てはできない（岡本和雄「相続財産の保存・管理に関する審判事件の手続」金法1078号〔1985〕79-80頁）。

⑸　相続財産管理人の選任

㋐　管理人の資格　　家庭裁判所が相続財産管理人を選任する場合に，管理人の資格について制限があるのか，とりわけ相続人を選任することができるのかが問題となる（相続人の存在が明らかでない場合以外で問題となる）。この点，管理人の資格に制限はないという見解が一般的である（我妻・判コメ165頁，相続人自身を選任できないとするものとして近藤・下770頁，中川編・註釈上237頁〔谷口知平〕。いずれも熟慮期間中を前提とした叙述である）。もっとも，共同相続人間での対立が激しく，相続財産の適切な管理・保存が期待できないような場合には，相続人の1人を相続財産管理人に選任するのは不適切であるとの指摘がある（潮見〔初版〕65頁。ただし第2版には該当の記述がない）。

㋑　管理人の権限　　管理人の権限について，本条2項は28条を準用する。28条は,「103条に規定する権限を超える行為を必要とするときは，家庭裁判所の許可を得て，その行為をすることができる」と規定する。したがって，管理人は，保存行為，物または権利の性質を変えない範囲内における利用行為・改良行為を行うことができ（ただし，村松＝大谷編・Q＆A 224頁は,「『相続財産の保存に必要な処分』とは，現行民法〔筆者注：令和3年改正前〕918条2項の規定と同じく，相続財産の現状を全体として維持するために必要な処分を意味しており，相続財産の保存と離れた利用・改良を目的として処分を命ずることまで想定されているものではない」とする），それを超える行為をする場合には，家庭裁判所の許可が必要となる。

相続財産管理人は相続人の法定代理人と解される（潮見161頁)。相続財産法人が成立している場合は，当該法人の法定代理人となろう。熟慮期間中の相続財産管理人の法的地位は必ずしも明らかでないが，相続財産を権利能力なき財団と観念するのであれば（たとえば，近藤・下770頁)，当該権利能力なき財団に対する法定代理を観念しえよう。そして，相続人が確定した段階で，相続人がその地位を承継することになろう。

具体的な場面における家庭裁判所の許可の可否について，下記のような議論がある。

まず，相続財産に属する財産が第三者に賃貸されている場合に，相続財産管理人は，相続人に代わって賃料を受け取ることが可能であると考えられる。相続財産管理人は，相続財産に属する財産全般について管理する権限を有するからである（村松＝大谷編・Q＆A 228頁)。

これに対して，相続財産管理人は，相続財産の保存のために選任されるものであり，相続財産の一部を売却するなどの処分行為をすることは基本的には想定されない。すなわち，職務上の義務に反し，裁判所は許可をしないことが想定される（民不登部会資料34・15頁)。もっとも，相続財産の管理費用を捻出するために相続財産の一部を売却する行為については，当該行為がその職務に照らして必要かつ相当である場合には，裁判所の許可を得た上で売却を行うことは考えられる（民不登部会資料34・15頁，潮見161頁，荒井・Q＆A 187頁)。

相続債務の弁済について，法制審議会での中間試案の段階では，保存のための相続財産管理人は，相続債務の弁済をすることはできないとすることを提案していた（第2の4(1)③および(2)③）。もっとも，その後，相続財産を相続債務の弁済の原資とすることを禁ずる規律を設けることはしないこととしている（民不登部会資料34・17頁）。それは，以下のような考えに基づいている（民不登部会資料34・16-17頁）。

一般論として，相続人が数人ある場合には，相続債務は遺産分割の対象ではなく，共同相続人に当然に承継されているし，その弁済のための原資を相続財産から拠出することは分割されるべき相続財産の減少をもたらすものであり，その財産の保存に資するとはいえないから，相続財産管理人は，相続債務の弁済を行うべきではない。

そのような立場に立つとしても，例えば，相続財産に借地上の建物が含まれ，被相続人の生前（または死後）に生じた賃料の弁済をしなければ，建物の存立基礎を失うなど，弁済をしなければ相続財産の保存ができなくなるケースでは，相続財産管理人が相続債務の弁済をする必要があり，管理すべき財産を原資として弁済をすることは，その職務の目的に必ずしも反するものではないということができる。

このように，管理人は，相続債務の管理をするものではなく，基本的には相続債務の弁済をすべきではないが，相続財産（積極財産）の保存のために必要がある場合には，事案に応じて，相続債務の弁済をすべきケースもあるものと考えられる。そのため，相続財産を相続債務の弁済の原資とすることを禁ずる規律を設けることはしないこととされた。

なお，相続人のあることが明らかでない場合には，相続債務は，相続財産法人に帰属する（951条）が，952条以下の手続を経た上で，申出をした相続債権者その他知れている相続債権者に平等に弁済する（957条2項の準用する929条）などとされている。そのような手続を経ないまま，相続財産管理人が弁済をすることは許されないこととなろう（民不登中間試案補足説明86頁）。そうなると，相続財産管理人としては，家庭裁判所に相続財産清算人の選任の申立てをすることとなる（952条）。この申立ては，相続財産の保存行為の範囲を超え，裁判所の許可が必要となり，相続財産清算人の職務に応じて，予納金の納付が別途必要な場合もある（村松＝大谷編・Q & A 232-233頁）。

相続債務の弁済に関する上記のような立場とは異なり，家事事件手続法200条の遺産管理人や不在者財産管理人に関する実務運用などを参照した上で，弁済期の到来した相続債務の弁済については，弁済をしなければ債務不履行による損害賠償責任の問題となるため，当然に弁済できるという立場も主張されている（荒井・Q & A 190頁。このように考えるとしても家庭裁判所や相続人と綿密なコミュニケーションを行うことが必要であるとする）。可分債務が数人の相続人間で当然に分割されるという規律があるとともに，後に見るように管理人の選任により相続人の管理権が制限されるのかについての解釈が必ずしも明らかではない中で，管理人に当然に弁済権限があるという解釈を採用することには困難があるように思われる。

(ウ)　管理人の義務等　　管理人は，管理すべき財産の目録を作成する義務を課されている（本条2項が準用する27条1項）。また，家庭裁判所は，管理者に対して財産の状況の報告および管理の計算を命ずることができる（家事190条の2第2項が準用する同125条2項）。この報告および計算に要する費用は，相続財産の中から支弁される（家事125条の2第2項が準用する同125条3項）。

家庭裁判所は，管理人に財産の管理および返還について相当の担保を立てさせることができる（本条2項が準用する29条1項）。その趣旨は，管理人の相続人に対する相続財産の返還，損害賠償義務（家事190条の2第2項が準用する同125条6項がさらに準用する民646条・647条）を確保することにある（岡本・前掲論文80頁）。家庭裁判所は，担保の増減，変更または免除を命ずることができ（家事190条の2第2項が準用する同125条4項），財産の管理者の不動産または船舶の上に抵当権の設定を命ずる審判が効力を生じたときは，裁判所書記官は，その設定の登記を嘱託しなければならない（家事190条の2第2項が準用する同125条5項）。

また，家事190条の2第2項が準用する同125条6項は，民法644条，646条，647条および650条の規定を財産の管理者について準用する（以下，準用の根拠規定については省略する）。したがって，管理人は，善良なる管理者の注意をもって管理事務を処理する義務を負う（644条）。また，管理人は，管理事務を処理するに当たって受領した金銭を相続財産に組み入れる義務を負う（646条1項。収受した果実についても同様とする）。相続財産のために自己の名で取得した権利についても同様である（646条2項）。そして，相続財産に組み入れるべき金額または相続財産の利益のために用いるべき金額を自己のために消費したときは，その消費した日以後の利息を支払うとともに，それでもなお損害がある場合にはその賠償の責任も負う（647条）。さらに，管理人は，委任事務を処理するのに必要と認められる費用を支出したときは，相続人または相続財産法人に対し（熟慮期間中の場合，相続財産または終局的な相続人に対し（近藤・下772頁）），その費用および支出の日以後におけるその利息の償還を請求することができる（650条1項）。管理事務が終了する際に行われる相続財産の収支の計算の中で処理されるのが通常であろう。また，管理人は，管理事務を処理するのに必要と認められる債務を負担したときは，相続人または相続財産法人に対し（熟慮期間中の場合，相続財産または終局的な相続人に対し），自己に代わってその弁済を請求することもできる（650条2項）。そして，管理人は，管理事務を処理するために自己に過失なく損害を受けたときは，その賠償を請求することができる（650条3項）。これらの費用は，885条により相続財産の負担となる（新基本法コメ25頁〔幡野弘樹〕）。

管理人の報酬については，当然に認められるわけではなく，家庭裁判所の判断により付与することができる（本条2項が準用する29条2項）。通常は，管理事務の終了報告をする頃に報酬付与の申立てがなされるようである（一第1巻§29 II）。報酬債権については，他の管理費用とともに共益費用として相続財産の上に一般先取特権を有する（307条。新版注民(27)〔補訂版〕488頁〔谷口＝松川〕）。通常，管理人は，管理財産の中から報酬を差し引いてその清算を行う（岡本・前掲論文81頁）。

相続財産の管理人は，相続財産の破産開始手続の申立権者となっている（破224条1項）。

㈣ 管理人と相続人の関係　管理人が選任された場合に，相続人自身の管理権は制限されるのか。この点につき，令和3年改正の立案段階では，保存に必要な処分として相続人の管理処分権を制限することを可能にする規律の是非が検討されたものの，最終的には，そのような規律をもうけることの提案はなされていない。その理由として，①遺産分割前の相続財産は，暫定的とはいえ，相続人らに遺産共有状態で帰属しており，相続人が自己の持分を処分することは禁じられていないこと，②遺産分割について争いがある場合の遺産の管理については家事事件手続法200条で手当てされていることなどが挙げられている（部会資料34・13-14頁）。

改正前918条2項に基づく相続財産管理人が選任された場合に相続人自身

の管理権が制限されるかどうかについては，肯定・否定の立場が分かれていた。令和3年改正の立法過程では，この点について「引き続き解釈に委ねられることとすることが考えられる」と述べられている（部会資料34・14頁）。そこで，以下では，改正前918条2項に関する議論を紹介することとする。

一方で，財産分離の場合には，相続財産の管理人が選任された場合，管理義務を負わないこととなる（944条1項ただし書）ために，同条に準じて相続人の管理義務を否定する立場がある（於保不二雄「共同相続における遺産の管理」家族法大系Ⅶ 101頁）。管理人選任の実効性という観点から相続人の管理義務を否定する立場があった（家庭裁判所身分法研究会「身分法研究〔第40回〕」ジュリ364号〔1967〕106頁〔野田愛子〕。その他に相続人の管理権を否定するものとして，高木320頁，岡垣・家審講座Ⅱ 132頁）。大阪高裁昭和46年5月18日判決（下民集22巻5=6号622頁）は，「選任処分の反面には，本人たる相続人の管理権について，その一時的な行使の制限の処分を当然に含むものと解釈するを相当とする」と判示する（相続人を被告として訴えが提起された事案で，相続財産管理人に訴訟追行の代行権限を認めた事例。原告は，被相続人が土地を無断転貸したことを理由に賃貸借契約の解除を主張したが，土地収去建物明渡しを求める訴えの提起自体は被相続人の死亡後になされた）。

他方で，相続人が処分権限を失う明文の規定もなく，処分権限を失うことを公示する方法もないため，相続人の行為の効力そのものを奪うことは現行法（改正前）では無理であろうという立場もあった（我妻・判コメ166頁・192頁，片岡ほか259頁，雨宮則夫＝石田敏明＝近藤ルミ子編・相続における承認・放棄の実務Q＆Aと事例〔2013〕63頁〔岩田淳之〕）。後者の立場によれば（前者の立場によっても注意的に），家庭裁判所が管理人の選任とともに，相続財産の処分および占有移転の禁止を命じて相続人の権限を停止することが有用といえる（新版注民(27)〔補訂版〕489頁〔谷口＝松川〕，中川＝泉376-377頁，雨宮ほか編・前掲書63-64頁，松原Ⅲ 124頁など）。なお，仮の地位を定める仮処分命令によって，相続人に対して相続財産の管理権・処分権行使の禁止を命ずるとともに，管理人が選任された事例として東京地裁昭和15年11月29日判決（新聞4692号7頁）がある。

(ｵ)　訴訟の追行　　相続財産管理人による相続財産に関する訴訟の追行については，改正前・改正後ともに特段の規定は置かれていない。

先例としては，次のようなものがある。第1に，改正前936条1項の相続財産管理人は，相続財産に関する訴訟については，相続人が当事者適格を有し，相続財産管理人は，相続人全員の法定代理人として訴訟に関与するとされていた（最判昭47・11・9民集26巻9号1566頁）。

第2に，家事事件手続法200条1項に基づき選任される遺産管理人は，相続財産に関して提起された訴えについて，相続人の法定代理人として応訴することができると解されている（最判昭47・7・6民集26巻6号1133頁。遺産管理人が応訴する際，裁判所の許可は不要としている。ただし，家事審判規則106条1項下での判示）。

改正後において，管理人がどのような場面で訴訟の追行が認められるのかについては，解釈に委ねられることになる。もっとも，訴えの提起をする場合，訴訟上の和解をする場合については，裁判所の許可が必要であると解されている（村松＝大谷編・Q & A 229頁。相続債務に関する応訴権限について検討するものとして，日弁連WG 259頁以下〔入江〕）。

(カ)　管理人による供託　　相続財産の保存のための相続財産管理人が，相続財産に属する財産の処分などにより金銭が生じた場合には相続人に引き渡すべきであるが，相続人のあることが明らかではないケースでは引渡しを行うことができず，相続人がいるケースでも，相続人が受取りを拒絶する場合があり得る。このような場合には，相続財産の維持を図りつつ，管理事務の合理化・適正化を図ることが望ましいといえる（村松＝大谷編・Q & A 231頁，民不登部会資料34・20頁）。

そこで，令和3年改正後の家事事件手続法では，家庭裁判所が選任した管理人は，相続財産の管理，処分その他の事由により金銭が生じたときは，相続人のために，当該金銭を相続人の財産の管理に関する処分を命じた裁判所の所在地を管轄する家庭裁判所の管轄区域内の供託所に供託することができることとなった（家事190条の2第2項が準用する同146条の2第1項）。なお，家庭裁判所が選任した管理人は，これに基づいて供託をしたときは，法務省令で定めるところにより（令和4年法務省令42号1条は，官報により行うこととする），その旨その他法務省令で定める事項（同2条3項）を公告しなければならない（家事190条の2第2項が準用する同146条の2第2項）。

このように，管理人による供託に関する規律は，不在者財産管理制度に関する規定（家事146条の2）を準用している。この規定は令和3年改正により導入されたものであるが，改正前は，不在者財産管理制度において管理対象財産に現金が残存している場合に管理人の選任処分の取消審判がなしうるかが明らかでなかった。改正により，①不在者財産管理人の管理している現金の供託が可能であること，②その供託が選任処分取消事由となることが明確にされた（家事147条。以上につき，日弁連WG編264頁以下〔入江〕，民不登中間試案補足説明75-77頁）。

(キ)　管理事務の終了　　家庭裁判所は，①相続人が財産を管理することができるようになったとき，②管理すべき財産がなくなったとき（家庭裁判所が選任した管理人が管理すべき財産の全部が供託されたときを含む），③その他財産の管理を継続することが相当でなくなったときは，相続人，管理人若しくは利害関係人の申立てによりまたは職権で，管理人の選任その他の財産の管理に関する処分の取消しの審判をしなければならない（家事190条の2第2項が準用する同147条）。

①・②は財産の管理に関する処分を取り消すべきであることが明らかな取消事由であり，③は一般的・包括的な取消事由となっている（家事事件手続法125条7項に関する金子修編著・逐条解説家事事件手続法〔2版，2022〕492頁を参照）。

③のその他財産の管理を継続することが相当でなくなったときとは，たとえば897条の2第1項ただし書に該当する事由が生じたときが挙げられる。すなわち，ⅰ相続人が一人である場合においてその相続人が相続の単純承認をしたとき，ⅱ相続人が数人ある場合において遺産の全部の分割がされたとき，ⅲ952条1項の規定により相続財産の清算人が選任されているときは取消事由に該当することとなる（村松＝大谷編・Q＆A 232頁）。

また，管理人が管理をすることができなくなったとき，あるいは管理人による管理が不適切なときは，家庭裁判所は，職権で管理人を改任することができる（家事190条の2第2項が準用する同125条1項）。

〔幡野弘樹〕

（共同相続の効力）

第898条①　相続人が数人あるときは，相続財産は，その共有に属する。

②　相続財産について共有に関する規定を適用するときは，第900条から第902条までの規定により算定した相続分をもって各相続人の共有持分とする。

〔対照〕　フ民815，ド民2032・2046・2047・2058・2060

〔改正〕　(1002)　②＝令3法24新設

（共同相続の効力）

第898条　（略，改正後の①）

（第2項は新設）

細 目 次

Ⅰ　本条の意義

1　序　　説

本条は，899条とともに相続開始後の共同相続における法律関係を規定したものである。現在，判例学説上争いがないのは，本条によって共有に属するとされた財産のうち遺産分割時になお現存する財産の共同相続人間での終局的帰属を確定するためには，遺産分割を経ることが必要であるということである。

従来，本条に関しては，本条にいう「共有」とはどのような共同所有を指すのかが議論されてきた（→Ⅱ）。もちろん，このこと，すなわち本条にいう「共有」がどのようなものであるかが重要であることに疑いはない。ただ，それ以前に，そもそもどのような権利義務が「共有」の対象となるかということとの関係でも，本条をどのように理解するかは，重要な意義を有する。というのは，本条にいう「共有」の理解のしかたいかんによっては，相続を原因として共同相続人に承継されるものの，「共有」とはならず，相続開始時に共同相続人間で当然分割となる権利義務が存在することになるのであって，しかも現に判例はそのような権利義務の存在を肯定しているからであり，さらには，実務は，相続開始時に共同相続人間で当然分割となる財産は原則として遺産分割の対象とはならないとしているからである。

2　令和3年法改正

令和3年法改正によって，本条には2項が追加された。その結果，共同相続財産に共有の規定が適用される場合には，共同相続人の共有持分の大きさは，法定相続分（または相続分の指定がある場合には，指定相続分）によって定まることになった。

ここでまず問題になるのは，共同相続財産に共有の規定が適用される場合というのはどのような場合かということである。これは，遺産分割に関する特則である民法258条の2が適用される場合を除けば，共有状態にある共同相続財産の管理が問題になる場合であり，その中でも特に重要なのは，持分の価格の過半数によって共同相続財産の管理方法が定まる場合である（→Ⅲ3参照）。つぎに，法理的により重要な問題としては，共同相続財産の管理について持分の価格の過半数が決め手になる場面において，そもそもなぜ，法定相続分（または指定相続分）が決め手になるのかということがある。筆者は，それを決め手とすることは，分割されないままの状態がなんらかの理由により継続している共同相続財産の管理を単純化するためには適切であるが，法理的には軽くない問題を内蔵することになると考える。それは，こういうことである。

一般の共有にあっては，共有者が持分を有するということは，共有者が共有客体の帰属主体であるということを表し，しかも，持分の大きさは，共有客体の受益主体としての地位の割合を直截に示している。したがって，共有客体の管理の仕方を共有持分の価格の過半数によって決することには十分な合理性がある。管理の仕方を決めるということは，受益の仕方を決めるという意味を含むものだからである。

これに対して，遺産共有にあっては，同じことは言えない。なるほど，遺産共有は民法249条以下にいう共有にほかならないという確立した判例の立場（→II 1参照）を前提にして改正条文を素直に読めば，各共同相続人は未分割の遺産に対して法定相続分（または指定相続分）に応じた持分を有するということになろう。そして，各共同相続人が共有客体に対して有するそのような持分は，各共同相続人が，遺産分割の場面ではその具体的相続分が結局零ということになるかもしれないにもかかわらず，なお，未分割遺産の管理主体であるということの根拠たる意義を有するのは確かである。しかし，共同相続財産の帰属が終局的に確定する場面，すなわち遺産分割の場面においては，原則として法定相続分（または指定相続分）ではなく具体的相続分が決め手になるのであるから，各共同相続人が未分割の遺産に対して法定相続分（または指定相続分）に応じた持分を有しているということと各共同相続人が共有の客体としての共同相続財産に対して終局的に受益的権利を有することになるということとの間の繫がりは，持分による共有一般における共有者の場合と比較して薄いと言わざるをえない。そして，そうである以上，具体的相続分と一致するとは限らない法定相続分（または指定相続分）の大きさを基準として遺産共有客体の管理の仕方を決定するということに十分な合理性があるかどうかは，少なくとも法理的には問題であると言うほかないのである。

II 「共有」の法的性質

1 判　　例

本条（1項）は，遺産相続に関する明治民法1002条を実質的な変更なしに踏襲したものである。周知のように，立法例にはさまざまなものがあるが，明治民法の起草者は，起草過程において，本条にいう「共有」とは，民法249条以下にいう共有（＝第2編物権にいう共有）にほかならないという見解を示している（各国の立法例・沿革，および明治民法の起草過程における説明についての詳細は，新版注民(27)〔補訂版〕93-100頁〔宮井忠夫＝佐藤義彦〕参照）。

これを受けて判例も，少なくとも一般論としては，本条にいう共有は民法249条以下にいう共有とその性質を異にするものではないとしている。すなわち，最高裁は，まず，明治民法1002条の性質が問題になった事件において，「相続財産の共有（民法898条，旧法1002条）は，民法改正の前後を通じ，民法249条以下に規定する『共有』とその性質を異にするものではないと解すべきである。……それ故に，遺産の共有及び分割に関しては，共有に関する民法256条以下の規定が第一次的に適用せられ，遺産の分割は現物分割を原則とし，分割によって著しくその価格を損する虞があるときは，その競売を命じて価格分割を行うことになるのであって，民法906条は，その場合にとるべき方針を明らかにしたものに外ならない。」とした（最判昭30・5・31民集9巻6号793頁）（→§906 I）。ついで，共同相続人の一部から遺産を構成する特定不動産の共有持分を譲り受けた者が共有関係の解消のためにとるべき手続は通常の共有物分割訴訟であることを判示する前提として，「共同相続人が分割前の遺産を共同所有する法律関係は，基本的には民法249条以下に規定する共有としての性質を有すると解するのが相当で」あるとし（最判昭50・11・7民集29巻10号1525頁），また，遺産確認の訴えが適法であることを宣言する前提として「共同相続人が分割前の遺産を共同所有する法律関係は，基本的には民法249条以下に規定する共有と性質を異にするものではない」と判示し（最判昭61・3・13民集40巻2号389頁），さらには，いわゆる広義の再転相続に関する判示の中で「遺産は，相続人が数人ある場合において，それが当然に分割されるものでないときは，相続開始から遺産分割までの間，共同相続人の共有に属し，この共有の性質は，基本的には民法249

条以下に規定する共有と性質を異にするものではない（最高裁昭和28年(オ)第163号同30年5月31日第三小法廷判決・民集9巻6号793頁，最高裁昭和47年(オ)第121号同50年11月7日第二小法廷判決・民集29巻10号1525頁，最高裁昭和57年(オ)第184号同61年3月13日第一小法廷判決・民集40巻2号389頁参照)。」としている（最決平17・10・11民集59巻8号2243頁）。

なお，金銭その他の可分債権は法律上当然に分割され，各共同相続人がその相続分に応じて権利を承継する旨を判示した大審院大正9年12月22日判決（民録26輯2062頁），最高裁昭和29年4月8日判決（民集8巻4号819頁）について，判例は，それらは，898条にいう共有は249条以下にいう共有であるという解釈を「前提とするものというべきである」（前掲最判昭30・5・31）としている。もっとも，そこでいう「前提とする」ということの意味は必ずしも明確ではない。相続財産の共有が249条以下にいう共有であるならば，債権は原則として準共有の対象となるはずであるが（264条本文），判例は，「前提とする」と述べるにとどまり，相続財産が民法249条以下の共有に服することと可分の債権が相続開始時に共同相続人間で当然分割されることをつなぐ解釈論を少なくとも明示的には提示してはいない。

たしかに，明治民法の起草過程における起草者の説明の中では，各共同相続人は連帯してではなく相続分に応じて権利を取得し義務を負担する旨の説明がされている（新版注民(27)〔補訂版〕98頁〔宮井＝佐藤〕参照)。しかし，実は，この説明は，明治民法1002条（現898条）に関する説明ではなく，明治民法1003条（現899条）に関する説明であり，しかも，そこでも現898条の法文と可分の権利の当然分割という結論をつなぐ条文解釈は提示されていない。この点について，比較的近時の学説の中には，判例の立場の説明として，427条以下が264条ただし書にいう「特別の定め」に当たるという解釈を提示するものがある（米倉明「銀行預金債権を中心としてみた可分債権の共同相続――当然分割帰属なのか」タートンヌマン6号〔2002〕42頁，川地宏行「共同相続における預金債権の帰属と払戻」名法254号〔2014〕909頁，窪田充見「金銭債務と金銭債権の共同相続」論ジュリ10号〔2014〕123頁等)。

2 学　説

明治民法施行直後の学説は，1に述べた判例と同じく，現本条に相当する明治民法1002条にいう共有とは物権編に規定される共有であり，可分債権債務は相続開始時に当然分割されるとしていた（梅112頁）。しかし，この見解に対してはしだいに疑問が呈されるようになり，学説上は，現本条にいう共有は合有であり，債権債務は共同相続人間で当然分割とはならず，いったん不可分的に帰属するという見解も有力になった。この結果，従来からの共有説と合有説の間で論争が生じることになり，この状況が戦後の民法改正後も続くことになった（この間の学説状況の概観については，新版注民(27)〔補訂版〕100頁以下〔宮井＝佐藤〕参照。また，合有説を採った論稿としては，そこに引用されているものの以外に，来栖三郎「共同相続財産に就いて(1)〜(4・完)」同・著作集Ⅲ〔2004〕153頁も参照）。

このような状況の中で，本条にいう共有は249条以下にいう共有（＝民法第2編物権にいう共有）なのかそれとも合有なのかという議論の立て方は必ずしも適切ではないということを指摘する論稿が現れた（品川孝次「遺産『共有』の法的構成――共有論と合有論の対立をめぐって」北法11巻2号〔1961〕178頁）。すなわち，品川は，遺産「共有」を単純に物権編・債権編の規律に委ねてしまうのは適切ではないということを前提にしつつも，(1)合有説のうち，合有概念を用いなければ導きがたい帰結――すなわち，特別財産として相続財産の一体性を承認したうえで，その一体性が維持されているかぎりでは，その財産をもっぱら相続債権者のための責任財産とする帰結――を導こうとする学説は，日本法の解釈としては成り立ちがたいこと，(2)それ以外の合有説は，合有という概念を，実質的には特殊な共有ないしは修正された共有という意味で用いていること，(3)可分債権債務が相続開始時に当然分割となるかそれともなんらかの形で不可分的に共同相続人に帰属するのかという点に関しても，共有・合有という概念は，見解の対立軸を描き出すためには適切なものとはいえない状況になっていること，(4)合有概念が19世紀ドイツに特有の政治的実践的意図を伴って用いられたことを考慮すれば，合有概念は，特殊な共有ないしは修正された共有を表すための術語としては適切ではなく，相続財産の共有は，むしろ端的に「修正された共有」という概念によって表されるべきことを指摘したのである。

この指摘は，従来からの議論の蓄積の上にあり，必ずしも突然あらわれたものというわけではない（たとえば，可分債権債務に関する議論は，図式化の点を除けば，品川が自認するように藪重夫「債務の相続」家族法大系Ⅵ 219頁に依拠している)。しかし，明確な言語化の意義はやはり大きいと評価すべきであり，これ以降，議論の仕方は，従来と比較してより帰納的な方向，すなわち，個々の問題状況でどのような帰結が妥当なのかをまず検討する方向に動くことになった。たとえば，鈴木禄弥・相続法講義〔1968〕166頁・168頁は，「わが民法のもとにおける『遺産共有』は，典型的な合有でも共有でもなく，いわば，その中間的なものであるから，それが共有か合有かの決着をつけよう，という論争は，実益のないことである。大事なのは，……わが民法のもとで遺産分割前の各共同相続人が遺産につきどのような権利をもつと解すべきかを具体的に検討することである。」と述べている。

もっとも，具体的な検討が重要であるのは間違いないにしても，契約関係の推認・擬制または特別法によるならばともかく，そうでないかぎり，個々の問題状況において妥当な帰結を法律論として成立させるためには，最終的には相続財産の共同相続人への帰属形式を画定することが必要なことには変わりがない。この点を踏まえて議論の方向性が変化した後の学説を検討すると，それらは，「共有か合有かの決着をつけ」るということを指向するものではないのは確かであるが，かといって帰属形式に関する議論を無用としているというのでもないように思われる。むしろ，帰属形式に関しては，多くの学説は，おそらくは判例の準則への接合可能性ということも考慮して，相続財産の共同相続人への帰属形式自体は基本的には判例と同じく249条以下にいう共有であることを承認したうえで，なお，判例の準則の方向性とは必ずしも一致しない形で，終局的帰属確定に向けられた，帰属という点では暫定的な状態にある財産関係にどのような特別の属性を認めるべきか，という観点から議論を行っていると評価するのが適切であるように思われる。このような見地から，いくつかの見解を挙げると，つぎのようになる（もちろん，この時期においても，中川＝泉223頁のように，遺産分割前の相続財産が有する特別の属性を統一的に把握する概念として合有概念が適切であるという主張が存在することは，看過されるべきではない)。

まず挙げるべきは，帰属形式としては249条以下の共有であることを一応前提としつつ，遺産分割を通して共同相続人間の衡平を確保するという見地から，「遺産の《共同所有》」は「遺産分割の構造によって規制される《特殊の共同所有》である」とし，共同相続財産に「包括的単一性」という属性を認めるべきとする有地亨の議論である（有地亨「共同相続関係の法的構造」民商50巻6号835頁，51巻1号32頁〔1964〕)。具体的には，有地は「包括的単一性」の内容として，(1)相続開始後遺産分割前に共同相続財産に生じた変動を遺産分割の対象に反映させる，すなわち，滅失した財産を遺産分割の対象から除外する一方で，生じた果実や代償物を遺産分割の対象とする，(2)可分債権を遺産分割の対象とする，(3)分割前の共同相続財産は相続債務の弁済に充てられる一般担保物を構成する，等の解釈論を提示している。

つぎに，具体的な解釈論的帰結という点では有地と若干相違があるが，相続財産の共同相続人への帰属形式は基本的には249条以下の共有であること，および，可分債権は共同相続人に分割帰属することを所与としつつ，しかしそのこととは関わりなしに，相続財産および相続財産に由来する財産の共同相続人への終局的帰属は，とにかく遺産分割（協議による分割，一部分割を含む）を経てはじめて確定するとすることによって，大きな方向性という点で有地と共通の地平に到達したものとして，1996年版の鈴木における遺産構造論を挙げることができる（この点について，詳細は，川淳一「鈴木相続法学における『未分割』の遺産に対する共同相続人の法的地位と広義の再転相続」鈴木禄弥追悼・民事法学への挑戦と新たな構築〔2009〕865頁参照。なお，鈴木にあっては，遺留分減殺請求権によって回復された財産も共同相続人間では遺産分割を経てはじめて共同相続人間での終局的帰属が確定するのであり，共同相続人間での衡平を確保する仕組みとしての遺産分割の重視という点では，鈴木は有地よりもさらに徹底していると評価できる)。

他方，このように共同相続財産の共有は249条以下にいう共有であるとしながら，同時に遺産分割によって強く規定されるとすると，たとえば未分割の相続財産の持分の譲渡における相続分と遺産分割において決め手になる相続分の間の乖離をどのように法律構成するかという疑問も顕在化する。林良平の萌芽的な示唆を受けて右近健男が展開した二重の共有説は，この問題に対する一つの答えであると評価することができる（林良平「遺産共有と遺産分割」太田武男還暦・現代家族法の課題と展望〔1982〕255頁，右近健男〔判批〕判評373号（判時1333号）〔1990〕36頁。なお，二重の共有説の系譜理解に関して，二重の共有説に対して批判的な立場からではあるが，鷹巣信孝「共同相続財産の『二重の共有』論について(上)(中)(下)」佐賀大学経済論集28巻4号19頁，5号81頁，6号67頁〔1995,

1996〕参照)。この構成においては，共同相続人は，まず，法定相続分によって未分割の相続財産を構成する個々の客体に対する権利を保持し，さらに，未分割の相続財産全体に対して具体的相続分の割合による権利を保持する。そうして，未分割の相続財産に対して権利を取得した第三者との関係では，共同相続人が法定相続分の割合によって個々の客体に対して有する権利が意味を持つ一方で，共同相続人間での遺産分割の場面では，未分割の相続財産全体に対して共同相続人が具体的相続分の割合によって有する権利が意味を持つ，ということになる。

いずれにせよ，ここで留意すべきは，これらの学説，すなわち，相続財産の共同相続人への帰属形式は249条以下の共有であることを一応承認しつつ，なお，その共有関係ないしは共有の対象たる財産に特別の属性を付与しようとする学説の大勢は，問題の種類の財産が本条にいう共有に服するかどうかということとその種類の財産が遺産分割の対象であるかどうかということを，少なくとも直結はさせないようにしているということである。この点は，同じく相続財産の共同相続人への帰属形式を249条以下の共有であるとする判例の準則とこれらの学説の間にある重要な相違点であるということができる。以下に具体的に見ていくように，判例の準則は，本条にいう共有（または準共有）に服するかどうかによって，遺産分割の対象になるかどうかを原則として決しているからである。

なお，小粥太郎は，比較的最近の論稿（「遺産共有法の解釈――合有説は前世紀の遺物か？」論ジュリ10号〔2014〕112頁）において，合有説が目指した帰結への到達を，合有概念からではなく，共有論から離れて，財産分離制度などを介し，場面に即した解釈論によって達成することを試みている。これは，品川以降の学説が前提にしてきたこと，すなわち，相続財産を少なくとも第一次的には相続債権の引当てとするという構成は解釈論としては成り立ちがたいということを克服しようとする試みである。この点において，小粥の議論はパラダイムシフトの方向性を示唆するものであって，遺産共有に関する一般的な学説の流れとは別筋のものというべきであろう。

III　相続を原因とする共有財産の「管理」

1　原則としての民法第2編の適用

判例は，IIにおいて明らかにしたように，相続財産が服する共有は民法第2編にいう共有にほかならないという立場を繰り返し宣言してきている。そのことの論理的帰結として，共同相続財産は，まずは民法第2編中の共有に関する規定（249条以下）に服する。

2　保存行為

相続を原因とする共有に服する財産に関する保存行為は，各共同相続人が単独で行うことができる（252条5項）。保存行為とは，具体的には，財産の現状の維持するためにされる事実行為または法律行為である。例として，家屋などの効用を維持するための修繕，腐敗のおそれのある物の売却等，期限の到来した債務の弁済，不法占拠者に対する妨害排除請求などである（新版注民(27)〔補訂版〕109頁〔宮井忠夫＝佐藤義彦〕）。

判例・裁判例上，保存行為に当たり，したがって各共同相続人が単独でなしうるとされたものとしては，登記簿上所有名義を有する者に対する持分に基づく所有権移転登記の全部の抹消登記請求（最判昭31・5・10民集10巻5号487頁），共有物の不法占拠者に対する共有者全員のためにする引渡請求（広島高米子支判昭27・11・7高民集5巻13号645頁），相続開始後に被相続人を被買取者としてされた農地買収計画の無効確認および不法登記抹消請求（札幌高判昭40・2・27高民集18巻2号162頁。ただし，事案自体は，農地買収計画を有効であるとしたものである），相続した土地についての保存登記（東京高判昭35・9・27下民集11巻9号1993頁。ただし，事案自体は，一部の相続人がした保存登記が有効であることを前提とした，共同相続人間の持分の確認と移転登記請求である）などがある。

また，判例は，一部の共同相続人が遺産たる土地について物理的な変更行為をした場合，原則として，他の共同相続人は自己の持分に基づいて変更行為の全部の禁止および原状回復を求めることができるとしている（最判平10・3・24判タ974号92頁）。一共同相続人が単独で遺産たる財産全体の原状回復を求めることができるとした点で，実質的には前段落で紹介した判例と同列の判断というべきである。

なお，最高裁平成21年1月22日判決（民集63巻1号228頁）は，「預金者が死亡した場合，その共同相続人の一人は，預金債権の一部を相続により取得するにとどまるが，これとは別に，共同相続人全員に帰属する預金契約上の地位に基づき，被相続人名義の預金口座についてその取引経過の開示を求める権利を単独で行使することができる（同法264条，252条ただし書〔令3改正同条5項〕）というべきであり，他の共同相続人全員の同意がないことは上記権利行使を妨げる理由となるものではない。」としている。今日では，最高裁は，後述するとおり，判例変更により，預金契約によって共同相続人が銀行に対して有する預金債権は，共同相続人による準共有に服すると宣言している（最大決平28・12・19民集70巻8号2121頁―Ⅳ3(1)）。このことを踏まえれば，平成21年判決は，準共有された預金債権に関する保存行為についての判決と理解すべきことになろう。

3　管理行為

(1)　定　　義

252条に当てはまる管理行為とは，共有物の変更を伴わない利用行為と改良行為である。使用貸借契約の解除がこれに当たるとした判例がある（最判昭29・3・12民集8巻3号696頁）。そのほか，どのような行為が管理行為に当たるかの例示は，252条の解説にゆずる（→第5巻§252 II 1）。

(2)　管理の態様・管理方法の決定方法

共有者は，その持分に応じて，共有物全体を使用収益できる。他方，共有物をその物の性質に則して使用収益する行為は，共有物の通常の管理行為に当たる（252条1項。なお，共有物の変更・保存に関する251条および252条5項ならびに共有物の管理者に関する252条の2も参照）。そこで，共有者たる共同相続人は，通常の管理行為として，持分の価格の過半数によって，共有物の使用方法・収益分配の方法を決することができる。このとき，共有者の一部の存在または所在が不明である場合と相当の期間を定めて催告したにもかかわらず共有物の管理に関する事項を決することについて賛否を明らかにしない共有者がある場合には，共有者の請求により，裁判所は，それらの共有者を除いた共有者の持分の価格に従い，その過半数で共有物の管理に関する事項を決することができる旨の裁判をすることができる（252条2項）。また，252条1項から3項の規定により，共有者は，共有物に，賃借権等を同条4項各号が定める期間を超えない範囲で設定することができる（同条4項）。

この点に関連して，従来，共有者間の協議を経ないで相続開始前から共有物を独占的に占有する少数持分権者たる共有者がいる場合の扱いという問題があった。すなわち，判例は，遺産分割前の共同相続財産たる不動産に関して，共有者たる共同相続人間の協議を経ないで相続開始前から共有物を独占的に占有する少数持分権者たる共同相続人に対して，持分の価格の過半数を占める共同相続人は，共有物の明渡しを当然には求めることができず，多数持分権者が少数持分権者に対して共有物の明渡しを求めることができるためには，その明渡しを求める理由を主張し立証しなければならないという見解を採っている（最判昭41・5・19民集20巻5号947頁）。そこで，それでは，どのような理由があるときに，どのように持分を理解したうえでその持分の過半数によって共有物の明渡しを求めることができるのかという問題があったのである。

しかし，この問題は，令和3年民法改正によって，少なくとも実務上は解消された。すなわち，まず，改正252条1項が，共有物を使用する共有者がある場合であっても，なお，共有物の管理に関する事項は，各共有者の持分の価格に従ってその過半数で決定される旨を規定した。このことによって，改正252条1項と判例との関係をどのように理解するかという問題は残るにせよ，過半数の持分を有する共有者は，共有者間の決定に基づかずに現に共有物を使用している共有者の同意なしに，共有物を別の共有者に使用させることができることになった（なお，立案担当者は，判例との関係について，改正252条1項に基づいて現在使用している共有者とは別の共有者に使用させる旨の決定がされた場合には，それが判例にいう明渡しを求める理由に当たるとする見解を提示している（村松＝大谷編・Q&A 64頁））。

つぎに，過半数かどうかの決め手になる各共有者の持分の価格の大きさはどのようにして決まるかという点については，新設された本条2項が，900条から902条までの規定によって算定した相続分をもって各相続人の共有持分とすると規定した。すなわち，指定相続分の指定がある場合にはその率分が，指定がない場合には法定相続分の率分が，改正252条との関係では，共有持分の価格の大きさになることが明確に規定された（なお，立案担当者は，別様の解釈がありうることに言及しつつも，相続により生じた共有持分（遺産共有持分）とその他の共有持分が併存しているケースおいて，共有物に共有に関する規定を適用する場合にも，2項の規定が機械的に適用されるものとしている（村松＝大谷編・Q&A 244頁））。

結局，この二つの条文の改正によって，遺産分割前の共同相続財産の管理は，一般共有法の範囲では，改正252条3項が定める例外の場合を除いて，法定相続分（または指定相続分）によって定まる共有持分の価格の過半数によって定まり，現に共同相続財産たる不動産に居住している共同相続人は，共有法のレベルではなんら特別扱いをされないということが明確化されたのである。

(3) 他の共有相続人との協議を経ないで遺産分割前の共同相続財産たる不動産を単独使用する共同相続人が共有持分の過半数による決定とは関わりなしに使用を継続できる場合

もっとも，共有法外では，なお，現に共同相続財産たる不動産に居住している共同相続人が，共同相続人間での共有持分の過半数による決定とは関わりなしに，問題の不動産に居住し続けることができる場合はある。それは次の三つの場合である。

第一は，問題の不動産に居住している共同相続人が被相続人の配偶者であって配偶者短期居住権を取得している場合である（1037条以下）。この場合には，配偶者短期居住権が消滅するまで，共有法は適用されない。

第二は，問題の不動産に居住している共同相続人と被相続人との間に生前存在していた使用貸借関係が，相続開始後も存続している場合である。判例は，被相続人の死亡時に被相続人と同居していた者がある場合には，特段の事情がないときには，同居があった住居について，死亡した者と同居していた者の間に，相続開始後少なくとも一定期間の無償使用の合意があったものとして扱うという方向を示している。すなわち，①被相続人と共同相続人のうちの一部の者が同居していた場合について，遺産分割までは同居の相続人に建物全部の使用権原を与えて相続開始前と同一の態様における無償による使用を認めることが，被相続人および同居の相続人の通常の意思に合致するとし（最判平8・12・17民集50巻10号2778頁），②内縁夫婦の一方死亡の場合について，生存内縁配偶者がそもそも問題の住居について2分の1の持分を持っていたことを前提に，死亡内縁配偶者の持分について，生存内縁配偶者に共有不動産の全面的な使用権を与えて従前と同一の目的・態様の不動産の無償使用を継続させることが両者の通常の意思に合致するとしているのである

（最判平10・2・26民集52巻1号255頁）。

第三は，調停・審判前の保全処分としての遺産の仮分割の仮処分（家事200条2項）が行われた場合である（潮見192頁参照）。従来，不動産の仮処分は，仮分割の内容と異なる本案審判がなされる可能性や現行法上仮分割にもとづく登記手続が存在しないことを理由に，実務上は行われていないとされてきた（新基本法コメ・人事449頁〔浦野由紀子〕）。また，そもそも保全処分の要件として，強制執行の保全または事件の関係人の急迫の危険の防止ということが挙げられていることから素直に考えると，ここで問題にしているような場合に仮分割の仮処分がなされる可能性は，現状では，ないというべきであろう。しかし，他の共有相続人との協議を経ないで遺産分割前の共同相続財産たる不動産を現に単独使用する共同相続人の具体的相続分が当人の法定相続分をはるかに超えることが想定できるような場合であって，しかも問題の不動産がその共同相続人の生業を維持するために必要不可欠であるとみとめられるような場合には，今後は，筆者は，仮分割の仮処分を活用するべきであると考える。

⑷　管 理 費 用

使用貸借が擬制される場合を除いて，遺産の管理費用の負担はどうなるかという問題がある。

持分による共有の一般規定である253条によるという説と885条によるという説があるが，実際上の差はあまりないと評価されている（中川＝泉238頁）。

4　目的物の変更・処分行為

目的物の変更には，共同相続人全員の同意を要する（251条1項）。もっとも，令和3年法改正により，共有者の一部の存在または所在が不明である場合には，共有者の請求により，裁判所は，不明の共有者以外の共有者の同意を得て，共有物に変更を加えることができる旨の裁判をすることができることになった（251条2項）。ここにいう変更には，目的物全体の処分行為も含まれる。

判例上，目的物の変更に当たるとされたものとしては，遺産たる農地に土砂等を搬入して宅地造成を行ったというものがある（前掲最判平10・3・24）。

5　相続財産の果実の扱い

遺産共有に服している財産から法定果実・天然果実が生じた場合，その扱いはどうなるかという問題がある。実務上問題になっているのは，主として，賃貸不動産から生じる賃料の扱いである。

従来，裁判例・学説は多岐に分かれていた。諸見解の分岐は，果実は共同相続人間の共有財産なのかそうでないのか，共有財産であるとした場合はその分割はどのような手続によるべきなのか，という点であった（これらの点については，新基本法コメ50頁〔副田〕49頁参照）。そして，実務的には，果実は共同相続人間での持分による共有に服する財産ではあるが，遺産という性質を有しないものであり，したがって原則として通常の共有物分割手続に服するが，共同相続人間での合意があれば遺産分割手続の対象となるという見解が定着しつつあるともいわれている（松原Ⅱ335頁）。このような傾向は，学説の一つの到達点，すなわち，財産の共同相続人への帰属形式がどういうものであるかということと問題の財産が遺産分割の対象であるかどうかということを直結させないという考え方の，実務における一つの受容であると評価することもできよう。

これに対して，最高裁は，「遺産は，相続人が数人あるときは，相続開始から遺産分割までの間，共同相続人の共有に属するものであるから，この間に遺産である賃貸不動産を使用管理した結果生ずる金銭債権たる賃料債権は，遺産とは別個の財産というべきであって，各共同相続人がその相続分に応じて分割単独債権として確定的に取得するものと解するのが相当である。遺産分割は，相続開始の時にさかのぼってその効力を生ずるものであるが，各共同相続人がその相続分に応じて分割単独債権として確定的に取得した上記賃料債権の帰属は，後にされた遺産分割の影響を受けない」（最判平17・9・8民集59巻7号1931頁）と判示して，果実は遺産とは別個の財産であり，かつ，分割手続を経ることなく，各共同相続人間で相続分に応じて当然分割されることを宣言した。

この最高裁判決は分割の基準となる割合である「相続分」がなにを指すかを明示してはいない。しかし，それは，法定相続分の割合ないしは指定相続分の割合ということにならざるをえない。具体的相続分の割合は遺産分割の場面においてはじめて明らかになるものだからである。また，後に具体的相続分の割合に従った遺産分割がされたとしても，差を不当利得返還請求によって補正するということにもならない。判例は，具体的相続分とは遺産分割手続における分配の前提となるべき計算上の価額またはその価額の遺産の総額に対する割合を意味するものに尽きるとし，当然分割される財産には関わりがない旨を宣言しているからである（最判平12・2・24民集54巻2号523頁）。

この平成17年判決に対しては，実務に定着しつつある見解，すなわち，共同相続人間での合意があれば果実も遺産分割審判の対象となるという見解を否定する趣旨までは含んでいないという評価がある（新基本法コメ49頁〔副田〕）。もっとも，遺産ではないと法性決定された財産を，共同相続人の合意を根拠に遺産分割審判の対象にできるというのは，実体法的には無理があるという指摘もある（潮見336頁）。

6　相続財産の代償財産の扱い

相続開始時に存在し，かつ，遺産分割時にも存在する相続財産であって当然分割の対象にならない財産が遺産分割の対象になることには疑いがない（→§906 VI）。それでは，相続開始時には存在していたが遺産分割時には相続財産から逸失していたものの，なお，その価値を化体する財産が存在する場合，その財産は，遺産分割との関係ではどのように扱われるか。具体的には，相続財産たる不動産が共同相続人全員の合意によって売却された場合の売買代金，相続財産たる財産が火事によって焼失した場合の火災保険金請求権などの扱いが問題となる。

下級審裁判例・学説は，分かれる。

消極説は，遺産分割の対象財産は相続開始時に被相続人に属していた財産のうち遺産分割時点でなお共同相続人間の共有に服する財産のみが遺産分割の対象なのであって，代償財産はこの範疇に収まらないとする（東京家審昭44・2・24家月21巻8号107頁等）。

積極説には，①代償財産は相続開始時に被相続人に属していた財産ではないが，遺産の総合的分割を目指す遺産分割の制度趣旨に照らして，遺産分割の対象となるとするものと（岡垣・家審講座II 90頁等），②物上代位概念を介して代償財産も共同相続人間で相続財産としての共有に服し，当然に遺産分割の対象となるとするものとがある（高木371頁）。両者の違いは，代償財産を客体とする遺産確認の訴えを適法とするかどうかという点に現れる（松原II

318頁）。

最高裁は，昭和50年代の2つの判決において，共同相続人全員の合意によって相続財産たる不動産が売却された場合の売却代金債権は，原則として相続財産には加わらず共同相続人が各持分に応じて個々に分割取得する旨を明らかにしている（最判昭52・9・19家月30巻2号110頁，最判昭54・2・22家月32巻1号149頁。昭和52年判決は，代金を一括受領した相続人に対して他の相続人が相続分に応じた額を請求した事例であり，昭和54年判決はそのような請求が相続財産の回復に当たり884条の期間制限に服するかということが問題になった事例である）。もっとも，これらの判決も，共同相続人間での合意があった場合に代償財産を遺産分割の対象とすることまでも否定する趣旨ではないと思われる（昭和54年判決はその判示の中で「その売却代金は，これを一括して共同相続人の一人に保管させて遺産分割の対象に含める合意をするなどの特別の事情のない限り，相続財産には加えられず,」と述べている）。

なお，これら昭和50年代の2つの最高裁判決の射程について，損害賠償請求権や保険金請求権には当然には及ばないとする評価もある（潮見331頁，新基本法コメ49頁〔副田〕等）。代償財産というカテゴリー自体が解釈論上構築されたものであることも考えると，この評価は首肯できるものである。

また，今後は，問題を代償財産の扱いという形では扱わず，一定の場合には，処分された財産を遺産分割時に遺産としてなお存在するものとみなすことを認めた906条の2にも留意が必要である（→§906の2）。

7　共有持分権に基づく共有物分割請求の可否

これまで確認してきたように，どの範囲の財産を遺産分割の対象とするかについては見解の対立があるが，少なくとも相続開始時に被相続人に帰属し，かつ，分割時にもそのままの形で共同相続人間の共有に服している財産が遺産分割手続（907条）に服することは間違いない。

このとき，まず問題になるのは，遺産分割手続に服する共同相続人間での共有財産について，共同相続人間で一般の共有物分割訴訟によって共有物分割をすることは認められるかである。判例は，認められないとした（最判昭62・9・4家月40巻1号161頁）。遺産共有の法的性質についてどのような見解を採るのであれ，特に遺産分割を対象とした分割手続が用意されている以上，判例の見解は当然というべきである。そして，令和3年法改正により新設された258条の2第1項は，この趣旨を明文化するに至っている。

では，遺産分割前に共同相続人の一人から遺産分割前の財産についての共有持分を譲り受けた共同相続人以外の者がいる場合に，その者が問題の財産について取るべき共有関係の解消のための手続は，遺産分割手続かそれとも問題の財産についての共有物分割手続か。判例は，共有物分割手続であるとした（最判昭50・11・7民集29巻10号1525頁）。同判決は，ここにいう共有物分割手続は，問題の財産を第三者に対する分与部分と持分譲渡人を除いた他の共同相続人に対する分与部分とに分割することを目的とするものであるとし，その手続によって共同相続人に分与された部分は，なお，共同相続人間での遺産分割の対象となるとしている。

それでは，不動産に対して共有持分を有していた者について相続開始があった結果，遺産分割前の共同相続人間での共有関係と一般の持分による共有関係が一つの不動産に併存することになった場合はどうか。判例（最判平25・11・29民集67巻8号1736頁）は，まず，「共有者（遺産共有持分権者を含む。）が遺産共有持分と他の共有持分との間の共有関係の解消を求める方法として裁判上採るべき手続は民法258条に基づく共有物分割訴訟であり，共有物分割の判決によって遺産共有持分権者に分与された財産は遺産分割の対象となり，この財産の共有関係の解消については同法907条に基づく遺産分割によるべきものと解するのが相当である」とした。そしてさらに，共有物分割訴訟において全面的価格賠償の方法が採られた場合には，遺産共有持分を有していた者に支払われる賠償金は，共同相続人間で当然分割されることはなく，遺産分割によってその帰属が確定されるべきものとし，賠償金の支払を受けた者がその時点で確定的に賠償金を取得するわけではなく，遺産分割がなされるまでの間これを保管する義務を負うとし，裁判所は，「その判決において，各遺産共有持分権者において遺産分割がされるまで保管すべき賠償金の範囲を定めた上で，遺産共有持分を取得する者に対し，各遺産共有持分権者にその保管すべき範囲に応じた額の賠償金を支払うことを命ずることができる」と宣言した。

この平成25年判決は，まずは，1個の財産について遺産共有と一般の持分による共有が併存する場合に，その併存状態の解消を，共有物分割訴訟によって，遺産共有の権利者からも求めることができることを明確にした点に意義を有する。さらに，それだけではなく，この判決は，共有物分割訴訟において全面的価格賠償の方法が取られた場合に，賠償金の最終的帰属は遺産分割によってはじめて確定するとして，賠償金債権が各共同相続人にその相続分に応じて分割単独債権として確定的に帰属するという見解を採らなかった点にも，重要な意義を有する。

なお，令和3年法改正によって新設された258条の2第2項は，遺産共有持分とその他の共有持分とが併存する共有物について，例外として，一般の共有物分割手続によって一元的に共有関係を解消することを可能とする仕組みを創設している。これは，一個の共有物の分割を遺産分割と一般の共有物分割とによって行うことが事案によっては煩雑であるということを考慮したものである（村松＝大谷編・Q&A 112頁）。その要件は，相続開始から10年を経過した場合であって，遺産共有部分について遺産の分割の請求があり，かつ，相続人が一般の共有物分割の手続による分割に異議の申出をしたときでないことである。

IV　債権の共同相続（付・現金の共同相続）

1　不可分債権

不可分債権が遺産分割まで全共同相続人に不可分に帰属することには疑いがない。もっとも，全共同相続人に不可分に帰属するということの意味には若干問題がある。

一つの考え方は，不可分債権は264条本文によって共同相続人間の準共有に服するという構成であるが，すでに指摘されているとおり，判例は必ずしもこの構成を採っているとはいいがたく，むしろ各共同相続人が直接不可分債権者になるという構成を採っているという評価が当たっているように思われる（新版注民(27)〔補訂版〕121頁〔宮井忠夫＝佐藤義彦〕）。判例は，土地所有権に基づく建物収去明渡請求の確定判決の事実審口頭弁論終結後に，相続開始によって請求者としての地位が3人の共同相続人に相続された場合において，被請求者が3人の共同相続人のうちの一人から土地の共有持分を取得したときでも，他の共同相続人は429条（平29改正前）の法意に従い，被請求者に対して権利を行使できるとしているからである（最判昭36・3・2民集15巻3号

337頁)。

このような判例の態度を基礎づける法律構成としては，債権については，多数当事者の債権債務関係を規定している427条以下全体が264条ただし書にいう「特別の定め」に当たるとするのが適切であるように思われる。

2　可分債権

判例は，金銭その他の可分債権は，少なくとも一般論としては，共同相続人間での準共有に服することはなく，したがって遺産分割を経ることなく相続開始によって法律上当然に相続分に従って分割され，各共同相続人に確定的に帰属するとしている（最判昭29・4・8民集8巻4号819頁。事案は不法行為に基づく損害賠償請求権が共同相続されたというものである）。この結果，可分債権について共同相続人のうちの一人が自己の相続分を超えて，権限なく権利行使をした場合には，他の共同相続人は問題の権利行使をした共同相続人に対して不法行為に基づく損害賠償請求権または不当利得返還請求権を有することになる（最判平16・4・20家月56巻10号48頁）。

このとき，当然分割の基準たる率分となる相続分とはなにかが問題になる。判例を前提にするかぎり（最判平12・2・24民集54巻2号523頁），それが具体的相続分ではないのは確かである。しかし，相続分指定（902条）がある場合に，分割の基準となる率分は，法定相続分なのかそれとも指定相続分なのかという点が，なお問題になる。

この点については，平成30年法改正によって新設された899条の2が，間接的にではあるが，その率分を指定相続分と規定したということができる。というのは，899条の2は，第1項において「遺産の分割によるものかどうかにかかわらず」と規定することにより，特定財産承継遺言のみならず単純な相続分指定の遺言がある場合にも，相続人は，指定相続分に応じた割合に従って可分債権を取得するものとし，第2項においてその取得を債務者に対抗するための要件を定めたものということができるからである。

他方，学説上は，判例と同じ見解に立つもの，判例の見解とは異なって，可分債権も遺産分割までは何らかの形で不可分的に共同相続人に帰属し，それゆえに遺産分割を経てはじめて共同相続人間での帰属が確定するとするもの（不可分債権説，合有説，準共有説がある。これらについては，松原Ⅱ286-288頁参照），可分債権は共同相続人間で相続開始によって当然分割されるものの，なお，遺産分割を経てはじめて共同相続人間での帰属が確定するとするもの（鈴木200頁）とがある。

なお，遺産分割審判の実務上は，判例の準則にかかわらず，共同相続人全員の合意がある場合には，可分債権を遺産分割の対象に含める扱いをすることが大勢をなしていたといわれている（松原Ⅱ292頁）。

3　預金債権

(1)　普通預金債権

従来の判例においては，普通預金債権は可分債権に関する一般則に服し，相続開始によって相続分に応じて当然に分割され，共同相続人間での帰属が確定的に定まるとされていた（前掲最判平16・4・20）。

これに対して学説上は，そもそも金銭債権一般について相続開始による当然分割を否定するべきであるという見解から，金銭債権一般についての当然分割はしかたないとしても，預金債権（ないしは一定の種類の預金債権）については預金契約上の地位の準共有という構成を介して当然分割を否定する見解まで，主張の内容は様々であるが，判例とは異なる規範を提示するものが多くあった（これらについての詳細は，川地宏行「共同相続における預金債権の帰属と払戻」名法254号〔2014〕912頁・927-929頁を参照）。

また，銀行実務は，判例の準則にかかわらず，当然分割を前提にした各共同相続人による払戻請求には応じず，原則として共同相続人全員の合意がある場合にのみ払戻しに応じていたことは，周知の事実である（もっとも，状況によっては，遺産分割の合意までは必ずしも要求せず，共同相続人中の特定者への払戻しについての合意で足りるとする扱いもあったようである）。

このような状況のなかで，最高裁は平成28年12月19日大法廷決定（民集70巻8号2121頁）において判例変更し，普通預金債権は，契約上の地位の準共有という法律構成を介して，可分債権の一般則には服しないとして判例変更を宣言するにいたった。

すなわち，最高裁は，平成28年決定において，まず，①預貯金が決済手段としての性格を強めていること，②確実かつ簡易に換価できるという点で，現金との差がそれほど意識されないものになっていること，③現金が，評価についての不確定要素が少なく，具体的な遺産分割の方法を定めるに当たっての調整に資する財産であるという事情（最判平4・4・10家月44巻8号16頁参照）は，預貯金についても当てはまる，ということを指摘する。そのうえで，普通預金（ゆうちょ銀行における通常貯金を含む）債権は，「1個の債権として同一性を保持しながら，常にその残高が変動し得るものである。そして，この理は，預金者が死亡した場合においても異ならないというべきである。すなわち，預金者が死亡することにより，普通預金債権及び通常貯金債権は共同相続人全員に帰属するに至るところ，その帰属の態様について検討すると，上記各債権は，口座において管理されており，預貯金契約上の地位を準共有する共同相続人が全員で預貯金契約を解約しない限り，同一性を保持しながら常にその残高が変動し得るものとして存在し，各共同相続人に確定額の債権として分割されることはないと解される」と宣言したのである。

この決定の言い方は，預金者の死亡の届出があると預金口座を「凍結」し，預入れ・払戻し・振替等をしなくなるという銀行の実際の取扱いとは，やや整合を欠く点がないわけではないようにも思われる。しかしいずれにせよ，この決定は，共同相続人は，金銭債権そのものを承継するのではなく，普通預金契約上の地位を承継して準共有すると宣言することを介して，普通預金債権は遺産共有の対象であり，したがって遺産分割を経てはじめて共同相続人間での終局的帰属が確定することを明らかにしたという点には疑いの余地がない（なお，預金の扱いに関しては，909条の2にも留意を要する〔→§909の2〕）。

⑵　定期預金債権等

平成28年決定では，ゆうちょ銀行の定期貯金債権の扱いも問題になった。これについて最高裁は，次のように述べて，相続開始による当然分割を否定している。

すなわち，最高裁は，まず，民営化前の郵便貯金法の規定を引いて，民営化前の定期貯金が，「一定の預入期間を定め，その期間内には払戻しをしない条件で一定の金額を一時に預入するものと定め（7条1項4号），原則として預入期間が経過した後でなければ貯金を払い戻すことができず，例外的に預入期間内に貯金を払い戻すことができる場合には一部払戻しの取扱いをしないもの」（旧郵便貯金法59条・45条1項2項）であったとし，ついで，そのような制限の趣旨は，「定額郵便貯金や銀行等民間金融機関で取り扱われている定期預金と同様に，多数の預金者を対象とした大量の事務処理を迅速かつ画一的に処理する必要上，貯金の管理を容易にして，定期郵便貯金に係る事務の定型化，簡素化を図ることにある」とした。そして，現行の定期貯金は，その具体的内容という点では郵便貯金法に基づく定期貯金と変わらず，契約上その分割払戻しが制限されているとし，しかも，利率との関係で，そのような制限は「単なる特約ではなく定期貯金契約の要素というべきである」とした。そのうえで，「定期貯金債権が相続により分割されると解すると，それに応じた利子を含めた債権額の計算が必要になる事態を生じかねず，定期貯金に係る事務の定型化，簡素化を図るという趣旨に反する。他方，仮に同債権が相続により分割されると解したとしても，同債権には上記の制限がある以上，共同相続人は共同して全額の払戻しを求めざるを得ず，単独でこれを行使する余地はないのであるから，そのように解する意義は乏しい」と述べて，現行の定期貯金について，「相続開始と同時に当然に相続分に応じて分割されることはなく」，したがって遺産分割の対象となるとしたのである。

このような最高裁の行論は，その法律構成の輪郭を必ずしも明示しているとはいいがたい面もあるように思われる。しかし，要は，共同相続人は相続開始によって契約上の地位を準共有するにいたるのであって，そのように準共有される契約が，契約に基づく金銭債権は準共有者間で当然には分割されないということを基礎づける内容を，契約の「要素」として含むものである場合には，契約に基づいて共同相続人が取得する金銭債権も準共有となり，遺産分割をまってはじめて共同相続人間での帰属が確定する，ということであるように思われる。そして，この理は，ゆうちょ銀行における定期貯金と一般銀行における定期預金についてだけでなく，普通貯金と普通預金契約にも共通であると解するのが適切であるように思われるのである（信用金庫を債務者とする定期預金債権および定期積立債権について同様の判断をしたものとして，最判平29・4・6判タ1437号67頁参照）。

なお，従来，判例は，民営化前の郵便貯金法下の定額郵便貯金債権について，相続開始によって共同相続人間で当然に分割されるとすることは，事務の定型化簡便化を目的とした郵便貯金法の規定（7条1項3号・2項）の趣旨に反するとして，相続開始による当然分割を否定していた（最判平22・10・8民集64巻7号1719頁）。この判例との関係では，平成28年決定は，預金について当然分割を否定し，遺産共有の対象とする理由としての事務の定型化簡便化というものは，必ずしも直接法令に基礎づけられるものであることを要せず，金銭債権発生の原因たる契約によって基礎づけられれば十分であることを明らかにした点に意義があるというべきであろう。もっとも，平成28年決定は，当然分割の否定を基礎づけるものは，単なる「特約」では足りず，契約の「要素」であることを要するとしている点には留意が必要であるように思われる。

4 金 銭

判例は，多額の現金を残して相続開始があり，共同相続人の一部の者がその現金を保管しているという事例において，他の共同相続人が現金を保管している共同相続人に対して，遺産分割前に法定相続分に応じた額の支払を請求したのに対して，共同相続人は，遺産の分割までの間は，相続開始時に存した金銭を相続財産として保管している他の相続人に対して自己の相続分に相当する金銭の支払を求めることはできない旨，宣言した（前掲最判平4・4・10）。

もとより，現金は債権ではない。しかし，この平成4年判決の判断が普通預金債権に関する平成28年決定の基礎にあることは，留意されるべきである。

この判決は，結論を基礎づける法律構成をまったく示していないが，相続開始によって現金は共同相続人間で準共有され，その結果，遺産分割をまってはじめて共同相続人間での帰属が確定すると理解するのがもっとも素直であろう。もっとも，そのように考える場合には，現金については占有と所有が一致するという一般則との関係が一応問題にはなる。ただ，この場合は，財産管理の場合の例外と考えれば足りるという指摘があり，その理解が適切であるように思われる（道垣内弘人〔判批〕民百選Ⅲ 3版137頁）。

V 債務の共同相続

1 不可分債務

不可分債務が遺産分割まで全共同相続人に不可分に帰属することには，不可分債権と同様に疑いがない。もっとも，不可分債務がどのような法形式で共同相続人に帰属するかについては，不可分債権の場合と同じ問題はある。

判例上，不可分債務とされたものには，不動産売買における売主について相続開始があった場合における共同相続人が負う所有権移転登記義務などがある（最判昭36・12・15民集15巻11号2865頁）。

2　可分債務

大審院判例は，可分債務についても，可分債権と同様に相続開始によって共同相続人間で相続分に応じて当然に分割されるとし（大決昭5・12・4民集9巻1118頁），下級審裁判例も多くは当然分割という見解を前提にしている。

このようにいう場合には，可分債権の場合と同様に，ここでいう相続分とはなにかということが問題になる。この点について，財産の全部を共同相続人のうちの一人に「相続させる」旨の遺言に関する最高裁判決は，共同相続人間では指定相続分に従い分割承継されるが，債権者との関係では相続分の指定を対抗できないとした。そして，この法理は902条の2に明文化されるに至った（最判平21・3・24民集63巻3号427頁）。

学説上は，可分債権におけると同様に判例と同じ見解に立つもの，判例の見解とは異なって，可分債権も遺産分割までは何らかの形で不可分的に共同相続人に帰属し，それゆえに遺産分割を経てはじめて共同相続人間での帰属が確定するとするものがあった（これらについては，松原Ⅰ 470-471頁参照）。

3　連帯債務

判例は，連帯債務についても，可分債務一般と同様に，相続開始によって共同相続人間で相続分に応じて当然に分割され，各共同相続人は分割された範囲で債務を負い，各自その承継した範囲において，本来の債務者とともに連帯債務者となるとする（最判昭34・6・19民集13巻6号757頁）。このとき，共同相続人相互の間にも連帯の関係が生じるかについては，これを明らかにした判例はなく，下級審裁判例は分かれる（消極説を採るものとして東京地判昭25・1・25下民集1巻1号76頁，積極説を採るものとして東京地判昭28・4・22下民集4巻4号570頁）。

学説は，一般に，判例の態度には批判的である。学説は連帯債務の担保的機能を重視し，各共同相続人は問題の連帯債務の全額について全部支払義務を負い，求償の際に基準となる内部的負担部分についてのみ各自の相続分が基準になるとする（潮見222頁，新基本法コメ48頁〔副田〕）。

VI　その他の権利

1　判例の基本的態度

判例上，共有に服するかそれとも相続開始時に相続分に応じて当然分割されるのかが問題になっているのは，株式，委託者指図型投資信託の受益権，個人向け国債である（最判平26・2・25民集68巻2号173頁。以下VIにおいて平成26年判決という）。素直に考えれば，それらの財産権の帰属形式は，264条本文に当たるのかそれとも同条ただし書に当たるのかという判断を介して決定されそうである。

しかし，判例は，少なくとも，株式，委託者指図型投資信託の受益権，個人向け国債に関しては，そのような判断プロセスを明示的には採ってはいない。そうではなくて，判例は，むしろ，264条との関係を明示することなく，それぞれの財産権の「性質」を検討し，その「性質」を基礎にそれぞれの財産権が服する帰属形式を決定している。具体的にいうと，それぞれの権利がその「性質」に照らして「可分」と評価できるかどうかを判断し，「可分」と判断できないという結論を得た場合にそのことの帰結として相続開始時における「当然分割」を否定する，という判断プロセスを採っているのである。言い換えれば，株式等の財産権をそれ自体として評価して共同相続人への帰属形式を決定するのでなく，可分債権の典型でありしたがって判例上相続開始時に当然分割となるとされてきた金銭債権との同質性の有無を決め手にして共同相続人への帰属形式を決定する，という判断プロセスを判例は採ってきたということである。

2　株　　式

判例はかなり以前から相続によって当然分割にはならず，一旦，共同相続人間での準共有に服するという立場を採ってきている（最判昭45・1・22民集24巻1号1頁のほか，最判平2・12・4民集44巻9号1165頁，最判平3・2・19判タ761号154頁，最判平4・1・24民集46巻1号28頁，最判平9・1・28判タ936号212頁，最判平11・12・14判タ1024号163頁等）。

それらの判例は，株式が相続によって当然分割にならない根拠を必ずしも明示していない。これに対して，平成26年判決は，その根拠として，株式が剰余金の配当を受ける権利や残余財産の分配を受ける権利などのいわゆる自益権だけではなく，株主総会における議決権などのいわゆる共益権からなることを挙げている点で重要である。すなわち，株式においては，可分の給付を目的とする権利（自益権）とそうではない権利（共益権）が一体として構成されており，後者を前者から切り離すことができない以上，株式は，金銭債権とは異なって，共同相続人間で相続開始時に当然分割とはならないということである。

もっとも，可分の給付を目的とするのではない権利が可分の給付を目的とする権利と一体となって株式という権利を構成するということそれ自体は，株式が相続によって当然分割にはならないということを当然には基礎づけないという指摘があり（出口正義「株式の共同相続と商法203条2項の適用に関する一考察」筑波法政12号〔1989〕67頁・72頁以下，田中亘「相続は争いの始まり」法教338号〔2008〕53頁・54頁等），この指摘は適切であろう。そして，この指摘をする論者の一人は，当然分割にはならないということの実質的根拠として，「会社の経営支配権の円滑な承継という観点」から「経営支配権が共同相続人間に分散していくこと」は望ましくないという判断が先にあるのではないかとしており（山下純司「共同相続における財産権帰属の判例法理」金法2009号〔2015〕43頁・46頁），この指摘は妥当であるように思われる。言い換えれば，「現物分割」的に分割する，すなわち，権利を率分によって機械的に割ってしまうことそれ自体に法律上または事実上難しい点があるというよりも，むしろ株式は，事情が許すならば，「現物分割」されずに共同相続人のうちの誰かに承継されることが望ましいのであって，株式が相続開始によって当然に分割されるというルールはそのような承継を妨げるという意味で望ましくないという判断があるのではないか，ということである。

3　委託者指図型投資信託の受益権

平成26年判決は，投資信託受益権のうち委託者指図型投資信託受益権の扱いについても判断を示している。すなわち，同判決は，委託者指図型投資信託（投資信託及び投資法人に関する法律2条1項）の受益権は，相続開始と同時に共同相続人間で当然に分割されることはなく，一旦準共有に服するとした。これは，投資信託の受益権が共同相続される場合に共同相続人間でどのような法的扱いを受けるのかを明らかにした最高裁としてはじめての判決であり，これ以前の下級審において判断が分かれていた事項について最高裁の判断を示したものである（以前の下級審判決の概観およびそれらをも踏まえた包括的研究として中田裕康「投資信託の共同相続」現代民事判例研究会編・民事判例Ⅵ 2012年後期〔2013〕6頁参照）。

平成26年判決の判示中，委託者指図型投資信託の受益権が相続開始によって当然分割にならない根拠として読むことができる部分は，「口数を単位とするものであって，その内容として，法令上，償還金請求権及び収益分配請求権（同法〔投資信託及び投資法人に関する法律〕6条3項）という金銭支払請求権のほか，信託財産に関する帳簿書類の閲覧又は謄写の請求権（同法15条2項）等の委託者に対する監督的機能を有する権利が規定されており，可分給付を目的とする権利でないものが含まれている」という部分である。

なお，委託者指図型投資信託の場合には，相続開始後に元本償還金または収益分配金が発生し，それが受益権の販売会社における被相続人名義の口座に入金されることがあり，その入金された分配金が当然分割になるかどうかという問題がある。これについては，本判決より後の判決である最高裁平成26年12月12日判決（判タ1410号66頁）が，当然分割にはならず遺産分割を経て相続による帰属が確定することを明らかにしている。

4　個人向け国債

平成26年判決は，まず，法令上，個人向け国債の額面金額の最低額が1万円とされていること，および，その帰属を定めることになる振替口座額簿の記載が額面金額最低額の整数倍とされていることを指摘する。さらに，それらのことの帰結として，取扱機関の買取りによって行われる中途換金もその金額を基準として行われることを指摘する。そうして，それらのことから，個人向け国債の法的性質を，「法令上，一定額をもって権利の単位が定められ，1単位未満での権利行使が予定されていないもの」と解し，そのことを根拠として，個人向け国債は相続開始時に当然分割されることはないとしている。

このような判示は，基本的には，最高裁平成22年10月8日判決（民集64巻7号1719頁）の判示，すなわち，法令上，預入額が一定額に限定され，その一定額が権利行使の単位となり，分割の払戻しは認められていないことを理由に，旧郵便貯金法を根拠とする定額郵便貯金について相続による当然分割という扱いを否定した判示に連なるものと評価すべきであろう。

もっとも，本判決における個人向け国債に関する判示が平成22年判決における判示とどの程度実質的に連続するとみるべきかについては，若干の疑問の余地もないわけではない。というのは，定額郵便貯金においては預入額そのものが一定額に限定され，その一定額の預金がいわばつねにひとかたまりの財産として扱われる。これに対して，個人向け国債にあっては，もともと単位額の整数倍をもって購入がなされ，また，単位額の整数倍であれば分割して扱われることが可能である。つまり，個人向け国債というものは，定額預金におけるのとまったく同じ意味でひとかたまりの財産として法令上扱われているのではないからである。ただ，平成28年決定が一般の定期預金を定額郵便貯金と同列に扱うことを宣言した現時点においては，もはやこの点に関する留意は不要となったようにも思われる。

〔川　淳一〕

第899条　各共同相続人は，その相続分に応じて被相続人の権利義務を承継する。

〔対照〕 フ民870・873・1220

〔改正〕（1003）

I　本条の意義

本条は，被相続人の権利義務のうち遺産共有に服する財産についてはその共有持分の大きさが相続分に応じたものとなること，および，可分の権利義務については相続によって相続分に応じた当然分割となることを規定したものと理解されている（新版注民(27)〔補訂版〕135頁以下〔宮井忠夫＝佐藤義彦〕）。このような理解は，本条の前身である明治民法1003条の起草過程における説明の中で示され（新版注民(27)〔補訂版〕99頁〔宮井＝佐藤〕参照），明治民法制定後にも維持されてきたものであり（梅113頁），今日，確立された理解である。

ただ，本条の意義がそのようなものであるとすると，そのことから一定の留意すべき事柄が生じるようにも思われる。すなわち，本条の射程が相続によって承継される権利義務全体に及ぶとすると，本条にいう相続分とは，相続によって共同相続人に承継される権利義務全般に共通のものであるというのが，条文の素直な読み方である。しかし，従来の判例学説における議論は，必ずしもそのことを意識してなされているとはいいがたい面もあるように思われるのである。

もっとも，相続分の意義の確定に関して，たとえば，遺産共有の場面において考慮されるべきファクターと可分債務の共同相続の場面において考慮されるべきファクターの間に相違があるのも確かである。そのことから考えれば，それぞれの場合で相続分という術語が意味するものが異なるということは，それ自体としては問題ではなく，むしろ，899条に立法技術上の問題があるというべきかもしれない。

II　遺産共有における相続分

1　令和3年改正前の状況

遺産共有は権利の帰属形式という点では249条以下の定める共有であることを前提として，従来，学説において，遺産共有における持分の大きさの基準としての相続分は法定相続分か具体的相続分かということが議論されてきた（議論の詳細については，松原II 217-218頁および新基本法コメ52-53頁〔副田隆重〕参照）。

この点に関して，判例は，家裁における遺産分割審判の確定後に提起された，903条によって算定される具体的相続分の価額またはその価額の遺産総額に対する割合の確認を求める訴えにおいて，「具体的相続分は，このように遺産分割手続における分配の前提となるべき計算上の価額又はその価額の遺産の総額に対する割合を意味するものであって，それ自体を実体法上の権利関係であるということはできず，遺産分割審判事件における遺産の分割や遺留分減殺請求に関する訴訟事件における遺留分の確定等のための前提問題として審理判断される事項であ」ると判示し，その訴えは，確認の利益を欠くものとして不適法であるとした（最判平12・2・24民集54巻2号523頁）。

もちろん，遺産分割審判確定後の903条による具体的相続分の確認の訴えが訴えの利益を欠くという結論は，遺産共有において共有持分の大きさを規定する相続分は具体的相続分ではなく法定相続分または指定相続分であるという見解と必ずしも1対1で対応するというわけではない。しかし，この判決における判示のうち，具体的相続分は「それ自体を実体的法上の権利関係ということはできず」という部分は，これを素直に理解するかぎり，判例は，やはり，遺産共有における相続分とは，法定相続分または指定相続分であるという立場を採っている，ないしは，少なくともその立場と親和的であるということになると思われるのである。また，この立場は，1980年に追加された904条の2が第2項において共同相続人間での協議が調わない場合には家庭裁判所が寄与分を定めるとしていることとも親和的である。

つぎに，仮に判例が遺産共有における相続分は具体的相続分ではないという立場を採っているとして，それでは，それは法定相続分なのかそれとも指定相続分なのか。判例には，法定相続分を下回る相続分指定があった場合に法定相続分による相続登記がなされたときに，指定相続分を超える登記は無権利の登記であるとして，法定相続分による持分を譲り受けた第三者が取得する持分は指定相続分に応じたものにとどまるとしたものがある（最判平5・7・19家月46巻5号23頁）。判示を素直に理解するかぎり，判例は，相続分指定がある場合には，遺産共有における相続分とは指定相続分であるいう立場を採っているということになろう（ただし，この判決の先例的意義は平成30年法改正での899条の2の新設によって大きく減少しているともいえそうである。→§899の2）。

2　令和3年法改正後の状況

令和3年法改正は，898条に第2項を新設し，「相続財産について共有に関する規定を適用するときは」，相続分指定がある場合には指定相続分によって，相続分指定がない場合には法定相続分によって算定された相続分をもって各共同相続人の共有持分とすることを宣言した。

この立法については，**1**で概観した従来の判例から読み取れる準則を明文化したものであると評価するのが素直な態度であろう。もっとも，そのことによって，制度全体を矛盾なく説明できるようになったと言ってよいのかどうかは，筆者には，まだ残っている問題であるようにも思われる。

III　当然分割となる権利義務における相続分

判例によれば，可分債務（典型的には金銭債務）は相続開始によって共同相続人間で当然に分割され，また，可分債権も，現時点では，少なくとも不法行為債権などは当然に分割される。これらのとき，当然分割の割合を規定する相続分はどれかということがやはり問題になる。

「具体的相続分は，このように遺産分割手続における分配の前提となるべき計算上の価額又はその価額の遺産の総額に対する割合を意味するものであって，それ自体を実体法上の権利関係であるということはでき」ないという平成12年判決の判示を文字通りに解するかぎり，ここでも分割の割合を規定する相続分としては，具体的相続分は問題にならず，指定相続分なのか法定相続分なのかが問われることになる。これらについては，898条に関する注釈中IVおよびVを参照のこと。結論のみを繰り返せば，可分債権については立場を明示する判例は見当たらないが，指定相続分が分割の割合を規定するという見解が有力であり，当然分割となる可分債務については，共同相続人間では指定相続分が割合を規定し，対債権者では法定相続分が割合を規定するという判例の準則が902条の2に明文化されたということである。

〔川　淳一〕

（共同相続における権利の承継の対抗要件）

第899条の2①　相続による権利の承継は，遺産の分割によるものかどうかにかかわらず，次条及び第901条の規定により算定した相続分を超える部分については，登記，登録その他の対抗要件を備えなければ，第三者に対抗することができない。

②　前項の権利が債権である場合において，次条及び第901条の規定により算定した相続分を超えて当該債権を承継した共同相続人が当該債権に係る遺言の内容（遺産の分割により当該債権を承継した場合にあっては，当該債権に係る遺産の分割の内容）を明らかにして債務者にその承継の通知をしたときは，共同相続人の全員が債務者に通知をしたものとみなして，同項の規定を適用する。

〔改正〕 本条＝平30法72新設

I　本条の趣旨――法定相続分を超える権利取得に関する対抗要件主義の採用

本条は，権利移転に関して対抗要件主義が採用されている諸権利に関する規定である。900条および901条によって算定される相続分，すなわち，いわゆる法定相続分の割合に相当する持分を超える部分の取得について，その取得の原因が遺産分割であるか遺言による処分であるかを問わず，共同相続人は，対抗要件を備えなければ第三者に対抗できない旨を，本条は規定している。

なお，本条の規律の対象は，権利変動について対抗要件主義が採られている権利に限られるのであって，特許権等，効力要件主義が採られている権利は本条の規律の対象ではない（一問一答164頁，堂薗＝神吉・概説142頁参照）。

II　遺言による処分

(1)　本条新設前の判例の準則

遺言による処分の場合における平成30年改正による本条新設前の判例の準則にあっては，権利取得が遺贈を原因とする特定承継であるか相続を原因とする包括承継であるかによって区別がされていたと解される。すなわち，判例は，遺贈による不動産の権利の取得を第三者に対抗するには登記を要するとする一方で（最判昭39・3・6民集18巻3号437頁），相続分指定による不動産の権利の取得を第三者に対抗するには登記を不要とし（最判平5・7・19家月46巻5号23頁），「相続させる」旨の遺言による権利取得についても，それが遺贈ではなく相続による権利取得であることを前提として，登記なくして第三者に対抗できるとしてきた（最判平14・6・10家月55巻1号77頁。なお，「相続させる」旨の遺言の判例における法性決定については最判平3・4・19民集45巻4号477頁〔→§908 III〕，改正法における法性決定については1014条参照）。

(2)　本条新設前の判例の準則に対する批判

このような従来の判例の準則，とりわけ相続を原因とする包括承継である以上，遺言による処分が介在するものであっても，その承継を第三者に対抗するためには登記等の対抗要件を備えることを要しないという準則に対しては，2つの観点からの批判があった。1つは，個別の取引の安全を害しかねないという観点，すなわち，法定相続分の割合による権利承継があったと信じる取引第三者に不測の損害を負わせかねないという観点からの批判であり，もう1つは，そのような準則は，実体的権利と公示が一致していない場面を多く作り出すことにつながりかねず，結果として権利登記一般に対する信頼を害しかねないという観点からの批判である（中間試案補足説明39頁参照）。

(3)　本条の規律

これに対して本条は，従来の規律を変更し，「相続による権利の承継」は，法定相続分を超える部分については，「対抗要件を備えなければ，第三者に対抗することができない」と規定することにより，法的性質としては相続を原因とする包括承継の場合にも，法定相続分の割合を超える権利取得を共同相続人が第三者に対抗するためには，対抗要件を備えることが必要であるとした。この新しい準則が基礎に据えている理解は，相続分指定や「相続させる」旨の遺言における法定相続分を超える共同相続人の権利取得も遺贈の場合と同様に遺言＝被相続人のする意思表示によってもたらされているということである（中間試案補足説明40頁）。

ここで注意すべきは，1つは，対象となる権利を限定することなしに単に「登記，登録その他の対抗要件」と規定することによって，民法上の物権債権に限らず，対抗要件主義を採る権利一般に規律が及ぶことを，本条は示しているということである（この点に関する法制審での議論の状況について，部会資料24-2・36頁参照。法制審では本条が規定する対抗要件主義の当然の適用対象を物権と債権に限定し，民法以外の他の法令に規定されている権利については，別途整備の要否を検討することを前提とした案も一時期提示されていた）。

もう1つは，対抗要件の具備が第三者に対して権利取得を対抗するための要件になっているのは，法定相続分の割合に対応する権利取得を超える部分についてであるということである。従来，相続開始によって共同相続人間に生じる遺産共有の持分の大きさについては，学説上は，法定相続分説と具体的相続分説に分かれていたところである（→§899 II参照）。これに対して本条は，少なくとも第三者との関係では法定相続分の割合が基準となるということを明示した点で重要である。

Ⅲ 遺産分割との関係

(1) 本条新設前の判例の準則

本条新設前，判例は，遺産分割は，「第三者に対する関係においては，相続人が相続によりいったん取得した権利につき分割時に新たな変更を生ずるのと実質上異ならないものであるから，不動産に対する相続人の共有持分の遺産分割による得喪変更については，民法177条の適用があり，分割により相続分と異なる権利を取得した相続人は，その旨の登記を経なければ，分割後に当該不動産につき権利を取得した第三者に対し，自己の権利の取得を対抗することができない」（最判昭46・1・26民集25巻1号90頁）とし，遺産分割によって相続分を超える権利を取得した共同相続人の権利取得には，対抗要件主義が適用されることを明らかにしている。したがって，遺産分割による共同相続人の相続分を超える権利取得に対抗要件主義が適用されるという点では，本条の規律は，従来の判例の準則を踏襲したものである。

もっとも，従来の判例の準則にあっては，対抗要件主義が適用される基準となる相続分なるものがどの相続分を指すのかは，必ずしも明示されてはいなかった。昭和46年判決自体は，一応法定相続分を基準としているように見えるが，判決理由中の文言はあくまで「相続分」であり，遺言による相続分指定があった場合の扱いを明示してはいないし，具体的相続分が基準となる可能性も完全には排除していなかった。

(2) 本条の規律

これに対して，本条は，「遺産の分割によるものかどうかにかかわらず」と規定することにより，共同相続人の遺産分割を経た権利取得の場合にも，対抗要件主義の適用のための基準となるのは法定相続分であることを明示している。このことは，法定相続分を超える指定相続分による権利取得について対抗要件主義を採用する以上，当然の帰結ではあるが，従来の判例の準則を明確化したという点で重要である。もっとも，法定相続分の割合を対抗の基準とするといっても，受益相続人が法定相続分を超える権利の取得を第三者に対抗するためには，取得した権利全体についての対抗要件を具備する必要があることは言うまでもない（一問一答162頁，堂薗＝神吉・概説144頁参照）。

IV　第2項の規律

(1)　規定の概要

本条2項は，債権譲渡の対抗要件としての通知に適用される特則を定めている。

対抗要件としての債権譲渡の通知は，譲渡人から債務者に対してしなければならない（467条）。ところが相続財産中の債権の場合には，もともとの債権者自身はすでに死亡しており，この点に関して検討すべき問題が生じる。

まず，遺言による処分によって共同相続人のうちの誰かが債権について法定相続分の割合に相当する割合を超えて債権を取得した場合には，遺言者＝被相続人の地位を承継したもの全員，すなわち共同相続人全員が債務者に対して譲渡の通知をすればよいのは確かである。しかし，相続分指定や相続させる旨の遺言（特定財産承継遺言）等，相続を原因とする承継の場合には，受益相続人以外の共同相続人は，受益相続人の対抗要件の具備に協力する義務を負わないと解されており（一問一答166頁，堂薗＝神吉・概説145頁参照），この場合，共同相続人の中に通知に協力的でない者がいることは容易に想定できる。

つぎに，遺産分割の結果，共同相続人のうちの誰かが法定相続分の割合に相当する割合を超えて債権を取得した場合にも，共同相続人全員から債務者に通知がなされれば譲渡人による通知として十分なのは明らかである。しかし，この場合にも，共同相続人の中に通知に協力的でない者がいることは十分にありうる。

本条2項は，これらの場合に備えて，法定相続分を超えて債権を取得した共同相続人が単独でする債務者に対する通知であっても，問題の債権に関わる遺言の内容または遺産分割の内容を明らかにした通知であれば，その通知を共同相続人全員による通知とみなすとしたのである。

なお，平成30年改正法は，対抗要件を備えるために必要な行為を遺言執行者がなしうることを明文で定めているが（1014条2項），遺言執行者がそのような行為をする場合，遺言等によって自らの地位を明らかにしなければならないのは言うまでもない。

(2) 「明らかにして」の意義

ここで，遺言の内容または遺産分割の内容を「明らかにして」の意義が問題になる。虚偽通知の防止という観点から考えて，どこまでのことを要求するのが妥当かということである。立法過程においては，当初，遺言書や遺産分割協議書の内容を明らかにする書面（遺言に関しては，遺言書の原本・正本または公証人によって作成された謄本・家裁書記官によって作成された検認調書の謄本など。遺産分割に関しては，遺産分割協議書の原本または遺産分割に関する調停調書・審判書の謄本など）の交付が要件とされていたが（部会資料23-2・20-21頁），本項の文言は，それらの文書の交付までは要件としないことを示している。すなわち，「明らかにして」という文言は，債務者に，「客観的に遺言等の有無やその内容を判断できるような方法（例えば，受益相続人が遺言の原本を提示し，債務者の求めに応じて，債権の承継の記載部分について写しを交付する方法）」（部会資料26-2・10頁）によることで十分であることを示しているのである（なお一問一答168頁も参照）。

〔川　淳一〕

第2節　相　続　分

（法定相続分）

第900条　同順位の相続人が数人あるときは，その相続分は，次の各号の定めるところによる。

一　子及び配偶者が相続人であるときは，子の相続分及び配偶者の相続分は，各2分の1とする。

二　配偶者及び直系尊属が相続人であるときは，配偶者の相続分は，3分の2とし，直系尊属の相続分は，3分の1とする。

三　配偶者及び兄弟姉妹が相続人であるときは，配偶者の相続分は，4分の3とし，兄弟姉妹の相続分は，4分の1とする。

四　子，直系尊属又は兄弟姉妹が数人あるときは，各自の相続分は，相等しいものとする。ただし，父母の一方のみを同じくする兄弟姉妹の相続分は，父母の双方を同じくする兄弟姉妹の相続分の2分の1とする。

〔対照〕　フ民731～758-6，ド民1924～1934

〔改正〕〔1004〕　本条＝昭37法40・昭55法51・平25法94改正

細　目　次

Ⅰ　本条の趣旨

本条は法定相続分について定める。

法定相続分とは，相続人が複数存在する場合，すなわち共同相続の場合に，相続財産全体に対して各共同相続人が有する権利・義務の分数的割合である。したがって，相続人が1人の場合，すなわち単独相続の場合には，法定相続分は問題とならない。

遺産分割（906条・907条）に際して，法定相続分は一応の目安に過ぎない。遺産分割は，法定相続分どおりの割合に基づいて行われる場合もあるが，被相続人等による「指定相続分」（→Ⅱ⑵）に基づいて行われる場合や，特別受益（→§903）ないし寄与分（→§904の2）を踏まえて算定される「具体的相続分」に基づいて行われる場合もある（→Ⅱ⑶）。

なお，本条は，遺留分の帰属およびその割合の算定にも用いられる（1042条2項）。

Ⅱ　「相続分」の多義性

⑴　相　続　分

「相続分」という用語は，民法（898条〜905条，1042条2項，1050条5項等）のほか，破産法（241条2項）や国税通則法（5条2項）などで用いられている。

相続分は，一般には，相続財産全体に対して各共同相続人が有する権利・義務の分数的割合を意味するが，903条1項や904条の2第1項の「相続分」は具体的相続分（→⑶）を意味し，また，905条1項の「相続分」は相続人としての地位（相続権）を意味するなど（→§905 Ⅲ5），「相続分」は多義的である。

以下では，指定相続分（→⑵）および具体的相続分（→⑶）について敷衍する。

(2)　指定相続分（→§902）

指定相続分（902条）とは，被相続人が，遺言で定めた相続分または遺言で委託した第三者によって定められた相続分である。902条の見出しは，「遺言による相続分の指定」となっているが，同条に基づいて指定された相続分を「指定相続分」と呼んでいる。

(3)　具体的相続分

具体的相続分とは，特別受益（903条）ないし寄与分（904条の2）によって法定相続分が修正されて算定された相続分である。

具体的相続分については，特別受益による修正を経て算定された相続分を具体的相続分とする説（新版注民(27)〔補訂版〕140頁〔有地亨＝二宮周平〕）と，特別受益ないし寄与分による修正を経て算定された相続分を具体的相続分とする説（梶村＝貴島181頁）がある。協議・調停・審判によって寄与分が定められた場合には，その寄与分を踏まえて各共同相続人の具体的相続分が算定されるので，後説が妥当である。

特別受益がある場合，寄与分がある場合，特別受益および寄与分がある場合，それぞれの場合の具体的相続分の算定については，各条の解説を参照されたい（→§903・§904の2）。

III　法定相続分の機能

前述のとおり（→I），法定相続分は遺産分割の一応の目安に過ぎない。各共同相続人が最終的に相続する権利・義務の割合は，指定相続分（→II(2)）や具体的相続分（→II(3)）によって決定される（もっとも，指定相続分が法定相続分と等しい，特別受益や寄与分が皆無のため具体的相続分が法定相続分と一致する，ということはある）。

他方，被相続人・相続人の債権者・債務者は，通常，指定相続分や具体的相続分を知り得ない。

例えば，被相続人A，共同相続人B・C（法定相続分各$\frac{1}{2}$），相続財産は甲土地とする。Bの債権者X_1は，甲土地について，Bに代位して（423条，不登59条7号），相続を原因とする所有権移転登記をすることができる。このような場合，法定相続分に基づいて共有持分の登記がされる。そして，X_1がBの共有持分$\frac{1}{2}$を差し押さえる。Bの具体的相続分は，Bに特別受益があれば$\frac{1}{2}$を下回るはずであるし，Bに寄与分があれば$\frac{1}{2}$を上回るはずである。しかし，法定相続分に基づく登記ないし差押えが可能とされている。

同様に，Aの債務は法定相続分の割合でB・Cが相続する（427条・899条）。Aの債権者X_2は，債務を相続したB・Cに対して，法定相続分に基づく弁済を請求できる。特別受益や寄与分があって，B・C間では具体的相続分の算定が行われるとしても，具体的相続分は共同相続人間の内部事情に過ぎず，債権者は，法定相続分に基づいて，各共同相続人に対して債権を行使できると解されている（最判平21・3・24民集63巻3号427頁。→§902の2）。

上述のように，法定相続分は，債権者・債務者など第三者にとって，権利行使・義務履行の基準として機能している。

Ⅳ　法定相続分の沿革

(1)　明治31年民法（法律9号）

明治31（1898）年に施行された民法は，家督相続と遺産相続の2本立てであった。遺産相続は，戸主でない家族が無遺言で死亡した場合に，相続人が死亡した家族（被相続人）の遺産を相続する制度であった。

相続人の順位は，直系卑属（第1順位），配偶者（第2順位），直系尊属（第3順位），戸主（第4順位）であった（明民994条～996条）。また，（法定）相続分は，「同順位ノ相続人数人アルトキハ其各自ノ相続分ハ相均シキモノトス但直系卑属数人アルトキハ庶子及ヒ私生子ノ相続分ハ嫡出子ノ相続分ノ2分ノ1トス」とだけ規定されていた（明民1004条。なお，昭和17〔1942〕年の民法改正〔法律7号〕で，同条の「庶子及ヒ私生子」は「嫡出ニ非サル子」に変更された）。

(2)　昭和22年民法改正（法律222号）

昭和22（1947）年の民法改正で，家督相続制度が廃止され，相続制度は，遺産相続（財産相続）のみとなった。そして，本条は，以下のとおり規定された。

第900条　同順位の相続人が数人あるときは，その相続分は，左の規定に従う。

一　直系卑属及び配偶者が相続人であるときは，直系卑属の相続分は，3

分の2とし，配偶者の相続分は，3分の1とする。

二　配偶者及び直系尊属が相続人であるときは，配偶者の相続分及び直系尊属の相続分は，各々2分の1とする。

三　配偶者及び兄弟姉妹が相続人であるときは，配偶者の相続分は，3分の2とし，兄弟姉妹の相続分は，3分の1とする。

四　直系卑属，直系尊属又は兄弟姉妹が数人あるときは，各自の相続分は，相等しいものとする。但し，嫡出でない直系卑属の相続分は，嫡出である直系卑属の相続分の2分の1とし，父母の一方のみを同じくする兄弟姉妹の相続分は，父母の双方を同じくする兄弟姉妹の相続分の2分の1とする。

⑶　昭和37年民法改正（法律40号）

昭和37（1962）年の民法改正で，代襲相続に関する887条から889条が改正され，その改正に併せて，本条1号および4号も改正された。具体的には，両号の「直系卑属」が「子」に置き換えられ，本条1号は「子及び配偶者が相続人であるときは……」，本条4号は「子，直系尊属又は兄弟姉妹が数人あるときは……」と変更された。

⑷　昭和55年民法改正（法律51号）

日本社会における家族構成の変化に対応して，昭和55（1980）年に，相続法を中心とする民法の改正が行われた。同改正では，本条が改正され，配偶者の法定相続分が引き上げられ，血族相続人の法定相続分が引き下げられたほか，寄与分（904条の2）が新設された。同改正後，現在まで，本条1号から3号に実質的な変更はない。改正前後の法定相続分は，次表のとおりである。

昭和22年民法改正		昭和55年民法改正	
共同相続人の組合せ	法定相続分	共同相続人の組合せ	法定相続分
配偶者	3分の1	配偶者	各2分の1
直系卑属	3分の2	子	
配偶者	各2分の1	配偶者	3分の2
直系尊属		直系尊属	3分の1
配偶者	3分の2	配偶者	4分の3
兄弟姉妹	3分の1	兄弟姉妹	4分の1

⑸　平成16年民法改正（法律147号）

平成16（2004）年の民法第1〜3編の現代語化に併せて，同法第4・5編でも，軽微な改正が行われた。本条については，字句が一部変更され，かつ，見出しとして「法定相続分」が付加された。

⑹　平成25年民法改正（法律94号）

明治民法1004条ただし書は，「但直系卑属数人アルトキハ庶子及ヒ私生子ノ相続分ハ嫡出子ノ相続分ノ2分ノ1トス」と，嫡出でない子（非嫡出子）と嫡出子との間に，（法定）相続分の差異を設けていた。

この差異に関し，昭和22年の民法改正の際に撤廃が主張されたが（我妻編・戦後48頁），同改正以降も維持された（平成16年の民法改正では，「ただし，嫡出でない子の相続分は，嫡出である子の相続分の2分の1とし……」と文言が一部変更された）。

しかし，法定相続分の差異については，違憲と解する憲法学説および民法学説が台頭するようになった。

最高裁大法廷は，平成7（1995）年に，法定相続分の差異を合憲とした（最大決平7・7・5民集49巻7号1789頁）。

その後，最高裁大法廷は，平成25（2013）年に，法定相続分の差異が平成13（2001）年7月当時において憲法14条1項に違反していたとして，違憲とした（最大決平25・9・4民集67巻6号1320頁）。

同違憲決定を受けて，平成25年12月11日に改正民法が公布・施行され，従来の本条4号ただし書前段部分（「，嫡出でない子の相続分は，嫡出である子の相続分の2分の1とし」）が削除された（伊藤正晴〔判解〕最判解平25年356頁，新版注民(27)〔補訂版〕147-158頁〔有地＝二宮〕，本山敦「非嫡出子の相続分」法教429号〔2016〕33頁）。

その結果，本条4号ただし書は，全血・半血兄弟姉妹の法定相続分の差異のみを定める内容となった。

V　法定相続分の内容

⑴　配偶者の法定相続分（900条1号〜3号）

法定相続分を有する配偶者は，法律婚の配偶者に限られる（→§890）。他の相続人や包括受遺者（→(6)）が存在せず，配偶者のみが相続人であるときは，配偶者が相続財産全部を相続するので，法定相続分は問題にならない。

配偶者（890条）と子（887条1項）が共同で相続する場合（900条1号），法定相続分は配偶者$\frac{1}{2}$，子$\frac{1}{2}$である。配偶者と直系尊属（889条1項1号）が共同で相続する場合（900条2号），法定相続分は配偶者$\frac{2}{3}$，直系尊属$\frac{1}{3}$である。配偶者と兄弟姉妹（889条1項2号）が共同で相続する場合（900条3号），法定相続分は配偶者$\frac{3}{4}$，兄弟姉妹$\frac{1}{4}$である。

(2)　子の法定相続分（900条1号）

被相続人の子は，欠格（→§891）や推定相続人の廃除（→§892）で相続権を失ったり，相続を放棄（→§939）したりしない限り，相続人となる（887条1項）。

子は第1順位の相続人である。胎児も相続人になる（→§886）。子（第1順位）が1人でも存在すれば，直系尊属（第2順位）および兄弟姉妹（第3順位）は相続人にならない。

配偶者や包括受遺者（→(6)）が存在せず，子のみが相続人であるときは，子が相続財産全部を相続する。

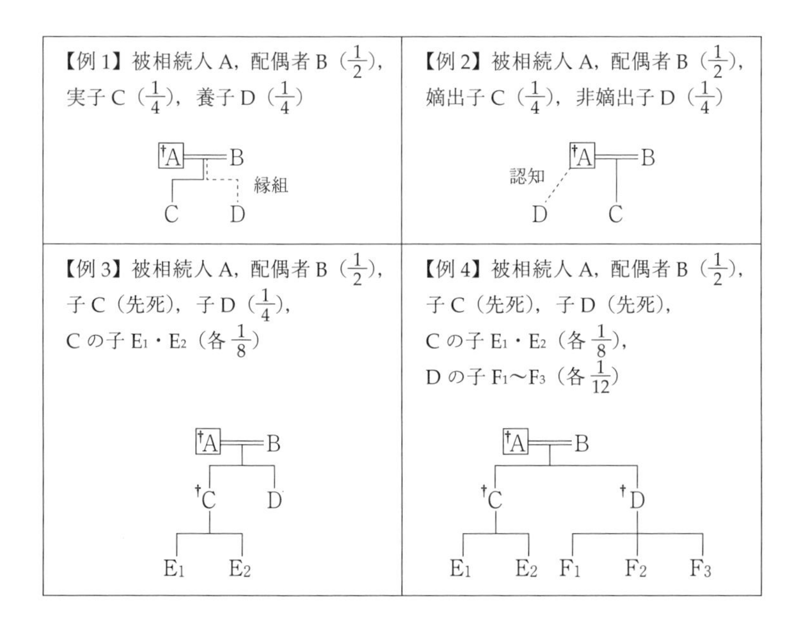

子が複数存在する場合，各子の法定相続分は，性別，年齢，（意思・行為）能力，実子・養子，嫡出・非嫡出（→IV(6)），被相続人との親疎などに関係なく，均等である（900条4号本文）。

子（被代襲者）が被相続人より先に死亡し，被代襲者に子（代襲相続人＝被相続人の孫）が存在する場合，代襲相続人の法定相続分は，被代襲者の法定相続分と同じである。代襲相続人が複数存在する場合は，法定相続分を均分する（→§901）。

(3)　直系尊属の法定相続分（900条2号）

第1順位の相続人（→(2)）が存在せず，直系尊属が存在する場合には，直系尊属が第2順位の相続人となる。直系尊属（第2順位）が1人でも存在すれば，兄弟姉妹（第3順位）は相続人にならない。

直系尊属の範囲は，被相続人の実父母・実祖父母・実曾祖父母・養父母・養父母の直系尊属などである（もっとも，高祖父母＝4親等以上の直系尊属が生存していることは稀であろう）。そして，親等の異なる直系尊属が存在する場合には，被相続人と親等の最も近い直系尊属が相続人となる（889条1項1号）。

配偶者や包括受遺者（→(6)）が存在せず，直系尊属のみが相続人であるときは，直系尊属が相続財産全部を相続する。

親等の最も近い直系尊属が複数存在する場合，各直系尊属の法定相続分は，性別，年齢，（意思・行為）能力，実方・養方，被相続人との親疎などに関係なく，均等である（900条4号本文）。

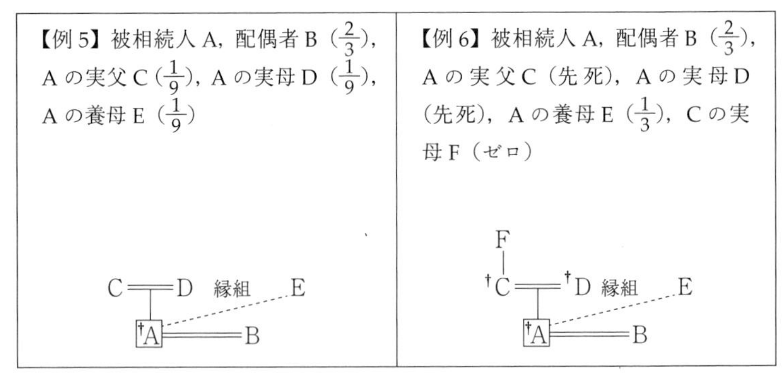

(4)　兄弟姉妹の法定相続分（900条3号）

第1順位および第2順位の相続人が存在せず，兄弟姉妹が存在する場合には，兄弟姉妹が第3順位の相続人となる。

兄弟姉妹の範囲は，被相続人の実兄弟姉妹，被相続人の親（実親・養親）との縁組で養子となり，法定血族（727条）として被相続人の養兄弟姉妹となっている者である。

配偶者や包括受遺者（→(6)）が存在せず，兄弟姉妹のみが相続人であるときは，兄弟姉妹が相続財産全部を相続する。

配偶者と兄弟姉妹が共同で相続する場合，配偶者の法定相続分は相続財産全体の$\frac{3}{4}$，兄弟姉妹の法定相続分は相続財産全体の$\frac{1}{4}$である（900条3号）。

兄弟姉妹（被代襲者）が被相続人より先に死亡しており，兄弟姉妹の子（代襲相続人＝被相続人の甥姪）が存在する場合，代襲相続人の法定相続分は，被代襲者の法定相続分と同じである。代襲相続人が複数存在する場合は，法定相続分を均分する（→§901）。

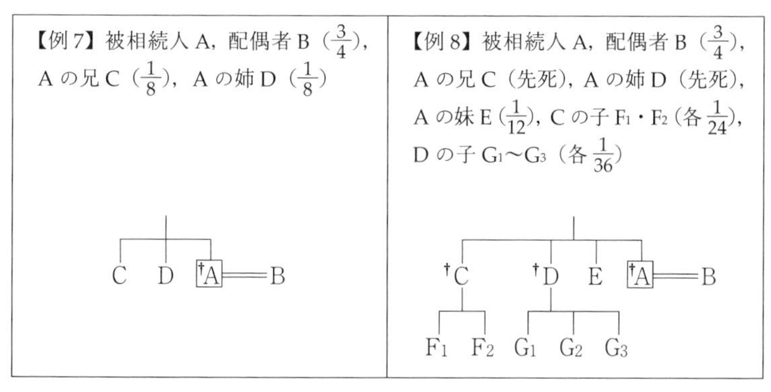

兄弟姉妹が複数存在する場合，各兄弟姉妹の法定相続分は，性別，年齢，（意思・行為）能力，被相続人との親疎などに関係なく，均等である（900条4号本文）。しかし，被相続人と兄弟姉妹が，父母の双方を同じくする関係（全血）の場合と，父母の一方のみを同じくする関係（半血）の場合とで，法定相続分に差異がある。後者（半血）の法定相続分は，前者（全血）の法定相続分の2分の1である（900条4号ただし書）。全血半血については，以下で敷衍する（→(5)）。

(5)　全血・半血兄弟姉妹の法定相続分（900条4号ただし書）

全血・半血兄弟姉妹の相続分の差異は，昭和22年の民法改正で設けられた（我妻編・戦後325頁・338頁）。当時，奥野健一政府委員は，「血の繋がり」

「被相続人の感情」「各国の立法例」などを立法理由として挙げた（昭和22年9月23日参議院司法委員会会議録24号2頁）。

本号ただし書の要件は，「父母の一方のみを同じくする……父母の双方を同じくする」ことだけであるので，当該父母が実親か養親か，当該父母の婚姻の有無，実（養）父と実（養）母の組合せを問わないと解される。実親・養親の組合せを問わず，「父母」が何らかの形で共通であれば全血，共通でなければ半血である。先例も，「民法第900条第4項（ママ）に，いわゆる父母の双方を同じくする兄弟姉妹とは，実父母又は養父母の区別をすることなく，そのいずれでもよい同じ父母を有する兄弟姉妹をいう」との解釈を相当とする（昭31・3・8民事甲322号民事局長回答）。

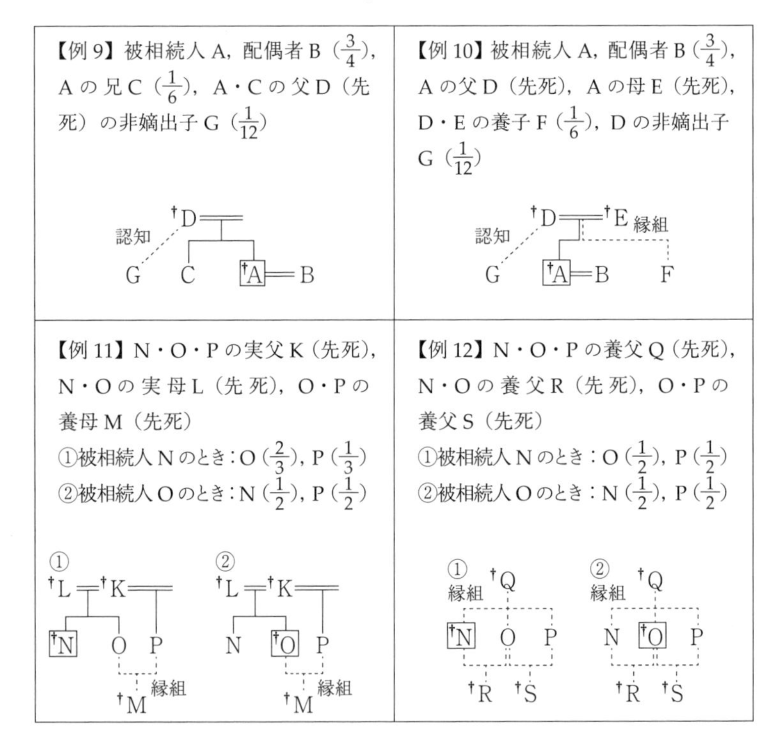

ところで，全血・半血兄弟姉妹の法定相続分の差異が憲法14条に違反するかが争われた裁判例では，「相続が血縁者による財産承継である以上，血縁の程度の濃淡によって，法定相続分に差異をもうけることには合理的な理

由があるといえ，本件のように全血の兄弟姉妹と半血の兄弟姉妹が全血の兄弟姉妹を相続する場合，被相続人と全血の兄弟姉妹及び半血の兄弟姉妹のそれぞれの血縁の程度を数量化すれば，後者は前者の2分の1とするのは自然なことであり，合理的理由のない差別ということはできないから，憲法14条1項に違反するとはいえない」とされた（大阪高決平21・10・7民集65巻2号729頁。主たる争点は嫡出でない子の法定相続分の差異であったところ，裁判外の和解がなされ，特別抗告審の最決平23・3・9民集65巻2号723頁が特別抗告を却下したため，全血・半血兄弟姉妹の法定相続分の差異について，最高裁の判断は示されなかった）。

(6)　包括遺贈との関係

(ア)　総説　　包括遺贈とは，被相続人（遺言者）が，遺言で相続財産の全部（全部包括遺贈），または，一定割合（一部包括遺贈）を示してする遺贈である（964条）。包括遺贈を受ける者（包括受遺者）は相続人と同一の権利義務を有するとされるので（990条），包括受遺者についても法定相続分の適用が問題になる。

様々な事例が想定されるので，以下では，包括受遺者が，(イ)第三者の場合と，(ウ)共同相続人の一部の場合に分け，この問題を析出する。

(イ)　包括受遺者が第三者の場合　　被相続人A，共同相続人として配偶者B，子Cで，Aが「第三者Eに全財産の4分の1を遺贈する」とした場合，B・Cは，どのような割合で相続財産全体（1）の残部$\frac{3}{4}$（$=1-\frac{1}{4}$）を相続するのか。2説が考えられる。

(a)　第1説　　B・Cは，法定相続分（各$\frac{1}{2}$）の割合で残部$\frac{3}{4}$を取得する。取得分は，B・C各$\frac{3}{8}$（$=\frac{3}{4}\times\frac{1}{2}$）となる。

(b)　第2説　　Bは配偶者として相続財産全体（1）に対する法定相続分（$\frac{1}{2}$）を取得し，Cは残りを取得する。取得分は，B$\frac{1}{2}$（$=1-\frac{1}{2}$），C$\frac{1}{4}$（$=1-\frac{1}{4}-\frac{1}{2}$）となる。

(ウ)　包括受遺者が共同相続人の一部の場合　　被相続人A，共同相続人として配偶者B，子C・Dで，Aが「子Dに全財産の8分の1を遺贈する」とした場合，B・C・Dは，どのような割合で相続財産全体（1）の残部$\frac{7}{8}$（$=1-\frac{1}{8}$）を相続するのか。以下の6説が考えられる。

(a)　第1説　　Dは遺贈$\frac{1}{8}$のみを取得する。B・Cは，配偶者と子の法定相続分の割合（B・C各$\frac{1}{2}$）で残部$\frac{7}{8}$を取得する。取得分は，B・C各$\frac{7}{16}$

（$=\frac{7}{8}\times\frac{1}{2}$），D$\frac{1}{8}$となる。

(b) 第2説　　Dは遺贈$\frac{1}{8}$のみを取得する。B・Cは，法定相続分の割合（B$\frac{1}{2}$・C$\frac{1}{4}$）の割合（2：1）で残部$\frac{7}{8}$を取得する。取得分は，B$\frac{7}{12}$（$=\frac{7}{8}\times\frac{2}{3}$），C$\frac{7}{24}$（$=\frac{7}{8}\times\frac{1}{3}$），D$\frac{1}{8}$となる。

(c) 第3説　　Dは遺贈$\frac{1}{8}$のみを取得する。Bは配偶者として相続財産全体（1）に対する法定相続分（$\frac{1}{2}$）を取得し，Cは残りを取得する。取得分は，B$\frac{1}{2}$（$=1-\frac{1}{2}$），C$\frac{3}{8}$（$=1-\frac{1}{8}-\frac{1}{2}$），D$\frac{1}{8}$となる。

(d) 第4説　　Dは，まず，遺贈$\frac{1}{8}$を取得する。B・C・Dは配偶者と子の法定相続分の割合（B$\frac{1}{2}$，C・D各$\frac{1}{4}$）の割合（2：1：1）で残部$\frac{7}{8}$を取得する。取得分は，B$\frac{7}{16}$，C$\frac{7}{32}$，D$\frac{11}{32}$（$=\frac{1}{8}+\frac{7}{32}$）となる。

(e) 第5説　　Dは，まず，遺贈$\frac{1}{8}$を取得する。Bは配偶者として相続財産全体（1）に対する法定相続分（$\frac{1}{2}$）を取得し，かつ，Dの法定相続分$\frac{1}{4}$を充足させるため，Dも残部から取得する。取得分は，B$\frac{1}{2}$，C$\frac{1}{4}$，D$\frac{1}{4}$（$=\frac{1}{8}+\frac{1}{8}$）となる。

(f) 第6説　　Dは，まず，遺贈$\frac{1}{8}$を取得する。Bは配偶者として相続財産全体（1）に対する法定相続分（$\frac{1}{2}$）を取得し，その後，C・Dは残りを法定相続分（各$\frac{1}{2}$）の割合で取得する。取得分は，B$\frac{1}{2}$（$=1-\frac{1}{2}$），C$\frac{3}{16}$（$=(1-\frac{1}{8}-\frac{1}{2})\times\frac{1}{2}$），D$\frac{5}{16}$（$=\frac{1}{8}+\frac{3}{16}$）となる。

(エ) 小括　　包括遺贈がある場合の法定相続分の解釈が分明でなく，また，遺言（遺言者意思）の解釈も絡むため，説が乱立する。

手掛かりは，共同相続人の一部に対して相続分の指定がされた場合を想定した902条2項である。ただ，同条項は，「前2条〔900条・901条〕の規定により定める」とするのみである。同条項の文言解釈からは，(ウ)第1・2・4説のような解釈が導かれることになりそうである。

しかし，(ウ)第3・5・6説のように配偶者を優遇（優先）する解釈も有力である。なぜなら，相続は夫婦財産の清算という側面を有しているのであり，配偶者の法定相続分として最低2分の1が確保されるべきことになるからである。

この問題は，包括遺贈の割合が不明な場合や，不完全な（遺贈割合の総和が1を超過・不足する）包括遺贈の場合などの設例を加えれば，さらに錯綜する。学説（新版注民(27)〔補訂版〕177頁〔有地＝二宮〕）および実務（梶村＝貴島114頁）

では，配偶者を優遇しない解釈が支持されているものの，公刊裁判例が存在するわけではない。いずれにしても，指定相続分に共通する問題なので，902条2項の解説を参照されたい（→§902）。

VI　相続資格の重複の場合

(1)　親族関係の重複

養子縁組によって，二重（以上の）親族関係が生じることがある。

例えば，A，Aの子B・C，Bの子Dにおいて，Aを養親，Dを養子とする縁組（いわゆる孫養子）が成立すると，AとDの間には，祖父（祖母）と孫という関係（直系血族2親等），および，養父（養母）と養子という関係（直系血族1親等）の，2つの親族関係が存在することになる。

また，Bを養親，Cを養子とする縁組，および，Cを養親，Dを養子とする縁組がそれぞれ成立すると，CとDの間には，おじ（おば）とおい（めい）という関係（傍系血族3親等），兄弟姉妹関係（傍系血族2親等），養親子関係（直系血族1親等）の，3つの親族関係が存在することになる。

そして，二重（以上）の親族関係を有する共同相続人の法定相続分が問題となる。

(2)　具　体　例

二重の法定相続分が問題となる場合は3つある。

(ア)　父母とその実子の縁組　　A（被相続人），Aの嫡出子B，Aの嫡出でない子Cで，AがCを認知し，かつ，AとCが縁組をする。

実親とその嫡出でない子（非嫡出子）との縁組は認められている（名古屋高決平15・11・14家月56巻5号143頁）。そこで，Cは，実子としての法定相続分と養子としての法定相続分の双方を有するのかが，問題となる。

先例（昭43・8・5民事甲2688号民事局長回答）・通説は，二重の相続資格（法定相続分）を否定する（新版注民(27)〔補訂版〕158頁〔有地＝二宮〕，梶村＝貴島45頁）。したがって，法定相続分はB（$\frac{1}{2}$），C（$\frac{1}{2}$）となる。

そもそも，実親が嫡出でない子と縁組をするのは，嫡出子の身分を付与する（809条）ことが目的であると思われる。背景には，嫡出子と嫡出でない子の間の法定相続分の差異があった。しかし，法定相続分の差異は解消された（一IV(6)）。また，Aが，Cの相続分を2分の1ではなく3分の2にすることを望むのであれば，相続分の指定（902条），遺産分割方法の指定（908条1項），包括遺贈（964条）などによればよく，縁組の効果として，Cに二重の法定相続分を付与する必要はないと解される。したがって，二重の法定相続分を否定する先例・通説は妥当である。

【例1】A（被相続人），Aの嫡出子B，Aの嫡出でない子C，AとCの間で縁組　B（$\frac{1}{2}$），C（$\frac{1}{2}$）

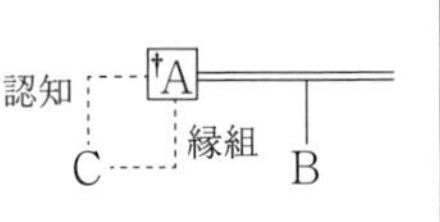

(イ)　祖父（祖母）と孫の縁組（孫養子）　Aの子B・C，Bの子Dで，AとDが縁組，Bの死後，A（被相続人）が死亡した場合である。

Dは，Aの養子であり，かつ，B（被代襲者）の代襲相続人である。

先例（昭26・9・18民事甲1881号民事局長回答）・通説は，二重の相続資格（法定相続分）を肯定する（新版注民(27)〔補訂版〕158頁〔有地＝二宮〕，梶村＝貴島44頁）。したがって，法定相続分はC$\frac{1}{3}$，D$\frac{2}{3}$（$=\frac{1}{3}+\frac{1}{3}$）となる。

なお，過去，二重の相続資格を否定する説も少数存在したが，現在，支持されていない。

【例2】Aの子B・C，Bの子D，AとDが縁組，Bの死後，A（被相続人）が死亡
⇒肯定説：C（$\frac{1}{3}$），D（$\frac{2}{3}$）
⇒否定説：C（$\frac{1}{2}$），D（$\frac{1}{2}$）

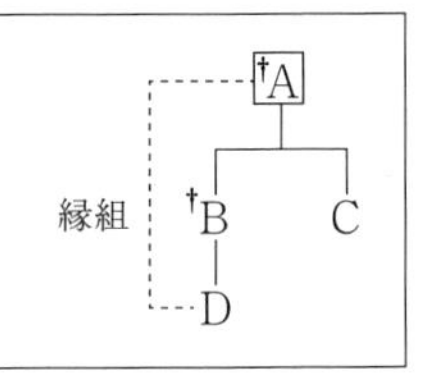

(ウ)　配偶者の父母との縁組　Aの子B・C，BとDが婚姻，AとDが縁組，Aの死後，B（被相続人）が死亡した場合である。

Dは，Bの配偶者であり，かつ，Aとの縁組を通じてBの兄弟姉妹になっている。

先例（昭23・8・9民甲2371号民事局長回答）は，二重の相続資格（法定相続分）を否定する。

学説は，二重の相続資格（法定相続分）を肯定する説（新版注民(27)〔補訂版〕157-158頁〔有地＝二宮〕）と否定する説（中川＝泉118頁）に分かれる。近時は，肯定説が優勢となりつつある。

法定相続分は，二重の相続資格（法定相続分）を肯定するとC$\frac{1}{8}$，D$\frac{7}{8}$（$=\frac{3}{4}+\frac{1}{8}$），否定するとC$\frac{1}{4}$，D$\frac{3}{4}$となる。否定説では，Dには配偶者としての相続資格のみが認められると解されている（前記先例）。

AとDの縁組は，いわゆる婿養子であることが多い。Aはその家業や家産の承継者としてDを養子にする。縁組に際して，Dは，Aの相続を期待しているとしても，通常，Bの兄弟姉妹としての相続を期待していないであろう。したがって，否定説に立ち，DにはBの配偶者としての相続資格（法定相続分）のみを認めれば十分だと解される。

しかし，相続資格（法定相続分）について，実質的な考慮をするというのでは，「法定」相続分の意義が失われ，相続制度の運営にとって支障となる。(イ)で二重の相続資格（法定相続分）が肯定されるのだから，ここでも肯定するという価値判断もありえよう。

【例3】Aの子B・C，BとDが婚姻，AとDが縁組，
Aの死後，B（被相続人）が死亡
⇒肯定説：C（$\frac{1}{8}$），D（$\frac{7}{8}$）
⇒否定説：C（$\frac{1}{4}$），D（$\frac{3}{4}$）

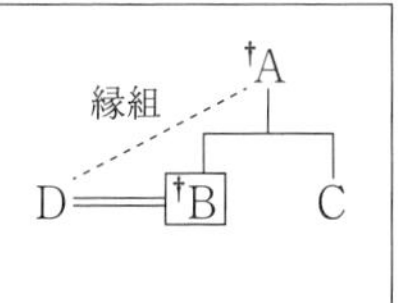

(3)　相続資格の重複と相続放棄

二重の相続資格を有する者が相続放棄をした場合に，当該放棄が，1つの相続資格に基づいてされたと見るのか，それとも，2つの相続資格に基づいてされたと見るのか，という問題がある（→§939 II）。

Aの子B・C・D，BとDが縁組，Aの死後，B（被相続人）が死亡し，Dが養子として相続放棄の申述をした。Dは，Bの兄弟姉妹としてCと共にBを共同相続することができるか。

養子としての相続資格と兄弟姉妹としての相続資格を別個独立のものと解するならば，兄弟姉妹としての相続資格が肯定されそうである。しかし，相続放棄は，相続債務を免れる目的で専ら利用されるので，第1順位（養子）として放棄しながら，第3順位（兄弟姉妹）として相続資格が残存しているとか，Dが相続債務を免れるには2度放棄をするというのも奇異である。

【例4】A（先死）の子B・C・Dで，Bを養親，Dを養子とする縁組が成立した後，B（被相続人）が死亡，Dが相続放棄の申述
⇒肯定説：C（$\frac{1}{2}$），D（$\frac{1}{2}$）
⇒否定説：C（1），D（ゼロ）
⇒折衷説：原則的に否定説，例外的に肯定説

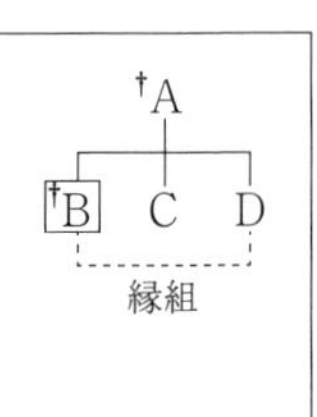

先例（昭32・1・10民事甲61号民事局長回答）は，兄弟姉妹としての相続資格を否定する。しかし，兄弟姉妹としての相続資格を肯定した裁判例もあり（京都地判昭34・6・16下民集10巻6号1267頁），解釈が分かれている。

学説は，相続資格肯定説（新版注民(27)〔補訂版〕157頁〔有地＝二宮〕）と相続資格否定説（中川＝泉118頁）が拮抗している。そして，近時，相続放棄をした者の意思解釈の問題として捉える折衷説が有力になっている（松原Ⅰ168頁）。

折衷説は，原則として，養子としての放棄には，兄弟姉妹としての放棄の意思が含まれていると解し，例外的に，兄弟姉妹としての放棄を含まない意思が表示されていれば，兄弟姉妹としての相続資格を肯定する。

ところで，相続放棄の申述書には，「被相続人との関係」の記入欄がある。同欄は，「被相続人の……1 子　2 孫　3 配偶者　4 直系尊属（父母・祖父母）5 兄弟姉妹　6 おいめい　7 その他」となっており，申述人が該当番号に○を付する。したがって，同欄の記載内容から，申述人（放棄者）の意思を解釈する手掛かりが得られる場合もあると思われる。

〔本山　敦〕

（代襲相続人の相続分）

第901条①　第887条第2項又は第3項の規定により相続人となる直系卑属の相続分は，その直系尊属が受けるべきであったものと同じとする。ただし，直系卑属が数人あるときは，その各自の直系尊属が受けるべきであった部分について，前条の規定に従ってその相続分を定める。

② 前項の規定は，第889条第2項の規定により兄弟姉妹の子が相続人となる場合について準用する。

〔対照〕 フ民751〜755，ド民1924〜1926
〔改正〕 〔1005〕 ①＝昭37法40改正　②＝昭55法51改正

I　本条の趣旨

本条は代襲相続（再代襲を含む）の場合の代襲相続人（887条2項3項・889条2項）の相続分について定める。代襲相続および再代襲については，各条の解説を参照されたい（→§887・§889）。

本条の見出しは，「代襲相続人の相続分」であり，法定相続分（900条）とはなっていない。しかし，本条1項ただし書が前条（900条）の規定に従うとしているので，本条は，前条（900条）と同じく，法定相続分についての規定と考えて差し支えない。また，代襲相続人の相続分を「代襲相続分」とも呼ぶ（新版注民(27)〔補訂版〕159頁〔有地亨＝二宮周平〕）。

II　本条の沿革

明治民法下の遺産相続では，1005条が代襲相続の（法定）相続分について規定していた。

同条が，昭和22（1947）年の民法改正（法律222号）で再構成され，本条になった。その後，本条1項が，昭和37（1962）年の民法改正（法律40号）で，887条から889条の改正に併せて変更された。さらに，本条2項が，昭和55（1980）年の民法改正（法律51号）で，889条2項の改正に併せて変更された。

昭和37年改正前の代襲相続制度は，解釈上，様々な疑義を生じさせていた。そのため，同制度を前提とする改正前の本条にも影響が及んでいた。しかし，昭和37年および同55年改正の結果，解釈上の疑義は払拭された。なお，平成16（2004）年の民法改正（法律147号）で字句が一部変更された。

III　代襲相続（再代襲）と相続分

以下では，⑴ 887条2項の場合，⑵ 887条3項（再代襲）の場合，⑶ 889条2項の場合について，設例を用いて説明する。なお，代襲原因（887条2項）には，相続開始以前の死亡，欠格（→§891），廃除（→§892・§893）があるところ，相続開始以前の死亡の場面を用いて検討する。

⑴　887条2項（被代襲者＝子）の場合の相続分

被相続人の子（被代襲者）が被相続人よりも先に死亡し，被代襲者に子（代襲相続人）が存在する場合，代襲相続人の相続分は，被代襲者の相続分と同じである。

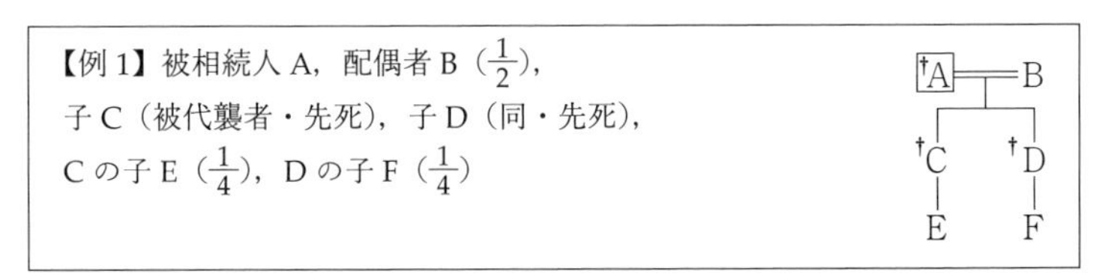
【例1】被相続人A，配偶者B（$\frac{1}{2}$），
子C（被代襲者・先死），子D（同・先死），
Cの子E（$\frac{1}{4}$），Dの子F（$\frac{1}{4}$）

Dに子が存在しない場合には，代襲相続人がいないので，そもそも，代襲相続にならない。したがって，Aの相続人は，BおよびEとなり，法定相続分は各$\frac{1}{2}$となる。

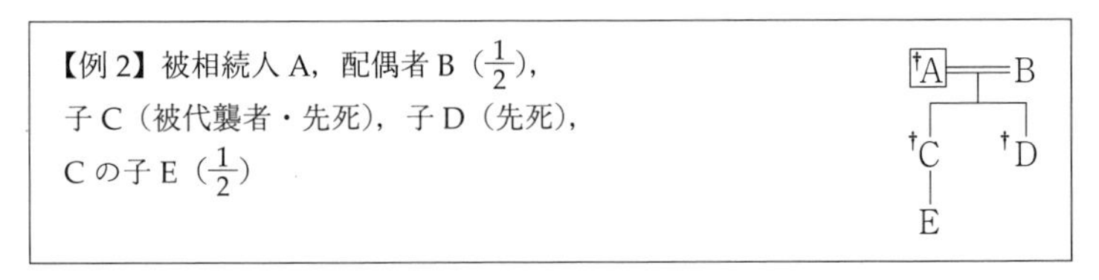
【例2】被相続人A，配偶者B（$\frac{1}{2}$），
子C（被代襲者・先死），子D（先死），
Cの子E（$\frac{1}{2}$）

被代襲者に代襲相続人が複数存在する場合，被代襲者の法定相続分を前条の規定（900条4号）に従って均分する（本条1項ただし書）。

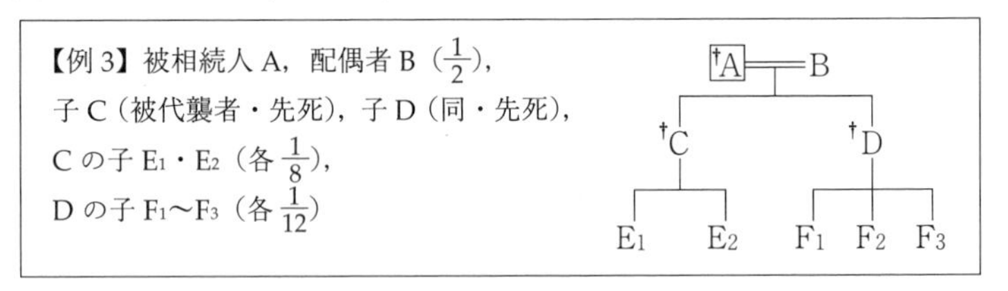
【例3】被相続人A，配偶者B（$\frac{1}{2}$），
子C（被代襲者・先死），子D（同・先死），
Cの子E_1・E_2（各$\frac{1}{8}$），
Dの子F_1〜F_3（各$\frac{1}{12}$）

このような分け方を「株分け」と呼ぶ。Eら（代襲相続人）はその親C（被

代襲者）の法定相続分（＝「株」）を均分し，Ｆらもその親Ｄの法定相続分（＝「株」）を均分するという意味である。代襲相続人は被代襲者の子であることのみが要件であるから，子の性別，年齢，（意思・行為）能力，実子・養子，嫡出・非嫡出，被相続人との親疎などに関係なく，「株」を均分する。

古くは，【例3】の場合に，「頭分け（頭割り）」による法定相続分を主張する解釈が存在した。頭分けであると，【例3】のＥら・Ｆらの法定相続分は，Ｃ・Ｄの法定相続分の合計 $\frac{1}{2}$（$=\frac{1}{4}+\frac{1}{4}$）を代襲相続人全員（Ｅら・Ｆら合計5名）で均分し，各 $\frac{1}{10}$（$=\frac{1}{2}\times\frac{1}{5}$）になる。この解釈は，明治民法1004条・1005条から昭和37年改正前887条・888条までの規定に依拠していた。

しかし，昭和37年改正で887条・888条が改正された結果，頭分け説は否定され，株分け説が明確化された（前田達明編・史料民法典〔2004〕1373頁）。今日，頭分け説は，学説・実務において，まったく支持されていない。

⑵　887条3項（再代襲）の場合

被相続人の子（被代襲者）が被相続人よりも先に死亡し，かつ，被代襲者の子（代襲者）も被相続人よりも先に死亡したような場合を想定している。

そして，被代襲者と代襲者の死亡の先後は関係ないと解されている（887条2項3項）。すなわち，【例4】において，死亡の順序が①Ｃ→②Ｅ→③Ａ，①Ｅ→②Ｃ→③Ａ，①Ｃ＝Ｅ（同時死亡）→②Ａのいずれであっても，Ｅ（Ｆ）の子Ｇ（Ｈ）らは再代襲によってＡを相続する。

なお，【例4】の場合のＥ・Ｆは，代襲相続人ではなく，「代襲者」と呼ばれる（887条3項）。また，直系卑属が代襲する場合（887条2項3項），その範囲は，再代襲（代襲相続人＝孫），再々代襲（同＝曾孫〔孫の子〕），再々々代襲（同＝玄孫〔孫の孫〕）と理論的には無限に拡大する。

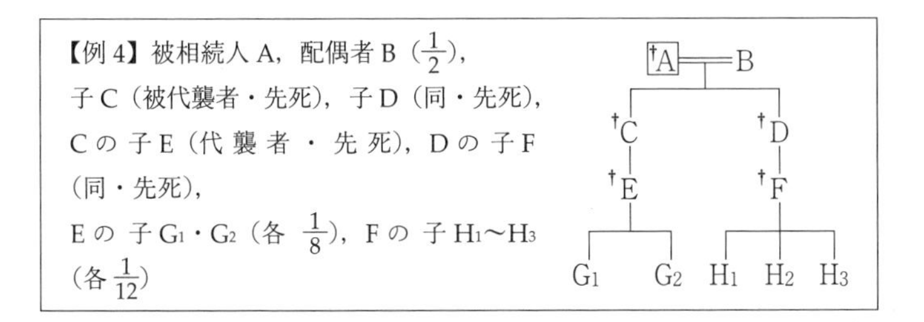

⑶　889条2項（被代襲者＝兄弟姉妹）の場合

これに対して，被相続人の兄弟姉妹が被代襲者となる場合，代襲相続人の範囲は，兄弟姉妹の子，すなわち，被相続人の甥姪に限られる。なぜなら，889条2項が887条2項のみを準用し，887条3項を準用していないため，兄弟姉妹が被代襲者の場合，再代襲が適用されないからである。

法定相続分の考え方は，上述の【例1】〜【例4】と同様である。

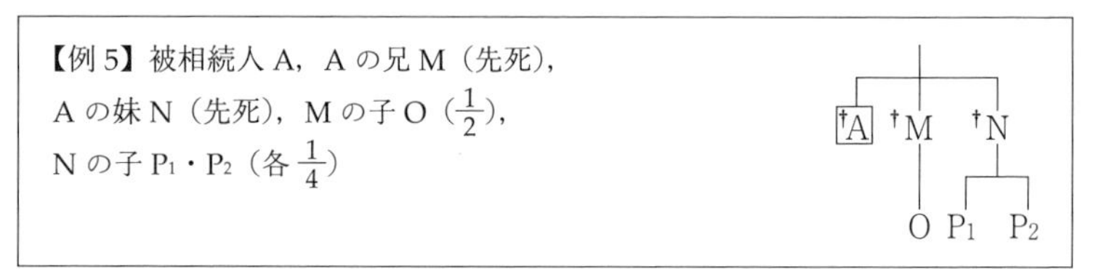

【例5】被相続人A，Aの兄M（先死），Aの妹N（先死），Mの子O（$\frac{1}{2}$），Nの子 P_1・P_2（各 $\frac{1}{4}$）

もっとも，兄弟姉妹が被代襲者であることから，全血・半血の兄弟姉妹が存在する場合には，被代襲者が被相続人の全血兄弟姉妹か半血兄弟姉妹かによって法定相続分が異なるため，代襲相続人の法定相続分も異なることになる（→§900V⑸）。

【例6】X・Y・Z（先死），被相続人A，Aの兄M（全血・先死），Aの妹N（半血・先死），Mの子O（$\frac{2}{3}$），Nの子P（$\frac{1}{3}$）

†X ═ †Y ═ †Z
†M　†A　†N
O　P

⑷　相続分指定，特別受益，寄与分との関係

遺言者または遺言者の委託を受けた第三者による被代襲者（代襲相続人）の相続分の指定がある場合，特別受益が被代襲者（代襲相続人）にある場合，寄与分が被代襲者（代襲相続人）にある場合については，各条の解説を参照されたい（→§902・§903・§904の2）。

⑸　遺産分割方法の指定（「相続させる」旨の遺言）との関係

遺言者が，いわゆる「相続させる」旨の遺言によって（→§908 III。最判平3・4・19民集45巻4号477頁），推定相続人に受益をさせるつもりでいたところ，当該推定相続人が遺言者よりも先に死亡し，その後，遺言者が死亡した場合に，当該推定相続人（被代襲者）の子が代襲によって当該受益を相続するか，という問題があった。

【例7】遺言者A（被相続人），配偶者B，子C・D，Cの子E，AがCに甲不動産を「相続させる」旨の遺言を作成後，C死亡，A死亡

Eによる代襲の可否について，学説・下級審裁判例では，代襲肯定説と代襲否定説が対立していた。そして，最高裁は，このような「『相続させる』旨の遺言は，……遺言者〔A〕が，……当該推定相続人〔C〕の代襲者〔E〕その他の者に遺産を相続させる旨の意思を有していたとみるべき特段の事情のない限り，その効力を生ずることはない」と判示して（最判平23・2・22民集65巻2号699頁），原則として否定説に立つことを判示した（伊藤正晴〔判解〕最判解平23年上89頁）。

したがって，遺言者Aは，Cが先死した後，Eに甲不動産を取得させたいのであれば，その旨の補充的な遺言（「CがAより先に死亡した場合，Aは，Eに甲不動産を相続させる（遺贈する）」）を作成するというような対応をすべきことになる。

〔本山　敦〕

（遺言による相続分の指定）

第902条①　被相続人は，前2条の規定にかかわらず，遺言で，共同相続人の相続分を定め，又はこれを定めることを第三者に委託することができる。

②　被相続人が，共同相続人中の1人若しくは数人の相続分のみを定め，又はこれを第三者に定めさせたときは，他の共同相続人の相続分は，前2条の規定により定める。

〔対照〕 フ民1075，ド民2048

〔改正〕（1006）①＝平30法72改正

（遺言による相続分の指定）
第902条①　被相続人は，前2条の規定にかかわらず，遺言で，共同相続人の相続分を定め，又はこれを定めることを第三者に委託することができる。ただし，被相続人又は第三者は，遺留分に関する規定に違反することができない。
②　（略）

細　目　次

I　本条の趣旨

本条は，被相続人または被相続人から委託された第三者（受託者）が，共同相続人の全員または一部について，相続分を定めることができるとする。被相続人または受託者によって定められた相続分を「指定相続分」と呼ぶ。

本条のような立法は，比較法的には極めて特異であるとされる（新版注民(27)〔補訂版〕161頁〔有地亨＝二宮周平〕）。

また，遺言による財産処分の方法としては，本条（指定相続分）のほかに，遺産分割方法の指定（908条1項。最判平3・4・19民集45巻4号477頁）および遺贈（964条）が存在するため，①指定相続分（本条）と遺産分割方法の指定（908条1項）の関係，②指定相続分（本条）と遺贈（964条）の関係がそれぞれ問題となり，難しい解釈問題を生じさせている（新版注民(27)〔補訂版〕161-162頁〔有地＝二宮〕）。そのため，本条については廃止を志向する学説（山畠正男「相続分の指定」家族法大系VI 269頁）や，制度間競合を回避するための規範統合を提示する学説（潮見佳男「包括遺贈と相続分指定――立法的課題を含む」水野編著171頁）が存在する（後述VIII）。

II　本条の沿革

明治民法1006条が，昭和22（1947）年の民法改正（法律222号）で本条に再構成され，平成16（2004）年の民法改正（法律147号）で字句が一部変更された。

そして，平成30（2018）年の民法改正（法律72号）で改正前1項ただし書が削除された（→VII）。

III　指定の方法

被相続人は，相続分の指定または第三者（受託者）への委託を行うときは，遺言によってしなければならない（本条1項）。したがって，被相続人が口頭や遺言でない書面で指定をしていたとしても，それらによって指定および第三者への委託の効力は生じない。

なお，受託者が共同相続人の相続分を指定する方法については，何ら制限がない（中川＝泉254頁）。したがって，受託者は，その指定する相続分を共同相続人に対して口頭や書面などによって伝達すればよい。もっとも，共同相続人は，受託者が指定した相続分に基づいて遺産分割手続を行ったり，不動産の移転登記手続や預金の払戻し手続を行ったりすることになるのだから，受託者からの指定相続分の伝達は，共同相続人全員に対して，書面でされることが望ましいであろう。

IV 指定権者

1 被相続人

被相続人は，遺言で，共同相続人の全員または一部について相続分を指定し，また，その指定を第三者（受託者）に委託することができる。相続分の指定または第三者（受託者）への委託は遺言によってされなければならないから（前述III），被相続人は遺言能力（961条〜963条）を充足していなければならず，かつ，当該遺言が有効でなければならない。

2 第三者（受託者）

被相続人が遺言で委託した第三者（受託者）は，共同相続人の全員または一部の相続分を指定することができる。このような指定がされることは，実際には稀なようであり，第三者（受託者）が現われた公刊裁判例は少ない（大阪高決昭49・6・6家月27巻8号54頁参照）。

(1) 第三者（受託者）の資格

第三者（受託者）については，何も定められていない。したがって，第三者の行為能力については，制限がないと解さざるを得ない。もっとも，一般論として，第三者には，相続分指定の法的意味・効果を理解することのできる意思能力が必要であろう。

第三者の能力については，ほとんど議論がされてない。とは言うものの，第三者は，被相続人（遺言者）に代わって指定を行うのであるから，遺言者と同程度の能力が必要であるとの解釈も可能であるかもしれない。また，相続分の指定は，遺言執行と密接に関係するから（後述(5)），遺言執行者の欠格事由（1009条）を第三者に類推適用するという解釈もありえるかもしれない。

また，これも議論されていないが，第三者（受託者）が未成年者や成年被後見人であった場合に，その親権者や成年後見人が相続分の指定を代理できるのか，第三者が死亡した場合に，その相続人が受託者の地位を相続するのかという問題もある。受託者の地位は，一身専属的な地位であり，受託者の法定代理人や相続人は受託者の地位に就き得ないと解するべきであろう。

(2) 第三者（受託者）の数

第三者（受託者）の数は，ひとりに限定されてはいないが，ひとりに限られると解するべきであろう。被相続人はひとりしかおらず，受託者は被相続人に代わって相続分を指定するのだから，受託者が複数というのは奇異である。また，仮に，複数の受託者が指定されている場合に，受託者間で指定内容が異なるなどした場合に，混乱が生じかねない。

他方，第三者（受託者）を補充的に複数名指定することは差し支えないと解される。例えば，「甲が相続人の相続分を指定してください。甲が指定できない場合は，乙が相続人の相続分を指定してください。」というような指定を不可とする必要はないと解される。

(3)　第三者（受託者）の範囲

第三者（受託者）の範囲が制限されていないことから，共同相続人や包括受遺者が第三者に含まれるかについては議論がある。同人らを含むべきでないとする否定説（前掲大阪高決昭49・6・6。中川＝泉262頁），同人らを含んで差し支えないとする肯定説（我妻＝有泉ほか264-265頁），同人らが自らの相続分を指定しないのであれば含めてよいとする折衷説が対立する（新版注民(27)〔補訂版〕165頁〔有地＝二宮〕）。

立法者が否定説に立っていたこと（梅120頁），第三者（受託者）が自らの相続分を指定しない場合でも，他の共同相続人の相続分を指定することで，結果的に，自らの相続分を指定した状況になる場合があることからすると，否定説が妥当である。

(4)　第三者（受託者）の受託義務

第三者（受託者）には，共同相続人の全員または一部の相続分の指定をしなければならないという義務はない。そもそも，第三者には，受託の諾否の意思決定をする義務も，その意思表示をする義務もないと解さざるを得ない。しかし，それでは，共同相続人が遺産分割手続を行うことができず，社会経済的に見ても好ましくない事態となる。

(ア)　受託する場合　　第三者（受託者）が相続分の指定を受託する場合，第三者は共同相続人に対して，受諾の通知等をする義務はないものの，共同相続人全員に対して，口頭あるいは書面で受諾の旨を伝達することが望ましいであろう（III）。そうでないと，例えば遺言の存在を知らない（したがって，第三者の存在も知らない）共同相続人が遺産分割手続を行ってしまう恐れがある。

(イ)　受託拒否または不可の場合　　第三者が相続分の指定の受託を拒否す

る場合，拒否は自由にしてよいが，遺言の効力に関することから，第三者は受託を拒否する旨を共同相続人全員に対して口頭あるいは書面で伝達することが望ましいであろう。また，第三者が相続分の指定前に死亡するなどして，受託が不可能になった場合には，委託は失効すると解するべきである。したがって，第三者の相続人が指定権者の地位を承継することはない。

いずれにせよ，第三者は相続分の指定を行うことができないので，共同相続人は法定相続分を前提に遺産分割協議等を行うことになる（法曹会決議大11・3・28法曹会決議要録上〔1931〕908-909頁）。

(ウ)　諾否不明の場合　　共同相続人は，民法114条の類推適用を根拠に，第三者に対して相続分の指定を受託するかどうかを催告することができると解されている（前掲法曹会決議）。催告後，確答がない場合には，受託を拒絶したものとして，第三者への委託は効力を失うと解される（新版注民(27)〔補訂版〕165頁〔有地＝二宮〕）。

(5)　受託と遺言執行の関係

例えば，「相続分の指定を某に委託する。某はその指定に基づいて各相続人に預金を分配してください。」というような遺言は，相続分の指定の委託（本条）に併せて，遺言執行者の指定（1006条）を行う趣旨と解される。そして，このような内容の遺言はもちろん可能である。

問題は，第三者（受託者）の要件等が明確でないにもかかわらず，遺言執行者の要件等が法定されている点である。例えば，未成年者は，意思能力を有していれば受託者になりうると解されるが（前述(1)），遺言執行者になることはできない（1009条）という事態になる。このような場合，相続分の指定には，いつまでに指定しなければならないという期限がないから，未成年者の成年到達を待って指定および遺言執行を行う，あるいは，未成年のうちに指定のみを行い，成年到達後に遺言執行を行うということになるのだろうか。いずれにせよ，遺言執行が遅延することに変わりはない。

(6)　指定の無効・取消し

第三者（受託者）が，相続分の指定を行い，それを共同相続人に伝達した後，当該指定を取り消したり，取り消した上で再度の指定をしたりすることが許されるであろうか。

まったく議論されておらず，実例もないようであるが，遺産分割を著しく不安定にすることから，指定の取消しや再度の指定は原則的に許すべきではない。

もっとも，受託者が，共同相続人の範囲・員数などについて明らかに錯誤に陥っていたり，受託者に意思能力がなかったりしたような場合については，受託者あるいは共同相続人から指定の無効または取消しの主張を許す余地があると考えるべきであろう。

V　相続分指定の態様

1　総　　論

典型的な相続分の指定は，被相続人Aが子C_1・C_2・C_3（法定相続分各$\frac{1}{3}$）について，$C_1=\frac{1}{2}$，$C_2=\frac{1}{3}$，$C_3=\frac{1}{6}$と指定したような場合である。Cらは，遺産分割手続において，指定された相続分に基づいて，相続財産の帰属を定めることになる。遺言がなければ，法定相続分が遺産分割の基準になったはずだが，相続分の指定がされたことで，指定相続分が遺産分割の基準になるのである。

もっとも，例えば，「C_1に財産の2分の1を与える」という遺言は，相続分の指定なのか，包括遺贈なのか，判然としない場合がある。また，指定相続分の合計が1にならない場合など，不完全な指定がされることもありうる。

2　遺贈との分別

上述のように，「C_1に財産の2分の1を与える」との遺言は，相続分の指定または包括遺贈の可能性がある。相続分の指定と解するか，包括遺贈と解するかで，以下のような相違を生じる。

①代襲相続　　C_1が遺言者より先に死亡し，C_1に子Dがいる場合，相続分の指定であればDが代襲相続人として相続するが，包括遺贈であればC_1の死亡により遺贈が失効する（994条1項）。

②相続放棄　　C_1がAの相続を放棄した場合，相続分の指定であればC_1は相続人でなくなるので（939条），相続できなくなるが，包括遺贈であればC_1は受遺者として遺産分割の当事者となる。

③相続分　　例えば，「C_3に財産の6分の1を与える」という記述のみの遺言で，残財産$\frac{5}{6}$が遺産分割の対象となる場合，相続分の指定であれば，

C_3の相続分は指定相続分$\frac{1}{6}$に限定され，残財産$\frac{5}{6}$からの取得はできないが，包括遺贈であれば，C_3は遺贈$\frac{1}{6}$を取得した上で，残財産$\frac{5}{6}$から法定相続分に不足する割合$\frac{1}{6}$（$=\frac{1}{3}-\frac{1}{6}$）の取得が可能となる。

相続分指定と包括遺贈の分別に関する判例は見当たらない。学説は多岐に分かれるが（新基本法コメ63頁〔木村敦子〕），最終的には，遺言解釈の問題とならざるをえないであろう。

3　協議・調停・審判による指定の修正

例えば，$C_1=\frac{1}{2}$，$C_2=\frac{1}{3}$，$C_3=\frac{1}{6}$と相続分指定がされた場合，Cらは，指定相続分の通り，遺産分割を行わなければならないか。

まず，遺産分割協議は，協議する・しない自体が共同相続人全員に委ねられているから，共同相続人全員が指定相続分と異なる割合で遺産分割を成立させたとしても，それに対して当事者でない者の介入を許す必要はないと考えられる。

また，遺産分割調停においては，指定相続分はできるだけ尊重されるべきではあろうが，協議と同様，共同相続人全員の合意があることを前提に，指定相続分と異なる割合で調停を成立させることができてよいと解される。

さらに，遺産分割審判においても，指定相続分は遺言者の意思として尊重されるべきであるが，遺産分割基準（906条）に照らして，指定相続分と異なる割合の審判をすることが一切許されないと解する必要は乏しいであろう。

問題は，第三者（受託者）が相続分の指定をしたところ，その指定と異なる割合で共同相続人が遺産分割を成立させたような場合である。受託者が指定と異なる割合で成立した遺産分割の無効を主張し，共同相続人に対して遺産分割のやり直しを求めることができるであろうか。民法が，受託者に対して，そこまでの権限を付与しているとは到底解されないので，否定すべきであろう。

4　特定財産の指定

例えば，共同相続人A・B（法定相続分各$\frac{1}{2}$）で，被相続人がAに甲不動産を「相続させる」旨を遺言した。相続財産の価額は甲不動産（1200万円相当）を含め2000万円である。Aの受益は法定相続分を超過している（1200万円>1000万円）。このような場合，判例は，相続分の指定（本条）を伴う遺産分割方法の指定（908条1項）がされたものと解する（最判平14・6・10家月55巻1

号77頁)。したがって，Aの相続分は甲不動産の範囲に限定されるので，残余の財産（2000万円－甲不動産＝800万円相当）は，Bが取得することになる。

他方，上記の例で，甲不動産が800万円相当であった場合には，相続分の指定を伴う遺産分割方法の指定ではないと解されることになり，Aは法定相続分の不足分（2000万円×$\frac{1}{2}$－甲不動産＝200万円相当）を遺産分割で取得できることになる。

このような判例に対して，学説は批判を繰り広げてきた（新版注民(27)〔補訂版〕173－175頁〔有地＝二宮〕）。この問題は，結局のところ，相続分の指定（本条）と（包括）遺贈との分別の問題（一2），および，遺贈と遺産分割方法の指定との分別の問題に由来する（一Ⅷ，§908 Ⅱ 2）。

遺産分割方法の指定で受益するとされた財産が，法定相続分を超過するのか否かによって，相続分の指定を伴うのか否かを決するという判例の解釈は，遺言者（被相続人）の意思の尊重および共同相続人間の公平の調和という観点から，それなりに支持できるものと思われる。

5　共同相続人の一部に対する指定

相続分の指定は，後の紛争を予防する趣旨からは，共同相続人全員について行われることが望ましいはずである。しかし，本条2項は，共同相続人の一部についてのみの相続分の指定が可能であるという規定になっている。

(1)　被相続人が一部を指定し，残りを委託する場合

例えば，共同相続人A・B・C（法定相続分各$\frac{1}{3}$）で，被相続人がAの相続分を$\frac{1}{2}$と指定し，B・Cの相続分の指定を第三者（受託者）に委託するということも，本条2項の解釈として可能と考えられる。

(2)　一部の指定のみがされた場合

例えば，共同相続人が配偶者A（法定相続分$\frac{1}{2}$），子B・C（同各$\frac{1}{4}$）の3名で，被相続人がAについてのみ，あるいは，Bについてのみ相続分を指定している場合で考えてみる。

(ア)　Aについてのみ指定　　Aの相続分が$\frac{1}{3}$と指定された場合，B・Cの相続分は各$\frac{2}{3}\times\frac{1}{2}=\frac{1}{3}$となる。

(イ)　Bについてのみ指定　　Bの相続分が$\frac{1}{3}$と指定された場合，配偶者Aの相続分については，2つの解釈がある。

第1は，Bに対する相続分の指定は，配偶者Aの法定相続分に影響を与

えないと解し，Aの相続分は全体の$\frac{1}{2}$であると解する説である（中川＝泉257頁）。したがって，相続分はA$\frac{1}{2}$，B$\frac{1}{3}$（指定相続分），C$\frac{1}{6}$となる。

第2は，Bの指定相続分を控除した残部$\frac{2}{3}$について，Aが配偶者としての法定相続分$\frac{1}{2}$，Cが子としての法定相続分$\frac{1}{2}$で取得すると解する説である。共同相続人の相続分は，A$\frac{1}{3}$（$=\frac{2}{3}\times\frac{1}{2}$），B$\frac{1}{3}$（指定相続分），C$\frac{1}{3}$（$=\frac{2}{3}\times\frac{1}{2}$）となる。

かつては，第1説が支持を集めていた。しかし，現在では，第2説が実務を含めて支持されている（新版注民(27)〔補訂版〕177頁〔有地＝二宮〕，片岡＝管野518頁）。第2説が妥当であろう。

6　不完全な指定

指定相続分の合計が1よりも不足したり，超過したりするなど，不完全な指定がされることがあり得る。

(1)　指定相続分の合計が不足の場合（不足指定）

例えば，共同相続人A・B・C（法定相続分各$\frac{1}{3}$）で，指定相続分A$\frac{1}{3}$，B$\frac{1}{4}$，C$\frac{1}{5}$とすると$\frac{1}{3}+\frac{1}{4}+\frac{1}{5}=\frac{47}{60}$となり，合計1に不足する。以下のような計算をして修正する（松原Ⅱ27頁，新版注民(27)〔補訂版〕179頁〔有地＝二宮〕）。

$$A：\frac{1}{3}\times1\div(\frac{1}{3}+\frac{1}{4}+\frac{1}{5})=\frac{20}{47}$$
$$B：\frac{1}{4}\times1\div(\frac{1}{3}+\frac{1}{4}+\frac{1}{5})=\frac{15}{47}$$
$$C：\frac{1}{5}\times1\div(\frac{1}{3}+\frac{1}{4}+\frac{1}{5})=\frac{12}{47}$$

(2)　指定相続分の合計が超過の場合（超過指定）

例えば，共同相続人A・B・C（法定相続分各$\frac{1}{3}$）で，指定相続分A$\frac{1}{2}$，B$\frac{1}{3}$，C$\frac{1}{4}$とすると$\frac{1}{2}+\frac{1}{3}+\frac{1}{4}=\frac{13}{12}$となり，合計1を超過する。以下のような計算をして修正する（松原Ⅱ28頁，新版注民(27)〔補訂版〕179頁〔有地＝二宮〕）。

$$A：\frac{1}{2}\times1\div(\frac{1}{2}+\frac{1}{3}+\frac{1}{4})=\frac{6}{13}$$
$$B：\frac{1}{3}\times1\div(\frac{1}{2}+\frac{1}{3}+\frac{1}{4})=\frac{4}{13}$$
$$C：\frac{1}{4}\times1\div(\frac{1}{2}+\frac{1}{3}+\frac{1}{4})=\frac{3}{13}$$

(3)　指定相続分がゼロの場合

共同相続人A・B（法定相続分各$\frac{1}{2}$）で，被相続人が「Aの相続分をゼロとする」というような指定をした場合には，指定相続分はA＝0，B＝1であり，後は，Aの遺留分の問題となる（後述Ⅶ）。

もっとも，被相続人の意思として，Aの相続分をゼロとしたのは，①Aに十分な生前贈与をしたから，②Aを相続人から廃除する趣旨，など様々な場合が考えられる。①は，Aの遺留分の算定において考慮されることになる。問題は，②である。このような指定を廃除の端緒として，遺言による推定相続人の廃除（893条）の途を認めるかどうかについては，賛否が分かれる（新版注民(27)〔補訂版〕178頁〔有地＝二宮〕）。もとより，遺言解釈の問題ではあるが，廃除の端緒となる可能性をまったく否定する必要はないであろう。

VI　相続分指定の効果

1　総　　説

相続分指定の効果は，①被相続人による指定は遺言の効力発生時（985条1項）に，②第三者（受託者）による指定は相続開始時に遡及して，それぞれ効力を発生する。

なお，第三者（受託者）による指定については，指定の無効・取消し・再指定を簡単に許すべきではないと解されるが（Ⅳ2(6)），もし，無効・取消し・再指定を許すのであれば，それらの効力は相続開始時に遡及すると解さざるを得ないであろう。

2　相続債権との関係

共同相続人A・B（法定相続分各$\frac{1}{2}$）で，指定相続分A$\frac{2}{3}$，B$\frac{1}{3}$とされた場合，相続預貯金債権300万円の帰属はどうなるか。A・B間（対内的関係）では指定相続分の割合で帰属すると解されるが，債務者との関係（対外的関係）が問題となる。

この問題については，平成30（2018）年の民法改正（法律72号）で，899条の2（特に同条2項）が新設され，立法的に解決された（→§899の2）。

3　相続債務との関係

共同相続人A・B（法定相続分各$\frac{1}{2}$）で，指定相続分A$\frac{2}{3}$，B$\frac{1}{3}$とされた場合，相続債務300万円の帰属はどうなるか。A・B間（対内的関係）では指定相続分の割合で帰属すると解されるが，債権者との関係（対外的関係）が問題となる。

この問題については，平成30（2018）年の民法改正（法律72号）で，902条の2が新設され，立法的に解決された（→§902の2）。

4 特別受益との関係

特別受益者の相続分（903条1項）が，「第900条から第902条までの規定により算定した相続分」と規定していることから，指定相続分と特別受益の関係が問題となる（傍点は引用者による）。

例えば，共同相続人A・B（法定相続分各$\frac{1}{2}$）について，指定相続分A$\frac{2}{3}$，B$\frac{1}{3}$とされた場合で，相続財産600万円，生前贈与（特別受益）150万円とする。

みなし相続財産600万円＋150万円＝750万円

(1)Aに150万円の特別受益がある場合
A：750万円×$\frac{2}{3}$＝500万円
500万円－150万円＝350万円
B：750万円×$\frac{1}{3}$＝250万円
(2)Bに150万円の特別受益がある場合
A：750万円×$\frac{2}{3}$＝500万円
B：750万円×$\frac{1}{3}$＝250万円
250万円－150万円＝100万円

このような場合に，特別受益については，持戻し免除の意思表示（903条3項）があるものと推定するとする学説がある（松原Ⅱ34頁）。しかし，そのような一般的な推定を否定する学説もある（新版注民(27)〔補訂版〕169頁〔有地＝二宮〕）。

上記設例で，150万円について持戻しの免除があったと推定すると，(1)A 400万円＋150万円＝550万円，B 200万円，(2)A 400万円，B 200万円＋150万円＝350万円となる。いずれにおいてもA・Bの遺留分（各750万円×$\frac{1}{4}$＝187万5000円）は侵害されていないものの，(1)の場合はA：B＝550万円：200万円＝11：4という3倍近い格差となる。このような格差を肯定するためには，被相続人の持戻しの免除の意思表示が明らかである必要があるものと思われる。一般的な推定を否定する説が妥当であろう。

5　寄与分との関係

寄与分に関する904条の2第1項が,「第900条から第902条までの規定により算定した相続分に寄与分を加えた額」と規定していることから，指定相続分と寄与分の関係も問題となる。

問題となりうるのは，①指定相続分に寄与分の趣旨が含まれていると解される場合，②寄与したと考えられる相続人の指定相続分が法定相続分と同じか，法定相続分を下回る場合である。

①の場合，被指定者（寄与者）が，指定相続分では，自らの寄与に不足すると考えるならば，協議・調停・審判で寄与分の主張をすることは何ら妨げられない。その後，寄与者の当該主張が認められるか否かに収斂する。

②の場合，被相続人は，被指定者（寄与者）の寄与を認めない趣旨で相続分を指定したのかもしれない。もっとも，この場合でも，被指定者が，協議・調停・審判で寄与分の主張をすることは何ら妨げられない。被相続人の意思（指定相続分）は，寄与分を定める際の「一切の事情」（904条の2第2項）のひとつとして考慮されることになる。

6　相続放棄との関係

共同相続人A・B・C（法定相続分各$\frac{1}{3}$）で，相続分がA$\frac{1}{2}$，B$\frac{1}{3}$と指定されていたところ，Bが相続を放棄した。この場合，Bは初めから相続人とならなかったものとみなされることになるので（939条），このような指定（遺言）の効力がどうなるか。また，Aに対する指定（遺言）が有効であるとした場合，Bに帰属するはずであった指定相続分（$\frac{1}{3}$）はどうなるか，換言すれば，A・Cの最終的な相続分がどうなるかが問題となる。

⑴　指定（遺言）の有効性

Bに対する指定は無効と解するしかない。しかし，遺言全体，あるいは，Aに対する指定を無効と解する必要は存しない。

⑵　最終的な相続分

A・Cの最終的な相続分がどうなるかについては，複数の解釈がある。

第1は，相続分を指定されていないCは，民法902条2項の「他の共同相続人」に該当するので，A$\frac{1}{2}$（指定のまま），C$\frac{1}{2}$となると解する。

第2は，Bが相続を放棄しなければ，最終的な相続分は，A$\frac{1}{2}$，B$\frac{1}{3}$，C$\frac{1}{6}$となったはずであるから，放棄された相続分（$\frac{1}{3}$）については，A：C

$=\frac{1}{2}:\frac{1}{6}=3:1$ の割合でA・Cに帰属すると解する。つまりA $\frac{1}{2}+(\frac{1}{3}\times\frac{3}{4})=\frac{3}{4}$，C $\frac{1}{6}+(\frac{1}{3}\times\frac{1}{4})=\frac{1}{4}$ となる。

この点が問題になった公刊裁判例は存在しないようだが，上記の例であれば，被相続人は，Aに多くの相続分を与えたかった意思を有していたのだろうから，第2の解釈で問題ないと思われる。

もちろん，遺言の解釈から，第1のような解釈がされる場合もありえる。

7　登記との関係

共同相続人A・B（各法定相続分 $\frac{1}{2}$）で，相続分がA $\frac{3}{4}$，B $\frac{1}{4}$ と指定されていたところ，法定相続分の割合で相続登記がされ（A・B各 $\frac{1}{2}$），Bが第三者Cに共有持分 $\frac{1}{2}$ を譲渡した場合に，CがAに対して法定相続分に基づく権利取得を対抗できるか，という問題である。判例（最判平5・7・19家月46巻5号23頁）は，指定相続分を超える部分は，無権利の登記であり，登記に公信力がない結果，Cの権利取得は指定相続分の範囲にとどまるとして，CはAに法定相続分による権利取得を対抗できないとした。

この問題については，平成30（2018）年の民法改正（法律72号）で，899条の2（特に同条1項）が新設され，立法的に解決された（→§899の2 II）。

VII　平成30年法律72号による本条1項の改正――遺留分との関係

平成30（2018）年の民法改正（法律72号）で，遺留分制度が抜本的に変更された（1042条～1049条）。それに伴い，遺留分に関係する複数の規定，具体的には，改正前885条2項（削除），改正前本条1項ただし書（削除），改正前903条3項（改正），改正前964条ただし書（削除）などの改正が行われた。

改正前本条1項ただし書は，相続分の指定が，「遺留分に関する規定に違反することができない」としていた。そのため，遺留分を侵害するような相続分の指定を（一部）無効と解する「（一部）無効説」と，そのような指定を遺留分減殺の対象と解する「減殺説」とが対立していた。

上記改正によって，遺留分の「減殺」という概念は廃止され，遺留分侵害額請求権は金銭支払請求権とされた。そして，1046条1項において，「遺留分権利者及びその承継人は，受遺者（特定財産承継遺言により財産を承継し又は相続分の指定を受けた相続人を含む。以下この章において同じ。）又は受贈者に対し，遺留分侵害額に相当する金銭の支払を請求することができる。」と新たに規定された。したがって，遺留分を侵害するような相続分の指定が可能であることを前提にした上で（かつての「（一部）無効説」の否定と解されよう），そのような指定がされた場合には，遺留分侵害の問題として処理することが明確化された。

Ⅷ　制度間競合

前述の通り（Ⅰ，Ⅴ2・4），相続分の指定（本条），遺産分割方法の指定（908条1項），（包括）遺贈（964条）の分別（競合）をめぐっては，様々な学説が主張され，議論が錯綜している。

平成27（2015）年4月に開始された法制審議会民法（相続関係）部会においても，「相続分の指定と遺産分割方法の指定の区別の明確化」について検討がされたところ（同部会資料19-1・16頁，資料22-2・40頁），結局のところ，意見がまとまらず「明確化」は見送られた。

混迷する学説のうち，いずれの見解が通説であるかは断じられない。判例は，明らかに遺贈であれば遺贈，そうでなければ遺産分割方法の指定と解する（最判平3・4・19民集45巻4号477頁），法定相続分を超える遺産分割方法の指定であれば，指定相続分を伴う遺産分割方法の指定と解する（最判平14・6・10家月55巻1号77頁）。実務は，これら判例の解釈に従っており，その意味において混乱は存在しない。

〔本山　敦〕

（相続分の指定がある場合の債権者の権利の行使）

第902条の2　被相続人が相続開始の時において有した債務の債権者は，前条の規定による相続分の指定がされた場合であっても，各共同相続人に対し，第900条及び第901条の規定により算定した相続分に応じてその権利を行使することができる。ただし，その債権者が共同相続人の1人に対してその指定された相続分に応じた債務の承継を承認したときは，この限りでない。

〔改正〕 本条＝平30法72新設

I　本条の趣旨

本条は，遺言者が遺言で相続分の指定（902条）を行い，かつ，相続財産中に債務（相続債務）が存在する場合に，当該債務がどのような割合で共同相続人に帰属するか，換言すれば，債権者が共同相続人に対してどのような割合で権利行使できるかを明らかにするために設けられた規定である。

そもそも，債務者は，債権者の承諾なく債務を処分する自由を有しない（470条3項）。したがって，遺言者が，その債務について，共同相続人に対する帰属割合（相続分）を指定することも許されない。

もっとも，遺言者は，相続財産のうち積極財産について，共同相続人に対する帰属割合（相続分）を指定することができる（902条）。そして，遺言者が遺言で相続分を指定した場合には，相続債務も指定相続分の割合に応じて共同相続人に帰属させたいというのが，遺言者の一般的な意思であると考えられる。

しかし，債権者は，通常，債務者の遺言の存在・内容を知ることができない。また，当該遺言の有効性に疑義が存する場合もある。債権者の権利行使にとって本来関係のない債務者の遺言（相続分の指定）の存否によって相続債務の帰属割合が左右され，その結果，債権者の権利行使が妨げられる事態はおかしい。そこで，従来から，債権者は，債務者の遺言（相続分の指定）の有無，当該遺言についての知不知に関係なく，法定相続分の割合で共同相続人に対して権利行使できると通説的に解されてきた。

この問題について，判例は，共同相続人の１人に対して「全財産を相続させる」旨の遺言がされた事案において，「相続人のうちの１人に対して財産全部を相続させる旨の遺言により相続分の全部が当該相続人に指定された場合，遺言の趣旨等から相続債務については当該相続人にすべてを相続させる意思のないことが明らかであるなどの特段の事情のない限り，当該相続人に相続債務もすべて相続させる旨の意思が表示されたものと解すべきであり，これにより，相続人間においては，当該相続人が指定相続分の割合に応じて相続債務をすべて承継することになると解するのが相当である。もっとも，上記遺言による相続債務についての相続分の指定は，相続債務の債権者（以下「相続債権者」という。）の関与なくされたものであるから，相続債権者に対してはその効力が及ばないものと解するのが相当であり，各相続人は，相続債権者から法定相続分に従った相続債務の履行を求められたときには，これに応じなければならず，指定相続分に応じて相続債務を承継したことを主張することはできないが，相続債権者の方から相続債務についての相続分の指定の効力を承認し，各相続人に対し，指定相続分に応じた相続債務の履行を請求することは妨げられないというべきである」と判示した（最判平21・3・24民集63巻3号427頁。下線は引用者による）。

さらに，同判決は，相続人が指定相続分の割合ではなく法定相続分の割合で相続債務を履行した場合には，それにより生じた差額については，共同相続人間の求償の問題として処理するとした。

このような同判決の解釈は広く支持を集め，この判例法理の明文化が求められていた（新基本法コメ11-12頁〔松川正毅〕）。

そこで，平成30（2018）年の相続法改正（民法及び家事事件手続法の一部を改正する法律〔平成30年法律72号〕）によって，本条が新設された。本条は，上述の通り，判例（前掲最判平21・3・24）の解釈を基礎に置いており，判例法理の明文化ということができる（一問一答107頁）。

しかし，本条は，共同相続人間の求償処理については規定していない。ただ，立法過程の議論では，求償処理が前提とされていたので，明文化しなくても当然との趣旨であろう（部会資料22-2・31-32頁）。

II　相続債務の種類

債務には，金銭債務・非金銭債務，可分債務・不可分債務，作為債務・不作為債務などさまざまな性質の債務が存在する。本条の債務（相続債務）は，明確には規定されていないが，金銭債務＝可分債務を念頭に置いていると解される。

なぜなら，不可分債務や物の引渡債務については，そもそも割合＝相続分を観念することができず，それら債務について債務者（遺言者）が遺言で相続分の指定をすることもできないからである。したがって，本条の「債務」

は，相続債務のうち共同相続人に帰属する割合＝相続分が観念できる債務ということになる。そのような債務は，具体的には，金銭債務のうち可分債務の性質を備えている債務である。

III　権利行使の方法

1　法定相続分による権利行使（本条本文）

(1)　債権者の態様

債権者は，共同相続人に対して法定相続分（900条）の割合により，また，共同相続人中に代襲相続人がいる場合は代襲相続人の相続分（901条）の割合により，各相続人に対して権利行使をすることができる。

債務者＝相続人は，指定相続分によれば自らの負担する債務が法定相続分よりも少ないとしても，そのことをもって債権者に対抗することができない。したがって，債務者＝相続人は，債権者から法定相続分または代襲相続人の相続分に基づく権利行使がされたのであれば，それらの割合に従って債務を弁済しなければならない。このことは，債権者が遺言ないし相続分の指定の存在を知っていたとしても同様である。

(2)　共同相続人間の求償

例えば，相続債務600万円，共同相続人A・Bの2名（法定相続分各$\frac{1}{2}$）で，Aの相続分$\frac{2}{3}$（＝相続債務400万円）・Bの相続分$\frac{1}{3}$（＝相続債務200万円）と指定されていた場合，債権者Xは，A・Bに対して，各300万円を請求することができる。そして，Bは，Xに300万円を弁済した後，Aに対して100万円を求償することができる。

2　指定相続分による権利行使（本条ただし書）

債権者は，指定相続分による債務の承継を承認することができる。この承認は，債権者の意思表示によって債権者が行使できる権利の割合を変更し，かつ，債務者（共同相続人）を拘束するという効力を有するから，一種の法律行為（単独行為）であると解される。

そして，この承認をするか否かは，債権者の自由な意思に委ねられているものの，信義則（1条2項）等に違反することが許されないのは当然である。

(1) 承認の相手方・方法

債権者は，共同相続人の1人に対して，指定相続分による債務の承継を承認すればよい。もっとも，債権者が共同相続人の全員に対して承認することは妨げられないし，むしろ，全員に対して行うのが望ましいであろう。

承認の方法については規定がない。後日の紛争を回避するためにも，債権者の承認は，書面によって行われるのが望ましいであろう。

(2) 承認の期限

承認の期限についても規定がない。

通常，債権者が共同相続人に対して法定相続分に基づく請求をした後，共同相続人（の一部）が債権者に指定相続分の存在を教示することにより，債権者は指定相続分の存在を知り，それを承認するか否かを選択する，という過程をたどるであろう。したがって，債権者は指定相続分の存在を知らされた後，合理的な期間内に，承認または不承認の意思表示を共同相続人の1人にすればよい。

しかし，債権者が承認を怠ることで，債務者に不利益が生じることは望ましくない。そのような場合には，原則通り，共同相続人は債権者に対して法定相続分に基づいて弁済をすることが許されてよいと解される。

(3) 承認の撤回

債権者が指定相続分による債務の承継を承認した後，当該承認を撤回することができるか。共同相続人が債権者に債務を弁済するに至らない段階で，かつ，撤回が信義則（1条2項）等に違反しないのであれば，認めてもよいと解される。

立法過程では，債権者が相続債務の一部について法定相続分に基づく権利行使をした後，指定相続分を承認して，残債務について指定相続分による権利行使をすることは，禁反言の原則に反するような態様でない限り，認められると説明された（部会資料22-2・32頁）。

そうすると，**1**(2)の例で，債権者Xが，相続人A・Bに対して指定相続分を承認してBから200万円の弁済を受けた後，指定相続分の承認を翻して，Bに対して法定相続分を主張し，法定相続分と指定相続分の差額100万円の弁済をさらに求めるというような場合は，禁反言の原則に反すると評価してよいように思われる。

3　超過弁済の危険

共同相続人が疎遠な場合や，その人間関係が険悪化している場合には，指定相続分による債務の承継の承認の情報が共同相続人全員に共有されない可能性が高い。そのため，1(2)の例を用いるならば，債権者Xから400万円（指定相続分）を請求された相続人Aが同額を弁済し，他方で，Xから300万円（法定相続分）を請求された相続人Bが同額を弁済してしまうというような事態（弁済額合計700万円）が起こり得ないではない。Bの過払い100万円については，Xに対する不当利得返還請求等で解決することになるとしても，そもそも，かかる事態の発生が回避されるべきである。そのためには，債権者の承認の有無が，共同相続人全員に共有されるような運用が図られるべきであろう。

〔本山　敦〕

（特別受益者の相続分）

第903条①　共同相続人中に，被相続人から，遺贈を受け，又は婚姻若しくは養子縁組のため若しくは生計の資本として贈与を受けた者があるときは，被相続人が相続開始の時において有した財産の価額にその贈与の価額を加えたものを相続財産とみなし，第900条から第902条までの規定により算定した相続分の中からその遺贈又は贈与の価額を控除した残額をもってその者の相続分とする。

②　遺贈又は贈与の価額が，相続分の価額に等しく，又はこれを超えるときは，受遺者又は受贈者は，その相続分を受けることができない。

③　被相続人が前2項の規定と異なった意思を表示したときは，その意思に従う。

④　婚姻期間が20年以上の夫婦の一方である被相続人が，他の一方に対し，その居住の用に供する建物又はその敷地について遺贈又は贈与をしたときは，当該被相続人は，その遺贈又は贈与について第1項の規定を適用しない旨の意思を表示したものと推定する。

〔対照〕　フ民843〜863，ド民2050〜2056

〔改正〕（1007）①③＝平30法72改正　④＝平30法72新設

（特別受益者の相続分）

第903条①　共同相続人中に，被相続人から，遺贈を受け，又は婚姻若しくは養子縁組のため若しくは生計の資本として贈与を受けた者があるときは，被相続人が相続開始の時において有した財産の価額にその贈与の価額を加えたものを相続財産とみなし，前3条の規定により算定した相続分の中からその遺贈又は贈与の価額を控除した残額をもってその者の相続分とする。

②　（略）

③　被相続人が前2項の規定と異なった意思を表示したときは，その意思表示は，遺留分に関する規定に違反しない範囲内で，その効力を有する。

（第4項は新設）

細　目　次

I　本条の趣旨

本条は，具体的相続分（→§900）を算定する際の2つの要素のうちのひとつである「特別受益」について定める。なお，もうひとつの要素は「寄与分」である（→§904の2）。

具体的相続分の法的性質については，「相続分説」と「遺産分割分説」が対立している。前者は具体的相続分を実体的権利と解し，後者は具体的相続分を遺産分割における分割基準と解する。

両説の差異は，例えば，ある相続人の具体的相続分がゼロとされる場合，当該相続人が個々の相続財産に対して持分の確認請求をすることが認められるか，といった形で現れる。前者（相続分説）は同請求を認め，後者（遺産分割分説）は同請求を否定する。

多数学説は相続分説を支持するが，判例（最判平7・3・7民集49巻3号893頁，最判平12・2・24民集54巻2号523頁）および実務家の所説の大勢は遺産分割分説に立つ（新版注民(27)〔補訂版〕184-187頁〔有地亨＝床谷文雄〕）。

なお，令和3（2021）年の相続法改正（法律24号）により904条の3が新設され，特別受益の主張について期間制限が設けられた（→§904の3）。

II　本条の沿革

被相続人（遺言者）が一部の相続人に対して贈与（遺贈）をしたことから，贈与等を得た相続人と贈与等を得ていない相続人が存在し，共同相続人間に不均衡が生じる。

そのような場合，当該贈与等を遺産分割において，どのように取り扱うかについては，様々な立法例がある（原田・史的素描218頁以下）。そして，本条は，ゲルマン法およびローマ法の双方を継受した混交的制度であるという（新版注民(27)〔補訂版〕184頁〔有地＝床谷〕）。

もっとも，明治民法下においては家督相続・単独相続が主体であったから，財産相続・共同相続を対象とする本条は重視されなかった。戦後，家督相続・単独相続が廃止され，財産相続・共同相続に純化されたことで，本条の重要性が高まった。今日，本条は，公平な遺産分割を実現するための制度として，寄与分とともに（→§904の2），重要な役割を担っている。

なお，本条の文言は，戦後の改正の際に，家制度的な文言が削除された以外にほとんど改正されてこなかった。

ところで，平成30（2018）年の民法（相続法）改正で，本条1項および3項が改正されるとともに，4項が新設された。それらの内容については，各項の箇所で触れることとし，4項の新設に至る経緯について，以下，詳述する。

平成30（2018）年の民法（相続法）改正の検討項目の第1が「配偶者の居住権の保護」，第2が「配偶者の貢献に応じた遺産分割の実現」であった（部会資料1・1頁）。

本条の改正のうち，特に本条4項の新設は，上記第2の項目の具体化であるところ，同時に，上記第1の項目にも資する内容となっている。

平成28（2016）年6月，法制審議会民法（相続関係）部会は「中間試案」を取りまとめた。上記第2の項目については，配偶者の法定相続分を見直して，婚姻期間が長期間にわたる場合に配偶者の法定相続分を増加させるという内容であった。ところが，その後に実施されたパブリックコメントにおいて，配偶者の法定相続分の増加に対しては反対意見が多かったことから，部会は配偶者の法定相続分の見直しを断念した。

同年10月の部会（第14回）において，「持戻免除の意思表示があったとみなす」制度が提示され（部会第14回議事録20頁），翌11月の部会（第15回）において，「配偶者の相続分の引上げに代わる案として〔中略〕婚姻期間が20年以上の夫婦が配偶者に対し，居住用不動産を遺贈又は贈与した場合に，民法903条3項の持戻し免除の意思表示を推定する規定を設けたらどうか」という提案がされた（部会15回議事録39頁）。

平成29（2017）年7月，この「持戻し免除の意思表示を推定する」制度を含む追加試案が取りまとめられた。その後に実施されたパブリックコメントにおいて，同制度に賛成する意見が多かったことから，同制度が新設されることになった。

この制度により，被相続人が相続人である配偶者に居住用不動産を遺贈等した場合には，居住用不動産の価額が特別受益に含まれないこととなり，遺産分割において，配偶者の相続する財産が増加する結果となる。その意味においては，部会が当初実現を目指した配偶者の法定相続分を増加させるという案が，形を変えて実現されたといえる。そこで，この制度に対しては，「法律婚尊重，法律婚配偶者保護に囚われすぎ」ているとの批判が寄せられている（二宮周平「相続法入門15　相続法改正要綱案の検討(1)」戸時764号〔2018〕

19頁)。

なお，本条1項の改正は，民法902条の2の新設(平成30法72)に伴う形式的な改正である。本条2項は改正されていない。本条3項の改正は，遺留分制度の改正に伴うもので，改正前902条1項ただし書の削除と同趣旨である(→§902 Ⅶ)。

Ⅲ　遺贈・贈与の持戻し(1項)

1　意　　義

例えば，被相続人Aに長男B，長女Cの2子がいる。Aは，生前，Bに1000万円を贈与したが，Cには何も贈与しなかった。Aが死亡し，相続が開始した。相続開始時のAの相続財産は2000万円である。共同相続人B・Cは，この相続財産2000万円を分割することになる(907条1項)。そして，遺産分割において，B・Cが法定相続分(各$\frac{1}{2}$)の割合で各1000万円ずつ取得するとしたら，Aから1000万円の贈与を得ていたBと，何も得ていなかったCとの間に不均衡が生じる。

そこで，このような不均衡を是正するために，相続財産2000万円に生前贈与1000万円を計算上加算することとし(1000万円+2000万円=3000万円)，この3000万円を相続財産とみなすことにする。これらの操作を経て，B・Cに相続財産(2000万円)のうち500万円をBに，1500万円をCに遺産分割で取得させる。

みなし相続財産：相続財産2000万円＋生前贈与1000万円＝3000万円

Bの具体的相続分：3000万円×法定相続分$\frac{1}{2}$－生前贈与1000万円
＝500万円

Cの具体的相続分：3000万円×法定相続分$\frac{1}{2}$＝1500万円

このような計算方法によれば，B・CはAの財産(贈与1000万円＋相続財産2000万円＝総額3000万円)から各1500万円を取得する結果となるので，B・C間の不均衡が是正されることになる。

Bのように贈与等の受益を得た相続人を「特別受益者」(→2)，贈与等された財産を「特別受益財産」(→3)，計算上加算することを「(特別受益の) 持戻し」，みなされた相続財産を「みなし相続財産」と，それぞれ呼ぶ。

2　特別受益者

(1)　相　続　人

遺産分割の当事者となる共同相続人のうち，被相続人から特別受益財産(→3) を得た者を「特別受益者」という。もっとも，特別受益者の範囲は，必ずしも，遺産分割の当事者となる共同相続人に限られない (→(2)以下)。

後順位相続人，相続欠格者 (891条)，被廃除者 (892条・893条)，相続放棄者 (939条) など，遺産分割の当事者とならない者は特別受益者に該当しない。しかし，欠格の宥恕 (891条)，廃除の取消し (894条)，相続放棄の取消し (919条2項) などによって，相続人の地位を回復した場合には，特別受益者の地位も回復する。

贈与時には親族関係になかった贈与者と受贈者が，贈与後の婚姻・縁組・認知などにより被相続人と相続人の関係になった場合が問題となる。通説は，このような相続人 (受贈者) を特別受益者に該当すると解する (新版注民(27)〔補訂版〕192頁〔有地＝床谷〕)。

(2)　代襲相続人

例えば，親―子―孫という当事者において，親 (贈与者) が生前に孫 (受贈者) に贈与した。その後，子，親の順に死亡したため，親 (贈与者・被相続人)―子 (被代襲者)―孫 (受贈者・代襲相続人) という相続関係となる。このような孫 (受贈者・代襲相続人) は特別受益者となるか。

通説・審判例 (大分家審昭49・5・14家月27巻4号66頁) は，特別受益者該当性を否定するが，特別受益者該当性を肯定する説も有力である。

贈与時に親族関係になかった場合であっても特別受益者該当性が肯定されるというのであれば (前出(1))，贈与時に既に親族関係 (親―子―孫) があり，将来の代襲相続の可能性が存在した当事者について，特別受益者該当性を否定するというのは一貫しないように思われる。特別受益者該当性は肯定されると解すべきである。

(3)　被　代　襲　者

例えば，親―子―孫という親族関係で，親 (贈与者) が生前に子 (受贈者)

に贈与した。その後，子，親の順に死亡したため，親（贈与者・被相続人）―子（受贈者・被代襲者）―孫（代襲相続人）という相続関係となる。このような孫（代襲相続人）は特別受益者に該当するか。

特別受益者該当性を肯定する積極説，否定する消極説，代襲相続人が利益を受けている場合に肯定する折衷説（徳島家審昭52・3・14家月30巻9号86頁）がある。親から子への贈与で子の財産が増加し，孫は同財産を相続した後，さらに親の財産を代襲で相続することになるのであるから，共同相続人間の衡平を図るという特別受益制度の趣旨からすれば，積極説が妥当であろう（新版注民(27)〔補訂版〕188-190頁〔有地＝床谷〕）。

(4)　間接受益者

被相続人が相続人の父母・配偶者・子などに贈与していた場合である。これらのような者に対する贈与があった場合に，相続人が間接的に受益していると見て（間接受益者），当該相続人の特別受益と見るかどうかについては，肯定例（福島家白河支審昭55・5・24家月33巻4号75頁）と否定例（東京家審平21・1・30家月62巻9号62頁）に分かれる。学説では，原則的に，相続人の特別受益と見るべきでないとの解釈が有力である（新版注民(27)〔補訂版〕194頁〔有地＝床谷〕）。

しかし，特別受益者該当性を否定する解釈は，寄与分（904条の2）において，相続人の配偶者や子などの寄与を相続人側の寄与として肯定してきた解釈と矛盾するように思われる（→§904の2）。したがって，相続人でない者の受益が，相続人の受益と同視できるのであれば，特別受益を肯定すべきであると思われる。

(5)　包括受遺者

包括受遺者は，相続人と同一の権利義務を有するから（990条），遺産分割の当事者となる。そこで，遺言で包括受遺者とされている者が，被相続人の生前に贈与を得ていた場合，特別受益者に該当するかである。これを争点とする裁判例は存在しないようであり，理論的な問題である。

遺言者の意思を尊重し，包括受遺者の特別受益者該当性を否定する解釈が有力である（新版注民(27)〔補訂版〕194頁〔有地＝床谷〕）。もっとも，包括受遺者が，同時に，上述の(1)相続人または(2)代襲相続人でもある場合には，特別受益者に該当すると考えるべきであろう。それゆえ，例えば，被相続人が，公益法人に贈与（寄付）をした後，同法人に包括遺贈していたような場合，同法人は遺産分割手続の当事者となるものの，同法人の特別受益者該当性を否定し，贈与（寄付）は特別受益に当たらず，持戻しの対象としないという解釈が妥当であろう。

(6)　再転相続の相続人

第1次相続の遺産分割が未了のうちに，第2次相続が発生するという再転相続（→前注（§§886-895）III，§916）の場合に，相続人が第1次被相続人ないし第2次被相続人から贈与を得ていたり，第1次被相続人と第2次被相続人との間で贈与があったりした場合が想定できる。

学説は，従来，これらのような問題を意識してこなかったが，判例（最決平17・10・11民集59巻8号2243頁）で顕在化するに至った。同判例の判示によれば，第1次相続，第2次相続のいずれについても，相続人が被相続人から特別受益に当たる贈与を得ていれば，それらを踏まえて具体的相続分を算定すべきこととなる（新版注民(27)〔補訂版〕191頁〔有地＝床谷〕）。

3　特別受益財産

(1)　総　　説

特別受益となる財産処分は，条文上，「遺贈」「婚姻のための贈与」「養子縁組のための贈与」「生計の資本としての贈与」の4つとされている。しかし，解釈によって，特別受益の対象とされる財産（処分）の範囲は拡大されている。したがって，上記4つには該当しないものの，特別受益となる財産（処分）が問題となる。

(2)　遺　　贈

被相続人（遺言者）の相続人に対する遺贈（964条）はすべて特別受益となる。もっとも，遺贈は，履行がされない限り，相続開始後も相続財産中にとどまっているから，持戻しを観念する必要はない。受遺者（相続人）が遺贈された財産を取得することを前提に，共同相続人間で遺贈された財産を差し引いた残りの相続財産の分割を行えばよい。なお，相続人に対する死因贈与は遺贈と同様に扱うことになる（554条）。

いわゆる「相続させる」旨の遺言について，判例はこれを遺産分割方法の指定（908条1項）と解しているところ（最判平3・4・19民集45巻4号477頁），同遺言による受益が遺贈と同様に特別受益に当たるかどうか，問題となる。

通説は，本条の類推適用と解し，特別受益に該当すると解する（広島高岡山支決平17・4・11家月57巻10号86頁，新版注民(27)〔補訂版〕199-201頁〔有地＝床谷〕）。したがって，受益相続人が指定された財産を取得し，共同相続人間で当該財産を差し引いた残りの相続財産の分割を行うことになる。

(3) 婚姻のための贈与

例えば，親が子の婚姻に際して，財産を贈与した場合（名目は，結納金・支度金・持参金などとされることが多いであろう），当該贈与は，将来の相続において，特別受益財産として持戻しの対象となる。もっとも，現代社会において，このような趣旨の贈与はなくなりつつあると推測される。また，親が子の婚姻に際して，婚姻住居を贈与したような場合は，婚姻のための贈与というよりも，生計の資本としての贈与（→(5)）と見るべきであろう。

挙式費用については，特別受益性を肯定する裁判例もあるが（名古屋高金沢支決平3・11・22家月44巻10号36頁），学説は分かれる（新版注民(27)〔補訂版〕202頁〔有地＝床谷〕）。挙式に誰が，どれだけの費用をかけるのかというようなことは，各人の好みや家族関係により千差万別である。被相続人から各相続人に出捐された挙式費用に看過し難い不均衡が生じていれば別だが，そうでない限り特別受益とはならないと解してよいのではないか。

(4) 養子縁組のための贈与

例えば，他家に養子に入る場合（持参金）や他家から養子を迎える場合（支度金）に，（実・養）親がそれらのような名目で（実・養）子に財産を贈与する場合である。当該贈与は，将来の相続において，特別受益財産として持戻しの対象となる。もっとも，上記(3)同様，今日，このような趣旨の贈与はほとんど行われていないものと推測される。

(5) 生計の資本としての贈与

上述したように，遺贈あるいは婚姻・養子縁組のための贈与が争点となることは少ない。問題となるのは，生計の資本としての贈与あるいは贈与ではない法形式による財産処分である。

(ア) 一般的範囲　典型的には，親が，商売を始める子に開業資金や営業資金を贈与した場合，農業を営む子に農地を贈与した場合，子の住宅購入費（建築費・改造費）を贈与した場合など，受贈者の生活の基盤に資する贈与を「生計の資本としての贈与」という。これらのような贈与はすべて特別受益財産として，持戻しの対象となる。

もっとも，相続人全員が同程度の生計の資本としての贈与を得ていたのであれば，是正すべき不均衡は存在しないので，特別受益性を肯定して持戻し計算をする必要はない。特別受益財産とその持戻しが問題になるのは，相続人間に不均衡が存在するような場合である。

また，贈与という法形式でなくても，被相続人が相続人に対して贈与に相当するような経済的利益を提供していたのであれば，特別受益性が問題となりうる。下級審裁判例に現れた事例では，親が子の借金を肩代わり（高松家丸亀支審平3・11・19家月44巻8号40頁――肯定），親から子への借地人名義の変更（東京家審平12・3・8家月52巻8号35頁――肯定），酒類販売免許（酒税19条）の相続（名古屋高決平18・3・27家月58巻10号66頁――否定）などがある。

さらに，共同相続人間の無償の相続分譲渡（905条参照）を本条「1項に規定する『贈与』に当たる」とした判例も現われている（最判平30・10・19民集72巻5号900頁）。

(イ)　教育費　　授業料，学費などの教育費も，通常，法形式は贈与ではないが，古くからその特別受益性が問題とされてきた。

従来の議論は，大学等の高等教育を受けた相続人と受けなかった相続人という構図であった。しかし，大学進学率が50％を超え，大学院進学も少なくなく，海外留学が珍しくない現代社会において，高等教育を受けたか否かという単純な視点では，この論点は語りきれなくなっている（新版注民(27)〔補訂版〕205-207頁〔有地＝床谷〕のうち，特に207頁の床谷補訂）。

すなわち，4年制大学でも相対的に学費の安い国公立大学もあれば，4年制大学を超える授業料の専門学校なども存在することから，特別受益性を肯定するのであれば，各相続人のために出捐された，教育費の総額の不均衡に着目すべきであると考える。

教育（学歴）や取得資格による収入・生涯賃金の格差の存在は一般的に認識されている。下級審裁判例では，子の1人が，高校卒業後，16年後に歯科医師免許を取得するまでの大学受験予備校費・学費・国家試験予備校費・生活費合計約3000万円について特別受益性を肯定した事例が現れている（東京高決平17・10・27家月58巻5号94頁）。

他方で，共同相続人である子の1人が，親（被相続人）の費用負担で大学院進学（2年間）ならびに海外留学（10年間）をしていたという事例で，「被相続人の生前の資産状況，社会的地位に照らし，被相続人の子である相続人に高等教育を受けされることが扶養の一部であると認められる場合には，特別受益には当たらない」。「仮に特別受益に該当するとしても，被相続人の明示又は黙示による持戻免除の意思表示があったものと認めるのが相当」とした裁判例がある（名古屋高決令元・5・17判時2445号35頁）。

後者のように，「扶養」あるいは「持戻免除」と構成してしまえば，教育費の差異は，ほとんどのケースで特別受益とされることがなくなってしまうようにも思われる。

(ウ)　使用利益　　親がその所有する不動産を子に無償で貸す使用貸借は珍しいものではない。使用貸借も法形式は贈与ではないが，経済的利益を提供していることは明白である。したがって，特別受益性が肯定される。下級審裁判例では，親が所有していた貸室を子に無償で使用させていた場合の賃料相当額について特別受益性を肯定した事例がある（前掲名古屋高決平18・3・27。ただし，持戻免除の黙示の意思表示を認定）。また，子が，親の所有地を無償で借り，同土地上に賃貸住宅を建築していたという事例では，更地価格の15%相当が使用貸借権として特別受益に当たるとされている（東京高決平16・4・21家月57巻4号83頁）。

(エ)　被相続人の死亡を原因とする財産給付　　生命保険金請求権，死亡退職金，各種遺族給付など，被相続人の死亡を原因として発生する財産給付についても，これらも法形式は遺贈でも贈与でもないが，従来から，特別受益性が議論されてきた。

特に生命保険金をめぐって，様々な学説が主張されてきた（新版注民(27)〔補訂版〕208-212頁〔有地＝床谷〕）。ところが，最高裁決定（最決平16・10・29民集58巻7号1979頁）が，原則的に特別受益性を否定した上で，「保険金受取人である相続人とその他の共同相続人との間に生ずる不公平が民法903条の趣旨に照らし到底是認することができないほど著しいものであると評価すべき特段の事情が存する場合には，同条の類推適用により，当該死亡保険金請求権は特別受益に準じて持戻しの対象となると解するのが相当である」との判断を示したことで，一応，議論に終止符が打たれた。同決定以降，争点は，903条の類推適用がされる，「準特別受益」に該当するかの基準となる「特段の事情」の存否に移った（前掲名古屋高決平18・3・27――類推適用肯定，広島高決令4・2・25判時2536号59頁――類推適用否定）。

また，死亡退職金，遺族給付についても，生命保険金に関する上記最高裁決定の影響もあってか，特別受益性は原則否定，著しい不均衡がある場合には例外的に肯定とする見解が有力化している（新版注民(27)〔補訂版〕212-213頁〔有地＝床谷〕）。

4　手続・計算方法

特別受益の有無の主張・認定・判断は，遺産分割協議・調停・審判の中で行われる（907条，家事191条・別表第二12項）。主張立証責任は，特別受益を主張する相続人が負う（大江・相続168頁）。

基本的な計算方法は，前述（一III 1）した通りである（超過特別受益の場合の計算方法はIV参照）。

5　相続分がないことの証明書

例えば，被相続人Aに長男B，長女Cという2人の相続人がいる。Bが全財産を相続するのであれば，B・C間でそのような内容の遺産分割協議を成立させ，遺産分割協議書を作成するというのが，本来的な手続である。しかし，Cが，自らの「民法903条により相続分がないことの証明書」（特別受益証明書）を作成し，同証明書をBに交付し，Bが同証明書を添付して相続財産（不動産）の移転登記手続を行うという不動産登記実務が行われてきた（昭28・8・1民事甲1348号回答）。

不動産登記実務で広く行われているものの，虚偽の証明書が作成されるような場合もある。また，上述のCは，相続放棄（938条）の手続をしたのではないから，相続人としての地位を失わず，相続債務を承継することになる。したがって，本来的な手続に立ち返り，B・C間で遺産分割協議書を作成するか，Cが相続放棄の手続をすべきであろう（基本法コメ66頁〔松原正明〕。一前注（§§938-940）II）。

IV　超過特別受益（2項）

1　意　義

特別受益が，具体的相続分の価額に等しい場合，または，具体的相続分の価額を超過する場合には，特別受益者は遺産分割によって相続財産を取得することができない。これらの場合のうち，後者を「超過特別受益」と呼ぶ。

まず，特別受益が具体的相続分の価額に等しい場合とは，以下のような場合である。

被相続人Aに，子B（法定相続分$\frac{1}{2}$），子C（同）がいる。AからBに1000万円の生前贈与があった。Aの相続財産は1000万円である。

生前贈与を特別受益として持ち戻すと，

みなし相続財産：生前贈与1000万円＋相続財産1000万円＝2000万円

Bの具体的相続分：2000万円×$\frac{1}{2}$－1000万円＝0

Cの具体的相続分：2000万円×$\frac{1}{2}$＝1000万円

B・C間の遺産分割では，Cが相続財産全部（1000万円）を取得し，Bは相続財産を取得しない。これが，Bの特別受益（1000万円）がBの具体的相続分（1000万円）に等しい場合である。

つぎに，特別受益が具体的相続分の価額を超過する場合である。

被相続人Aに，子B（法定相続分$\frac{1}{2}$），子C（同）がいる。AからBに2000万円の生前贈与があった。Aの相続財産は1000万円である。

生前贈与を特別受益として持ち戻すと，

みなし相続財産：生前贈与2000万円＋相続財産1000万円＝3000万円

Bの具体的相続分：3000万円×$\frac{1}{2}$－2000万円＝△500万円→0円

Cの具体的相続分：3000万円×$\frac{1}{2}$＝1500万円→1000万円

B・C間の遺産分割では，Cが相続財産全部（1000万円）を取得し，Bは相続財産を取得しない。Bは，具体的相続分（1500万円）を500万円超過する特別受益（2000万円）を得ているが，この500万円をCに支払う必要はない。AからBへの贈与によってCの遺留分が侵害されている場合には，遺留分の問題として処理する。

2 計算方法

基本的な計算方法は，上述1の通りだが，超過特別受益につき，計算方法の解釈が分かれる場合がある。

(1) 共同相続人に配偶者を含む場合

被相続人Aに，子B（法定相続分 $\frac{1}{4}$），子C（同），配偶者D（同 $\frac{1}{2}$）がいる。AからBに500万円の生前贈与があった。Aの相続財産は1000万円である。

生前贈与を特別受益として持ち戻すと，

みなし相続財産：生前贈与500万円＋相続財産1000万円＝1500万円

Bの具体的相続分：1500万円×$\frac{1}{4}$－500万円＝△125万円→0円
Cの具体的相続分：1500万円×$\frac{1}{4}$＝375万円
Dの具体的相続分：1500万円×$\frac{1}{2}$＝750万円

C・Dの具体的相続分は合計1125万円となり，相続財産1000万円では，125万円不足する。

このような場合に，配偶者（D）を優遇する説（配偶者優遇説）と不足分125万円をC・Dに振り分ける説がある。配偶者優遇説では，Dの具体的相続分は750万円のままとし，Cの具体的相続分は375万円－125万円＝250万円となる。配偶者優遇説は，明文の根拠もなく，かえって相続人間（BとCとの間）の不均衡を助長するような結果にもなりかねないので，妥当でない。では，超過特別受益によって発生した不足分は，どのように振り分ければよいであろうか。

(2) 不足分の振り分け

超過特別受益によって発生した不足分の振り分けについては，様々な計算方法が存在するが（基本法コメ63-64頁〔松原〕），実務においては，「具体的相続分基準説」と「本来的相続分基準説」の2つが主流である（片岡＝管野369-371頁）。本来的相続分とは，法定相続分（900条）または指定相続分（902条）である。

上述(1)で発生した不足分125万円について，検討する。

(ア) 具体的相続分基準説　　超過特別受益者（B）以外の相続人C・Dの

具体的相続分の割合で，不足分125万円を振り分ける。

C：375万円－{125万円×375万円÷(375万円＋750万円)}≒333万円

D：750万円－{125万円×750万円÷(375万円＋750万円)}≒667万円

(イ) 本来的相続分基準説　超過特別受益者（B）以外の相続人C・Dの法定相続分（C：D＝$\frac{1}{4}$：$\frac{1}{2}$＝1：2）の割合で，不足分125万円を割り振る。

C：375万円－{125×1÷(1＋2)}≒333万円

D：750万円－{125×2÷(1＋2)}≒667万円

この設例では，いずれの説によっても，C・Dの最終的な取得分は同額となるが，CないしDに特別受益があるような場合であれば，異なる結論となる。

(3) 特別受益と寄与分の関係

超過特別受益者が同時に寄与者である場合に，特別受益と寄与分とをどのように合算するか，という問題がある（→§904の2）。

V　持戻し免除の意思表示（3項）

1　意　　義

特別受益の持戻しは，共同相続人間の不均衡の是正を目的とする。被相続人は，通常，共同相続人間の不均衡を望まないだろうという，被相続人の意思の推定に基礎を置く。

反対に，被相続人が共同相続人間の不均衡の是正を望まないという意思を有するのであれば，そのような意思を尊重してよいように思われる。このような被相続人の意思表示を「持戻し免除の意思表示」と称する。本条3項の「前2項と異なった意思を表示」とは，すなわち，「持戻し免除の意思表示」のことである。

2　意思表示の方法

意思表示の方法については，生前行為であるか遺言であるか，明示であるか黙示であるかを問わない。

裁判例は少なくないが，被相続人が明示的に「持戻しを免除する」としているような事案はほぼ皆無である。したがって，実務では，被相続人が明示的に「持戻しを免除する」という意思表示をしていなかったとしても，遺言の文言や被相続人の生前行為の内容から，被相続人の持戻し免除の意思表示の有無を推認することが広く行われている。

また，かつて，学説では，遺贈に対する持戻し免除の意思表示については，遺言によってなされなければならないとの解釈が有力であった。しかし，現在では，遺言に限定する必要はないとする解釈が多数を占めている（新版注民(27)〔補訂版〕220-221頁〔有地＝床谷〕)。

3　意思表示の撤回

持戻し免除の意思表示が遺言でされた後，同意思表示ないし同遺言を撤回することは，撤回の自由の範囲内であり（1022条)，有効な撤回と解される。

他方，生前贈与の際に，贈与者が明示的に持戻しの免除の意思表示をした後，免除の意思表示を撤回することができるか。そのような裁判例は見当たらないが，学説では，被相続人の撤回の自由を肯定する（新版注民(27)〔補訂版〕221頁〔有地＝床谷〕)。しかし，贈与は契約であるから，持戻しの免除が契約の重要な要素となっていたり，贈与が負担付贈与（553条）で負担と持戻し免除の間に対応関係があったりした場合には，撤回を認めるべきでない場合も考えられる。そうであるとすると，遺贈が負担付遺贈（1002条）の場合にも，持戻しの免除の意思表示の自由な撤回を認めてよいかどうかは，問題となろう。

4　遺留分との関係

持戻し免除の意思表示が無制約・無制限に許されるとすると，一部の相続人が被相続人の財産の全てないし大半を取得し，他の相続人は何も得られないというような，看過し難い不均衡が生じる可能性がある。そこで，平成30（2018）年改正前の本項は，「被相続人が前2項の規定と異なった意思を表示したときは，その意思表示は，遺留分に関する規定に違反しない範囲内で，その効力を有する」と規定し，同意思表示に限界を付していたところ，同改正によって，遺留分に関する部分が削除された。

もっとも，この改正によって，持戻しの免除の意思表示と遺留分との関係は変更されないと説明されている（部会資料15・18頁，安達敏男ほか・相続実務が変わる！相続法改正ガイドブック〔2018〕68頁)。したがって，相続人に対する贈与等について持戻し免除の意思表示がされた場合（本条3項)，または，持戻し免除の意思表示が推定された場合（本条4項）のいずれについても，それらの持戻し免除が遺留分権利者の遺留分を侵害するのであれば，侵害する範囲で持戻し免除の範囲が縮減されることになる。

5　手　続

相続人からの特別受益の主張（抗弁）に対して，特別受益者が持戻し免除の意思表示の存在を主張（再抗弁）することになる。

VI　持戻し免除の意思表示の推定（4項）

平成30（2018）年の民法（相続法）改正で本項が新設された経緯は前述した通りである（II）。以下では，本項の要件等について概説する。

1　当事者

一方の配偶者が他方の配偶者に居住用建物，または，その敷地，もしくは配偶者居住権（1028条3項→本条4項）を遺贈等することが必要である。本条の特別受益は遺産分割の際の調整手段であるから，本条の配偶者は遺産分割の当事者（共同相続人）である法律婚配偶者に限定され，内縁・事実婚の配偶者は含まれない。

2　婚姻期間

本項の「20年以上」という期間は，相続税法上の居住用不動産の贈与の特例（相税21条の6）に依拠して定められた。そして，相続税法上の「20年以上」の期間は，連続している必要はなく，通算で20年以上であればよいとされていることから，（相続税法施行令4条の6第2項），本項の期間も，連続している必要はなく，通算で20年以上であればよいと解されている。

また，当事者（夫婦）の同居は要件とされていないので，贈与の時点や相続開始の時点で当事者（夫婦）の同居の有無は関係ないと解される。

3　対象財産

遺贈等の対象となる財産は，居住用建物およびその敷地ならびに配偶者居住権（1028条3項→本条4項）である。これらのうち居住用建物については，さまざまな解釈問題が生じ得る。

例えば，遺贈等された建物が，店舗併用建物や賃貸物件併用建物の場合，店舗部分や賃貸物件部分にも持戻し免除が及ぶことになるのか，といった問題がある。この点については，共同相続人間の公平という観点から，居住用以外の部分を対象外とすることが考えられる。他方で，配偶者居住権が建物全部を対象とすることから（1028条1項），居住用以外の部分を対象とすることも考えられるであろう。

また，例えば，被相続人が配偶者に甲建物を遺贈する旨の遺言をしていたところ，相続開始時点（遺贈の効力発生時点）で，配偶者が乙建物に居住していた場合や，配偶者が介護施設に入所していた場合などの事態も起こり得る。

いずれにせよ，これらは解釈問題として，今後の課題である。

4　遺贈・贈与

本項は，対象となる法律行為を「遺贈又は贈与」としているので，居住用建物等の特定遺贈（964条），生前贈与（549条），死因贈与（554条）が含まれることは明らかである。包括遺贈については，全部包括遺贈であれば居住用建物等も含まれることになるので，本項の「遺贈」に含まれると解される。割合的な包括遺贈の場合には，居住用建物等を遺贈の目的に含む趣旨が明確に表示されている場合（例えば，「居住用不動産を含めた全財産の3分の1を遺贈する」というような包括遺贈）であれば，本項の「遺贈」に含まれると解されることになるであろう。

また，いわゆる「相続させる」旨の遺言（特定財産承継遺言：1014条2項）については，本項との関係では，特定遺贈と異なる扱いをする理由（配偶者にとっての不利益）が存在しないと解されるので，含まれると解して差し支えないと思われる（一問一答62-63頁）。

5　意思表示の推定

上記1〜4の要件をすべて充足して，一方配偶者（被相続人）が他方配偶者に居住用建物等を遺贈等した場合には，被相続人は居住用建物等を特別受益に含めない（持戻しを免除する）意思を表示したものと推定されることになる。これは，いわゆる法律上の推定である。

そこで，被相続人が持戻し免除の意思表示の推定とされるのを望まないのであれば，被相続人は遺言や贈与契約書などにおいて，推定を否定する旨の意思表示をすることが必要となる。

また，配偶者以外の他の相続人が持戻し免除の意思表示の推定とされることを否定するのであれば，当該相続人は推定を否定するための主張・立証をする必要がある。そのような立証は，実際には，かなり困難であろうと思われる。

〔本山　敦〕

第904条　前条に規定する贈与の価額は，受贈者の行為によって，その目的である財産が滅失し，又はその価格の増減があったときであっても，相続開始の時においてなお原状のままであるものとみなしてこれを定める。

〔対照〕 フ民 860～863，ド民 2055
〔改正〕（1008）

Ⅰ　本条の趣旨

民法903条1項によれば，被相続人から共同相続人に対する遺贈および贈与は，原則，特別受益として持戻しの対象となる。では，持ち戻される遺贈および贈与の価額（同条2項）の算定は，どのように行うか。

起草者は，以下のように本条を解していた（梅 127-128 頁）。

まず，遺贈については，遺贈の効力が相続開始時に生じるため（985条1項），遺贈された財産の価額は相続開始時の価額とすればよい。

つぎに，（生前）贈与については，相続開始時から相当前にされた贈与であっても持戻しの対象に含まれるため，贈与時から相続開始時までの間の贈与財産の価額の変動等が問題になる。そこで，本条は，①贈与財産が相続開始時に贈与時のまま存在するとみなして価額を算定する（原則）。そして，②贈与財産が受贈者の行為によって滅失等していた場合であっても，原則どおり，贈与財産が相続開始時に贈与時のまま存在するとみなして価額を算定する（原則の維持）。しかし，③贈与財産が相続開始時に受贈者の行為によらないで滅失していた場合には持戻しの対象に含めず，価格の増減の場合には増減した状態で価額を算定し持戻しの対象とする（例外）。

上記の起草者の見解①②③は，共同相続人間の衡平を実現するという特別受益の制度趣旨に照らして，首肯できない点がある。そのため，学説は起草者の見解を修正する解釈に腐心してきた（→Ⅲ以下）。

なお，本条は，遺留分に関する1044条2項で準用されている。

II　本条の沿革

贈与財産の持戻しの方法に関する立法例は多様である（原田・史的素描220-223頁）。本条はスイス民法と同様の構成を採用したとされる（新版注民(27)〔補訂版〕226頁〔有地亨＝床谷文雄〕）。

本条は，明治民法1008条（明治31年法律9号）が，戦後の民法改正で表現を修正され（昭和22年法律222号），その後，民法現代語化の際に現行の文言に改められた（平成16年法律147号）。つまり，本条は，明治以来，基本的に変わっていない。

III　価額の算定時

贈与財産の価額の算定時について，本条は「相続開始の時において」と規定する。この算定時は，理論的には，贈与時，相続開始時，遺産分割時が考えられる。

1　贈与時説

贈与がされた時（贈与時）を価額の算定時と解する説である。

この説の支持者は見当たらない。「相続開始の時において」という903条1項および本条の文言にも，贈与財産の価額の変動等の考慮という本条の趣旨にも，贈与時説は合致しないためであろう。

2　相続開始時説

相続が開始した時（相続開始時）を価額の算定時と解する説であり，通説とされる（中川＝泉284頁，大塚正之・臨床実務家のための家族法コンメンタール民法相続編〔2017〕64頁）。

相続開始時説は，「相続開始の時において」という903条1項および本条の文言に合致する。相続開始時とは，要するに，被相続人の死亡時であるから，明確かつ客観的であり，恣意的でない。相続の一般的効力が相続開始時を基準とすることとも整合する（896条）。また，遺産分割時（→3）と解すると，遺産分割手続が遅延したような場合に，価額の算定時が変動しかねないが，相続開始時説であれば，そのような問題は生じない。

判例は，金銭による特別受益を遺留分の算定に含めるに際して，その算定時を相続開始時と解した（最判昭51・3・18民集30巻2号111頁）。前述の通り（一Ⅰ），本条は遺留分に関する民法1044条2項で準用される。そこで，通説は，同判決の射程が本条にも及ぶと解し，判例も贈与財産の価額の算定時を相続開始時とするものと解している。

3　遺産分割時説

遺産分割を実際に行う時，あるいは，遺産分割に近接した時を価額の算定時と解する説である。有力説であり（新版注民(27)〔補訂版〕227頁〔有地＝床谷〕），家庭裁判所の（元）裁判官らに支持されている（松原Ⅱ90-91頁，梶村＝貴島223頁）。

家庭裁判所の調停・審判で遺産分割が行われる場合，相続財産の価額の算定方法や算定時などは，当事者の合意があれば，その合意に従うこととなる。

しかし，合意がない場合，通常，相続財産の価額の算定時は，遺産分割を実際に行う時，あるいは，遺産分割に近接した時が基準となる（以下，まとめて「遺産分割時」という）。

例えば，ある相続人が相続財産である不動産を取得し，他の相続人に代償金を支払う代償分割の場合，代償金の価額は鑑定や査定で示された価額（＝時価）に基づくのが一般的である。また，相続財産を換価して金銭を分割する換価分割の場合，相続財産の買主から受領した代金（＝時価）から費用等を差し引いた残金を分割するのが一般的である。

これら遺産分割の実務に照らせば，贈与財産の価額については相続開始時で算定し，遺産分割の対象となる相続財産の価額については遺産分割時で算定するというのは，一貫しないし，実務上も煩瑣である。

例えば，相続開始の20年前に贈与された不動産（贈与財産）があり，相続開始から5年後（贈与から25年後）に，調停・審判で遺産分割をする場合，贈与財産の価額を相続開始時で算定するのと，遺産分割時で算定するのとでは，過去（相続開始時）に遡って算定する方がむしろ難しいだろうし，面倒でもあるだろう。そこで，遺産分割時説は，遺産分割の対象となる相続財産の価額と同様に，贈与財産の価額も遺産分割時で算定すべきと解するのである。

私見も遺産分割時説を支持する。しかし，以下では，通説・判例とされる相続開始時説に基づいて記述を行う。

IV　算定の方法

1　贈与財産が相続開始時に贈与時のままの状態で存在する場合

(1)　不動産・動産

例えば，相続開始の10年前に贈与された土地（更地）が，相続開始時に贈与時のままの状態（更地）で存在する場合，贈与時の価額が1000万円，相続開始時の価額が値上がりして1500万円であれば，持戻しの価額は1500万円となる。不動産については，路線価や固定資産税評価などの客観的指標があるので，価額の算定は比較的容易であろう。

しかし，同じ不動産でも，建物となると話は簡単ではない。相続開始の10年前に贈与された新築住宅（当時の価額1000万円）が，相続開始時に贈与時のままの状態で存在すると仮定するということは，つきつめれば，10年前の建材や設備を用いて，相続開始時に新築すると仮定し算定することにほかならない。

また，動産でも同じ問題がある。相続開始の10年前に贈与された新車（当時の価額100万円）が，相続開始時に贈与時のままの状態で存在すると仮定したとしても，相続開始時には，商品としての「同じ新車」は通常存在しない。

10年前の新築住宅や10年前の新車について，それらの相続開始時の価額の算定というのは，要するにフィクションに過ぎない。結局のところ，贈与時の価額を手掛かりにして算定せざるをえないであろう。

具体的には，①贈与時の価額をそのまま特別受益として持ち戻すか，②贈与時の価額に消費者物価指数（総務省統計局）を乗じて評価替えするか，のいずれかが考えられる。言うまでもなく，相続開始時の交換価値（中古住宅・中古車）として価額を算定することにはならない。

前出の最高裁昭和51年3月18日判決は，金銭が贈与財産の場合に，相続開始時の貨幣価値への評価替えを肯定した。そして，不動産や動産についても，下級審裁判例・学説は，消費者物価指数による評価替えを支持している（新版注民(27)〔補訂版〕231頁〔有地＝床谷〕）。したがって，贈与時の価額に相続開始時の消費者物価指数を乗じて，価額を算定するべきである。なお，消費者物価指数については，1970（昭和45）年以降のデータが存在するので，今後発生する評価の換算は，ほぼ網羅可能であろう。

(2)　金　　銭

金銭の贈与は，金銭的価値の贈与にほかならないから，受贈者が贈与された金銭を費消した場合であっても，金銭的価値は相続開始時に受贈者が保持し続けていることになる。したがって，相続開始の50年前の現金10万円の贈与は，相続開始時にも金銭的価値の状態で存在し続けていると見ることになる。

このような場合，古くは，いわゆる名目主義（ノミナリズム）に基づいて，金銭の贈与については，貨幣価値の変動を一切考慮しない扱いであった（大阪地判昭40・1・18判時424号47頁など）。すなわち，50年前の現金10万円の贈与を，50年後の相続開始時においても現金10万円の贈与と評価するというのである。しかし，今日，このような解釈はまったく支持されていない（新版注民(27)〔補訂版〕231-232頁〔有地＝床谷〕）。

前出の最高裁昭和51年3月18日判決および学説は，金銭が贈与財産の場合に，相続開始時の貨幣価値への評価替えを肯定した。また，同判決後の下級審裁判例も，評価替えを支持する（福岡高決昭53・5・18家月31巻5号85頁，熊本家玉名支審平3・5・31家月44巻2号138頁，広島高決平5・6・8家月46巻6号43頁など）。

したがって，金銭についても，消費者物価指数による評価替えがされるべきである。

2　贈与財産が受贈者の行為によって滅失等した場合

(1)　「受贈者の行為によって」の意味

例えば，建物の贈与がされた後，受贈者が当該建物を取り壊したような場合，「受贈者の行為」による贈与財産の滅失となる。破壊などの物理的行為や売却などの経済的行為など，受贈者が意図的にしたすべての行為が含まれると解されている。

そこで，失火など，受贈者の過失によって贈与財産が滅失した場合が問題となる。通説は，受贈者の過失による場合も，「受贈者の行為」に含むと解している（松原Ⅱ92頁，新版注民(27)〔補訂版〕229頁〔有地＝床谷〕）。受贈者は，通常，贈与財産から使用利益等を得ていたはずであるから，受贈者の過失によって贈与財産が滅失した場合に，贈与がなかったかのように扱うというのは，共同相続人間の衡平を実現するという特別受益の制度趣旨に照らして首肯できない。したがって，「受贈者の行為」には，受贈者の過失による行為を含むと解するべきである。

(2)　贈与財産の滅失

贈与財産の滅失とは，破壊や焼失などの物理的滅失，第三者への売却や贈与などの経済的滅失などによって，贈与財産が存在しなくなった状態と解されている（新版注民(27)〔補訂版〕229頁〔有地＝床谷〕。これらのうち，物理的滅失とは，贈与財産の使用・収益・処分が不可能になったり，贈与財産の修繕等に過大な費用が必要になったりしたのであれば，滅失と解して差し支えないであろう。また，経済的滅失については，経済的行為が有償であるか，無償であるかを問わない。受贈者が，贈与財産を第三者に無償で贈与し，代償財産を得ていない場合であっても，受贈者の行為による贈与財産の滅失として，贈与財産の価額を算定し持ち戻すことになる。

なお，贈与財産が金銭の場合，受贈者が当該金銭を費消したり，当該金銭で何かを購入したりしたとしても，金銭的価値が贈与の対象であるから，贈与財産の滅失は観念されないこととなる（一1(2)参照）。

(3)　代償財産の扱い

贈与財産が受贈者の行為によって滅失したものの，受贈者が滅失した贈与財産に代わる損害保険金や売却代金などの代償財産を取得していたとする。このような場合であっても，価額の算定の対象は，受贈者が得た代償財産ではなく，あくまでも贈与財産そのものである。すなわち，贈与財産が相続開始時において，贈与時のまま存在するものとみなして価額を算定することになる。もっとも，贈与財産の価額の算定に際して，代償財産の価額を参考にすることはありえるであろう。

(4)　贈与財産の価格の増減

受贈者が，贈与財産を改良するなどして贈与財産の価格が増加した場合，反対に，贈与財産を破損するなどして贈与財産の価格が減少した場合，これら価格の増減は，受贈者の行為に起因するから，衡平の観点から，価額の算定に含めるべきでない。そこで，受贈者の行為による価格の増減は無視して価額を算定するのである。

例えば，荒蕪地の贈与がされた後，受贈者が整地した場合，相続開始時において荒蕪地のままとみなして価額を算定することになる。また，例えば，耐震基準不適合の建物の贈与がされた後，受贈者が耐震工事を行った場合，相続開始時において工事前のままとみなして価額を算定することになる。

もっとも，これらのような場合の価額の算定もフィクションであるから，実際の算定は，相続開始時の土地（建物）の価額から，相続開始時の整地費用（耐震工事費用）の価額を控除する，というような方法にならざるをえないであろう。

(5)「原状のまま」の意味

「原状のまま」とは，受贈者の行為による贈与財産の滅失・価格の増減があったとしても，贈与財産が贈与時（＝原状）のままの状態で存在すると仮定して，価額を算定するという意味である。

3　贈与財産が受贈者の行為によらないで滅失等した場合

(1)　受贈者の行為によらないとは

起草者は，天災など受贈者の行為によらない不可抗力で贈与財産が滅失した場合には価額をゼロと算定し，贈与財産の価格が増減した場合には増減した状態で価額を算定すると解していた（梅128頁）。

しかし，このような解釈には疑問がある。

例えば，受贈者が贈与された新車を長期間使用した後に，その車が大雨による水没で廃車処分されたような場合や，受贈者が贈与された賃貸建物から多額の賃料を収受した後に，その建物が地震で倒壊したような場合に，これらは受贈者の行為によらない滅失だから持ち戻す必要が一切ないとしたのでは，衡平に反するであろう。

これらのような場合には，まさに共同相続人の衡平の観点から，車の使用利益や賃貸不動産から収受した賃料などの価額を算定し，持戻しの対象とするべきであろう（床谷＝犬伏編49頁〔床谷文雄〕）。

(2)　自然朽廃の場合

例えば，贈与された古い建物が贈与後に自然朽廃したような場合，自然朽廃は「受贈者の行為」ではないし，不可抗力（一(1)）でもない。しかし，受贈者が経済的利益を受けているのであれば，基本的には，持戻しの対象とすべきであろう。

仮に，贈与時において，既に倒壊寸前の古い建物で，居住にも賃貸にも適さない状態であり，受贈者の経済的利益をまったく観念できないというような場合であれば，贈与時の価額ゼロ，相続開始時の価額ゼロと算定すればよい。例えば，土地とその土地上の倒壊寸前の古家を一緒に贈与したのであれば，土地の価額のみを持戻しの対象と見ればよいであろう。なお，このような価額ゼロと解される贈与財産（倒壊寸前の古い建物）を受贈者が取り壊した場合，つまり，客観的には，受贈者の行為によって贈与財産が滅失した場合に該当するとしても，価額ゼロと算定すべきである。

(3) 周辺環境等の変化による価格の増減

例えば，土地の贈与で，贈与時には市街化調整区域内だったものが，贈与後に，市街化区域内に変更されたため，相続開始時に価格が増加しているような場合である。また，贈与時には良好な環境であったものが，贈与後に付近に迷惑施設ができて，相続開始時に価格が減少しているような場合である。これらのような場合には，起草者の見解にしたがい，相続開始時の状態，すなわち価格が増減した状態で価額を算定する。共同相続人間の衡平にも適合すると思われるし，相続開始時の価額の算定も容易であろう。

(4) 代償財産

受贈者の行為によらない事故や第三者の不法行為によって贈与財産が滅失したり，価格が減少したりして，受贈者に損害保険金（請求権），補償金（請求権），損害賠償請求権などの代償財産が発生する場合に，これら代償財産を持戻しの対象とすべきであろうか。

これについては，第2次大戦時の強制疎開の補償金の持戻しを肯定した古い下級審裁判例しか存在しない（前掲大阪地判昭40・1・18）。他方，学説の主張は多岐に分かれている（新版注民(27)〔補訂版〕230-231頁〔有地＝床谷〕）。

共同相続人間の衡平を図る制度の趣旨からは，少なくとも，受贈者が相続開始時までに現実に受領した代償財産については，持戻しの対象に含めるべきである。受贈者が受領できるかどうか不確定な代償財産については，その受領を待っていると，遺産分割手続の遅延を招きかねない。受領者が現実に受領した，あるいは，受領の確実な代償財産に範囲を限定するべきである。

そして，代償財産を含めないで特別受益の価額を算定した上で遺産分割をした後，受贈者が贈与財産に代わる代償財産を取得したような場合には，当事者の（再）協議あるいは家庭裁判所の「遺産分割後の紛争調整を求める調停」などを利用して，問題の解決を図ることが考えられるであろう。

V　価額の算定の手続

当事者による遺産分割協議または家庭裁判所における遺産分割調停・審判手続において，当事者から特別受益の主張がされ，その主張を受けて，特別受益に該当するか否かの認定を経て，特別受益に該当するのであれば価額の算定が行われることになる。遺産分割手続から独立して，家庭裁判所の調停・審判手続で価額の算定のみを求めるとか，民事訴訟で価額の確認のみを求めるといったことはできないと解されよう（最判平7・3・7民集49巻3号893頁，最判平12・2・24民集54巻2号523頁参照）。

〔本山　敦〕

（寄与分）

第904条の2① 共同相続人中に，被相続人の事業に関する労務の提供又は財産上の給付，被相続人の療養看護その他の方法により被相続人の財産の維持又は増加について特別の寄与をした者があるときは，被相続人が相続開始の時において有した財産の価額から共同相続人の協議で定めたその者の寄与分を控除したものを相続財産とみなし，第900条から第902条までの規定により算定した相続分に寄与分を加えた額をもってその者の相続分とする。

② 前項の協議が調わないとき，又は協議をすることができないときは，家庭裁判所は，同項に規定する寄与をした者の請求により，寄与の時期，方法及び程度，相続財産の額その他一切の事情を考慮して，寄与分を定める。

③ 寄与分は，被相続人が相続開始の時において有した財産の価額から遺贈の価額を控除した残額を超えることができない。

④ 第2項の請求は，第907条第2項の規定による請求があった場合

又は第910条に規定する場合にすることができる。

〔対照〕　ド民 2057a

〔改正〕　本条＝昭 55 法 51 新設

細　目　次

Ⅰ　本条の趣旨

本条は，寄与分について定める。寄与分は，特別受益（→§903）とならんで，具体的相続分（→§900 Ⅱ 3）を算定するための要素である。

なお，令和3（2021）年の相続法改正（法律24号）により904条の3が新設され，寄与分の主張について期間制限が設けられた（→§904の3）。

II　本条の沿革

本条は，昭和55（1980）年の民法改正（法律51号）によって新設され，翌56（1981）年1月1日に施行された。しかし，本条制定前の昭和30年代後半には，寄与分を認めた遺産分割審判例が登場し，昭和50年代前半には，寄与分を容認する複数の高裁決定例が現れていた（東京高決昭52・2・17高民集30巻1号16頁など）。したがって，本条は，家庭裁判所における遺産分割実務の要請を受け，同実務を後追いする形で誕生したといえる（寄与分に関する総合的な文献として，太田武男＝野田愛子＝泉久雄編・寄与分――その制度と課題〔1998〕，日本家族〈社会と法〉学会編「寄与分制度の現状と課題」家族〈社会と法〉32号〔2016〕がある）。

III　寄与分の法的性質

寄与分の性質については，本条制定前から様々な説明がされていた（新版注民(27)〔補訂版〕235-236頁〔有地亨＝犬伏由子〕）。

本条制定後は，調整説と権利説の2説に大別され，前者の調整説が通説である。

調整説は，寄与分を共同相続人間の実質的衡平を実現するための調整的要素と解する。これに対して，権利説は，寄与分を寄与者（寄与相続人）の財産権に類似した権利と解する。また，寄与分の性格を一義的に説明するのは困難との指摘もある（窪田充見「寄与分の類型ごとの算定方法」新実務大系III 262頁）。

調整説・権利説のどちらに軸足を置くかによって，解釈論の細部は異なり得るが（新版注民(27)〔補訂版〕236-237頁〔有地＝犬伏〕），寄与分を定める家庭裁判所の実務（調停・審判）に影響を及ぼすような相異ではなく，理論的な対立に過ぎない。

IV　寄与の主体

1　総　　説

本条1項は,「共同相続人中に,……特別の寄与をした者」が寄与の主体（寄与者・寄与相続人）であるとする。寄与の主体は明確なように見えるが,種々の解釈問題を生じさせている。

2　共同相続人

寄与者の典型は,遺産分割手続の当事者たる共同相続人である。先順位の相続人がいれば,後順位の相続人は寄与者たり得ない。また,欠格となった相続人（891条）,廃除された相続人（892条・893条）,相続放棄者（939条）は,そもそも相続人の地位を喪失しているので寄与者たり得ない。さらに,内縁の配偶者や事実上の養子は,そもそも相続人でなく,遺産分割手続の当事者でもないから寄与者たり得ない。

ところで,相続人が相続人としての地位を取得する前に被相続人に対して寄与的な行為をしていた場合,当該相続人を寄与者と解することができるかという問題がある。例えば,甲が,乙（被相続人）の療養看護に努めた後,乙と婚姻して配偶者の地位を得た場合や,AがB（被相続人）の事業に労務の提供をした後,AとBが縁組して養親子となった場合である。すなわち,寄与的な行為をした時点では,配偶者・養親子という相続人としての地位を有していなかったが,後の婚姻・縁組によって相続人の地位を有するに至った者である。

相続人の地位を得る前の寄与を含むと解する有力説（猪瀬慎一郎「寄与分に関する解釈運用上の諸問題」家月33巻10号〔1981〕10頁）と,相続人の地位を有する前の寄与を含まないと解する少数説（新版注民(27)〔補訂版〕245頁〔有地＝犬伏〕）に分かれる。そして,この問題を直接の争点とする裁判例は見当たらないようである。婚姻・縁組の前後で同一の行為——療養看護や労務の提供——の法的性質を分けるというのは合理的でないし,また,分けるとなると煩雑であるから,有力説が妥当であろう。

3　代襲相続人

代襲相続については,代襲相続人の寄与と被代襲者の寄与という2つの論点がある。

⑴　代襲相続人の寄与

代襲相続人が代襲原因開始前，すなわち相続人の地位を有する前にした行為を，本条の寄与と解するか，それとも本条の寄与は代襲原因開始後，すなわち代襲相続人の地位を有した以降の行為に限られるか，という問題である。上述2で言及した，相続人としての地位の取得時期と同質の問題である。代襲原因開始前後の寄与を区別しない説（猪瀬・前掲論文11頁）と開始後の寄与に限定する説（新版注民(27)〔補訂版〕245頁〔有地＝犬伏〕）に分かれる。裁判例は見当たらない。前説が通説である。上述2と同様の理由から，通説に従うべきである。

⑵　被代襲者の寄与

代襲相続人は被代襲者の寄与を主張できるか，という問題である。通説（新版注民(27)〔補訂版〕246頁〔有地＝犬伏〕）・審判例（横浜家審平6・7・27家月47巻8号72頁）は，代襲相続人が被代襲者の寄与を主張することを肯定する。しかし，否定する少数説がある（佐藤義彦「寄与分の実体的要件をめぐる若干の問題」判タ663号〔1988〕12頁）。被代襲者の特別受益を代襲相続人の特別受益と捉える解釈（→§903）と一致させるのが妥当と解されるので，通説・審判例に従うべきである。

4　先死配偶者の寄与

例えば，夫甲，妻乙，甲・乙間の子Aとする。乙が死亡し，甲が丙と再婚した。そして，甲（被相続人）が死亡し，丙・Aによる甲の遺産分割に際して，Aが亡乙の寄与を主張できるか，という問題である。通説はこのような寄与の主張を否定するが（新版注民(27)〔補訂版〕246頁〔有地＝犬伏〕），肯定する少数説もある（谷口知平「相続法改正と，とくに寄与分条文の若干の解釈私見」同・家族法の研究(下)〔1991〕97頁）。少数説によれば，甲の遺産分割に際して，Aに対して，子としての相続権と先死した乙の代襲相続人としての相続権という二重の相続権を与えるのに等しくなり，現行法の想定していない状況となる。否定する通説が妥当である。

5　共同相続人の配偶者

共同相続人ではなく，共同相続人の配偶者が寄与した場合――いわゆる「嫁の寄与」――を，どのように扱うかという問題である。

通説（猪瀬・前掲論文12頁）・裁判例（東京高決平22・9・13家月63巻6号82頁

など）は，「嫁」を共同相続人（夫）の履行補助者あるいは手足と解し，共同相続人（夫）が「嫁」の寄与を主張することを肯定する。家庭裁判所の実務は履行補助者（手足）論で確立している（片岡＝管野292-294頁）。しかし，学説では，履行補助者（手足）論に対する反対説が有力化している（新版注民(27)〔補訂版〕247-248頁〔有地＝犬伏〕）。

なお，この点に関しては，平成30（2018）年の相続法改正（平成30年法律72号）で，特別の寄与（1050条）という新たな制度が設けられ，立法的に解決された。したがって，従来の履行補助者・手足論を維持する必要性はなくなったと考えられる。

6　包括受遺者

被相続人が共同相続人ではない第三者に包括遺贈をした場合，当該包括受遺者は，相続人と同一の権利義務を有することになる（990条）。では，当該包括受遺者は，寄与を主張することができるか。通説（猪瀬・前掲論文10頁）は否定するが，肯定する説も有力である（栗原平八郎「寄与分についての覚書」太田武男還暦・現代家族法の課題と展望〔1982〕236頁）。この論点に関する裁判例は見当たらない。

包括受遺者を生命保険金の受取人たる相続人と同視しない判例（最判昭40・2・2民集19巻1号1頁）は，否定説に親和的と指摘できるかもしれない。また，遺言者が第三者に包括遺贈をするのは，通常，第三者の貢献・協力などに報謝する趣旨からであろう。したがって，包括遺贈の中に第三者の寄与行為が評価されて含まれているはずであるから，さらに寄与分を認める必要に乏しいと解される。否定する通説が妥当である。

V　寄与の要件

1　寄与の態様

本条1項により，寄与の態様は，以下の(1)から(4)の4つに分けられる。なお，類型化としては，「家業従事型」「出資型」「財産給付型」「扶養型」「療養看護型」（新版注民(27)〔補訂版〕242-243頁〔有地＝犬伏〕）や「家事従事型」「金銭等出資型」「療養看護型」「扶養型」「財産管理型」（片岡＝管野299頁）などがあるが，本書では，本条の要件に従うことにする。

⑴　**被相続人の事業に関する労務の提供**

共同相続人（寄与者）が，被相続人の営む農業，漁業，製造業，小売業などに対して，労務の提供を行った場合である。事業の内容に限定はない。審判例では，農業に従事した事案が最多である。

裁判例として，長男（共同相続人）が父（被相続人）のみかん農家を長期間にわたり手伝ったとして，みかん畑の評価額の30％が寄与分として認められた事例（大阪高決平27・10・6判タ1430号142頁），また，被相続人が経営する簡易郵便局に勤務していた子（申立人）の寄与分の主張を斥けた事例（札幌高決平27・7・28判タ1423号193頁）がある。

⑵　**被相続人の事業に関する財産上の給付**

共同相続人（寄与者）が，被相続人の営む事業（上述⑴）に対して，事業資金を提供したり，事業の債務を弁済したりしたような場合である。

裁判例として，開業医の長男（共同相続人）が父（被相続人）の経営する建設会社に資金援助をしたとして，遺産全体の20％が寄与分として認められた事例（高松高決平8・10・4家月49巻8号53頁）がある。

ただし，財産上の給付をした共同相続人と給付を受けた被相続人ないし会社等の間に，金銭消費貸借契約などが締結され，財産上の給付をした共同相続人が債権を有しているような場合には，債権の問題として処理すべきであり，寄与分の問題とすべきでない。

⑶　**被相続人の療養看護**

共同相続人（寄与者）が，疾病や障害のある被相続人を看病・介護したような場合である。高齢社会において，寄与分の主張の主流になっている（新版注民(27)〔補訂版〕254頁〔有地＝犬伏〕)。「療養看護」だけが根拠と主張される場合もあるが，上述の「労務の提供」あるいは「財産上の給付」と併せて「療養看護」も行ったというように主張される場合も少なくない。

親族関係にある寄与者と被相続人が同居しているような場合，看護するのは当然であるから（730条・752条），同居の親族として通常の看護をしたのであれば，寄与とは評価されない。また，被相続人が喜んだとか，感謝したとかいうような精神的な面は対象外である。当該看護によって，被相続人の財産が維持された（あるいは減少しなかった）ことが必要と解されている。

裁判例として，長男（共同相続人）の妻が父（被相続人）を13年余にわたり看護した点を，「同居の親族の扶養義務の範囲を超え，相続財産の維持に貢献した側面があると評価」して，長男の寄与分として200万円を認めた事例（東京高決平22・9・13家月63巻6号82頁）がある。

看護の場合の寄与分の計算方法として，実務では，〔介護士等の専門家に依頼した場合の日額×看護日数×減価割合〕との計算式で算定を行うのが一般的である（片岡＝管野303頁。近時の裁判例として，東京高決平29・9・22家判21号97頁）。

⑷　**その他の方法**

寄与のその他の方法には，特に制限がなく，様々な態様が考えられる。裁判例として現れたものとしては，扶養，資産形成・財産管理といった方法である。また，裁判例には現れていないものの，理論的な検討がされている態様として，相続放棄，共同相続人間の相続分譲渡がある（新版注民⑵⑺〔補訂版〕257頁〔有地＝犬伏〕，基本法コメ73頁〔石田敏明〕）。

㋐　相続放棄・相続分譲渡　　夫甲，妻乙，甲・乙間の子Aとする。

相続放棄の例として，乙が死亡し，Aが乙の相続を放棄したので，甲が乙の全財産を相続した。甲が丙と再婚した。そして，甲（被相続人）が死亡し，丙・Aによる甲の遺産分割に際して，Aが過去の相続放棄を寄与として主張できるか，というものである。

また，相続分譲渡の例として，乙が死亡し，Aが相続分を甲に無償で譲渡した。甲が丙と再婚した。そして，甲（被相続人）が死亡し，丙・Aによる甲の遺産分割に際して，Aが過去の相続分譲渡を寄与として主張できるか，というものである。

これらは，法形式は異なるが，甲に乙の相続財産を集中させたという点では同質の行為である。ただ，これらを寄与として認めるということは，相続放棄した財産や譲渡した財産の取戻しを認めることに等しい。Aは，甲の生前に甲から取り戻すことができないのに，甲の死後に寄与分として取り戻すことができるというのは，整合的でない。したがって，相続放棄や相続分譲渡を寄与と見るべきではないと思われる。

㋑　扶養　　共同相続人（寄与者）が被相続人を扶養した場合である。一般的には，要扶養状態にあった被相続人が相続財産を残すことは考えにくいが，相続財産がある場合に問題となる。

寄与分としての解決を支持する肯定説（基本法コメ73頁〔石田〕，大阪家審昭61・1・30家月38巻6号28頁）と，扶養の問題なのだから扶養義務者間の求償の問題として解決すべきとする否定説（辻朗「判例にあらわれた寄与分の法的性質と要件」判タ663号〔1988〕10頁，盛岡家審昭61・4・11家月38巻12号71頁）に分かれる。

理論的には否定説が優れているものの，共同相続人たる親族間の紛争を遺産分割調停・審判でまとめて処理することは，当事者にとってもメリットがあると考えられる。肯定説でよいように思われる。

(ウ)　資産形成・財産管理　　裁判例では，夫の資産形成に妻の寄与を認めた事例がある（神戸家伊丹支審昭62・9・7家月40巻8号86頁）。このような態様に対しては，共有持分権確認・共有物分割など，財産法の手段による処理も考えられるであろう。

また，被相続人所有地の売却（長崎家諫早出審昭62・9・1家月40巻8号77頁），被相続人を当事者とする民事訴訟への協力（大阪家審平6・11・2家月48巻5号75頁）などで，寄与が認められている。反対に，共同相続人が被相続人名義の株式・投資信託の運用をした事例では，寄与が否定されている（大阪家審平19・2・26家月59巻8号47頁）。これらのような態様に対しても，委任契約・受任者としての報酬など，財産法の手段による処理も考えられるであろう。

2　被相続人の財産の維持または増加

寄与者（共同相続人）の寄与行為によって，被相続人の財産（相続財産）が減少せずに維持された，または増加したこと，すなわち寄与行為と財産の維持・増加の間に因果関係が必要である。

3　そ の 他

寄与行為と評価されるためには，当該行為が①無償であること（無償性），②特別の寄与であること（特別性）などが必要である。

(1)　無　償　性

寄与者（共同相続人）の被相続人に対する寄与行為は，原則，無償でなされなければならない。寄与者が被相続人から相当の対価を得ていた場合には，寄与行為と評価されない。また，寄与者が被相続人から（生前・死因）贈与や遺贈を受けており，それらによって寄与が評価され尽くされていると解されるのであれば，改めて寄与分を認定する必要はない。もっとも，贈与や遺贈を寄与者の特別受益と見て持戻しをさせてしまうと，寄与分が特別受益といわば相殺されてしまうので，持戻し免除の意思表示（903条3項）を推認するなどの対応が必要となる（基本法コメ74頁〔石田〕）。

寄与者が被相続人から，謝礼や小遣いなど，相当の対価とは言えない程度の金品を受領していた場合や，寄与者が被相続人所有の住宅に同居して，住居費の負担を免れていたとか，被相続人に生活費を負担してもらっていたとかいう場合には，個別具体的にそれらの対価性を検討することになる（新版注民(27)〔補訂版〕250頁〔有地＝犬伏〕）。

⑵　特　別　性

寄与者（共同相続人）の被相続人に対する寄与行為は，本条1項にある通り「特別の寄与」でなければならない。夫婦間の義務（752条・760条），親族間の相互扶養義務（877条）など，通常の義務を履行しただけでは，「特別の寄与」とは評価されない。

家庭裁判所は，「被相続人との関係において通常期待されるような程度を超える貢献」が「特別の寄与」であると解している（最高裁判所事務総局家庭局「改正民法及び家事審判法規の解釈運用について」家月33巻4号〔1981〕2頁）。

そして，「特別の寄与」に関して，家庭裁判所の調停・審判実務では，特に「療養看護」型の事案において，寄与分が認められにくいとの指摘がされている（日本家族〈社会と法〉学会編「寄与分制度の現状と課題」家族〈社会と法〉32号〔2016〕48頁〔伊藤孝江〕，75-76頁〔村岡泰行〕）。

この「特別の寄与」要件については，見直しを求める声も多く，平成27（2015）年に開始された法制審議会民法（相続関係）部会の検討においても，当初，本条の改正が志向されたが，結局，改正は見送られた。したがって，同要件が，調停・審判実務において，寄与分を認められにくく作用しているという批判は続くと思われる。

⑶　継続性・専従性

労務提供や療養看護の場合，寄与行為が一定期間継続していたことが必要となる。被相続人の店を数回手伝った，被相続人を数日間看病したといった程度では，継続性はもとより，そもそも特別性がないと評価されるであろう。他方，寄与行為が，財産給付の場合，継続性は問われず，1度だけの財産給付でも寄与行為になりうる。

また，労務提供や療養看護の場合，寄与者が労務や療養看護にある程度専従していたことが必要となる（上原ほか編著371頁）。

VI　寄与分の計算

1　寄与者がいる場合

被相続人甲，相続人として3子A・B・C（法定相続分各$\frac{1}{3}$），相続開始時の相続財産3000万円，Aの寄与分として相続財産の10%（300万円）が認定された。具体的相続分は，下記のような計算となる。

A　　：$(3000-300)\times\frac{1}{3}+300=1200$ 万円
B・C：$(3000-300)\times\frac{1}{3}=$ 各900万円

2　特別受益者と寄与者が同一の場合

被相続人甲，相続人として3子A・B・C（法定相続分各$\frac{1}{3}$），相続開始時の相続財産3000万円，Aの寄与分として150万円が認定された。Aは，甲から300万円の生前贈与（特別受益）を得ていた。具体的相続分は，下記のような計算となる。

A　　：$(3000-150+300)\times\frac{1}{3}+150-300=900$ 万円
B・C：$(3000-150+300)\times\frac{1}{3}=$ 各1050万円

3　特別受益者と寄与者が異なる場合

被相続人甲，相続人として3子A・B・C（法定相続分各$\frac{1}{3}$），相続開始時の相続財産3000万円，Aの寄与分として300万円が認定された。他方で，Bは，甲から300万円の生前贈与（特別受益）を受けていた。すなわち，Aが寄与者，Bが特別受益者である。このような場合の具体的相続分の計算方法として，①寄与分と特別受益を同時に適用する「同時適用説」，②特別受益を先に適用する「903条優先適用説」，③寄与分を先に適用する「904条の2優先適用説」，④個別適用説の4説に分かれる。

通説・実務は，①「同時適用説」を支持している（新版注民(27)〔補訂版〕261-264頁〔有地＝犬伏〕，片岡＝管野368-369頁，梶村＝貴島259-260頁）。計算が簡明なこと，寄与分と特別受益は共に法定相続分を修正して具体的相続分を算定する要素であり優先劣後関係にはないことから，「同時適用説」が妥当である。したがって，具体的相続分は，下記のような計算となる。

A：$(3000-300+300)\times\frac{1}{3}+300=1300$ 万円
B：$(3000-300+300)\times\frac{1}{3}-300=700$ 万円
C：$(3000-300+300)\times\frac{1}{3}=1000$ 万円

4　超過特別受益者と寄与者が異なる場合

2つの考え方に分かれている（片岡＝管野 371-373 頁）。

被相続人甲，相続人として3子A・B・C（法定相続分各 $\frac{1}{3}$），相続開始時の相続財産3000万円，Aの寄与分として600万円が認定された。他方で，Bは，甲から1500万円の生前贈与（特別受益）を受けていた，とする。

⑴　寄与分合算先行説

このような場合，具体的相続分は，上述3の①「同時適用説」を前提として，下記のような計算となる。

A：$(3000-600+1500)\times\frac{1}{3}+600=1900$ 万円
B：$(3000-600+1500)\times\frac{1}{3}-1500=-200$ 万円→0円（超過特別受益）
C：$(3000-600+1500)\times\frac{1}{3}=1300$ 万円

相続財産は3000万円しか存在しないので，Aの具体的相続分1900万円とCの具体的相続分1300万円の比率で，3000万円を按分して，最終的な具体的相続分とする。

A：$3000\times1900\div(1900+1300)\fallingdotseq1781$ 万円
B：0円（超過特別受益として1500万円）
C：$3000\times1300\div(1900+1300)\fallingdotseq1219$ 万円

⑵　特別受益控除先行説

これに対して，寄与者（A）に寄与分を全額確保させることを意図する，下記の計算方法がある。

A：$(3000-600+1500)\times\frac{1}{3}=1300$ 万円（この時点ではAの寄与分を加算しない）

B：$(3000-600+1500)\times\frac{1}{3}-1500=-200$ 万円→0円（超過特別受益）

C：$(3000-600+1500)\times\frac{1}{3}=1300$ 万円

つぎに，相続財産から寄与分を控除し，超過特別受益者（B）を除く相続人（A・C）で按分する。

A・C：$(3000-600)\times1300\div(1300+1300)=$ 各1200万円

さらに，寄与者（A）に寄与分を加算して，最終的な具体的相続分とする。

A：$1200+600=1800$ 万円

B：0円（超過特別受益として1500万円）

C：1200万円

(3) 小　　括

裁判例には，特別受益控除先行説に立つと思われるものが1件だけ存在する（東京高決平22・5・20判タ1351号207頁）。もっとも，寄与分合算先行説を支持する実務家も多い（片岡＝管野373頁，松原Ⅱ197頁）。

同時適用説を前提とするならば，寄与分を特別扱いする根拠に欠けると解される。寄与分合算先行説が妥当である。

Ⅶ　寄与分を定める手続

寄与分は，協議，調停，審判によって定められる。

なお，令和3（2021）年の相続法改正（法律24号）により904条の3が新設され，寄与分の主張について期間制限が設けられた（→§904の3）。

1　協　　議

寄与分は，遺産分割手続の当事者の協議で定めるのが，原則である（本条1項）。協議の内容は当事者の私的自治に委ねられており，寄与分の範囲，金額，割合などについて，制限や制約はない。また，寄与分を主張する・しないというのも，当事者の自由である。寄与者と考えられる者が，自ら寄与を主張しないのであれば，寄与分を放棄したものと解するほかない（→Ⅹ4(2)）。

遺産分割手続に参加した当事者が，遺産分割手続終了後に，あらためて寄与分を主張することの可否という論点がある。肯定説と否定説があるところ（新版注民(27)〔補訂版〕273-274頁〔有地＝犬伏〕），否定説が通説である。肯定説は紛争の蒸し返しを認めることに通じるので，到底支持できない。否定説が妥当である。

2　調　　停

共同相続人間の協議で寄与分を定めることができない場合，寄与者（その地位を承継した相続人や相続分の譲受人）は，家庭裁判所に「寄与分を定める処分の調停事件」を申し立てることができる（家事244条以下）。通常，遺産分割調停事件と同時に寄与分調停事件を申し立てるか，または，遺産分割調停事件を申し立てた後に，寄与分調停事件を申し立てる。両事件は，同一裁判所で併合されて調停が行われることになる（家事245条3項→同191条2項・192条）。

3　審　　判

調停に同じく，寄与分審判事件（家事別表第二14項）は，遺産分割審判事件（同12項）と同一裁判所で併合されて審理が行われる（家事191条2項・192条）。そして，寄与分審判事件については，「寄与の時期」などを申立書に記載しなければならない（家事規102条2項）。

特徴的なのは，寄与分審判事件については，遺産分割手続の遅延を防止するため，家庭裁判所が職権で申立期間を指定することができ，時機に後れた申立てを却下することができるとされている点である（家事193条。金子・逐条735-737頁）。

Ⅷ　価額支払請求（民法910条）との関係

寄与者は，民法910条に規定する場合（→§910），すなわち，相続開始後に認知された者が，遺産分割を了した共同相続人に対して価額支払請求をする場合に，家庭裁判所に対して寄与分を定める請求をすることができる（本条4項）。

通説・判例（最判平28・2・26民集70巻2号195頁）によれば，価額支払請求は地方裁判所の管轄する民事事件である。他方，寄与分の定めは家庭裁判所の管轄する調停・審判事件である。したがって，被認知者を含めた当事者全員の協議で改めて寄与分を定めることができなければ，調停・審判での寄与分の確定を経た後，被認知者が請求できる価額が定まることになる。

裁判例は存在しないようであるが，認知された者（被認知者）が寄与者の場合と被認知者以外の他の共同相続人が寄与者の場合が考えられる。

被相続人甲，その嫡出子A・Bによる遺産分割協議成立後に，嫡出でない子Cが死後認知されたとする。A・Bによる遺産分割の対象となった財産は3000万円であった。

まず，A・Bが寄与分を定めないで先の遺産分割協議を成立させていた場合，Cから価額支払請求を受けたAないしBが新たに寄与分を主張できるか，という問題がある。制限なく主張できると解する説がある（新基本法コメ102頁〔木村敦子〕）。A・Bが先の遺産分割で主張しなかった寄与分を新たに主張するというのは禁反言的な事態のようにも思える。もっとも，A・Bが同程度の寄与をしていたとか，寄与分とは明示せずに寄与分を踏まえて遺産分割を成立させるなどする場合もあるので，AないしBによる寄与分の主張を一律に排斥するべきでもないと解される。通常，CはAないしBの寄与分の主張を受け入れないだろうから，家庭裁判所が証拠に基づいて，寄与の有無等を認定することになるであろう。

つぎに，A・Bが寄与分を定めて遺産分割協議を成立させていた場合である。Cは，A・Bの定めた寄与分に拘束されない。

A・Bは，Aの寄与分を300万円と定めて，3000万円をA：1650万円，B：1350万円と分割した。後に認知されたCが法定相続分の割合でA・Bに各500万円（合計1000万円）の支払を求めた。A・B間で定まった寄与分はCに対抗できないので，寄与分を主張する者が調停・審判を申し立てることになる。

家庭裁判所が改めて，Aの寄与分を300万円と定めれば，計算上の具体的相続分は

$$\text{A}\quad：(3000-300)\times\frac{1}{3}+300=1200\text{万円}$$
$$\text{B・C}：(3000-300)\times\frac{1}{3}=900\text{万円}$$

となる。

遺産分割で，Aは1650万円，Bは1350万円を取得している。そして，Cの価額支払請求に併せて，改めて，A・B・Cの三者で寄与分が定まったことになるので，上述の計算の具体化には，A・Bが，Cに対して，各450万

円の支払をすればよい。換言すると，CはA・Bに対して各450万円（合計900万円）の支払を請求することになる。

IX　寄与分と遺言・遺留分

1　遺言による寄与分の定め

被相続人は，遺言で，共同相続人の寄与分について定めることができるか。寄与分は，協議・調停・審判によってのみ定められること，遺言事項とされていないことから，否定説が通説である（新版注民(27)〔補訂版〕267頁〔有地＝犬伏〕）。したがって，例えば，「長男の寄与分を○○○万円とする」「長女の寄与分を認めない」というような遺言は無効と解される。

なお，被相続人が寄与分を含めた趣旨で，寄与者に対して，相続分の指定（902条），同人の法定相続分を上回る遺贈（964条），遺産分割方法の指定（906条）をすることはあり得る。寄与者が，別途，寄与分の主張をしたような場合に，遺言の内容が寄与分を含めた趣旨であるかどうか，本条2項の「その他一切の事情」のひとつとして考慮することになる。

2　寄与分と相続分の指定，遺贈，遺産分割方法の指定

(1)　相続分の指定との関係

本条1項は，具体的相続分を「寄与分を控除し」た上で，民法902条の規定により算定するとしている。したがって，次のような計算となる。

被相続人甲，共同相続人A・B・C（法定相続分各$\frac{1}{3}$），相続財産3000万円，遺言でAの相続分が$\frac{1}{2}$と指定されていた。Bの寄与分が300万円と定められたとする。

A：$(3000-300)\times\frac{1}{2}=1350$ 万円

B：$(3000-300)\times\frac{1}{2}\times\frac{1}{2}+300=975$ 万円

C：$(3000-300)\times\frac{1}{2}\times\frac{1}{2}=675$ 万円

(2)　遺贈・遺産分割方法の指定との関係

寄与分は，相続財産から遺贈を控除した残額の範囲内でなければならないから（本条3項），被相続人甲がAに相続財産を全部包括遺贈した場合，寄与者Bが寄与分を主張する余地は存在しないことになる。このような場合，B

は，Aに対して，遺留分侵害額請求ができるだけである。そして，被相続人甲がAに相続財産を「全部相続させる」旨の遺言をした場合も（→§908 Ⅲ），同様の結果となる。

しかし，甲が上記のような遺言を作成した後，Bが甲に対して寄与することも考えられる。そして，甲が当該遺言を撤回するとか，Bに生前贈与するとかしないと，Bの寄与は報われない結果となる。また，寄与分は遺留分の算定に際して考慮されないので（→3），遺留分制度の中でBの寄与分に配慮することもできない。

寄与分は，遺産分割手続が行われる場合の制度であるから，遺産分割手続が観念できない全部包括遺贈などの場合において，寄与分を考慮することができないのは，論理的には当然の帰結と言わざるを得ない。寄与分を考慮するためには，立法によるしかないと思われる。

3　寄与分と遺留分

(1)　共同相続人間の遺留分侵害額請求

寄与分と遺留分の関係を定めた条文は存在しない。そのため，寄与者以外の他の共同相続人の遺留分を侵害するような寄与分を定めることは排除されない。寄与分は遺留分に優先するのである（新版注民(27)〔補訂版〕269-270頁〔有地＝犬伏〕）。

なお，平成30（2018）年の相続法改正（平成30年法律72号）で，遺留分制度が大きく変更された。しかし，遺留分と寄与分の関係を整序する規定は特に設けられなかったので，両者の関係はこれまでと同様に解釈論に基づいて考えることになる。

例えば，被相続人甲，共同相続人A・B（法定相続分各$\frac{1}{2}$），相続財産3000万円，Aの寄与分が2000万円と定められたとする。具体的相続分は，

$$A：(3000-2000)\times\frac{1}{2}+2000=2500万円$$
$$B：(3000-2000)\times\frac{1}{2}=500万円$$

となる。

A・Bの遺留分は，各$3000\times\frac{1}{2}\times\frac{1}{2}=750$万円であるから，Bの遺留分が侵害されている（500万円<750万円）。もっとも，当事者の合意に基づいて，協議・調停においてBの遺留分を侵害する寄与分が定められたのであれば，

それは私的自治の範囲内である。問題は，家庭裁判所が遺留分を侵害するような寄与分を定めることができるかである。実務では，遺留分に配慮して，寄与分を定めている（東京高決平3・12・24判タ794号215頁，片岡＝管野309頁）。

そこで，このような配慮が上記原則に違背するかであるが，寄与分は遺留分に優先するとの原則を維持しつつ，遺留分に配慮した寄与分を定めることは，本条2項の「一切の事情」に依拠して可能と解されるから，必ずしも矛盾しないのではないか。したがって，実務の運用を支持してよいであろう。

ところで，遺留分を侵害するような大きな寄与分が観念できる場合というのは，むしろ，被相続人と寄与者が相続財産を実質的に共有していたのであって，寄与者は寄与分ではなく，むしろ，所有権の確認や共有物の分割を求めるべきなのであるのかもしれない。

⑵　第三者に対する遺留分侵害額請求

被相続人甲，相続人A・B・C（法定相続分各$\frac{1}{3}$），相続財産900万円，甲は第三者Dに600万円を遺贈，Aの寄与分が150万円と定められた。このような場合，遺留分権利者A・B・Cの遺留分の計算方法として，複数の学説が存在する（以上は，新版注民(27)〔補訂版〕270-273頁〔有地＝犬伏〕の例をそのまま用いている）。この論点に関する公刊裁判例は存在しないようである。そして，通説的には，次のように解されている。

遺留分算定の基礎となる財産は900万円，遺留分は900万円の$\frac{1}{2}$の450万円，遺贈されていない相続財産が300万円あるので，DがAらに支払うべき侵害額は合計150万円となる。そして，Aの寄与分を実現するためには，Dから支払われた侵害額150万円と遺贈されていない相続財産300万円の合計450万円を対象として，遺産分割をすべきことになる。Aの寄与分は，Aらの協議・調停・審判で150万円と決定されたのだから，これに拘束されると考えるべきである。そうでなければ，寄与分を定めた意味がない。具体的相続分は，

A　　：$(450-150)\times\frac{1}{3}+150=250$万円

B・C：$(450-150)\times\frac{1}{3}=$各100万円

となり，B・Cの具体的相続分は本来的な遺留分（150万円）を下回ることになるが，やむを得ないであろう。遺留分の算定に際して，寄与分を考慮する

方途が存在しないのだから，Dに対する遺贈（600万円から侵害額の支払によって450万円に縮減）を，さらに縮減することは許されない。また，Aらが本来的に協議で自由に定めることができる寄与分によって，受遺者Dが不利益を受けるのもおかしいであろう。

X　その他

1　寄与の時期

寄与の時期（本条2項）は，被相続人の死亡前，すなわち，相続開始前に限られる。したがって，共同相続人が相続開始後に葬儀費用を出捐したり，相続財産の管理を行ったりしても，寄与とはならない。相続開始より相当前（20年前とか30年前とか）の寄与行為については，寄与の主張が制限される訳ではないが，立証あるいは因果関係（→V 2）が問題となるであろう。

なお，寄与の時期に相続人の資格を有していなかった場合については，既述した（→Ⅳ2）。

2　寄与分と相続債務

相続債務の存否・多寡は，原則として，寄与分とは関係がない。もっとも，家庭裁判所が審判で寄与分を定める際には，相続債務を「一切の事情」のひとつとして（本条2項），考慮することができると解するのが通説である（加藤一郎「相続法の改正(下)」ジュリ723号〔1980〕115頁）。公刊裁判例は存在しないが，通説に従って差し支えないと思われる。

3　消極的寄与

寄与分は，共同相続人による被相続人の財産の維持または増加という積極的な行為を評価するものである。これに対して，消極的寄与とは，共同相続人が被相続人の財産を減少させた場合に，当該減少分を考慮して具体的相続分を算定することができるか，という問題である。具体的には，特別受益とまでは評価できない低額の贈与や，共同相続人が被相続人の財産を物理的に毀損したような場合が考えられる。通説は，減少分が共同相続人の特別受益と評価されるのであれば，特別受益の問題として解決すればよく，特別受益と評価されない場合に，消極的寄与という概念を持ち出すべきでないと解している（新版注民(27)〔補訂版〕265-266頁〔有地＝犬伏〕）。公刊裁判例は存在しないようである。低額の贈与などを消極的寄与として評価することは，特別受益制度を潜脱するのに等しいし，財産の物理的毀損などは損害賠償の問題として処理すればよいから，消極的寄与を認める必要はないと解する。

4　寄与分の譲渡・放棄・相続

(1)　譲　　渡

相続分の譲渡には，共同相続人がその相続分を第三者に譲渡する場合と他の共同相続人に譲渡する場合がある（→§905）。

一身専属性を根拠に寄与分の譲渡を否定する少数説もあるが，通説は，寄与分の譲渡を肯定する（新版注民(27)〔補訂版〕266-267頁〔有地＝犬伏〕）。

寄与分の譲渡を肯定した場合，①相続分を譲渡すると，寄与分も譲渡したことになるのか，②相続分と寄与分の一方だけを譲渡できるのか，③相続分と寄与分を別々に譲渡できるのか，④寄与分の一部だけを譲渡できるのか，といった点が問題となる。

これらについては，①相続分を譲渡すると，併せて寄与分も譲渡したことになるという解釈を前提に，②一方だけの譲渡，③別々の譲渡，④一部だけの譲渡はすべて否定されるべきだと解する。②から④を認めてしまうと，遺産分割の当事者が増えたり，法律関係が錯綜したりするからである。

(2)　放　　棄

寄与者は相続開始前に寄与分を放棄することができない。相続開始後，相続放棄をした相続人は，寄与者でもなくなる（939条）。

また，寄与分は，寄与者が，遺産分割手続の中で，寄与分を主張することで同手続の俎上に載るのだから，同手続の終了までに寄与分を主張しなければ，寄与分を放棄したと解するほかない。したがって，同手続の終了後に寄与分を主張したり，寄与者が寄与分の主張をしないにもかかわらず，寄与者の債権者が代位して寄与分を主張したりすることは，認められないと解するべきである。

(3)　相　　続

寄与者（被代襲者）が死亡した後，被相続人が死亡し，寄与者の代襲者（代襲相続人）が被代襲者の寄与分を主張する場合，あるいは，被相続人が死亡した後，未分割段階で寄与者（相続人）が死亡して，その相続人が寄与分を主張する場合が考えられる。

通説は，寄与分の相続性を肯定する（新版注民(27)〔補訂版〕267頁〔有地＝犬伏〕)。特別受益と同質の問題と捉えて，相続性を肯定してよいと解する。

〔本山　敦〕

（期間経過後の遺産の分割における相続分）

第904条の3　前3条の規定は，相続開始の時から10年を経過した後にする遺産の分割については，適用しない。ただし，次の各号のいずれかに該当するときは，この限りでない。

一　相続開始の時から10年を経過する前に，相続人が家庭裁判所に遺産の分割の請求をしたとき。

二　相続開始の時から始まる10年の期間の満了前6箇月以内の間に，遺産の分割を請求することができないやむを得ない事由が相続人にあった場合において，その事由が消滅した時から6箇月を経過する前に，当該相続人が家庭裁判所に遺産の分割の請求をしたとき。

〔改正〕 本条＝令3法24新設

I　本条の趣旨

令和3（2021）年法律24号による民法改正は，いわゆる所有者不明土地問題への対応を主眼としている。そして，同問題の主たる発生原因が，遺産分割未了の土地の存在であると認識されていた。

相続財産たる土地に関し，当初，共同相続人が明確かつ少数であったとしても，民法上，遺産分割には期限が設けられておらず，未分割のままとすることに対する制裁も存在しないため，相続財産たる土地はすべて，潜在的な可能性として，所有者不明土地になりかねない。そこで，共同相続人による遺産分割を促進する動機付け（インセンティブ）として，本条が新設された。

本条は，相続開始から一定期間（原則的に10年間）を経過した場合に，共同相続人による特別受益（→§903）ならびに寄与分（→§904の2）の主張を制限する。特別受益・寄与分を踏まえた具体的相続分は，公平な遺産分割の実現を目的とする制度であるところ，具体的相続分の主張に期間制限を設けることによって，共同相続人が遺産分割を速やかに行うように仕向ける狙いがある。

また，相続開始から長期間経過後に，共同相続人が遺産分割手続に着手したところ，同手続中において具体的相続分の主張がされてしまうと，具体的相続分の有無や内容に関する資料や情報が散逸しているため，同手続の進行を阻害する事態になりかねない。すなわち，このような事態は，いわゆる訴訟経済という観点からも問題となる。

上述の諸点に照らすならば，本条の新設は，遺産分割手続を促進し，かつ，遺産分割をめぐる紛争を回避するものとして，肯定的に受け止められるべきであろう。

本条の施行日は，令和5（2023）年4月1日である。なお，本条適用の猶予期間については後述IV参照。

II　本条の適用（柱書本文）

本条柱書本文は，同ただし書の場合を除いて（→III），相続開始の時から10年を経過した〈後〉にする遺産分割において，具体的相続分に関する903条・904条・904条の2を適用しないと定める。したがって，そのような遺産分割においては，指定相続分（902条）があればそれにより，指定相続分がなければ法定相続分（900条）により遺産分割を行うことになる。

もっとも，相続開始の時から10年を経過した後にする遺産分割であっても，当事者が協議で具体的相続分による分割を行うことは，私的自治の範囲内であるので差し支えない。しかし，調停・審判で遺産分割を行う場合には，当事者は具体的相続分を主張することができない。

III　本条の適用除外（柱書ただし書）

1　10年経過前の遺産分割請求（1号）

相続人が，相続開始の時から10年を経過する〈前〉に家庭裁判所に対して遺産分割の請求（907条2項）をした場合には，調停の成立や審判の確定が

10年を経過する〈後〉になったとしても，本条柱書本文は適用されず，具体的相続分による分割が可能である。

2　やむを得ない事由の存在とその消滅（2号）

相続開始の時から始まる10年の期間の満了前6か月以内の間に，ある相続人について遺産分割の請求（907条2項）をすることができない「やむを得ない事由」があった場合で，当該「やむを得ない事由」が消滅した時から6か月を経過する前に，その相続人が家庭裁判所に対して遺産分割の請求をした場合には，相続開始の時から10年を経過した〈後〉であったとしても，本条柱書本文は適用されず，具体的相続分による分割が可能である。

上記の「やむを得ない事由」に該当する例としては，被相続人が生死不明でその死亡の事実を知ることが不可能だったような場合，事理弁識能力を欠く常況にある相続人について成年後見人が選任されていないような場合，相続開始後10年以上経過後に先順位相続人が有効に放棄をしたことで後順位の者が相続人となったような場合など，客観的な事情によって，相続開始の時から10年を経過する前に相続人が遺産分割の請求をすることが期待できない場合とされる。相続人が単に被相続人の死亡を知らなかっただけというような，主観的な事情は「やむを得ない事由」には該当しない（村松＝大谷編・Q&A 249頁）。

3　10年経過後の遺産分割調停・審判の取下げ（家事事件手続法）

遺産分割調停・審判の申立人は，調停終了までの間（家事273条1項）あるいは審判確定までの間（家事82条2項本文），申立てを取り下げることができる。しかし，取下げは遺産分割の遅延を招くものである。そこで，本条の新設に併せて家事事件手続法が改正され，相続開始時から10年経過後の遺産分割調停・審判の取下げについては，相手方の同意を要するとし（家事199条2項・273条2項），申立人による取下げを制限することとした（松村＝大谷編・Q&A 252頁，潮見佳男ほか編著・Before/After 民法・不動産登記法改正〔2023〕122-123頁〔荒木理江〕，潮見佳男ほか編・詳解改正民法・改正不登法・相続土地国庫帰属法〔2023〕199-200頁〔山野目章夫〕）。

Ⅳ　猶 予 期 間

本条は，施行日前に開始した相続にも適用される。そのため施行時点で相続開始から10年を経過している場合や，施行直後に10年を経過するような場合には，具体的相続分による遺産分割の機会を相続人から奪う事態になりかねない。

そこで，令和3年法律24号附則3条では，(i)相続開始時から10年を経過する時，または，(ii)本条の施行時から5年を経過する時のうち，いずれか遅い時までは本条の適用が猶予されるとしている（村松＝大谷編・Q&A 393頁）。そして，いずれか遅い時の経過後は，具体的相続分による遺産分割を受ける利益が失われる（潮見301頁）。

〔本山　敦〕

（相続分の取戻権）

第905条①　共同相続人の1人が遺産の分割前にその相続分を第三者に譲り渡したときは，他の共同相続人は，その価額及び費用を償還して，その相続分を譲り受けることができる。

②　前項の権利は，1箇月以内に行使しなければならない。

〔対照〕 フ民841（削除）・815-14，ド民2034～2037

〔改正〕（1009）

細 目 次

I　本条の趣旨

1　総　　説

本条は，共同相続人の1人が遺産分割前に同人の相続分を第三者に譲渡することができ，かつ，他の共同相続人が譲渡された相続分を第三者から譲り受ける（取り戻す）ことができる，という相続分の譲渡およびその取戻権について定める。

例えば，被相続人A，共同相続人として配偶者B，子Cおよび子Dがいるとする。共同相続人Dが遺産分割前に相続分を第三者Eに譲渡した。共同相続人BないしCは，譲渡された相続分を第三者Eから取り戻すことができるのである。

2　相続分譲渡の類型

「相続分（の）譲渡」には，譲受人と譲渡の対象の組み合わせによって，4

つの類型がある。

		譲渡の対象	
		相続分全部	特定の財産（例：甲土地）の相続分
譲受人	第　三　者	【本条】	【β】
	共同相続人	【α】	【γ】

本条が想定している場合，すなわち，共同相続人Ｄが第三者Ｅに相続分全部を譲渡する事例は多くない。むしろ，広く行われているのは，【α】共同相続人Ｄが共同相続人Ｃに相続分を譲渡するというような，共同相続人間の譲渡である（最判平26・2・14民集68巻2号113頁，最判平30・10・19民集72巻5号900頁）。

また，【β】共同相続人Ｄが第三者Ｅに相続財産中の特定の財産（例えば，甲土地とする）の相続分を譲渡することや，【γ】共同相続人Ｄが共同相続人Ｃに甲土地の相続分を譲渡することもある。

【α】の場合，Ｄは遺産分割手続から排除され（家事43条・258条1項），共同相続人ＢおよびＣが遺産分割手続を行うことになる。

【β】の場合，甲土地は，Ｂ・Ｃ・Ｅの共有となり，共有物分割手続の対象になると解される（最判昭50・11・7民集29巻10号1525頁，最判昭53・7・13判時908号41頁）。

【γ】の場合，甲土地はＢ・Ｃの遺産共有，甲土地を除いた他の相続財産はＢ・Ｃ・Ｄの遺産共有として，Ｂ・Ｃ・Ｄで遺産分割手続を行うことになると解される。

以下では，上述の4類型のうち，本条の場合について，解説する（なお，新版注民(27)〔補訂版〕277頁以下〔有地亨＝二宮周平〕や松原Ⅱ232頁以下には，【α】の場合についての言及がある）。

3　本条の解釈

本条については，要件・効果が不明確なこと，いわゆる「家制度」の残滓的な規定であることなど，多くの問題点がある。そのため，本条の廃止論が存在する（二宮369頁）。

本条は，財産権である相続分が本来的に自由な処分の対象となることを前提に，相続財産の分散防止に一定の配慮をしたものである。そこで，前者の自由処分性を重視すれば，譲渡の当事者（譲渡人・譲受人）に対する制約を可能な限り排し，かつ，取引（譲渡）の保護を図る方向で，法の解釈・適用を行うべきとなる。他方，後者の分散防止を重視すれば，共同相続人による取戻権の行使が有効に行える方向で，法の解釈・適用を行うべきとなる。

もっとも，両者だけが，法の解釈・適用の基準ではない。相続紛争の複雑化・長期化の回避なども，重要な視点とすべきであろう。

Ⅱ　本条の沿革

明治民法下の遺産相続に関する1009条が，内容に変更なく，現代語化され，現在に至っている。

第188回法典調査会では，そもそも相続分の譲渡の是非をめぐり議論が交わされ，その結果，本条の内容で最終的に決着した（法典調査会民法議事〔近代立法資料7〕574-581頁，新版注民(27)〔補訂版〕278頁〔有地＝二宮〕）。

本条は，1804年のフランス民法841条に由来する（原田・史的素描225-226頁）。しかし，1976年に同条は削除され，新たに「先買権」が規定された（フ民815-14条）。母法が変わってしまったため，本条は，「いわばはしごをはずされた」規定である（千藤洋三「相続分の譲渡・放棄」新実務大系Ⅲ194頁）。このような母法の変化も，本条の廃止論ないし改正論の根拠となりうるであろう。

Ⅲ　相続分の譲渡

1　譲渡人たる共同相続人

(1)「共同相続人の1人」

譲渡人は「共同相続人の1人」である。したがって，相続人が1人の場合（単独相続の場合）は，本条の対象ではない。

相続分の譲渡は，譲渡人たる共同相続人と譲受人たる第三者の間の契約であり（→4），無償であれば贈与（549条），有償であれば売買（555条）に相当する。したがって，譲渡人・譲受人は，契約の当事者として有効に契約を締結できる能力等を有しなければならない。

以下，設例として，被相続人A，共同相続人として配偶者B，子C・D，第三者Eとする。

(2)　**未成年者による譲渡**

譲渡人Dが未成年者，同人の母BがDの親権者の場合，BはDの法定代理人として，EにDの相続分を譲渡することができる。この譲渡によるB・Cの相続分の増減はなく，また，Bは譲受人でないから，B・D間に利益相反は存在しないと解される（いわゆる「形式的判断説」。新版注民(25)〔補訂版〕138頁以下〔中川淳〕参照）。

例えば，Bが，Dの法定代理人として，EにDの相続分を無償で譲渡した。そうすると，Bは，共同相続人の1人だから，Eから当該相続分を取り戻すことができる（価額および費用の償還が必要である。一Ⅳ3）。取り戻された相続分はBに帰属するから（一Ⅳ5），Bの相続分が増加することになる。

また，例えば，Bが自己の相続分をEに有償で譲渡した後，BがDの法定代理人としてDの財産から価額および費用を出捐してEから当該相続分を取り戻した場合，実質的には，親権者Bの相続分と未成年者Dの財産（金銭）の交換が行われたことになる。

これらのように，相続分の譲渡およびその取戻権を利用すれば，利益相反行為の成立を回避しつつ，親権者の（不当な）利益を実現することが可能になりそうである。もっとも，これらのようなBの行為は，代理権の濫用（107条）に該当する可能性がある。

(3)　**代襲相続人による譲渡**

共同相続人である代襲相続人も譲渡人になることができる。

(4)　**共同相続人の相続人による譲渡**

相続開始後，共同相続人が死亡した場合，死亡した共同相続人の（共同）相続人も譲渡人になることができる。また，譲渡（契約）後に譲渡人が死亡した場合，譲渡人としての権利義務は一身専属権ではなく相続の対象となり，譲渡人の（共同）相続人が譲渡人の権利義務を承継する（896条・899条）。

(5)　**推定相続人による譲渡**

相続開始前に，推定相続人を譲渡人，第三者を譲受人とする相続分の譲渡はできるか。

相続分の譲渡は，契約だから，契約自由の原則が妥当する。当事者間で，相続開始（＝被相続人の死亡）を停止条件とする譲渡の契約，または，将来の譲渡の予約がされたと見ればよく，相続開始前に締結された譲渡の契約（予約）も有効と解される。

⑹ **欠格・廃除**

譲渡人が欠格（891条）・廃除（892条）によって相続権を有していなかった場合，どうなるか。

有償の譲渡であれば他人の権利の売買における売主の義務の問題として（561条），また，無償の譲渡であれば贈与者の引渡義務の問題として（551条1項），それぞれ処理することが可能なように解される。しかし，譲渡の対象を相続人としての「地位」と見れば（→5⑴），譲渡人が契約時にその地位を有していなければ，原始的不能の問題として処理することが考えられる（412条の2第2項）。

⑺ **相続放棄**

譲渡人と相続放棄の関係が問題となる。

㋐ 相続放棄前の譲渡　共同相続人が相続放棄「前」に相続分を譲渡した場合，どうなるか。

相続分の譲渡は，相続財産の処分に該当するから（921条1号），譲渡人について法定単純承認事由となる。

この点について，学説では，法定単純承認事由とは見ないとの解釈が優勢のようである（新版注民(27)〔補訂版〕525頁〔川井健〕）。しかし，そのような解釈には疑問がある。

例えば，被相続人A，共同相続人B・C，相続財産は甲土地のみとする。C（売主）が第三者D（買主）に甲土地の相続分を売却すれば，当然，この売却は，法定単純承認事由としての「処分」にあたる。そうであれば，C（譲渡人）が第三者D（譲受人）に有償で相続分の譲渡をした場合に，同事由の「処分」にあたらないとするのは一貫しない。前者と後者で，行為の実質に違いがないからである。なお，売買でなく贈与，有償でなく無償の相続分の譲渡であっても同断である。

㋑ 相続放棄後の譲渡　共同相続人が相続放棄「後」に相続分を譲渡した場合，どうなるか。

この点については，921条1号および3号の解釈論にも関わる。相続放棄を有効と見れば，譲渡人は無権利者であり，譲渡は無効となって，譲受人が害される。相続放棄には公示方法も既判力もないのだから，相続分譲渡が相続放棄の「前」か「後」かで，譲受人の保護が異なるのはおかしい。他方，相続分譲渡を法定単純承認事由と解し，相続放棄を無効と見ても，他の共同相続人の本来的な相続分は影響を受けない。譲受人の利益と他の共同相続人の利益を衡量すれば，相続放棄「後」の相続分譲渡についても法定単純承認事由と解し，相続放棄を無効，相続分譲渡を有効と解すべきであろう。

(ウ)　譲渡後の相続放棄　　相続分の譲渡「後」，譲渡人が相続放棄した場合にどうなるか。譲渡は法定単純承認事由とみなされる処分に該当するから(921条1号)，相続放棄は無効である。

しかし，家庭裁判所は，通常，譲渡の存在を知り得ないので，譲渡人の相続放棄の申述を受理してしまうかもしれない。譲渡人が相続放棄したとして譲受人に対する譲渡の履行を拒絶するような場合には，譲受人は譲渡人による相続放棄の無効を主張して争うことになるのであろう。

(8)　限定承認

譲渡人と限定承認の関係も問題となる。

(ア)　限定承認前の譲渡　　共同相続人が限定承認する前または同手続中に相続分を譲渡した場合，どうなるか。

譲渡は相続財産の処分に該当すると解されるから(921条1号)，譲渡人について法定単純承認事由となる。そして，限定承認は共同相続人全員でしなければならず(923条)，譲渡人に法定単純承認事由があるため，他の共同相続人は限定承認をすることができなくなる。

(イ)　限定承認後の譲渡　　共同相続人全員で限定承認した後，共同相続人の1人が相続分を譲渡した場合，どうなるか。

譲渡人について法定単純承認事由となるため，相続債権者は譲渡人に対して権利を行使することができると解される(937条)。

(ウ)　譲渡後の限定承認　　譲渡後，譲渡人を含む共同相続人全員が限定承認した場合にどうなるか。

譲渡は，法定単純承認とみなされる処分であるから(921条1号)，譲渡後の限定承認は無効である。

しかし，家庭裁判所は，通常，譲渡の存在を知り得ないので，限定承認の申述を受理してしまうかもしれない。相続債権者は限定承認の無効を主張する，あるいは，限定承認の効果を維持しつつ，譲渡人に対して権利を行使する（937条）ことができると解される。

⑼　譲受人による譲渡

共同相続人Dが第三者Eに譲渡し（第1譲渡），その後，譲受人Eが譲渡人となり第三者Fに譲渡する（第2譲渡）ことは可能か。自由処分性を強調すれば，第2譲渡は禁止されていないのだから，譲受人Eによる第三者Fへの譲渡を肯定すべきと解される。

しかし，本条は，「共同相続人の1人」から「第三者」への譲渡のみを規定しており，文理上，第三者（E）から第三者（F）への譲渡を想定していないとも解される。また，第2→第3→第n譲渡という転々譲渡を許すと，遺産分割手続の当事者が転変して定まらず，同手続が迅速・円滑に行えない事態を惹起しかねない。

そのため，私見は，遺産分割手続を円滑に実現する観点から，譲受人による譲渡の禁止を支持する。

⑽　包括受遺者による譲渡

包括受遺者は譲渡人になることができるか。

包括受遺者は，「相続人と同一の権利義務を有する」から（990条），包括遺贈による取得分を本条の相続分と同視して，譲渡の目的とすることができると解される（→IV 2⑷）。

⑾　相続分指定された相続人による譲渡

被相続人Aが共同相続人Dの相続分を指定していた場合（902条1項），Dが第三者Eに譲渡することができる相続分は，指定された相続分となる。なお，被相続人から委託された第三者が相続分を指定する場合（同条1項），相続分の指定がされるまでは，相続分は未定である。指定相続分が未定であっても，相続分譲渡の契約の締結はできると解される。

⑿　「相続させる遺言」の受益相続人による譲渡

被相続人Aが「共同相続人Dに全財産の2分の1を相続させる」というような遺言，いわゆる「割合的相続させる遺言」をしていた場合（→§908），Dは，受益（全財産の$\frac{1}{2}$）を第三者Eに譲渡することができるか。

包括受遺者（→⑽），相続分指定された相続人（→⑾）の場合と同視してよいと解される。

⒀　遺留分権利者による譲渡

被相続人Aが「共同相続人Bに全財産を相続させる」という遺言をしていた場合，他の共同相続人C・Dの遺留分が侵害されており，C・Dは遺留分権利者である。このような場合，Dは第三者Eに相続分を譲渡することができるか。

このような遺言が存在しても，Dが共同相続人でなくなるわけではない。したがって，DはEに相続分を譲渡することができると解される。もっとも，当該遺言が有効であれば，譲渡された相続分は，遺留分に相当することになると解される。

1046条1項は遺留分の「承継」を規定している。DからEに相続分が譲渡され，譲渡された相続分の中に遺留分に関する権利・義務が含まれ，DからEに遺留分の「承継」が行われたと解すればよい。

2　譲受人たる第三者

共同相続人でない者が譲受人たりうる第三者である。この第三者は，自然人（親族・非親族），法人を問わない。譲渡は契約であるから，共同相続人を除いて，権利能力のある者であれば誰でも譲受人になることができる。

⑴　欠格・廃除された（元）相続人

欠格（891条）・廃除（892条）によって相続人の地位を失った者が，譲受人になることはできるか。

例えば，被相続人Aによって推定相続人Dが廃除され，被相続人Aが死亡して相続が開始した後，共同相続人CがDに相続分を譲渡するような場合である。Dは，相続開始時点で相続人の地位を喪失して共同相続人でなくなっているから，Cを譲渡人，Dを譲受人とする相続分の譲渡は可能と解される。

もっとも，このような譲渡は，欠格制度や廃除制度の潜脱に等しい。そこで，Dを譲受人とする相続分の譲渡を許すべきでなく，Dは，欠格の宥恕（→§891）や廃除の取消し（894条）を通じて，共同相続人の地位を回復すべきだと解するべきかもしれない。

⑵　相続放棄した（元）相続人

被相続人Aが死亡し，共同相続人Cが相続放棄をした後，Dを譲渡人，Cを譲受人とする相続分の譲渡はできるか。

Cは，放棄によって初めから相続人とならなかったものとみなされ（939条），共同相続人でなくなっているから，譲受人になることができると解される。

⑶　**譲　渡　人**

共同相続人Dが第三者Eに相続分を譲渡した後，共同相続人CがDに相続分を譲渡することはできるか。

Dが共同相続人の地位を喪失していないのであれば，CからDへの譲渡は共同相続人間の譲渡として本条の対象とならない。しかし，Dが共同相続人の地位を喪失しているのであれば，Dは第三者にあたり，CからDへの相続分の譲渡は本条の対象となる。

譲渡人は，譲受人との関係および他の共同相続人との関係では，共同相続人の地位を喪失したと解される（一5⑷⑺）。したがって，Dは，共同相続人でない第三者として，譲受人になることができると解される。

3　譲渡の時期

⑴　**相続開始前**

相続開始前であっても，相続分譲渡の契約を締結することができると解される（一1⑸）。しかし，相続分が譲渡人から譲受人に移転するのは，相続開始以後である。

⑵　**相続開始後**

共同相続人は，相続開始後，共同相続人間で遺産分割協議が成立するまで，あるいは，遺産分割調停・審判が確定するまでであれば，いつでも相続分を第三者に譲渡することができる。遺産分割には期限がないので，遺産分割未了の間は，いつでも相続分を譲渡することができると解される。したがって，遺産分割協議・調停・審判の手続の途中であっても，相続分の譲渡が可能と解される。

遺産分割協議については，同協議が成立した後，同協議が当事者全員によって合意解除された場合（最判平2・9・27民集44巻6号995頁），解除後から再度の分割が確定するまでの間，相続分の譲渡は可能である。

遺産分割審判については，即時抗告期間（家事86条1項）を経過し，同審判が確定すれば，相続分の譲渡ができなくなる。また，審判に対して即時抗告がされた場合，高等裁判所の裁判が確定するまでは，相続分の譲渡が可能である。

遺産分割が禁止されている場合であっても（908条），相続分の譲渡が禁止されているわけではないから（→6⒀），相続分の譲渡は可能である。もっとも，譲受人が遺産分割禁止に拘束されることは，当然である。

協議・調停・審判等で遺産分割が成立・確定した後に行われる譲渡は，各共同相続人に帰属が確定した所有権や債権等の譲渡に過ぎないので，本条の対象ではない。

4　譲渡の方法

譲渡の方法は，何ら定められていない。したがって，契約自由の原則により，譲渡（契約）の方式は当事者（譲渡人・譲受人）の自由に委ねられている。口頭のみによる譲渡（契約）も有効である。契約書等の有無も自由である。

もっとも，共同相続人Dが第三者Eに相続分を譲渡した場合，Eは他の共同相続人B・Cとともに遺産分割手続の当事者となる（→6⑶）。B・Cや調停・審判をする家庭裁判所にとっては，DがEに相続分を譲渡した（EがDから相続分を譲渡された）事実が明示されなければ，Eを遺産分割手続の当事者として扱うことが困難である。したがって，遺産分割手続においては，D・E間の相続分の譲渡を明らかにする書面等が必要とされることになるであろう。これは，当事者（譲渡人・譲受人）から他の共同相続人に対する譲渡の「通知」にも関わる問題である（→IV 4）。

また，遺産分割手続に伴う相続不動産の名義変更や，相続預金の解約・払戻し，相続税の納税（→6⑸）などの各種手続においても，D・E間の相続分の譲渡を明らかにする書面等が必要になるはずである。

5　相続分（譲渡の対象）

⑴　相続分の意味

学説は，譲渡の対象となる「相続分」を様々な表現を用いて説明してきた（新版注民(27)〔補訂版〕279頁〔有地＝二宮〕）。いずれにしても，「相続分」は共同相続人たる譲渡人に帰属している包括的な権利義務，あるいは，法律上の地位と解される。

⑵　相続分の割合

相続「分」は相続財産全体に対する割合を意味する（→§899 II）。そして，相続分の譲渡の対象となる相続「分」については，法定相続分と解する説

（法定相続分説）と具体的相続分と解する説（具体的相続分説）が対立してきた。前者が少数説（鈴木187頁），後者が多数説である（伊藤225頁ほか多数）。

遺産分割は，具体的相続分に基づいて行われるのが原則である（→§906・§907）。また，譲渡人が譲渡できる権利は，原則として，自らに帰属する権利の範囲であるはずだから（何人も自己に属せざる物の所有権を移譲することなし。Nemo dat quod non habet.），具体的相続分説が正当である。

もっとも，具体的相続分は，遺産分割手続を経て，はじめて確定する。したがって，相続分の譲渡では，通常，譲渡時に相続分が確定していないことになる。そうすると，譲渡人Dが第三者Eに相続分を譲渡したが，Dが被相続人Aから多額の特別受益を得ていた場合には，Dの具体的相続分がゼロであり，Eが遺産分割手続で相続財産を取得できない事態も起こりうる。反対に，DはEに法定相続分（$\frac{1}{4}$）を譲渡したつもりでいたところ，遺産分割手続において，B・CがAから多額の特別受益を得ていたことが判明して，Eが4分の1を上回る相続財産を取得できてしまう事態も起こりうる。これらのような事態は，本来的には，D・E間の譲渡契約上の問題であり，譲渡契約の当事者でないB・Cには関係がない。

すなわち，相続分の譲渡は，当事者にとって，特に譲受人にとって，不確実性を内包した射倖的な契約なのである。それにもかかわらず，当事者が相続分の譲渡をするというのであれば，当事者の自己決定・自己責任に帰するほかない。

(3)　相続分の一部の譲渡

共同相続人Dの法定相続分は $\frac{1}{4}$ である。では，Dは第三者Eに $\frac{1}{4}$ の半分，すなわち $\frac{1}{8}$ を譲渡することができるか。

学説は，肯定説（新版注民(27)〔補訂版〕281頁〔有地＝二宮〕）と否定説（中川＝泉303頁，松原Ⅱ233頁）に分かれる。学説の分布は，肯定説が多数，否定説が少数である。

財産権の自由処分性を強調する肯定説に対して，否定説は遺産分割手続の当事者の増加による同手続の複雑化を危惧する。

私見は，否定説を支持する。理由は，このような割合的譲渡を認めると，遺産分割手続の当事者を恣意的に増加させることが可能となり，同手続の複雑化・長期化を招来すると危惧されるからである。

なお，共同相続人間における相続分の譲渡の事例であった前掲最高裁平成26年2月14日判決（一I 2）は，「共同相続人のうち自己の相続分の全部を譲渡した者は，積極財産と消極財産とを包括した遺産全体に対する割合的な持分を全て失うことになり，遺産分割審判の手続等において遺産に属する財産につきその分割を求めることはできない」と判示した（下線は引用者による）。「相続分の全部を譲渡」との言及から，「相続分の一部を譲渡」をも許容する趣旨と解することが可能である。しかし，共同相続人間の譲渡の場合には，譲渡人も譲受人も元から共同相続人なのであるから，相続分の一部の譲渡を許したとしても，共同相続人の総数は増えない。これに対して，第三者に相続分の一部を譲渡できると解すると，際限なく多数の第三者に相続分の一部を譲渡できることになりかねない。したがって，共同相続人間の譲渡の場合には，相続分の一部の譲渡を認めても差し支えないが，第三者に対する譲渡の場合には，相続分の一部の譲渡を認めるべきでない。

(4)　譲渡後の他の共同相続人の相続放棄

共同相続人Dが第三者Eに相続分を譲渡した後，共同相続人Cが相続を放棄したとする。このような場合，Cが放棄した相続分は，誰に帰属することになるのか。

諸説が乱立しているが（新版注民(27)〔補訂版〕283-284頁〔有地＝二宮〕，新基本法コメ105頁〔木村敦子〕），公刊裁判例は見当たらない。以下の7つの説が考えられる【下表】。

(ア)　第1説　　DからEへの相続分の譲渡によって，Dは共同相続人の地位を失う。そして，EはDから譲渡された相続分だけを取得する。Cの相続放棄はEに影響せず，Cが放棄した相続分はBに帰属する。

(イ)　第2説　　EはDから譲渡された相続分だけを取得する。Cの相続放棄はEに影響せず，Cが放棄した相続分はB・Dに帰属する。

(ウ)　第3説　　DからEへの相続分の譲渡によって，Dは共同相続人の地位を失う。Cが放棄分した相続分は，B・Eに帰属する。

(エ)　第4説　　Cが放棄した相続分はB・D・Eが取得する。

(オ)　第5説　　Cの放棄は，本来，配偶者Bの相続分を増加させない。また，EはDから譲渡された相続分だけを取得する。Cの相続放棄はEに影響せず，Cが放棄した相続分はDが取得する。

(カ) 第6説　Cの放棄は，本来，配偶者Bの相続分を増加させない。また，DからEへの相続分の譲渡によって，Dは共同相続人の地位を失う。Cが放棄した相続分はEが取得する。

(キ) 第7説　Cの放棄は，本来，配偶者Bの相続分を増加させない。Cが放棄した相続分はD・Eが取得する。

	第1説	第2説	第3説	第4説	第5説	第6説	第7説
B（配偶者）	○	○	○	○			
D（譲渡人）		○		○	○		○
E（譲受人）			○	○		○	○

(ク) 小　括　この問題は，①D・Eが相続分（$\frac{1}{4}$）を譲渡の目的としたにもかかわらず，Cの相続放棄によって，Eの取得分が増えるのはおかしいのではないか（譲渡契約の内容に放棄分はそもそも含まれていないはずである），②譲渡人は，（対外的には）共同相続人の地位を完全に喪失したとはいえないと解されること，③相続放棄の効力が相続開始時に遡及すること（939条）など，複数の要素が錯綜した結果，諸説の乱立を招いている。

上記の設例に関して，私見は，第6説を支持する。Dは相続分を譲渡したのであるから，B・C・Eとの関係では，もはや共同相続人でなく，相続分の帰属主体になり得ない。また，Cの放棄は配偶者Bの相続分を増加させない。したがって，Cが放棄した相続分は，Eが取得する。

そもそも，相続分の譲渡は，共同相続人の特別受益の有無・多寡によって譲渡された相続分が変動する不安定・不確定な射倖契約なのであるから（→(2)）。他の共同相続人の放棄によって譲受人の相続「分」が増加したり，相続開始後に認知された者が現れて譲受人の相続分が減少したりする事態は，折り込み済みと解するべきである。また，遺産分割手続上も，譲渡人は同手続の当事者にならないのだから（→6(1)），放棄された相続分が譲渡人に帰属するという解釈は不当である。

6　譲渡の効果

(1)　譲渡の法的性質

譲渡は，有償または無償の契約である（→1(1)）。したがって，譲渡人と譲受人の間には，行為能力（4条以下），意思表示（93条以下），契約の効力（533条以下），契約の解除（540条以下）などの法律行為・契約に関する規律が適用される。

相続分の譲渡は，譲渡人に属した相続人としての地位を包括的に譲受人に譲渡することである。その意味では，譲渡人から譲受人への共同相続人（遺産分割手続の当事者）の交代とも言うことができるだろう。

⑵　**譲受人による相続の限定承認・放棄**

相続分の譲渡後，譲受人は共同相続人として，相続の限定承認または放棄をすることができるか。

譲渡人は，相続を単純承認したからこそ，自らに帰属した相続分を譲受人に譲渡することができたはずである。譲受人は，既に単純承認した相続人の地位を譲渡人から譲渡されたことになる。したがって，譲受人が，相続人として，改めて限定承認または放棄をすることは認められないと解される。

限定承認は，共同相続人全員でしなければならないので（923条），譲渡人が相続分を処分（921条1号）したことで法定単純承認事由となり，譲受人と他の共同相続人の全員で限定承認をすることは，もはやできないと解される。

譲渡前に共同相続人全員で限定承認し，その後，譲渡人が相続分を譲渡した場合には，譲渡人について法定単純承認事由があるとして，相続債権者は譲渡人ないし譲受人に対して（一⑺），権利行使できると解される（937条）。

⑶　**遺産分割手続の当事者**

遺産分割手続の当事者については，大別して，譲渡人Dを同手続から排除し，共同相続人B・C・譲受人Eを同手続の当事者と見る説（大阪高決昭54・7・6家月32巻3号96頁），Dを当事者に含め，Eを加えたB・C・D・Eを同手続の当事者と見る説（東京高決昭28・9・4高民集6巻10号603頁）が対立する。

多数学説・実務は，譲渡人の当事者適格を否定する（新版注民(27)〔補訂版〕284頁〔有地＝二宮〕，片岡＝管野136-137頁）。

Eは，調停・審判手続に当事者参加（家事41条・258条1項）をすることになり，他方，Dは調停・審判の当事者から排除される（家事43条・258条1項。金子・逐条203-206頁）。

また，譲受人を除外して成立した遺産分割（協議・調停・審判）は無効と解される（一⒁(イ)）。

ところで，遺産分割手続においては，特別受益や寄与分を踏まえて，具体的相続分を算定することになる。特別受益の根拠となる過去の贈与，寄与分の根拠となる寄与行為の有無や内容は，通常，被相続人の親族である共同相続人だけが知る事柄であり，譲受人は，これらの事柄を知らないはずである。そこで，これらの事柄を知る譲渡人は，同手続の当事者でなくなったとしても，必要に応じて，利害関係人として参加（家事42条）する・させることになると解するべきであろう。

(4) 裁判手続の受継

Aを当事者とする訴訟や審判の係属中に，Aが死亡した場合，通常であれば，共同相続人B・C・Dが手続を受継する（民訴124条1項1号，家事44条1項）。それでは，Dが受継前・後に第三者Eに相続分を譲渡した場合にどうなるか。このような問題は，手続法学説において，検討されていないように見受けられる。

(5) 課税上の地位

共同相続人Dが第三者Eに相続分を譲渡した場合に，課税関係はどうなるか。

相続税の課税関係は，Dが申告・納税義務者であり，Eは申告・納税義務者でない。また，有償譲渡の場合，Dが譲渡所得税の申告・納税義務者であり，無償譲渡の場合，Eが贈与税の申告・納税義務者である。なお，Eが法人の場合，無償譲渡であっても，Dに譲渡所得税が，Eに法人税がそれぞれ課税される（所税59条。三木義一＝関根稔＝山名隆男＝占部裕典・実務家のための税務相談民法編〔2版，2006〕308頁〔三木〕）。

(6) 相続財産中の債権

相続財産に債権が含まれる場合にどうなるか。

まず，一般の金銭債権（可分債権）については，相続開始と同時に相続分の割合で共同相続人Dに帰属し（最判昭29・4・8民集8巻4号819頁），それを含んだ相続分が，Dから第三者Eに譲渡されたことになると解される。したがって，Eは，相続分の範囲の債権について権利者となる。

もっとも，債務者は，通常，D・E間の相続分の譲渡を知らない。したがって，Eが債務者に履行を求める前提として，Dから債務者への通知あるいは債務者の承諾が必要となると解される（467条参照）。

また，預貯金債権は遺産分割の対象となる相続財産であるから（最大決平

28・12・19民集70巻8号2121頁），譲渡された相続分には預貯金債権も含まれる。

なお，一般に，預貯金債権には譲渡禁止特約が付されており，Aから共同相続人B・C・Dへの預貯金債権の移転は相続（包括承継）であるので同特約に違反しないと解されるものの，DからEへの預貯金債権を含む相続分の譲渡は契約（特定承継）であるため，同特約に違反する可能性がある（東京地判令3・8・17判時2513号36頁参照）。

⑺　相続財産中の債務

相続財産に債務が含まれる場合にどうなるか。

譲渡人と譲受人の間（対内的関係）と債権者との間（対外的関係）に分けて整理する必要がある。

㋐　対内的関係　　譲渡人と譲受人の関係では，譲渡人は債務者でなくなり，譲受人が債務者となる。

㋑　対外的関係　　債権者の同意なく債務者の地位を交代することは許されないから，譲渡人は，債権者に対して相続分の譲渡を主張して，債務を免れることはできないと解される。そして，債権者との関係において，譲渡人・譲受人のいずれが債務者であるかについては，諸説が乱立している（新版注民(27)〔補訂版〕282-283頁〔有地＝二宮〕，新基本法コメ104頁〔木村〕）。公刊裁判例は見当たらない。

債権者の同意なく債務者の地位を交代できないのが大原則であり，債権者保護の観点から，対外的には，譲渡人と譲受人は連帯債務（436条以下）類似の関係，あるいは，併存的債務引受（470条以下）類似の関係と見るべきである。債権者は，譲渡人・譲受人のどちらからでも弁済を受けられるものと解される。そして，対内的関係では，譲受人が債務者であるから，譲渡人が債権者に弁済した場合には，譲渡人は譲受人に対して求償でき，譲受人が債権者に弁済した場合には，譲渡人に対する求償の問題は生じないと解される。

⑻　相続財産から生じた果実

相続開始後に，相続財産から生じた利息や賃料などの果実はどうなるか。特に，相続開始後，相続分の譲渡までに生じた果実の帰属が問題となる。

判例は，相続開始後，遺産分割までに生じた果実は，「遺産とは別個の財産というべきであって，各共同相続人がその相続分に応じて分割単独債権として確定的に取得するものと解するのが相当である」としている（最判平17・9・8民集59巻7号1931頁）。共同相続人は，果実を「相続分に応じて分割単独債権として確定的に取得する」のであるから，譲渡人から譲受人に譲渡された相続分に，当該「分割単独債権」が含まれているはずである。

それでは，譲渡人が共同相続人として果実を収取した後，譲受人に相続分を譲渡した場合にどうなるか。相続分の譲渡は，相続人の地位の譲渡であり，果実を除いた残部の譲渡は認められないはずである。したがって，譲受人は，譲渡人が譲渡前に収取した果実の譲渡（返還）を譲渡人に対して求めることができると解される。

⑼　農　　地

相続財産に農地が含まれる場合，農地法3条は，農地の所有権の移転等について，農業委員会の許可を必要としている。では，農地が含まれている相続財産について相続分の譲渡が行われた場合，当該許可は必要となるか。

判例は，共同相続人間で相続分の譲渡が行われた事案で，農地法3条1項の許可を必要としないとした（最判平13・7・10民集55巻5号955頁）。ただし，同判例は，共同相続人間の譲渡の事案であり，第三者に対する譲渡の事案ではない。したがって，この判例の結論が，第三者に対する譲渡に直ちに及ぶことにはならない（大橋寛明〔判解〕最判解平13年590頁）。

⑽　その他の財産

㈠　祭祀財産　　祭祀財産は，相続財産ではないので（896条・897条），相続分の譲渡の対象に含まれない。したがって，譲渡人は，相続分の譲渡をした場合であっても，祭祀財産に関する権利・義務を失わない。

(イ)　生命保険金　　生命保険金（支払請求権）は，相続財産ではないので，相続分の譲渡の対象に含まれない（最判昭40・2・2民集19巻1号1頁）。したがって，譲渡人は，相続分の譲渡をした場合であっても，生命保険金に対する権利を有する。

(ウ)　死亡退職金　　死亡退職金も，相続財産ではないので（最判昭55・11・27民集34巻6号815頁），相続分の譲渡の対象に含まれない。

(エ)　遺族給付　　遺族年金等の遺族給付は，受給権者が法定されており，かつ，処分が禁止されているから（厚年41条1項ほか），相続分の譲渡の対象にできない。

⑾ 遺　留　分

共同相続人Dが第三者Eに相続分を譲渡したところ，被相続人Aの「共同相続人Bに全財産を相続させる」といった遺言の存在が判明したような場合にどうなるか。

相続分の譲渡は，相続人としての地位の譲渡であるから（一⑴），譲渡の対象には遺留分権利者としての地位も含まれていると解される（一1⒀）。したがって，Eは遺留分権利者として，Bに対して遺留分侵害額の請求（1046条1項）をすることができると解される。

⑿ 詐害行為取消権

譲渡人または譲受人の債権者は，譲渡人から譲受人への相続分の譲渡を詐害行為として取り消すことができるか。

㋐ 譲渡人の債権者による取消し　　相続分の譲渡は「共同相続人」のみに認められた権利であるから（本条），共同相続人の一身専属権と解される。また，相続分の譲渡には，相続放棄に類似した機能がある。相続放棄は詐害行為にならないとされているので（最判昭49・9・20民集28巻6号1202頁），譲渡人の債権者は，相続分の譲渡を詐害行為として取り消すことができないという解釈もありえよう。

しかし，相続分の譲渡は無償でも低額でも構わないから，積極財産が多い相続財産であるにもかかわらず，共同相続人Dが第三者Eに無償ないし低額で相続分を譲渡したような場合には，Dにいったん帰属した財産（相続分）を減少させる行為と評価することもできる。

したがって，Dの債権者は，相続分の譲渡を取り消すことができると解するべきである。

㋑ 譲受人の債権者による取消し　　譲受人Eの債権者は，DからEへの相続分の譲渡を取り消すことができる。

Eは，そもそも相続人ではないので，相続人としての一身専属権は問題とならない。また，相続分の譲渡後，Eが改めて相続の限定承認や放棄をすることができないと解されるから（一⑵），Eが債務超過の相続財産を譲り受けたような場合には，債務の引当てとなるEの責任財産が減少することになる。

したがって，Eの債権者は，相続分の譲渡を取り消すことができると解するべきである。

⒀　譲渡の禁止

被相続人は，遺言等で，相続分の譲渡を禁止することができるか。

相続分の譲渡を禁止する明文規定がないこと，法定の遺言事項ともされていないこと，相続分の譲渡は，相続の放棄などと同様に，相続開始後に共同相続人が自由に選択できる行為と解されることなどから，被相続人による相続分の譲渡の禁止は不可と解される。

⒁　対抗要件

(ア)　二重譲渡　　共同相続人Dが第三者Eに相続分を譲渡（第1譲渡）した後，Dが第三者Fに相続分を譲渡（第2譲渡）したような場合にどうなるか。

相続分の譲渡には，E・Fの優劣を決するための対抗要件制度が存在しないので，問題となる。

裁判例は，相続分が共同相続人間で二重に譲渡された事例において，後の譲渡（第2譲渡）を無効と解している（新潟家佐渡支審平4・9・28家月45巻12号66頁）。同裁判例は，第三者に対する譲渡に直ちに妥当しないものの，対抗要件制度の不存在は共通しているから，第1譲渡によってDは無権利者となり，第2譲渡は無権利者による譲渡として無効，と割り切るしかないのかもしれない。

(イ)　他の共同相続人　　他の共同相続人B・Cは，譲渡人Dないし譲受人Eから，相続分の譲渡の事実を教示されなければ，通常，D・E間の相続分の譲渡を知りようがない。そこで，Dが相続分の譲渡の存在を秘匿して，B・C・Dで遺産分割手続を終了したような場合が問題となる。

Eを含まないで行われた遺産分割手続は無効と解される（一⑶）。そこで，Eの無効の主張を認めて，成立した遺産分割も無効にしてよいかが問題となる。

この問題について，従来の学説は，他の共同相続人の取戻権の行使の観点から（一Ⅳ），譲渡人から他の共同相続人に対する譲渡の通知の要否（譲受人の対抗要件の具備）を論じ，通知を必要とする説と不要とする説が対立してきた（新版注民(27)〔補訂版〕281-282頁〔有地＝二宮〕）。

私見は，円滑な遺産分割手続の実現を希求し，いったん成立した遺産分割の法的安定性を重視する立場から，以下のように解する。

譲受人は，相続分の譲渡によって，共同相続人としての地位を取得したのだから，遺産分割手続に積極的に関与するべきであって，譲受人を含まない遺産分割手続が行われないように注意すべきである。そのためには，他の共同相続人に対して，譲渡人による通知の有無にかかわらず，自らが譲受人となった事実を通知するべきである。そして，譲渡人からの通知も，譲受人からの通知もなく，他の共同相続人B・Cが相続分の譲渡の存在を知らないで，B・C・D間で遺産分割手続が終了したような場合，Eは，B・Cに対して，遺産分割手続の無効を主張できないと解する。根拠としては，遺産分割手続において，Dが共同相続人（遺産分割手続の当事者）であるかのような外観を呈していたという，権利外観法理によることになる。

IV 取 戻 権

1 法的性質：形成権

取戻権は，形成権であり，取戻権者から譲受人に対する一方的な意思表示で，取戻しの効力を生じると解されている（新版注民(27)〔補訂版〕288頁〔有地＝二宮〕，松原II 244頁）。異論は見当たらない。

取戻権は，譲渡された相続分に対する包括的な取戻しであり，相続分の一部に対する取戻しや，特定の財産の相続分に対する取戻しは，認められない。

2 取 戻 権 者

譲渡人を除く他の共同相続人が取戻権者である。

共同相続人Dから第三者Eへの相続分の譲渡に対して，共同相続人Bが取戻権を行使した場合，取戻権は形成権であるから，直ちに取戻しの効力が発生する。したがって，Bが取戻権を行使した後に，共同相続人Cが重ねて取戻権を行使することはできないと解される。

もっとも，B・Cが共同で取戻権を行使することは妨げられないと解される。

(1) 相続分のない共同相続人

被相続人の遺言で相続分ゼロと指定された共同相続人や（902条），超過特別受益（903条2項）があるため具体的相続分がないと考えられる共同相続人は，取戻権者か。

前者は遺留分権利者の場合があるし，後者は遺産分割手続の当事者としての地位を喪失していない。また，ともに，相続債務を免れることができない（一Ⅲ6(7)）。したがって，指定相続分や具体的相続分がない共同相続人であっても，取戻権者と解するべきである。

(2) **欠格者・被廃除者**

欠格（891条）・廃除（892条）によって相続権を喪失した元相続人は，取戻権者か。

これらの者は，相続人の地位を喪失したのであるから，取戻権者でないと解される。

(3) **相続放棄者**

相続を放棄した者は，取戻権者か。

放棄者は，放棄によって，初めから相続人とならなかったものとみなされるので（939条），相続人の地位を喪失しており，取戻権者でないと解される。

(4) **包括受遺者**

包括受遺者は，相続人と同一の権利義務を有するのであるから（990条），取戻権者か。

学説は，取消権者とする積極説と，否定する消極説が対立する（新版注民(27)〔補訂版〕288-289頁〔有地＝二宮〕）。消極説が優勢である（新版注民(27)〔補訂版〕288-289頁〔有地＝二宮〕，松原Ⅱ244頁）。

しかし，私見は，990条が存在し，かつ，包括受遺者に取戻権を認めても，遺産分割手続の当事者が増加せず，同手続を複雑化・長期化することにならないので，積極説を支持する。

(5) **譲　渡　人**

(ア) 譲渡人による取戻し　　共同相続人Dが第三者Eに相続分を譲渡した場合，譲渡人Dは譲受人Eから相続分を取り戻すことができない。異論は見当たらない。

もっとも，相続分の譲渡は契約だから，形成権としての取戻権の行使とは関係なく，譲渡契約の無効・取消し・解除などによって，譲渡された相続分が譲受人から譲渡人に復帰することはあり得るだろう。

(イ) 他の譲渡人による取戻し　　共同相続人Dが第三者Eに相続分を譲

渡し，共同相続人Cが第三者Fに相続分を譲渡したような場合，DはFから，また，CはEから，それぞれ相続分を取り戻すことができると解する学説がある（中川編・註釈上182頁〔薬師寺志光〕）。

(6) 譲受人

共同相続人Dが第三者Eに相続分を譲渡し，共同相続人Cが第三者Fに相続分を譲渡したような場合，EはFから，相続分を取り戻すことができるか。取戻権は，共同相続人の帰属上・行使上の一身専属権と解されるから（一(7)），譲受人は取戻権者でない。

(7) 債権者

債権者は，共同相続人に代位して，取戻権を行使することができない（法曹会決議明39・12・8法曹会決議要録上910頁，法曹記事17巻1号40頁，松原Ⅱ244頁）。取戻権は共同相続人の帰属上・行使上の一身専属権だと解しているものと思われる。

3 価額・費用の償還

取戻権を行使する共同相続人は，譲渡された相続分の価額および費用を譲受人に償還して，相続分を取り戻すことができる。

(1) 価額

価額は，取戻権行使時における相続分の評価額である。評価額よりも低額または無償で，相続分の譲渡がされた場合であっても，取戻権者は譲受人に評価額の償還をしなければならないと解される。異論は見当たらない。

(2) 費用

費用は，譲渡のために要した全ての費用と解されている。したがって，譲渡人および譲受人の双方に発生した譲渡のための全費用になる。

(3) 価額・費用の提供方法

取戻権を行使した共同相続人は，譲渡人および譲受人に対して，価額および費用について現実の提供をしなければならない（493条）。提供すべき時期は，取戻権が形成権であり，行使時に直ちに取戻しの効力を生じることとの均衡から，取戻権の行使時に価額および費用が現実に提供されるべきである。

4 期間制限

本条2項は，取戻権を「1箇月以内に行使しなければならない」と定めている。そこで，この「1箇月」の起算点が問題となる。

学説は，譲渡（契約）時（第1説），他の共同相続人が譲渡の通知を受けた時（第2説），他の共同相続人が譲渡の事実を知った時（第3説）に分かれる（新版注民(27)〔補訂版〕290頁〔有地＝二宮〕）。これらのうち，譲渡時が通説とされる（梅133頁，松原Ⅱ245頁）。

私見は，遺産分割手続の当事者を明確にするために，他の共同相続人に対する通知を譲渡人ないし譲受人に求める立場だが（→Ⅲ6⒁(イ)），取戻権との関係では，譲渡の通知は不要と解し，通説である①譲渡（契約）時説を支持する。

もっとも，相続開始前の譲渡契約の締結も有効と解されるから（→Ⅲ1⑸，Ⅲ3⑴），譲渡（契約）時を起算点とすると，相続開始時には既に取戻権の行使期間が経過していて，他の共同相続人による取戻権の行使が不能となりかねない。そうすると，②③説を採るべきかもしれない。しかし，明文規定がないのであるから，譲渡人・譲受人には通知義務がないと解さざるをえないこと，立法時の議論が取戻権の保護に消極的であったこと，他の共同相続人は遺産分割手続において代償分割の方法などによって，譲受人から相続分（相続財産）を実質的に取り戻すことができる可能性があることなどから，①説で問題ないと解する。

5　取戻しの効果

取り戻された相続分は誰に帰属するか，併せて，取戻しのために要した価額および費用は誰の負担となるかについて，諸説が乱立している（新版注民(27)〔補訂版〕289-290頁〔有地＝二宮〕）。

⑴　他の共同相続人全員で取り戻した場合

共同相続人Dが第三者Eに相続分を譲渡した後，他の共同相続人B・Cが共同でEに対して取戻権を行使した。このような場合，取り戻された相続分が，B・Cに帰属すると解する説（第1説）と，B・C・Dに帰属すると解する説（第2説）がある。取戻権は形成権であるから，行使していないDにも取戻しの効力が及ぶというのは奇異である。また，Dは自らの意思で自らの相続分を譲渡したのだから，そのようなDに取戻権の効力を及ぼして，相続分（の一部）を強制的に帰属させるというのは，私的自治の侵害である。したがって，第1説が正当である。

なお，B・Cに共同で取り戻された相続分は，B・C間に別段の意思表示がない限り（427条），法定相続分の割合で，B・Cに帰属すると解するべきである。価額および費用は，B・Cがそれぞれに帰属した割合に応じて負担すべきである。

⑵　共同相続人の1人が取り戻した場合

共同相続人Dが第三者Eに相続分を譲渡した後，共同相続人の1人であるBがEに対して取戻権を行使した。このような場合についても，取り戻された相続分が，Bのみに帰属する説（第1説），B・Cに帰属する説（第2説），B・C・Dに帰属する説（第3説）がある。

⑴とまったく同様の理由から，第1説が正当である。また，価額および費用はBの負担とすべきである。

6　取り戻した相続分の譲渡

共同相続人Dが第三者Eに相続分を譲渡し，共同相続人Bが相続分を取り戻した場合，遺産分割前であれば，Bは取り戻した相続分を第三者に譲渡できると解される。

7　取戻権の消滅

取戻権は，譲渡（契約）時から，1か月以内に譲受人に対して行使されないと，消滅する。この1か月は除斥期間と解されている（新版注民(27)〔補訂版〕290頁〔有地＝二宮〕）。

また，共同相続人は，相続放棄などで，相続人としての地位を喪失したのであれば，取戻権も喪失する（→2⑵⑶⑸(ア)）。

短い除斥期間は取戻権の行使を事実上不可能にし（中川＝泉302頁），しかも，私見は，取戻権との関係では，他の共同相続人（取戻権者）に対する通知を不要と解するので（→4），取戻権の行使は一層不可能になる。

しかし，取戻権は，契約の当事者でもなく債権者でもない他の共同相続人が譲渡人と譲受人との間の契約に介入・干渉することを認める特異な権利である。したがって，取戻権者は取消権の行使が不可能に近い状況を甘受すべきである。

〔本山　敦〕

第3節　遺産の分割

前注（§§ 906-914〔遺産の分割〕）

⑴　遺産分割について，民法は，第5編「相続」第3章「相続の効力」中，相続の一般的効力としての包括承継の原則および相続人複数の場合の相続分に応じた遺産共有等を定める第1節「総則」（896条〜899条の2），第2節「相続分」（900条〜905条）に続く第3節「遺産の分割」において，以下に詳述する11か条（平成30年改正により2か条追加）の規定（906条〜914条）を置いている。

⑵　遺産分割とは，被相続人の死亡により包括的に共同相続人に承継され遺産共有に属することになった相続財産について，遺産共有関係を解消して，最終的な個別財産の帰属を決定する，すなわち，各相続人の単独所有または物権法上の共有関係にすることである。ただ，具体的な分割の実行方法としては，4つのチャンネルがあり，まず，被相続人は，遺言で，自ら遺産分割の方法を定め，もしくはこれを定めることを第三者に委託し，または遺産分割を禁止することができる（908条1項。被相続人による指定分割）。このような遺言または共同相続人による分割禁止の契約がないときは，共同相続人はいつでもその協議によって遺産の分割をすることができる（907条1項。協議分割）。しかし，遺産分割について，共同相続人間に協議が調わないとき（協議不調），または協議をすることができないとき（協議不能）は，各共同相続人は家庭裁判所に対して分割請求をすることができ（907条2項），この場合，家庭裁判所における調停分割（家事244条）または審判分割（家事39条・別表第二12項）により分割が行われる（特別の事由があるときは，期間を定めて分割を禁止することができる。908条4項，家事別表第二13項）。

⑶　まず，遺産分割の対象となる相続財産とは，相続開始時に被相続人の財産に属し，遺産分割時において現存する未分割の積極財産を意味し，被相

続人の残した相続財産のすべてが分割の対象となるのではなく，判例によれば，可分債権，可分債務などは遺産分割をまたずに当然に分割承継され原則として分割の対象ではない。もっとも，平成27年以降の法制審議会民法（相続関係）部会における検討の一環として，可分債権の一部を遺産分割の対象に含める方向が取り上げられ（中間試案第2の2），他方で，最近，最高裁は，預貯金債権について従来の判例を変更し，当然には分割されず遺産分割の対象となる旨の重要な方針転換をした（最大決平28・12・19民集70巻8号2121頁）。いずれにしても，共同相続人間において具体的な分割を進めるには，分割の対象となる遺産の範囲と評価を確定して遺産総額を算定し，各相続人の相続分（法定相続分・指定相続分または特別受益・寄与分により修正された具体的相続分）に応じて具体的取得分額を算定し，これを基に分割を進めることになる。

(4)　具体的な遺産分割の方法に関しては民法上直接の規定はないものの，共有物分割の原則である現物分割ならびに令和3年民法改正により新たに規定された賠償分割（代償分割）（258条2項，家事195条），現物分割または賠償分割が不能または著しく価格を減少させる場合の競売による換価分割（258条3項）が認められているほか，家事事件手続法上，遺産の換価を命ずる裁判（家事194条。競売のほか任意売却を含む），物権法上の共有とする分割あるいはそれらの組み合わせが考えられる。他方で，民法は，その際の基準として，「遺産の分割は，遺産に属する物又は権利の種類及び性質，各相続人の年齢，職業，心身の状態及び生活の状況その他一切の事情を考慮」する旨の大方針を規定する（906条）。ただし，この基準の適用にあたっては，上記の各チャンネルごとに事情を異にする。被相続人による指定分割の場合には従来から遺留分による制約があったものの自由度は高く，協議分割，調停分割においても同条の基準はガイドライン的な意味しか持たず当事者間の合意に任される。一方，審判分割においては，同条は規範的な意味をもち，分割方法・態様も現物分割が原則とされ，特別の事情があるときは代償分割が行われ，現物分割も代償分割もいずれも相当でないときに，換価分割が行われる。物権法上の共有とする分割は，一定の例外的な場合に限って認められるものとされている。

(5)　このような形で行われる遺産分割の効果の面について，民法は，その分割の効力が相続開始時に遡ることを原則とする（いわゆる宣言主義。909条本文）一方，この遡及効については，戦後の1947（昭和22）年改正により例外（909条ただし書）が設けられ移転主義的な取扱いがなされている。さらに，民法は，各共同相続人は，他の共同相続人に対して，売主と同じく，その相続分に応じた担保責任を負うものとされている（911条～914条）。

(6)　このほか相続開始後に認知された者の相続権について，すでに遺産分割が終了してしまった場合等において，価額による支払請求権を認める規定（910条）は，昭和22年改正により新設されたものである（令和4年改正により同趣旨の778条の4が新設された）。

(7)　平成30年の民法（相続関係）改正法においては，遺産分割に関する見直しとして，婚姻期間が20年以上である夫婦の一方が他方に対して居住用不動産の遺贈または贈与をしたときは，特別受益のいわゆる持戻し免除の意思表示があったと推定すること（903条4項），預貯金債権について仮払いの制度等を設けること（909条の2，家事200条3項），一部分割を明文化すること（907条），遺産分割前に遺産に属する財産を処分した場合の遺産の範囲についての調整規定を設ける（906条の2）ことが提示された。また，同法においては，配偶者たる相続人の居住権を保護するための方策として，遺産である居住建物の無償利用につき遺産分割終了までの間という比較的短期間に限り保護する「配偶者短期居住権」を認め（1037条），さらに，配偶者が終身または一定期間居住建物を無償使用できる法定の権利（「配偶者居住権」）を創設し（1028条），この配偶者居住権を遺産分割における選択肢の一つとして配偶者に取得させ，あるいは，被相続人が遺言により配偶者に取得させることが可能となった。

(8)　なお，遺産分割を含む民法相続編が戦後の民主改革の一環としての昭和22年改正により大きく変容したことについては注民(25)221-222頁〔谷口知平〕の記述を，共同相続人間での相続財産の配分・清算についての比較法的概観については，同書222-232頁（英，仏，独，スイス等）〔谷口〕のほか，最近のものとして大村監修・比較研究を参照。

(9)　さらに，令和3年改正法では，904条の3が新設され，相続開始の時から10年を経過した後にする遺産の分割については，特別受益に関する903条・904条および寄与分についての904条の2の規定が適用されないものとされた。遺産共有関係の解消の円滑な解消の観点から，10年の期間を過ぎると具体的相続分による遺産分割を求める利益が消失することとすれば，その利益を求める相続人による早期の遺産分割の請求を期待することができることから，相続登記が間接的に促進されるものと考えられたのである（村松＝大谷編・Q&A 246頁）。

ただし，相続開始の時から10年を経過した後にする遺産分割であっても，(ア)相続開始時から10年を経過する前に，相続人が家庭裁判所に遺産分割の請求をしたとき，または(イ)相続開始の時から始まる10年の期間の満了前6か月以内の間に，遺産分割を請求することができないやむを得ない事由が相続人にあった場合において，その事由が消滅した時から6か月を経過する前に，当該相続人が家庭裁判所に遺産分割の請求をしたときは，その遺産分割の基準は，具体的相続分による（904条の3）。

〔副田隆重（藤巻梓補訂）〕

（遺産の分割の基準）

第906条　遺産の分割は，遺産に属する物又は権利の種類及び性質，各相続人の年齢，職業，心身の状態及び生活の状況その他一切の事情を考慮してこれをする。

〔対照〕　フ民830～834，ド民2042・2048，ス民607～619

〔改正〕　本条＝昭55法51改正

細　目　次

Ⅰ　本条の意義

本条は，遺産共有状態にある相続財産を相続分に基づき分割する際に考慮すべき点を指示して分割の指針を定めたものである。前述した（→前注（§§906-914）(4)）現物分割，代償分割などの遺産分割方法の選択の場面のみならず，具体的にどの相続人にどの財産（たとえば甲土地あるいは乙土地のいずれ）を割り付けるかなどという場面における一般的基準を定める。本条は，戦後昭和22年の民法改正により新設されたもので，新たに設けられた趣旨は，家督相続が廃止された改正民法の下では，大多数の相続が共同相続となることから，そこで，相続の大部分と考えられる共同相続の場合の遺産分割をしてより公平なものたらしめる点にあり，その大方針を示すことにあるとされている（我妻・解説191頁以下，徳本鎮「審判による遺産分割」家族法大系Ⅶ16頁など）。

当初，本条は，分割の際の考慮すべき基準として，「遺産に属する物又は権利の種類及び性質，各相続人の職業その他一切の事情」と規定されていたが，1980（昭和55）年の改正（法律51号）により，相続人の「年齢」および「心身の状態及び生活の状況」が追加されている。

それにしても，基準としては抽象的でなお漠然としていることは否定できないが，個別の多様な案件を前提とすればやむを得ないものと考えられる。個別の考慮事由の説明の前に，関連するいくつかの論点に触れておきたい。第1に，本条が掲げる考慮事由を参酌した結果として，相続分（法定相続分または指定相続分あるいは具体的相続分）を変更することが許されるか，第2に，本条の適用範囲の問題として，本条は指定分割，協議分割，調停分割，審判分割のいずれの場合においても遺産分割の際の行動規範・行為規範と解されているが（中川(淳)・逐条上286頁），本条の基準違反の分割の効力（裁判規範）を考えた場合にどうか，すなわち，本条の分割基準は，審判分割のみならず調停分割，協議分割，指定分割にも適用されるのか，という問題がある（中川(淳)・逐条上286頁）。第3に，分割方法の選択との関係で，判例は，遺産共有は物権法上の共有と異ならないことを根拠に，遺産分割においても，共有物分割と同様，現物分割が原則（なお，令和3年改正により，共有物の分割方法として，現物分割と賠償分割が同順位に位置付けられた）で，それが不可能または分割により著しくその価格を損するおそれがあるときは競売により換価分割とする258条の規定が，第一次的に適用されるものとする（最判昭30・5・31民集9巻6号793頁）が，その規定と本条との関係である。これらについては，IIからIVで後述する。

II　遺産分割基準と相続分との関係

遺産分割は，共同相続人間において各自の相続分を前提としつつ，個別の相続財産について分配ないし最終帰属を定めるものであるが，本条の定める考慮事由（たとえば「一切の事情」）を考慮することにより，相続分を変更することができるか。

ごく一部に肯定説（吉村弘義「裁判所に現れた相続問題」中川善之助ほか編・家族問題と家族法VI〔1961〕421頁）があるものの，通説および審判例ならびに家裁実務は，本条は遺産の具体的な分配方法の基準を定めたにとどまり，審判分割において裁判所による相続分の変更を認めたものでないとして否定説の立場をとっている（我妻・判コメ118頁，注民(25)233-234頁〔谷口知平〕。東京高決昭37・4・17家月14巻10号121頁，福岡高決昭40・5・6家月17巻10号109頁ほか，最高裁事務総局家庭局・昭和42年3月開催家事審判官会同概要・家月21巻2号〔1969〕79頁）。これに対して，協議分割，調停分割の場合には，共同相続人全員の合意により，相続分とは異なる割合で分割すること（相続分を変更すること）ができる。

このように審判分割の場合，相続分を変更することはできないものの，他方で，単に算術的に正確な相続分に応じた分配を意味するのでなく，906条は，相続財産とそれを受領すべき相続人との関係を考慮に入れて「具体的公平」に分割が行われるべき旨を定めたものとされる（大阪高決昭51・2・19家月28巻10号51頁）。また，相続分を変更できないとはいえ，全面的な換価分割のような場合を除けば，各相続人の取得額を正確に分割に反映させることは困難であるが，このような取得財産と相続分の些少な食い違いは事柄の性質上許容されるものといえる（東京家審昭44・2・24家月21巻8号107頁は，各相続人への帰属財産の一定時点における評価額の比率が具体的相続分に完全に一致しなくても，諸般の事情に照らし，なお相続分に準拠して分割がなされたということができるとする。松原II 353頁）。

Ⅲ　分割基準の適用範囲（本条の基準違反の分割の効力）

本条の規定は，遺産分割の際の行動準則ないし行為規範としては，協議分割，家裁による調停分割・審判分割および被相続人またはその委託にかかる第三者の指定による分割のいずれについても適用があると従来から考えられている（我妻・判コメ120頁，中川(淳)・逐条上286頁）。ただし，本条の裁判規範としての効力すなわち基準に違反する分割の効力については，個別の検討を要する。

1　協議分割・調停分割の場合

まず協議分割・調停分割において，本条の定める基準に違反したり，相続分に従わない分割協議であっても，共同相続人の自由な意思に基づく限りは有効である（その意思表示について，錯誤，詐欺，強迫があれば，取消しの問題となる〔平成29年改正法では錯誤も取消事由となった〕。この点については907条の解説参照)。協議分割においては，共同相続人の自由意思が本条の基準に優先すると考えられるからである（我妻・判コメ120頁，熊本地判昭30・1・11下民集6巻1号1頁)。その他の理由付けとしては，協議分割が実質的に贈与の性格をもつから（甲斐道太郎「法定相続分に従わない遺産分割の効力」家族法大系Ⅵ263頁）とか，遺産分割に贈与的性格が含まれることがあり，また通常和解的性格を有すること（星野英一「遺産分割の協議と調停」家族法大系Ⅵ348頁，鈴木221頁）などが指摘されている。結局，協議分割において本条は，協議にあたっての精神規定としての意味をもつにすぎず（中川編・註釈上〔有泉亨〕189頁），基準違反の協議の効力を左右するものではない（新版注民(27)〔補訂版〕319頁〔潮見佳男〕は，本条は強行規定でないとし，近江287頁は，「一応の『標準』」とするほか，松原Ⅱ351頁は「訓示規定的な意味を有するにとどまる」とする)。

2　指定分割の場合

指定分割には，被相続人自らが遺言により分割方法を指定する場合と，被相続人が遺言により第三者に分割方法の指定を委託し，受託者が分割方法を指定する場合とがある（908条1項）が，本条の基準の意味は，両者で異なる。

まず，前者の被相続人自身による指定については，分割基準を定める本条の適用はないと解されている（中川編・註釈上189頁〔有泉〕)。また，相続分の指定（902条）を伴うものであるときは，法定相続分に従う必要もない（ただし遺留分の問題は別)。協議分割において，共同相続人の意思が本条に優先するのと同様に，指定分割において被相続人による指定に現れた被相続人の自由意思が尊重されるべきものと考えられるからである。

これに対して，後者の受託者による指定については，相続分および本条の分割基準に服することが要請され（潮見355頁），これらに従わない分割方法の指定は，全員の合意がある場合は別として，無効と解すべきものとするのが通説といえる（我妻・判コメ120頁，注民(25)296頁〔山本正憲〕，中川(淳)・逐条上330頁)。こうした場合，共同相続人は，協議分割をするか，家庭裁判所に対して，分割のやり直しを請求できる。

3　審判分割の場合

審判分割の場合には，本条の分割基準は，裁判規範として機能し，基準に違反する分割については即時抗告をすることができると解されている（我妻・判コメ120頁，松原Ⅱ351頁，内田416頁，潮見341頁ほか)。たとえば，長年農業に従事して生活を維持してきた相続人から耕作地を全部取り上げる結果となる原審判を合理性がないとして取り消した事例（福岡高決昭44・3・29家月21巻10号108頁)，相続人の職業を無視して農地を現物分割し，農業でなく林業や日雇いに従事していた者に新たに農地経営の必要を生じさせる一方，従前被相続人とともに農業に従事し，今後も継続の意思のある相続人の取得する農地は約4分の1に減少し農業継続が困難になるような分割をした原審判を取り消した事例（高松高決昭36・12・4家月14巻4号202頁。→V 2）がある。また，相続人のうち抗告人のみが現住居を奪われる結果となる原審判の分割方法が相当でないとした事例がある（大阪高決昭58・2・7判タ502号184頁)。

Ⅳ　258条と本条との関係

遺産分割の方法としては，現物分割，代償分割，換価分割等の選択肢があるところ，審判分割を前提として，判例は，遺産共有が物権法上の共有と同様の性格をもつとの理由から，共有物に関する256条以下の分割ルールが第一次的に適用され，本条はその場合にとるべき方針を定めるものとする（最判昭30・5・31民集9巻6号793頁）が，このことと本条の基準との関係は必ずしも明確とはいえない。

判例の趣旨として，256条以下の共有物分割ルールが第一次的に適用されるとの意味は，現物分割（なお，令和3年改正により，共有物の分割の方法として，現物分割と賠償分割が同順位に位置付けられた）が本則で，それが不可能あるいは著しく価値を損なうときは競売による換価分割とする（258条2項・3項）と解するのが基本であり，906条の基準は第二次的なものにすぎない（つまり258条2項・3項が906条に優先する）と解され，またそれを支持する少数説（柚木213頁）もある。一方で多数学説は，258条2項・3項は単一の物を数人が共同所有する関係の解消手続である共有物分割の基準にすぎず，遺産分割のように，複数の物や権利を共同所有する相続人同士の関係を総合的に分割すべき場合の基準たりえないとして，258条2項・3項が適用されず，遺産分割の大方針を示す特別規定である906条が優先的に適用されるとする立場をとる（我妻・判コメ119頁以下，岡垣・家審講座Ⅱ104頁，徳本・前掲論文27頁）。遺産分割において，「現物」分割という場合，個々の物につき各々を分割する場合（狭義の現物分割）だけでなく，遺産を構成するA物件を甲に，B権利を乙にという分割（広義の現物分割）を含むものと解されている。このような広義の遺産分割こそが906条の基準にもっとも適合的なものと考えることができ，このことを258条により導くには疑問があり，むしろ906条の適用の結果と解釈するほうが妥当である（我妻・判コメ138頁）。

近年の判例学説上，共有物分割の場面における現物分割の多様化や全面的価格賠償の承認など，個別財産の性質や当事者の属性・職業等を考慮にいれた柔軟かつ多様な分割方法が認められつつあり（最大判昭62・4・22民集41巻3号408頁，最判平8・10・31民集50巻9号2563頁。新版注民(7)482頁以下〔川井健〕，内田貴・民法Ⅰ〔4版，2008〕400頁以下），令和3年改正においても多様な分割の可能性が明文化された（258条）ことを考慮すれば，基本的に多数説の立場を妥当と解すべきであり，この立場からは，「本条の基準に則して現物分割の当否を判断し，共同相続人間での相続財産の分配を考えるうえで現物分割が必ずしも適切でないとされる場合には，現物分割以外の方法，あるいは現物分割と他の方法との組合せによる処理」を図るべきものとし，この意味からも，「分割によって著しくその価格を損する虞があるとき」を例外とする判例法理（前掲最判昭30・5・31）に再検討の余地ありとされる（新版注民(27)〔補訂版〕316頁〔潮見佳男〕）。

遺産分割方法の選択肢としては，後に詳述するが，①現物分割（広義の現物分割を含む），②代償分割（家事195条），③換価分割，④共有とする分割（大阪高決昭38・5・20家月15巻9号192頁など），ならびにそれらの組み合わせや賃借権・使用借権の設定などが考えられるところ，家裁実務における順序としては，上記①から④の順序で選択すべきものと解されている（梶村・実務講座309-311頁）。また，平成30年改正法が創設した，配偶者が終身または一定期間居住建物を無償で使用できる配偶者居住権（1028条）も遺産分割の際の選択肢のひとつである。

V　遺産分割の基準

前述したように（一I）906条の当初（昭和22年）の規定では，考慮すべき事項として，「遺産に属する物又は権利の種類及び性質，各相続人の職業その他一切の事情」が挙げられていたが，その後1980（昭和55）年の改正により，相続人の「年齢」，「心身の状態及び生活の状況」の文言が追加された。各事項について簡単に見ていこう。

1　遺産に属する物または権利の種類および性質

遺産に属する物または権利の種類および性質として，遺産には，土地建物などの不動産，現金，自動車，書画・宝石などの有体動産，預貯金などの債権，有価証券，ゴルフクラブ会員権などさまざまな財産が含まれる。土地でも，宅地，農地，山林かの区別，建物でも，店舗，居宅，貸家か等の区別のほか，所在地，形状，面積，複数の不動産の場合には相互の位置関係，これまでの利用状況なども，現物分割の可能性や取得者決定の際の考慮要因となる。

2　相続人の職業

共同相続人の一人が被相続人とともに農業や商工業に従事していた場合，その職業は，それに従事していない共同相続人との関係で重要な意味を持ち，そうした事業の後継者である相続人は農地や営業用財産の取得について有利に扱われることが多い。たとえば，当事者の職業を無視して農地を現物分割し，生前被相続人と同居してともに農業を営んでおり今後も継続しようとする相続人が取得する農地は約4分の1に減少し，そのため従来のような形での農業経営が困難となり，他方で従来被相続人と別居して山仕事や日雇等に従事してきた他の相続人に農地を取得させて新たに農業経営の必要を生じるような分割は相当性を欠くといえる（高松高決昭36・12・4家月14巻4号202頁）。農業従事者である相続人に農地を取得させ，他の相続人に対して代償金を支払わせる審判例は数多い（松原Ⅱ355頁）。

なお，かつては農地について，農業経営の細分化防止の点からも農業後継者たる一人の相続人に農地を取得させることを原則視する審判例も少なくなかったが，現在の社会経済状況（細分化防止を規定していた農業基本法〔16条〕は1999〔平成11〕年に廃止され，新法たる食料・農業・農村基本法には受け継がれていない）からすれば，農地の特殊性を強調すべきではないとの指摘がある（新版注民(27)〔補訂版〕317頁〔潮見〕）。農業承継者に代償金支払の能力がない場合，農業を承継する者がいない場合には農地の現物分割もありうるし，近い将来宅地転用の可能性が大きい農地については，農業者以外の相続人に取得させることもありうる（松原Ⅱ355頁。このほか，農地の分割をめぐる裁判例につき，判例民法Ⅺ152-154頁〔大塚正之〕）。

農業以外の商工業の営業用財産に関しても，上に述べたところがほぼ当てはまり，家業を継いだ相続人に店舗等の不動産や同族会社の株式を取得させる例が多い（上原ほか編著401頁〔山本由美子〕。たとえば，被相続人たる夫と協力して建てた建物に居住して青果商を営み現在も営業を継続中である妻に同建物を取得させ，国鉄に勤務して他に別居中の子らに対する代償金の支払を命じた審判例〔東京高決昭37・4・24家月14巻10号129頁〕，典型的な同族会社の非公開の株式について，その経営規模から経営の安定のためには株主の分散を避けることが望ましいとして，事業後継者たる相続人の一人に株式全部の単独取得を認める一方，代償金支払を命じた事例〔東京高決平26・3・20判タ1410号113頁〕がある）。

3　相続人の年齢・心身の状況・生活の状況

相続人の年齢・心身の状況・生活の状況の3点は，1980（昭和55）年改正により新たに追加されたものである。従来から家庭裁判所における実務上，「一切の事情」の中で考慮されてきたであろうと考えられるが，当初の906条では相続財産の内容に関しては「遺産に属する物又は権利の種類及び性質」としてかなり詳しく規定するのに対して，相続人側の事情については，「各相続人の職業」とのみ規定されていたのをより詳しく具体化したといわれている（加藤一郎「相続法の改正(上)」ジュリ721号〔1980〕76頁）。

「年齢」は，年少者あるいは高齢者への配慮，「心身の状況」は，障がい者などへの配慮，「生活の状況」は，いままで居住してきた住居の確保への配慮，が念頭にあり，とくに「生活の状況」が加えられたのは，配偶者の居住権については，同年改正の際に議論されながら制度として採用されず，遺産分割の際に配慮すればよいとされたことによる（加藤・前掲論文76頁）。具体的な対応として，相続人中にこれらの者がいる場合（たとえば，高齢な配偶者相続人が早晩特別養護老人ホームに入所予定であるとか，精神病のため長期入院中であるなど），その者に不動産を取得させることは必ずしも相当でない場合が多く，資産活用が容易な預貯金や賃貸土地を取得させるなど分割方法を考慮する必要がある（井上繁規・遺産分割の理論と審理〔3訂版，2021〕426頁，上原ほか編著401頁〔山本〕）。

もっとも，これらの者について，こうした事情から相続分を増加させるべしとか，相続分を超える財産の分割を認めるものではない（加藤・前掲論文76頁は実質的に扶養の前渡しとして認めてよいとするが，一般には認められていない〔司法研修所編・遺産分割事件の処理をめぐる諸問題〔1994〕327頁，新版注民(27)〔補訂版〕318頁〔潮見〕〕）。

4　遺産の従前の利用関係

906条では個別の考慮事由として明文化されていないが，遺産の従来の利用関係は，「一切の事情」の一つとして分割の際重要な基準となる。

相続人のひとりが従来から遺産となった土地や建物を利用してきたような場合，遺産分割に際して，当該相続人にその不動産を取得させることが適当かという問題である。まず遺産たる不動産につき，賃借権，使用借権等の利用権を有する場合（被相続人の死亡により貸主たる地位は他の相続人に受け継がれ，利用していた相続人は他の相続人に対して利用権を対抗することができる），その不動産をその相続人に取得させるのが原則的に相当といえる（松原Ⅱ354頁，民コメ(23)1896頁〔梶村太市〕）。これに対し，実際上は，そのような明確な利用権原を持つことなく遺産を占有使用してきた場合が比較的多いと考えられるが，このような場合は，その経緯，当該相続人による利用継続の必要性，他の相続人の利用の必要性等の比較考量が不可欠となる（松原Ⅱ354頁，民コメ(23)1897頁〔梶村〕）。したがって，配偶者や他の相続人が従前から利用してきた居住用不動産の場合には，当該不動産の取得が認められることが多い（他の相続人との関係では代償金の支払が問題となる。前掲東京高決昭37・4・24)。もっとも，共同相続人の一人が被相続人の意向とは関係なく遺産を占有利用してきた場合や，相続開始後に他の相続人に無断で不動産の占有を始めた場合には，そのような占有は分割の際の基準としては重視されるべきでない（司法研修所編・前掲書327頁，上原ほか編著401頁〔山本〕，井上・前掲書427頁)。

5　相続人の意向

共同相続人全員の間で，個別の財産につき取得希望がまとまったような場合，特に不合理とする事情がないかぎり，これを尊重すべきであり，それにより生じる不均衡については代償金の支払により調整する（井上・前掲書426頁)。遺産分割調停の早期の段階で，遺産に属する不動産や有価証券につき，各相続人の取得希望の有無・程度，取得希望の競合，対立の有無を整理・把握しておくことの必要性が指摘されている（井上・前掲書424頁)。

共同相続人の取得希望が競合した場合には，各人について当該物件の取得の必要性や従前の利用関係等から判断するほかない（上原ほか編著401頁〔山本〕は，この場合，実務上共同相続人間で，当該物件をどれだけ高く評価して取得するか，入札により取得者を決定することもあるとする)。反対に，取得希望がない物件（権利関係が複雑な土地，売却が望めない山林など）については，非常に低額な評価額とする合意や価格ゼロとする合意を促し成立させたうえで一部の相続人に取得させるなどのやり方がとられる（井上・前掲書426頁，上原ほか編著401頁〔山本〕。相続人の数に見合うだけの不人気物件があったケースにつき，抽選で各人に平等に割り当てた事例があるとの指摘として，森野俊彦「遺産分割の基準について」野田愛子ほか編・家事関係裁判例と実務245題（判タ臨増1100号)〔2002〕392頁)。

6　調停・審判の経過

調停手続や審判手続において，分割につきいったん合意がまとまったものの，後に一部の相続人がそれを翻したような場合，合意の撤回に合理的理由がないときは，途中の合意をまったく無意味なものと扱うのは適当でなく，その合意を基礎とする分割が許される（上原ほか編著402頁〔山本〕，井上・前掲書427頁。途中の合意を基礎として分割審判したものとして佐賀家審昭54・12・3家月33巻8号73頁。他方で，名古屋高決平12・4・19家月52巻10号90頁は，調停期日における合意につき，調停不成立による審判移行の場合，一部当事者が調停期日での合意を審判期日に用いることに賛成しないときは，ただちにその合意を前提に審判することは相当でないとする)。審判期日に不出頭の共同相続人が他の相続人の合意に異議を述べず，あるいは合理的理由なく反対している場合，その合意を基礎にすることが許される(上原ほか編著402頁〔山本〕，井上・前掲書427頁)。

7　被相続人の意向

方式違背のため遺言としては無効であるが，被相続人の意向が示されているとして，それを分割の基礎とすることができるかについては，見解が分かれる。肯定説は，一つの考慮事由となりうるとする(民コメ(23)1898頁〔梶村〕。東京家審昭34・9・14家月11巻12号109頁は，関係者の間で遺言が無効であることに争いはなく，遺言趣旨に則り分割方針を定めることにつき全相続人が一致している場合につき，肯定した。広島高決昭59・2・17家月36巻12号75頁も，遺産分割に当たり考慮されるべき資料の価値を否定できないとする)。他方で，一部の相続人が無効な遺言の趣旨に従うことに異論があるときは，分割基準として取り込むことは相当でないとする(井上・前掲書426頁，上原ほか編著402頁〔山本〕)。遺言以外での被相続人の意思(生前被相続人はこの土地は誰々にやる，とよく言っていた)を基礎とすることは，他の相続人の意向と一致しないかぎり困難である(上原ほか編著402頁〔山本〕)。

8　上記以外の事情

以上に述べたほか，戦前の長子優先，男子優先の思想を基礎とすることは許されない(前掲東京高決昭37・4・24，野田愛子・遺産分割の実証的研究〔1962〕131頁以下，新版注民(27)〔補訂版〕318頁〔潮見〕)。祭祀用財産の承継(897条)に関連して，現行法上祭祀の承継と相続とは無関係であることから，遺産分割に当たり祭祀主宰者である相続人に祭祀料として特に多くを与えることは許されない(東京高決昭28・9・4高民集6巻10号603頁，松原Ⅱ357頁)。

他方で，相続開始後，遺産分割の前に生じた事由(例えば，相続開始後に共同相続人の一人が転職した)は，考慮の対象となりうる(中川編・註釈上188頁〔有泉〕，新版注民(27)〔補訂版〕318頁〔潮見〕)。

VI　遺産分割の対象となる財産

遺産分割の対象は，被相続人に帰属していた財産のうち，第1に，相続の対象である財産であることを要するが，第2に，相続の対象となる財産であっても，遺産分割の対象とならないものがあり，他方で第3に，相続財産ではないが，遺産分割の性格や機能等から，遺産分割の対象とされる財産が存在する。

第1の相続対象性をめぐっては，被相続人の一身専属権ならびに祭祀用財産は相続されない（896条・897条。両条の解説参照）。また，生命保険金請求権のように，相続開始を契機とするが，相続ではなく，相続人が固有の権利として取得するものも，相続財産ではない。このほか相続対象性に関連して問題となるのは，相続開始後の変動により遺産から生じた財産である。たとえば，相続開始の後実際に遺産分割がなされるまでに一定の時間がかかることは避けられないが，その間に，遺産たる建物が焼失したり毀損した場合の保険金請求権，あるいは，遺産の一部が相続人により処分された場合に売買代金請求権が発生する（これらは代償財産と呼ばれる）。また，相続開始後に分割までの間に相続財産から生じた果実（農作物や林産物などの天然果実，地代・家賃・利息等の法定果実）の扱いが問題となる。この点は，遺産分割の対象となる財産とは，いつの時点を基準に把握されるかという問題と関連し，審判例および家裁実務は，一般に遺産分割時説（遺産分割の対象となる相続財産は分割時に現存するものに限る）の立場を採ることから，代償財産や果実は，相続財産そのものではないこととなり，ただ相続財産と密接に関連する財産であることから，これらを相続財産と併せて遺産分割の対象とすることの可否につき見解が分かれている（松原Ⅱ 315頁以下）。

判例は，相続開始後，共同相続財産である賃貸不動産から生ずる賃料債権は，遺産とは別個の財産であって，各共同相続人がその相続分に応じて分割単独債権として確定的に取得し，その帰属は，後にされた遺産分割の影響を受けないと判示した（最判平17・9・8民集59巻7号1931頁。同判例の考え方に従うものとして，高松高判平31・2・28判時2448号69頁）が，実務の支配的見解は，相続人全員が，果実を遺産分割の対象に含めることに合意した場合には，遺産分割の対象とすることができると解する（松原Ⅱ 335頁）。もっとも，遺産ではない果実を合意により遺産分割の対象に含めることができるとする考え方に対しては批判もある（例えば，潮見336頁）。

第2の遺産分割対象性に関して，生前に被相続人の財産を構成し被相続人に属した財産のうち一身専属的ではない財産（つまり相続対象性を充たした財産）は，共同相続の場合，基本的に遺産共有（898条1項）となるものと解される。もっとも，判例のように，この遺産共有は物権法上の共有（所有権以外の財産権の準共有を含む）と性質を同じくすると解する結果，共有の特則規定である債権債務の多数当事者への共同的帰属に関する分割債権・分割債務の原則（264条ただし書・427条）から，金銭債権などの可分債権については，分割（遺産分割）をまたずに，当然に相続分に応じて分割承継されると解されている。すなわち，被相続人の相続財産ではあるが，遺産分割の対象とならないものが存在する。

ただ，金銭債権のような可分債権は分割をまたずに相続分に応じて分割承継されると解するときは，相続財産が金銭債権のみの場合，分割の対象となる財産はないとして分割申立ては認められない（不適法却下）こととなる（東京家審平11・8・2家月52巻3号50頁）が，共同相続人間で遺産分割の対象とすることに全員の合意があるときなど一定の場合は分割の対象とする取扱いが実務上は支配的となっており，これを支持する立場も有力であった（梶村・実務講座302頁）。可分債権が遺産分割の対象から除外された場合，遺産の全部または大部分が可分債権であるときは，可分債権について特別受益・寄与分を考慮することなく，法定相続分に従い分割承継され，相続人間の実質的公平が図れない結果となる。そこで，前述（→前注（§§906-914）(3)）したように，法制審議会民法（相続関係）部会は，可分債権を遺産分割の対象に含める方向での見直し作業を開始した。他方でその後，最高裁が，預貯金債権が分割の対象とならないとの判例を変更した（最大決平28・12・19民集70巻8号2121頁）ことを受けて，改正法は，預貯金債権を遺産分割の対象に含めることを前提に，遺産分割終了まで預貯金債権の行使ができない場合に例外的に必要となる遺産分割前の権利行使を許容するしくみ（家庭裁判所の関与の下に認める方法と関与なしに仮払いを認める方法を含む）を創設している（家事200条3項，民909条の2）。

このように相続財産の範囲と遺産分割の対象となる財産の範囲とは，必ずしも一致するものとは考えられていない。家庭裁判所における遺産分割の調停・審判の実務（髙橋伸幸「遺産分割調停・審判事件の実務」曹時66巻8号〔2014〕2129頁）においては，分割の対象となる遺産とは，相続開始時に被相続人の財産に属していた権利義務（896条）のうち，遺産分割時においても，共同相続人の共有関係（898条1項）にあるもの（現に存在する未分割の積極財産）である，としつつ，以下の①から③が区別されている（預貯金債権は，従来②の扱いであったが，前掲最高裁平成28年大法廷決定以降は①の扱いとなろう）。①当然に分割の対象となるもの（土地建物，現金，借地権，株式，国債，投資信託，預貯金債権）で，調停でも審判でも当然扱う。②当事者の合意があれば分割対象にできるもの（貸金債権，不当利得・不法行為債権〔使途不明金〕，代償財産，相続開始後の利息・賃料）で，全相続人が合意すれば調停と審判で扱う。③当事者の合意があれば調停手続で協議することは可能だが，分割審判の対象となりえないもの（相続債務，葬儀費用・遺産管理費用）がある。

審判手続においては，本来，①類型のみが対象であるが，調停手続の段階では，遺産相続紛争の一体解決の要請から，②③類型もあわせて協議の対象とされている。ただ，②③類型は本来分割の対象でなく最終的な解決も図られないことから，当事者の合意による早期解決の見通しが立たない場合には，遺産分割事件の適正・迅速な解決のために協議の対象から外すとの運用がなされているもようである（髙橋・前掲論文2132-2133頁のほか，東京家裁遺産分割専門部における運用を紹介したものとして，田中寿生ほか「遺産分割事件の運営(上)(中)(下)」判タ1373号54頁，1375号67頁，1376号56頁〔2012〕）。

〔副田隆重（藤巻梓補訂）〕

（遺産の分割前に遺産に属する財産が処分された場合の遺産の範囲）

第906条の2① 遺産の分割前に遺産に属する財産が処分された場合であっても，共同相続人は，その全員の同意により，当該処分された財産が遺産の分割時に遺産として存在するものとみなすことができる。

② 前項の規定にかかわらず，共同相続人の一人又は数人により同項の財産が処分されたときは，当該共同相続人については，同項の同意を得ることを要しない。

〔改正〕 本条＝平30法72新設

I　本条の趣旨

⑴　本条は，共同相続人の一人が遺産分割前に遺産に属する財産を処分した場合に，処分をしなかった場合と比べて取得額が増えるといった不公平が生ずることがないよう，これを是正する方策を設けるものである。共同相続された相続財産のいわゆる遺産共有の解消については，遺産分割の手続において，具体的相続分を基準として各相続人に分割されることとされている。他方で，従来，遺産共有となった遺産につき，共同相続人による共有持分の処分は禁じられていないが，処分がなされた場合に遺産分割においてどのように処理すべきかについて明文の規定はなく，判例も見当たらない（追加試案補足説明31頁）。

そうすると，遺産分割は分割の時に存在する財産を分配する手続であるとの伝統的な考え方からすれば，共同相続人の一人が遺産分割前に遺産の一部を処分した場合には，遺産分割の当事者が当該処分された財産も遺産分割の対象とする旨の合意をした場合を除き，当該処分された財産を除いた遺産を基準に遺産分割をすることとなる。このように，遺産分割前に共同相続人の一人により遺産の処分が行われたことにより，本来法が予定する遺産分割の手続によれば取得できた財産の価額よりも，当該処分をした者がより多くの財産を取得できることとなり，反面，他の共同相続人の取得額が少なくなるが，このことを正当化することは困難である（追加試案補足説明31-32頁。不公平の具体例として後述⑵）。

このような共同相続人が遺産分割前に遺産に属する財産を処分した場合における不公平を解消する規律を設けるという案は，追加試案の段階で登場したものであった。この段階では，共同相続人の一人が，分割終了までの間に遺産に属する財産を処分し，当該財産が遺産から逸出した場合でも，遺産分割の時においてなお存在するものとみなして，遺産分割を可能とする甲案とともに，この不公平の是正は，償金請求の規定を設けて通常の民事事件として処理するとの乙案とが併記されていた。その後，両提案を対象とするパブリックコメントを経て，甲案を基礎とする別案が採用された（甲案との相違は，甲案では，処分がなされたときに処分財産は常に遺産として存在するとみなされるのに対して，別案では共同相続人全員の同意がある場合にのみ，そのようにみなされる，より負担の軽い制度設計となっている点である。山川一陽＝松嶋隆弘編著・相続法改正のポイントと実務への影響〔2018〕124頁〔松嶋〕)。

(2) 不公平の具体例の一つとして追加試案は，以下の事例を挙げる（追加試案補足説明34-36頁，34頁（注3）具体例1【事例1】参照)。

【設例1】

相続人　A，B，C3名（法定相続分$\frac{1}{3}$ずつ）
遺産　1400万円（500万円（不動産甲）＋900万円（不動産乙））
特別受益　Aに対して生前贈与400万円

Aが相続開始後に不動産乙の持分$\frac{1}{3}$（300万円分）を第三者に譲渡した場合の，A〜Cの遺産分割における取得額を検討する。

【計算】

① Aの処分がなかったとした場合の計算

Aの具体的相続分　(1400万＋400万)×$\frac{1}{3}$−400万＝200万円

BおよびCの具体的相続分　(1400万＋400万)×$\frac{1}{3}$＝600万円

したがって，遺産分割において，Aは200万円分（特別受益400万円と併せて600万円分)，BおよびCは各600万円分の財産を取得することができる。

② 従来の法〔平30改正前。以下同じ〕の下でいくつか考えられる解釈として，遺産分割は分割時に実際に存在する財産を分配する手続であり，かつ，具体的相続分については，相続開始時の財産を基準に算定すべきであり，また，処分された財産については，特別受益には当たらないという考え方を前提に計算すると（追加試案補足説明35頁)，

具体的相続分の計算については，上記①と同じであり，

これを前提として，遺産分割時に存在する遺産（1100万円〔不動産甲500万円＋不動産乙の$\frac{2}{3}$の持分600万円〕）を分配すると

Aは，1100万×$\frac{200万}{600万+600万+200万}$＝157万円

BおよびCは，1100万×$\frac{600万}{600万+600万+200万}$＝471万円

となり，最終的な取得分は，

A　400万＋300万＋157万＝857万円

BおよびC　471万円

となり，不動産乙の持分を処分したAが処分をしなかった場合と比べて取得額が大きくなる（その分，BおよびCの取得額が減る）。

②′ 従来の法の解釈として，②とは異なり，処分された財産については，903条1項の特別受益に準じて同項の規定を類推適用するとの考え方もあり得る（追加試案補足説明35頁参照）。

この場合，

Aの具体的相続分　$(1400万+400万)\times\frac{1}{3}-400万-300万<0$

BおよびCの具体的相続分　$(1400万+400万)\times\frac{1}{3}=600万円$

となり，これを前提として遺産分割時に存在する遺産（1100万円分〔不動産甲500万円＋不動産乙の $\frac{2}{3}$ の持分600万円〕）を分配すると，BおよびCは550万円ずつ取得することができる（Aの遺産分割における取得額は0円であるが，特別受益および不動産の持分処分を併せて700万円分の財産を取得することができることになる）。

この場合，②の場合に比べてAの取得額は小さくなるが，①の場合と比べるとAの取得額は大きくなる。このような超過特別受益が生じる場合については，Aに超過分の精算を命じることはできないから，処分した持分を特別受益と考えて計算の対象に入れたとしても，不公平は解消されないことになるし，さらに別の解釈によっても不公平が生ずる，とする（追加試案補足説明36頁）。

II　本条による規律の適用のための要件

(1)　遺産分割は，相続開始時に存在し，かつ，遺産分割時に存在する財産を共同相続人間において分配する手続であるところ，第三者が相続財産を滅失，毀損させた場合など遺産分割時には存在しない財産については遺産分割の対象とはならないものと考えられる。もっとも，遺産分割時には存在しない財産であっても，当事者全員がこれを遺産分割の対象に含める旨の合意をした場合には，遺産分割の対象となると解するのが判例実務の定着した考え方である（最判昭54・2・22家月32巻1号149頁）。本条1項は，こうした考え方を明文化したもので（部会資料24-3・2頁），共同相続人全員の同意があれば，遺産の対象から外れた財産についても，遺産に属するものとみなして分割を行うことができる。

次に，遺産分割前に共同相続人の一人が他の共同相続人の同意なしに遺産に属する財産を処分した場合，処分がなかった場合と比較して，前述したように，処分をした共同相続人が他の共同相続人よりも多くの利得を得るという不公平が生じるところ，この不公平を放置することは許されるべきではないから，当該処分を行ったのが共同相続人の一人である場合には，1項の規律の際の同意に関して，処分を行った共同相続人の同意は不要とし，他の共同相続人の同意さえあれば，遺産分割の対象として遺産に含めることができるとするのが2項である。その意味で本条の主眼は処分をした共同相続人の同意不要とする2項にあるとされる（山川＝松嶋編著・前掲書119頁〔松嶋〕。その他本条による規律の概要と実務的影響につき，同119頁以下参照）。

1項は，「遺産の分割前に遺産に属する財産が処分された場合」とするにとどまり，共同相続人が処分した場合に限定していない（この点2項と異なる）ため，第三者が処分した場合が含まれることになる。つまり，第三者が処分した場合（たとえば，遺産中の宝石類を相続人でない身内が売却して即時取得されて，遺産から逸失した場合）でも，1項によれば，共同相続人は，全員の同意により，その財産が遺産分割時の遺産として存在するものとみなして分割の対象とできることになるが，この点について立案担当者は全員の同意により遺産に組み入れられるものであり問題はないと指摘している（部会第25回議事録10頁〔神吉康二関係官〕）。

これに対して，2項は，以下に述べるように共同相続人による処分が必須の前提であり，そうした場合に遺産分割手続における調整を実現するものである。本条2項の規律が適用されるための要件事実としては，第一に，処分された財産（以下「処分財産」という）が相続開始時に被相続人の遺産に属していたこと，第二に，処分財産を共同相続人の一人または数人が処分したこと（処分要件），第三に，処分者（処分財産を処分した共同相続人）以外の共同相続人全員が，処分財産を遺産分割の対象に含めることに同意していること（同意要件），の三点が指摘されている（部会資料25-2・11頁）。

⑵　上記の処分要件に関連して，本条2項の規律の適用のための処分は，共同相続人の一人または数人によりなされる必要がある（一問一答98頁）。

共同相続人の一部が他の共同相続人の同意を得ずに遺産を処分した場合を

前提とすることから，共同相続人全員の同意により遺産であった財産を処分した場合は，本制度の対象外である（追加試案補足説明44頁，堀総合法律事務所編・最速解説 相続法改正と金融実務Q&A【要綱版】〔2018〕45頁）。

共同相続人ではなく第三者による処分の場合は本条2項の適用はないし（部会資料24-2・17頁），誰が処分したか不明の場合も同様に適用はなく，残余の財産で遺産分割を行うことになる（追加試案補足説明42頁）。このように共同相続人でなく第三者が処分していた財産については，本条2項の適用はなく，当該財産は遺産分割の対象ではなかったことになる。この場合の遺産分割の効果については，遺産分割を行ったがその分割対象財産に遺産でないものが含まれていた場合と同様であり（改正前からある問題である），基本的には，遺産分割の有効性には影響を与えず，民法911条の担保責任の問題として処理されるものと考えられる（名古屋高決平10・10・13高民集51巻3号128頁）（部会資料24-2・17頁）。

なお，この処分要件に関連して，みなし遺産であることの確認の訴えが必要とされる場合が想定されている（追加試案補足説明41頁）。すなわち，当該処分された財産が遺産の大半を占めている場合には，遺産分割審判が事後的に覆る可能性がないとはいえないため，共同相続人により処分されたか第三者により処分されたかの争いがあり，これが遺産のかなりの部分を占めているような場合は，みなし遺産であることの確認を求める訴えを経た上で遺産分割審判を行うことになる。その場合，遺産をめぐる紛争の長期化・複雑化の程度は大きくなるが，他方で，そのような事案については本規律を適用すべき必要性が特に高いといえるから，当事者等に負担が生じてもやむをえない，とする（部会資料24-2・17頁）。

なお，みなし遺産確認の訴えの適法性については，最高裁昭和61年3月13日判決（民集40巻2号389頁）が認めるところであり（一問一答100頁），その主文の記載例が説明されている（部会資料25-2・11頁）。

その他，処分要件に関連して，処分は法律上の処分に限るのか，物理的な滅失・毀損を含むかについては，最終的には解釈の問題であるが，遺産から逸失したといえれば，処分に当たり，したがって，法律上の処分に限定されず，滅失・毀損は処分に該当すると解されている（部会第25回議事録10頁〔神吉〕，大場浩之「遺産分割前の財産処分（新906条の2）」本山敦編・平成30年相続法改正の分析と展望（金判増刊1561号）〔2019〕44頁）。

(3) 上記の同意要件，すなわち，同意に関する要件としては，必要な同意の主体は，処分者（処分財産を処分した共同相続人）以外の共同相続人全員である。処分をした共同相続人の同意は，必要ではない。審議の過程（別案）では，「処分者は同意を拒むことができない」という文言であったが，その文言の場合，同意を得るための訴訟（同意請求訴訟）が必要となるのではないかとの懸念から，改正法案では「同意を得ることを要しない」と表現を改めた（部会資料25-2・11頁）。

次に，同意の対象は，処分された財産を遺産分割の対象に含めること（遺産の分割時に遺産として存在するものとみなすこと）についてである。したがって，処分された財産が誰によって処分されたか（第三者によって処分されたのか否か，共同相続人のうち誰によって処分されたのか）については，同意の対象ではない。そうすると，共同相続人A，Bにおいて，具体的に共同相続人の誰により処分がなされたかは争いがあるものの，遺産分割時に遺産として存在するものとみなすことについて争いがなく，共同相続人間に同意がある場合については，1項の共同相続人全員の同意があるものとして，処分財産が遺産分割時に遺産として存在するものとみなすことができる（部会資料25-2・13頁）。

同意の無効，取消しに関して，同意は各共同相続人の意思表示によるものであることから，民法総則の定める無効・取消しに関する規定が適用される。共同相続人の一人に被保佐人が含まれていた場合において，当該被保佐人が本条の同意をすることについて，保佐人の同意（13条）を要求すべきかについては，いずれの立場もあり得ることから解釈に委ねるものとした（部会資料25-2・13頁）。また同意の撤回の可否については，本条により共同相続人全員の合意が得られた時点で，処分財産を遺産とみなすという実体法上の効果が生ずることになり，一度生じた実体法上の効果を共同相続人の一部の意思のみによって覆滅させるのは相当ではないため原則として撤回は許されない（部会資料25-2・13頁，一問一答99頁）。

III　本条のみなし遺産に関する同意の効果

(1) 上述の要件が満たされた場合，その効果として，処分された財産も遺産分割時に遺産として存在するものとみなすという実体法上の効果が生じ（部会資料25-2・13頁），遺産分割の対象に含めた精算を行うことができる。なお，この効果は，処分された財産に限られるのであり，処分の対価としての売却代金などの代償財産についてではない。代償財産を対象としないのは，かりに対象としてしまうと，無償または相当な対価を得ずに処分が行われた場合に，その損失を他の共同相続人が被ることになり，相当でないからである。したがって，本規律が適用された場合，当該共有持分の売却代金にかかわらず，当該共有持分自体の価格を基準に遺産分割がなされることになる（追加試案補足説明43頁，部会第24回議事録10頁以下，堀総合法律事務所編・前掲書45頁。別案の段階でも議論があったが，代償財産を除外すべしとの意見が強く，最終的に除外された〔部会資料25-1・10頁，部会資料25-2・11頁参照〕）。

(2)　不動産の共有持分が第三者に譲渡された前掲【設例1】に即して実体法上の効果をみてみよう（追加試案補足説明41頁（注1）具体例1。これらは直接には甲案の説明であるが，精算の内容については甲案を基本とした別案を軸とする改正法でも参考となる）。

前掲【設例1】

相続人A，B，C 3名（法定相続分$\frac{1}{3}$ずつ）
遺産　1400万円（500万円（不動産甲）+900万円（不動産乙））
特別受益　Aに対して生前贈与400万円

Aが相続開始後に不動産乙の持分$\frac{1}{3}$（300万円分）を第三者に譲渡した場合のA～Cの遺産分割における取得額を検討する。

ABCの具体的相続分は，前述のように以下の通りである。
Aの具体的相続分　(1400万+400万)×$\frac{1}{3}$−400万=200万円
BおよびCの具体的相続分　(1400万+400万)×$\frac{1}{3}$=600万円
したがって，遺産分割において，Aは200万円分（特別受益400万円と併せて600万円分），BおよびCは各600万円分の財産を取得することができる。
また，相続開始後に処分した持分（不動産乙の持分$\frac{1}{3}$（300万円分））についても，遺産分割の対象財産に含めて計算するので，遺産分割における取得額も，具体的相続分の価額と同額となる。

〔副田（藤巻補訂）〕

具体的な審判として，例えば以下のとおりとなるものと思われる。

（例）

「Aに，（すでに取得した）不動産乙の持分$\frac{1}{3}$（300万円分）を取得させる。

Bに，不動産乙の持分$\frac{2}{3}$（600万円分）を取得させる。

Cに，不動産甲（500万円）を取得させる。

Aは，Cに対し，代償金100万円を支払え。」

最終的な取得分は，A，B，Cとも各600万円となり，公平な遺産分割が実現できる，とする。

⑶ 不動産の共有持分が差し押さえられた場合

前記の【設例1】は，共同相続人の一人が不動産の共有持分を譲渡した事例であるが，遺産に属する不動産の共有持分が相続債権者または相続人の債権者によって差し押さえられた場合，債務者による不動産の処分行為が禁止されることになり（民執46条1項），当該差押えを受けた共有持分を含めた遺産分割を行うことができなくなり，実質的に遺産から逸失することとなるとも考えられる。そのような場合に，本条の規律を適用する必要がないかが問題となる余地がある。もっとも，差押えの処分禁止効は相対的な効力を有するにすぎず，また，所有権移転の時期は，売却許可決定確定の後代金納付の時点（民執79条）と解されていることから，遺産から逸失するのは代金納付時と考えられる。以上からすれば，共有持分につき差押えがなされたとしても，遺産からまだ逸失していないので，その部分も含めて遺産分割をすればよいことになる。ただ，遺産分割前に代金が納付された場合には，遺産から逸失することになるため，本条の適用または類推適用による処理はあり得よう（追加試案補足説明45頁）。

⑷ 共同相続人の一人によって，その共有持分を超える財産処分が行われた場合

遺産として遺産共有状態にある各財産に対して，共同相続人は，共有持分（準共有持分）を有する一方，共有持分を超える部分については無権限である。したがって，共同相続人がその持分を超えて財産を処分したとしても，その共同相続人の持分を超える部分については権利移転の効果は基本的に及ばず，本条を適用するまでもなく，なお遺産として存在することになる。もっとも，

持分を超える処分があり，例外的に有効とされる場合（被相続人の死亡による預金口座凍結の前にATMから出金がなされ，受領権者の外観を有する者への弁済が成立する場合，あるいは，遺産である動産（宝石）につき即時取得が成立する場合），処分が有効とされる範囲で遺産から逸出し，遺産分割の対象とならない。したがって，こうした場合に関し，共同相続人の共有持分を超える部分についても，以下のように，本条を適用して，共同相続人間の不公平に対処するものとした（追加試案補足説明46頁以下，堀総合法律事務所編・前掲書50頁）。

【設例2】追加試案補足説明47頁（注1）具体例1【事例1】参照

相続人　A，B2名（法定相続分$\frac{1}{2}$ずつ）

遺産　1400万円　（400万円（甲不動産）+1000万円（預金））

特別受益　Aに対して生前贈与1000万円

Aが相続開始後密かに1000万円の払戻しをした場合，AおよびBは，遺産分割において，いくら取得できるか。

【計算】

（本方策の規律による処理）

Aの具体的相続分　（1400万+1000万）×$\frac{1}{2}$−1000万=200万円

Bの具体的相続分　（1400万+1000万）×$\frac{1}{2}$=1200万円

遺産分割の対象　400万円（残余財産）+1000万円（本方策による加算額）=1400万円

⇒　具体的な審判としては，下記のとおりとなるものと思われる。

（案）

「Aに，（すでに取得した）預金1000万円を取得させる。

Bに，不動産甲（400万円）を取得させる。

Aは，Bに対し，代償金として800万円を支払え。」

⇒　したがって，最終的な取得額は，

A　1000万円（遺産分割による取得）−800万円（代償金債務）+1000万円（特別受益）=1200万円分

B　400万円（遺産分割による取得）+800万円（遺産分割により取得する代償金）=1200万円分

となり，公平な遺産分割が実現できる，とする。

Ⅳ　不法行為，不当利得との関係

相続開始後に共同相続人による財産処分が行われた場合に遺産分割手続を活用するという本条とは別に，遺産分割前に預貯金の不当な払戻しが行われた場合には，他の共同相続人との関係で，不法行為（709条）または不当利得（703条・704条）が成立することは変わりがない。そして，他の共同相続人が当該処分をした相続人に対してこれらの不法行為の損害賠償請求あるいは不当利得返還請求による救済を求めている場合には，本条の定める遺産分割との関係では，他の共同相続人は遺産分割における精算を希望していないものと考えられ，本条の適用はないものと考えられる。かつての甲案においては，民事上の救済と遺産分割における処理との関係を検討する必要があったが，別案においてはそのような調整を考える必要はなく，法律関係がより簡明になった（部会資料24-3・5頁，山川＝松嶋編著・前掲書124頁〔松嶋〕）。

〔副田隆重（藤巻梓補訂）〕

（遺産の分割の協議又は審判）

第907条①　共同相続人は，次条第1項の規定により被相続人が遺言で禁じた場合又は同条第2項の規定により分割をしない旨の契約をした場合を除き，いつでも，その協議で，遺産の全部又は一部の分割をすることができる。

②　遺産の分割について，共同相続人間に協議が調わないとき，又は協議をすることができないときは，各共同相続人は，その全部又は一部の分割を家庭裁判所に請求することができる。ただし，遺産の一部を分割することにより他の共同相続人の利益を害するおそれがある場合におけるその一部の分割については，この限りでない。

〔対照〕　フ民815・820・835・840，ド民2042，ス民604

〔改正〕　①＝平30法72・令3法24改正　②＝昭23法260・平30法72改正〔③＝昭23法260・平30法72改正，令3法24削除〕

〔令和3年法律24号改正前〕

（遺産の分割の協議又は審判等）

第907条① 共同相続人は，次条の規定により被相続人が遺言で禁じた場合を除き，いつでも，その協議で，遺産の全部又は一部の分割をすることができる。

② （略）

③ 前項本文の場合において特別の事由があるときは，家庭裁判所は，期間を定めて，遺産の全部又は一部について，その分割を禁ずることができる。

〔平成30年法律72号改正前〕

（遺産の分割の協議又は審判等）

第907条① 共同相続人は，次条の規定により被相続人が遺言で禁じた場合を除き，いつでも，その協議で，遺産の分割をすることができる。

② 遺産の分割について，共同相続人間に協議が調わないとき，又は協議をすることができないときは，各共同相続人は，その分割を家庭裁判所に請求することができる。

③ 前項の場合において特別の事由があるときは，家庭裁判所は，期間を定めて，遺産の全部又は一部について，その分割を禁ずることができる。

細　目　次

I　本条の意義と分割の種類

本条は，被相続人が遺言で分割を禁止していない場合または共同相続人が分割をしない旨の契約をしていない場合について，共同相続人などの当事者または家庭裁判所による遺産の分割の実行を定めている。すなわち，第1に，遺言による分割禁止がある場合（908条1項）または共同相続人の契約による分割禁止がある場合（同条2項）を除き，当事者の協議により分割することができること（907条1項），第2に，当事者による協議が調わないとき，または，協議ができないときは，家庭裁判所に対し分割請求ができ，家庭裁判所における調停分割（家事244条）または審判分割（家事39条・別表第二12項）が行われること（907条2項）を定める。なお平成30年改正により一部分割が明文化された（本条1項・2項。→Ⅶ・Ⅷ参照）。

また，令和3年改正により，共同相続人が5年を超えない期間において遺産の分割をしない旨の契約をすることができる旨が明文化された（908条2項本文）ことから，907条1項において，遺産分割の協議の障害事由として，遺言による分割禁止に加え，分割禁止の契約がある場合も掲げられている。さらに，家庭裁判所による分割の禁止を定めた同改正前の3項は削除され，新たに908条において，他の方法による分割禁止とともに規定された（908条4項）。

第二次大戦前においては，家事事件手続法や旧家事審判法のような手続法規や家庭裁判所も存在せず，遺産分割は民法256条以下に基づく民事訴訟事件として処理されていた（新版注民(27)〔補訂版〕394頁〔伊藤昌司〕，潮見368頁）。現在は，遺産分割事件は，民事訴訟事項ではなく審判事件として家事事件手続法別表第二12項（旧家審9条乙類10号）の事件である（遺産分割禁止事件も同様に別表第二13項〔旧家審9条乙類10号〕の事件である）。

今日，遺産分割の手続・チャンネルには，指定分割，協議分割，調停分割，および，審判分割の4つがある。このうち，被相続人や第三者による分割方法の指定による指定分割については，908条の解説に譲り，当事者による協議分割と家庭裁判所による調停分割ならびに審判分割について説明する。

II　当事者の協議による分割

1　協議の当事者

遺産分割の当事者となるべき者は，遺産分割の時点において，遺産に対して持分権を有する者で，これらの者により分割協議が行われる（松原II 419頁）。以下，問題となりうる場合を検討する。

(1)　共同相続人

(ア)　具体的相続分がない相続人も当事者となりうる（潮見306頁，松原II 419頁，梶村・実務講座297頁）。具体的相続分は遺産分割手続における分配の前提となるべき計算上の価額またはその価額の遺産総額に対する割合を意味するもので，いわゆる遺産分割分にすぎずそれ自体は実体法上の権利関係ではないから（最判平12・2・24民集54巻2号523頁），具体的相続分のない相続人でも，遺産に対する権利を有するからである。さらなる理由付けとして，いわゆる代償分割の場合，特別受益が多く具体的相続分がない相続人に遺産を分割取得させ，他の相続人に対する債務を負担させる方法に合理性があることから，分割の当事者たりうるとする必要があること（岡山家審昭55・7・7家月33巻9号64頁は，他の相続人に現金を取得させるのが相当であることから，特別受益を得て具体的相続分がない相続人に遺産を分割取得させ，他の共同相続人に対する債務を負担させた審判例である），また，具体的相続分がゼロかどうかは審判手続の中で明らかになるものであるから，遺産分割の審判を申し立てた者の具体的相続分がゼロであることが判明したからといって，その審判手続が違法となるわけではない（潮見307頁）ことが指摘されている。

(イ) 胎児がある場合，相続に関して例外的に権利能力を認める規定（886条）の解釈として，いわゆる法定停止条件説をとる判例の立場からは，生きて生まれてくるまで（つまり胎児期間中）は，権利能力者としての扱いはできず，出生を待って遺産分割をする。かりに出生前の段階で胎児の母などが胎児の代理人として参加していたとしても，胎児はそもそも相続権を有する権利主体たりえないのであるから，代理人の存在自体が認められず，有効な協議とはいえない。一方で，法定解除条件説からの説明については，886条の解説参照。

(ウ) 行方不明の相続人がいる場合，不明者を除外した遺産分割協議は無効である（松原Ⅱ〔全訂，2006〕419頁以下）。まず不在者の財産管理人の選任の必要があるが，この管理人が遺産分割の協議をすることは103条の権限を超えるため，さらに裁判所の許可（28条）を得て協議に加わることができると解すべきとされる（松原Ⅱ419頁，中川＝泉321頁，二宮409頁，床谷＝犬伏編144頁〔岡部喜代子〕）。

(エ) 制限行為能力者がある場合には，法定代理人の関与等所要の要件を具備する必要がある（床谷＝犬伏編146頁〔岡部〕，田村洋三＝小圷眞史編著・実務相続関係訴訟〔3版，2020〕15頁以下〔田村洋三〕に詳細である）。

相続人中に未成年者がいる場合，遺産分割協議は，親権者または未成年後見人を法定代理人として行うか，またはその同意を得て行う（同意がないときは取消しの対象とされる。5条2項）。調停および審判手続は，親権者または未成年後見人を法定代理人として行う（家事17条1項，民訴31条本文）。

成年被後見人がいる場合，成年後見人が法定代理人として，分割協議，調停および審判を行うことになる（859条，家事17条1項，民訴31条）。

被保佐人がいる場合，遺産分割には保佐人の同意を要するから（13条1項6号），遺産分割協議，調停および審判手続は保佐人の同意が必要である。同意のない分割協議は取消しの対象とされ（13条4項），調停分割または審判分割において保佐人の同意を欠く手続行為については訴訟行為と同様に保佐人による追認がないかぎり無効と解される（田村＝小圷編著・前掲書17頁〔田村〕，小林昭彦ほか編著・新成年後見制度の解説〔改訂版，2017〕90頁）。

被補助人の場合，基本的に行為能力は制限されない。ただ，補助開始の審判の際に，遺産分割協議や訴訟行為等をするにつき補助人の同意を要する旨の審判を受けている場合（17条1項）は，保佐人の場合と同様とされ，補助人の同意が必要とされる（17条4項ほか）。

未成年者と親権者・未成年後見人の間，成年被後見人と成年後見人の間などにおいて互いの利益が相反する行為の場合，法定代理人はその代理権等が制限され，家裁により特別代理人を選任して（826条・860条），特別代理人が遺産分割に参加する（田村＝小圷編著・前掲書17頁〔田村〕）。後見監督人がある場合は，特別代理人の選任は不要で（860条ただし書），後見監督人が本人を代表する（851条4号）。

保佐人・補助人と本人の間で利益が相反する場合は，保佐人・補助人は，権限行使が制限され，保佐監督人・補助監督人があるときを除き，臨時保佐人・臨時補助人の選任を家裁に請求する必要があることなど，上記と同様である（876条の2第3項・876条の3第2項後段・876条の7第3項・876条の8第2項後段）。

⑵　包括受遺者

包括受遺者は，相続人と同一の権利義務を有することから（990条），遺産分割の当事者となる（大阪高決平12・1・25家月54巻6号71頁）。

⑶　遺言執行者

遺言があり遺言執行者が存在するときは，相続人は相続財産の処分その他遺言執行を妨げるべき行為をなしえない（1013条1項）が，半面で，遺言執行者は，遺言の内容を実現するため，相続財産の管理その他遺言の執行に必要な一切の行為をする権利義務を持つ（1012条1項）。この「相続財産の処分」には遺産分割協議も含まれ，遺言執行者は分割協議に当事者として参加できるとする説もある（潮見304頁，中川監修・註解136頁〔島津一郎〕）。これに対して，遺言執行者の権限は遺言の執行に限られるから，遺言の内容からみて当該遺言の執行に遺言執行者の行為を要する遺言であり，かつ，これを遺産分割で行わなければならない事項であれば，協議に加わる。しかし，それを別にすると，遺言執行者が当事者とならなければならない場合はほとんどなく，遺産分割の当事者ではないとする説も有力である（梶村・実務講座297頁，床谷＝犬伏編145-146頁〔岡部〕は，利害関係人と解する。新版注民(27)〔補訂版〕338頁〔伊藤昌司〕は，例外的場合には当事者として参加することを認める)。実務上は，遺言執行者がいる場合には，遺産分割の調停に遺言執行者を利害関係人として参加させて，その同意または承認を得て，遺産分割の調停を成立させているようである（遺言・相続リーガルネットワーク編著・実務解説 遺言執行〔改訂版，2012〕28頁)。

なお平成30年改正により，遺言や遺産分割による権利承継の場合，その相続人は法定相続分を超える部分につき登記等の対抗要件を備えなければ第三者に対抗できないとされる（899条の2第1項）一方，遺言執行者に関して，特定財産承継遺言（遺産に属する特定の財産を特定の相続人に「相続させる」旨の遺言）の場合の対抗要件具備をその権限に含めるなどの権限の明確化をはじめとする改正が図られたものの（1014条2項ほか)，遺産分割への関与のあり方についても影響がありうる。

⑷　相続分の譲渡人・譲受人，相続分の放棄者

㋐　相続分の全部譲渡が行われた場合，譲渡人は，積極財産と消極財産とを包括した遺産全体に対する割合的な持分をすべて失うことから，当事者ではなくなる（新版注民(27)〔補訂版〕284頁〔有地亨＝二宮周平〕ほか，多数説。最判平26・2・14民集68巻2号113頁は，相続分の譲渡人の遺産確認の訴えの当事者適格を否定する前提として，遺産分割審判の手続等において遺産に属する財産の分割を求めることはできないと判示した)。これに対し，相続分の譲受人は，共同相続人であるか否かは問うことなく，当事者となる。

㋑　他方で，個別財産の持分の譲渡の場合，個別の特定の相続財産の持分を譲渡した相続人でも，他の相続財産について遺産分割に参加できることは当然である。半面，個別財産の持分を譲り受けた第三者は，遺産分割協議に加わることはできない（床谷＝犬伏145頁〔岡部〕)。第三者がこの共有関係を解消するためには，遺産分割ではなく258条の共有物分割手続による（最判昭50・11・7民集29巻10号1525頁は，理由として，共同相続人の一人が相続財産中の特定の不動産の共有持分権を第三者に譲渡した場合，当該譲渡部分は遺産分割の対象から逸出すること〔残余の持分部分はなお遺産分割の対象にとどまる〕，かりに第三者に遺産分割審判上の地位を与えることは，遺産分割の本旨にそぐわず，同審判手続を複雑なものと

し，共同相続人および第三者の双方に著しい負担となること，第三者の提起する共有物分割訴訟は，第三者に対する分与部分と持分譲渡人を除いた他の共同相続人に対する分与部分とに分割することを目的とすること等を指摘する。潮見286頁も参照）。

また，個別財産の持分を譲り受けた第三者がいる場合に，相続人の側から遺産共有持分と通常の共有持分との間の共有関係を解消しようとするときも，258条の共有物分割手続によることになる（大阪高判昭61・8・7判タ625号180頁）。

(ウ)　なお，「相続分の放棄」とは，共同相続人が熟慮期間内に相続放棄（938条）をしない場合でも，積極財産の取得を希望せず，他の共同相続人の全部または一部の者に放棄者の相続分を帰属させる目的で，実務上行われることがある。明文はなく，法的性質論や効果について複数の構成がある（松津節子「相続分の譲渡と放棄」梶村太市＝雨宮則夫編・現代裁判法大系(12)相続・遺言〔1999〕55頁，松原II 251頁。→§905）。法的性質につき，相続分の放棄の実質は放棄者の相続分の他の相続人への無償譲渡であり相続分の譲渡と同様に認められるとの見解，個々の具体的財産に対する共有持分権を放棄する意思表示の集合体とみる見解，遺産分割にあたり自己の取得分をゼロとする事実上の意思表明とみる見解などがあるが，いずれの立場によっても，相続分を放棄した相続人は，相続人としての地位は失わず，相続債務は負担するものの，遺産分割手続における自己の取得分（積極財産についての取得分）がゼロになり遺産を分割により取得することはできず，遺産分割手続事件の当事者資格を失うものと解されている（松津・前掲論文56頁，髙橋伸幸「遺産分割調停・審判事件の実務」曹時66巻8号〔2014〕2146頁）。相続分の放棄の効果については，松津・前掲論文55頁参照。

(エ)　このように，相続分の譲渡や放棄により当事者資格を喪失した者は，遺産分割に参加することはできないこととなる。遺産分割事件の申立て後に，そうした譲渡・放棄があった場合，従前は，民事訴訟における訴訟脱退に準じて手続から脱退するとの運用がなされていたが，家事事件手続法（43条1項）では，相続人としての地位を喪失した場合につき，審判手続からの排除という新たな手続を新設し職権で手続に関与させない扱いができることにした（髙橋・前掲論文2146頁，金子・逐条203頁）。

(5) 遺産分割後に認知を受けた者等

認知の訴えや遺言認知により，相続開始後に父子関係が確定された場合，認知の効力は子の出生時まで遡及する（784条本文）。したがって，本来はこの者も含めて遺産分割をなすべきであり，この者を除外した分割は無効と解すべきところ，民法では，法律関係の安定と認知を受けた相続人の利益保護との調整のため，認知された者を除外して分割その他の処分がなされた場合にその分割等の効力を維持しつつ，当該相続人には相続分に対応した価額による支払請求権を認めている（910条参照）。

令和4年改正法では，嫡出否認の訴えの改正に伴い，910条と同様の趣旨から新たな規定が設けられた。前夫を被相続人とする遺産分割その他の処分がされた後に，子が後夫の子であるという推定が否認され，前夫の子と推定された場合に，既に遺産分割等をした他の共同相続人の利益を考慮し，新たに前夫の子と推定された者は，遺産分割について価額のみによる支払請求権を有するものとされた（778条の4〔令和6年4月1日施行〕）。

(6) その他の利害関係者による遺産分割への関与

(ア) 遺産分割請求権を共同相続人の債権者が相続人に代わって代位行使できるか（423条）。まず債権者代位の要件の一つとして，代位の対象とされる権利が一身専属権または差押えを禁じられた権利でないことを要する（423条1項ただし書）。従来は，相続分はすでに相続によって確定した遺産持分権であって，他の共同相続人による取戻しの制約には服するが，譲渡性は認められているのであるから，債権の共同担保保全のために，債権者代位権の目的となるとする肯定説が多かったといえる（於保不二雄・債権総論〔新版，1972〕168-169頁，林良平ほか・債権総論〔3版，1996〕171頁〔石田喜久夫〕ほか）。同旨の下級審裁判例もある（名古屋高決昭43・1・30家月20巻8号47頁，名古屋高決昭47・6・29家月25巻5号37頁。ただ，後者は，共同相続人の贈与契約上の債権者が相続人に代位して遺産分割請求権を代位行使できるとするが，その遺産分割の審判において，相続人でない代位者に対して直接遺産を分与することは認められないとする）。

もっとも，近時は否定説も有力であり，遺産分割をするかしないか，どのような分割をするかは，相続人の自由であり，しかも遺産分割は家裁の審判事項であり，また，遺産分割手続において相続人の債権者に認められた地位や（260条。利害関係人として参加できるが当事者にはならない），債権者は遺産分割前でも相続財産に対して執行できることなどに鑑みて，債権者が相続人に代わって分割協議を行うことは認められないとする（中川＝泉346-347頁，潮見318頁，中田裕康・債権総論〔4版，2020〕252頁）。詳細については，新版注民(10)II 731-732頁〔下森定〕参照。

(イ)　遺産分割協議が詐害行為取消しの対象となるかについては，遺産分割協議が，その性質上，財産権を目的とする法律行為――共同相続人の共有となった相続財産について，その全部または一部を，各相続人の単独所有とすることなどによって，相続財産の帰属を確定させるものであり，その性質上，財産権を目的とする法律行為――といえるとして，判例は取消しを肯定する（最判平11・6・11民集53巻5号898頁）。学説上も多数説は肯定説をとる（内田325頁，中田・前掲書292頁，近江幸治・民法講義IV〔4版，2020〕140頁）。他方で，否定説は，肯定説では遺産分割の安定性が害されるとの見地から，260条を遺産分割に対する詐害行為取消権の特則ととらえ，債権者が遺産分割に参加することを請求したのに参加させないで分割を行った場合に限り，遺産分割協議が詐害行為取消権の対象となるものと解する（川島166頁，星野英一「遺産分割の協議と調停」家族法大系VI 376頁，中川＝泉346頁）。詳細は，新版注民(10)II 841頁以下〔下森〕参照。

2　遺産分割協議の方式と内容

協議について特別の方式は要求されていない。当事者全員が一堂に参加して協議し合意を確認する場合が理念型といえよう。しかし，現実的には，当事者全員の合意が成立するのであれば，いわゆる持ち回りの方式でも可能と解すべきである（ただし，持ち回り方式による分割協議の成立のためには，分割の内容が確定しており，そのことが各相続人に提示されることが必要とする裁判例として，仙台高判平4・4・20家月45巻9号37頁，相続人の意思が的確に伝達され，分割案の内容を熟知してこれに明確な受諾の意思表示をすることを要するとした浦和地判昭58・1・28家月36巻3号164頁）。

また，協議の内容についても，当事者間で合意がまとまるかぎり，自由に定めることができ，法定相続分，指定相続分，具体的相続分とも関係なく，相続放棄に近い内容（事実上の相続放棄）でも差し支えない。もっとも，分割協議の内容が公序良俗に反したり，強行規定に違反した場合は無効となろう（梶村太市「遺産分割の瑕疵」川井健ほか編・講座・現代家族法V〔1992〕205頁。遺産分割協議の意思表示が合致したような形をとっているが，その分割内容，方法等につき，協議の名に値しない信義に反する不公平が存し無効とされた事例として，大阪地判平8・2・20判タ947号263頁がある）。

3 遺産分割協議の瑕疵

遺産分割協議に法的な瑕疵がある場合の協議の効力をめぐってはさまざまな整理が可能であるが，意思表示に瑕疵がある場合，相続人を除外した場合，非相続人を参加させた場合，遺産の一部を脱漏した場合および非遺産を対象とした場合のそれぞれに即して検討する。

(1) 分割協議の意思表示に瑕疵がある場合

遺産分割協議も意思表示たる契約の一種であることから意思表示に瑕疵等があれば，民法総則の規定（93条〜96条）に従い，無効や取消しが問題となる（潮見347頁）。なお，平成29年債権法改正により，心裡留保の規定（93条では，無効が善意の第三者に対抗できないことが明記された〔同条2項〕），錯誤の規定（95条は，要件を明確化するとともに，錯誤の効果を無効でなく取消しできるものとしつつ善意無過失の第三者には取消しを対抗できないとした）ならびに詐欺による取消しの規定（96条2項は，第三者による詐欺について，相手方が悪意のほか有過失のときにも取消しでき，同3項は，詐欺による取消しは善意無過失の第三者には対抗できないとした）の改正があった点は留意すべきである（以下に示した裁判例や学説は，とくに断らない限り改正前のものである）。

(ア) 心裡留保の事例として，東京地裁平成24年9月18日判決（平22(ワ)32392，LEX/DB25497007）は，税金の減額更正請求との関係で真意に基づかずに作成された遺産分割協議書につき，他の相続人も真意を欠いていたことを知りまたは知りえたとして無効とした。

(イ) 虚偽表示の事例として，大阪家裁昭和40年6月28日審判（家月17巻11号125頁）は，相続開始後，相続人たる長男の事業資金を得るために，遺産を長男の単独名義とする合意をしたが，この登記原因を証する他の相続人の「相続分なきことの証明書」が事実に反し虚偽である場合は，あらためて遺産分割できるとする。

(ウ) 錯誤が問題とされた裁判例は少なくない。たとえば，遺産の評価について，当事者が時価2500万円の不動産を1294万円から1560万円程度と誤信して遺産分割調停で合意した事案において，要素に錯誤ありと認めたものの，当事者に重大な過失あり（不動産価格を調査する十分な期間があったのに怠った）として同合意の無効主張を否定した事例（東京高判昭59・9・19判時1131号85頁），遺産たる一筆の土地をおおよその面積と位置を示して3分割したうえ，3人の相続人に相続させるという分割方法を示した遺言が存在するのに，それを知らず当該土地を別の相続人が単独で相続する旨の分割協議をした場合につき，遺言で分割方法が定められているときは，その趣旨は分割の協議および審判を通じて可能なかぎり尊重されるべきものであり，相続人もその趣旨を尊重しようとするのが通常であるから，相続人の意思決定に与える影響力は格段に大きいとして，相続人が本件遺言の存在を知っていれば，特段の事情のないかぎり，上記のような分割協議の意思表示をしなかった蓋然性が高く，要素の錯誤がないとはいえないとした事例（最判平5・12・16判タ842号124頁）がある。さらに，共同相続人の一人が提示した分割協議案に関し，この提示額（約4200万円）以上の遺産を取得することはできない旨の誤った説明を受けて，そのように信じて分割協議に応じたが，実際に903条所定の遺産分割を希望すればはるかに高額の遺産（2億6000万円）を取得できる可能性があった事案につき，要素の錯誤ありとして無効と判示した事例（東京地判平11・1・22判時1685号51頁）がある。

なお，平成29年債権関係改正法では，改正法による要件枠組み（動機の錯誤の扱いを含め従来の判例法理を明文化した）のもとで，錯誤の効果として取消しの問題となる。

(エ)　詐欺による取消しの主張が，要素の錯誤による遺産分割協議の無効の主張とともに排斥された事例として，東京地裁昭和57年2月25日判決（家月35巻7号103頁）は，被相続人の後妻である原告が被相続人の長男たる被告の単独取得する建物で引き続き同居することを前提に遺産分割協議をしたところ，協議成立後間もなく被告により同建物から退去させられた事情があっても，それが協議後の原告被告間の感情悪化に起因するもので，原告の取得部分が原告に酷ではないことなどを考慮すると，分割協議につき被告に詐欺行為があったとはいえず，原告に要素の錯誤があったともいえない，とした。

(2)　一部の共同相続人を除外した場合

一部の共同相続人を遺産分割協議から除外するような事態となる態様とし

て，①分割協議当時，戸籍上存在した共同相続人を除外した場合，および，②分割協議後に相続人であることが判明または確定した場合とがありうる。①の場合については，遺産分割がすべての相続人の関与を要することから，一部相続人であってもそれを除外した分割協議が無効であることに異論はない（東京高決昭55・4・8家月33巻3号45頁は，相続人の一部を審判手続に関与させないままなされた審判を違法とする。調停について昭32・6・21最高裁家庭甲46号家庭局長回答〔家月9巻6号119頁〕)。他方で，②については，遺産分割後に認知の効力が生じた場合（これについては910条により，分割協議自体は有効であるが，当該相続人は価額のみによる支払請求権を有するとされる)，相続の開始後に嫡出否認により被相続人の子と推定された場合（他の共同相続人が既にその分割その他処分をしていたときは，778条の4により，子は価額による支払請求権を有する）のほか，分割協議の後に離婚無効判決，離縁無効判決，父を定める訴え，母子関係存在確認判決により他の相続人の存在が判明または確定した場合などがある。前述の910条および778条の4（令和6年4月1日施行）が定める例外を別にして，遺産分割は無効と解する立場が多数説といえる。もっとも，これらの②の場合に910条等を類推適用して除外された相続人に価額のみによる支払請求権を認める一方で分割そのものは有効とする立場も有力である（→§910 Ⅳ参照)。法的安定性を重視した解釈と考えられるが，判例は，910条の類推適用には慎重であり，母の死亡による相続について，共同相続人である子の存在が遺産分割後に明らかになった場合に同条の類推適用を否定した（最判昭54・3・23民集33巻2号294頁)。

(3)　相続人でない者を加えた場合

相続人でない者を遺産分割協議に加えた場合とは，具体的には，分割協議当時は一応共同相続人とされていた者を加えて協議をしたところ，協議後に，婚姻無効，養子縁組無効，嫡出否認判決などにより相続資格を持たないことが判明または確定した場合が考えられる。態様として，①本来相続人でない者が協議に加わったことにより，本来相続人として参加すべきであった相続人が排除された場合（相続順位に変動がある場合)，②本来の相続人は全員参加していたが，さらに非相続人が加わっていた場合（相続順位に変動はない場合）とを区別すべきである。

①については，前述(2)と同様に，本来の相続人の一部を欠いた協議となる

から，無効と解すべきである（協議について大阪地判昭37・4・26下民集13巻4号888頁，善元貞彦「非相続人を加えた遺産分割審判等の効力」野田愛子ほか編・家事関係裁判例と実務245題（判タ臨増1100号）〔2002〕414頁，井上繁規・遺産分割の理論と審理〔3訂版，2021〕260頁，小川浩「相続人でない者を加えた遺産分割審判等の効力」野田愛子＝泉久雄編・遺産分割・遺言215題（判タ臨増688号）〔1989〕256頁，西口元「相続関係訴訟」新実務大系Ⅲ75頁，調停について前掲昭32・6・21家庭局長回答）。

②については，全体として無効となるとする説（全部無効説）がある（中川＝泉326頁，善元・前掲論文415頁）一方，非相続人に分割された部分のみ無効とし，その部分を再分割する説（一部無効説）とがある（星野・前掲論文372頁）。さらに，両者の中間的な解決として，原則として一部無効説にたち，非相続人に分割された遺産部分のみが無効として再分割となるが，非相続人が取得した財産の種類や重要性，全遺産に占める割合等からみてそうした解決が公平に反するときは，全体的に無効となるとの見解もある（大阪地判平18・5・15判タ1234号162頁，東京家審昭34・9・14家月11巻12号109頁，二宮411頁，司法研修所編・遺産分割事件の処理をめぐる諸問題〔1994〕24頁。なお，新版注民(27)〔補訂版〕392頁〔伊藤〕は，そのような場合は要素の錯誤として無効と解するが，平成29年改正法施行後は錯誤の新ルールによることになろうか）。

(4)　遺産の一部を脱漏した場合

遺産分割において遺産の一部を脱漏した場合，遺産の一部の分割は認められている（一Ⅶ・Ⅷ）ことから，それと同様に，前になされた分割協議の効力に影響はなく，漏れていた未分割の遺産について更に協議をすれば足りる（大阪家審昭43・8・20家月20巻12号100頁）。ただし，漏れていた財産が重要なもので，相続人がその遺産の存在を知っていたならば先のような分割協議をしなかったという場合には，共同相続人間の公平に照らし先の分割協議全体が無効と解される（梶村・前掲講座・現代家族法Ⅴ203頁，井上・前掲書261頁，北野俊光ほか編・詳解遺産分割の理論と実務〔2016〕466頁〔加藤祐司〕。福岡家小倉支審昭56・6・18家月34巻12号63頁は，遺産の大部分を占める物件が協議の対象から脱落していてそれらにつき相続人間に協議がなされていない事例につき，分割協議は不成立もしくは無効とした。いずれも錯誤による無効を前提）。

平成29年改正法施行後については，脱漏した遺産が当初の遺産分割協議時から含まれていたとすればどのような分割がなされたかを基準に遺産分割の効力を判断すべきものとし，結果が異なったであろうときは錯誤取消しの対象とし，そうでないときは発見された遺産を改めて分割すべきものとする（二宮412頁，潮見349頁）。

⑸ 遺産でない財産を分割対象とした場合

遺産分割協議は遺産を対象として行われるから，遺産でない財産についてなされた分割協議は無効である。したがって，遺産でない財産のみを対象とした遺産分割協議は無効（全部無効）であり，また，分割の対象とされた財産の一部が遺産でなかった場合，非遺産に関する範囲で遺産分割協議は無効（一部無効）である（北野ほか編・前掲書450頁〔加藤〕)。この一部無効が遺産分割協議全体（または遺産である財産につきなされた分割協議）にどのように影響するかが問題となる。

こうした分割協議により非遺産について権利を取得することはないから，分割協議全体を無効としてやり直しをするとの論理もありうるものの，民法上，各共同相続人は売主と同じくその相続分に応じた担保責任を負うことから（911条。なお，売主の担保責任に関して，債権法改正により大きな改正がなされたことを含め，同条の解説参照)，多数説は，非遺産の分割を受けた共同相続人は，他の共同相続人に対する担保責任の追及により満足すべきものとする。すなわち，非遺産が分割対象とされた財産の大部分または重要部分である場合は，遺産分割協議全体が無効となる。その根拠として，共同相続人の意思にも合致し公平であること，および，非遺産が分割対象とされた財産の大部分であるような遺産分割が906条の基準を満たして行われることは困難であることが指摘されている（北野ほか編・前掲書451頁〔加藤〕)。他方で，非遺産が遺産分割の対象とされた財産の一部にすぎない場合，遺産分割は，非遺産部分は無効であり（一部無効)，無効とされた部分については，担保責任により処理されるが，遺産については全部分割済みとされあらためて分割する余地はないとされる（以上，北野ほか編・前掲書451頁〔加藤〕)。審判，調停，協議を問わず，同様に解されている（岡垣・家審講座II 115頁，新版注民⒄321頁〔谷口知平〕，松原II 501頁)。同趣旨の審判例がある（東京家審昭42・5・1家月19巻12号58頁。名古屋高決平10・10・13高民集51巻3号128頁は，遺産分割審判の後，審判において対象となった物件の一部がその後の判決により遺産でないとされた事案につき，その遺産でないとされた物件が前の審判で遺産の大部分または重要な部分であると扱われていたなど特段の事情のないかぎり，遺産でないとされた物件についての前の審判による分割の効力のみが否定されて担保責任が問題となり，その余の物件についての分割は有効とする）。

4　遺産分割協議の解除・合意解除

(1)　共同相続人間の遺産分割協議において，遺産たる不動産の取得に代わる代償金の支払や老親との同居扶養を約束した相続人が，それらの合意した債務や負担の履行を怠り拒否している場合，他の相続人は，債務不履行を理由に分割協議の法定解除ができるか。また，いったん有効に成立した遺産分割協議を共同相続人全員の合意により解除して再分割協議が可能か，さらに，約定解除権・解除条件に基づく解除の可否が問題となる。

(2)　債務不履行を理由とする解除の可否について，当初は，学説上否定説が主流であった（星野・前掲論文375頁以下を先駆とし，第1に，要件に関して，契約解除制度の趣旨は，相手方が債務不履行の場合，自己の債務にいつまでも拘束されることから解放し，他に新しい取引先を求めることを可能ならしめることにあるが，遺産分割の場合こうした要請はなく専ら分割内容を実現することのみを図れば足りること，第2に，解除を認めることは，はじめの分割の効力を否定して再分割を行わせることであるが，ある共同相続人の不履行を機縁にたやすく分割の効力を否定するのは妥当でないとする）。下級審の裁判例も，不履行を理由とする解除を否定していた（その状況につき，東海林保「遺産分割――遺産分割協議の解除」野田愛子＝三宅弘人編・家庭裁判所家事・少年実務の現状と課題（判タ臨増996号）〔1999〕136頁）。その後最高裁平成元年2月9日判決（民集43巻2号1頁）は，明確に法定解除否定説の立場を明らかにしたが，最近の学説上は一定の範囲で解除を認める立場も有力である。

解除否定説の根拠として，①遺産分割協議の性質論，②分割の安定性の要請および③契約解除制度との関連という3点が挙げられる。まず①の分割協議の特殊性とは，次のような論理をいう。遺産分割協議は，分割の遡及効を定める民法909条本文に照らし，相続開始時に遡って相続人の遺産に対する権利の帰属をいわば創設的に定める，通常の契約とは異なる特別の合意である。そして，協議の成立により遺産分割そのものは終了し，分割協議の履行という観念は存在せず，後は協議内容に従った相続人間の遺産の引渡し，登記の移転，分割協議の際に他の相続人に対し負担した債務の履行の問題が残されるのみであり，それらの履行の問題は当該相続人間において解決されれば足り，遺産の帰属を定めた協議自体の不履行ではないから，その解除も問題とならない，とする（河野信夫〔判解〕曹時42巻3号〔1990〕686頁）。また，②の分割の安定性の要請とは，かりに解除を認めると，遡及効を有する遺産の再分割の繰り返しを余儀なくされ法律関係も複雑になり，第三者および相続人の利益を害し法的安定性が著しく害される，ということ，③の契約解除制度との関連は，前掲星野説の説くところである。

しかし，解除否定説のこれらの根拠に対しては，前掲最高裁判決を契機として，いくつかの疑問が提示されている。前掲①の分割の遡及効からくる分割協議の性質論に対しては，分割の遡及効は，相続により，各相続人は他の共同相続人を経由して相続財産の移転を受ける（移転主義）のではなく，被相続人から承継するのであるという常識的な基本観念を示すにとどまるものであり，実際は，909条ただし書や売主の担保責任の規定を準用する911条の示すように，分割協議が各相続人の財産の贈与・交換という要素をもつことは否定できないから，遺産分割の遡及効自体は解除否定の論拠となりえないとの批判がある。また，遺産分割は協議の成立後は履行の余地がなく不履行解除は認められないとの論理に対しても，この論理は，特定不動産の売買において，契約成立と同時に所有権移転が生じるとともに売買契約は終了し，残る登記申請協力義務や代金支払債務の不履行は売買契約に影響しないという論理に等しいとの批判がある。さらに，前掲②の分割の法的安定性の要請に対して，第三者との関係では，解除を認めても545条1項ただし書の適用により深刻な問題は発生しないし，他方，相続人間における安定性に関しては，相続人間で軽微な負担の不履行を理由にたやすく分割協議の解除を認めたり，協議の結果に不満な相続人同士が債務の履行をしないで分割協議の解除を主張することを認める必要はないものの，解除の余地を全面的に排除することは不当と批判されている。さらに，前掲③の契約解除制度の関連に対しては，遺産分割協議の場合，債務の拘束からの解放という要請はないとしても，分割のやり直しは，当初の合意の遡及的失効と新たな合意という「新しい取引先」を求めることを可能にするという要請に合致している，との批判がある。

否定説の根拠に対するこうした批判を前提に，解除肯定説は解除の余地を認めるが，どのような場合・範囲で解除を認めるべきかについては一致していない。一方で，解除可能を原則としつつ，他に有効な強制履行の手段がある場合，背信的不履行と評価しえない場合，些細な不履行を捉えて他の相続人の法的安定性を害する場合などには解除権の濫用として抑制するとの見解（河上正二〔判批〕法協107巻6号〔1990〕1052頁），他方で，金銭債務などのように履行の強制的実現が確保できる債務については不履行解除を認めないが，老親との同居など履行の強制的実現ができない債務については解除の余地を認めるとしたうえで，要件のポイントとして，①債務の内容が十分明確に特定されていること，②その債務の負担が当該遺産分割協議の重要な基礎であることが当事者間で合意され客観的にも明らかであること，③その債務の不履行が諸般の事情からみて背信的であることなどを指摘する見解（早川眞一郎〔判批〕法教110号〔1989〕83頁）がある。

なお，平成29年債権法改正の結果，債務不履行による契約解除に関しては，要件として，債務者の帰責事由は要求されず（541条），契約解除制度の趣旨が，債務者に対する責任追及の手段から，債務の履行を得られなかった債権者を契約の拘束力から解放する手段へと変更された。この改正が，前掲最高裁平成元年判決の意義に影響を与えるかについては，債権者の契約の拘束からの解放は反対給付債務からの解放に限定されるわけではないとして，同判決の意義は改正により左右されないとの指摘がある（沖野眞已〔判批〕民百選Ⅲ3版153頁）。遺産分割協議の解除の問題は，解除・やり直しという効果面に着目したものであったことからすれば，解除肯定論から，要件面での精査は必要であるが，同判決を含む議論の状況に大きな変動はないように思われる。

(3)　合意解除について，最高裁平成2年9月27日判決（民集44巻6号995頁）は，とくに理由を述べることなく，共同相続人全員の合意ですでに成立している遺産分割協議の全部または一部を合意により解除したうえ，改めて遺産分割協議をすることは，法律上，当然には妨げられるものではないとして，合意解除を認めている。遺産分割協議の合意解除および再分割協議の合意は，契約の一種であり，当事者全員の合意があるかぎり，契約自由の原則から当然に認められ，学説上も異論はない。

法定解除の否定論拠として指摘された点は，いずれも合意解除の可否には直結しない。すなわち，遺産分割協議の性質論や効果をどのように解するにせよ，合意解除をとくに否定する理由は見当たらない。また，法的安定性の要請についても，第三者との関係において，合意解除は一つの新たな契約であることから，それにより当事者以外の第三者の権利に影響を与えることはない（もっとも，この点に関して，判例は遡及効ある合意解除についても民法545条1項ただし書の適用ありとし，第三者が同規定の保護を受けるためには対抗要件を具備していることを要するとしている〔最判昭33・6・14民集12巻9号1449頁〕）。他方で，相続人相互間においては全部の相続人の合意により解除することから，相続人の利益が害される懸念もないからである。

なお，遺産分割協議において，約定解除権を留保したり解除条件を付与する合意が許されるかについて，こうした合意はいったん成立した分割協議の効力を失わせるとはいえ，全員の合意がある点は合意解約と同様であることからすれば，契約の一般原則とおり，合意の効力が認められる（学説につき，東海林・前掲論文140頁。東京高決昭52・8・17家月30巻4号101頁は，傍論として解除条件の付与を認め，また東京地判昭59・3・1家月38巻1号149頁は，相続人間の情誼関係の破綻というきわめて主観的な事情を分割協議の解除条件とすることは，相続の法律関係を徒に不安定にするもので認められず条件部分の合意は無効とするが，解除条件の付与自体は認められることを前提とする）。

III　家庭裁判所（調停・審判）による分割

1　家庭裁判所における遺産分割事件の扱い

(1)　共同相続人間で遺産分割の協議が調わないとき，または，協議することができないときは，各共同相続人は，その分割を家庭裁判所に請求することができる（907条2項）。前述したように，遺産分割事件は民事訴訟事項ではなく，家事事件手続法上，家事調停をすることができる事項についての審判事件とされ（家事39条・別表第二12項。遺産分割禁止事件も同様，別表第二13項），家事審判の対象である（「別表第二審判事件」）とともに，「家庭に関する事件」として家事調停の対象となる（家事244条。「別表第二調停事件」といい，別表第二審判事件と併せて「別表第二事件」という）。

(2)　家事事件は一般に非訟事件とされるものの，とりわけ別表第二審判事件（旧家審法下の乙類審判事件）は争訟的色彩が強く，たとえば遺産分割事件は，基本的には相続人が本来任意に処分することを許された遺産に対する相続分を具体化するための手続であり，私的な財産紛争であるから，いわゆる当事者主義的運用――当事者に十分な主張と立証の機会を保障すること（当事者権の実質的保障）を前提に，当事者に第一次的な事案解明義務および手続協力義務を負わせ当事者による主張立証を審理の基礎とし，また，当事者の合意を可能なかぎり尊重した運営――が望ましいものとされ，実務もそれによっている（片岡＝管野4頁，松原正明「家庭裁判所における審理の性質」新争点340頁，太田武聖「遺産分割事件の当事者主義的運用」野田愛子ほか編・家事関係裁判例と実務245題（判タ臨増1100号）〔2002〕363頁）。こうした運営は，審判手続だけでなく調停手続でも同様であり，調停委員会として，当事者が自ら主張し，立証する活動を援助しながら，自主的解決を目指した調整活動をする必要があるとされている（永井尚子「遺産分割事件の運営について」家月60巻9号〔2008〕10頁）。

(3)　また，遺産分割事件は相続財産に関する紛争であると同時に家庭内の紛争であることから，できるかぎり当事者間の自発的な調整による解決である調停による解決をめざすものとされる（運用上の調停前置）。遺産分割事件は，申立人の選択により，家事審判手続または家事調停手続のどちらからでも開始することができる。ただ実情としては，調停事件としての申立てが圧倒的に多い（上原ほか編著130頁〔髙山浩平〕）。また，家事審判の申立てがなされた場合でも，家庭裁判所は，職権で家事調停に付することができ，実際に調停に付されることが多い（付調停・家事274条1項。この場合，当事者の意見を聴く必要はあるが同意までは不要）。審判手続の途中であっても相続人間で合意がまとまりそうな場合は，調停手続に移して調停分割による決着を図るように，いつでも何度でも審判事件を調停に付することができる（民コメ(23)1991頁〔梶村太市〕，秋武憲一編著・概説家事事件手続法〔2012〕311頁〔髙取真理子〕）。実際上も合意による解決，調停による紛争解決が志向されているといえる（上原ほか編著11頁〔田中寿生＝髙橋伸幸〕）。

(4)　さらに，遺産分割事件は，紛争性が高く，相続人間の感情的対立が根深いこともあるから，それに流されて審理が紛糾・錯綜することもあり，そうした中で適正かつ迅速な解決を図るために，近年，裁判所によっては，段階的進行モデルと呼ばれる指針により運用されている（田中寿生ほか「遺産分割事件の運営(上)」判タ1373号〔2012〕56頁，上原ほか編著73頁〔上原裕之〕は「ステップ方式」と呼ぶ)。すなわち，遺産分割事件は，①相続人の範囲，②遺産の範囲・評価，③特別受益，寄与分の有無・評価（具体的相続分の確定），④具体的な分割方法について，当事者の主張を整理，確定し，段階的に手続を積み上げることにより調停の成立または審判による終局的な解決を目指す。そのための調停の進め方として，上記の①から④の事項につきこの順番で段階ごとに個別に整理し，当事者は予定した議題に絞って議論することとし，争いがない部分について合意し（その整理結果や合意内容を中間調書等にとどめて争点を収束させるとともに紛争の蒸し返しを防止する），その上で次の段階に進むこととする。そうした手続進行により，後述するいわゆる前提問題（遺産分割手続とその前提問題に関しては，後述Ⅳ参照）を含めて争点の複雑化や拡散を回避しつつ，最終解決に向けて前進していることを当事者にも意識させ，解決に向けた意欲を涵養する効果が期待されているとする（田中ほか・前掲論文56頁）。

2　調停分割の手続

(1)　分割調停の当事者と管轄

遺産分割調停では，共同相続人全員が申立人か相手方のいずれかとして当事者となる（犬伏ほか311頁〔常岡史子〕）。遺産分割調停事件の管轄は，相手方の住所地の家庭裁判所，または当事者が合意により定める家庭裁判所である（家事245条1項）。相手方が複数で住所地が異なる場合には，そのいずれに申立てをしてもよい（田村洋三＝小圷眞史編著・実務相続関係訴訟〔3版，2020〕52頁〔田村洋三〕）。遺産の分割の調停事件が係属している場合，寄与分を定める処分の調停事件は，遺産分割調停事件が係属している裁判所の管轄とされ，これらの二つの調停事件が係属する場合，これらの調停手続は併合して行う（家事245条3項）。

(2)　分割調停の申立て

遺産分割調停の申立ては，申立書を家庭裁判所に提出してしなければならない（家事255条）。家事審判法下では，口頭による申立ても許容されていた（旧家審規3条1項）が，これを許すと，事実が未整理のまま主張されたり，必要な主張が漏れたりして，申立て後の補正や裁判所による求釈明が必要となり，かえって家事調停の手続が遅延するおそれがあることから，申立てを書面によることとした（金子・逐条901頁）。

申立書には，当事者および法定代理人，申立ての趣旨および理由，事件の実情の記載を要する（家事255条，家事規127条・37条1項）。このほか，申立書には，共同相続人，特別受益，さらに，平成30年改正相続法により明文化された一部分割（907条），同改正で新設された分割前の預貯金債権の行使（909条の2）の有無およびその内容を記載し，遺産目録を添付しなければならない（家事規127条・102条1項）。

家庭裁判所は調停の申立てがなされた場合，原則として，申立書の写しを相手方に送付しなければならない（家事256条）。家事審判法の下では，送付するか否かは裁判所の裁量であったが，相手方においても早期に申立書の内容を知り調停手続に臨むことができることから，相手方当事者の防御権を含めた手続保障の観点から改められたものである（秋武編著・前掲書9頁〔秋武憲一〕，金子・逐条905頁）。

(3) 調停機関

調停機関は，原則として調停委員会であるが，「相当と認めるとき」は，裁判官のみで調停を行うことができる（家事247条1項）。もっとも，当事者（一方でも足りる）の申立てがあるときは，裁判官のみで調停を行うことはできず，必ず調停委員会が調停を行わなければならない（家事247条2項）。調停委員会は，裁判官1名，家事調停委員2名以上で組織する（家事248条1項。なお，実務上，委員は通常2名であることが多い。新基本法コメ・人事516頁〔倉持政勝〕）。

(4) 当事者参加・利害関係参加・排除

遺産分割の調停の申立てにおいて，他の相続人の一部が相手方から脱漏している場合，漏れていた相続人自身の申立てにより，当事者として手続に参加することができ（家事258条1項による家事41条1項の準用），また，他の相続人の申立てまたは家庭裁判所の職権で，当事者として手続に参加させることができる（家事258条1項による家事41条2項の準用。「引き込み」と呼ばれる）。

利害関係人は，当事者以外の者として，家庭裁判所の許可を得て家事事件の手続に参加することができ，こうした利害関係参加は，関係人からの申立てがなくとも，家庭裁判所の職権で手続に参加させることもできる（家事258条1項による家事42条の準用）。

以上と異なり，遺産分割事件において相手方がそもそも相続人でなかったような場合，そのような者を手続に関与させることが適当でないことを考慮し，家庭裁判所の裁判により手続から排除することができることとした（家事258条1項による家事43条の準用）。家事審判法下では，そうした者を手続から脱退させる運用がなされていたが，家事事件手続法の下で明確化した。

⑸　不出頭当事者への対応

家庭裁判所は，当事者が遠隔地に居住していることその他の事由により裁判所へ出頭することが困難と認める場合には（民事関係手続等における情報通信技術の活用等の推進を図るための関係法律の整備に関する法律（令和5年6月14日法律53号）による家事事件手続法の改正〔令和8年5月までに施行〕で，「家庭裁判所は，相当と認めるときは」と改められた），当事者の意見を聴いて，電話会議システムやテレビ会議システムの利用により，裁判所へ出頭しなくても，調停期日や審判期日を開き，一部の証拠調べを除き，手続を行うことができる（家事258条1項による家事54条1項の準用）。同様に当事者の出頭が困難な場合に，出頭できない当事者が調停条項案を受諾する旨の書面を提出し，他の当事者が調停期日に出頭して当該調停案を受諾することにより，調停を成立させることができる（家事270条1項〔前掲改正（令和10年6月までに施行。以下同じ）により，この規律は当事者の一方が出頭困難な場合のものとされ，当事者双方の出頭が困難な場合は，当事者双方があらかじめ調停委員会から調停が成立すべき日時を定めて提示された調停条項案を受諾する旨の書面を提出し，その日時が経過したときは，その日時に，当事者間に合意が成立したものとみなすとする規定が追加された（新同条2項）〕。家事審判法でも，遺産分割事件の調停に限り，同様の方法が認められていたが〔旧家審21条の2〕，家事事件手続法は，一部の例外を除き，家事調停手続一般に拡大した）。

⑹　調停の成立と効力

調停において当事者間に合意が成立し，これを調書に記載したときは，調停成立とし，その記載は，確定判決（遺産分割のように別表第二に掲げる事件にあっては確定した審判）と同一の効力が生ずる（家事268条1項〔前掲改正により，「調停において当事者間に合意が成立し，裁判所書記官が，その合意について電子調書を作成し，これをファイルに記録したときは，調停成立とし，その記録は，確定判決（遺産分割のように別表第二に掲げる事件にあっては確定した審判）と同一の効力が生ずる」と改められた〕）。また，調停の一部について合意が成立した場合もその限度で同様とされる（家事268条2項）。金銭の支払，物の引渡し，登記義務の履行その他の具体的給付義務を定めた調停調書の記載は，執行力ある債務名義と同一の効力を有する（家事75条）。

(7)　**調停に代わる審判**

家事調停手続において調停が成立しない場合，調停事件を終了させるのが原則であるが，家事事件手続法は，その例外として，いわゆる調停に代わる審判を遺産分割事件についても活用できることとした（家事284条）。調停に代わる審判とは，家事調停手続において，一方当事者の頑固な恣意により，あるいは，わずかな意見の相違により調停が成立しない場合や，相続分の少なさや血縁の薄さから当事者が遺産分割調停に無関心で協力もせず手続追行意欲を失っているような場合，家庭裁判所が一切の事情を考慮して解決案として一定の判断を示したときは，異議申立てがなければその内容どおりの効力を生ずることを前提に解決案を提示する審判である。感情的な理由等もあり積極的に合意はしないが裁判所が決めた案に反対はしない当事者も少なくないことから，従前の家事審判法（24条）上も存在し，ただ乙類事件には適用なしとされていたものを（同条2項），家事事件手続法は乙類事件に対応する別表第二事件（遺産分割を含む）にも適用を認めることとした。すなわち，家庭裁判所は，調停不成立の場合において相当と認めるときは，当事者双方のために衡平に考慮し，一切の事情を考慮して，職権で，事件解決のために必要な審判をすることができる。この調停に代わる審判に対して適法な異議申立てがある（理由は不要）と，調停に代わる審判は効力を失い（家事286条5項），審判に移行する（同条7項）。

家事事件手続法施行後の家裁の実務において，調停に代わる審判により通常審判よりもいっそう柔軟な解決ができること（たとえば，最高裁平成28年大法廷決定〔最大決平28・12・19民集70巻8号2121頁〕登場以前から預金債権等の可分債権も分割の対象とできる，鑑定によらず出席当事者間で合意された評価を基準とできる）から，積極的に活用され，異議申立ての割合もごく少ないことが紹介されている（東京家裁家事5部における実情につき，小田正二ほか「東京家庭裁判所家事第5部における遺産分割事件の運用」判タ1418号〔2016〕6頁・16頁以下，吉岡正智「家事事件手続法の下での遺産分割審判事件等に関する紹介」ケース研究323号〔2015〕62頁・65頁）。

(8)　**調停の不成立・通常審判への移行等**

前述した調停に代わる審判がなく，調停不成立により当該家事調停事件が終了したときは，改めて家事審判の申立てをする必要はなく，家事調停の申立ての時に，当該家事審判の申立てがあったものとみなされ（家事272条4項），当然に家事審判の手続に移行する。なお，この家事審判への移行は，家事調停の申立てによって始められた調停事件の場合であり，家事審判の手続から調停に付された事件については，付調停による家事調停が終了するまで家事審判手続は中止することができ（家事275条2項），付調停による家事調停事件が調停不成立により終了すると，家事審判手続が再開される。

調停申立ての取下げは，調停事件が終了するまでの間いつでもすることができる（家事273条1項）。理由は不要であり，相手方の同意も必要ない。ただし，遺産分割の調停の申立ての取下げは，相続開始の時から10年を経過した後は，相手方の同意が必要である（同条2項）。審判から調停に付された事件については，職権でなされているため，調停のみの取下げはできず，審判の申立てを取り下げる必要がある。

3　審判分割の手続

(1)　審判の開始

前述のように，遺産分割は，調停申立てまたは審判申立てのいずれでも開始できるが，運用上調停が先行することが多い。その場合に調停が成立しないときは，何らの手続を要することなく審判に移行する。

なお，審判事件として申し立てる場合の管轄は，相続開始地を管轄する家庭裁判所（家事191条1項）または当事者が合意で定める家庭裁判所の管轄に属する（家事66条1項）。この場合の申立書の記載等に関しては，調停申立ての場合と同様である（家事規102条）。

(2)　審理の手続

審判機関は裁判官である。裁定合議事件と他の法律で合議体とすべきものと定められた場合のほかは単独裁判官による（梶村・実務講座71頁）。なお，家庭裁判所は，原則として，参与員の意見を聴いて，審判するものとされる（家事40条1項）が，必須のものでなく，相当と認めるときは，意見を聴かないで審判できる（家事40条1項ただし書）。実務においては例外的にしか関与させていない（梶村・実務講座71頁）。当事者参加，利害関係参加，排除については，調停の場合と同様である（家事41条〜43条。秋武編著・前掲書103-104頁・106頁〔竹内純一〕）。

(3) 審判前の保全処分，仮分割

遺産分割の申立て後，最終的な解決までには相当な時間がかかるのが通例といえるが，その間に，遺産が適正に管理されず，また，勝手に処分されたりしては将来の調停・審判の内容に支障を与える懸念があるし，相続人が生活費の支弁や相続税の納付に窮することが考えられる。こうした事態に対処するための制度として，審判前の保全処分がある（家事審判法，家事審判規則下でも家事審判事件が係属している場合に認められていたが，家事事件手続法では，遺産分割の調停または審判事件が係属している場合に認められることになった〔家事105条〕）。この審判前の保全処分のうち，遺産分割事件に関係する保全処分は，遺産管理者の選任（家事200条1項）および仮差押え，仮処分等の保全処分（家事200条2項）である。

手続要件として，遺産分割の審判または調停の申立てがされたこと，実体要件として，本案認容の蓋然性および保全の必要性が要求される。

遺産管理者選任の保全処分（家事200条1項）は，相続人が遺産を管理できない場合や相続人による遺産管理が不適切な場合などのように遺産管理のため必要があるときに認められる。これに対して，仮差押えは実際には少なく，また処分禁止の仮処分は，本案において申立人が当該遺産を取得する蓋然性があり，他の相続人が当該遺産（またはその持分）を処分する危険性がある場合に当該遺産（またはその持分）の処分を禁止するものである。また，仮分割の仮処分は，申立人が当該遺産を取得する蓋然性があり，申立人が生活の困窮等により早期に当該遺産を取得する必要（保全の必要性）があるときに行われる。仮分割の対象に限定はないが，実際上は，生活費支払や相続税納付のため，預貯金や株式を対象に行われる（東京家審昭57・8・23家月35巻10号89頁。新基本法コメ・人事448頁〔浦野由紀子〕）。

ところで，最高裁平成28年大法廷決定における共同補足意見（大谷剛彦裁判官ら5名の裁判官）は，多数意見によれば，遺産分割の対象となるものとされた預貯金債権は，遺産分割までの間，全員共同でなければ行使できないところ，共同相続人の当面の生活費等のため，分割前に預貯金を払い戻す必要がある場合の対処方法として，この仮分割仮処分の活用が考えられるとし，預貯金を払い戻す必要があるいくつかの類型に応じて，保全の必要性など保全処分が認められるための要件やその疎明のあり方を検討する必要があり，

今後家裁実務において適切に運用すべき旨を指摘していた。これに応える形で，東京家裁家事5部は，仮分割仮処分の運用に関する検討結果を公表している（片岡武ほか「相続預貯金の遺産分割に関する家裁実務――最大決平28.12.19を受けて」金法2065号〔2017〕21頁以下）。それによれば，実体要件としての急迫の必要性に関しては，被相続人の生活費の必要，相続債務の支払の必要，葬儀費用の支払の必要が想定されるところ，仮分割の仮処分の活用は主として生活費の事案であること，仮分割仮処分においては原則として法定相続分による仮分割となるとする（詳細につき，片岡ほか・前掲論文22-24頁）。

なお，前述したように民法（相続関係）改正法においては，遺産分割前の相続人による預貯金債権行使の必要性から，家事事件手続法上の保全処分（200条2項）の要件を緩和する形での仮払いの制度を認める（平成30年改正家事200条3項）とともに，家庭裁判所の関与を経ないで預貯金債権の払戻しを一定限度（遺産に属する預貯金債権のうち相続開始時の債権額の3分の1にその相続人の法定相続分を乗じた額（ただし，債務者ごとに法務省令で定める上限〔150万円〕あり））につき単独の権利行使を認める規定が置かれた（909条の2）。

⑷　審判移行後の運営

家事事件手続法別表第二事件である遺産分割の審判は，対立している当事者それぞれが自主的に証明裁判資料を提出することが期待されている手続であり，家事事件手続法では，家事調停をすることができる事項についての家事審判の手続の特則（家事66条～72条）が新たに適用され，当事者の手続保障がより図られることとなった（秋武編著・前掲書230頁〔細谷郁〕，131頁以下〔竹内純一〕，片岡＝管野47頁）。

㋐　合意管轄，申立書の写しの送付　　遺産分割審判事件の管轄につき，当事者の便宜から合意による管轄が認められ（家事66条），遺産分割審判事件の申立てがあった場合，家庭裁判所は，原則として，申立書の写しを相手方に送付しなければならない（家事67条）。手続の透明性確保，当事者の手続保障等の観点から，相手方に申立ての内容を知らしめて，適切な対応を可能にして紛争の早期解決に資するためである。

㋑　裁判所による当事者の陳述聴取　　家庭裁判所は，審判手続において原則として当事者から陳述を聴取しなければならない（家事68条1項）ところ，陳述聴取の方法には，審問（手続の期日に当事者が口頭で陳述するのを裁判官が直接聞く）のほかさまざまな方式があり，方式に定めはない。しかし，当事者が審問を希望する場合は，審問の期日において行うことを要し（家事68条2項），この場合，他の当事者も審問期日に立ち会うことが原則的に認められる（家事69条。対立する他方当事者の手続保障のためとされる）。

(ウ)　事実の調査の実施と通知　　家庭裁判所は，別表第二に掲げる事項についての家事審判手続において，事実の調査をしたときは，特に必要がないと認める場合を除き，その旨を当事者および利害関係人に通知しなければならない（家事70条）。遺産分割調停が不成立となって審判に移行した場合，調停と審判が別々の手続である以上，調停手続の中で提出・収集された資料が直ちに審判の資料となるわけではない。家事事件手続法の下では，調停事件記録のうち，審判手続において事実の調査がなされたもののみが審判の資料となる。家庭裁判所は，事実の調査を行った場合，当事者等に通知しなければならず，この通知により，当事者は当該記録の閲覧・謄写をする機会が保障される（秋武編著・前掲書135頁〔竹内純一〕）。通知の内容に関しては，それにより当事者に対して自ら資料へアクセスする契機とする趣旨であることから，柔軟・簡単なもので足りるとされている（裁判官が第1回期日において，当事者に対して調停事件記録につき事実の調査をした旨告げることで足り，特段の資料を除外する等の詳細を告げる必要はないとされる（新基本法コメ・人事262頁〔稲田龍樹〕））。先行する調停手続においては，①相続人の範囲，②遺産の範囲，③その評価を確定し，次いで④特別受益・寄与分の有無と評価，⑤具体的な分割方法について当事者の意見を調整するなどして合意形成し，その成果が中間合意調書として残されているから，後続する審判手続では，調停記録につき事実の調査を行った旨を通知したうえで，当該合意事項を確認し，当事者の合意を尊重した審理運営をする。

(エ)　審理の終結　　家庭裁判所は，原則として，相当の猶予期間を置いて，審理を終結する日を定めなければならない（家事71条。同条は審判の基礎となる資料について提出の期限と範囲を明確にして当事者に十分に攻撃防御を尽くさせるための新設規定である）。また，家庭裁判所が裁判するのに熟したと判断して審理を終結する場合には，審判する日を定めなければならないとした（家事72条。審判日がいつであるかは当事者には重大な利害関係があったのに，従来の実務では審判をする時期を明らかにしないまま運営することが通常であったため）。

⑸　審判申立ての取下げ

別表第二に掲げる事項の審判事件の申立ての取下げは，審判までは自由に（相手方の同意なしに）可能とされ，審判以後は相手方の同意を得て可能とされている（家事82条2項）。ただし，遺産分割事件の審判については，申立人だけでなく相手方にも審判を受けるにつき特に強い利害関係があると考えられることから，その利益を守るために，審判前であっても，相手方が本案について書面を提出し，または審判期日において陳述をした後の取下げは，相手方の同意がなければ効力が生じない（家事199条1項・153条）。また，遺産の分割の審判の申立ての取下げは，相続開始の時から10年を経過した後は，相手方の同意を得なければ，その効力を生じない（家事199条2項）。

調停申立ての後，調停不成立により審判に移行した場合，相手方が上記の書面提出・陳述をした後は，相手方の同意がなければ審判申立ての取下げはできない。他方，当初から審判の申立てにより審判手続が開始され，相手方の陳述等の前に職権による付調停の結果調停が開始した場合は，その後に相手方が書面等を提出した後であっても，相手方の同意なしでも審判申立ての取下げができる（髙橋伸幸「遺産分割調停・審判事件の実務」曹時66巻8号〔2014〕2151頁）。

⑹　審判の効力

遺産分割審判がなされると，告知から2週間の間は即時抗告ができる（家事86条）。即時抗告がなければ審判は確定し（家事74条・85条・86条），審判により決められた内容の権利関係が形成され，金銭の支払その他の給付を命ずる審判については，執行力ある債務名義と同一の効力が生ずる（家事75条）。既判力については，権利義務関係の存否や法律関係につき終局的に確定する民事訴訟とは異なり，非訟事件としての家事審判は，裁判所が後見的立場から合目的的に裁量権を行使して新たに当事者の地位や権利関係を形成する手続であるから，既判力を認めることはできないと解されている（梶村・実務講座98頁，梶村＝徳田編238頁〔大橋眞弓〕）。

Ⅳ　遺産分割（調停・審判）の前提問題

遺産分割事件は，被相続人の遺産のうち未分割の遺産を共同相続人間で分配し新たな権利関係を形成する手続であるが，すでに指摘されているように（東京家庭裁判所家事第5部編著・遺産分割事件処理の実情と課題（判タ臨増1137号）〔2004〕16頁），そこでは，①だれとの間で（相続人の適格性の問題。相続人の範囲の確定），②何を（遺産の適格性ないし帰属性の問題。分割すべき遺産の範囲），③どのように分けるか（寄与分，特別受益，遺言による相続分の指定等相続分の修正要素の有無に関わる問題，遺産等の評価方法の問題，具体的分割方法の問題。具体的相続分の確定と分割方法の選択）を決めることになる。

しかし，具体的な遺産分割手続の進行のためには，事前に解決しなければならない問題が存することがしばしばある。たとえば，上記①の相続人の範囲に関して当事者間に争いがあり，被相続人との間で養子縁組届がされているが，当該養子縁組は被相続人の意思能力の欠如により無効であると主張されている場合，あるいは，上記②の遺産の範囲に関して，被相続人名義の不動産があるが，実際には，相続人の一人が所有し登記のみを被相続人名義としたにすぎず相続財産ではないと主張されている場合などにおいては，遺産分割を行うためには，上記①の養子縁組が有効で相続権があるか，②の当該不動産が被相続人の財産であるかの争いが決着しなければ，協議であれ，調停・審判であれ，適切な分割はできない。このような相続資格に関する問題，遺産帰属性に関する問題のように，それが決着しなければ遺産分割に関する基本事項たる相続人の範囲，分割対象たる遺産の範囲が確定しないような問題を前提問題という。これらのほか，前提問題の例として，遺言書の効力・解釈（遺産のすべてを対象とした遺贈があれば未分割の遺産はなく遺産分割事件として成立しないが，その遺言の効力が争われている場合），遺産分割協議の効力（全遺産につき分割協議成立とした遺産分割協議書が有効であれば，未分割遺産はないことになるが，当該協議の有効性が争われている場合）が挙げられる。

このような前提問題について当事者に争いがある場合，それを解決しないと先へ進むことができない。ところが，これらの多くは，遺産に関する権利や相続に絡む法律関係に関する争いとして，本来訴訟事項として対審構造をもつ公開の判決手続において確定されるべきものである（各種の前提問題を解決すべき本来の手続に関して，小圷眞史「遺産分割調停事件の運営について」ケース研究272号〔2002〕25頁表2参照）。

そうだとすると，遺産分割事件を扱う家庭裁判所として，いわゆる形成的事項につき人事訴訟や家事審判の手続を経る必要のあるもの（身分関係の形成に関する事項として，婚姻取消し，離婚取消し，縁組取消しおよび嫡出否認など，相続人たる地位の形成に関する事項として，推定相続人の廃除およびその取消しなど）を別にして，常に前提問題の訴訟による判決の確定を待って審判手続を行わなければならないのか，あるいは，家庭裁判所が，審判手続において前提事項の存否を独自に審理判断することができるのかが従来争われていた（かりに独自に審理判断できるとする立場をとる場合，公開法廷における対審および判決によらないことが憲法32条，82条に違反しないか，家裁による審理判断が可能とすれば，それと並んで通常裁判所は前提問題に関する訴訟事件について審理判断ができるのか，さらに，その場合，両者〔家裁による審判と通常裁判所による判決〕が矛盾したときはどのように扱うのかという問題に関連していた。民コメ(23)2015頁以下〔梶村太市〕）。この点について，最高裁（最大決昭41・3・2民集20巻3号360頁）は，以下のように述べて，家庭裁判所による前提問題の審理判断を認める立場を明言している。

「遺産の分割に関する処分の審判は，民法907条2，3項〔令和3年改正後の908条4項〕を承けて，各共同相続人の請求により，家庭裁判所が民法906条に則り，遺産に属する物または権利の種類および性質，各相続人の職業その他一切の事情を考慮して，当事者の意思に拘束されることなく，後見的立場から合目的的に裁量権を行使して具体的に分割を形成決定し，その結果必要な金銭の支払，物の引渡，登記義務の履行その他の給付を付随的に命じ，あるいは，一定期間遺産の全部または一部の分割を禁止する等の処分をなす裁判であって，その性質は本質的に非訟事件であるから，公開法廷における対審および判決によってする必要なく，したがって，右審判は憲法32条，82条に違反するものではない」。

「右遺産分割の請求，したがって，これに関する審判は，相続権，相続財産等の存在を前提としてなされるものであり，それらはいずれも実体法上の権利関係であるから，その存否を終局的に確定するには，訴訟事項として対審公開の判決手続によらなければならない。しかし，……審判手続において右前提事項の存否を審理判断したうえで分割の処分を行うことは少しも差支えないというべきである。けだし，審判手続においてした右前提事項に関する判断には既判力が生じないから，これを争う当事者は，別に民事訴訟を提起して右前提たる権利関係の確定を求めることをなんら妨げられるものではなく，そして，その結果，判決によって右前提たる権利の存在が否定されれば，分割の審判もその限度において効力を失うに至るものと解されるからである。」

この判例法理は，遺産分割が絡んだ相続紛争を家庭裁判所が民事訴訟の判決確定を待たずに分割審判手続の中で一括して解決することを可能とするもので，学説上も支持され（中川＝泉316頁），裁判実務上も定着を見ていると理解されている（犬伏ほか312頁〔常岡史子〕）。ただし，一方で，家裁での審判と地裁での訴訟との併立，および，審判確定後の訴訟提起（訴訟による判断の優越，審判の失効）が許容されるとはいえ，個別の事件において，家庭裁判所が，独自の判断に向けて審理を進めることが適切か否かは別問題である（東京家裁家事第5部編著・前掲判タ82-83頁）。両方の手続を同時に進行させることは，応訴を余儀なくされる当事者にとり過重な負担であり，かつ，同一の紛争につき国家機関が二つの解決手続において関与するのは訴訟経済上も問題であるとの指摘も強い（注解全集226頁〔松原正明〕）。したがって，両手続がまだ進行していない段階においては，当事者に家裁の判断には既判力がなく最終的な解決にならないことを含め事情を十分説明したうえで訴訟手続（本来の解決の場である）の利用を推奨すべきであり，当事者が訴訟手続を選択せず（不起訴の合意を取る）審判手続での決着を望む場合にのみ審判で判断するとの処理，またすでに訴訟手続が先行している場合はその結果を待つとの処理がかねてから志向されている。

また，近時の実務の運用として，前提問題につき争いがある場合，まず当事者に，遺産分割事件を進めるために前提問題について合意するか，遺産分割事件をいったん取り下げ民事訴訟等によって前提問題を解決するか，いずれかを選択してもらい，後者を選択した場合はもちろん，前者を選択した場合でも合意できる見込みがないことが判明したら，その段階で遺産分割事件を取り下げ，訴訟等で前提問題の結論を確定させてから，改めて遺産分割調停・審判を申し立てるように促している実情が指摘されている（田中寿生ほか「遺産分割事件の運営(中)」判タ1375号〔2012〕68頁）。

V　遺産評価の基準時と方法

1　遺産の価値の変動と評価の必要性・重要性

遺産分割は，相続開始後速やかに行われることが望ましいとはいえ，現実には，当事者間で話し合いがまとまらず，その後調停や審判となった場合には，決着に数年を要することもある。時間の経過により，不動産や株式など遺産を構成する個別の財産の価値が変動することが当然想定されるが，このような場合，遺産の価値を金銭的に評価したうえで分配することが，公平の観点から必要となる。

分割方法との関連でみれば，換価分割および共有とする分割の場合には，基本的に評価は不要であるものの，他方，遺産を現物で分割する現物分割および代償分割（特定の相続人が遺産を取得し，他の相続人に対して代償金を支払う）においては，他の遺産の取得や代償金の有無や金額の判断資料として，評価が不可欠である（片岡＝管野205頁）。

こうした観点から，遺産の評価に関連しては，評価の基準時の問題および評価の方法の問題がある。

2　遺産評価の基準時

⑴　従来，遺産分割にあたっては，通常，以下の2つの段階が区別されている。第1は，具体的相続分を算定する段階，第2は，算定された具体的相続分に従って遺産を現実に分割する段階である。

⑵　第1の具体的相続分算定のための持戻し財産の評価の基準時は，相続開始時と解するのが，通説であり審判例も同様である（我妻・判コメ112頁，中川＝泉284頁，東京家審昭33・7・4家月10巻8号36頁，広島高決平5・6・8家月46巻6号43頁，遺留分に関する判例であるが最判昭51・3・18民集30巻2号111頁）。相続財産および持戻し贈与を何時の時点で評価するかに関して直接に明らかにする規定はないものの，「被相続人が相続開始の時において有した財産の価額に」（903条）との文言，あるいは，「受贈者の行為によって，その目的である財産が滅失し，又はその価格の増減があったときであっても，相続開始の時においてなお原状のままであるものとみなして」価額を定める（904条）趣旨の規定があることが，相続開始時説の理由とされる。他方で，近時は遺産分割時説も一部で有力であるが（高木85頁，松原Ⅱ91頁，瀬川信久「具体的相

続分算定のための遺産評価の基準時」現代家族法大系Ⅳ 361頁），詳細は，→§904 Ⅲ参照。

(3)　第2の遺産を現実に分割する段階における遺産評価の基準時は，分割時とするのが，通説・判例である（我妻・判コメ135頁，谷口知平「相続財産の評価」家族法大系Ⅵ 316頁，中川＝泉313頁，新潟家審昭34・6・3家月11巻8号103頁）。その理由としては，相続人が現実に遺産を利用処分できるのは分割時以降であるから，分割時点において具体的相続分に相応した額のものを取得できなければ共同相続人間の実質的公平を確保できないことや，遺産中に時価が大きく変動する可能性のあるものが含まれる場合に，その変動を分割に際して評価できないのは不当であることなどを理由とする（民コメ(23)2049頁〔梶村太市〕）。

(4)　このように，実際上の遺産分割の実務としては，①相続開始時の遺産総額を相続開始時の特別受益額および寄与分額によって修正したみなし相続財産を算出したうえで，特別受益額，寄与分額を考慮した各相続人の具体的相続分率を算出し，②こうして算出された具体的相続分率を分割時の遺産総額に乗じて，各相続人の現実の遺産取得額を算出し，それに基づいて個々の遺産の分割を行うという二段階の作業を経る方法が採用されている（上原ほか編著328頁〔山本由美子〕）。

なお，相続開始時は明確であるが，遺産分割時とは，審判分割手続の推移から考えれば，審判がなされる直近の時点すなわち証拠調べの終了時となるとの指摘がある（松原Ⅱ 397頁。上原ほか編著329頁〔山本〕は，審判書作成日にできるだけ近接した日とする）。また，すでに指摘されている（上原ほか編著328頁〔山本〕）ように，相続開始時と分割時にそれほど時間的間隔がない場合や，当事者に異議がない場合など，二時点での遺産評価をしなくても相続人の実質的公平を害しない事情のある場合には，特別受益や寄与分のあるケースでも，相続時のみあるいは分割時のみの評価による分割が許される余地があろう。調停手続でも理論的には同様であり，当事者の合意を取り付けたうえで，分割時のみの評価に基づいて調停を成立させることも多い（上原ほか編著328頁〔山本〕）。

3　遺産評価の方法

(1)　遺産の評価は，物件の客観的交換価値の把握を原則とし，特定の相続人の主観的価値を金銭に換算して評価すべきではない（注解全集238頁〔松原〕）。

遺産評価の方法については，家庭裁判所は，諸事情を総合的に勘案して，裁量により決定する。理論的には職権探知主義の適用される場面であるが，当事者の自由な処分が許され当事者の合意を可能なかぎり尊重する当事者主義的運用がなされている。

実務的には，現金や預貯金など評価額の明確なものを別にして，その評価額，評価方法，評価の基準時などについて当事者の合意が重視され，成立した合意はそれが不相当でないかぎり，調停や審判の基礎とされる（鹿児島家審昭43・7・12家月20巻11号177頁，前橋家高崎支審昭61・7・14家月38巻12号84頁）。実務上は，調停や審判において遺産評価に関する合意が調った場合，必ず期日調書等に記載して，合意内容を明確化すべきものとされている（上原ほか編著330頁〔山本〕）。

⑵　評価方法について相続人間で合意が得られない場合，公平性・信頼性の点ですぐれた鑑定の手続による評価が一般的である。対象財産に関して専門的知識と経験を持った者（不動産の評価については不動産鑑定士，非上場株式の評価については公認会計士など）を鑑定人に選任し，宣誓のうえ評価を命じて行わせる（家事64条1項，民訴212条以下）。鑑定人による鑑定結果は，信頼性も高いといえようが，裁判所は鑑定人の評価に拘束されるものではないから，鑑定自体の計算方法に誤りがあった場合，鑑定時と審判時の時間的間隔が大きい場合などには，鑑定の修正や再鑑定の必要がある。

なお，鑑定に要する鑑定費用は，手続費用として本来的に法定相続分に従って当事者が負担すべきものである。家事審判法下では，手続費用については国庫による立替えを原則としつつ，例外的に予納させることができるものとされていたが（旧家審規11条。ただし，実務的には予納が原則であった），家事事件手続法のもとでは以上の扱いを改め，当事者による予納を原則とし，裁判所が必要と認める資料を得るために国庫において立替えできるものとされた（家事30条）。それにより，予納命令に応じない当事者に対して，当該費用を要する行為を行わないことができることになった（民訴費11条1項・12条）。

⑶　正式の鑑定には費用や時間がかかることから，以下のような鑑定によらない簡易・低廉な方法が考えられる（井上繁規・遺産分割の理論と審理〔3訂版，

2021〕406頁以下，松原Ⅱ402頁以下，石田敏明「遺産評価の実務」岡垣学＝野田愛子編・講座・実務家事審判法(3)〔1989〕306頁以下）。

(ア)　まず，客観的な額を基準とする方法として，客観的な基準額に一定の倍率を乗ずることにより評価する方法がある。不動産の評価の公的基準として，①固定資産税評価額，②相続税評価額，③公示地価，④基準値標準価格（都道府県内地価調査価格）があるが，これらの数字に一定の倍率を乗じた価額をもって遺産の価額を決定することが考えられる（上原ほか編著333頁〔山本〕，梶村＝貴島74頁）。鑑定を実施しない点で簡便ではあるが，遺産の客観的な価値を正確に把握するという観点では，いずれも一長一短あり鑑定には劣る。そのため，調停段階における共同相続人全員の合意形成の際の参考資料としての利用はともかく，審判段階における評価額の決定の場面での利用は適切でなく，鑑定によるべきとの指摘があり（井上・前掲書409頁，それぞれの基準の特徴につき上原ほか編著333頁〔山本〕），同様の審判例もある（福岡高決平9・9・9家月50巻2号184頁は，みなし相続財産の価額の算出にあたり固定資産税評価額を用いた原審判を，固定資産税評価額は，時価よりかなり低額で，これを用いた場合，特別受益者とその他の者との間で過不足が生じ，適正な分割が実現されないとして取り消した）。

(イ)　調停手続において不動産鑑定士の資格を有する調停委員の知識経験を活用することが考えられる。調停委員会を構成する家事調停委員として関与する方式（家事248条）と，当該調停委員会を組織していない家事調停委員として専門的意見を述べる方式（家事264条）がありうる。また，審判手続において，不動産鑑定士の資格を有する者を不動産評価が必要な審判事件に参与員として指定し，その意見を徴して資料とすること（家事40条）が考えられる。

しかし，いずれの場合も，実質的に鑑定に等しい作業を要求することは適切ではないから，対象事件として，記録に現れた資料から比較的容易に意見を述べることができるものに限るなど活用は例外的との指摘がある（上原ほか編著333頁〔山本〕。大阪高決平9・12・1家月50巻6号69頁は，当事者全員の合意を得ないまま不動産鑑定士の資格を有する調停委員の簡易な評価意見のみを基礎として遺産評価を行った原審判を裁量権逸脱の違法ありとして取り消した）。加えて，不動産鑑定士の有資格者を調停委員や参与員として選任していない家庭裁判所では対応困難である。

(ウ)　また，家庭裁判所の調査官に遺産評価の資料収集を命ずる方法も考えられないではない。しかし，家裁調査官は不動産鑑定の専門家ではないことから，全当事者が明確な合意を与えているような特段の事情がない限りは，適切とはいえない（大阪高決昭58・7・11家月36巻9号69頁。梶村・実務講座311頁は一般に望ましくないとし，上原ほか編著333頁〔山本〕は，現在の実務ではこの方法によることはないと指摘する）。

VI　遺産分割の方法

1　遺産分割方法の種類と選択

遺産分割方法の選択肢としては，①現物分割（258条2項1号。広義の現物分割を含む），②代償分割（258条2項2号，家事195条〔それ以前は家審規109条〕），③換価分割（258条3項），④共有とする分割（大阪高決昭38・5・20家月15巻9号192頁），ならびにそれらの組み合わせや賃借権・使用借権の設定などが考えられる。

協議分割・調停分割においては，基本的に当事者が合意すればいかなる分割方法によるのも自由であり（当事者が望むならば現物分割可能な場合でも共有にすることもある〔片岡＝管野404頁〕），また種々の附帯条件を付すこともできるため，当事者の希望をよく反映した解決が可能である。たとえば，換価分割でも，全員の合意により遺産たる不動産を任意売却して，売却代金から各種の経費や相続債務を控除し，残金を法定相続分で分配する方法もとりうるし，一部相続人が不動産を現物取得しつつ，他の相続人に利用させ，利用条件を定めることも可能である。

これに対して，審判においては，全員の合意がまとまる場合を別にして，調停の場合と比較して選択できる分割方法が限られ，柔軟な解決は困難とされ，分割方法の優先順位としては，現物分割，代償分割，換価分割，共有とする分割の順と解されている（最判昭30・5・31民集9巻6号793頁，大阪高決平14・6・5家月54巻11号60頁，田中寿生ほか「遺産分割事件の運営(下)」判タ1376号〔2012〕61頁，梶村・実務講座309-311頁，片岡＝管野403頁）。

こうした順序の背景として，遺産分割はその性質上できるかぎり現物を相続人に受け継がせるのが望ましいことから，現物分割が原則的方法とされること，代償分割は，相続開始時の遺産の形態を維持した方法として現物分割の変形ともいえること，現物分割に「代える」（家事195条）ものとされていることから現物分割の次に選好されるべきものであること，物権法上の共有とする分割が最後の選択肢とされるのは，早晩共有物分割をめぐる紛争となる危険があり問題を先送りするだけになりかねないこと等が考慮されている。

2　現物分割

現物分割は，個々の財産（不動産，動産，有価証券など）の形状や性質を変更することなく分割するもので，前述したように，現状を相続人に受け継がせるのが望ましいという観点から遺産分割の原則的方法といえる（片岡＝管野406頁）。個々の物件そのものを複数の相続人に分割する狭義の現物分割の場合と，個々の物件そのものは分割せず，甲物件は相続人Aに，乙物件はBに配分する個別分割の場合とを含む。

もっとも，こうした現物分割により具体的相続分に対応する遺産の配分が実現できることはほとんどなく，取得額との過不足については後述する代償金の支払（代償分割）と併用されるのが一般である（上原ほか編著403頁〔山本由美子〕）。

3　代償分割

(1)　代償分割とは，一部の相続人にその相続分を超える遺産を現物で取得させ，その代わりに，相続分に満たない遺産しか取得しなかった他の相続人に対して債務を負担させる分割方法をいう。従来「特別の事情」があるときは，現物分割に「代えることができる」とされている（家事195条）。

どのような場合が「特別の事情」に該当するかに関して，たとえば，①遺産の現物分割が不可能か，不可能ではないがその分割により著しく経済的な価値を減じるような場合（遺産が狭隘な土地や一棟の土地建物の場合），②現物分割は可能であるが，遺産の内容や相続人の職業その他の事情から一部の相続人にその具体的相続分を超えて現物を取得させることを相当とする事情がある場合（農地や営業用財産をそれらの事業後継者たる相続人に取得させ，あるいは，特定の遺産に従前から居住してきた相続人に当該の土地建物を取得させるのが相当である場合）などが考えられる（松原Ⅱ362-363頁）。

(2)　この代償分割の方法により，債務を負担させるためには，当該相続人にその支払能力があることが不可欠とされる（最判平12・9・7家月54巻6号66

頁は，支払能力について審理していない原審判を破棄)。また，負担すべき債務の内容は，金銭の支払に限られ，相続人の固有の財産の提供は認められない（横浜地判昭49・10・23判時789号69頁，松原Ⅱ361頁，注解家審規359頁〔石田敏明〕)。支払能力の有無について，代償金が高額となる場合銀行支店長名義の融資証明書，預金残高証明書，預金通帳の写しなどの提出を求めることがある（片岡＝管野411頁)。

代償金の支払時期は，原則として即時になされなければならない。現実に分割を受ける相続人との利益の平等からいって，同様の利益が与えられる必要があるからである。

代償金の支払方法について，分割払いや支払猶予が認められるかが問題となる。上記の平等の観点からみて，単に一時払いができないという理由のみで分割払いや支払猶予を認めるべきではないとはいえ（東京高決昭53・4・7家月31巻8号58頁)，裁判例においては，分割払いや支払の猶予を認めた事例も少なくない（松原Ⅱ365頁，注解家審規361-363頁〔石田〕，高松高決昭38・3・15家月15巻6号54頁〔1年内の支払猶予〕，東京高決昭54・3・29家月31巻9号21頁〔10箇年の均等割賦払い〕)。分割払いや支払猶予を認める場合に，利息の付加を命ずる裁判例も多い（前掲東京高決昭54・3・29，東京高決平元・12・22家月42巻5号82頁，上原ほか編著412頁〔山本〕)。

また，分割払い，支払の猶予を認める場合，支払の担保のために抵当権を分割対象不動産の上に設定できるかの問題がある（詳細は注解家審規362-363頁〔石田〕)。積極説から認めた裁判例も一部にある（松江家審平3・5・20家月44巻7号64頁ほか。この場合の抵当権の設定は，遺産分割審判によって形成された債務負担を確保するための付随処分〔家事196条。それ以前は家審規110条・49条〕である）が，消極に解する裁判例が多い。実務的な観点からも，当事者間の対立が激しく審判により結論が出されるような事案について，抵当権を設定してまで（それだけ債務負担能力に不安のある）代償分割を採る必要があるのはごく例外的な場合に限られよう（注解家審規363頁〔石田〕)。

4　換価分割

(1)　換価分割とは，遺産の全部または一部を売却等により換価して，その代金を分配する分割方法をいう（家事194条。それ以前は家審15条の4，家審規108条の3)。換価分割には，相続人全員の合意に基づく任意売却による換価と競売による換価があり，このうち競売による換価の場合，担保権の実行としてなされるいわゆる形式的競売（民執195条）であり，金額的にも低く，手続に時間もかかる。これと比較して，任意売却の場合，高額での売却が期待でき要する時間も短いことから，任意売却の可能性が高ければそれを先行させることになる。

⑵　協議分割はもとより，調停手続においても，全員の合意に基づき任意売却をすることができる。この場合，調停手続において事前に当事者間でおおよその売却価格，売却期限，経費の負担，売却担当者等を決めたうえで，手続外で売却を進め，売却された代金を分割対象とする。ただし，当事者全員の合意により他に売却された遺産およびその売却代金（代償財産）は，原則的に遺産分割の対象から除外される（最判昭52・9・19家月30巻2号110頁，最判昭54・2・22家月32巻1号149頁）ことから，経費を控除した残高を分割対象とする旨の合意をし，調停期日調書に明記しておくのが相当とされる（上原ほか編著422頁〔山本〕，北野俊光ほか編・詳解遺産分割の理論と実務〔2016〕356頁〔髙橋伸幸〕）。

⑶　審判手続における換価分割は，中間処分としての換価を命ずる裁判と終局審判としてのそれとがある。まず，中間処分としての換価の必要性・相当性がある場合として，遺産分割の終局審判において遺産の換価が予想され，最終的な分割方法を決定するためには予め換価しておくことが相当な場合，遺産が経済状況の変動により交換価値を減ずるおそれがある場合，遺産が変質しやすいか，保管管理に相当な費用を要する場合などが指摘されている（松原Ⅱ378頁）。このような場合に，家庭裁判所は，遺産分割の審判手続において，相続人に対して，換価を命ずる裁判として，遺産の競売を命じ（家事194条1項。相続人の中から選ばれた換価人の申立てにより前掲の形式的競売により売却される），または，任意売却を命ずる（家事194条2項）ことができる。ただし，任意売却（換価人が財産につき買主との間の売買契約により換価する）は，家庭裁判所が「相当と認めるとき」（競売によらなくても換価の公正が担保される場合で競売によるよりも実質的に妥当または迅速な売却が期待できる場合をいうとされる〔金子・逐条740頁，片岡＝管野415頁〕）で，相続人全員の意見を聴き，競売によるべき旨の意思を表示する者がいない場合に限られる（家事194条2項ただし書）。

⑷　終局審判としての換価分割については，当事者全員が競売による換価

を希望する場合，あるいは，現物分割，代償分割のいずれも相当でないが，当事者間の利害対立や不信感から合意による任意売却もできず，共有とする分割も適当でない場合，家庭裁判所は，終局審判において遺産の全部または一部につき競売を命ずる。この場合の換価方法は，民事執行法（195条）に基づいて行われる形式的競売により換価される（ともに北野ほか編・前掲書356頁以下〔髙橋〕）。

5　共有とする分割

(1)　物権法上の共有とする分割は，明文の規定はないが判例通説上許容される（我妻・判コメ139頁，注民(25)264頁〔山本正憲〕，民コメ(23)2056頁〔梶村太市〕。札幌高決昭43・2・15家月20巻8号52頁）。この分割をすることにより，遺産分割は終了し，以後は物権法上の共有となるので，その解消手続は，遺産分割でなく共有物分割となる（東京地判昭45・2・16判時596号60頁）。共有とする分割の後に，さらに遺産分割調停ないし審判の申立てがなされたときは，不適法として却下される（前掲大阪高決昭38・5・20）。

(2)　共有とする分割は，遺産共有が物権法上の共有に変わるだけで，必ずしも問題の根本的解決になるわけではないので，現物分割，代償分割，換価分割がいずれも困難である場合（前掲大阪高決平14・6・5），あるいは，相続人の意向として共有とする分割を希望し（即時の換価までは希望せず），これを不当とすべき事情がない場合などに限定して，認めるべきものとされている（注解家審法552頁〔石田〕）。したがって，当事者間の感情的対立が激しい場合（大阪高決昭40・4・22家月17巻10号102頁，東京高決平2・6・29家月42巻12号44頁）や当事者がこの方法に反対している場合（広島高決昭40・10・20家月18巻4号69頁）などには採用されるべきではない。

(3)　この方法が認められた事例としては，売却することに相続人間で合意ができているマンションにつき共有とした例（大阪家審昭59・4・11家月37巻2号147頁）のほか，直ちに現実に分割する必要がなく将来の円満な協議が期待できるため，現段階では細分化を避け共有とした例（仙台家審昭46・3・17家月24巻2号124頁），共同相続人間にグループによる対立が激しいが，各グループの取得する遺産は現物分割する一方，当該のグループ内においては，それ以上の分割を積極的に求めていない例（神戸家尼崎支審昭38・8・22家月16巻1号129頁），あるいは，まとまっている当該グループ内では将来の分割に支障が生じたり新たな紛争を惹起する可能性はないとして，遺産の一部を一つのグループの相続人らの共有とし，残部を他のグループ内の相続人の共有とした例（札幌家審平10・1・8家月50巻10号142頁）などがある。

その他，遺産そのものが不動産の持分である場合，他に一部の相続人あるいは第三者の持分が存在していて，話し合いによる一体的解決ができないときには，遺産分割としては共有分割を選択していったん当該不動産全体を物権法上の共有状態とし，最終解決は遺産でない共有持分とともに共有物分割訴訟に委ねるしかないこともある（田中ほか・前掲論文62頁，松原Ⅱ382頁）。

6　用益権設定による分割

⑴　遺産である財産の上に，一部の相続人について不動産等の賃借権あるいは使用貸借に基づく使用権を設定する分割方法である。遺産分割について，こうした方法を明文で認める規定はないが，分割協議や調停手続上，合意によりそうした利用権を設定できるのは当然である。審判においても，所有権を交換価値と使用価値に分離して，異なる相続人に分割取得させることであり，現物分割の一態様として認められると解されている（糟谷忠男「遺産分割の審判における分割の方法」東京家庭裁判所身分法研究会編・家事事件の研究(1)〔1970〕231頁）。裁判例の大勢も，これを認めており，審判例として，賃借権を認めたもの（富山家審昭42・1・27家月19巻9号71頁，東京家審昭52・1・28家月29巻12号62頁，東京高決平22・9・13家月63巻6号82頁〔一時使用目的の建物賃借権〕）および使用借権を認めたもの（浦和家審昭41・1・20家月18巻9号87頁，高松高決昭45・9・25家月23巻5号74頁）がある。

⑵　利用権の設定を認めるについては，代償分割や換価分割等によることが適切でない事情，言い換えれば，利用権設定が必要かつ妥当であるかを十分に検討すべきであり，その際，当該遺産の形状や利用態様，当事者の関係等，とりわけ，用益の当事者が継続して良好な関係を維持できる見通しがあるかが重要であり（石田忠雄「用益権設定の方法による遺産分割の可否」野田愛子＝泉久雄編・遺産分割・遺言215題（判タ臨増688号）〔1989〕244頁は，用益権設定自体について当事者が承諾している事案に限られるとする），設定の必要性・妥当性が認められるときは，用益権の種類，賃料の有無，額，期間等を具体的に定める必要がある（福岡高決昭43・6・20家月20巻11号158頁は，主文にて内容を明示すべきとする）。

(3)　被相続人の配偶者たる相続人が，相続開始時に被相続人所有の建物に居住していた場合について，平成30年改正法は，短期と長期の2種類の居住権を創設しているが（相続編第8章の「配偶者短期居住権」〔1037条〕および「配偶者居住権」〔1028条〕），このうち配偶者居住権は，遺産分割における選択肢として活用が見込まれる。配偶者居住権は，配偶者が相続開始時に居住していた被相続人所有の建物を対象として，終身または一定期間，居住建物を無償で使用できる法定の権利として創設され，遺産分割における選択肢の一つとして配偶者に取得させることができる。これにより，配偶者の居住の保護とともに，遺産分割において，配偶者居住権の取得は，一般に所有権の取得よりも低額であることから，その分他の遺産，たとえば預金等が取得でき生活費の確保にも役立つことを狙っている。ちなみに，配偶者短期居住権は，無償で居住建物に居住していた配偶者に，遺産分割により居住建物の帰属が確定した日または相続開始時から6か月経過する日のいずれか遅い日までの間という比較的短期間（配偶者を含む共同相続人間で居住建物につき遺産分割を行うべき場合の規律。それとは異なり居住建物が第三者に遺贈された場合等は，居住建物の所有権を取得した者から配偶者短期居住権の消滅の申入れがあった日から6か月経過する日まで）の無償の居住を認めるものである。

Ⅶ　一部分割の可否

1　一部分割の意義

遺産分割は，通常1個の協議，調停，審判で未分割の遺産をすべて分割することをいうが，現実には，さまざまな事情から，すべての遺産について早期に円満な分割が進むとは限らない。遺産の一部について遺産であるか否かや特別受益や寄与分などの具体的相続分確定の前提となる事実関係について争いがあり，それらの解決を待つ必要がある一方で，このような場合に，相続人全員の合意により，争いのない遺産の一部を分割することは実際上しばしば行われる。たとえば，そうした例として，①預貯金を分割して相続税の支払に充てる場合，②一部の遺産を売却して代金を分配する場合，③分割の容易な物件を先に分割し，不動産など分割が困難な遺産の分割を後に回す場合，④遺産であるか争いがあり確定に時間がかかる物件がある場合に，他の争いのない物件のみを分割する場合などが指摘されている（石田敏明「一部分割と仮分割」梶村太市＝雨宮則夫編・現代裁判法大系(11)遺産分割〔1998〕315頁）。

一部分割の可否について従来，直接の明文の規定はなかったものの，令和3年改正前の907条3項（改正後の908条4項）は遺産の一部につき分割禁止できるものとし，一部分割がありうることを前提としていること，相続人は分割について処分権限をもつことなどから，協議分割および調停分割において，一部分割が許されることにはほとんど異論はなかった（司法研修所編・遺産分割手続運営の手引(上)〔1983〕130頁）。他方で，一部分割の審判の可否については見解が分かれていたが，平成30年の法改正により，一部分割の要件の明確化を含む条文化が実現した。そこで，以下において，一部分割をめぐる従前の議論（協議・調停を含む）に触れた上で，改正法についてはⅧで説明する。

2　協議・調停による一部分割の際の留意点

協議・調停による一部分割が有効であるためには，「相続人間における残余財産の帰趨が先行する当該一部分割の効力に影響を及ぼさないこと，換言すれば当該部分を残余部分から分離独立せしめることの合意が存在していること」が必要とされる（大阪家審昭40・6・28家月17巻11号125頁は，こうした趣旨を述べて，一部分割部分と残余部分の分離・独立性に欠けるとして，一部分割の協議の成立を否定した）。先行する一部分割の目的は，当該部分については，遺産は確定的に取得され，分割をやり直すことはないようにするということであるから，その点の合意が不可欠とされる。すでに指摘されているように，一部分割が結果的に具体的相続分より多すぎたとしても，後の分割において代償金の支払を命ぜられることはありうるが，遡って先の一部分割の効力が否定・左右されるわけではない（石田・前掲論文318頁）。

一部分割協議が先行した後，残余財産の遺産分割においては，一部分割がなされた遺産は分割審判の対象から除外され，残余財産だけが分割の対象となる（徳島家審昭41・12・28家月19巻8号104頁，鹿児島家審昭43・9・16家月21巻1号117頁）。残余財産を対象とした遺産分割において，先行した一部分割が結果的に具体的相続分より多すぎて相続人間に不公平が生じる内容であった場合には，残余財産の分割に際して先行の一部分割の結果を考慮すべきか否かという問題が生じうる。この問題について，一方では，一部分割と残部分割とはまったく独立させて個別に決着を付けるべきものとする方法，他方で，残余財産の分割の際，一部分割した遺産も現存するものとして具体的相続分を計算し，一部分割分も含めて不均衡にならないように分配する方法がある。これに関し，東京家裁昭和47年11月15日審判（家月25巻9号107頁）は，一部分割の際の当事者の意思表示の解釈の問題とし，特段の意思表示がないときは後者と解すべきものとした（松原Ⅱ 477頁同旨。反対に，佐藤康「一部分割の可否」野田愛子＝泉久雄編・遺産分割・遺言215題（判タ臨増688号）〔1989〕232頁，石田・前掲論文323頁は前者と解する）。トラブル回避の観点からは，一部分割の際に，一部分割の結果が残余財産の分割の際に考慮されるか否かも含め明確な合意をしておくことが重要である（上原ほか編著326頁〔片岡武〕）。

3 審判による一部分割

学説の一部には，審判による一部分割に慎重な立場もある（宮井忠夫「遺産分割の前提問題にかんする紛争と家事審判」民商53巻3号〔1965〕339頁，鈴木228頁は，遺産分割は遺産全体を分割基準に従って総合的に分割するものであること，紛争は一回的に解決することが期待されていること，一部分割を認めることにより爾後の分割が分割基準に従ってなしえないこともありうることなどを根拠とする）。しかし，通説は，907条3項（令3改正前）で一部分割の禁止を認めた結果一部分割は当然予定されていることや，現実の必要性・有用性から一部分割に合理的な理由があり（必要性の要件），かつ，これにより906条の定める遺産全体の総合的分割に支障がない場合（許容性の要件）には，一部分割の審判も許されるとする（注解家審法556頁〔石田〕—Ⅲ2(2)(ウ)）。裁判例も同様である（大阪高決昭46・12・7家月25巻1号42頁は，遺産の範囲に争いがあって訴訟が係属しているような場合において，一部分割をするとすれば，民法906条の分割基準による適正妥当な分割の実現が不可能となるような場合でないかぎり，一部分割の審判も認められるとした。東京高決平22・8・31判例集未登載〔片岡＝管野431頁に掲出〕も同旨）。

他方で，一部分割審判をすることが相当でない例として，寄与分や特別受益の主張があり，これらが具体的相続分に大きな影響を与えるような場合で，争いがある財産が高額で，争いのない財産が少額の場合が指摘されている（上原ほか編著326頁〔片岡〕，片岡＝管野431頁）。

Ⅷ　一部分割に関する平成30年改正

1　本条改正の意義

本条の平成30年改正は，共同相続人による協議または家庭裁判所による調停・審判による遺産の分割の実行を定める907条について，共同相続人が，遺産の一部について，協議により分割することができること，ならびに，その協議が調わないときまたは協議をすることができないときは，各共同相続人は，家庭裁判所に対して遺産の一部分割を求めることができること，その場合の実質的な要件（一部分割が，他の共同相続人の利益を害するおそれがない場合であることを要する）を含めて明文化したものである。実務的には，一定の範囲で認められてきたが明文の規定がなかった一部分割を正面から認め，一部分割の要件につき明確化した。遺産分割事件の早期解決という視点から，争いのない遺産について先行して一部分割を行うことの有益性，あるいは，一部分割の要件の明確化を含む条文化により，一部分割の利用を進め遺産分割の柔軟化を狙ったものといえる。

2　一部分割の要件

(1)　当事者の協議による一部分割

共同相続人は，遺産に対する処分権限ないし遺産分割の範囲についての処分権限があることから，遺産の一部を他の残りの遺産から分離独立させて確定的に分割することができることを前提としつつ（部会資料21・13頁），907条1項で，いつでも，その協議で，「遺産の分割をすることができる」とあるのを，「遺産の全部又は一部の分割をすることができる」に改めたものである。ただし，被相続人が遺言で禁じた場合および相続人が分割禁止の契約をした場合を除く（本条1項）。

(2)　家庭裁判所に対する一部分割の請求

(ア)　本条2項は，遺産分割について共同相続人間の協議が不調または不能な場合，各共同相続人は，遺産の全部分割のみならず，その一部のみの分割を家庭裁判所に求めることができるものとする。これは，遺産分割の範囲について，一次的に共同相続人の処分権限を認めることを前提とする。この一部分割請求に対して，申立人以外の共同相続人が，遺産の全部分割または当初の申立てとは異なる範囲の一部分割を求めた場合には，遺産分割の対象は遺産の全部または拡張された一部の遺産（当初の申立て部分に加え，追加された申立部分を含むもの）となる（部会資料21・13頁）。

また，本条2項ただし書は，家庭裁判所に一部分割の請求をすることができる実質的な要件として，「遺産の一部を分割することにより他の共同相続人の利益を害するおそれがある場合」は例外とする旨を定める。

(イ) 本条により一部分割の申立てをなす場合，「別紙遺産全体目録中，○番及び○番の遺産の分割を求める。」というように，分割を求める遺産の一部の分割であることを示し，かつ，分割の範囲を特定すべきことになるとされている（一問一答92頁，羽生香織「一部分割（新907条）」本山敦編・平成30年相続法改正の分析と展望（金判増刊1561号）〔2019〕49頁）。

なお本条による一部分割は，遺産の一部について分割が申し立てられ，当該一部について分割がなされるものであり，遺産の全部についての分割が申し立てられ，その一部について審判がなされる場合（家事73条2項）とは区別される（部会資料24-2・13頁，羽生・前掲論文49頁以下，潮見344頁）。

(ウ) 一部分割の可否に関しては，改正前の通説は，現実の必要性・有用性の観点から，一部分割に合理性があり（①必要性の要件），かつ，これにより906条の定める遺産全体の総合的分割に支障がない（②許容性の要件）場合には，一部分割請求も許されるとしていた（→VII 3）。

平成30年改正法においては，①の必要性の要件については，共同相続人の遺産ないしは遺産分割の範囲についての処分権限を前提として各共同相続人の判断を重視し，他の共同相続人において一部分割が相当でないと判断する場合には，遺産全体を対象とした申立てをすれば足りると考えられることから，各共同相続人の判断に委ねることとし，必要性の要件の明文化は不要とされた（部会資料21・15頁）。

他方で，②の許容性の要件については，「遺産の一部を分割することにより他の共同相続人の利益を害するおそれがある場合」を例外と定めた（本条2項ただし書）。この点に関しては，「一部分割によって遺産全体についての適正な分割が不可能にならない場合に許容されるもの」，「具体的には，特別受益等について検討し，代償金，換価等の分割方法をも検討した上で，最終的に適正な分割を達成しうるという明確な見通しが得られた場合に許容されるもの」と考えられている（部会資料21・15頁）。

そのため，「一部分割においては具体的相続分を超過する遺産を取得させることとなるおそれがある場合であっても，残部分割の際に当該遺産を取得する相続人が代償金を支払うことが確実視されるような場合であれば，一部分割を行うことも可能であると考えられる」。他方，「このような観点で検討しても，一部分割をすることによって，最終的に適正な分割を達成しうるという明確な見通しが立たない場合には，当事者が遺産の一部について遺産分割をすることに合意があったとしても，家庭裁判所は一部分割の審判をするのは相当ではなく，当該一部分割の請求は不適法であるとして，却下するのが相当である」とする。もっとも，こうした場合，裁判所としては，直ちに却下するのでなく，釈明権を行使して，当事者に申立ての範囲を拡張しないのか否か確認をするという運用になるものとされる（部会資料21・15-16頁）。

このような解釈は，遺産分割の範囲について，一次的には当事者の処分権を認めつつも，それによって適正な遺産分割が実現できない場合には，家庭裁判所の後見的な役割を優先させ，当事者の処分権を認めないという考え方に基づくものと説明される（部会資料21・15頁）。

「遺産の一部を分割することにより他の共同相続人の利益を害するおそれがある場合」とは具体的にどのような状況かについては，従来の許容性の要件に関する解釈が参考となろう（→VII 3）。一部分割をすることが相当でない例として，一部分割によりある相続人に具体的相続分を超過する遺産を取得させるおそれがある一方，残部分割で当該相続人による代償金支払が確実視できない場合等が指摘されている（部会資料21・15頁，一問一答90頁も参照）。この点は，今後の審判の集積に待つこととなる（平田厚「相続法改正要綱にみる弁護士業務への影響」金法2085号〔2018〕36頁）。

3　一部分割後の残された遺産の分割

遺産の一部分割がなされた後，残された遺産の分割（残部分割）については，平成30年改正法では特別の規律は設けられなかった。中間試案の段階では，一部分割後の残余の遺産分割における一定の規律（特別受益や寄与分の規定は適用しないこととする）を含む案が検討されていた（中間試案補足説明33頁以下）が，後にその提案は見送られた。

先行して一部分割がなされた場合の残部分割については，別途の申立てが必要とされる（羽生・前掲論文50頁）。こうした残部分割の際に，各共同相続人が最終的に取得することとなる財産を考慮した全体の調整を行うことができ，特別受益や寄与分による調整は一部分割の際に考慮の余地があるとともに，残部分割の際にもその調整が禁止されるものではないとされる（羽生・前掲論文50頁，潮見346頁）。

なお，本来の意味の一部分割とは異なるが，全部の遺産の分割協議がされた後に新たな遺産が発見された場合において，先行協議の際，相続人らは，各人の取得する遺産の価額に差異があったとしてもそのことを是認していたというべきであり，その後の清算は予定していなかったなどとして，後に発見された遺産を法定相続分により分割した原審の判断を是認した事案がある（大阪高判令元・7・17判タ1475号79頁）。

〔副田隆重（藤巻梓補訂）〕

（遺産の分割の方法の指定及び遺産の分割の禁止）

第908条①　被相続人は，遺言で，遺産の分割の方法を定め，若しくはこれを定めることを第三者に委託し，又は相続開始の時から5年を超えない期間を定めて，遺産の分割を禁ずることができる。

②　共同相続人は，5年以内の期間を定めて，遺産の全部又は一部について，その分割をしない旨の契約をすることができる。ただし，その期間の終期は，相続開始の時から10年を超えることができない。

③　前項の契約は，5年以内の期間を定めて更新することができる。ただし，その期間の終期は，相続開始の時から10年を超えることができない。

④　前条第2項本文の場合において特別の事由があるときは，家庭裁判所は，5年以内の期間を定めて，遺産の全部又は一部について，その分割を禁ずることができる。ただし，その期間の終期は，相続開始の時から10年を超えることができない。

⑤　家庭裁判所は，5年以内の期間を定めて前項の期間を更新することができる。ただし，その期間の終期は，相続開始の時から10年を超えることができない。

〔**対照**〕　フ民1075・1075-1・1079，ド民2044・2048，ス民608

〔改正〕（1010・1011）②〜⑤＝令3法24新設

（遺産の分割の方法の指定及び遺産の分割の禁止）
第908条　（略，改正後の①）
（第2項から第5項までは新設）

細　目　次

I　本条の意義

本条は，遺言によって，遺産分割方法の指定，分割方法の指定の第三者への委託および分割の禁止ができることを定めている（1項）。また，令和3年改正により，遺言以外の方法による遺産の分割の禁止に関する規定がまとめて本条に置かれた（2項〜5項）。まず，共同相続人は，5年以内の期間を定めて，遺産の全部または一部について分割禁止の契約およびその更新をすることができることとされ，その終期は，相続の開始の時から10年を超えることができないものとされた（2項・3項）。さらに，家庭裁判所の審判による遺産分割の禁止期間も5年以内とすること，および5年以内の期間を定めてその期間を更新することができるが，その終期は，相続開始の時から10年を超えることができないものとされた（4項・5項）。

II　遺産分割方法の指定・本条の立法趣旨

1　遺産分割方法の指定の意義――2つの理解

遺産分割方法の指定とは，民法が定める3類型の遺言による遺産配分の指定の一つとして，遺贈（964条）および相続分の指定（902条）と並ぶものである（吉田克己「遺言による財産処分の諸方法・諸態様と遺産分割」新実務大系Ⅳ 212頁）。

まず遺贈は，遺言による財産処分の典型として，遺産の全部または一部の無償譲与であり，贈与と異なる単独行為であって，相手方は，相続人であると否とを問わない。遺産について全部または分数的割合を示して行う包括遺贈と，遺産中の特定の財産を目的とする特定遺贈がある（964条）。

相続分の指定（902条）は，被相続人の意思に基づいて，共同相続人の全部または一部の者について，法定相続分の割合とは異なる割合を定めることをいう。相続人に対する遺贈，遺産分割方法の指定とともに，被相続人の意思によって相続財産分配の原則を変更することを認める制度である。

これらに対して，遺産分割方法の指定は，一般に，分割における配分方法などの基本方針の指示（たとえば，法定相続分を前提としつつその範囲内で，現物で分割せよ，代償分割とせよ，換価分割せよ，それらを併用せよなどの分割方法その他の分割の基本方針の指示）であるとされるが，民法起草者の段階では，長男には農地を，次男には金銭をというように具体的財産を割り付ける指定（遺産分割の実行の指定）も含むものと解されていた（後述③の説明）。

本条の起草者である穂積陳重委員は，遺産分割方法の指定の必要性に関して，相続分指定と同趣旨の理由つまり共同相続人の生活状況等を考慮した実質的に公平な遺産分割を可能とするためと述べつつ，以下のように説明している（法典調査会民法議事〔近代立法資料7〕581頁）。

①こうした規定は「諸国ノ法典ニモ殆ンド例外ナシニ之ヲ許シテ居ル様デアリマス」

②「又其分割ト云フコトニ付テモ或ハ分割者ノ間ニ財産上親族近親ノ間ニ成ル可ク面倒ヲ避ケマス為メニ分割ノ方法ヲ定メルト云フコトモアリマス」

そして，これに続けて，遺産分割方法の指定の具体的内容について，遺産の具体的な割付けという理解が示されている。

③「又ハ此分割ノ方法ト云フモノハ不動産ナラ不動産ト云フモノハ例ヘバ長子ハ農業ヲ致シテ居ルカラ不動産ヲ有スル方ガ宜イ次男ハ不動産ト云フモノヨリハ寧ロ金デ取ツタ方ガ商業ヲスルニ都合ガ宜イト云フ様ナ色々ナ斟酌ガ有リ得ルソレ等ノ受ケル者ノ便利ヲ謀ツテ被相続人ガ之ヲ許スト云フノハ最モ必要ナコトデアラウト思ヒマス」

遺産分割方法の指定の例として，こうした遺産の具体的割付けを掲げる例は，他の資料にも見受けられる（理由書277頁，梅134頁）。

他方で，分割の基本方針の指示としての分割方法の指定に関して，穂積委員は，直接には，相続分指定と遺産分割方法の指定の区別を述べる中で，以下のように，遺産の具体的割付けとは異なる，「鬮取」（「くじ引き」）という分割の基本方針の指示に言及している（この点の指摘は吉田克己「『相続させる』旨の遺言・再考」野村豊弘＝床谷文雄編著・遺言自由の原則と遺言の解釈〔2008〕50頁）。

④「何千円ヅツトカ一人デ何分トカ相続財産ノ高ヲ極メルト云フ方ハ相続分ノ方ニナリマス其相続ノ高ニ付テ是ハ斯ウ云フモノト云フコトハ方法デアリマセウガ平等ニシテ**鬮取**ニスルノモ方法ノ内ニナリマセウ」（同議事582頁，傍点筆者）

穂積委員の上記の説明からは，(a)相続分指定が相続による取得財産額または割合の指定であること，(b)指定された相続分の「高」への具体的な割付けが遺産分割方法指定であること，(c)上記(b)において，具体的財産の割付けを相続人間のくじ引きで決めさせることも，遺産分割方法の指定であると解される（吉田・前掲「再考」51頁，篠森大輔「ドイツ法における遺産分割方法の指定とその周辺(1)」神奈川法学45巻2＝3号〔2013〕88頁）。

このように本条の趣旨が，分割当事者間での「面倒」を避けるために被相続人が分割の方法を定めておくことにあり，内容的に，遺産を具体的に割り付けるやり方をも認めたものであるとの理解を前提として，本条がフランス民法における遺言分割の制度に系譜的に連なるとの指摘（水野謙「『相続させる』旨の遺言に関する一視点――東京高裁昭和63年7月11日判決の検討を兼ねて」法時62巻7号〔1990〕82頁）があり，それが相続させる旨の遺言の性格決定，効果をめぐる議論に関連して，後述する香川判決（→III 3）に影響を与えたことは周知のところであろう。

それによれば，本条1項の，少なくとも被相続人は遺言で分割方法を定めるという部分は，フランス民法の尊属分割の規定（1075条～1080条。2006年の法改正以降は恵与分割と呼ぶ）のうち，生前行為による贈与分割の規定を除外した遺言分割の規定に由来するとみるべきであり，そのメリットは，一般に協議分割や裁判上の分割に伴う不都合（日数や費用）を回避し，遺産の合理的分配を可能ならしめることにあり，遺言分割においては，遺産分割の効果を伴うと解されている（水野・前掲論文82頁）。こうした系譜を踏まえ，遺産分割方法の指定は，遺産分割の効力を有し，それにより特定財産は分割協議の対象から除外され，被相続人の死亡と同時に，遺産共有状態を経ることなく直ちに特定相続人の単独所有に帰するとする（水野・前掲論文82頁）。

他方で，水野説による本条とフランス遺言分割制度の関連付けに対しては，学説上は批判が強い（伊藤昌司〔判批〕民商107巻1号〔2002〕129頁以下，水野紀子「特定財産承継遺言（『相続させる』旨の遺言）の功罪」久貴編・遺言と遺留分(1)256-257頁）。批判の骨子は，フランス民法における遺言分割は，厳格な物的均分主義を緩和し，相続人中の特定の者に経営資産を承継させ，他の相続人には別の遺産を承継させることを可能にすること，すなわち，価値的な均分の遵守は当然の前提としつつ，物的均分を緩和することにあったのに対して，水野説の上記の指摘においては，相続人間の平等を壊す論理とされており，参照のしかたとして適切ではないという点などである（吉田・前掲「再考」49頁以下は，水野説はフランス遺言分割の効果論だけに着目し，要件論を無視して，遺産分割効果説を説いたが，フランス民法典原始規定の下では，特定財産を一定の相続人を除外した少数の特定相続人に承継させる旨の遺言分割は認められない，と指摘する）。

2　遺産分割方法の指定と相続分の指定との関係，遺贈との関係

このように遺産分割方法の指定は，法定相続分を前提とした遺産分割・遺産配分のための基本方針の指示として，あるいは，遺産の具体的な割付けとしても可能であると解されているが，3つの類型の中で，この分割方法の指定と相続分指定の関係，ならびに，分割方法の指定と遺贈との関係に関しては，次のように理解されてきた。

(1)　第1に，遺産分割方法の指定と相続分の指定との関係について，両者はそれぞれ別の制度であることから，遺言者の意思により，分割方法の指定であり，かつ，相続分の指定でもある場合もあれば，単なる分割方法の指定で相続分の指定を含まない場合もある。すなわち，前者は，遺産分割方法としての具体的な特定の財産の指定において，特定遺産の価額がその相続人の法定相続分を超える場合に，遺言者の意思が，超過分の調整（代償金の支払）を予定せずに当該財産を当該相続人に取得させるものであるときは（通常，遺言者はそうした意図であろうと考えられる），相続分の指定を伴う遺産分割方法の指定と考えられる（片岡＝管野532頁）。他方で，後者は，特定財産の価額が法定相続分を下回る場合，遺言者の意思として，特定の財産を取得させたいとの意思の他に，他の財産の取得を禁止する意思まではないのが通常だとすれば（片岡＝管野〔3版，2017〕482頁），この場合には相続分指定を伴わない分割方法の指定と解され，法定相続分に満つるまで残余財産からの取得ができることとなる（吉田・前掲新実務大系223頁，潮見360-361頁）。

なお，分割方法の指定の内容が，特定の財産の指定ではなく，分割のための基本方針の指示の場合には，この分割方法の指定が，遺産分割の協議ないし審判を拘束する準則として機能するものの，後に遺産分割手続が行われることを前提としており，それ自体では分割の効力（権利移転の効力）を生ずるものでなく，遺留分の侵害は考えられない。そのため，本条では，遺贈や相続分指定の規定（平30改正前964条・902条）とは異なり，遺留分の制約に服する旨の定めは置かれていなかった。しかし，相続分指定を伴う遺産分割方法の指定の場合には，遺留分に関する規定の制約に服するものと解されてき

た（吉田・前掲新実務大系223頁）。遺留分制度に関しては，平成30年改正により減殺請求による物権的効果に代えて侵害額相当の金銭の支払請求権とする改正が行われた（1046条）。

(2)　第2に，遺産分割方法の指定と遺贈との関係は，概括的に分割方法を指定したものと遺贈との区別は通常明らかであるが，特定の遺産を特定の相続人に取得させる遺言では，両者のいずれであるかはしばしば明らかでない。両者の違いは，遺産に債務が含まれる場合に，その特定の財産の承継が債務の承継を伴うかどうかにある。特定遺贈ならば，相続人は，受遺者としてその特定の財産を承継できる一方で，相続人としては，相続放棄により相続債務の承継を免れることができる。遺産分割方法の指定ならば，相続人としてその特定の遺産を承継するので，相続債務も承継しなければならない（前田ほか413頁〔浦野由紀子〕，佐久間毅ほか・事例から民法を考える〔2014〕390-391頁〔久保野恵美子〕）。これら2つの類型の関係は，分割方法の指定と相続分指定とが併存しうる関係であったのとは異なり，分割方法の指定か遺贈のいずれか一方が肯定されると他方は否定されるという排斥関係である（注解全集246頁〔橋本昇二〕）。

III　「相続させる」旨の遺言

1　公証実務における「相続させる」旨の遺言の定着

(1)　公証人による遺言公正証書作成の実務において，いわゆる「相続させる」旨の遺言は，昭和40年代後半頃から用いられるようになり，その後自筆証書遺言にも普及し，その法的性質や効果をめぐり議論が活発化したといわれている（北野俊光「『相続させる」旨の遺言（特定財産承継遺言）の実務上の問題点」久貴編・遺言と遺留分(1)205頁）。すなわち，民法は，遺言による遺産の処分等に関連して，すでに述べた3つの類型を予定しているところ，相続人の一人に特定の財産を取得させるためには，民法が用意した典型的な遺贈ではなく，予定されていなかった「相続させる」旨の遺言が利用され定着した。

(2)　その背景として，遺贈（による承継）と比較して，「相続させる」旨の遺言（相続による承継）による場合，次のようなメリットがあった。①登記移転手続が，遺贈の場合には受遺者たる相続人・他の相続人の共同申請による必要がある（不登60条）のに対して，「相続させる」旨の遺言の場合は受益相続人の単独申請ででき，その際遺産分割協議書の添付が必要ないこと（不登63条2項，昭47・4・17民甲1442号法務省民事局長通達〔民月27巻5号165頁〕），②移転登記申請の際の登録免許税の税率が，従来，相続の場合は課税標準額の1000分の6とされ，遺贈の場合の1000分の25よりはるかに安かったこと（ただし，この点は後の法改正により2003〔平成15〕年4月1日以降は相続人に対する遺贈と相続とで税率の差異はなくなった），③農地の場合，特定遺贈によるときは農地法3条の許可が必要とされた（農地法3条。ただし，2012〔平成24〕年の同法施行規則〔15条5号〕の改正により，相続人に対する特定遺贈の場合も不要となった）が，相続によるときは不要であること，④賃借権の場合，遺贈による権利移転には賃貸人の承諾が必要である（612条）のに対し，相続によるときは不要であることなどの差異があった。もっとも，①については，令和3年改正により，相続人に対する遺贈がされた場合に受遺者たる相続人が単独で申請できることとされた（不登63条3項）。

⑶　主として遺言者の希望・意向――自らの死後にできるだけ速やかに，かつ，確定的に特定の財産を特定の相続人に取得させたい――に応える遺言公証実務においては，「相続させる」旨の遺言が，それにより，遺贈ではなく相続の効果として，受益相続人は登記手続などにおいて他の相続人の協力（見方を変えれば妨害）なしに遺言内容を速やかに（しかも②の法改正までは税金も少なく）実現できるものとして活用され定着したといえる。こうした公証実務に対して，「いいとこ取り」との批判（千藤・後掲論文396頁）が寄せられた所以である。

2　「相続させる」旨の遺言の性質・効果に関する対立

実務的には定着を見た「相続させる」旨の遺言について，その法的性質ならびに効果をめぐっては当初，下級審裁判例や学説に対立があった（後掲の香川判決（→3）以前の状況については，千藤洋三「『相続させる』遺言の解釈をめぐる諸問題」関法48巻3＝4号〔1998〕343頁以下）。

①遺産分割方法指定説　　この立場は，「相続させる」旨の遺言を遺産分割において，特定の相続人に特定の遺産を取得させることを指示する遺産分割方法の指定と解する（その点は後掲④説と共通する）が，この立場では，その指定があっても遺産分割手続を経なければ，つまり全員一致の遺産分割協

議・調停の成立または家裁の審判を待たなければ当該相続人は目的物の所有権を取得することはできない（東京高判昭45・3・30高民集23巻2号135頁は，多田判決として知られ，ながらくリーディングケースとされてきた）。ところが，その後間もなく，登記実務は，「相続させる」旨の遺言，遺産分割方法の指定の遺言があれば，遺産分割手続をまつことなく単独で相続を原因とする移転登記ができるものとしたため（前掲昭47・4・17民甲1442号法務省民事局長通達，昭47・8・21民甲3565号法務省民事局長回答〔法務省民事局編・登記関係先例集追加編5〔1976〕783頁〕），裁判実務と登記実務が食い違い，裁判例が紛糾することとなった。

②遺贈説　民法は遺言による財産処分は遺贈を原則とするものとし，「相続させる」旨の遺言は遺贈であると解する立場である（橘勝治「遺産分割事件と遺言書の取扱い」現代家族法大系Ⅴ 65頁）。この説では，所有権取得のために遺産分割手続を経る必要はないが，登録免許税のメリット（現在はない）はなく，遺贈として共同申請による登記手続を要することになる（この立場の裁判例として，東京地判昭62・11・24判タ670号201頁）。

③遺産分割処分説　「相続させる」旨の遺言を，遺贈でも遺産分割方法の指定でも相続分の指定でもない，遺産の処分と構成し，遺産分割そのものの意思表示であり，遺言の効力発生と同時に遺産分割手続を要することなく権利移転の効果が生ずるとする（瀬戸正二「『相続させる』との遺言の効力」金法1210号〔1989〕7頁，倉田卓次〔判批〕家月38巻8号〔1986〕123頁，同「『相続させる』の所有権移転効」日本公証人連合会・公証制度百年記念論文集〔1988〕252頁）。

④遺産分割効果説　「相続させる」旨の遺言を遺産分割方法の指定と解する点では，前掲①説と同様であるが，この遺産分割効果説では，その指定により，遺産分割の効果が直ちに生ずるものとし，遺産分割手続を要しない。すなわち，被相続人の死亡と同時に特定財産は遺産分割の対象から除外され，遺産分割協議や審判を要することなくその所有権が特定の相続人に帰属すると解する（この点では前掲③説と同様である）。後掲の最高裁平成3年4月19日判決（裁判長の名から香川判決と呼ばれることが多い）の立場である（水野謙「『相続させる』旨の遺言に関する一視点――東京高裁昭和63年7月11日判決の検討を兼ねて」法時62巻7号〔1990〕78頁以下，島津一郎「分割方法指定遺言の性質と効力」判時1374号〔1991〕3頁）。

3　最高裁平成3年4月19日判決（香川判決）

(1)　最高裁による公証実務の追認

こうした中で，最高裁は，「相続させる」旨の遺言の法的性質につき，遺言書の記載から，その趣旨が遺贈であることが明らかであるかまたは遺贈と解すべき特段の事情がないかぎり，遺産分割方法の指定と解すべきこと，ならびに，当該相続人の受諾の意思表示にかからせたなど特段の事情がないかぎり，何らの行為を要せずして，被相続人の死亡と同時に，当該財産が当該相続人に，遺産分割を経由せずに相続により承継されるなど，以下のように判示して，前述の公証実務や登記実務を支持し前掲④の遺産分割効果説を採用した（最判平3・4・19民集45巻4号477頁）。

「被相続人の遺産の承継関係に関する遺言については，遺言書において表明されている遺言者の意思を尊重して合理的にその趣旨を解釈すべきものであるところ，遺言者は，各相続人との関係にあっては，その者と各相続人との身分関係及び生活関係，各相続人の現在及び将来の生活状況及び資力その他の経済関係，特定の不動産その他の遺産についての特定の相続人のかかわりあいの関係等各般の事情を配慮して遺言をするのであるから，遺言書において特定の遺産を特定の相続人に『相続させる』趣旨の遺言者の意思が表明されている場合，当該相続人も当該遺産を他の共同相続人と共にではあるが当然相続する地位にあることにかんがみれば，遺言者の意思は，右の各般の事情を配慮して，当該遺産を当該相続人をして，他の共同相続人と共にではなくして，単独で相続させようとする趣旨のものと解するのが当然の合理的な意思解釈というべきであり，遺言書の記載から，その趣旨が遺贈であることが明らかであるか又は遺贈と解すべき特段の事情がない限り，遺贈と解すべきではない。そして，右の『相続させる』趣旨の遺言，すなわち，特定の遺産を特定の相続人に単独で承継させようとする遺言は，前記の各般の事情を配慮しての被相続人の意思として当然あり得る合理的な遺産の分割の方法を定めるものであって，民法908条において被相続人が遺言で遺産の分割の方法を定めることができるとしているのも，遺産の分割の方法として，このような特定の遺産を特定の相続人に単独で相続により承継させることをも遺言で定めることを可能にするために外ならない。したがって，右の『相続させる』趣旨の遺言は，正に同条にいう遺産の分割の方法を定めた遺言であり，他の共同相続人も右の遺言に拘束され，これと異なる遺産分割の協議，さらには審判もなし得ないのであるから，このような遺言にあっては，遺言者の意思に合致するものとして，遺産の一部である当該遺産を当該相続人に帰属させる遺産の一部の分割がなされたのと同様の遺産の承継関係を生ぜしめるものであり，当該遺言において相続による承継を当該相続人の受諾の意思表示にかからせたなどの特段の事情のない限り，何らの行為を要せずして，被相続人の死亡の時（遺言の効力の生じた時）に直ちに当該遺産が当該相続人に相続により承継されるものと解すべきである。そして，その場合，遺産分割の協議又は審判においては，当該遺産の承継を参酌して残余の遺産の分割がされることはいうまでもないとしても，当該遺産については，右の協議又は審判を経る余地はないものというべきである。もっとも，そのような場合においても，当該特定の相続人はなお相続放棄の自由を有するのであるから，その者が所定の相続の放棄をしたときは，さかのぼって当該遺産がその者に相続されなかったことになるのはもちろんであり，また，場合によっては，他の相続人の遺留分減殺請求権の行使を妨げるものではない。」

(2)　遺贈と解すべき特段の事情

香川判決は，「相続させる」旨の遺言は，原則として，遺産分割の方法の指定と解すべきものとするが，例外的に，遺贈と解すべき場合，すなわち，遺言書の記載から，「その趣旨が遺贈であることが明らかである」場合または「遺贈と解すべき特段の事情」がある場合とはどのような場合か。

まず，前者につき，相続人以外の者に「相続させる」旨の遺言をしたケースが該当し，他方で後者については，受益相続人にとっては登記手続等をはじめ遺贈とされるよりも相続による承継のほうが一般に有利であることから，特別のことがないかぎり，遺贈の趣旨と解すべきでないとされ，遺贈と解すべき場合はまずありえないとされている（西口元「『相続させる』遺言の効力」判タ822号〔1993〕50頁，青野洋士「『相続させる』趣旨の遺言と遺産分割」梶村太市＝雨宮則夫編・現代裁判法大系(11)遺産分割〔1998〕197頁，松原V 66頁）。

(3)　即時権利移転効を否定すべき特段の事情

次に，香川判決は，相続による承継により即時に受益相続人への権利移転が生ずることを原則としつつ，即時権利移転効を否定すべき例外（「当該遺言において相続による承継を当該相続人の受諾の意思表示にかからせたなどの特段の事情」）

を想定しているが，それは具体的にどのような場合か。

この点に関して，即時の権利移転効を制限する遺言者の意思が認められる場合（松原V 67頁）として，たとえば，停止条件や期限が付されているときのほか，負担付きの「相続させる」旨の遺言も相続人の負担受諾の自由意思を尊重したものと解するのが合理的であるとして，遺言に明示されていなくとも，権利移転効の発生を相続人の受諾の意思表示にかからせたものとして，特段の事情に含まれるとする（内田恒久・判例による相続・遺言の諸問題〔2002〕131-132頁）。

こうした特段の事情の有無が争われ，一審と控訴審とでその判断が分かれた裁判例がある（東京地判平4・9・22判タ813号266頁，その控訴審東京高判平6・2・25家月47巻1号132頁）。すなわち，4人の子の父親の土地に父親の要請により長男が建物を建築して建物につき所有権保存登記を経由して（当初長男とその妻との2分の1ずつの共有であったが，持分譲渡により妻の単独名義）親夫婦と同居していたところ，親夫婦と長男夫婦の不和などから，父親が正方形に近い本件土地を公道に面して南北に細長い短冊状に4分割し西側から長男，長女，次女，三女に相続させる旨の遺言を残し，その結果，かりに遺言通りに4分割すると，同地上の建物の措置につき共同相続人間で紛争が生ずることが遺言当時高度の蓋然性をもって予想された事案につき，一審が，遺言者がそのような即時の権利移転効ある遺言の効力を欲したとすることは不合理で，真意は，本件土地を4人が平等に分けてほしいという意思を十分組み入れた遺産分割協議または審判をまって遺産承継を生じさせるものとした（前記特段の事情を認めた）。それに対し，控訴審は，特段の事情を否定し，相続人間での紛争発生が予想されていたとしても，本件土地には本件建物の使用を目的とした使用貸借関係があることから，遺言による権利取得が本件建物除去に直結するものでなく，遺言者が遺言の結果建物が除去されることまでは望んでいなかったとしても，それゆえ，本件遺言が遺言の効力発生時に直ちに承継関係が生ずるものでなく遺産分割手続を経ることを要求していると解釈すべきでないことを理由に，一審判決を取り消して本件建物の一部除去を命じた（評釈として，曳野久男〔判批〕家月46巻8号〔1994〕171頁。松原V 68頁は，遺言の解釈として控訴審判決が妥当とする）。

(4) **即時権利移転効の意味——遺産分割がなされたのと同様の承継関係**

なお，香川判決では原則的に即時の権利移転効が認められることに関連して，特定の財産につき「相続させる」旨の遺言を残している場合，「このような遺言にあっては，遺言者の意思に合致するものとして，遺産の一部である当該遺産を当該相続人に帰属させる遺産の一部の分割がなされたのと同様の遺産の承継関係を生ぜしめるもの」との判示（下線は筆者による）にも注意したい。この判示のように遺言に示された限度で一部の遺産分割が行われたのと同様の承継が生ずるものとすれば，「相続させる」旨の遺言による権利承継を第三者に対抗するためには登記が必要かとの問題について，遺産分割と登記に関する判例（最判昭46・1・26民集25巻1号90頁）が登記必要説をとっていることに留意する必要があるように思われる。つまり，「相続させる」旨の遺言による権利変動について，判例は，対抗要件との関係で後述するように登記不要説をとっているが，他方で，全相続人割付型の「相続させる」旨の遺言について，即時移転効を認めつつ，ただし遺産分割がなされたのと同様の効果として前掲判例と同様に登記の具備が必要であると解する余地もありうるからである（吉田・前掲「再考」54頁）。

(5) **香川判決の射程**

香川判決は，特定の遺産を特定の相続人に相続させる旨の遺言の事案に関するものであるが，遺言者が遺産全部につき「相続させる」旨の遺言をした場合，あるいは，遺言者が遺産につき割合的に「相続させる」旨の遺言をした場合にはどのような処理となるか。

まず遺言者が遺産全部につき「相続させる」旨の遺言をした場合について，こうした遺言は遺産を構成する特定の遺産を「相続させる」旨の遺言の集合体と考えて，香川判決の論理を当てはめて，遺贈と解すべき特段の事情がなければ，全遺産について即時権利移転効が生じると解する立場と即時権利移転効を否定する立場とがありうるが，前者が相当とされる（西口・前掲論文50頁，北野・前掲論文179頁）。登記実務も，全遺産を一人の相続人に「相続させる」旨の遺言について，当該相続人からの相続を原因とする所有権移転登記申請を認めている（前掲昭47・4・17民事局長通達）。なお，相続債務との関係については，後述5(5)。

次に，遺言者が遺産につき割合的（たとえば全体の3分の2を）に「相続させる」旨の遺言をした場合について，即時権利移転効を認めて受益相続人と他の相続人との物権法上の共有となるとする立場と，単なる相続分の指定として遺産分割手続における権利関係の確定をまつとする立場とがありうる。遺言者の意思解釈の問題ではあるが，遺言者の真意として，通常は，遺産を構成する個々の遺産それぞれにつき物権法上の共有持分を取得させたいわけでなく，指定された割合による価値に相当する財産を取得させたいものと解すべきであることから，遺言中に特段の指示がある場合を別にして，即時権利移転効は生じないと解されている（北野・前掲論文180頁）。

4　香川判決以降の状況（判例・学説の展開）

香川判決は，実務的には定着・浸透をみており（香川判決以後の裁判例は，最判平3・9・12判タ796号81頁，高松高決平3・11・27判時1418号93頁など），判例として確立したものと評価されている（松原V 66頁）。しかし，同判決は，「相続させる」旨の遺言に関して，一定の方向性を示したものの実務上生じうるすべての問題点を解決するものではない。遺産分割効果説の立場を前提としつつ，遺産分割手続をはじめさまざまな場面における問題につき裁判例の蓄積が待たれるところである（後述5）。

これに対して，学説上は，香川判決を支持する立場も有力であるとはいえ（島津・前掲論文5頁，水野謙「『相続させる』遺言の効力」法教254号〔2001〕19頁，米倉明「『相続させる』遺言は遺贈と解すべきか」法学雑誌タートンヌマン7号〔2003〕1頁），遺贈説を中心に香川判決に反対する説も根強い。

香川判決に対する批判の第1点は，本条の沿革に関連してすでに述べたように，要約すれば，香川判決のとる遺産分割効果説が，フランス民法から尊属分割として遺産分割協議不要との解釈を導入するに当たり，尊属分割における均分相続保障という，母法の制度の本質的部分を無視した点であろう（水野紀子「特定財産承継遺言（『相続させる』旨の遺言）の功罪」久貴編・遺言と遺留分(1)257頁）。

批判の第2点は，「相続させる」旨の遺言により，受益相続人に強大な権限が付与され，受益相続人は分割協議を経ることなく登記を簡単に得るなどして財産取得を既成事実化することができ（検認手続を要しない公正証書遺言の場合，他の相続人に遺言の存在を知らせる必要もない），ひいては均分相続の理念，共同相続人間の公平を害するという点である。もちろん，受益相続人の財産取得により遺留分を侵害された他の相続人は遺留分減殺請求をして一部の取戻しができる（平成30年改正法では遺留分侵害額請求権の行使）とはいえ，遺贈の場合の登記の申請の場面（令和3年改正法により，受遺者たる相続人が単独で申請することができることとされた（新不登63条3項）），あるいは，前掲2①の遺産分割方法指定説（本来の遺産分割方法の指定）の場合，改めて必要とされる遺産分割手続の場面で，共同相続人間で当該財産を含めた話し合いが制度的に行われ，家庭裁判所の後見的関与により，共同相続人間の公平が図られる可能性等があることと比較すれば，「相続させる」旨の遺言が，受益相続人に対し過大な権限を付与し財産取得の既成事実化をもたらすことは否定できない（佐久間毅ほか・事例から民法を考える〔2014〕391頁以下〔久保野恵美子〕）。ただ，この点については，特定の財産を特定の相続人に「相続させる」旨の遺言における受益相続人による権利の取得・移転について，従来の判例は法定相続分を超える部分についても対抗要件なしに第三者に対抗できるとしていたが（最判平14・6・10家月55巻1号77頁），平成30年改正法はこれを改め，法定相続分を超える部分について対抗要件を備えなければ第三者に対抗できないとした点（899条の2）は重要である（日本弁護士連合会編・Q&A改正相続法のポイント〔2018〕24頁〔中込一洋〕，部会第17回議事録14頁〔堂薗幹一郎幹事発言〕参照。ただし相続人間においては，改正前と同様登記なしに権利主張ができることにつき，日本弁護士連合会編・前掲書24頁，前掲議事録14頁）。

そして，第3に，香川判決のように，遺贈とも本来の遺産分割方法の指定とも異なる新たな遺産処分を認めることが，既存の相続法のしくみ（たとえば遺贈制度との調整など）と全体的に整合させられるか（後述5に示すようにさまざまな場面につき検討がなされつつあるが）との懸念である（佐久間ほか・前掲書392頁〔久保野〕）。

こうした香川判決の問題点を踏まえつつ，学説上は遺贈説がなお根強い（潮見356頁・359頁，二宮461頁，内田486頁，伊藤124頁・119-125頁，千藤・前掲論文368頁）が，香川判決を支持する立場からは，相続財産に債務が含まれる場合において遺贈説をとるときの不都合が指摘されている（仮に「相続させる」旨の遺言を遺贈と解すると，相続放棄をした受遺者は，債務の承継を免れつつ，遺贈の目的たる積極財産を取得できることになると指摘する水野謙〔判批〕家族百選7版181頁）。

遺贈説のほかにも，立法の沿革上の議論を参照しつつ類型的な分析から，一定の場合に限定して，遺産分割効果を伴う遺産分割方法の指定と解する見解（吉田・前掲「再考」52頁以下）が登場しており，注目に値すると評価されている（新版注民(27)〔補訂版〕418頁〔伊藤昌司〕）。吉田論文・前掲「再考」は，フランス遺言分割法の要件面，効果面全体に即して前述の批判にも配慮しながら，「相続させる」旨の遺言につき，類型的な区分をし，(ア)全相続人割付型の場合（「相続させる」旨の遺言が法定相続分を遵守する形でほぼすべての財産を全相続人に割り付けている場合）には，遺産分割方法の指定として遺産分割を経ずに権利移転の効果を認めてよいが，ただし，この結果生ずる承継は，あくまで遺産分割によるものであるから，不動産の登記についても通常の遺産分割と異なる扱いをする理由はなく，遺産分割において法定相続分を超える権利取得については第三者対抗要件として登記が必要（前掲最判昭46・1・26）とする。他方で，(イ)特定承継人型の場合（特定の財産を特定の相続人に「相続させる」旨の遺言）については，権利移転効を伴う遺産分割方法としての評価をあたえることはできず，遺贈または遺産分割効果を伴わない遺産分割方法の指定（したがって後者の場合，遺産分割協議が必要である）と解すべきであるとする（遺贈か遺産分割効果を伴わない遺産分割方法の指定かは，相続放棄の場合に当該配分を維持するか否かに関する遺言者の意思によるが，後者とみるべき場合が多い）。なお，これらの2つのタイプの中間の「相続させる」旨の遺言の場合（割付けがある相続人については法定相続分を上回り，他の相続人は下回るとか，財産の配分を指定された相続人が全員ではないなど）の扱いについては，吉田論文（前掲「再考」56頁以下）参照。

遺産分割方法の指定としての，特定の財産を特定の相続人に「相続させる」旨の遺言は，香川判決以降，判例上定着をみたばかりでなく，平成30年改正法においては，「特定財産承継遺言」との略称をもって明文化され（1014条2項ほか。部会資料24-2・6頁），内容上明確化された点もある。

5　遺産分割手続における「相続させる」旨の遺言の取扱い

香川判決を前提としつつ，解決すべき論点として指摘された問題につき，みてみよう（改正前について吉田・前掲「再考」37頁以下，床谷＝犬伏編225頁以下〔岩志和一郎〕参照）。

(1) 特別受益との関係

「相続させる」旨の遺言により特定の相続人に特定の遺産が指定された場合，香川判決によれば，その特定の遺産は当該相続人に移転するが，その他にも遺産がある場合，その遺産分割手続において，当該特定遺産を特別受益とみるかどうかの問題である。

考え方は分かれる。肯定説は，「相続させる」旨の遺言が遺贈と同じく相続開始と同時に物権的な権利移転の効力を有し，遺産分割対象財産から逸出することに着目して，903条を類推適用し特別受益として持戻し計算の対象となるとする（片岡＝管野536頁，雨宮則夫「『相続させる』旨の遺言について遺贈の規定の類推適用が認められるか」公証法学44号〔2014〕50頁）。この見解の下では，特定遺産が具体的相続分を超える場合でも，超過額につき代償金を支払うことは必要とされない。これに対して，否定説は，「相続させる」旨の遺言は，遺贈でなく遺産分割方法を指定するものであるが，遺産の一部分割がなされたと同様の承継関係が生じる点を重視して，残余財産の分割に当たっては，特定遺産を特別受益とすることなく，一部分割取得を前提に残余財産の分割を行うとする（沼邊愛一「『相続させる』旨の遺言の解釈」判タ779号〔1992〕18頁，青野・前掲論文203頁）。この見解においては，相続分の指定がある場合を別にして，特定遺産が具体的相続分を超えれば超過部分につき代償金の支払が問題となり，超えないときは具体的相続分に満つるまで不足分を残余遺産から取得できることとなる（青野・前掲論文202頁）。

ところで，香川判決は，「相続させる」旨の遺言を遺贈ではなく遺産分割方法の指定としたが，この点につき，「遺産分割の協議又は審判においては，当該遺産の承継を参酌して残余の遺産の分割がされることはいうまでもない」と判示している。そして，この判示部分を捉えて，肯定説では，同判決が特別受益として扱う趣旨と理解し，否定説では，特別受益と表現せずあえて「参酌して」と表現していることから特別受益とは扱わない趣旨と理解して，それぞれ自説に有利に解釈している。しかし，いずれも決め手を欠くものといえる（雨宮・前掲論文50頁）。一方，家裁実務においては，肯定説に立つ裁判例がある（903条1項の類推適用により持戻し処理を認めた山口家萩支審平6・3・28家月47巻4号50頁，広島高岡山支決平17・4・11家月57巻10号86頁〔同決定につき，吉田克己〔判批〕民商135巻2号〔2006〕455頁も参照〕）。平成30年改正立法を踏まえて，特定財産承継遺言においては，それにより特定の遺産が特定の相続人に相続開始と同時に移転し遺産分割の対象から外れる点において，遺贈と同質のものと考えられ，それを前提に改正がなされていることから，特別受益としての処理において遺贈と同様に扱うべきとする指摘もある（潮見242頁）。

なお，特別受益に関し，平成30年改正法は，婚姻期間が20年以上の配偶者間において配偶者の居住用不動産を贈与・遺贈の目的物とした場合に，持戻し免除の意思を推定するものとした（903条4項）が，相続させる旨の遺言について同条項の適用・類推適用の可否が今後の解釈上問題となりうるとする（潮見編・改正21頁〔村田大樹〕。追加試案補足説明10-11頁は可とする方向を示唆。潮見261頁は類推適用を肯定）。

⑵　寄与分との関係

「相続させる」旨の遺言の受益相続人が寄与者とは別に存在する場合，いわば遺贈の寄与分に対する優先を定める904条の2第3項の規定が，「相続させる」旨の遺言にも類推適用されるかの問題である。学説は分かれているが，肯定説は，同規定の適用を前提に，寄与分の上限が，相続開始時の財産の価額から遺贈の価額のほか，「相続させる」旨の遺言の対象財産の価額を控除した額となると解する（北野・前掲論文182頁）。他方で，上記規定の適用を否定する説では，寄与分の上限は，相続開始時の財産総額から遺贈の価額は控除するが，「相続させる」旨の遺言の対象財産の価額は控除されることなく決まることになる（沼邊・前掲論文18頁）。

香川判決はこの点には触れていないが，「相続させる」旨の遺言において遺言者は対象財産については受益相続人に優先的に取得させる意図を持っていることを重視すれば，また，その価額が受益相続人の相続分を超える場合には相続分の指定をしたものとされ清算されないことを考慮して，肯定説が多数説といえる（秋武憲一「いわゆる相続させる旨の遺言をめぐる裁判例と問題点」判タ1153号〔2004〕66頁，床谷＝犬伏226頁〔岩志〕）。要するに，肯定説からは，受益相続人は寄与分に影響されることなく，特定遺産を取得でき，他方で，寄与分の考慮は，相続財産全体から遺贈および「相続させる」旨の遺言の遺言の対象財産の価額を控除した残余遺産の範囲内でしか行うことができないことになる（青野・前掲論文204頁）。

⑶ 「相続させる」旨の遺言による利益の放棄の可否

㋐ 相続の放棄との関係　香川判決は，「相続させる」旨の遺言により特定の遺産の承継関係が相続開始時に直ちに発生するとしつつ，「そのような場合においても，当該特定の相続人はなお相続の放棄の自由を有するのであるから，その者が所定の相続の放棄をしたときは，さかのぼって当該遺産がその者に相続されなかったことになる」とする。「相続させる」旨の遺言は，香川判決によれば，相続による承継であるから，遺言による利益の放棄が相続放棄手続によりなしうるのは当然である。その結果，当該遺言による当該遺産の権利取得の効果はもとより遺産全部につき相続は生じなかったこととなる（939条）。この点で，相続人が遺贈を受けた場合は，相続放棄しても，遺贈の効力には影響がないのとは異なる。

㋑ 「相続させる」旨の遺言による利益の放棄　問題は，「相続させる」旨の遺言により当該相続人が希望しない特定遺産の取得が指定された場合，その取得を回避するために受益相続人として，相続放棄をするしかないのか（相続放棄限定説），あるいは，相続放棄しないままでこの遺言による利益のみを放棄することができるのか（相続放棄非限定説――他の相続人と同じスタートラインに立つことになる），である。この点について，考え方は分かれる（対立状況につき，松原Ⅴ 87頁以下）。

相続放棄限定説は，遺産分割方法の指定および相続分の指定については特別の承認・放棄の制度はなく，承認・放棄の中に吸収されるほかないこと，あるいは，遺産分割方法の指定および相続分の指定については遺言者の意思に拘束され一方的には変更できないことなどから，受益相続人は相続放棄手続（938条）によってのみ，遺言の利益を放棄できるとする（松原Ⅴ 88頁，相続放棄限定説をとる裁判例として東京高決平21・12・18判タ1330号203頁）。

これに対して，相続放棄非限定説は，遺言の利益の放棄は，相続放棄以外でも，たとえば，放棄の意思表示によっても可能と解する。根拠として，一般に権利利益の放棄は自由であることや，遺言者の意思が相続人の意思を無視して拘束することはできないはずであること，負担付きの場合は必ずしも利益とならない場合もあること，にもかかわらず，特定相続人に，全く遺産取得ができなくなる相続放棄か，希望しない特定遺産の取得かの二者択一を迫るのは不当であること，さらに，受遺者に遺贈による利益を強制することはできない趣旨から遺贈の放棄を定める986条の趣旨が「相続させる」旨の遺言にも同様に当てはまることなどを根拠とする（北野・前掲論文183頁，青野・前掲論文206頁，潮見362頁）。

この問題に関連して，平成30年改正法は，配偶者居住権の取得原因として遺贈を挙げつつも「相続させる」旨の遺言を挙げていない（1028条1項2号）が，その理由として，相続放棄限定説を前提とすることが指摘されている（部会資料15・11頁）。すなわち，配偶者居住権を取得させる遺言がなされたが配偶者がその取得を希望しない場合，遺贈であれば配偶者は相続放棄することなく配偶者居住権の取得のみを拒絶できる一方，相続させる旨の遺言では，相続放棄しない限り，同居住権の取得を回避できず，かえって配偶者の保護に欠ける結果となるおそれがあるためとされる（一問一答14頁，日本弁護士連合会編・Q&A改正相続法のポイント15頁〔加藤祐司〕，潮見編・改正61-62頁〔石田剛〕）。なお配偶者に配偶者居住権を「相続させる」旨の遺言がなされた場合，前掲の条文との関係でその部分は無効と解する余地もあるが，香川判決がいう「遺贈と解すべき特段の事情がある」と解釈すべきものとされている（部会資料15・11頁）。

⑷　遺留分侵害との関係

㋐「相続させる」旨の遺言の結果，他の共同相続人の遺留分が侵害された場合について，香川判決は，遺留分減殺請求の問題が生ずることを認めている（「場合によっては，他の相続人の遺留分減殺請求権の行使を妨げるものではない」）。もっとも，同判決は，特段その根拠につき述べていない。この点につき，その後の下級審裁判例として，東京地裁平成4年5月27日判決（金法1353号37頁）は，「相続させる」旨の遺言は，遺贈と異なり，物権的に所有権を帰属させる遺産分割方法の指定と解されているが，遺留分減殺請求との関係においては，遺贈と区別すべき合理的理由を見いだせないとする。

㋑　まず平成30年改正前における減殺（改正法では遺留分侵害額の負担）の順序に関して，民法上は，遺贈，死因贈与，生前贈与の順とされている（平30改正前1033条〜1035条）。死因贈与は遺贈に準ずるものとして生前贈与より先と解されるほか，複数の生前贈与では契約成立の時期が相続開始に近いものが先で遠いものが後とされる（新基本法コメ258頁・260頁〔潮見佳男〕）。

これを前提としつつ，「相続させる」旨の遺言の減殺は，①遺贈と同一順位とする説（順序に関する前掲の民法の考え方は，新しい処分から先に減殺対象とすることにより，減殺による影響を少なくすることにあることに鑑みて，遺言者がとくに順序を明言していないときは，遺贈と同順位と解すべきことを根拠とする），②生前贈与の後とする説（当該財産を受益相続人に優先的に取得させたいとの遺言者の意思を重視すれば，減殺対象とするのは最後とすべきことを根拠とする）とに分かれる。①説が多数説といえ（秋武・前掲論文82頁，北野・前掲論文185頁），同旨の裁判例もある（後掲(エ)の最判平10・2・26のほか，東京高判平12・3・8高民集53巻1号93頁）。

(ウ)「相続させる」旨の遺言により遺留分を侵害された相続人からの減殺請求後の共有関係の解消手続に関連しては，遺贈や相続分指定における議論と同様，以下の各場面が区別されてきた（北野・前掲論文185頁，片岡＝管野534-538頁）。なお，後掲(オ)のように，平成30年改正法は，いわゆる物権的効果説を見直し，遺留分権利者と受遺者・受贈者との物権法上の共有関係を認めないものとしたことから，これらの記述は改正前のみに関わることとなった。

(a)　特定の財産について「相続させる」旨の遺言がなされた場合　特定遺贈と同様，取り戻された財産は減殺請求権者の固有財産となり，他の相続人との共有となる場合も物権法上の共有関係となり，その解消は遺産分割手続でなく共有物分割手続による。

(b)　遺産全部について「相続させる」旨の遺言がなされた場合　この場合，減殺請求がなされた場合，全部包括遺贈に対して減殺がなされた場合と同様とされ（財産全部についての包括遺贈は，対象となる財産を個々的に掲記する代わりに包括的に表示するもので特定遺贈と性質を異にしないとの最判平8・1・26民集50巻1号132頁参照），前掲(a)と同様，解消は共有物分割手続による。

(c)　遺産について割合的に「相続させる」旨の遺言がなされた場合　この場合の遺言者の意思は，個々の財産について指定する割合での持分権を物権的に取得させることにはなく，遺産に対する指定割合での価値相当分の取得にあることから，減殺請求された限度で割合が修正され，分割は遺産分割手続として行われる。

(エ)　その他，「相続させる」旨の遺言に対する遺留分減殺の取扱いが問題となりうる場面（遺贈・贈与と同様と解すべきか）に関して，裁判例としては，特定物を「相続させる」旨の遺言に基づく承継を遺贈に準じて扱う傾向が指摘されていた（吉田・前掲「再考」40頁，雨宮・前掲論文52頁）。

まず，平成30年改正前1034条（改正後1047条1項2号）は複数の遺贈が存在する場合にその目的の価額に応じた減殺を定めるところ，受遺者も遺留分権利者であるときの処理として，最高裁平成10年2月26日判決（民集52巻1号274頁）は，「相続人に対する遺贈が遺留分減殺請求の対象となる場合においては，右遺贈の価額のうち受遺者の遺留分額を超える部分のみが，民法1034条にいう目的の価額に当たるもの」とし，「特定の遺産を特定の相続人に相続させる趣旨の遺言による当該遺産の相続が遺留分減殺の対象となる場合においても，以上と同様に解すべきである」とした。

さらに，受贈者が減殺請求前に贈与の目的物を他人に譲渡した場合の処理にかかわる平成30年改正前1040条1項（平30改正法における物権的効果説の見直しにより同条削除）の類推適用の可否を争点として含む事例において，「相続させる」旨の遺言の場合にも，同規定の類推適用を認めた裁判例があった（最判平11・12・16民集53巻9号1989頁）。

(オ)　なお，平成30年改正は，遺留分侵害に対し遺留分減殺請求権の行使により当然に物権的効果や物権法上の共有関係が生ずるとした従来の規律を見直して，遺留分権利者が受遺者等に対して遺留分侵害額に相当する金銭の支払を請求することができるとする（金銭債権化）とともに，遺留分侵害額請求権の相手方として，受遺者と受贈者を区別しつつ，特定財産承継遺言により財産を承継した相続人，または相続分の指定を受けた相続人も，受遺者と同様，遺留分侵害額請求の相手方となることを明文化（1046条1項）した。

(5)　相続債務の承継との関係

判例（最判平21・3・24民集63巻3号427頁）は，相続人の一人に対して財産全部を「相続させる」旨の遺言により相続分の全部が当該相続人に指定された場合，遺言の趣旨等から相続債務については当該相続人にすべてを相続させる意思のないことが明らかであるなど特段の事情のないかぎり，当該相続人に相続債務もすべて相続させる旨の意思が表示されたものと解すべきであり，これにより，共同相続人間においては，当該相続人が指定相続分に応じて相続債務をすべて承継するが，相続債務についての相続分の指定は債権者の関与なしになされたものであるから，相続債権者に対しては対抗できないものの，債権者の方から同指定の効力を承認して指定相続分に応じた相続債務の履行を求めることは妨げられないとした。平成30年改正法902条の2は前掲判例の考え方を採用し明文化した。

(6) 代襲相続との関係

「相続させる」旨の遺言によって遺産を取得すべき受益相続人が遺言者より先に死亡した場合，その遺産の帰属について，代襲相続（887条）を認め，受益相続人の代襲相続人が遺産を取得すると解すべきか否かの問題がある。「相続させる」旨の遺言が相続による承継である点を重視すれば代襲相続を肯定する立場はありうるし，他方で，遺贈の場合は遺言者の死亡以前に受遺者が死亡したときは遺贈は失効するとの規定（994条）との関係から，代襲相続を否定する立場もありうる。登記実務および公証実務においては代襲否定説が前提とされていたものの，学説ないし下級審裁判例が分かれていた（詳細につき，西希代子〔判批〕法協131巻5号〔2014〕1073頁）。判例（最判平23・2・22民集65巻2号699頁）は，この点を代襲相続の可否（代襲相続規定の適用の可否）の問題としてではなく，遺言の解釈の問題として捉え（西・前掲判批1083頁），以下のような原則否定論を導いている。すなわち，「『相続させる』旨の遺言をした遺言者は，通常，遺言時における特定の推定相続人に当該遺産を取得させる意思を有するにとどまる」ところ，「当該遺言により遺産を相続させるものとされた推定相続人が遺言者の死亡以前に死亡した場合には，当該『相続させる』旨の遺言に係る条項と遺言書の他の記載との関係，遺言書作成当時の事情及び遺言者の置かれていた状況などから，遺言者が，上記の場合には，当該推定相続人の代襲者その他の者に遺産を相続させる旨の意思を有していたとみるべき特段の事情のない限り，その効力を生ずることはないと解するのが相当である」とした。

(7) 「相続させる」旨の遺言による権利変動と対抗要件

特定の不動産を特定の相続人に「相続させる」旨の遺言につき，香川判決は，特段の事情のないかぎり，遺贈ではなく遺産分割方法の指定と解すべきであり，遺産分割手続を経ることなく被相続人の死亡時に当然に権利移転が生ずるとしたが，当該相続人が当該不動産の権利取得を第三者に対抗するために登記が必要かに関しては触れていなかった。この問題について，判例（前掲最判平14・6・10）は，遺言者から全財産を相続させる旨の遺言により取得した相続人Xが，他の法定相続人の一人Aの債権者YがAに代位して相続登記をした上Aの持分を差し押さえたのに対して，第三者異議訴訟を提起した事案について，「相続させる」旨の遺言による権利の移転は，法定相続分または指定相続分の相続の場合と本質において異なるところはないとし，法定相続分または指定相続分につき登記なしに対抗を認める判例（最判昭38・2・22民集17巻1号235頁，最判平5・7・19家月46巻5号23頁）と同様，登記なしに対抗できるものとした。

周知のように，相続や遺言が絡む物権変動と登記の要否については，判例は，法定相続分による権利取得，指定相続分による権利取得については登記不要説に立つ一方，遺贈による権利取得（遺贈が意思表示による物権変動であることは贈与と同様であることを根拠とする），遺産分割による権利取得については登記必要説を取っていた。このうち，指定相続分による権利取得については，学説上，登記必要説が従来から有力であった（内田402頁）。

遺贈や遺産分割によって法定相続分を超える権利を取得した受遺者・相続人は登記なしに対抗できないこととの整合性，遺言の公示のしくみのない現状では第三者の利益保護が損なわれる等の批判があった（犬伏由子〔判批〕リマークス27号〔2003〕72頁，副田隆重「遺言の効力と第三者の利害」野村豊弘＝床谷文雄・遺言自由の原則と遺言の解釈〔2008〕78頁）。

なお，平成30年改正法は，従来の判例上は登記なしに対抗できるとされていた相続分指定による権利承継，遺産分割方法の指定による権利承継（相続させる旨の遺言を含む）という遺言における権利承継につき，遺贈や遺産分割による場合と同様，法定相続分を超える部分については，対抗要件主義によることとしている（899条の2）。

⑻　**遺言執行者の職務との関係**

平成30年改正前においては，「相続させる」旨の遺言による取得が相続による承継であるとすると，権利承継そのものは相続開始と同時に直ちに何らの行為なしに実現され，不動産の登記は受益相続人が単独で相続登記の申請ができることから，遺言執行者は登記申請の権限を持たないと解する余地があった。

実際に香川判決以降，登記実務上，遺言執行者に相続登記を申請する代理権は否定されていた（質疑応答7200・登記研究523号〔1991〕140頁）。また最高裁も，特定不動産の「相続させる」旨の遺言の受益相続人Xが，遺言執行者Yに対して，Yが職務上の義務を怠りXへの所有権移転登記の申請をしなかったとする不法行為に基づく損害賠償請求訴訟において（当該不動産が被相続人名義であった事案），「特定の不動産を特定の相続人甲に相続させる旨の遺言により，甲が被相続人の死亡とともに相続により当該不動産の所有権を取得した場合には，甲が単独でその旨の所有権移転登記手続をすることができ，遺言執行者は，遺言の執行として右の登記手続をする義務を負うものではない」とした（最判平7・1・24判タ874号130頁）。もっとも，この判決の理解としては，登記に関与する職務権限を一般的に否定したものでなく，原則として遺言執行者の職務権限に属するが，被相続人名義の場合，遺言執行者の職務は顕在化せず，遺言執行者は登記に関与すべき権利も義務も持たないと整理されている（前掲最判平11・12・16の理由。同判決の調査官解説として河邉義典〔判解〕最判解平11年下1013頁）。

他方で，対象不動産が被相続人名義でなく，相続人の一人または第三者が不実の登記名義を経由している場合は事情が異なる。この場合は，上記とは異なり，遺言の実現を図るという遺言執行者の権限は顕在化し，遺言執行者は，遺言の意思を実現すべく，妨害の排除として，登記名義人に対して，不実の所有権移転登記の抹消登記手続を求め，さらには受益相続人への真正な登記名義の回復を原因とする所有権移転登記手続を求めることができる（前掲最判平11・12・16）。

さらに，最高裁令和5年5月19日判決（民集77巻4号1007頁）は，相続財産である不動産に関し，遺言の内容に反する所有権移転登記がされたことを理由に，遺言執行者が当該登記の抹消登記手続を求めた事案において，①共同相続人の相続分を指定する旨の遺言部分との関係では，遺言執行者は，上記遺言を根拠として，所有権移転登記の抹消登記手続を求める訴えの原告適格を有するものではないが，②相続財産の全部または一部を包括遺贈する旨の遺言部分との関係においては，遺言執行者は，上記の包括遺贈が効力を生じてからその執行がされるまでの間に包括受遺者以外の者に対する所有権移転登記がされた不動産について，当該登記のうち，上記不動産が相続財産であるとすれば包括受遺者が受けるべき持分に関する部分の抹消登記手続または一部抹消（更正）登記手続を求める訴えの原告適格を有するとするのが相当であるとしている。

このほか，登記以外の財産管理に関連して，最高裁（最判平10・2・27民集52巻1号299頁）は，香川判決を前提に，「特定の不動産を特定の相続人に相続させる旨の遺言をした遺言者の意思は，右の相続人に相続開始と同時に遺産分割手続を経ることなく当該不動産の所有権を取得させることにあるから……，その占有，管理についても，右の相続人が相続開始から所有権に基づき自らこれを行うことを期待しているのが通常であると考えられ，右の趣旨の遺言がなされた場合においては，遺言執行者があるときでも，遺言書に当該不動産の管理および相続人への引渡しを遺言執行者の職務とする旨の記載があるなどの特段の事情のない限り，遺言執行者は，当該不動産を管理する義務や，これを相続人に引き渡す義務を負わない」とし，「そうすると，遺言執行者があるときであっても，遺言によって特定の相続人に相続させるものとされた特定の不動産についての賃借権確認請求訴訟の被告適格を有する者は，右特段の事情のない限り，遺言執行者ではなく，右の相続人である」とした。

なお，平成30年改正法は，遺言執行者の一般的な権限等の明確化に加え，とくに特定遺贈（1012条2項）や遺産分割方法の指定の遺言（特定財産承継遺言）について遺言執行者の権限を明確化する等の規定を置いており（1014条），前記の状況に一定の変更がありうる。とくに特定財産承継遺言について，平成30年改正法は，従来の判例（前掲最判平7・1・24）を変更し，原則として，遺言執行者にも受益相続人が対抗要件を具備するための権限を認めた（1014条2項）。これは，平成30年改正法により，特定財産承継遺言による権利の移転について，法定相続分を超える部分について対抗要件主義が採られることになったことから，遺言執行者の権限に含める必要性が高まったためであること，また，所有者不明不動産の問題への対応も意図されていることが指摘されている（潮見佳男ほか・Before/After 相続法改正〔2019〕59頁〔白須真理子〕）。

IV　分割方法の指定の第三者への委託

1　第三者への委託

被相続人は，遺言で，遺産分割方法を定めることを第三者に委託することができる（本条1項）。遺言者本人が遺言書の作成時点で遺言により分割方法を定めるのでなく，信用ある第三者に将来分割方法を定めてもらうことの必要性から，第三者への委託が認められている（穂積陳重委員の説明として，「只今ノ有様デハ分ラヌガ或ル信用アル第三者ニ分ツ方法ト云フモノヲ其人ニ定メテ貰ウト云フコトヲ予ジメ遺言シテ置クト云フコトモ甚ダ必要ナコトト思ヒマスノデ此処ヘ置キマシタ」〔法典調査会民法議事〔近代立法資料7〕581頁〕）。

この委託を受ける第三者は，公平の観点から共同相続人（包括受遺者を含む。990条）以外の者でなければならない（我妻・判コメ141頁・100頁，中川＝泉334頁，新版注民(27)〔補訂版〕420頁〔伊藤昌司〕）。共同相続人の一人に指定を委託した場合，その遺言は無効と解される（東京高判昭57・3・23判タ471号125頁。これに対し，潮見355頁は相続人への委託も有効とすべきとする）。具体的な遺産を個々の相続人に帰属させるいわゆる「相続させる」旨の遺言を第三者に委ねることは，認められない（新基本法コメ114頁〔松川正毅〕は，遺言に当たり具体的な財産の処分は被相続人が明確になすべきものであることを根拠とする。同旨，松原Ⅱ〔全訂，2006〕385頁）。

2　第三者による受託

委託を受けた者は，それを受諾するか否かは自由であり，受諾しない場合は指定の委託は効力を失う。第三者が受諾の意思を明らかにしない場合や，受諾はしたが分割方法の指定をしない場合には，民法114条を類推適用して，相当期間を定め受託するか否かを催告でき，催告しても確答がないときは，拒絶したものとみなすとの見解（我妻＝立石431頁），また，民法1008条を類推適用して，同様に確答がないときは拒絶したものとみなす見解（岡垣・家審講座Ⅱ59頁）がある。第三者の指定の拒絶等により指定の委託が効力を失った場合は，通常の遺産分割として，協議・調停・審判の方法によることになる。

3　受託者による分割方法の指定

指定の委託を受託した場合，受託者が行う分割方法の指定は，相続分の指定の委託のあるときを除いて，各相続人の相続分に適合し，かつ，906条の遺産分割の基準に従う分割方法の指定であることを要し，それに反する指定は，無効と解される（我妻・判コメ141頁，注解全集264頁〔橋本〕）。

なお，本条による分割方法の指定の第三者への委託は，本来的には，分割方法のみの委託であるが，すでに指摘されているように，遺産の分配を取り仕切ることの委託として，遺言執行者の指定（1006条）と解される余地があり，遺言執行者の指定があるか否かは，遺言の内容・趣旨から総合的に判断すべきものとされる（我妻・判コメ142頁，中川(淳)・逐条上330頁，床谷＝犬伏編150頁〔岡部喜代子〕)。

〔Ⅰ～Ⅳ＝副田隆重（藤巻梓補訂)〕

Ⅴ　遺産分割の禁止

1　はじめに

共同相続人は，原則としていつでも自由に遺産分割を請求することができる（907条1項)。共同相続人の一人は，他の共同相続人が望まない場合でも，遺産分割協議を請求することができ，他の共同相続人はこれに応じなければならない（潮見297頁)。

他方で，民法は，遺産の分割を一定の期間禁止することも認めており，被相続人は遺言により分割を禁止することができ（令3改正前908条)，また，「特別の事由」のあるときには家庭裁判所が分割を禁止することができるものとされていた（同907条3項)。分割禁止の期間について，令和3年改正前は，遺言による分割禁止の場合は相続開始の時から5年を超えないこととし，審判による分割禁止の場合は，その期間は家庭裁判所が定めることとするほかは明文の規定による制限は設けられていなかった。さらに，共同相続人が協議または調停により分割を禁止できるか否かについては，明文の規定はないものの，学説はこれを肯定していた（上田徹一郎「遺産分割の禁止」家族法大系Ⅶ53頁，潮見298頁，新注民(19)〔初版〕406頁〔副田隆重〕を参照)。

令和3年改正により，共同相続人の協議（契約）による遺産分割の禁止が明文化され（2項・3項)，被相続人の遺言による分割の禁止，および家庭裁判所の審判による分割の禁止（4項）とともに，まとめて908条に規定された。

2　遺言による分割禁止（本条1項)

(1)　規定の意義

被相続人は，遺言により，相続開始の時から5年を超えない限度で分割を禁止することができる（908条1項)。被相続人が生前に分割を禁止する意思を表示していたとしても，遺言にしていなければ，本条の禁止の効力は生じない（新版注民(27)〔補訂版〕421頁〔伊藤昌司〕，片岡＝管野425頁）。

5年を超える期間を遺言で定めていた場合には，5年間の分割を禁止するものとして有効と考えてよい（潮見297頁，新版注民(27)〔補訂版〕422頁〔伊藤〕，新注民(19)〔初版〕406頁〔副田〕，片岡＝管野425頁）。遺言で分割禁止の更新を指定しても無効である（潮見297頁）。遺産共有状態は一時的・暫定的状態であるところ，権利主体ではなくなった者の意思を永続的に維持・妥当させるべきではないからである（潮見297頁）。

禁止期間が満了したときは，共同相続人がさらに協議により不分割とすることもできるほか，各共同相続人が家庭裁判所に分割禁止の審判の申立てをすることができる（小野剛「遺産分割の禁止」野田愛子＝泉久雄編・遺産分割・遺言215題（判タ臨増688号）〔1989〕248頁）。いずれの場合も，相続開始から10年を超えてすることができない（本条2項・4項）。

後述するように，審判により分割を禁止するには「特別の事由」が必要とされるが（本条4項），遺言または共同相続人の協議による場合はその理由は問われない（石田敏明「遺産分割の禁止」梶村太市＝雨宮則夫編・現代裁判法大系(11)遺産分割〔1998〕327頁）。

⑵　一部分割の禁止

遺産分割の禁止は，遺産の全部についても，また遺産の一部についてもすることができる。ただし，ここでいう「一部」については，遺産の特定が必要であり，数量的割合によって包括的に遺産分割を禁止することは許されないとする見解が多数である（潮見297頁，新版注民(27)〔補訂版〕421頁〔伊藤〕，新注民(19)〔初版〕405頁〔副田〕，我妻・判コメ140頁。これに対して，割合による一部分割禁止も許されるとする見解として，中川＝泉337頁）。割合的一部分割の禁止は，何が禁止されるものになるのか不明確にし，また，特定されない他の部分の特定も不可能となり，遺産の全体を不分割の状態に置くからである（新版注民(27)〔補訂版〕421頁〔伊藤〕，片岡＝管野426頁）。このことは，遺言による分割禁止の場合のほか，後述する協議・調停による禁止の場合，および審判による禁止の場合についても妥当する。

⑶　分割禁止の効果

分割禁止の遺言は，相続財産の包括承継人，特定承継人に対しても効力を有する。ただし，分割が禁止されている場合でも，共同相続人からの特定承継人は，動産については即時取得により所有権を取得しうる。また，不動産については，分割禁止の登記（不登59条6号）がなければ第三者に対抗することができない（上田・前掲論文54頁・58頁，新注民(19)〔初版〕409頁〔副田〕)。

ところで，有効な遺言によって遺産分割が禁止された場合でも，相続開始後の家族関係・社会経済生活の変遷とともに，遺産共有の継続が甚だしく不相当となることが考えうる（上田・前掲論文51頁)。民法が遺産共有関係の速やかな解消を建前としていることを考慮すれば，分割禁止の遺言をなした基礎が変わったことによって遺産共有関係の存続が不相当になった場合には，家庭裁判所に対して分割禁止の取消しの調停または審判の申立てができると解すべきである（石田・前掲論文334頁，上田・前掲論文51頁，新版注民(27)389頁〔伊藤〕，新注民(19)〔初版〕436頁〔副田〕)。

他方で，遺言による分割の禁止がある場合に，このような取消しの申立て等をすることなく，共同相続人が協議により遺産の分割をすることができるかどうかについては見解が分かれる。被相続人の意思を尊重し，分割を無効としたうえで，94条2項・192条・478条ほか表見法理のもとで第三者保護を図るべきとする見解（潮見298頁）に対し，多数説は，共同相続人全員の合意があれば分割を有効と解すべきであるとする（二宮398頁，片岡＝管野427頁，石田・前掲論文334頁)。

3　共同相続人の契約による分割禁止（本条2項・3項）

(1)　規定の意義

先述の通り，令和3年改正前民法は，遺産の分割の禁止について遺言または審判による場合のみ明文の規定で認めていたが（改正前908条および同907条3項)，共同相続人間の協議（以下の通り，同改正により「契約」に言い換えられた）により遺産分割を禁止することも当然可能と解されてきた。

令和3年改正により，本条2項および3項が新設され，共同相続人が契約により5年を超えない期間において遺産分割を禁止することができることが明文で定められた。さらに，分割禁止の期間の終期は，相続開始の時から10年を超えることができず（2項)，また，この契約は5年以内の期間を定めて更新することができるが，この場合にも，その期間の終期は相続開始の時から10年を超えることができないものとされた（3項)。

⑵　改正前の法状況

改正前民法908条の立法過程においては，「共同相続人カ第256条ノ規定ニ従ヒ相互ノ契約ヲ以テ5年ヲ超エサル期間内遺産ノ分割ヲ禁スルコトヲ得ルハ更ニ疑ナシト雖モ被相続人カ遺言ヲ以テ分割ヲ禁スルコトヲ得ルヤ否ヤニ付テハ諸国ノ立法例ハ固ヨリ一ニ帰セス」（理由書278頁）とされ，物権法上の共有について分割禁止契約を認める256条1項ただし書に従い，共同相続人が協議（契約）により分割の禁止をすることは明文の規定がなくても認められるが，被相続人の遺言による分割の禁止を認める場合には明文の規定を要するものと考えられたようである（改正前908条の立法の経緯につき松原Ⅱ484頁以下も参照)。学説では，遺言や審判による分割禁止が認められていることとの権衡，および，遺産分割の時期・方法について共同相続人の意思を尊重しその自由処分を認めていること等から，協議による分割禁止も認める見解が多数であった（新版注民(27)388頁〔伊藤〕，上田・前掲論文53頁等参照)。

協議による分割禁止の期間については，遺言による分割禁止に関する規定（本条1項）および共有物の分割禁止に関する規定（256条1項）との権衡から，5年を超えることができないものと解するのが通説であり（中川＝泉339頁，新版注民(27)388頁〔伊藤〕)，下級審裁判例にも同様の判断が示すものがあった（名古屋高決昭43・1・30家月20巻8号47頁)。また，この期間は更新により伸長することができるが，遺言による禁止とのバランス等から，更新の時から5年を超えることはできず，また，相続開始時から10年間を上限と解する見解が有力であった（新注民(19)〔初版〕406頁〔副田〕，民不登中間試案補足説明140頁参照)。

⑶　改正の背景

令和3年改正では，民法904条の3が新設され，相続開始の時から10年を経過した後にする遺産の分割については，一定の場合を除き，民法903条から904条の2までの規定は適用しないこととされ，具体的相続分ではなく，法定相続分（相続分の指定があるときは指定相続分）により遺産分割を行うこととされた。民法904条の3は，相続人が，一定の期間の経過により具体的相続分による分割の利益を消失するものとしたのであるが，その議論の過程において，具体的相続分の主張の期間と，遺産分割禁止の期間との関係が問題となった。

すなわち，相続開始から10年の期間をもって区切りをつけるということは，基本的にそれまでに遺産分割手続の申立てをなすことを要請することになるが，遺産分割禁止の期間がこれを超えて定められており，相続開始から10年の期間を経過しても，遺産分割の禁止がされたままであるという状況が生じうるとすると，遺産分割の促進という要請と整合しない結果になることが指摘された。他方で，改正前民法においても，遺言による分割禁止の期間は相続開始から5年を超えることができないと解されていたように，遺産分割の禁止の効果が長期にわたることは想定されておらず，家庭裁判所の審判による禁止についても，解釈論としては禁止の期間が一定の範囲に制限されると解されてきたことから，当該期間を合理的な範囲で定めることは民法の考え方とも齟齬しないとも考えられた（以上につき，民不登中間試案補足説明140頁）。

(4)　分割禁止の効果

相続人の契約による分割禁止の効力は，共同相続人の包括承継人および特定承継人に対しても及ぶ。禁止の効果を第三者に対抗することについては，遺言による分割禁止の効果（一2(3)）を参照。

4　審判による分割禁止（本条4項・5項）

(1)　規定の趣旨

遺産分割の審判の申立てがあった場合に，「特別の事由」があるときは，家庭裁判所は，期間を定めて，遺産の全部または一部につき分割の禁止をすることができる（908条4項）。

令和3年改正により，家庭裁判所の審判による遺産分割の禁止についても，その期間の上限を5年とすること（908条4項本文），および5年以内の期間を定めてその期間を更新することができることが明確にされるとともに（908条5項），その終期は，相続開始の時から10年を超えることができないものとされた（同条5項ただし書）。

(2)　特別の事由

審判による分割禁止は，「特別の事由」がある場合に限り認められる（本条4項本文）。「特別の事由」があるとされるのは，即時の分割を求める分割請求の自由という民法の原則に対して，民法906条の定める分割基準からみて，遺産の全部または一部を当分の間分割しないほうが共同相続人ら全員にとり利益となるとの客観的状態をいうものと解される（新注民(19)〔初版〕406頁〔副田〕）。すなわち，単に多数の利益というのではなく，全相続人にとって利益になるという客観的状態を指す（司法研修所編・前掲書333頁）。

「特別の事由」の具体的内容について，学説はこれを大きく次の3つの類型に分ける（上田・前掲論文56頁以下，新注民(19)〔初版〕407頁以下〔副田〕，司法研修所編・前掲書333頁以下）。

第一は，遺産分割を進めるために法律上の障害がある場合であり，例として，①胎児がいる場合，②相続人が限定承認をなし，清算中である場合等が挙げられる。①については，その出生まで待つのが実務的である。もっとも，②では，限定承認をした者が清算終了前に遺産分割を求めるということ自体が考え難いとの指摘もある（司法研修所編・前掲書333頁）。

第二は，遺産分割のいわゆる前提問題について争いがあり，訴訟係属中の場合である。相続人資格や重要な物件の遺産帰属性など，遺産分割を行う上で重要な前提事項について争いがあり，対立が深刻で非訟手続にはなじまない紛争性を伴うような場合には，当事者に訴訟の決着を待って改めて態度決定を求めるのが相当であり，共同相続人の共同の利益になると考えられる（司法研修所編・前掲書32頁，333頁参照）。具体的には，①遺言による廃除，親子関係不存在確認の訴え，認知無効の訴え等により，相続人の資格または相続分の変動が予想される場合，②遺産の範囲に争いがある場合（鹿児島家審昭43・9・16家月21巻1号117頁は，遺産たる土地に抵当権が設定されており，当該土地上の建物の所有権をめぐり訴訟が係属中である場合に，抵当権の負担が消滅し，地上建物の帰属に関する民事紛争が解決されるまでは，適正な分割をなすに適さないとして，審判確定の日から5年間の分割禁止が相当とした。また，大阪家審平2・12・11家月44巻2号136頁は，主要な遺産である不動産全部につき遺産性が争われ，訴訟手続による確定を待つことに当事者の合意がある場合には，分割禁止の措置を採ることが相当とした），③重要な遺産の分割に関する遺言，遺産分割協議の効力に争いがある場合（名古屋家審令元・11・8判タ1475号241頁は，被相続人がした複数の遺言の効力および解釈について相続人間に争いがあり，これに関して民事訴訟の提起が予定されている場合に，遺産全部の分割を2年間禁止することが相当とした）がある。

第三に，①遺産の状態が即時の分割に適さない場合，または②相続人の状態が即時の分割に適さない場合である。①の具体例としては，重要な遺産に抵当権が設定されている場合，錯雑した債務の支払を済ませて分割するのが妥当な場合，即時の分割が遺産の価値に著しい損害を与える場合，被相続人が所有し，経営していた営業施設で共同相続人の全員が働いている場合等が挙げられる（司法研修所編・前掲書333頁以下）。②の具体例としては，共同相続人の全部または一部の者が未成年であり，成人後の職業などとの関係で一定期間後に総合的な遺産分割をすることが適当とされる場合（上田・前掲論文57頁），共同相続人の経済的・感情的な関係から，即時の分割が円満な家庭生活を破壊するに至り，遺産分割手続自体を延期せねばならないと判断される場合等が挙げられている（上田・前掲論文57頁，司法研修所編・前掲書334頁以下）。これに対して，遺産分割をしたうえで個別財産を「物権法上の共有」にするか，あるいは，法定代理人の関与または特別代理人の選任によって分割手続を遂行することで対処できるから，上記の例において「特別の事由」があるとするのは適切ではないとする見解もある（潮見299頁，「特別の事由」があると認めることに対して慎重な見解として，司法研修所編・前掲書334頁参照）。

⑶　分割禁止の期間

令和3年改正前民法では，審判により遺産分割の禁止期間について，家庭裁判所がその期間を定めることとされていた（改正前907条3項）ほかは，明確な規定や判例はなかった。学説においては，禁止期間の判断は裁判所の裁量に委ねられており時的限界をひくべきではないという立場も見られたが（学説については新版注民(27)〔補訂版〕405頁〔伊藤〕参照），可及的速やかに遺産共有状態を解消することが民法の要請であることを鑑みれば，あまりに長期の禁止期間を認めるべきではないこと（上田・前掲論文57頁），また，遺言による禁止が5年に限られていること（908条），経済事情の自然的変動（中川＝泉339頁）等を考慮して，この場合においても，5年を限度として分割をしない旨の審判をすることができると解する見解が一般的であった。

このような従来の解釈を踏まえ，令和3年改正において，家庭裁判所の審判による分割禁止の期間は5年とされた（908条4項本文）。5年の分割禁止期間の始期については，これを審判時とするのが一般的見解であり実務の運用とされる（新版注民(27)〔補訂版〕405頁〔伊藤〕）。さらに，令和3年改正では，具体的相続分の主張制限規定が設けられたこと（904条の3）を受け，審判による分割禁止の終期についても，相続開始の時から10年を超えることができないものとされた（908条4項ただし書）。

なお，家庭裁判所は，5年以内の期間を定めて分割禁止の期間を更新することができるが（908条5項本文），その期間の終期も，相続開始の時から10年を超えることができない（同項ただし書）。

⑷　分割禁止の効果

土地について分割禁止の審判がされた場合には，遺言または契約による分割禁止の場合と同様に，登記をしなければこれを第三者に対抗することができない（もっとも，登記実務において審判による分割禁止の登記が認められた実例は乏しいようである（司法研修所編・前掲書35頁参照））。

分割禁止の審判をしたが，事情の変更があり，遺産の分割を禁止した状態を継続させるのが相当でないと認められるに至ったときは，家庭裁判所は，共同相続人の申立てにより，いつでも遺産の分割禁止の審判を取り消し，または変更する審判をすることができる（家事197条）。

それでは，分割禁止の審判の期間中に，審判の取消しを待つことなく遺産分割の協議が行われた場合に，当該協議の効力をどのように考えるべきか。これを無効とする説もあるが（潮見299頁，司法研修所編・前掲書35頁），分割禁止は公益を目的とするものではなく共同相続人の利益のためになされるものであることから，当該協議は有効と解すべきであろう（新注民(19)〔初版〕410頁〔副田〕，石田・前掲論文332頁，小野・前掲論文247頁等）。

5　分割禁止後の遺産共有関係とその解消

学説には，分割禁止により，従前の遺産共有が解消され，通常の共有関係になるとする見解と（中川＝泉340頁注6），分割禁止は一定期間分割を延期するだけであって遺産共有の法的性質までも変えるものではなく，従前の遺産共有の状態が継続するという見解がある（我妻・判コメ140頁，上田・前掲論文45頁，松原Ⅱ487頁以下）。この問題は，分割禁止後の共有関係の解消を，共有物分割手続と遺産分割手続のいずれによってなすべきかを論じる際の前提として議論され，前説によるとその解消は共有物分割手続により，後説によると遺産分割手続によることとなる（小野・前掲論文246頁，松原Ⅱ487頁。分割禁止後の共有関係の解消の手続を共有の性質論の問題として議論することへの批判として，新版注民(27)〔補訂版〕405頁以下〔伊藤〕）。分割禁止は期間を定めてなされるものであること，および分割禁止期間経過後は特別受益や寄与分等遺産分割に特有の諸事情を考慮して分割することが相当であるとの理由から，後説が多数説であり，実務の運用とされる（石田・前掲論文331頁，小野・前掲論文246頁）。

〔V＝藤巻　梓〕

（遺産の分割の効力）

第909条　遺産の分割は，相続開始の時にさかのぼってその効力を生ずる。ただし，第三者の権利を害することはできない。

〔対照〕　フ民883，ド民2032

〔改正〕〔1012〕

I　総説・本条の意義

1　宣言主義と移転主義

本条は遺産分割の効力について，その効力が相続開始時まで遡及すると解するいわゆる宣言主義の原則（本条本文），ならびに，一定の場合に取引の安全のため遡及効を制限する移転主義の例外（本条ただし書）を定める。本条本文は，明治民法1012条を受け継いだものであるが，本条ただし書は，明治民法にはなく，戦後の昭和22年改正の際に新設されたものである。

沿革的には，ローマ法は遺産分割の効果につき，非遡及とし，この考え方がドイツ法，スイス法に受け継がれているのに対して，ゲルマン法は，遺産分割につき遡及効を認め，それがフランス法に受け継がれている。前者においては，分割により各人は自己の持分を交換・移転しあって自己に振り宛てられた物の単独所有者となるのであり，分割は権利の移転の効力をもたらす（移転主義）。これに対して，ゲルマン法においては，分割の効果は相続開始時まで遡及するものとされ，分割により各人に振り宛てられた物は相続開始の時から各人に帰属していたこととなり，分割は従前に存した状態をただ宣言するという効力（宣言主義）しかない（原田・史的素描230頁）。

両者の違いは，共有中の持分処分の効力に関わる。すなわち，共有中に共有者の一人が持分につき抵当権を設定したのち，設定者以外の共有者に目的物が分割により振り宛てられた場合，移転主義においては，抵当権は目的物の上に残存するが，他方で，宣言主義においては，分割により設定者以外の共有者に目的物が振り宛てられたときは，遡及効の結果，無権利者による処分となり，抵当権は認められないこととなる（原田・史的素描230頁）。

2　起草者による説明

本条に関連して，起草者である穂積陳重委員は以下のように説明している。「若シ此認定主義〔宣言主義のこと。筆者追加〕ヲ採リマスルトキニハ其分割者ノ保護ニハ甚ダ厚ウゴザイマスケレドモ債権者其他第三者ノ保護ト云フコトニ付キマシテハ聊カ薄イモノト言ハナケレバナリマセヌ又共有ノ通則ノ如キ説〔移転主義のこと。筆者追加〕ヲ採リマスト債権者ノ利益ニハ余程ナリマスガ分割者ノ保護ト云フモノハ後ニナルト云フコトガアリマスイヅレカ其一ニ居ラナケレバナラナイト考ヘマス然ルニ本案ニ於テハ常ニ分割相続ノ主義ヲ採用サレマシタサウスルト此場合ノ共有者ト云フモノハ多クノ場合ガ親戚デアル其親戚ト云フ者ノ間ノ関係ヲ成ルベク保護致シテ其間ニ或ハ追奪等ニ依ル担保デアルトカ或ハ賠償デアルトカ云フ問題ヲ成ル可ク生ゼシメヌヤウニシテ此親族タル共同相続人ノ平和ヲ保ツ為メニハ両立ス可カラザル場合ニハ寧ロ此方ノ便利ヲ謀ル」との見地からの規定と説明している（法典調査会民法議事〔近代立法資料7〕584-585頁。理由書278-279頁も同旨を述べる）。

こうした説明からは，宣言主義は，親戚である共同相続人の利益を第三者の保護，取引の安全よりも優先するものであった。明治民法のもとでは家督相続が原則的な場面とされ，遺産相続は例外とされたことから，そこにおける宣言主義の貫徹による取引安全の軽視はさほど問題とされなかったものと指摘されている（新版注民(27)〔補訂版〕425頁〔川井健〕）。

しかし，家督相続が廃止され，遺産相続における共同相続が一般化して以降は，そのような取引安全の軽視の状態は許されず，戦後の改正により，本条ただし書が新設されて宣言主義の例外として，分割前に共同相続人の一人により目的物につきなされた処分は分割の結果その相続人に当該目的物が帰属しなかったとしても，効力に影響はないものとされた。加えて，民法は，共同相続人間の担保責任の規定（911条～914条）も認められていることからすれば，本条ただし書による例外を伴う宣言主義は，実際上移転主義とほとんど異ならないと評価されている（新版注民(27)〔補訂版〕425頁〔川井〕）。

II　分割の効果

1　分割の遡及効

遺産分割は，実体法上，被相続人の財産→相続開始→共同相続人の遺産共有→遺産分割→個別財産の各相続人の単独所有，という過程を経て行われる。ただ，宣言主義の下では，遺産分割の効力が相続開始時に遡及する結果，遺産共有状態はなかった，つまり，被相続人の遺産につき相続が開始した時から個別財産につき各人の単独所有・単独承継であったものと扱われる。

分割の遡及効は，遺産分割によって取得した遺産に限られる（民コメ(23) 2093頁〔梶村太市〕）。遺産分割の方法に即していえば，典型的には，現物分割によって取得した場合である。換価分割の場合，現物の取得がないため遡及効はない。代償分割（債務負担の方法による分割）の場合，特定遺産の取得については遡及効があるが，代償債権の取得（債務負担の場合の支払われるべき債務）については遡及効はない。物権法上の共有とする分割の場合は，遺産共有から物権法上の共有へと変更され，特定の遺産の現物取得であることに変わりはないため遡及効がある（新版注民(27)〔補訂版〕426頁〔川井〕。もっとも，遺産たる不動産につき，相続が開始したのでとりあえず共有登記をしたような場合には，共同相続人が物権法上の共有とすることを意図したと即断するのは危険とする指摘として，中川(淳)・逐条上336頁）。

2　遡及効と登記手続

この遺産分割の遡及効の問題は，登記手続との関係，遺産共有中の収益・果実の帰属をめぐって論じられることが多い。

まず登記手続との関係では，分割による各相続人の権利取得を登記手続上どのようになすべきかについて，遺産たる不動産の登記が被相続人名義のままの場合と，すでに共同相続人による共有名義となっている場合とを区別する必要がある。

(1)　被相続人名義のままの場合

この場合，遺産分割により特定の不動産を取得した共同相続人は，共同相続登記を経由することなく，被相続人から直接に自己への所有権移転登記をすることが認められる（昭19・10・19民事甲692号民事局長通達・登記関係先例集・上〔1955〕737頁）。この場合，遺産分割協議書を資料（登記原因証明情報。不登61条）とし，単独申請により（不登63条2項），所有権移転登記（登記原因は相続，取得の日付は相続開始時）をする（山野目章夫・不動産登記法〔2版，2020〕317頁，七戸克彦監修・条解不動産登記法〔2013〕428頁〔七戸克彦〕）。また，いったん共同相続登記をしたうえで，遺産分割による権利取得の登記をすることも認められている（東京高判昭33・8・9下民集9巻8号1548頁，新版注民(27)〔補訂版〕427頁〔川井〕）。

(2) 共同相続人の共同相続登記がなされている場合

従前は，遺産である不動産につき法定相続分での共同相続登記がされた後に，遺産分割による権利取得があったときは，その共同相続登記を抹消することなく，遺産分割の結果，当該不動産について持分を失うことになる相続人を登記義務者とし，その者から持分を取得する相続人を登記権利者として，両者が共同して（不登60条）持分移転登記を申請することになるとされていた。しかし，令和3年改正に伴い，登記申請人の手続負担を軽減するため，法定相続分での登記がされた場合における登記手続が簡略化され，共同相続の登記の後に遺産分割による権利取得があった場合には，遺産分割により当該不動産の持分の取得する相続人が単独で更正の登記を申請することができることとされた（令5・3・28法務省民二第538号通達）。

3 遡及効と遺産共有中の果実の帰属

遺産共有中の果実の帰属が，分割の遡及効との関連で論じられる場面として，具体的には遺産である不動産から相続開始後遺産分割前に賃料債権が生じた場合，それらの賃料債権がどのように扱われるべきかという問題がある。この問題に関しては，遺産と同視して分割の対象とする説，遺産とは別の財産としたうえで，全員の合意がある場合に遺産分割の対象とする説，同じく別の財産としたうえで，相続分に応じて当然に分割帰属すると解する説などのほか，遺産分割の遡及効により，賃料を生じさせた不動産を分割により取得した相続人に帰属するとの説があり，裁判例・学説も分かれていた（尾島茂樹〔判批〕民百選Ⅲ3版138頁）。これに対して，最高裁（最判平17・9・8民集59巻7号1931頁）は，遺産である複数の不動産から生ずる賃料，管理費等について，遺産分割により各不動産の帰属が確定した時点で清算することとし，清算までの間に支払われる賃料等を管理するための銀行口座を開設し，各不動産の賃借人らに賃料を振り込ませ，その管理費等を口座から支出していたところ，遺産分割が決定し，口座残金の清算方法について，相続人間で争いとなった事案につき，原審が，各不動産から生じた賃料債権は，相続開始の時に遡って，遺産分割により各不動産を取得した相続人に帰属するとの判断を前提とした清算を命じたのに対して，これを斥け，相続開始後分割までの賃料債権は遺産とは別の財産であること，各共同相続人は相続分に応じて分割された債権を単独で取得すること，この分割単独債権としての取得は後の遺産分割の結果により影響を受けないことを明らかにした（→§906 VI）。

III　第三者の権利保護

1　本条ただし書の適用範囲

本条ただし書の趣旨は，取引の安全のために本条本文が定める遺産分割の遡及効を制限することにある。すなわち，相続開始後遺産分割前に第三者が共同相続人の一人から遺産たる目的物についての当該共同相続人の法定相続分割合の持分を取得した場合において，その後になされた遺産分割により当該共同相続人はその目的物を取得しなかったとき，遡及効によれば，処分した共同相続人は無権利者であったこととなるため第三者は無権利者からの譲受人として，権利を取得できないことになる。しかし，それでは第三者の利益，ひいては，取引の安全が害されることから，遡及効を制限し，第三者が取得した権利を保護しようとするものである（我妻・判コメ144頁）。

このようなただし書の趣旨から，後掲3に述べる最高裁昭和46年判決の事案のように，遺産分割による権利取得を登記なしに対抗できるかが問題となる事案には適用がなく，また，共同相続人の一部が単独相続と偽り勝手に遺産を処分した場合につき，他の相続人は自己の法定相続分に基づく持分においては登記なしに第三者に対抗できる（最判昭38・2・22民集17巻1号235頁）が，これは本条ただし書とは直接関係しない（注解全集270頁〔橋本昇二〕）。

2　「第三者」とは

上記のただし書の趣旨からすると，「第三者」とは，相続開始後遺産分割までの間に共同相続人の持分について権利を取得した者をさす（分割後の第三者については後述3参照）。共同相続人の一人から目的物の持分を譲り受けた者，担保提供を受けた者，さらに，持分を差し押さえた差押債権者がこれに該当する。他方，相続分の譲渡（905条）を受けた者は，本条の対象ではない。

第三者の権利取得について善意であることは要求されない（注解全集270頁〔橋本〕，松原Ⅱ 494頁，新版注民(27)〔補訂版〕431頁〔川井〕）。

本条ただし書の保護を受けるために，第三者は対抗要件を備えていることを必要とするか。判例はないが，学説上は登記を必要とするものが多い（新版注民(27)〔補訂版〕430頁〔川井〕，注解全集270頁〔橋本〕，松原Ⅱ 494頁，佐久間毅・民法の基礎(2)物権〔3版，2023〕97頁以下，潮見371頁参照。河上正二・物権法講義〔2012〕114頁は，権利資格保護要件としての登記必要説が通説という）。

3　第三者の「権利を害することができない」

相続開始後遺産分割までの間に登場した第三者に対する関係（共同相続人A，Bの遺産共有にある甲土地につき，Bがその$\frac{1}{2}$の持分をCに譲渡した後，遺産分割の結果，Aが甲土地全体を取得した場合）では，相続人Aは分割の遡及効が制限され，第三者Cに権利取得を対抗することはできない。ただ，前述のように，Cがただし書の保護を受けるためには登記が必要であり，Cが登記を備えAに対抗できる場合，その譲渡部分は遺産ではなくなり，甲地はAとCとの共有物となり，Cがその共有関係解消のために取るべき手続は，遺産分割ではなく共有物分割手続とするのが判例である（最判昭50・11・7民集29巻10号1525頁）。

他方で，分割により相続分と異なる権利を取得した相続人と分割後の第三者との関係について（相続人Aが遺産分割の結果甲土地全体を取得したが，その旨の登記未了の間に相続人Bが甲土地上の自己の持分をCに譲渡したような場合，Aは〔法定相続分を超える〕遺産分割による権利取得を登記なしに対抗できるかという遺産分割と登記の問題となる），判例（最判昭46・1・26民集25巻1号90頁）は，遺産分割後に登場した第三者の問題は，本条ただし書ではなく177条の問題とし，「遺産の分割は，相続開始の時に遡ってその効力を生ずるものではあるが，第三者に対する関係においては，相続人が相続によりいったん取得した権利につき分割時に新たな変更を生ずるのと実質上異ならないものであるから，不動産に対する相続人の共有持分の遺産分割による得喪変更については，民法177条の適用があり，分割により相続分と異なる権利を取得した相続人は，その旨の登記を経なければ，分割後に当該不動産につき権利を取得した第三者に対し，自己の権利の取得を対抗することができないものと解するのが相当である」とした。この点は学説上も支持されている（作内良平〔判批〕民百選Ⅲ 3版159頁）。

なお，改正法899条の2は，相続による権利の承継について，遺産の分割によるものかどうかにかかわらず，法定相続分を超える部分については，登記，登録その他の対抗要件を備えなければ第三者に対抗することができないとするが（同条1項），遺産分割と登記について登記が必要との前掲判例の準則は同条に踏襲されている。さらに，その権利が債権である場合において，法定相続分を超えて債権を承継した相続人が，遺産の内容（遺産の分割により当該債権を承継した場合は遺産分割の内容）を明らかにして債務者にその旨の通知をしたときは，共同相続人全員が債務者に通知をしたものとみなすと定めている（同条2項）。

〔副田隆重（藤巻梓補訂）〕

（遺産の分割前における預貯金債権の行使）

第909条の2　各共同相続人は，遺産に属する預貯金債権のうち相続開始の時の債権額の3分の1に第900条及び第901条の規定により算定した当該共同相続人の相続分を乗じた額（標準的な当面の必要生計費，平均的な葬式の費用の額その他の事情を勘案して預貯金債権の債務者ごとに法務省令で定める額を限度とする。）については，単独でその権利を行使することができる。この場合において，当該権利の行使をした預貯金債権については，当該共同相続人が遺産の一部の分割によりこれを取得したものとみなす。

〔改正〕　本条＝平30法72新設

細　目　次

I　本条の意義

1　平成28年最高裁大法廷決定

判例は従来，普通預金債権についても，他の可分債権と同様に，相続開始と同時に相続分に応じて各相続人に分割して承継されると解していたが（最判平16・4・20家月56巻10号48頁。§898 Ⅲ 2・3も参照），これに対しては，特別受益や寄与分を十分に考慮することができず，相続人間の実質的公平を図ることができない，柔軟な遺産分割ができないといった問題が指摘された。法制審議会民法（相続関係）部会（以下，単に「法制審議会」という）においてもこの問題に対する立法的対応が検討されていたところ（中間試案補足説明25頁以下），最高裁平成28年12月19日大法廷決定（民集70巻8号2121頁（以下，「平成28年最大決」ともいう））は上記平成16年最判を変更し，共同相続された普通預金債権や通常貯金債権および定期貯金債権は，いずれも，相続開始と同時に相続分に応じて分割されることはなく，遺産分割の対象に含まれるとした。さらに，最高裁平成29年4月6日判決（判タ1437号67頁（以下，「平成29年最判」ともいう））は，共同相続された定期預金債権および定期貯金積金についても共同相続による当然分割を否定した上で，共同相続人の一人は，他の共同相続人の全員とともにするのでなければ，共同相続人の一人が自己の法定相続分に応じた預貯金債権の額につき払戻しを請求することができないものと判示した。

これらの判例により上記の問題は一応の解決が図られたが，他方で別の問題が生じた。すなわち，共同相続人において被相続人が負っていた債務の弁済をする必要がある，あるいは，被相続人から扶養を受けていた共同相続人の当面の生活費を支出する必要がある等の事情により，被相続人が有していた預貯金を遺産分割前に払い戻す必要があるにもかかわらず，共同相続人全員の同意を得られなければ払い戻すことができないという不都合が生じることが指摘されたのである（一問一答68頁。平成28年最大決における大谷剛彦裁判官らの共同補足意見もこの点を指摘し，仮分割の仮処分の活用を示唆していた。この点につき，金子・逐条754-756頁も参照）。

2　法制審議会における検討（平成29年7月）

上記の不都合を解決するため，法制審議会においては，平成28年最大決の趣旨を踏まえつつ，相続開始後，遺産分割前に，家庭裁判所の判断を経ることなく，一定の要件のもとで各共同相続人による預貯金の払戻しを認める制度の創設が検討された（本条の創設の意義および背景については，潮見210頁，窪田充見「相続法改正(下)」法教461号〔2019〕65頁以下を参照）。

また，共同相続人の資金需要に対しては，家事事件手続法200条2項に基づく預貯金債権の仮分割の仮処分の制度の活用が考えられたが，同項には「急迫の危険を防止するため必要があるとき」という厳格な要件が設けられていることから，相続人の資金需要に柔軟に対応することは困難であると考えられた。そこで，法制審議会においては，家庭裁判所の判断を経ない払戻しを認める制度の創設に加え，預貯金債権の仮分割の仮処分について，その要件を緩和することが検討された（法制審議会における審議の過程について，新注民(19)〔初版〕444頁以下〔副田隆重〕を参照）。

法制審議会における検討の結果，相続された預貯金債権について，仮分割の仮処分の要件を緩和する家事事件手続法200条3項が新設されるとともに（一VI），遺産分割前においても，家庭裁判所の判断を経ずに，一定の範囲で預貯金の払戻しを受けることができるとする制度が設けられた（本条）。

II　預貯金の払戻しの範囲

1　払戻し可能な金額

家庭裁判所の判断を経ない預貯金の払戻し制度において，各共同相続人がすることのできる払戻しには次の2つの限定が付されている。

第一に，909条の2は，各相続人は，遺産に属する預貯金債権のうち，その相続開始時の債権額の3分の1に，900条および901条の規定により算定した，当該払戻しを求める共同相続人の相続分を乗じた額について，単独でその権利を行使することができるとしている。預貯金債権を遺産分割の対象とすることで公平な遺産分割を実現するという平成28年最大決の趣旨に鑑みて，預貯金債権の3分の2は遺産分割の対象財産として確保しようとする趣旨である。

ここでいう「遺産に属する預貯金債権」とは，被相続人が死亡時に有していた預貯金債権であり，遺産分割の対象となるものである。これに対して，遺贈された預貯金債権，および特定財産承継遺言に基づき特定の相続人に承継された預貯金債権は，当該受遺者および相続人の単独所有となり遺産に属しないことになるから，原則として本条による払戻しの対象とならない。もっとも，遺贈および特定財産承継遺言については対抗要件主義（899条の2）が妥当するから，預金債務者たる金融機関としては，所定の債務者対抗要件が具備されるまでは，当該預貯金債権が遺産に属していることを前提に処理をすれば足り，その後に債務者対抗要件が具備されたとしても，既にされた本条に基づく払戻しの有効性を主張することができる（一問一答79頁）。

909条の2の「第900条及び第901条の規定により算定した……相続分」とは，代襲相続人の相続分を含めた法定相続分を指すと解される。902条の遺言による指定相続分，具体的相続分（特別受益・寄与分）は，ここでの相続分の算定では考慮されない（以上につき，山田誠一「民法909条の2にもとづく預貯金債権の行使」民法（相続関係）改正に伴う銀行実務への影響（金融法務研究会報告書）〔2021〕7頁参照）。909条の2による払戻し制度の趣旨は，被相続人の意思ではなく，被相続人の債務の支払を求められる相続人の立場に鑑みてなされるものだからである（須田悠花子ほか「パネルディスカッション 相続法改正が裁判実務・銀行実務に与える影響(上)」銀法838号〔2019〕29頁〔窪田充見発言〕）。

第二に，909条の2では，同一の金融機関に対して権利行使をすることができる金額についても上限を設けた上で，この金額については法務省令に委任するものとしている。これは，預貯金債権額の3分の1という割合による制限だけで上限を定めると，多額の預貯金がある場合に，各共同相続人の払戻可能額も高額になり，必要以上に払戻しがされ，他の共同相続人の利益が害されるおそれがあるという理由による（一問一答72頁）。なお，平成30年11月に，この上限額は150万円と定められた（平成30年法務省令第29号）。

2　同一の金融機関に複数の預貯金口座がある場合

本条の規定によって権利行使をすることができる預貯金債権の割合およびその額については，個々の預貯金債権ごとに判断されるというのが法務省の立案担当者の立場である（一問一答70頁）。この見解に従えば，例えば，被相続人Aが，B銀行の口座に普通預金300万円と定期預金480万円を有しており，相続人はAの子であるC・Dの2名である（法定相続分は各2分の1）場合に，Cが本条に基づいて払戻しを請求することができるのは，普通預金のうち最大50万円（$300\times\frac{1}{3}\times\frac{1}{2}$），定期預金のうち最大80万円（$480\times\frac{1}{3}\times\frac{1}{2}$）である。これに対して，被相続人が同一の金融機関に普通預金口座と定期預金口座を有していた場合などにおいては，金融機関や相続人の便宜の観点から，個々の預貯金債権ごとではなく，債務者たる金融機関ごとに預金額を合算した上で，その3分の1に法定相続分を掛けると解する余地も指摘される（潮見佳男ほか「〔座談会〕改正相続法の金融実務への影響」金法2100号〔2018〕10頁以下〔白石大発言〕）。

ところで，上述1の通り，法務省令により，同一の金融機関に対して権利行使をすることができる金額の上限が150万円と定められたことにより，被相続人が同一の金融機関に複数の預貯金口座を有する場合に，払戻請求をする相続人がどの口座からいくら払戻しを得ることができるかが問題となりうる。例えば，被相続人AがB銀行の口座に普通預金600万円，定期預金900万円を有していた場合に，相続人は子C・Dの2名である（法定相続分は各2分の1）とすると，Cは，普通預金のうち最大100万円（$600\times\frac{1}{3}\times\frac{1}{2}$），定期預金のうち最大150万円（$900\times\frac{1}{3}\times\frac{1}{2}$）の払戻しを受けることができるが，上限が150万円であるから，このうちのいずれの預金についていくらまで権利行使をするか指定できるかという問題である（白石大「遺産分割前の預貯金債権の行使に関する理論的問題の整理」金法2114号〔2019〕35頁が詳細である）。この点について立案担当者は，どの口座からいくら払戻しを得るかについては，その請求をする相続人の判断に委ねられるとする（堂薗＝神吉・概説55頁）。権利行使をする相続人による指定がない場合には，払戻請求を受けた金融機関は，中途解約の影響が小さい預貯金債権から払戻しをすることになるものと思われる（須田ほか・前掲パネルディスカッション31頁〔笹川豪介発言〕）。

3　使途の限定

909条の2前段に基づく払戻請求権の行使において，払い戻された金員の使途は限定されない。法制審議会においては，払戻しを受ける目的に応じて払戻しを認める額を定めること（例えば，未払の医療費や税金を支払う必要があることや，相続人の生活のために必要があることを要件として，それぞれの場合に払戻しを認める金額やその計算方法を定めること）が検討されたが，いかなる目的の場合に払戻しを認め，その金額をどのように定めるかについて一義的に明確な基準を定立することは困難であるとの指摘がされ，実現しなかった（中間試案補足説明31頁）。もっとも，金融機関ごとの上限が150万円と定められた過程においては，標準的な生活生計費や平均的な葬式費用の額が考慮要素とされており，これらの使途の必要額が間接的に考慮されていると指摘される（沖野眞已「遺産分割前の預金契約〔消費寄託部分〕：相続開始後遺産分割前の預金の払戻し」最高裁大法廷決定（平成28年12月19日）を踏まえた預金債権の相続に関する諸論点（金融法務研究会報告書）〔2020〕47頁以下参照）。

4　相続開始後の預貯金額の変動

(1)　原　　則

本条に基づく権利行使が可能な額の範囲は，相続開始の時における預貯金債権額を基準に算定される。この制度では，預貯金債権の債務者である金融機関が，権利行使可能な範囲内にあるかどうかをいわば形式的に判断できるようにすることが必要とされているからである（堂薗＝神吉・概説53頁以下）。したがって，相続開始後に，本条に基づく払戻請求に先立ち，共同相続人の一人が被相続人の死亡を秘して現金自動預払機（ATM）で現金を引き出すなどして，被相続人名義の口座残高に変動が生じた場合であっても，払戻請求の認められる額が減じられることはない。金融機関としてはあくまで相続開始の時を基準として算定すればよく，相続開始後に残高が減少して各共同相続人の権利行使に全額応じることができなくなるリスクは相続人が負担する（以上につき，潮見214頁，白石・前掲論文37頁参照）。

(2)　相続開始後に入金等があった場合

これに対して，相続開始後に普通預金口座からの引出し，引落しがされたために預貯金額がいったん減少し，その後振込み等によって残高が回復した場合に，この増加額を払戻しの引当てとすることができるかについては議論の余地がある。この点について，法務省の立案担当者は，相続開始後に何らかの理由によって預貯金債権の額が増減した場合でも，金融機関は相続開始の時の預貯金債権の額を基準として計算すれば足りるとする（堂薗＝神吉・概説54頁）。他方で，学説には，「相続開始後の入金額が遺産に属さない性質のものであるときは，この問いは否定されるべきであろうが，他方で，普通預金債権の一個性を強調するときは肯定的に解する余地がある」とする見解がある（潮見214頁）。

例えば，相続開始後に，共同相続に係る不動産から生じる賃料が被相続人名義の預金口座に入金された場合はどのように考えるべきか。共同相続された不動産から生じる賃料債権について，最高裁は，可分債権として法定相続分に応じて各相続人に分割して帰属するとの判断を示しており（最判平17・9・8民集59巻7号1931頁），その入金額は預貯金債権になったとしても当然に遺産分割の対象となるものではないとも考えられる（潮見佳男ほか「〔座談会〕大法廷決定をめぐって」家判9号〔2017〕34頁〔片岡武発言〕）。

もっとも，上記平成28年決定における鬼丸かおる裁判官の補足意見においては，普通預貯金の特殊性として，いずれも1個の債権として同一性を保持しながら常にその残高が変動し得るものである点が指摘されており，この点を重視すれば，相続開始後に預金口座に振込み等がされた場合には，当該振込金等は，従来の残高とあわせて1個の預貯金債権となったものとして払戻しの引当てとすることができるとも考えられる。学説には，その理論的説明として，預金口座等に賃料が入金された時点で，賃料債権としての性質を失い，遺産分割の対象となるとする見解（安部将規「預貯金債権の共同相続――相続法改正を中心とした検討」ジュリ1530号〔2019〕64頁注11）や，相続開始後においても被相続人の口座を閉じなかったことをもって，相続人間で賃料債権を遺産分割の対象とする合意の存在を推定する余地を指摘する見解（二宮403頁以下参照）がある。

5　勝手払い後に仮払請求があった場合

共同相続人の一人が，相続開始後，金融機関に対する相続届があるまでの間に預金の払戻しを受けていた（いわゆる「勝手払い」があった）場合に，当該共同相続人が重ねて909条の2に基づく払戻しを請求したときに，金融機関としていかなる対応をとるべきかが問題となる。相続人の資金需要に対して簡易迅速な払戻しを行うという本条の趣旨によれば，共同相続人の一人による本条に基づく払戻請求を受けた金融機関が，当該相続人による勝手払いの有無の調査をした上で払戻しを行うという義務までは認めがたい（堂薗＝神吉・概説55頁以下）。したがって，相続開始後に勝手払いを受けた共同相続人に対して金融機関が本条に基づく払戻しをしたとしても，それは適法な弁済として有効と解される。

立案担当者は，本条の権利を行使しようとする共同相続人がそれ以前に勝手払いを受けていたことを金融機関が把握していた場合に，この権利行使を権利の濫用に当たるとして金融機関が払戻しを拒むことができる場合があるとする（堂薗＝神吉・概説56頁）。もっとも，これは，かかる主張をするか否かは金融機関の判断に委ねられるという趣旨であると考えられる。学説には，金融機関が勝手払いのあったことを知りながら漫然と権利行使に応じてよいかは疑問であり，勝手払いを受けた額と本条に基づく払戻額を加えると当該共同相続人の法定相続分を超えることが明らかな場合には，金融機関が本条に基づく権利行使に応じると民法478条は適用されず，免責を受けられないとする見解もある（白石・前掲論文37頁）。

6　預貯金債権以外の権利

本制度は，上限額を定めて，その範囲内で金融機関が支払うという前提で制度設計がされており，支払可能額に関する基準が明確である必要性が高いことから，その対象を預貯金債権に限定しており，それ以外の権利（例えば，信託受益権などの金融資産）は対象とはならない（沖野眞已ほか「〔対談〕相続法の改正をめぐって」ジュリ1526号〔2018〕22頁〔堂薗発言〕）。

III　預貯金債権の払戻しの効果

1　一部分割の擬制

預貯金債権の共同相続人の一人が本条に基づく払戻請求権を行使した場合には，その預貯金債権については，当該共同相続人が遺産の一部分割によりこれを取得したものとみなされる（909条の2後段）。これにより，共同相続人の一人が本条前段の規定に基づき払戻しを受けた預貯金債権の額が当該共同相続人の具体的相続分を上回る場合には，当該共同相続人は代償金の支払による清算義務を負うことになる（一問一答75頁参照）。

具体的ケースを例にとって考えてみよう。Pが死亡し，相続人はAおよびB（法定相続分は各2分の1）である。遺産として，積極財産900万円（普通預金）のみがある場合に，相続人Aが本条に基づく払戻請求を行い，金融機関から150万円（$900 \times \frac{1}{3} \times \frac{1}{2} = 150$万円であり，法務省令による上限額に相当する）の払戻しを受けた。Aは，Pの生前に，Pから1000万円の贈与を受けていた。この場合に，

遺産分割の対象財産は900万円，

Aの具体的相続分は，$(900\text{万円} + 1000\text{万円}) \times \frac{1}{2} - 1000\text{万円} = -50\text{万円}$，

Bの具体的相続分は，$(900\text{万円} + 1000\text{万円}) \times \frac{1}{2} = 950\text{万円}$　となる。

実際の金融機関の預金残高は，900万円－150万円＝750万円しかない。

そうすると，遺産分割の審判においては，下記のような主文になると思われる（一問一答75頁以下）。

「Bに，普通預金債権750万円を取得させる。Aは，（代償金として）Bに対して200万円を支払え。」

2　906条の2の規定との関係

909条の2後段は，906条の2といかなる関係に立つか。906条の2は相続開始後，遺産分割前に遺産に属する財産が処分された場合一般に関する規定であるのに対し，909条の2後段は，同条前段により権利行使された預貯金債権を，906条の2の要件の充足を問題とすることなく，一部分割により取得したものとみなすという特則を設けるものと解されている（一問一答77頁）。したがって，906条の2の規定は，909条の2後段の規定が適用されない場合に限って適用される。

3　本条の規定と異なる内容の合意

相続開始後の預貯金債権の払戻しについて，909条の2の規定と異なる内容の預貯金規定が置かれていた場合や個別の合意がされていた場合のこれらの効力が問題となりうる。

まず，被相続人と金融機関との間で，被相続人の死後に本条所定の基準を下回る範囲での払戻しのみ認める旨の合意がされた場合である。法務省の立

案担当者は，かかる約定があったとしても，本条に基づく権利行使は制限されないという見解を示す（潮見佳男ほか「〔座談会〕改正相続法の金融実務への影響」金法2100号〔2018〕16頁〔堂薗幹一郎発言〕。もっとも，法制審議会（部会第24回議事録6頁以下〔堂薗幹事発言〕参照）においては，契約上の制限が民法90条や消費者契約法に反するような場合を除き，本条の規定が契約上の制限を解除するものではないとする趣旨の発言もあり，立案担当者の立場は必ずしも明らかではない）。

次に，被相続人が生前に，金融機関との間で，葬儀費用の支払や相続債務の弁済に備え，909条の2所定の定める限度を超えて，一部の共同相続人または第三者に遺産分割前の預貯金の払戻しを認めるという取決めをしておくことがあり得る（部会第22回議事録14頁以下〔潮見委員発言，堂薗幹事発言〕，潮見ほか・前掲座談会15頁以下，窪田充見ほか「〔座談会〕これからの相続法――相続法改正の意義と将来の課題」ジュリ1542号〔2020〕87頁以下参照）。このような合意の効力について，立案担当者は，支払委託等の契約で909条の2の規定の定める範囲を超える払戻しを認める趣旨の約定が定められた場合には，その契約が有効であれば，その払戻しが本条により制限されることはないと述べる（潮見ほか・前掲座談会16頁〔堂薗発言〕）。

他方で，学説には，909条の2は，共同相続人間の公平の実現と，資金需要への迅速対応の必要の調整という観点から，法定の権利行使権能を認めたものであるから，そもそも，それを超える権能を普通預金契約において認めることは，相続人間の公平を害することにもなりかねないとする指摘も見られる（沖野眞已「相続法改正を契機とした普通預金規定の見直しについて」民法（相続関係）改正に伴う銀行実務への影響（金融法務研究会報告書）〔2021〕12頁以下）。

さらには，被相続人が，生前の預金契約において，自身に何かあった場合の受領権者や払戻請求権者を指定しておくことができるとした場合に，その契約に基づいて相続人の一人または第三者が払戻しを受けたときに，それが遺産分割にどのような影響を及ぼすか（みなし相続財産に含まれるか）という問題も残されている。

IV　払戻請求権の差押え，譲渡，相殺

1　は じ め に

平成28年最大決および平成29年最判を踏まえ，学説においては，共同相続された預貯金債権の準共有持分に対する差押え，譲渡および相殺（以下単に「差押え等」ともいう）の可否をめぐり議論がされ，一定の見解が示されてきた（潮見佳男「預金の共同相続」金法2071号〔2017〕53頁以下，松下淳一「預金の共同相続と個別執行・破産」最高裁大法廷決定（平成28年12月19日）を踏まえた預金債権の相続に関する諸論点（金融法務研究会報告書）〔2020〕31頁以下，山川一陽＝松嶋隆弘編著・相続法改正のポイントと実務への影響〔2018〕95頁以下〔後藤充隆〕参照）。

同様の問題は909条の2に基づく払戻請求権についても生じる。しかし，この場合に各相続人は，同条の定める範囲内であれば，単独で払戻しを求めることができるのであり，各相続人の単独での払戻しが認められない預貯金債権の準共有持分の場面とは異なる考慮が働くことも考えられる。そこで以下では，共同相続された預貯金債権，次に909条の2の規定に基づく払戻請求権の順に，その差押え等の可否に関する議論状況を一瞥する。

2　共同相続された預貯金債権（ないしその準共有持分）の差押え等

(1)　差　押　え

相続債権者に対する被相続人の債務は，相続開始により，法定相続分に従い当然に分割され，各相続人に承継される。そして，共同相続された預貯金債権は，遺産分割がされるまでの間，共同相続人による準共有となるという理解を前提に，相続債権者は，各相続人に対する分割単独債権を請求債権として，預貯金債権につき各相続人が有する準共有持分（相続不動産の持分の差押えについての最判昭38・2・22民集17巻1号235頁の立場を当てはめれば，この場合は法定相続分による持分となろう）を差し押さえることができると考えられる（潮見・前掲金法2071号53頁，潮見204頁，白石大「相続による債権・債務の承継」法時89巻11号〔2017〕18頁）。

また，相続人債権者が，被相続人名義の預貯金債権に対する当該相続人の準共有持分を差し押さえることの可否についても，これを肯定する見解が有力である（この点につき齋藤毅〔判解〕ジュリ1503号〔2017〕82頁，内田義厚「共有持分に対する民事執行(1)」金法2137号〔2020〕81頁，安部将規「預貯金債権の共同相

続――相続法改正を中心とした検討」ジュリ1530号〔2019〕64頁等）。

しかし，差押えが可能であるとしても，差押債権者に取立権まで認められるかは疑問である。準共有持分割合に応じた取立ては預貯金の一部払戻しと同じであるから，平成28年最大決の趣旨に反することになる。したがって，相続債権者または相続人債権者は，他の共同相続人と共同しない限り，債務者たる相続人の準共有持分を取り立てることはできないと解される（齋藤・前掲判解81頁，谷口安史「預貯金債権の相続に関する諸問題」金法2084号〔2018〕42頁，松下・前掲論文34頁）。

もっとも，差押債権者の取立権を認めない見解に立ったとしても，たとえば相続債権者が共同相続人全員の準共有持分を差し押さえた場合には，合わせて1つの預貯金債権を差し押さえたことになるから，持分権の行使に対する制約はなくなり，相続債権者または相続人債権者は預貯金債権を取り立てることができるとも考えられる（浅田隆ほか「〔鼎談〕11の事例から考える相続預金大法廷決定と今後の金融実務」金法2063号〔2017〕21頁以下〔圓道至剛発言〕，西希代子〔判批〕法教440号〔2017〕76頁，齋藤毅「預貯金の共同相続に関する幾つかの問題」判タ1460号〔2019〕14頁も取立てが可能とする）。これに対しては，共同相続人全員の共有持分を差し押さえたからといって，預貯金債権を差し押さえたことにはならないとして否定的に捉える見解（潮見204頁注27。なお，松下・前掲論文31頁以下も参照）がある。

⑵　譲　　渡

相続人が預貯金債権の準共有持分を第三者に譲渡することの可否については，預貯金債権には一般に譲渡禁止特約が付されていること（預貯金債権を含む遺産の相続分の譲渡が譲渡禁止特約違反となる可能性を指摘するものとして，→§905 III 6⑹），平成28年最大決は預貯金債権の当該性質まで変更するものではないことなどの理由からこれを否定的に解する見解が有力である（白石・前掲法時89巻11号23頁）。この立場は，預貯金債権の準共有持分を譲渡しようとしても，譲受人が当該特約について悪意または重過失である限り，譲渡は無効となると解する。これに対して，共同相続人の一人が，他の共同相続人に対し準共有持分または相続分を譲渡することは，譲渡禁止特約に違反しないものと考えることができよう（→§905 III 6⑹）。

(3) 相　　殺

相続債権者である預入金融機関は，被相続人に対して有していた金銭債権（各相続人が法定相続分にしたがい分割承継した被相続人の債務に係る分割単独債権の全体）を自働債権とし，相続人全員が準共有する預貯金債権を受働債権として相殺することができる（潮見205頁以下，齋藤・前掲ジュリ1503号81頁以下等）。この場合には，両債権の間には相殺への期待が形成されていたと認められ，共同相続という事実によってこの期待が害されるべきではないからである。

ただし，相続開始前に被相続人に対する金銭債権と預貯金債権とが相殺適状になかった場合に，相続開始後，相殺適状が生じた時点において，両債権の相互性を観念しうるかどうかについてはなお検討を要する。この場合には，相殺適状を生じた時点，すなわち各共同相続人の金融機関に対する債務の弁済期および金融機関の預貯金債務の弁済期が到来した時点においては，金融機関は各共同相続人に対して別個独立に債権を有する一方で，各共同相続人は預貯金債権の準共有持分しか有していない。したがって，金融機関の債権と，各共同相続人の準共有持分とをもって相互性の要件が充足されたとみることができるかが問われることになる（以上につき，齋藤・前掲判タ1460号12頁，同様の問題提起をするものとして，山川＝松嶋編著・前掲書103頁〔後藤〕）。

相続人債権者である預入金融機関が，遺産分割前に，共同相続人の一人に対する債権を自働債権とし，当該相続人の預貯金債権に対する準共有持分を受働債権として相殺することの可否については見解が分かれる。これを肯定する見解もあるが（齋藤・前掲ジュリ1503号82頁，同・前掲判タ1460号13頁を参照），相続預貯金は遺産分割までの間は個々の相続人に確定的に帰属しているわけではなく，相殺の要件たる債権の相互性を欠くこと，もともと債権・債務が対立していたわけではないため，相殺への合理的な期待があったといえないこと（以上につき，白石・前掲法時89号11巻22頁），「金銭」と「準共有持分」とは債権の目的を異にすること（潮見207頁は，遺産分割後の相殺を認める）等を考慮すれば，否定されるべきであろう。

また，預貯金債権の共同相続人の一人が，預貯金債権に対する（準）共有持分を相殺に供することは，実質的に預貯金債権の一部の払戻しを認めることになるから，平成28年最大決の下では認められないものと考えられる。

3　909条の2に基づく払戻請求権の差押え等

(1) 差　押　え

法務省の立案担当者は，909条の2に基づく払戻請求権に対する差押えに対しては否定的な見解に立つ。すなわち，同条に基づく権利行使は，遺産分割までの間は預貯金債権を単独で権利行使ができないことにより定型的に相続人に生じ得る不都合を解消するために特に設けられた制度であって（本条に基づく権利は「行使上の一身専属権」であるとの発言（部会第24回議事録7頁〔神吉康二関係官発言〕）もあるが，同9頁〔堂薗幹一郎幹事発言〕はこれに慎重である），同条によって預貯金債権と性質の異なる複数の預貯金債権を創設するものではないから，同条に基づく払戻請求権が独立して差押えや債権者代位権の対象となるものではないと説明する（一問一答78頁。宇野瑛人「相続法改正と遺産分割――遺産中の預貯金債権に関する問題を中心に」法時93巻11号（2021）48頁も参照）。

これに対して，本条の文言上かかる制限を読み取ることはできないことや，払戻請求においては使途が問われていないことにより請求権の一身専属性は強くないとも考えられること等から，取立ても可能と解する見解もある（潮見佳男ほか「〔座談会〕改正相続法の金融実務への影響」金法2100号〔2018〕8頁〔増田勝久発言〕）。

なお，909条の2に基づく払戻しは，あくまでも共有法理の例外を設けたものであるから，第三者が相続人の共有持分を差し押さえた場合には，その相続人は，差押えによる処分禁止効により，同条による払戻しを受けることもできなくなるものと考えられる（一問一答78頁）。

(2) 譲　　渡

共同相続人の一人が預貯金債権の準共有持分を第三者に譲渡することにより，909条の2に基づく払戻請求権を単独で行使をすることができる地位も当該第三者に移転することになるかが問題となる。同条が，遺産分割までの間は預貯金債権の単独での権利行使が否定されることにより類型的に相続人に生じうる不都合を解消するために特に設けられた制度である点を重視すれば，準共有持分の譲渡を受けた第三者が同条に基づき権利行使をすることはできないものと考えられる（一問一答78頁，潮見215頁。この場合にも譲渡制限特約が付されていた場合の問題は残る）。

(3) 相　　殺

相続債権者である預入金融機関が，被相続人の金銭債務を分割して承継した相続人に対する分割単独債権を自働債権とし，当該相続人の909条の2に基づく払戻請求権を受働債権としてする相殺は，上記2(3)の預貯金債権の準共有持分との相殺と同様に認められると解する。

これに対して，相続人債権者である預入金融機関が，債務者である相続人の本条に基づく払戻請求権を受働債権として相殺することの可否については，この払戻請求権を預貯金債権と別個独立の債権とみるべきではないとの理由から否定する見解が多い（白石大「遺産分割前の預貯金債権の行使に関する理論的問題の整理」金法2114号〔2019〕40頁，部会第24回議事録8頁〔神吉関係官発言〕）。共同相続人が，909条の2に基づく権利行使が可能な範囲で預貯金債権を相殺に供することも，これと同様の理由から認められないと考える（相続人の側からの相殺を肯定する見解として，安部・前掲論文66頁）。

V　共同相続人の一人による照会

金融機関が，共同相続人の一人から，他の共同相続人による909条の2に基づく権利行使の有無やその内容について照会を受けた場合に，金融機関の負う守秘義務との関係をどのように考えるべきかという問題がある。

判例（最判平21・1・22民集63巻1号228頁）は，相続開始前の被相続人（預金者）の取引に関する開示請求がされた事案において，預金取引が委任事務ないし準委任事務を含むものであることから，金融機関は預金者の求めに応じて預金口座の取引経過を開示すべき義務を負うとした上で，預金者が死亡し，預金債権が共同相続された場合には，預金契約上の地位は共同相続人全員に帰属し，各共同相続人は単独で取引経過の開示を求めることができると判示した（判決は，民法264条および252条ただし書を引用していることから，取引経過の開示請求を準共有における保存行為と捉えているものと考えられる）。

同判決の趣旨は，909条の2に基づく払戻しが問題となる場合においても同様に妥当すると考えられる（潮見佳男ほか「〔座談会〕改正相続法の金融実務への影響」金法2100号〔2018〕17頁〔藤原彰吾発言，白石大発言，潮見発言〕，白石大「遺産分割前の預貯金債権の行使に関する理論的問題の整理」金法2114号〔2019〕36頁，潮見216頁以下）。909条の2に基づく払戻しは，同条後段により一部分割とみなされ，その後の遺産分割に影響を与えるものであるから，金融機関による取引経過の開示の重要性は高い。もっとも，取引経過の開示請求の範囲については，金融機関の守秘義務との関係で問題が残る。現在のわが国の預金事務処理の形態や預金管理実務では預金通帳への記載にかなりの信頼が置かれていることから，入出金の記帳において記される入金先，振込先，取引期日，取引額といった部分に，開示請求の範囲は限定されるとする見解がある（潮見217頁）。

VI　家事事件手続法上の仮処分の要件の緩和

1　制度の趣旨

909条の2に基づく預貯金の払戻制度においては，相続人間の公平な遺産分割の実現の趣旨から，払戻しを受けることができる限度額には制限が設けられている。したがって，なんらかの事情により相続人にこの限度額を超える比較的大口の資金需要が生じている場合には，家事事件手続法の仮分割の仮処分の制度を用いることが考えられる。

家事事件手続法200条2項によれば，家庭裁判所は，遺産の分割の審判または調停の申立てがあった場合において，強制執行を保全し，または事件の関係人の急迫の危険を防止するために必要があるときは，当該申立てをした者または相手方の申立てによって，仮差押え，仮処分その他の必要な保全処分をすることができる。しかし，先述の通り（→I 2），共同相続人の急迫の危険を防止する必要性という要件が厳格であることから，同項によっては，上記の資金需要に柔軟に対応することは困難であると考えられた。そこで，平成30年改正においては，平成28年最大決を踏まえ，同法200条3項が新設され，遺産に属する預貯金債権の仮分割に限り，一定の要件の下で，同条2項の要件を緩和することが検討された（追加試案補足説明13頁以下，一問一答80頁）。

2　仮分割の仮処分を得るための要件

新設された家事事件手続法200条3項は，家庭裁判所が，①遺産の分割の審判または調停の申立てがあった場合において，②当該審判事件または調停事件の当事者が遺産に属する預貯金債権を行使する必要があると認められるときは，③他の共同相続人の利益を害する場合を除き，④相続人の申立てにより，⑤遺産に属する預貯金債権の全部または一部を申立人に仮に取得させることができるとする。同項においては，審判事件または調停事件の当事者が遺産に属する預貯金債権を行使する必要性があると認められれば足りることになる点で，要件が緩和されている（金子・逐条756頁参照）。

②の権利行使の必要性の要件について，第3項本文では，相続財産に属する債務の弁済，相続人の生活費の支弁を例示として掲げているが，これに限る趣旨ではなく，必要性の判断については，家庭裁判所の判断に委ねられる（一問一答80頁）。

相続財産に属する債務の弁済は，申立人が被相続人から承継した相続財産の弁済をする場合はもとより，申立人が当該相続債務を承継していない場合であっても，例えば他の共同相続人が相続債務の弁済をしないために相続債権者から財産分離の申立てをされるおそれがあるときなどは，財産分離により相続財産全体が換価されることを避けるために，権利行使の必要性が認められることがありうる。また，権利行使の必要性は，共同相続人の共同の利益に資する場合に限らず，当該申立人の利益のために存在すれば足りるとされる（以上につき，金子・逐条755-756頁）。

もっとも，預貯金の仮払いを行うことにより他の共同相続人の利益を害するときは，仮分割の仮処分をすることができない（家事200条3項ただし書）。「他の共同相続人の利益を害するとき」とは，仮分割の仮処分をすることにより，その後に行われる遺産分割において，他の共同相続人に対してその具体的相続分に相当する財産を現実に取得させることが困難となるなど，適切に遺産の分配を行うことができなくなる場合である（一問一答80頁以下）。その該当性の判断は，個別具体的な事件を担当する裁判官に委ねられるものの，①原則として，遺産の総額に申立人の法定相続分を乗じた額の範囲内（相手方から特別受益の主張がある場合には具体的相続分の範囲内）で仮払いを認め，②被相続人の債務の弁済を行う場合のように事後的な精算を含めると相続人間の公平が担保され得る場合には，①の額を超えた仮払いを認めることもありうる。他方で，③①の額の範囲内での仮払いを認めるのも相当でなく，当該預貯金債権の額に申立人の法定相続分を乗じた額の範囲内に限定するのが相当な場合（たとえば，預貯金債権のほかには，一応の資産価値はあるが市場流通性の低い財産が大半を占めている場合）には，その部分に限定することもありうる（追加試案補足説明15頁，潮見212頁）。預貯金債権については，確実かつ簡易に換価することができ，現金類似の性質を有するため，その取得を希望する共同相続人が多いと考えられることから，③に当たる場合も多いものと考えられる（一問一答82頁，金子・逐条756頁参照）。

3　仮分割の仮処分の効果

仮分割の仮処分により申立人に預貯金債権の一部を仮に取得させることとし，当該申立人に預貯金の一部が給付されたとしても，本分割においては原則としてその事実を考慮すべきではなく，改めて仮分割された預貯金債権を含めて遺産分割の調停または審判をすべきである（一問一答84頁）。

また，仮分割により，特定の相続人が預貯金債権を取得し，その債務者である金融機関から支払を受けた場合，債務者との関係では有効な弁済として扱われ，本分割において異なる判断が示されたとしても，債務者が行った弁済の有効性が事後的に問題となる余地はない（追加試案補足説明16頁）。

〔藤巻　梓〕

（相続の開始後に認知された者の価額の支払請求権）

第910条　相続の開始後認知によって相続人となった者が遺産の分割を請求しようとする場合において，他の共同相続人が既にその分割その他の処分をしたときは，価額のみによる支払の請求権を有する。

〔対照〕　フ民887-1

細　目　次

I　総説・本条の趣旨

784条は，明治民法832条を受け継ぎ，本文で認知は出生の時に遡って効力を生じるとしつつ，同条ただし書で第三者の権利を害することはできないとして認知の遡及効を制限している。910条は，これらを前提としつつ，戦後昭和22年の民法改正で新設されたものである。その背景として，それに先立つ昭和17年の民法改正（法律7号）により死後認知が導入され，被相続人の死亡後も3年間は認知の訴えの提起が認められ（明治民法835条ただし書・現行787条ただし書），その結果，被相続人の死後に認知された者は相続開始時に相続人であったこととなり遺産分割を請求できることとなったが，すでに分割が終了していることも多く，また，784条ただし書の解釈のしかたによってはそもそも被認知者の相続権の行使が困難でもあった。加えて，戦後の家督相続の廃止後は，死後認知における遺産分割請求の重要度はますます大きくなり，上記の不都合さが目立つこととなった。

こうしたなかで910条は，相続開始後に認知により相続人となった者が遺産分割を請求する場合，共同相続人の一部を除外した遺産分割は無効のはずであるところ，すでに分割等が終了しているときは，一方で，分割のやり直しを回避して分割の効力を維持し，他方，被認知者には価額による支払請求権を認めその利益を保護することとした。本来は昭和17年改正の際に手当てされるべきであったのに，本条新設まで解決が図られなかったといえる（背景につき，新版注民(27)〔補訂版〕434頁〔川井健〕）。その点で，784条ただし書の例外であり，本条により相続に関しては同条ただし書は意味を失ったものとされ（中川編・註釈上210頁〔加藤一郎〕，我妻・判コメ147頁），また，被認知者の利益と他の共同相続人の既得権との調整を図った規定と位置づけられている（後述Ⅳ3の最判昭54・3・23参照。なお，表見的相続関係への910条の類推適用の可否を主たる関心とするが，同条の成立の経緯を含め，森山浩江「民法910条とその類推適用をめぐって――表見的相続関係の一断面」法雑61巻1＝2号〔2014〕69頁）。

II　価額支払請求の要件

1　価額支払請求権者

「相続の開始後認知によって相続人となった者」であり，具体的には以下の3つが挙げられる。

①被相続人の死後に認知の訴えを提起し，認知の判決を得た者　　本条新設に当たり，主に念頭に置かれたカテゴリーである。

②被相続人の生前に認知の訴えを提起し，死後に認知の判決を得た者

③遺言により認知された者（781条2項）　　遺言による認知があったときは，遺言執行者がその就職の日から10日以内に届出を行う（戸64条）。遺言の効力は遺言者の死亡の時に発生する（985条）から，この者は相続開始「後」に認知によって相続人となった者とはいえないが，遺産分割後に遺言書が発見された場合に，本条の立法趣旨から適用を認めるのが多数説であり（新版注民(27)〔補訂版〕435頁〔川井健〕，注解全集273頁〔橋本昇二〕），審判例も同様に解している（名古屋高金沢支決平4・4・22家月45巻3号45頁は，遺産分割後，遺言により認知を受けた相続人につき910条の価額請求を認める）。他方で，適用否定説も有力であり，遺言書が発見されていなかったため相続人と扱われなかったとしても，遺言は遺言者の死亡の時から効力を生ずる（遺言認知は報告的届出）ことから，遺産分割時には相続資格を有していたのであり，遺言書がいつ発見されたかによって取扱いを異にするのは適当でなく，一律に否定すべきものとする（松原II 515頁，北野俊光＝梶村太市編・家事・人訴事件の理論と実務〔2版，2013〕219頁〔高橋光雄〕）。

なお，認知される者は，被相続人の子である場合が多いであろうが，そのほか，被相続人の子の代襲相続人，被相続人の兄弟姉妹，その代襲相続人の場合もありうる（中川編・註釈上211頁〔加藤〕，民コメ(23)2112頁〔梶村太市〕，中川(淳)・逐条上344頁，新判例コメ(14)413頁〔野田愛子〕，泉ほか198頁〔久貴忠彦〕）。

認知者も上の場合のように被相続人に限られるわけではない（中川編・註釈上211頁〔加藤〕）と解されている。

2　価額支払請求の相手方

請求の相手方は，遺産分割その他の処分をした「他の共同相続人」である。以下に個別に検討する。

(1)「他の共同相続人」とは，通説によれば，被認知者と同順位の相続人であり（民コメ(23)2113頁〔梶村太市〕，中川(淳)・逐条上344頁，北野＝梶村編・前掲書220頁〔高橋〕），被認知者の出現によって相続分に変動を生じた共同相続人である（中川編・註釈上214頁〔加藤〕，野田愛子＝松原正明編・相続の法律相談〔5版，2000〕297頁〔小田八重子〕）。

(ア)　被認知者が子で，同順位の共同相続人である子またはその代襲相続人がいる場合は，これらの者が相手方となる。この場合に，被相続人の配偶者がおり分割等に関与していたとき，配偶者は別系統の相続人であり被認知者が現れたことによっても相続分への影響はないから，請求の相手方とはならない（東京地判平28・10・28判時2335号52頁）。

(イ)　被認知者が子の代襲相続人たる孫の場合，その者と同じ被代襲者を親とする代襲相続人がいるときは，その代襲相続人に対してのみ請求ができるにとどまるが，そのような代襲相続人がいないときは，被代襲者の兄弟姉妹（被相続人の子）またはその代襲相続人を相手方とする（中川編・註釈上213-214頁〔加藤〕）。被相続人の配偶者については，別系統の相続人で被認知者の出現によっても相続分への影響はないことから，(ア)と同様，請求の相手方とならない。

(ウ)　被認知者が兄弟姉妹で，同順位の共同相続人である兄弟姉妹またはその代襲相続人がいる場合は，これらの者が相手方となる。被認知者が兄弟姉妹の代襲相続人である甥・姪の場合，その者と同じ被代襲者を親とする代襲相続人がいるときは，その代襲相続人に対してのみ請求ができるにとどまるが，そのような代襲相続人がいないときは，被代襲者の兄弟姉妹（被相続人の兄弟姉妹）またはその代襲相続人を相手方とする（島津編・判例コメ269頁〔藤原昇治〕，中川(淳)・逐条上345頁）。これらの場合，被相続人の配偶者が請求の相手方とならないことは(ア)(イ)と同様である。

(2)　被認知者の後順位相続人が先順位相続人はいないとして遺産分割をし

たところ，その後認知により先順位相続人が現れた場合，後順位相続人に対する関係で本条の適用はあるか。たとえば，被相続人の子またはその代襲相続人がいないとして，被相続人の配偶者，および，被相続人の直系尊属または兄弟姉妹（その代襲相続人）が相続したところ，被認知者が被相続人の子として現れた場合の扱いである。この場合，被認知者は本来，配偶者とともに相続人となりえたはずである一方，直系尊属，兄弟姉妹は相続権がなく無権利者であったことになる。

この問題について，多数説は，本条の適用を否定し，被認知者は相続回復請求権を行使することにより，無権利者が取得した分について全面的に相続財産の回復，分割のやり直しが請求できるとする。否定説の論拠としては，910条の趣旨は，死後の被認知者と「共同相続人」となる者の間で分割がなされた場合の例外的措置であり，後順位者による分割については，非相続人が遺産分割により権利を得たもので本条の適用外として原則に戻り無効と解すべきものとする（中川編・註釈上214頁〔加藤〕，中川＝泉356頁，松原Ⅱ 515-516頁，新版注民(27)〔補訂版〕439頁〔川井〕，二宮410頁，潮見315頁，前田ほか348頁〔前田陽一〕）。もっとも前掲新版注民〔川井〕は，取引の安全は別個に処理する余地があるとして，直系血族や兄弟姉妹が分割により得た権利を第三者に処分してしまっているときは，本条の原則をなすところの784条ただし書の適用があり，第三者の権利は害されないと解しうるとする。

これに対して，少数ではあるが適用肯定説は，被認知者が現れたことによって，被相続人の直系尊属または兄弟姉妹（その代襲相続人）はまったくの無権利者となったとはいえ，認知がなければ完全な権利者であった者で一般の表見相続人と同視すべきでないこと，さらに，表見相続人から不動産を譲り受けた者の取引の安全から910条の適用を認めるべきとする（鈴木227頁）。

後順位相続人および被相続人の配偶者により遺産分割その他の処分がなされた場合，配偶者の相続分は被認知者の登場により影響を受け縮減することになるため，被認知者は，配偶者との関係では本条の適用があり，その縮減分につき価額のみによる請求となる（中川編・註釈上214頁〔加藤〕，中川(淳)・逐条上345頁）。

また，被相続人には直系尊属または兄弟姉妹がなく，被相続人の配偶者が唯一の相続人と考えられていた場合に，被認知者として子が現れたときも，配偶者の相続分は影響を受け縮減するため，同様に本条の適用がある（新版注民(27)〔補訂版〕439頁〔川井〕，中川(淳)・逐条上345頁）。

(3)　相続人不存在のために特別縁故者への相続財産の分与（958条の2）が行われた後に被認知者が現れた場合，あるいは，相続人不存在のために相続財産が国庫に帰属した後に被認知者が現れた場合に，特別縁故者あるいは国庫に対して本条による請求ができるか。

この点に関しては，法定の手続により家庭裁判所によって相続財産の処理がなされたのであるから，同手続の結了により相続人の権利は除斥されてしまったと解すべきであり，特別縁故者に対しても国庫に対しても，本条による請求は認められないと解されている（新版注民(27)〔補訂版〕439-440頁〔川井〕，鈴木227頁，我妻・判コメ147頁，中川編・註釈上214頁〔加藤〕）。

ただ，相続人不存在の場合に，特別縁故者に分与されなかった相続財産について国庫帰属となるまでの間に被認知者が現れたときは，被認知者が相続すると解されている（新判例コメ(14)416頁〔野田〕，中川(淳)・逐条上346頁，民コメ(23)2113頁〔梶村太市〕）。

3　分割その他の処分

認知の前に遺産分割その他の処分がなされていることが必要である。本条の趣旨が，相続開始後，認知の前に，他の相続人らにより遺産の現状に変化をもたらすような処分がなされ（典型的な分割の場合，遺産共有状態が遺産分割により解消され各個別の財産の帰属が確定した状態に変化），その変化を尊重することにあるとの観点から，具体的な行為がここにいう「分割その他の処分」に該当するかを判断すべきこととなる。

これらの処分はいずれも認知前であることを要し，認知により相続人となった後にこうした処分がなされた場合には，本条の適用はない（大阪高決昭41・7・29家月19巻2号73頁）。認知前に遺産の一部についてのみ分割その他の処分がなされた場合は，被認知者は，その部分に関して本条が適用され再分割を求めることはできず，残りの部分については本条の適用はなく遺産分割に参加できる。

(1)　遺産分割の協議，調停または審判

遺産分割は，それが協議，調停または審判のいずれによるものであっても，分割が終了している場合に本条が適用される。ただ，分割の終了は，分割の

実行（履行）の終了ではなく，分割協議の成立時，分割調停の成立時，または，分割審判の確定時をいう（中川(淳)・逐条上346頁，新版注民(27)〔補訂版〕435-436頁〔川井〕。分割協議について反対説として，高木多喜男「相続開始後の被認知者の価額請求と遺産分割」沼邉愛一ほか編・家事審判事件の研究(2)〔1988〕44頁)。遺産の一部分割がなされている場合には，分割済の部分については本条が適用され，残余の分割については被認知者も関与できる（松原II 516頁)。

⑵　**分割禁止の契約，調停または審判**

分割禁止の契約については，いわゆる不分割契約も「分割」の一種（遺産共有を解消して通常の共有とする旨の合意による分割）であり，爾後は遺産が通常の共有となるとみて本条の適用を肯定し価額請求のみが認められるとする見解（新版注民(27)〔補訂版〕436頁〔川井〕。なお同426頁も参照。分割禁止の調停の場合も同様と解する）と，反対に，分割禁止は単なる分割の延期にすぎないとして，本条の適用を否定する見解が対立している（中川＝泉332頁は，分割禁止には拘束されるが，禁止が解けて遺産が分割されるときは参加できるとする)。

家庭裁判所の審判による分割禁止（908条4項）については，適用否定説が多い（中川＝泉332頁，新版注民(27)〔補訂版〕436頁・426頁〔川井〕)。家裁による分割禁止が，直ちに遺産分割することが相当でない特別の事由がある場合になされる分割の先送りにすぎないこと（注解全集268頁〔橋本昇二〕)，不分割契約は意思解釈の問題として通常の共有とみるべきだとして分割の一種だとしても，家裁による分割禁止は「分割」の一種とはいいがたいことを理由とする（新版注民(27)〔補訂版〕426頁〔川井〕)。

⑶　**分割禁止の遺言**

多数説は，遺言による分割禁止があっても遺産共有の状態に変質はないと解する立場をとっており（新版注民(27)〔補訂版〕426頁〔川井〕)，それを前提として分割禁止は遺産分割の延期にすぎないとし，本条の適用なしとする。

⑷　**分割方法の指定の遺言**

特定の相続人に対して特定の遺産を相続させる趣旨の遺言については，遺産分割方法の指定として，一部遺産分割がなされたと同様の法律効果が生じるものと解されている（最判平3・4・19民集45巻4号477頁）ところであり，その限度で本条の適用ありとされている（新版注民(27)〔補訂版〕437頁〔川井〕，注解全集275頁〔橋本〕，新判例コメ(14)414頁〔野田〕，中川編・註釈上212頁〔加藤〕)。

(5)　遺産の共同処分

共同相続人が共同で遺産の全部または一部を処分した場合につき，多数説は，一種の分割（換価分割）がなされたものとして本条の適用を認める（新版注民(27)〔補訂版〕437頁〔川井〕，注解全集275頁〔橋本〕）。これに対して，反対説は，共同相続人が共同で遺産を譲渡した場合，その代金を相続人が終局的に取得する場合と，その代金を留保しておいてその他の遺産とともにさらに分割の対象とする場合がありうるところ，前者の場合は，前述の(1)と同じ処理をすればよく，他方で後者の場合には，遺産が金銭に変わっただけであるから，これを遺産として被認知者を含めて遺産分割をすればよく，後者の場合につき，被認知者は価額請求しかできないとするのは相当でなく，本条の適用はないとする（松原II 517-518頁，注解判例678頁〔栗原平八郎〕）。

(6)　相続分の譲渡

共同相続人の一人が分割前にその相続分を第三者に譲渡した場合については，見解が分かれる。多数説は，この場合に，遺産の現状に変化があり，その変化を尊重すべしとして，本条の適用を肯定する。ただ，遺産分割とは異なり，譲渡をした共同相続人以外の他の共同相続人は分割・処分に関与していないことから，本条の価額請求権は相続分譲渡をした共同相続人に対してのみなしうるのであり，他の共同相続人との関係では分割・処分がなされていないとの前提で分割請求ができるとされている（中川編・注釈上212頁〔加藤〕，新版注民(27)〔補訂版〕437頁〔川井〕）。たとえば，相続人が嫡出子A，B二人で，Aが自己の相続分$\frac{1}{2}$を第三者Xに譲渡した後，Cが認知されて，嫡出でない子となった設例で見てみよう（中川編・注釈上212頁〔加藤〕，高野竹三郎・相続法〔1975〕211頁参照。ただし，嫡出でない子の相続分を嫡出子と平等とする現行規定〔900条4号本文〕に対応した設例とした）。

被認知者Cを含め，相続分はA，B，C各$\frac{1}{3}$である。ところが，Xはすでに Aから$\frac{1}{2}$の相続分を譲り受けており，この$\frac{1}{2}$の部分に変動はないから，遺産はX$\frac{1}{2}$，B$\frac{1}{3}$，およびCが残余の$\frac{1}{6}$の割合で分割すべく，Cは分割請求できる。そうすると，相続分$\frac{1}{3}$のはずのCは，前述の遺産分割によっても$\frac{1}{6}$しか得られない（不足分$\frac{1}{6}$）が，それはAが$\frac{1}{2}$の相続分を譲渡してそれに相当する利益を得ているからであり，その不足分$\frac{1}{6}$につき，Cは遺産につき処分をしたAに対して本条の価額請求権を有する（言い換えれば，認知された非嫡出子Cは，自己の相続分$\frac{1}{3}$の内訳として，$\frac{1}{6}$の割合において分割参加，分割請求をし，$\frac{1}{6}$の割合ではAに対して価額の支払請求権を行使する。結果的にA，B，Cが各$\frac{1}{3}$ずつとなる)。

これに対して，本条適用否定説も有力であり，共同相続人の一部が自己の相続分を譲渡した場合，相続人が交替しただけであり，遺産分割は未了であるから，被認知者を加えて遺産分割をすればよく，本条の適用はない，とする（松原Ⅱ518頁，中川監修・註解148頁〔島津〕，新判例コメ(14)414頁〔野田〕，注解全集275頁〔橋本〕)。

(7)　共同相続人の一部による個々の遺産の共有持分の処分

被認知者を計算に入れない持分権の処分は有効性を失わず（909条ただし書），当該共有持分は遺産から逸出するから本条の「分割その他の処分」に当たり，本条が適用される（高木・前掲論文44頁，注解全集276頁〔橋本〕，注解判例678頁〔栗原〕)。

もっとも，その処分された持分以外の遺産については，被認知者は遺産分割に参加できるものの，遺産中の大きな割合を占める財産の持分の処分の場合には，相続分譲渡の場合と類似の問題が生じうる（中川編・注釈上213頁〔加藤〕，新版注民(27)〔補訂版〕437頁〔川井〕は，相続分の譲渡の場合と同様本条の適用は最小限にとどめるべきと指摘)。

なお，個々の遺産の共有持分の処分には，本条の適用なしとする見解として，松原Ⅱ518頁がある。

Ⅲ　効　　果

1　価額支払請求権の発生

被認知者は，他の共同相続人に対して，価額のみによる支払請求権をもつに至る，半面，分割等の無効を理由として分割のやり直しを求める再分割請求権は認められない。

(1)　請求できる価額

被認知者はその相続分相当の価額を請求しうる（新版注民(27)〔補訂版〕437頁〔川井健〕）から，被認知者を共同相続人に加えたうえで，被認知者の相続分の割合を算定し，遺産額から具体的な相続分額の計算をすることになる

（高木・前掲論文45頁，北野俊光＝梶村太市編・家事・人訴事件の理論と実務〔2版，2013〕220頁〔高橋光雄〕）。

⑵　価額の算定方式

価額算定にあたり，その算定の基礎となる財産の範囲に関して，純資産（遺産中の積極財産から消極財産を控除した純資産額）とする説（価額＝純資産×相続分）と，積極財産のみとする説（価額＝積極財産×相続分。なお，この立場は，消極財産つまり相続債務については，法定相続分に従って当然に分割承継されることを前提とする）が対立している。裁判例としては，福岡高裁昭和54年12月3日判決（高民集32巻3号250頁）および東京地裁平成25年10月28日判決（金判1432号33頁。後掲最判平28・2・26の第1審）は後説をとっていた。この問題に関し，近時最高裁は，910条に基づき支払われるべき価額の算定の基礎となる遺産の価額は，当該分割の対象とされた積極財産の価額と解するのが相当であり，このことは相続債務が他の共同相続人によって弁済された場合や，他の共同相続人間において相続債務の負担に関する合意がされた場合でも異ならないとの判断を明らかにした（最判令元・8・27民集73巻3号374頁）。相続債務は遺産分割の対象とはならず相続分に従い当然に分割帰属する遺産分割との整合性から，後説の支持が多数といえよう（松原Ⅱ519頁，北野＝梶村編・前掲書220頁〔高橋〕，新版注民(27)〔補訂版〕438頁〔川井〕，中川＝泉332頁。前説をとるものとして，我妻・解説167頁，中川編・註釈上213頁〔加藤〕）。

⑶　価額算定の基礎となる遺産評価の基準時

これについては，従来から三つの見解――①遺産分割時説，②請求時説，③現実の支払時説（それに最も近接した事実審口頭弁論終結時または審判時）――が提示されている。①の遺産分割時説では，本条の価額支払請求権は，被認知者が本来有すべき（再）分割請求が遺産分割を原因として価額支払請求権に転化されるものと解することから，遺産分割時が基準時となるとする（佐藤義彦〔判批〕判評340号（判時1227号）〔1987〕47頁）。②請求時説は，学説上の多数説である（中川編・注釈上213頁〔加藤〕，中川監修・註解148頁〔島津〕，新判例コメ(14)415頁〔野田〕）が，本条の価額支払請求権が相続回復請求権の一種であることを前提としつつ，請求時の時価により金銭債権として具体化するものとする（裁判例として，東京高判昭61・9・9家月39巻7号26頁，前掲東京地判平25・10・28）。③現実支払時説は，本条の価額支払請求権が実質的に遺産分割のやり直し，新たな現物分割に代わるものであることから賠償額が現物と等価であることを前提とする（新版注民(27)〔補訂版〕438頁〔川井〕，松原Ⅱ 520-521頁。下級審裁判例として，大阪高決昭54・3・29家月31巻11号108頁，前掲福岡高判昭54・12・3）。

こうした状況の中，近時最高裁（最判平28・2・26民集70巻2号195頁）は，以下のように，請求時説をとることを明らかにした（ただし，その理由付けは，前述の請求時説のいうような，請求により請求時に金銭債権に転化するとの論理とは異なる）。

「民法910条の規定は，相続の開始後に認知された者が遺産の分割を請求しようとする場合において，他の共同相続人が既にその分割その他の処分をしていたときには，当該分割等の効力を維持しつつ認知された者に価額の支払請求を認めることによって，他の共同相続人と認知された者との利害の調整をはかるものである」ことを確認したうえで，「当事者間の衡平の観点」から，価額の支払請求時を基準時とするのが相当とした。この当事者間の衡平の観点とは，具体的には，「認知された者が価額の支払を請求した時点までの遺産の価額の変動を他の共同相続人が支払うべき金額に反映させる」要請（遺産の価額変動による利益や損失を当事者の一方のみに帰属させることは相当でないという価額変動リスクの分配），とともに，「その時点で直ちに当該金額を算定し得るものとする」要請（他の共同相続人が支払うべき金額を早期に算定しうることが衡平にかなう）をさすものとされる。なお，本判決は，価額支払債務が履行遅滞となる時期に関して，同債務は期限の定めのない債務であって，履行の請求を受けた時に履行遅滞に陥る旨も判示している。このように解することにより，被認知者は直ちに価額支払請求をなし，他方，他の共同相続人としても早期に支払に応じることの動機付けが与えられ，紛争の長期化が回避できるものと指摘されている（本判決に関して，畑佳秀〔判解〕曹時69巻2号〔2017〕383頁以下，羽生香織〔判批〕リマークス54号〔2017〕69頁）。

⑷　寄与分との関係

被認知者が価額請求の前提として他の相続人に対して，または，被認知者からの価額請求に対して他の相続人が，寄与分を定める請求をすることができる（904条の2第4項）。ただ，相続開始後に認知された相続人が寄与分に相当する貢献をしていることはきわめて稀であろう（新基本法コメ102頁〔木村敦子〕)。寄与分は審判事項であるから（家事39条・別表第二14項），価額請求権の法的性質につき訴訟事項説（一3(1)）からは，寄与分の主張があるときは家庭裁判所の判断を待つ必要がある。寄与分以外のたとえば遺産の範囲や特別受益については，訴訟裁判所で審理を進めることができる（松原Ⅱ522頁)。

2　共同相続人の債務

被認知者から価額支払請求を受けた共同相続人は，それぞれの額につき分割債務を負う（民コメ(23)2117頁〔梶村〕，新版注民(27)〔補訂版〕440頁〔川井〕)。不可分債務または連帯債務ではない。

実際の遺産分割の結果が相続分と一致していない場合，被認知者は，共同相続人に対し，相続分に応じて請求できるのか，あるいは，共同相続人が現実に取得した利益の額に応じて請求できるのか。両方とも可能とする見解（中川編・註釈上214頁〔加藤〕は，被認知者の利益を考え，一方で，現実の分割の割合は被認知者に対抗することができず，被認知者は，たとえ取り分がゼロの者に対しても相続分に応じて請求ができるし，他方，被認知者の方からは共同相続人が現実に取得した利益の額に応じて請求することも可とする）もあるが，処理の簡明さから前者をとるものが多い。その中には，それによって生ずる不都合は，共同相続人間の内部関係として，一種の担保責任（911条）の問題として解決すべきものとする（鈴木226頁，新版注民(27)〔補訂版〕440頁〔川井〕)。近時，後者とする学説もある（潮見311頁参照)。

3　価額請求の手続

(1)　価額請求の法的性質

本条による価額請求が相続回復請求の一種として訴訟事項であり通常の民事訴訟手続によるのか，あるいは，遺産再分割の特則として遺産分割に準じ審判事項であり家庭裁判所の審判手続によるのかに関しては争いがある。多数説は，訴訟事項説を取り（中川編・註釈上210頁〔加藤〕，我妻・判コメ148頁，新版注民(27)〔補訂版〕441頁〔川井〕)，家事事件手続法（旧家事審判法）に審判事項とする規定がないこともあり，近時の裁判例（名古屋高金沢支決平4・4・22家月45巻3号45頁，東京地判平28・10・28判時2335号52頁ほか）でも訴訟事項説が多い。前掲最高裁平成28年2月26日判決は，地裁を1審として訴え提起がされた事件について管轄の点を問題とすることなく判断がされており，黙示的に訴訟事項説の判断を示している（畑・前掲判解385頁)。

訴訟事項説からは，審判事項説のように遺産分割の一種として他の共同相続人全員を相手方とする必要はなく，相続回復請求として他の共同相続人に対し個別に請求できる（北野＝梶村編・前掲書220頁〔高橋〕）。

被認知者の価額請求についての家事調停に関しては，訴訟事項説による場合でも「家庭に関する事件」として，家事一般調停ができる（家事244条）（北野＝梶村編・前掲書219頁〔高橋〕）。

(2)　価額請求の時期・期間制限

価額請求が相続回復請求権の一種であるとすると，相続回復請求権の期間制限（884条）に服することになる（松原Ⅱ523頁，新版注民(27)〔補訂版〕441頁〔川井〕，潮見311頁）。5年または20年の期間制限のいずれについても，同条の消滅時効を援用しようとする者は，相続権侵害の開始時点において，他に共同相続人がいることを知らず，かつ，知らなかったことに合理的な事由があったこと（善意かつ合理的事由の存在）を主張立証しなければならない（→§884 V(4)(イ)参照。910条の場面への応用につき，大江・相続273頁・23頁参照）。

IV　本条の類推適用

本条は，従前の相続人により遺産分割その他の処分がなされた後に，認知により新たに共同相続人が加わった場合について，分割その他の処分の効力を維持するものであり，その限度で遺産分割の安定性に資するものである（本条と同様の制度として，令和4年改正法により新たに778条の4が置かれた〔令和6年4月1日施行〕。同条によれば，子が後夫の子と推定された後に，嫡出否認の訴えが認容されたことにより，子が前夫の子と推定された場合に，既に前夫について相続が開始しており，他の共同相続人が遺産分割その他の処分をしていたときは，当該子は価額のみによる支払請求権を有するものとされる）。そこで，認知以外の場面において，遺産分割その他の処分後に共同相続人であることが判明した場合について，遺産分割の安定性ひいては取引の安全から，本条を類推適用することの是非が論じられている。具体的には以下のような場面である。

1　分割当時胎児であった者が出生した場合

胎児は，相続に関してすでに生まれたものとみなされる（886条）が，判例のいわゆる停止条件説からは，胎児の間は胎児には権利能力がなく胎児の代理人の存立の余地はなく，遺産分割に参加できない。それを前提に，胎児を除外して遺産分割をすることが許されるものとし，分割後に生きて生まれて相続人たることが確定した場合には，価額のみの支払請求権を認めるとする910条類推適用肯定説もありうる（中川監修・註解136頁以下〔島津〕は，遺産共有はできるだけ速やかに解消されるべきであり，かつ，相続人確定後に分割のやり直しの請求を許すことは煩わしく，取引の安全を害するとする）。しかし，胎児は10か月以内には生まれてくるのであるから，法律関係の安定の考慮からその出生を待って分割手続を進めるべきで，相続人の確定（生きて生まれる）までは遺産分割はできないものと解し，胎児を除外した分割は無効と解すべきであり，910条の類推適用も認められないとする否定説が有力である（鈴木206頁，泉ほか175頁〔久貴忠彦〕，民コメ(23)1973頁〔梶村〕，星野英一「遺産分割の協議と調停」家族法大系Ⅵ 357頁・370頁。なお，新版注民(27)〔補訂版〕441頁〔川井健〕は，遺産分割当時，胎児がいることに気づかなかった場合にも遺産分割が無効かは問題であり，そのときには分割当事者には害意がないので無効の主張は制限され，910条の類推適用を認めてよいとする）。

2　離縁無効・離婚無効の判決が確定した場合

遺産分割その他の処分の後に，被相続人との離縁無効や離婚無効の判決が確定した場合，または，父を定める訴えを提起している者が分割後に勝訴判決を得たような場合，遺産分割協議の安定性を重視する観点から本条の類推適用を認める見解（鈴木225頁，星野・前掲論文357頁）と，一方で，本条の規定のしかたがいちおう限定的であること，また，本条が認知の特殊性によるものであることから，類推適用を否定する見解（中川編・註釈上211頁〔加藤〕）が対立している。類推適用により当該相続人に与えられるものが価額請求に限られ，本来の遺産分割のように，現物分割，代償分割，換価分割の選択をも含めて遺産中の何を欲するか自己の主張を述べ合う機会が保障されているわけではないことを考慮すれば，本条の適用範囲は限定的に解すべきものといえよう（松原Ⅱ 525–526頁，北野＝梶村編・前掲書219頁〔高橋〕，泉ほか179頁〔久貴〕）。

3　母子関係存在確認訴訟が確定した場合

遺産分割その他の処分がなされた後に，母子関係確認の判決が確定し，新たに相続人が判明した場合，死後認知の場合と状況が類似するところから，本条の類推適用が問題とされていた（後述の最高裁判決以前の状況として篠田省二〔判解〕最判解昭54年161頁以下。死後認知の場合との類似点，相違点の整理として，能見善久〔判批〕法協98巻5号〔1981〕754頁以下）。最高裁（最判昭54・3・23民集33巻2号294頁）は，784条ただし書および910条類推適用を肯定した原判決を斥け，以下のように述べて類推適用を否定した。「相続財産に属する不動産につき単独所有権移転の登記をした共同相続人の一人及び同人から単独所有権移転登記をうけた第三取得者に対し，他の共同相続人は登記を経なくとも相続による持分の取得を対抗することができるものと解すべきである。……母とその非嫡出子との間の親子関係は，原則として，母の認知をまたず分娩の事実より当然に発生するものと解すべきであって（最高裁判所昭和35年㈺第1189号同37年4月27日第二小法廷判決・民集16巻7号1247頁参照），母子関係が存在する場合には認知によって形成される父子関係に関する民法784条但書を類推適用すべきではなく」，また，民法910条は，「取引の安全と被認知者の保護との調整をはかる規定ではなく，共同相続人の既得権と被認知者の保護との調整をはかる規定であって，遺産分割その他の処分のなされたときに当該相続人の他に共同相続人が存在しなかった場合における当該相続人の保護をはかるところに主眼があり，第三取得者は右相続人が保護される場合にその結果として保護されるのにすぎないのであるから，相続人の存在が遺産分割その他の処分後に明らかになった場合については同法条を類推適用することができないものと解するのが相当である」とした。こうした判例によれば，父の婚外子と母子関係とで法的保護の状況に違いがあることになるが，これには合理性がないとの指摘もあり（二宮410頁），910条の類推適用説も有力である（鈴木226頁，近江296頁。吉田克己〔判批〕新潟大学法政理論13巻2号〔1980〕117頁および中川（淳）・逐条上352頁は相続人の善意無過失を前提に類推適用を認める）。

〔副田隆重（藤巻梓補訂）〕

（共同相続人間の担保責任）

第911条　各共同相続人は，他の共同相続人に対して，売主と同じく，その相続分に応じて担保の責任を負う。

〔対照〕 フ民884・885 II，ス民637

〔改正〕 〔1013〕

細　目　次

I　本条の趣旨

本条は，遺産分割の結果，ある相続人が取得した財産に不適合があったり，その財産が実は遺産でなくその相続人が当該財産を取得できなかったりした場合，他の共同相続人は，その不利益を受けた相続人に対して，売主と同様の担保責任を負うこと，不利益を受けた当該の相続人も他の共同相続人とともに責任を負うことを定める。共有物の分割における共有者の担保責任を定める261条と同旨の規定といわれている（新基本法コメ123頁〔松川正毅〕）。

遺産分割の効果に関する遡及効，宣言主義の趣旨からすれば，各共同相続人の共有持分を分割により譲渡しあうという交換・売買類似の有償的な関係は遺産分割にはなく，担保責任も問題とならないはずである。しかし，立法者は，まず遡及効との関係について，「前条ノ規定〔遡及効を定める明治民法1012条を指す〕ハ一ノ仮定ニ過キサルカ故ニ苟モ其仮定ノ目的ヲ達シタル以上ハ復之ヲ援用スルコトヲ許サス」と説明し，分割の本来の性質により各自互いに担保義務・責任を負うものとした（梅141頁）。ただし，明治民法1013条では，「相続開始前ヨリ存スル事由ニ付キ」担保責任を負うものとされていた。こうした限定に関しては，分割の効力が相続開始の時に遡るとの擬制に拘泥したもので，移転主義に基づき担保責任を認めた以上，遡及効の擬制を維持する必要はなく，実際上も相続開始後から分割までの間に生じた事由について担保責任なしとすることは公平でないとの批判も強く（近藤・下615頁），戦後の改正による911条ではこの限定は削除された。

なお，平成29年の民法（債権関係）の改正により，売主の担保責任については大きな変更がなされ，本条も改正による変更を当然前提とする。ただし，従来売主の担保責任の規定を準用するとされていた共有物の分割の場合の担保責任の規定（261条）の見直しは対象とされておらず，911条も同様に対象とされていない。また平成30年の民法（相続関係）改正においても，911条につき特段の手当てはされず，改正前民法と同様に，解釈に委ねるものとされている（部会資料12・38頁）。

II　平成29年改正前の売主の担保責任の内容

従前一般に売主の担保責任に関連するものとされていた規定としては，平成29年改正前560条～572条が挙げられる（民コメ(23)2133頁以下〔梶村太市〕，新版注民(27)〔補訂版〕444頁以下〔宮井忠夫＝佐藤義彦＝渡邉泰彦〕）。これらのうち，568条は，強制競売に関する規定であり遺産分割に準用の余地はなく，また債権の売主の担保責任に関する569条も912条があるため準用は問題とならず，さらに他人の権利の売買における善意の売主の契約解除権を定める562条も担保責任の規定ではないので，関係するのはその他の規定であった。

従来，物の瑕疵に対する担保責任（570条・瑕疵担保責任）と権利の瑕疵に関する担保責任（追奪担保責任と呼ぶことがある）とが区別され，後者は，財産権の全部または一部が他人に属する場合（560条～564条），数量不足または物の一部滅失の場合（565条），他人の権利が付着している場合（566条・567条）を含んでいた。責任の内容としては，以下に述べるように，物の瑕疵に関する担保責任では，損害賠償請求と契約解除が，権利の瑕疵の担保責任では，損害賠償請求と契約解除のほか，一定の場合に代金減額請求が認められていた（これらの権利のほか買主に履行・追完請求権が認められるかに関しては，後述）。

(1)　損害賠償請求が問題となるのは，契約の解除または代金減額に伴って損害賠償請求をすることができる場合――他人の権利を取得して相手方に移転できない場合（561条前段），権利の一部が他人に属している場合（563条3

項)，数量不足，物の一部滅失がある場合（565条)，先取特権・抵当権の実行により所有権を失った場合（567条）――と，契約の解除ができない場合――用益権による制限がある場合（566条)，物に隠れた瑕疵がある場合（570条）――とがある。なお，抵当権等のついた不動産の買主が自ら費用を支出して所有権を保存した場合は，その費用の償還請求権が認められる（567条2項)。

(2)　代金減額請求は，権利の一部が他人に属している場合（563条)，数量不足や物の一部滅失がある場合（565条）に問題となるが，遺産分割による取得の場面では，問題のある財産を取得した相続人が他の相続人に対して代償債務を負担したケースにおいて，その代償債務の減額請求という形で問題となる（潮見378-379頁)。

(3)　契約の解除が認められるのは，他人の権利を取得して相手方に移転できない場合（561条前段)，権利の一部が他人に属している場合であって残存部分のみならば買主（共同相続人）がこれを取得しないであろうとき（563条2項)，数量が指示された物につき数量不足や物の一部滅失がある場合であって残存部分のみならば共同相続人がこれを取得しないであろうとき（565条)，用益権による制限があり，または地役権がない場合であってそのため遺産取得の目的が達成できないとき（566条)，先取特権・抵当権の実行により所有権を失った場合（567条)，物に隠れた瑕疵があってそのため遺産取得の目的を達成できないとき（570条）とされた。

(4)　その他，担保責任の準用がありえたのは，担保責任の存続期間が原則として1年であること（564条・565条・566条3項・570条)，売主が担保責任を負う場合に買主の方にも債務が生じるときの同時履行の抗弁権（571条)，担保責任排除の特約は原則有効だが，知りながら告げなかった事実などに関しては責任を免れないこと（572条）である。

III　平成29年改正法における担保責任

1　契約責任説の採用

売主の担保責任に関しては，従来からその法的性格付けをはじめ，具体的な要件・効果に関わって，見解の対立があった。平成29年の債権法改正により，従来伝統的に説かれてきた法定責任説が否定されいわゆる契約責任説が採用された（潮見・債権改正258頁）。

法定責任説によれば，瑕疵担保責任は，特定物についてのみ法律が特別に認めた責任と構成される。不特定物売買において，瑕疵のある不完全な履行をすればそれは債務不履行であり，買主は完全なものの履行（追完）請求ができる。これに対し，特定物売買においては，瑕疵のある物でも引き渡せば完全な履行をしたことになるので，追完請求も認められない（特定物売買では，瑕疵なきものを引き渡す義務はなく，原始的な瑕疵があってもそれを引き渡せば完全な履行となるとの考え方を特定物ドグマと呼ぶが，法定責任説はそれを前提とした）。しかし，それでは瑕疵なきものとして買った買主の期待を裏切ることになるので，瑕疵担保責任は，法が特別に認めた法定責任（無過失責任）と理解する。

他方で，契約責任説は，瑕疵担保責任は契約責任の特則であり，特定物か不特定物かを問わず，瑕疵がある場合など目的物に契約内容に適合しない問題があれば，債務不履行であり，買主の追完請求も認められるとする（改正前規定の解釈として，遺産分割の場面でも契約責任説からは完全履行請求，追完請求権が問題となりうるとの指摘として，新基本法コメ123頁〔松川〕）。

改正法は，この契約責任説を前提として，従来の「瑕疵」あるいは「隠れた瑕疵」の概念に代えて，「契約不適合」を採用し，救済手段として，追完請求および代金減額請求を明確化し，併せて債務不履行に基づく契約解除および損害賠償請求を妨げないものとしたうえ，物の契約不適合の場合の救済に関する規定（562条〜564条）を権利の契約不適合にも準用するものとした（565条）。改正前民法では担保責任の一類型とされた他人物売買の見直しを含め，売主の担保責任の見直しにつき，筒井健夫＝村松秀樹編著・一問一答民法（債権関係）改正〔2018〕268頁以下，中舎寛樹・債権法〔2018〕175頁も参照。

2　改正法における担保責任関係の規定

以下において，従前からの変更点も含め関係する条文を確認していこう。

(1)　560条・561条

560条は，権利移転の対抗要件に係る売主の義務を明記したもので，学説上異論のない点を明文化したものである（潮見・債権改正256頁）。561条は，他人の権利の売買における売主の担保責任に関する改正前560条を維持したうえで括弧書の付加により，権利の全部が他人に属する場合のみならず，権利の一部が他人に属する場合も含めて，売主に権利を取得して買主に移転する義務があることを明確化した（潮見・債権改正256–257頁）。

⑵　562条

562条は，引き渡された目的物が種類，品質または数量に関して契約不適合である場合の買主の追完請求権を定める。改正前の「隠れた瑕疵」（改正前565条）の概念は「契約不適合」に置き換えられ，改正前は権利の瑕疵の一事例とされた「数量の不足」（改正前565条）も物の契約不適合の一場合とされた。ただし，契約不適合が買主の帰責事由によるときは，追完請求は認められない（562条2項。代金減額請求（563条3項）および解除権の扱い（564条の準用する541条・542条）に合わせたものとされる（潮見・債権改正258頁））。追完の方法（修補か取替えかなど）の選択権は第一次的に買主にある。ただし，買主に不相当な負担を課するものでないときは，売主の提供する追完方法によることができる（562条1項ただし書）。

⑶　563条

563条は，引き渡された目的物が種類，品質または数量に関して契約不適合である場合における買主の代金減額請求権を定める。このような場合において，買主が相当の期間を定めて履行の追完の催告をし，その期間内に履行の追完がないときは，買主は，その不適合の程度に応じて代金減額請求権をもつことを定める。売主の帰責事由は必要ない。減額の額の算定は解釈に委ねられる。改正前は，売買目的物が契約不適合である場合，数量不足の場合を除いて代金減額請求権は認められていなかったが，改正法は，売買目的物の「種類，品質又は数量」の契約不適合の場合でも，代金と売買目的物との等価交換を維持するため不適合の割合に応じた代金減額請求権（改正前と同様，形成権）を契約不適合の場合一般の買主の救済手段として認めた（潮見・債権改正261頁）。たとえば，遺産分割の例として，被相続人の3人の子A，B，Cの間において，Aが唯一の遺産たる土地（評価額2400万円）を取得する一方，BおよびCに対して各800万円の代償金を支払う旨の代償分割の合意をしたところ，同土地の品質に不適合があり実際の価値が1800万円しかなかった場合の扱いとして，不足分600万円について，三者は，合意した各自800万円ずつの割合つまり平等に200万円ずつ負担することになり，Aは，B，

Cに対して，200万円につき，代金減額請求権に準じた代償金減額請求権を行使することが考えられる（AがB，Cに支払うべき代償金は各600万円となる）。

⑷　564条

上記⑵および⑶の，物の契約不適合の場合の買主の救済手段としての追完請求および代金減額請求のほか，同条は，債務不履行に基づく損害賠償請求および解除が可能であることを定める。

改正法の下では，種類・品質・数量に関し契約に適合した物を供与すべき義務を売主は負うのが前提であることから，その不履行は債務不履行にほかならない。したがって，損害賠償請求権や解除権の要件，効果とも債務不履行の一般規定（415条・541条・542条）による。その結果，損害賠償請求の要件に関しては，「契約その他の債務の発生原因及び取引上の社会通念に照らして債務者の責めに帰することができない事由」（415条1項ただし書）による場合には売主の免責が認められるが，不適合について売主に認識可能性がなかったとしても当然に免責が認められるものでなく，売主が知らない不適合について債務不履行責任を負うことはありうるとされる（山野目章夫・新しい債権法を読みとく〔2017〕187頁・194頁。なお，潮見佳男・新債権各論Ⅰ〔2021〕155-156頁は，売主の免責事由は無過失ではなく，売主の債務のような結果債務については，帰責事由の欠如により損害賠償責任の免責が認められるのは，当該契約の内容から判断すれば結果不実現のリスクを売主に負担させるのは不相当である場合に限られるとする）。損害賠償の範囲について416条が適用され履行利益の賠償が認められる（潮見・債権改正264頁，野澤正充・契約法〔3版，2020〕144頁）。

契約解除権について，改正前は解除の要件とされた債務者の帰責事由が，改正法では不要とされた。原則として，催告を要し，相当期間の経過により解除できるが（541条本文。ただし同条ただし書は，催告期間経過時の不履行が軽微であるときは解除不可とする），債務不履行により契約目的の達成が不可能になったと評価されるような場合には無催告の解除が認められる（542条1項。潮見・債権改正242頁）。

⑸　565条

565条は，物の契約不適合に対する買主の救済手段に関する上記の新規定（562条～564条）が，①売主が買主に移転した権利の契約不適合の場合，および，②権利の一部が他人に属する場合においてその権利の一部を移転しない場合にも準用されることを定める。

前述①の例として，売買目的物の上に地上権・地役権・留置権・質権・抵当権などの制限物権が存在する場合，売買の目的不動産のために存すると称した地役権が存在しなかった場合およびその不動産について敷地利用権が存在しなかった場合，売買の目的不動産上に対抗力を有する賃借権が存在している場合が挙げられている（潮見・債権改正 265-266 頁）。

一方，②の場合も同様にこれらの規定が準用されるが，反面で，権利の全部が他人に属する他人物売買で権利の全部が移転できない場合は同条の対象外とされる。その場合は権利移転義務の単純な不履行，未履行であり，債務不履行の一般規定により処理されるためである（債権部会資料 84-3・13 頁）。

なお，改正前は，権利の瑕疵の担保責任について買主の善意を要件とする局面があったが，買主悪意の場合に直ちに買主の救済が否定されるのは合理性に乏しいとして，改正法では要件とはされていない（潮見・債権改正 266 頁）。

(6) 566 条

566 条は，買主の権利の期間制限を定めるもので，売買目的物の種類または品質に関する契約不適合がある場合，買主は，その不適合を理由として，追完請求権等の権利を行使するためには，その契約不適合を知った時から 1 年以内にその旨の通知を売主にしなければ権利行使ができなくなる旨を定める。こうした短期の期間制限・通知懈怠による失権効の趣旨は，①目的物の引渡し後は履行が終了したとの期待が売主に生じることから，売主のそうした期待を保護する必要があること，②種類・品質に関する契約不適合の有無は目的物の使用や時間経過による劣化等により比較的短時間で判断が困難となるから，法律関係を早期に安定する必要があるためとされている（債権部会資料 75A・23 頁）。もっとも，悪意・重過失の売主との関係では，この失権効は生じない（同条ただし書）。また，同条本文の通知は，債権の消滅時効の一般準則の適用の排除を意味せず（潮見・債権改正 268 頁），買主が不適合を知った時から 1 年以内の通知により保存された買主の権利の存続期間は，債権の消滅時効の一般原則（166 条 1 項）による。

なお同条は，目的物の数量の契約不適合あるいは権利の契約不適合の場合には適用されない。数量不足は外形上明白であり，履行終了の期待が売主に生ずることは通常考え難く，売主の保護の必要がないためであり，権利の契約不適合の場合にも売主が契約の趣旨に適合した権利を移転したとの期待が生ずることは想定しがたく，また，短期間で契約不適合の判断が困難になるとも言えないからである。これらの場合は債権の消滅時効に関する一般原則（166条1項）による（潮見・債権改正267-268頁）。

⑺　567条

567条は，売買目的物がどの時点までに滅失・損傷した場合であれば，買主は滅失・損傷を理由とする権利主張（追完請求，代金減額請求，損害賠償請求，契約解除）ができるかという問題として規定されているが，目的物の引渡し時を基準として危険が売主から買主に移転することを定める（潮見・債権改正269頁以下）。引渡し後当事者双方の責めに帰することができない事由により目的物が滅失・損傷した場合，買主は，前掲の権利主張はできず，売買代金の支払を拒絶することもできない（同条1項）。また，売主が契約に適合した目的物の引渡しを提供したにもかかわらず，買主が受領を拒絶または受領できない場合（受領遅滞）において，履行提供後に当事者双方の責めに帰することができない事由により滅失・損傷したときも同様である（同条2項）。

⑻　568条・569条

568条は，競売における買受人の権利の特則を定めるが，改正前と同様，遺産分割について準用されない。内容的には，改正前規定の「強制競売」を競売一般に拡大した（同条1項）上，買受人による代金返還請求権等の規定を維持しつつ（同条2項・3項），競売の目的物の種類・品質に関する不適合については，同条の適用なしとし（同条4項），買受人は上記の権利行使が認められない，とする（改正前570条ただし書を実質的に維持）。

569条は，改正されておらず，債権の売主の担保責任を定めるが，912条でその特則が定められており遺産分割による取得への準用は問題とならない。

⑼　570条

570条は，買い受けた不動産について契約不適合な先取特権，質権または抵当権が付着していた場合に，買主が費用を支出してその不動産の所有権を保存したとき，買主は，売主に対しその費用の償還請求権を有することを定める。改正前567条2項を独立の条文としつつ，不動産に存する権利として質権を追加したものである。

改正法においては，抵当権等の実行により買主が所有権を失った場合は，債務不履行の一般規定が適用されることから改正前567条1項（所有権を失った場合の契約解除），同条3項（損害賠償請求）の規定は削除された。また，前述したように，改正前570条の売買目的物に瑕疵がある場合の担保責任については，改正法では買主の追完請求権等を定める562条から564条および566条の規定が適用される。なお，改正前570条ただし書（強制競売への不適用）は，改正法568条4項に引き継がれる。

⑽　571条

571条は，削除されることとなった。改正前571条は，売主が担保責任を負う場合において，買主側にも義務が残る可能性があり，そうした場合に公平の観点から契約総則の同時履行の抗弁権に関する改正前533条を準用していた。改正法は，この533条に括弧書を追加し，債務の履行のみならず「債務の履行に代わる損害賠償債務の履行」についても同時履行の対象となることが明記され，これにより，履行に代わる損害賠償・追完に代わる損害賠償請求権と対価の履行請求権との同時履行関係，たとえば，買主の履行に代わる損害賠償請求権と売主の代金請求権との同時履行関係が，一般ルールとして定められた（潮見・債権改正236頁）。その結果，改正法533条が直接適用されることとなり，売主の担保責任と同時履行に関する571条は，請負に関して同旨を定める改正前634条2項とともに削除された。

⑾　572条

572条は，引用する条番号が修正されているが，内容に変更はなく，売主が担保責任を負わない旨の特約をしても，売主が知りながら買主に告げなかった事実および自ら第三者のために設定しまたは第三者に譲り渡した権利については担保責任を免れないことを定める（潮見・債権改正274頁）。572条では，改正前572条と同様の実質を確保する趣旨で「第562条第1項本文又は第565条に規定する場合」と規定し，562条1項本文の場合とは，「引き渡された目的物が種類，品質又は数量に関して契約の内容に適合しないものであるとき」を意味し，565条の場合とは，「売主が買主に移転した権利が契約内容に適合しないものである場合（権利の一部が他人に属する場合においてその権利の一部を移転しないときを含む。）」を意味しており，売主の担保責任が生ずる場面に即してこれを網羅的に表現することとしている（債権部会資料84-3・21頁）。

〔副田（藤巻補訂）〕

3　準用の範囲

以上に示したように，買主側からみれば，追完請求，代金減額請求，債務不履行に基づく損害賠償請求および解除を中心として，売主の担保責任に関する新たな諸規定が，遺産分割による財産の取得について，準用の余地があることになる。ただ，準用の問題は，改正前と同様，遺産分割の性質に照らして必要な範囲での規律である。最近の学説上は，とりわけ，追完請求に関しては，慎重論が強く，遺産分割により遺産を取得したにすぎない相続人に追完行為をする義務まで負わせるのは適切でないとする（潮見379頁。前田ほか350頁〔前田〕も結論同旨，二宮418頁も代金減額，損害賠償と解除が内容となるとするものの，追完請求には慎重である）。改正法は代金減額請求権をより広く認めた点は新しいが，この方法は代償分割（家事195条）の場合にのみ利用できるのではないかとの指摘も従来から見られるところである（中川編・註釈上216-217頁〔加藤一郎〕，新版注民(27)〔補訂版〕451頁〔宮井忠夫＝佐藤義彦＝渡邉泰彦〕。改正法について潮見378-379頁）。また，契約解除について，遺産分割協議につき解除権を認めることに対しては，遺産分割のやり直しを意味するもので法的安定性を害することから，従来から学説上慎重論が強く（前田ほか350頁〔前田〕は解除を否定），判例も，認めていない（最判平元・2・9民集43巻2号1頁。§907 II 4参照）。さらに，損害賠償に関しては，分割により取得した不適合物の価値と，権利または物に不適合がなかった場合の価値との間の差額の賠償ということになるとされ，結局911条の趣旨は，遺産分割の際に考慮に入れられていなかった権利または物の不適合に関するリスクを，すべての相続人がその取得した遺産の価値に応じて割合的に負担すべきである，との意味で理解すべきものとされている（潮見379頁は，その意味では，売買における権利・物の不適合の場合に売主が負う「責任」とは異なるとする）。

IV　責任の割合

「各共同相続人は，」他の共同相続人に対して，「売主と同じく，その相続分に応じて」責任を負う。

1　責任分担の主体

まず本来，売主の担保責任は，当然のことながら売主のみが負担するのであり，契約不適合のある財産を購入した買主は負担しない。これに対して，本条においては「各共同相続人」が負担する，つまり，不適合のある財産を分割により取得した共同相続人は買主に準ぜられるとはいえ，その共同相続人も含めて相続分に応じて責任を分担する（中川＝泉 358 頁）。被相続人の3人の子A，B，Cの遺産分割により，各自が等価値の財産を得たが，Aの取得した財産に300万円分の不適合がある場合，本条で責任を負うのは，BおよびC（各100万円）だけでなく，Aも$\frac{1}{3}$の100万円につき自ら負担する。

2　責任分担の割合

分担の割合の基準とされる「相続分」については，指定相続分または法定相続分，あるいは，具体的相続分などが考えられる。現実の遺産分割とくに協議分割では法定相続分や指定相続分のとおりに分割されないことはしばしば存在するし，また，実際になされた遺産分割の結果をもとにして考えるのが，遺産分割の結果に対する担保責任の本来の姿であることを重視して，「現実に配分された利益」の割合（中川編・註釈上〔加藤〕218 頁），「不適合がなかったとしたならば遺産分割の結果として各共同相続人が取得したであろう財産の価額の割合」を基準とする見解が多い（潮見 378 頁，新基本法コメ 123 頁〔松川〕，前田ほか 351 頁〔前田〕）。

たとえば，法定相続分の等しい3人の共同相続人が，それぞれの評価額にもとづいて分割協議の結果，Aが3000万円，Bが2000万円，Cが1000万円の財産を取得したところ，Cが取得した財産に不適合があり400万円の価値しかない事例で考える。この場合，Cの損失額600万円分を，法定相続分の割合でなく，「不適合がなかったとしたならば遺産分割の結果として各共同相続人が取得したであろう財産の価額の割合」（Aが3000万，Bが2000万円，Cが1000万円）で分担すべきことになる。その結果，Cは，Aに対して，300万円，Bに対して，200万円を損害賠償請求することができる（564条・415条）一方，100万円を自己で負担する。

このように「遺産分割により現実に配分された利益の割合」ないし「不適合がなかったとしたら遺産分割によって取得したであろう財産の価額の割合」が基準となるとして，持戻しを要する贈与や遺贈がある場合に，それを考慮しなくてよいかは問題である。それらの特別受益を考慮せずに遺産分割により取得した財産の価額の割合によるときは不公平（多額の生前贈与を受け遺産分割の際の取得額がごく少ない相続人は，この場合の責任の分担も小さくなってしまう）が生じることから，こうした特別受益がある場合には，遺産分割による実際の取得額に持戻しを要する贈与や遺贈を加えた額を基準に分担割合を決定すべきものと解する説も少なくない（高木419頁，中川＝泉358頁，注解全集284頁〔橋本昇二〕，北野俊光ほか編・詳解遺産分割の理論と実務〔2016〕452頁〔加藤祐司〕）。

V　調停・審判分割による場合

遺産分割が調停または審判でなされた場合において，たとえば相続人の一人に割り当てられた財産に不適合等があったようなときに，本条の適用があるかについては，調停や審判に既判力を認めて適用を否定する説（中川監修・註解150頁〔島津一郎〕）と，審判や調停が協議に代わるものであり，その非訟事件的性質，相続人間の公平を図るという本条の趣旨から適用を肯定する説（中川編・註釈上216頁〔加藤〕，新版注民(27)〔補訂版〕456頁〔宮井＝佐藤＝渡邉〕）がある（審判分割への肯定裁判例として，名古屋高決平10・10・13高民集51巻3号128頁）。肯定説からは，遺言による分割方法の指定の場合も同様に扱われる。

VI　期間制限

担保責任に関する権利行使の期間制限に関しては，前掲Ⅲ2(6)で述べた566条の解説参照。

VII　特約・遺言による排除・変更

本条は，強行規定ではなく任意規定であるから，共同相続人間の特約により担保責任に関して別段の定めがある場合は，当然それによることになる。担保責任を負わない旨の合意も有効である。ただし，自ら知りながら告げなかった事実および自ら第三者のために設定しもしくは譲渡した権利については免責されない（572条の準用。一Ⅲ2(11)）。また，被相続人による遺言において別段の意思が表示されている場合も，それに従うことになる（914条）。

〔副田隆重（藤巻梓補訂）〕

（遺産の分割によって受けた債権についての担保責任）

第912条①　各共同相続人は，その相続分に応じ，他の共同相続人が遺産の分割によって受けた債権について，その分割の時における債務者の資力を担保する。

②　弁済期に至らない債権及び停止条件付きの債権については，各共同相続人は，弁済をすべき時における債務者の資力を担保する。

〔対照〕フ民884，ス民637

〔改正〕（1014）

I　本条の意義

本条は，債権を遺産分割によって承継した相続人が，当該債権の債務者の無資力によりその全部または一部の弁済を受けられない場合に，他の相続人は，その債務者の資力を担保する旨を定める。債権の売買の場合，対象とされた債権に契約不適合があるときは（たとえば債権の一部が他人に属するなど），物の売買と同様に担保責任が問題となるが（565条），その場合は，本条でなく911条の規定により処理される。

債権の売買においては，物の売買とは異なり，その価値が債務者の資力に依存しているという特徴がある。もっとも，債務者の資力は，債権そのものの不適合ではないから，売主はこの点につき当然に責任を負うものでなく，資力の担保につき特約をした場合にのみ責任を負うものとされた。すなわち，債権の売主がとくに債務者の資力を担保した場合を定める569条は，債権の売主が，時期を定めずに債務者の資力を担保したときは，契約当時の資力を担保したものと推定し（569条1項），弁済期前の債権の売主が将来の資力を担保したときは，弁済期における資力を担保したものと推定し（同条2項），これらの担保のある場合，債務者の無資力により弁済されないときは，売主が債務者に代わり弁済する責任を負う。

債権の売買の場合は債務者の資力につき特約がなければ担保されないのと比較すると，本条の場合，当然に債務者の資力が担保される結果，相続人は売主よりも重い責任を負う。その根拠は，共同相続人間の公平を図ることにあるとされ，遺産分割により債権を取得した相続人と他の財産を取得した相続人との間での公平を図る趣旨とされる（法典調査会民法議事〔近代立法資料 7〕589 頁〔穂積陳重委員〕）。

II　相続分に応じた担保責任

たとえば，被相続人の3人の子A・B・Cを相続人として，遺産分割協議の結果，Aが2000万円の甲土地，Bが1000万円の乙土地，Cが1000万円の丙に対する貸金債権を取得することにしたが，丙は倒産してCは400万円しか弁済を受けられなかった場合の処理を考える。前条の解説（→§911 IV）を参照すると，Cの不足分600万円は，A・B・Cが前述の割合，つまり2：1：1（2000：1000：1000）の割合で負担することになるため，Cは，Aに対して300万円（600万×$\frac{2}{4}$），Bに対して150万円（600万×$\frac{1}{4}$）を請求することができ，C自身も150万円（600万×$\frac{1}{4}$）を負担することになる。

III　債権の範囲

本条により各共同相続人が債務者の資力につき担保責任を負うのは，他の相続人が「分割によって受けた債権」つまり遺産分割によって取得した債権に対してである。

被相続人の遺産に属していた債権が，遺産分割により共同相続人の一人または数人に帰属した場合は典型的といえる（中川編・註釈上 219 頁〔加藤一郎〕）。これに対して，代償分割における代償金債権のように，遺産に属さない債権を遺産分割において取得した場合に本条の適用があるかについては，適用を認める立場と，否定する立場とがある（否定説からは，債務者の資力担保は特約がないかぎり認められない）。債権者たる取得者には売買のような選択の自由はなく自己責任がないこと，本条の文言上相続財産中に存する債権に限定されていないことを根拠に，適用を肯定する学説が多い（中川編・註釈上 220 頁〔加藤〕，高木420頁。とくに，注解全集285-286頁〔橋本昇二〕は，代償金債権につき本条を適用する場合の計算例を掲げている)。

また，預貯金債権以外の金銭債権や可分債権について，周知のように，判例上，遺産分割によらずに当然に分割帰属すると解されているが，本条の適用との関係では，預貯金債権については判例変更（最大決平28・12・19民集70巻8号2121頁）により遺産分割の対象とされたし，また，それ以外の金銭債権についても共同相続人の合意により遺産分割の対象とすることが可能であるから，そのような場合には，本条の適用があると解すべきである（窪田517頁）。

このほか，特定物債権を遺産分割により取得した場合でも債務不履行による損害賠償債権に転化したときは，本条の適用がありうる（新版注民(27)〔補訂版〕457頁〔宮井忠夫＝佐藤義彦＝渡邉泰彦〕)。

Ⅳ　担保責任を負う時期

弁済期が到来していれば，分割の時の債務者の資力を（本条1項），弁済期未到来の債権や停止条件付債権については，弁済期の到来した時あるいは条件が成就した時の債務者の資力を（本条2項）担保すべきものとされる（新版注民(27)〔補訂版〕458-459頁〔宮井＝佐藤＝渡邉〕)。

Ⅴ　特約・遺言による排除・変更

本条は任意規定であり，共同相続人間の特約や被相続人の遺言（914条）により，別段の定めがある場合にはそれによる（ただし572条準用）など，前条におけると同様である（→§911 Ⅶ)。

〔副田隆重（藤巻梓補訂)〕

（資力のない共同相続人がある場合の担保責任の分担）

第913条　担保の責任を負う共同相続人中に償還をする資力のない者があるときは，その償還することができない部分は，求償者及び他の資力のある者が，それぞれその相続分に応じて分担する。ただし，求償者に過失があるときは，他の共同相続人に対して分担を請求することができない。

〔対照〕 フ民885
〔改正〕 (1015)

Ⅰ　本条の意義

本条は，共同相続人の中に無資力者がいる場合における担保責任の分担に関する規定である。前2条の規定によって担保責任を負う共同相続人中に無資力者がいる場合，その償還できない部分は，求償者と他の資力のある共同相続人がそれぞれの相続分に応じて分担すべきこと，すなわち，これらの者に対してその分担額につき償還請求できる旨を定める。共同相続人間での公平を図る趣旨に由来する（法典調査会民法議事〔近代立法資料7〕590頁〔穂積陳重委員〕)。連帯債務者間の求償権につき，類似の規定がある（444条)。

Ⅱ　責任の分担

本条にいう「担保の責任を負う共同相続人中に償還をする資力のない者」とは，共同相続人であって，固有財産が債務超過の状態にあったり，遺産分割後に資力が減少したりして，実際に償還すべき資力がない者を指し，必ずしも破産手続開始決定を受けている必要はない（新版注民(27)〔補訂版〕460頁〔宮井忠夫＝佐藤義彦＝渡邉泰彦〕)。

償還とは，損害の賠償，代償金額の返還，遺産分割の結果受けた物の返還などをいう（中川(淳)・逐条上362頁)。

責任分担の基準としての「その相続分に応じて」に関しては，911条および912条の解説を参照されたい（→§911 Ⅳ，§912 Ⅱ)。具体的な設例として，たとえば，遺産分割により被相続人の3人の子A・B・Cがそれぞれ1800万円の財産を取得したところ，Aが取得した財産が実はその品質の不適合により600万円の価値しかなかった場合の処理を考える。この設例の場合，A・B・Cは，Aの被った1200万円分の損害を「不適合がなかったとしたら遺産分割の結果取得したであろう金額」すなわち本設例では各1800万円の割合で$\frac{1}{3}$ずつ等しく分担することになり，Aは，BおよびCに対して400万円ずつ損害賠償を請求することができる一方，400万円は自ら負担する(911条)。この場合において，さらにCが無資力でありCからの償還が得られないときは，本条が適用され，Cからの償還が得られない400万円分につき，求償者Aおよび他の共同相続人Bが前述の割合で（この例では等しく）分担して200万円ずつ負担する（本条)。結局，Aは，Bに対して，前述の400万円の損害賠償請求に加えて，本条による無資力者担保責任分担履行請求として200万円（合計600万円）を請求できる。

上記の説明は，911条により担保の責任を負う者が無資力であるケースであるが，912条により担保の責任を負う者が無資力のケースでも同様の扱いである（新版注民(27)〔補訂版〕460頁〔宮井＝佐藤＝渡邉〕)。

なお，本条の無資力者担保責任分担履行請求は，求償者に過失がある場合，たとえば，求償者が求償を怠っている間に担保責任を負う共同相続人が無資力になってしまったような場合は，認められない（本条ただし書)。

III　特約・遺言による排除・変更

本条は任意規定であり，共同相続人間の特約や被相続人の遺言（914条）により，別段の定めがある場合にはそれによる（ただし572条準用）など，前2条における場合と同様である（→§911 VII)。

〔副田隆重（藤巻梓補訂)〕

（遺言による担保責任の定め）

第914条　前3条の規定は，被相続人が遺言で別段の意思を表示したときは，適用しない。

〔改正〕（1016）

I　本条の意義

本条は，前3条の規定（911条～913条）の特則として，これらの規定と異なる定めを被相続人が遺言によってなした場合，これらの規定は適用がなく，遺言での定めによることとなる旨を規定したものである。担保責任に関する前3条の規定は，相続人間における平等や公平のために設けられた規定ではあるが公益規定とまではいえないことから（梅149頁），本条により被相続人の意思を尊重・重視する趣旨である。ただ，その意味では，相続人間の平等・公平よりも被相続人の意思を優先させるもので，立法論として本条の規定を疑問視する指摘がある（青山・家族法論II 309頁，新基本法コメ124-125頁〔松川正毅〕）。担保責任の規定そのものは相続人間の平等・公平に資するものであり，相続人間の合意による修正はありうるものの，遺言者の意思による排除・変更を認めるのは，わが国独自の規定である（原田・史的素描232頁）。

II　遺言による別段の意思表示

被相続人が遺言で定める別段の意思表示の内容としては，ある相続人が担保責任をまったく負わないこととする担保責任の免除の場合のほか，責任の軽減または加重の場合でもよい（新版注民(27)〔補訂版〕461頁〔宮井忠夫＝佐藤義彦＝渡邉泰彦〕）。たとえば，遺産の分割方法を定めた遺言において，各共同相続人は相互に担保責任を負わないとの意思表示，あるいは，共同相続人の一部のみが担保責任を負うとの意思表示をすることができる（中川(淳)・逐条上363頁，民コメ(23)2143頁〔梶村太市〕）。

遺言による別段の意思表示（たとえば担保責任を負わない旨の遺言）があり，それに従うと遺留分が侵害される結果となる場合，平成30年改正法では遺留分侵害額請求権が問題となりうる（潮見377頁）。本条には，前掲の意思表示につき遺留分による制約は規定されていないが，この問題に関しては，改正前において遺留分を侵害された相続人は遺留分の限度で減殺請求できると解されていた（中川編・註釈上222頁〔加藤一郎〕，新基本法コメ125頁〔松川〕，改正前の計算の例として，新版注民(27)〔補訂版〕462頁〔宮井＝佐藤＝渡邉〕参照）。平成30年改正では，遺留分侵害の場合の効果として，いわゆる物権的効力をもつ減殺請求に代えて，遺留分侵害額に相当する金銭の支払を請求する権利（遺留分侵害額請求権）が認められるものとした（1046条）。それを前提に，たとえば，前条の解説（→§913 II）中の前記設例に，さらに相互に担保責任を負わない遺言がある場合を考える。この場合，A・B・Cの遺留分は，各700万円（遺産全体つまりA・B・Cが取得した財産の合計額4200万円，各人の遺留分割合は$\frac{1}{6}$であるため）であり，結果的にAについては100万円分の遺留分侵害があることから，AはB・Cに対して各50万円につき金銭の支払請求（遺留分侵害額請求）ができる。

本条の定める担保責任に関する意思表示は，必ず遺言でしなければならないが，必ずしも明示の意思表示に限らず，他の点から黙示的に認められる場合でもよいとされている（中川編・註釈上222頁〔加藤〕ほか）。たとえば，一部の相続人に遺言で相続分より多くの財産を与えた場合，あるいは，特定の相続人に特定の物を相続させる旨の遺言により，共同相続人の一部が相続分を超える価値を有する財産を相続する場合，その物や権利に不適合がある場合でも，他の相続人は担保責任を負わない趣旨と遺言を解釈できる場合がある（中川編・註釈上222頁〔加藤〕，新版注民(27)〔補訂版〕462頁〔宮井＝佐藤＝渡邉〕）。

〔副田隆重（藤巻梓補訂）〕

第4章　相続の承認及び放棄

第1節　総　　則

前注（§§915-919〔相続の選択権に関する起草過程・外国法〕）

Ⅰ　序

相続の承認・放棄に関する制度は，「相続人は，相続開始の時から，被相続人の財産に属した一切の権利義務を承継する」（896条本文）という包括承継主義を前提としつつ，一定の熟慮期間内に全面的・無条件的に権利義務の承継を認めるか（単純承認〔→§920〕），承継した相続財産のみに責任を制限して債務の承継を承認するか（限定承認〔→§922〕），全面的に承継を否認し，相続人となることを拒否するか（相続放棄〔→§938〕）という選択権を認めている。これは，相続人に被相続人の権利義務の承継を強制せずその意思を尊重するという近代法一般の傾向に沿ったものであると言われている（新版注民(27)〔補訂版〕463頁〔谷口知平＝松川正毅〕）。このように相続人に，相続財産を承継することについての選択の自由が認められているわけだが，この選択の自由度は，熟慮期間の長さや熟慮期間経過に付与される効果とも密接な関連性を有する。この点，日本法は，「自己のために相続の開始があったことを知った時から3箇月以内」（915条1項本文）という熟慮期間を設けるとともに，「相続人が第915条第1項の期間内に限定承認又は相続の放棄をしなかったとき」（921条2号）には，相続人は単純承認をしたものとしている。

もっとも，相続人は，被相続人が保証債務などの債務を負うことなく死亡したと思っていたところ，熟慮期間経過後にそのような債務の存在が明らかになり，その債務の額が積極財産を超えていた場合に，相続人が相続放棄をすることができるかという問題について，裁判例は分かれており，学説においても議論が続けられている。最高裁昭和59年4月27日判決（民集38巻6号698頁）は，相続人が熟慮期間内に放棄または限定承認をしなかったのが，「被相続人に相続財産が全く存在しないと信じた」ためであったという事案であった。そこで，裁判例の中には，熟慮期間の起算点について例外を認めるのは，相続人が被相続人に相続財産が全く存在しないと信じた場合に限るものとするものがある。最高裁平成13年10月30日決定（家月54巻4号70頁），最高裁平成14年4月26日決定（家月55巻11号113頁）もそのような立場を支持したものと解されている（→§915 II **2**(3)(ア)）。もっとも，最高裁平成13年・14年決定後も，相続財産の一部の存在を知っていた場合に熟慮期間の起算点の例外を認める下級審裁判例が現れており，解釈の統一化が進まない状況が続いている。

そのような法状況にある中，どのような経緯をたどって現行民法の立場が成立するに至ったか，相続人の選択権，熟慮期間経過の効果といった現行民法の相続の承認・放棄制度の基本構造にかかわる部分を中心に概観することには，少なからぬ意味があるように思われる（包括承継主義に関しては，§896および窪田充見「民法896条（相続の効力）」百年IV 192頁以下参照）。また，相続人の選択権をめぐる外国法の状況も，日本の現行法の正当性を考える上で，無視できない状況にある。そこで，以下では，起草過程と外国法の状況，それぞれについての概観を行う。

II　起 草 過 程

1　旧 民 法

現行民法の採用した基本的立場の萌芽は，既に旧民法草案（第一草案。明治21年10月6日）の段階で看取することができる。

相続人の選択権行使について，草案獲得編第二部1599条1項は，「何人ニ限ラス必ス相続スヘキ義務ヲ負ハス又常ニ随意ニ相続ヲ受諾スルコトヲ得」

（旧字体や合字は適宜修正している。以下同じ）と規定し，相続人は相続するか否かの選択権を有することを明示している。草案の理由書によれば，相続人が相続を辞することはできないという慣習は条理に反すること著しいため，そのような慣習を廃止する趣旨があるとしている。そして，条理に反する理由として3点挙げている。第1に，自分の所為に出たのではないことの責任を負う理由はないとしている。第2に，相続は，被相続人の義務を負うことが主眼なのではなく，相続人を利することに主眼があり，積極財産よりも消極財産が多い場合に相続を強制することは，その主眼に背馳するとしている。第3に，相続は相続人の権利であり義務ではなく，他の権利と同様随意に放棄をすることができるとしている（民法草案獲得編第二部理由書66丁〔磯部四郎〕)。同様の規律を有する当時のフランス法も参照されている（2006年6月23日法律改正前のフ民旧775条。前掲理由書67丁〔磯部〕)。このように，旧民法制定以前に，相続人が相続を辞することができないという慣習があり，起草者はそれを否定する必要があると考えていた。草案獲得編1600条は，単純または限定の受諾，そして放棄の3つの選択肢があることを明示している。

また，草案では，相続財産を調査するための期間と受諾または放棄を決定するための期間という2つの期間をもうけている。草案獲得編1602条1項は,「相続人ハ民事訴訟法ニ規定シタル法式ニ従ヒ相続財産ヲ調査スル為メ3ヶ月ノ期限ヲ有ス但シ此期限ハ相続開始ノ日ヨリ起算ス」と規定し，2項は,「相続ノ受諾又ハ拋棄ヲ決定スル為メ1ヶ月ノ期限ヲ有ス但シ此期限ハ右3ヶ月満限ノ日又ハ其前財産ノ調査ヲ終リタル日ヨリ起算ス」と規定している。このように調査するための期間と選択権行使の期間を分けて規律したのは，同様の規律を有した当時のフランス法の影響である（2006年法律改正前のフ民旧795条)。ただし，草案獲得編1602条の調査のための期間は，相続財産の積極財産と消極財産を調査するための期間（前掲理由書70丁〔磯部〕）であるのに対し，フランス民法旧795条で認められている3か月の期間は，限定承認の要件として必要な財産目録作成のための期間である。フランス民法旧795条では，それに加えて選択権行使のための熟慮期間として40日間の期間を定めている。次に，草案獲得編1603条1項は,「相続人ハ其調査又ハ決定ノ期限内相続ニ関スル一切ノ訴訟ヲ停止セシムルコトヲ得」と規定し，2項は,「其期限後ハ事情ニ依リ地方裁判所ヨリ更ニ3ヶ月内ノ延期ヲ許容スルコトアルヘシ」と規定する。1項は，調査または決定の期限内は，相続人は，いまだ書類等の整頓が終わっていないため，相続に関する訴訟の停止を求めることができることとしている。フランス民法旧797条は，財産目録調製のための期間と熟慮のための期間の継続中は，相続人に対する有責判決を下すことはできない旨規定しており，やはりフランス法の影響を看取できる。2項は，調査または決定の期間の延長を認める規定である。

調査および決定期間経過の効果について，草案獲得編1609条1項は，「概シテ相続人ノ左ノ所為ハ単純ナル受諾ノ意思ヲ推測ス」（1号から3号略）「四　限定受諾又ハ拋棄ヲ為サスシテ相続開始ノ日ヨリ満10ケ年ヲ過キタルトキ」と規定し，2項は，「家督相続ニ付テハ相続人其開始ヲ了知シタル日ヨリ第1602条及ヒ第1603条ノ期間ニ限定ノ受諾又ハ拋棄ヲ為サヽリシトキハ単純ノ受諾ヲ為シタルモノト推測ス」と規定していた。すなわち，遺産相続の場合は，調査または決定期間経過とは関係なく，相続開始から10年過ぎたことにより単純の受諾をしたと推測されることとなる。家督相続については，調査および決定期間経過により，単純の受諾が推測されることになる。理由書は，家督相続については，社会の秩序に関連し，純粋な財産上の問題ではないため，長く未定の状態に置くべきではないためであるとしている（前掲理由書75丁〔磯部〕）。当時のフランス法の規定によれば，選択権は30年経過すると時効にかかるというものであり（フ民旧789条），判例は，30年の時効経過により，選択権を行使しなかった者は相続をなしえないとしていた。したがって，遺産相続，家督相続いずれの規律も，既にこの時点で当時のフランス法とは異なるものであった。

以上が旧民法草案の概要である。その後，旧民法制定に至るまでの間に，調査および決定期間経過の効果に関して変更がある。旧民法財産取得編323条は，「左ノ如キ場合ニ於テハ黙示ノ受諾アリトス」（第1号略）「第二　相続人カ第318条ノ期間内ニ限定受諾又ハ拋棄ヲ為ササルトキ」と規定している。旧民法では，家督相続，遺産相続の区別なく，調査および決定期間経過により黙示の受諾ありとされている。旧民法草案獲得編1609条2項では，家督相続人の早期決定の必要性から，調査および決定期間と受諾の効果を結び付けていたが，遺産相続にもその規律が拡張されたことになる。

旧民法財産取得編のその他の関連規定は，以下の通りである。

第317条　相続人ハ相続ニ付キ単純若クハ限定ノ受諾ヲ為シ又ハ拋棄ヲ為スコトヲ得但法定家督相続人ハ拋棄ヲ為スコトヲ得ス又隠居家督相続人ハ限定ノ受諾ヲ為スコトヲ得ス

第318条①　隠居家督相続ヲ除ク外相続人ハ相続財産ヲ調査スル為メ相続ノ日ヨリ3个月ノ期間ヲ有ス但裁判所ハ情況ニ因リ更ニ3个月内ノ延期ヲ許スコトヲ得

②　受諾又ハ拋棄ヲ決定スル為メ1个月ノ期間ヲ有ス此期間ハ調査期間満限ノ日又ハ其前ニ実際ノ調査ヲ終了シタル日ヨリ之ヲ算ス

第319条　相続人ハ調査又ハ決定ノ期間内相続財産ニ関スル一切ノ訴訟手続ヲ停止セシムルコトヲ得

2　明 治 民 法

次に，明治民法起草過程における法典調査会における起草委員の説明と審議を確認する。

第5編第4章の表題は，「相続ノ承認及ヒ拋棄」となっており，旧民法の「受諾」とは異なり，「承認」という文言が用いられている。富井政章委員は，今日の相続法の主義は，ローマ法とは異なり受けるという意思表示をして初めて相続人となるのではなく，死亡により直ちに相続人となるべき者が相続権を得るのであり，相続人となる承認は身分を確定することであるという説明がなされている（法典調査会民法議事〔近代立法資料7〕414頁）。

相続の承認と放棄に関する熟慮期間について，原案1001条は第1項で「相続人ハ相続権ノ発生ヲ知リタル時ヨリ3ケ月内ニ単純若クハ限定ノ承認又ハ拋棄ヲ為スコトヲ要ス但此期間ハ裁判所ニ於テ之ヲ伸長スルコトヲ得」と規定し，第2項で「相続人ハ承認又ハ拋棄ヲ為ス前ニ於テ相続財産ノ調査ヲ為スコトヲ得」と規定している。富井委員は，旧民法典のように，調査のための期間と決定のための期間という2種類の期間を置くことは必要ではなく，法律に一定の期間を定めてその期間内に処決しなければならないと述べている（前掲法典調査会民法議事415頁）。その理由として，財産調査もつまり処決の準備であり，必ずある期間内に限定承認や放棄をしなければならないというのでなくては困ると述べている。そのため「要ス」という文言を用いているとしている。このように，熟慮期間は限定承認や放棄をしなければならない期間であるという性質付けが，ここで明確にされている。また，旧民法典財産取得編318条1項では3か月以上の期間の延長ができないこととなっているが，それでは窮屈であるため（前掲法典調査会民法議事同頁），原案は「期間ハ」「伸長スルコトヲ得」と規定するにとどめている。さらに，旧民法典では調査期間の起算点が「相続ノ日」であったが，原案では「相続権ノ発生ヲ知リタル時」となっている。富井委員は，旧民法典の規定の仕方はあいまいであり，相続開始日というつもりではなかろうと述べており，親族会で選ぶということもあるので，相続人が知った日を起算日とした方がよいと述べている（前掲法典調査会民法議事415-416頁）。法典調査会では，原案1001条1項ただし書の期間伸長の請求権者を明示した方がよいという意見が出され，明治民法1017条は，第1項で「相続人ハ自己ノ為メニ相続ノ開始アリタルコトヲ知リタル時ヨリ3个月内ニ単純若クハ限定ノ承認又ハ抛棄ヲ為スコトヲ要ス但此期間ハ利害関係人又ハ検事ノ請求ニ因リ裁判所ニ於テ之ヲ伸長スルコトヲ得」と規定されている。第2項は，法典調査会の原案通りである。

熟慮期間経過の効果に関して，原案1011条は「左ニ掲ケタル場合ニ於テハ相続人ハ単純承認ヲ為シタルモノト看做ス」とした上で，第2号において「相続人カ第1001条第1項ノ期間内ニ限定承認又ハ抛棄ヲ為ササリシトキ」と規定している。旧民法財産取得編323条1項では，その柱書において「黙示ノ受諾アリトス」と規定されていたのに対し，原案は「単純承認ヲ為シタルモノト看做ス」としている。この点について，富井委員は，原案1011条3号には，相続財産の私取，隠匿，悪意での財産目録の不記載という行為が記載されており，これらの場合，黙示の受諾ではなく，受諾したくないからこういうことをしたのであり，法律の効力で単純承認の結果を生ぜしめるのが望ましいと述べている（法典調査会議事速記録第180回〔厳松堂書店，1937〕を参照した。商事法務版は，この部分の記載が欠落している）。この原案1011条柱書および第2号は，変更のないまま明治民法1024条となっている。

3　現行民法典

明治民法1017条および1024条（柱書および第2号）に関しては，昭和22年の改正の影響はあまり大きくない。現915条に関して，熟慮期間の伸長をする権限を家庭裁判所に付与している点が，明治民法からの修正点である。現921条について明治民法からの修正点はないが，限定承認をした共同相続人の1人につき921条1号または3号に掲げる事由があったときに関する現

937条が昭和22年改正で新設された点には注意を要する。

Ⅲ　比　較　法

以下フランス，ドイツ，韓国，台湾という4か国において，相続開始から一定期間経過した後に，知られざる債務が見つかった場合に，相続人が相続債務を負うか否かに関係する法制度を紹介するが，いずれの国においても，一定の相続人保護のための規律が存在している。

1　フランス法

2001年12月3日法律，2006年6月23日法律により，大改正がもたらされている。先に紹介した旧法（一Ⅱ1を参照）からの変更点として3点挙げることとする（いずれも2006年法律によるもの）。第1は，選択権行使期間が旧法の30年から10年に短縮された点である（780条1項）。また，この期間経過の効果が旧法下では問題になっていたが，放棄したものと推定されることとなった（780条2項）。

第2に，熟慮期間に関して，相続開始から4か月間は，選択権の行使を強制されない（771条1項）としつつ，4か月経過後は，相続債権者，共同相続人，後順位の相続人，国により選択の催告ができることとなった（771条2項）。催告を受けた推定相続人は，2か月以内に選択をするか，判事に正当な理由を示して期間の延長を求めるかしなければならない（772条1項）。2か月の期間内に，選択をしなかった場合，単純承認をしたものとみなされる（772条2項）。

第3に，たとえ単純承認をした場合でも，正当な理由があって相続債務を知ることができなかった場合には，債務の存在およびその重要性を知ってから5か月以内に裁判所に申立てをすることにより，債務の一部または全部の免除を受けることができることになった（786条2項・3項）。旧法下においては，一旦単純承認をすると，それを取り消すことができる場面は限定されていた。新法は，たとえ単純承認をしたとしても，予期せぬ重大な債務が後から知れた場合に，その債務の免除を受ける可能性を明示的に認めることになった。

2 ドイツ法

相続の放棄は，相続人が相続財産の帰属および相続資格取得原因を知った時から6週間以内に限り，することができる（1944条1項・2項）。相続放棄のために定められた期間が経過したとき，相続人は相続放棄をすることができない（1943条）。もっとも，放棄または承認は取り消すことができる（1954条。放棄期間の徒過の場合も，承認と同一の方法により取り消すことができる（1956条））。債務超過が錯誤になるかについて，判例は，かつては取消原因には当たらないという立場を表明していたが，その後，債務超過であるか否かは，通常は，相続財産についての取引上本質的な属性に該当すると判示するに至っている（太田武男＝佐藤義彦編・注釈ドイツ相続法〔1989〕145頁）。この取消しは，強迫による取消しの場合を除いて，取消権者が取消原因を知った時から6週間以内に限りすることができる（1954条1項）。

また，相続人は，遺産債務についても責任を負うのが原則（1967条1項）であるが，種々の責任限定のための制度がもうけられている。たとえば，遺産管理命令が出された場合，または遺産破産が開始した場合，遺産債務に対する相続人の責任は，遺産に限定される（1975条）。なお，これら責任限定のための制度は，放棄のための期間とは結び付けられておらず放棄期間経過後も利用できるようである。

3 韓国法

韓国民法1019条1項・2項は，日本民法915条1項・2項とほぼ同様の構造を有しているが，2002年に「第1項の規定にかかわらず，相続人は相続債務が相続財産を超過する事実を重大な過失なしに第1項の期間内に知ることができずに単純承認をした場合にも，その事実を知った日から3か月内に限定承認をすることができる」と規定する第3項を新設した（韓国民法では限定承認において，単純承認する相続人と限定承認する相続人の混在を認める）。この法改正は，1998年8月27日に，憲法裁判所が，日本民法921条2号と同内容の法定単純承認の規定（韓国民法旧1026条2号）を「憲法上保障された相続人の財産権と私的自治権などを侵害しており違憲というべきである」と判示したことをきっかけとするものである（在日コリアン弁護士協会編著・韓国憲法裁判所 重要判例44〔2010〕155頁以下）。

4　台　湾　法

2008年，2009年に，相続法改正が行われているが，その契機は，相続放棄や限定承認の手続をせず，多額な債務を相続してしまった未成年の相続人が多数存在したという点にあった（大村監修・比較研究403-404頁〔黄詩淳〕）。改正前は，相続人がその相続できる事実を知ってから3か月以内に限定承認または放棄の申立てを裁判所にしない場合には，相続人は被相続人の債務を負担するという規律であった。これに対し，改正法では，被相続人の債務につき，相続によって取得した遺産を限度として弁済の責任を負うという規律（1148条）に改められた。つまり，限定承認が原則とされ，相続債権者は一定期間内に債権があることを報告しないと弁済を受けることができないこととなっている（1159条。台湾法の紹介をした文献として，二宮周平「相続の選択――単純承認，限定承認，相続放棄と熟慮期間」戸時716号〔2014〕41頁）。

Ⅳ　ま　と　め

起草過程を検討すると，熟慮期間経過が単純承認をもたらすという規律は，旧民法草案において，家督相続は社会の秩序に関連し，純粋な財産上の問題ではないため，長く未定の状態に置くべきではないという趣旨で作られたことが分かる。そして，この規律は，旧民法制定時にはすでに遺産相続の場合についても拡張され，現行民法でも維持されている。しかし，現代においては，熟慮期間経過後に思わぬ過大な相続債務が見つかった場合にも法的安定性を優先することの問題性が，国内でも意識されており（→§915 Ⅱ **2**(5)(イ)），国外でもそのような意識に基づいた変化が生じている。とりわけ，同様の規律を有していた韓国法，台湾法が法改正をしている点が重要である。しかも，韓国では，日本民法921条2号に当たる規定を違憲と判断する憲法裁判所判決が現れている。熟慮期間の起算点についてどのように判断するのか，さらには錯誤により法定単純承認がなされた場合に取消しが認められるのか，といった問題について，このような経緯・国際的状況を踏まえた上で検討すべきであるように思われる。

〔幡野弘樹〕

（相続の承認又は放棄をすべき期間）

第915条①　相続人は，自己のために相続の開始があったことを知った時から3箇月以内に，相続について，単純若しくは限定の承認又は放棄をしなければならない。ただし，この期間は，利害関係人又は検察官の請求によって，家庭裁判所において伸長することができる。

②　相続人は，相続の承認又は放棄をする前に，相続財産の調査をすることができる。

〔対照〕 フ民768・770〜773・780・782，ド民1943・1944 I II ・1945・1946，ス民567・576

細目次

I　本条の趣旨

本条は，民法896条が示す包括承継主義を前提として，相続人が相続を承認するか放棄するか，承認をするとして単純承認をするのか限定承認をするのかを決定するにつき，相続財産の調査をし，熟慮をするための期間を定めたものである。熟慮期間の3か月は時効期間ではなく除斥期間であり（新版注民(27)〔補訂版〕468頁〔谷口知平＝松川正毅〕），この期間の経過により当然に放棄および限定承認の選択権が失われ，単純承認をしたものとみなされる（921条2号）。この期間は，利害関係人または検察官の請求により，家庭裁判所の審判によって伸長される（本条1項ただし書，家事別表第一90項・201条1項

〔管轄〕・9項1号〔即時抗告〕。→IV)。

II　熟慮期間の起算点

1　最高裁昭和59年判決までの判例の展開

起草者の見解については，先に述べた（→前注（§§915-919）II）。以下では，明治民法制定後の判例の展開の概観を行う。

明治民法下では，当初，熟慮期間に関する直接の判例ではないが，遺産相続をしたということを自覚しなかった相続人にも被相続人の債務を承継させるという判示が相次いでいた。たとえば，被相続人Aが死亡し，相続人として4人の子または孫であるXらがいたが，Aには資産がなかったため，相続人間では遺産相続について問題とはならなかったものの，その後Aの債権者よりAが負っていた貸金債務の弁済が問題となった事件において，大審院は「被相続人ノ死亡ニヨリテ当然開始スルモノニシテ其開始ノ時ヨリ遺産相続人ハ財産ニ関スル被相続人ノ権利義務ヲ包括的ニ承継スルモノトス故ニ被相続人カ死亡ノ当時権利ノミヲ有シタル場合ハ勿論義務ノミヲ負担シタル場合ト雖モ苟モ財産権上ノ関係ニ属スルモノナル以上ハ相続人ニ於テ遺産相続権ヲ拋棄シ又ハ限定承認ノ意思表示ヲ為ササル限リ総テ之ヲ承継ス可キモノナル」（大判大10・10・20民録27輯1807頁。同趣旨の判例として大判明41・3・9民録14輯241頁，大判明42・6・29民録15輯640頁，大判大3・5・30民録20輯430頁）と判示している。このような判例が相次いだ背景には，当時，家督相続については，被相続人が無資産でも戸主の変更があり，家督相続届の手続もあったのに対し，遺産相続については，被相続人が無資産の場合，相続開始の法律関係に気が付かずに過ごしてしまうこともあったという指摘がある（穂積重遠〔判批〕判民大正10年度〔1913〕150事件507頁）。

その後，大審院は大正15年，熟慮期間の起算点について直接判示をし，「自己ノ為ニ相続ノ開始アリタルコトヲ知リタル時」とは，①相続開始の原因である事実の発生を知るとともに，②自己が相続人となったことを覚知した時であると判示するに至る（大決大15・8・3民集5巻679頁。結婚したが未入籍であった被相続人Aが死亡し，未入籍であることを知らなかった法定相続人である直系尊属Xが相続放棄をしようとした事案）。その上で，「固ヨリ相続人タルヘキ法定順位ニ在ル者カ相続開始ノ原因タル事実ノ発生ヲ知リタルトキハ一応之カ為ニ自己カ相続人ト為リタルコトヲ覚知シタルモノト認定スルヲ相当トスヘシト雖モ法律ノ不知又ハ事実ノ誤認等ノ為自己カ相続人ト為リタルコトヲ覚知セサリシ事実上ノ主張アル場合ニ於テハ之カ事実ノ有無ヲ審究判断セサルヘカラサルモノトス」と判示している。

戦後，下級審レベルで，「相続の開始があったことを知った」というためには，相続財産を認識していることも必要か否かが問題となるに至る。「民法915条1項の『相続の開始があつたことを知った時』といわんがためには，相続人において，被相続人の死亡の事実を知り，かつ自己が相続人であることを知ったことに加えて，少なくとも積極財産の一部または消極財産の存在を確知することを要すると解すべき」（大阪高決昭54・3・22家月31巻10号61頁）という判断が現れる一方で，大審院大正15年決定を引用した上で「必ずしも相続人が積極及び消極の相続財産を具体的に認識していることを要するものではない」という判断もあり（東京高決昭51・10・26判タ350号313頁），さらに折衷的な立場として，被相続人の死亡の事実を知った場合には，特段の事情がない限り相続人は自己のために相続の開始があったことを知ったものと推定して妨げないけれども，事実の誤認や法の不知など特段の事情があって，相続人が被相続人の権利義務を承継したことの意識を全く欠いて，そのために相続を承認するか放棄するかにつき，調査考慮をせずに放置することも諸般の事情に照らして無理もないと解されるときは，いまだ相続人が自己のために相続の開始があったことを知ったものとはいえない，という判断も現れていた（高松高決昭48・9・4家月26巻2号103頁）。

そのような状況を受けて，最高裁は，「熟慮期間は，原則として，相続人が前記の各事実〔「相続開始の原因たる事実及びこれにより自己が法律上相続人となった事実」〕を知った時から起算すべきものであるが，相続人が，右各事実を知った場合であっても，右各事実を知った時から3か月以内に限定承認又は相続放棄をしなかったのが，被相続人に相続財産が全く存在しないと信じたためであり，かつ，被相続人の生活歴，被相続人と相続人との間の交際状態その他諸般の状況からみて当該相続人に対し相続財産の有無の調査を期待することが著しく困難な事情があって，相続人において右のように信ずるについて相当な理由があると認められるときには，相続人が前記の各事実を知った時から熟慮期間を起算すべきであるとすることは相当でないものというべきであり，熟慮期間は相続人が相続財産の全部又は一部の存在を認識した時又は通常これを認識しうべき時から起算すべきものと解するのが相当である」（最判昭59・4・27民集38巻6号698頁）と判示するに至った。事案は，次のようなものである。被相続人Aの3人の子Yらは，Aが定職に就かずギャンブルに熱中し，酒を飲んではAの妻BやYらに暴力をふるっていたために，昭和41年，42年に相次いでAと別居をするに至っており，その後Aとの接触はほとんどなかった。昭和45年にAとBは協議離婚した。別居後，Aは，生活保護を受けており，昭和54年には医療扶助を受けて入院していた。そして，Aは昭和55年3月に死亡した。その後，昭和56年2月になって，Yらは，Aが昭和52年にXとの間で1000万円の連帯保証契約を締結していたことを知るに至り，相続放棄を申述した。最高裁は，以上のような事実関係のもとで，熟慮期間内に限定承認または相続放棄をしなかったのが，Aに相続財産が全く存在しないと信じたためであり，熟慮期間経過後に連帯保証債務の存在を知るまでの間，これを認識することが著しく困難であり，相続財産が全く存在しないと信ずるについて相当な理由があることを認め，熟慮期間は，連帯保証債務の存在を認識した時点から起算されるべきものと判示している。

2　最高裁昭和59年判決以降の下級審裁判例および学説

(1)　はじめに

最高裁昭和59年判決は，「被相続人に相続財産が全くないと信じ」，かつ，そう信じるにつき「相当な理由」があると認められる場合に，例外的に熟慮期間の起算点を「相続人が相続財産の全部又は一部の存在を認識した時又は通常これを認識しうべき時」とするものであるが，その後，下級審裁判例において，相続財産の一部について認識があったが，問題となった相続債務を知らなかった場合にも，熟慮期間の起算点を例外的に遅らせることができるかが問題となっている。昭和59年以降，相続財産の一部，とりわけ積極財産について認識があった事例は少なからず存在しているが，以下では高裁レベルでどのような判断がなされているかの概観を行う。その際，審判事件か訴訟事件かの区別が重要である。というのも，審判事件と訴訟事件では，管轄も既判力の有無も異なり，裁判例の傾向も，そのいずれかにより異なる傾向が看取されるからである（遠藤賢治「民法915条1項所定の熟慮期間の起算点」曹時63巻6号〔2011〕1283頁は「裁判のねじれ現象」と表現する。久保豊「相続放棄の熟慮期間の起算日について――下級審裁判例の分析と家裁実務」家月45巻7号〔1993〕1頁以下も審判事件と訴訟事件を分けて裁判例を分析する）。

⑵　審判事件と訴訟事件の相違

まず，審判事件と訴訟事件の相違を確認しておこう（相続放棄の受理審判について→§938 II，限定承認の受理審判について→§924 IV）。相続放棄は要式行為であり（938条），家庭裁判所によりその申述が受理されなければ効力が生じない（最判昭40・5・27家月17巻6号251頁）。ところで，家庭裁判所で相続放棄の申述が却下され，その審判が確定した場合，相続人は相続債務の負担を免れる方策はない（尾島明「民法915条1項の熟慮期間の起算点」家月54巻8号〔2002〕29頁）。他方で，相続放棄の申述が受理されたとしても，その受理が適法であることに既判力はないため，債権者は民事訴訟において相続放棄の効力を争うことができる（遠藤・前掲論文1280頁）。

⑶　審 判 事 件

㈠　熟慮期間の起算点について例外を認めるのは，相続人が被相続人に相続財産が全く存在しないと信じた場合に限るものとする決定例　一方で，昭和59年判決の基準を堅持し，相続財産の一部について認識がある場合には，熟慮期間の起算点の例外を認めないという立場をとる決定例がある。このような立場は，一般に限定説と呼ばれている。高松高裁平成13年1月10日決定（家月54巻4号66頁），東京高裁平成14年1月16日決定（家月55巻11号106頁）がそのような裁判例であり，いずれも最高裁に許可抗告がなされているが，棄却されている（高松高決平13・1・10については最決平13・10・30家月54巻4号70頁，東京高決平14・1・16については最決平14・4・26家月55巻11号113頁）。このうち東京高裁決定の事案は，次のようなものである。被相続人Aが平成10年1月2日に死亡し，相続人として長男X_1，長女X_2，二男X_3，二女X_4，三男X_5がいた。平成10年1月9日に遺産分割協議が成立し，被相続人の遺産である不動産をX_1が取得することになった。そこで，X_2からX_5は，相続分不存在証明と題する書面に署名，押印し，これを用いてX_1は本件不動産につき相続を原因とする所有権移転登記手続をした。その後，平成13年8月24日に債権者からの訴状の送達により，Aが債務の連帯保証をしていたことを知ったため，Xらは相続放棄の申述を行った。原審は申述を却下し，東京高裁も即時抗告を棄却している。その際には，最高裁昭和59年判決と同様の基準を採用し，「被相続人に相続すべき遺産があることを具体的に認識していたものであり，XらがAに相続すべき財産がないと信じたと認められないことは明らかである」と述べている。

(イ)　相続財産の一部の存在を知っていた場合にも熟慮期間の起算点の例外を認める決定例　　相続財産の一部の存在を知っていた場合にも熟慮期間の起算点の例外的取扱いを認める立場を非限定説と呼ぶ場合もあるが，その内容は多様である。

第1に，相続放棄申述受理審判の審理構造を理由に，相続放棄申述受理のための要件の欠缺が明白な場合のみ申述を却下すべきであり，それ以外は申述を受理するとする決定例が少なくない（仙台高決平元・9・1家月42巻1号108頁〔認容〕，大阪高決平10・2・9家月50巻6号89頁〔却下した原審取消し，差戻し〕，大阪高決平14・7・3家月55巻1号82頁〔認容〕，東京高決平22・8・10家月63巻4号129頁〔認容〕，東京高決平26・3・27判時2229号21頁〔認容〕，後掲東京高決令元・11・25〔却下した原審取消し，認容〕）。以下では，このような基準を「明白性基準」と呼ぶこととする。たとえば，福岡高裁平成2年9月25日決定（判タ742号159頁）は，「相続放棄申述の受理が相続放棄の効果を生ずる不可欠の要件であること，右不受理の効果が大きいこととの対比で，同却下審判に対する救済方法が即時抗告しかないというのは抗告審の審理構造からいって不十分であるといわざるをえないことを考えると，熟慮期間の要件の存否について家庭裁判所が実質的に審理すべきであるにしても，一応の審理で足り，その結果同要件の欠缺が明白である場合にのみ同申述を却下すべきであって，それ以外は同申述を受理するのが相当である。このように解しても，被相続人の債権者は後日訴訟手続で相続放棄申述が無効であるとの主張をすることができるから，相続人と利害の対立する右債権者に不測の損害を生じさせることにはならないし，むしろ，対立当事者による訴訟で十分な主張立証を尽くさせた上で相続放棄申述の有効無効を決する方がより当を得たものといいうる」と述べている。これらの事例では，相続放棄申述受理のための要件の欠缺が明白か否かを審理するものであり，915条の熟慮期間の起算点について，実質的な基準を提示するものではない点に注意が必要である。このような明白性基準は，多くの学説により支持されている（遠藤・前掲論文1282頁）。2021（令和3）年度の家事審判事件において，相続放棄の申述を認容する審判が97.6％であり，却下が0.14％という統計的データがあること（→§938 II(1)）も，このような基準が広く用いられていることを推測させる。

第2に，第1の類型とは異なり，明白性基準を採用すると明示することなく，熟慮期間の起算点について例外的取扱いを認めるか審査した上で申述の受理を認める決定例もある。その中でも，事案の特殊性を強調して申述の受理を認めるものと，相続人が相続財産の一部の存在を知っていた場合であっても，最高裁昭和59年判決の趣旨は当てはまるとして，熟慮期間の起算点について例外的取扱いを認めるものがある。前者の決定例は，個別的に例外的取扱いが認められるという考え方と親和的であるが，後者の決定例は，相続人が相続財産の一部の存在を知っていた場合でも一定の基準を満たせば一律に例外的取扱いが認められるという考え方と親和的である。

まず，事案の特殊性を強調する前者の決定例としては，債権者から誤った情報が伝達されたことから，熟慮期間の例外的取扱いを認めたものがある。高松高裁平成20年3月5日決定（家月60巻10号91頁）は，次のような事案である。被相続人Aが死亡し，相続人として妻B，長男X，二男Cがいた。Aの生前，ABCは同居していたが，Xは結婚後別居していた。相続人間で，Cが跡取りでありAの遺産を引き継ぎ，Xは遺産を取得しない点で認識は共通していた。Aの死後まもなく，Cは，Aが生前出資，貯金等していたD農協を訪れ，Aの債務の存否を尋ねたところ，ないとの回答を得ている。しかし，実際にはAは，Dを貸主とする債務の連帯保証人になっており，回答の1年後に，Dが債権回収を行う旨をB，X，Cに通知した。そこで，Xが相続放棄の申述をした。高松高裁は，次のように述べて，受理を却下した原審を取り消し，申述を受理している。「相続人が，自己のために開始した相続につき単純若しくは限定の承認をするか又は放棄をするかの決定をする際の最も重要な要素である遺産の構成，とりわけ被相続人の消極財産の状態について，熟慮期間内に調査を尽くしたにもかかわらず，被相続人の債権者からの誤った回答により，相続債務が存在しないものと信じたため，限定承認又は放棄をすることなく熟慮期間を経過するなどしてしまった場合には，相続人において，遺産の構成につき錯誤に陥っており，そのために上記調査終了後更に相続財産の状態につき調査をしてその結果に基づき相続につき限定承認又は放棄をするかどうかの検討をすることを期待することは事実上不可能であったということができるから，熟慮期間が設けられた趣旨に照らし，上記錯誤が遺産内容の重要な部分に関するものであるときには，相続人において，上記錯誤に陥っていることを認識した後改めて民法915条1項所定の期間内に，錯誤を理由として単純承認の効果を否定して限定承認又は放棄の申述受理の申立てをすることができると解するのが相当である」。誤った情報により相続放棄を申述しえなかった類似の事案としては，遺言執行者が作成した相続財産目録に問題となった借入金債務が記載されていなかったという事案（東京高決平12・12・7家月53巻7号124頁）もある。東京高裁平成19年8月10日決定（家月60巻1号102頁）は，相続財産として積極財産があったが，ごくわずかであったことを強調している。仙台高裁平成19年12月18日決定（家月60巻10号85頁）は，被相続人Aの未成年の子Xが相続放棄を申述した事案で，Xの母であり法定代理人であるBがAと離婚をしており，その後BやXが，A家との接触を一切していなかったことを強調する。

その後，東京高裁令和元年11月25日決定（判タ1481号74頁）でも，特別の事情があるとして相続放棄の申述を受理している。事案は次のようなものである。被相続人Aが平成29年に死亡し，Aの姉の子（Aのおい・めい）X_1（昭和7年生まれ）・B（昭和15年生まれ）・X_2（昭和19年生まれ）が法定相続人であったが，AとXらは長年交流がなく音信不通であった。Aの死亡の翌々年に，C市長が作成した，Aの所有する不動産の固定資産税支払に関する書面（相続人の代表者を決めてもらう必要があるとの記載がある）が届いたことをきっかけに，A死亡の事実とXらが法定相続人にあたることを知った。その後，X_2がC市に問い合わせをしたところ，A所有の不動産の所在地は判明したが，価値等は分からなかった。Xらは，相続人の代表者が相続放棄をすれば足りると考え，代表者Bのみを申述人とした申述書に3人分の申立費用額に相当する収入印紙を添付して相続放棄をした。最初にC市長作成の書面を受領した3か月以上後に，C市役所の担当者から，相続放棄は各人が行う必要があることを知らされるとともに，Aの固定資産税の滞納額などが判明した。それを受けて，X_1・X_2が相続放棄の申述をしようとしたが却下されたため，両者が抗告をした。東京高裁は，「抗告人らの本件各申述の時期が遅れたのは，自分たちの相続放棄の手続が既に完了したとの誤解や，被相続人の財産についての情報不足に起因しており，抗告人らの年齢や被相続人との従前の関係からして，やむを得ない面があったというべきであるから，このような特別の事情が認められる」とし，相続放棄の申述を受理した（ただし，「明白性の基準」を採用することも付言している）。

次に，相続人が相続財産の一部の存在を知っていた場合であっても，最高裁昭和59年判決の趣旨は当てはまるとして，熟慮期間の起算点についてより一般的に例外的取扱いを認めることを示唆する裁判例もある。たとえば，名古屋高裁平成11年3月31日決定（家月51巻9号64頁）は，次のような事案に関するものである。被相続人Aが死亡，相続人として妻B，二男C，三男Xがいた。Xは，相続財産の中に不動産が存在していることを知っていたが，共同相続人間の話し合いがあり，Cが跡を取りBの面倒をみる代わりにXが取得すべき相続財産はないものと考えていた。A死亡から5年後，Xは，Cが代表を務める会社の債務の連帯保証人にAがなっていることを知り，相続放棄を申述した。原審は申述を却下したのに対し，名古屋高裁は原審判を取り消し，差し戻している。名古屋高裁は，「相続人が被相続人の死亡時に，被相続人名義の遺産の存在を認識していたとしても，たとえば右遺産は他の相続人が相続する等のため，自己が相続取得すべき遺産がないと信じ，かつそのように信じたとしても無理からぬ事情がある場合には，当該相続人において，被相続人名義であった遺産が相続の対象となる遺産であるとの認識がなかったもの，即ち，被相続人の積極財産及び消極財産について自己のために相続の開始があったことを知らなかったものと解するのが相当である」と判示している。このように，相続財産の存在を認識していたとしても，一定の場合に熟慮期間の起算点の例外を認めるという一般論を提示している。他にも，前掲東京高裁平成12年12月7日決定，福岡高裁平成27年2月16日決定（判時2259号58頁）も同様の一般論を提示するものである。

⑷　訴 訟 事 件

訴訟事件に関しては，基本的には最高裁昭和59年判決の提示した基準とは異なる基準を用いていない。すなわち，被相続人に積極財産がない事案について，昭和59年判決と同一の基準を用いて判断をしている（東京高判昭

61・11・27判タ646号198頁〔放棄有効〕，福岡高判昭62・5・14判タ650号229頁〔放棄無効〕，東京高判平15・9・18家月56巻8号41頁〔放棄有効〕）。被相続人に積極財産があった事案について，相続債務の認識は可能であったと述べて，熟慮期間経過後の相続放棄の申述を無効とするものが多い（東京高判昭62・2・26判時1227号47頁，大阪高判平2・11・16家月43巻11号61頁，高松高判平8・1・30訟月43巻3号914頁，大阪高判平21・1・23判タ1309号251頁）。訴訟事件に関しては，少なくとも高裁レベルでは（検討する裁判例の限定につき(1)を参照）非限定説に立脚する判決がない点に特徴がある。

(5)　学　　説

学説においては，昭和59年判決の基準を堅持し，相続財産の一部について認識がある場合には熟慮期間の起算点の例外を認めない限定説と，相続財産の一部の存在を知っていた場合にも熟慮期間の起算点の例外的取扱いを認める非限定説が存在し，意見の一致を見ていない。

(ア)　限定説　　限定説の論拠は，次のようなものである。第1に，昭和59年判決が限定説に立つものであると理解する（たとえば，堀内仁〔判批〕金法1071号〔1984〕4頁，宮川不可止「民法915条1項所定の熟慮期間の解釈」手形研究362号〔1984〕4頁，尾島・前掲論文23頁，遠藤・前掲論文1265-1268頁。なお，松田亨「相続放棄・限定承認をめぐる諸問題」新実務大系Ⅲ391頁も昭和59年判決につき限定説の理解に立つが，後述するように限定説の一定の緩和を試みる）。そのような理解をする理由として，昭和59年判決の宮﨑梧一裁判官の反対意見は，多数意見が限定説に立つことを前提にして，相続財産が全くないと誤信した場合と相続財産の一部を認識しただけでその余はないと誤信した場合とを区別する理由はないと批判していることが挙げられている（尾島・前掲論文22頁）。また，前掲最高裁平成13年10月30日決定が限定説を支持することを明確化したものであるという論拠も提示されている（松原Ⅲ22頁）。第2に，熟慮期間は相続財産の調査のための期間であり，期間伸長の途まで開いている（本条1項ただし書）以上，熟慮期間の起算点を例外的に遅らせる場面は限定的にすべきであるとしている。第3に，非限定説に対する批判として，相続財産に積極財産があるという認識があったものの予期せぬ消極財産があった場合，相続放棄の申述前に積極財産が相続人に承継されたことを前提に第三者と関係が形成される場合があり，放棄を認めると法的安定性を害することを指摘する（尾島・前掲論文23-24頁）。

もっとも，近時の限定説に基づく論稿は，限定説を採用する場合に酷な状況に置かれる相続人が現れることが意識されている。たとえば，限定説に立ちつつも，相続の単純承認，放棄，限定承認をする際に，相続財産の存否，内容に関する錯誤がある場合に，錯誤の適用可能性について検討する論稿が現れている（遠藤・前掲論文1272-1276頁。動機の錯誤であっても，遺産分割協議について錯誤が成立する余地を示唆するが，多数説が，相続財産の処分行為に要素の錯誤があったとしても，法定単純承認の効果の遡及的消滅はもたらさないとしているため，結論を留保している）。また，基本的には限定説に立脚しつつも，相続人が積極財産を認識していても，「相続債務」が全くないと誤信しており，その後利害関係人が現れたり，財産の混同が生じていない場合に，起算日の例外を認める「限定説を緩和」する立場も現れている（松田・前掲論文402頁）。さらに，外国では，包括承継主義をとりつつ，熟慮期間経過後も相続放棄を肯定する例，限定承認を肯定する例，起算点を遅らせる立法をした例があることを根拠に，立法により，限定説により相続放棄が認められる場合を超えて，相続人に相続放棄などによる救済を認めることも示唆されている（尾島・前掲論文28頁，遠藤・前掲論文1286頁以下）。

(イ)　非限定説　　非限定説は，例外的に熟慮期間の起算点を遅らせるべき場合は，「被相続人に相続財産が全く存在しないと信じた」場合に限らないと考える。その論拠は，多岐にわたるが，以下のようなものがある。第1に，相続人に若干の遺産の認識はあったが後に判明した多額の相続債務については一切保護の対象から外すことは，遺産の存在を全く知らなかった場合に比較して，あまりにもバランスを失する，というものである（中田裕康〔判批〕法協103巻9号〔1986〕1891頁）。中田教授は，相続財産が著しい債務超過であることを相当な理由により知らなかった場合，放棄か承認かの選択をする前提条件が欠けているのは，限定説の場合と差異はないことをその理由として挙げるとともに，昭和59年判決の「著しい」および「相当な理由」という要件を厳格に解せば，相続債権者の保護を図りうるし，積極財産がある場合には，921条1号により単純承認がなされることが多いことを指摘し，非限定説を採用しても不都合性が少ないと主張している（中田・前掲判批同所）。第2に，相続債権者は相続人の資力を担保として取引に入ったわけではない。

それにもかかわらず，相続債務の存在を知らず，そのことに過失もない相続人から選択の自由を奪うことは妥当ではないという指摘もある（泉久雄〔判批〕昭59重判解98頁)。そのほか，昭和59年判決および昭和59年判決以降の下級審裁判例の評釈において，非限定説の立場を表明する論稿は数多い（たとえば，久貴忠彦〔演習〕法教46号〔1984〕85頁，石川利夫〔判批〕法律のひろば37巻8号〔1984〕81頁，千藤洋三〔判批〕民商121巻4＝5号〔2000〕702頁，同〔判批〕民商128巻1号〔2003〕149頁，同〔判批〕判評686号（判時2283号）〔2016〕17頁，吉岡伸一「民法915条の熟慮期間について」岡山大学法学会雑誌55巻3＝4号〔2006〕574頁，羽生香織「熟慮期間と相続放棄の申述」月報司法書士516号〔2015〕87頁)。

また，近時では，昭和59年判決の判例法理の不安定さを解消すべく，立法による解決を示唆するものも現れている（本山敦「相続の承認・放棄に関わる利害調整」月報司法書士521号〔2015〕44頁以下)。そこでは，韓国民法1019条1項・2項が日本民法915条1項・2項とほぼ同様の構造を有しつつ，2002年に「第1項の規定にかかわらず，相続人は相続債務が相続財産を超過する事実を重大な過失なしに第1項の期間内に知ることができずに単純承認をした場合にも，その事実を知った日から3か月内に限定承認をすることができる」と規定する第3項を新設したことに着目する（韓国民法では限定承認において，単純承認する相続人と限定承認する相続人の混在を認める)。改正前は日本と同様，熟慮期間経過後に法定単純承認を認めていたが，その規律が憲法違反とされたため，法改正がなされている（→前注（§§915-919）III 3)。

(ウ)　審判事件と訴訟事件の判断の相違について　　審判事件において明白性基準が用いられ，大多数の相続放棄の申述が受理されているのに対し，訴訟事件においては限定説に基づいて相続放棄の有効・無効が判断されるために，家事審判事件と民事訴訟事件において判断の齟齬が生じうるという問題が近時注目されている。相続放棄の実質的要件を可能な限り審査すべきという立場に立ちながら（近時はこのような見解が通説であるが，変遷があったことにつき→§938 II(2))，明白性基準を採用することには矛盾があり，審判事件と訴訟事件の齟齬を解決するには，審判事件における申述受理の実質的要件を明確化し，申述者の主張・立証に関する手続保障を確保すべきであるとする見解も現れている（遠藤・前掲論文1284頁)。限定説の立場から齟齬を解決しようとすると，積極財産の一部でも知っていたことを自認したり，それを知っていたことが客観的に明らかであるような場合には，相続放棄を受理する余地はないこととなる（尾島・前掲論文31頁）。これに対し，下級審裁判例において限定説で必ずしも一致しない状態が続いていることに鑑みて，このような判断の齟齬は相続人にはおよそ理解し難いと批判し，立法による解決を示唆する学説もある（本山・前掲論文47頁）。

(6) 展　望

近時の学説では，立法論についても論じられているが，相続法を大幅に改正した平成30年法律72号においても，相続の承認および放棄に関する規律の改正はなされなかった。そこで，以下では，昭和59年判決以降の下級審裁判例の検討をもとに，解釈論として今後検討すべき問題点を指摘することとしたい。

第1に，下級審裁判例の事案の特徴として，被相続人の跡取りが決まっているために，積極財産を受け取らない跡取りではない相続人が，例外的な熟慮期間の起算点を主張して相続放棄の申述をする場合が多い。そのような例として，前掲大阪高裁平成2年11月16日判決，仙台高裁平成7年4月26日決定（家月48巻3号58頁），前掲大阪高裁平成10年2月9日決定（相続人として妻と4人の子がいる事案で，妻と長男にそれぞれ別個の不動産を帰属させた事例），前掲名古屋高裁平成11年3月31日決定，前掲東京高裁平成12年12月7日決定，前掲東京高裁平成14年1月16日決定，名古屋高裁平成19年6月25日決定（家月60巻1号97頁），前掲高松高裁平成20年3月5日決定，前掲東京高裁平成26年3月27日決定，前掲福岡高裁平成27年2月16日決定がある。これらの場合，積極財産を受け取らない相続人は，実際には，自らが相続とは無関係であると考えることも少なくない。たとえば，前掲名古屋高裁平成11年3月31日決定は，「自己が相続取得すべき遺産がないと信じ，かつそのように信じたとしても無理からぬ事情がある場合」に熟慮期間の起算点に例外を認めているが，それは可分債務については相続開始時に相続人に当然に分割されるという「法の不知」を保護することを意味している。この点をどのように評価するかが，このような事案類型にも最高裁昭和59年判決が認めた例外を及ぼすかを考慮する際の一つの考慮要素となるように思われる。また，仮にこの事案類型が，相続人が相続財産の一部を認識していた場合に，熟慮期間の起算点の例外を認めるべきかが問題となる事案の一定割合を占めているのであれば，この事案類型の取扱いが，起算点の例外を個別的に認めるか，より一般的に認めるかを検討する際にも，影響を与えることにもなろう。

第2に，相続財産の一部について相続人に認識がある場合に最高裁昭和59年判決が認めた例外を及ぼすとき，とりわけ遺産分割協議がなされたことによる法定単純承認の取扱いが問題となる。跡取りを決める際に，相続財産である不動産所有権を跡取り名義にするために，遺産分割協議がなされたり，跡取りでない相続人が相続財産不存在証明書を作成する場合もある。そこで，これらの行為について錯誤が生じうるかが問題となる。錯誤を認める余地があるとすれば，限定説を前提としても，その厳格さを一定程度緩和することが可能になる（遠藤・前掲論文1272頁以下はこのような問題意識から検討を行う）。相続の承認・放棄の錯誤取消しに関する一般論は919条の叙述に譲ることとする（→§919 III 1 (1)(イ)。ただし，放棄に錯誤が認められるかが問題となった裁判例の検討が中心となっている。単純承認の取消しに関する§919 III 2 (2)も参照）が，これまで紹介した裁判例の中では，以下のものが関係する。明白性基準を採用する裁判例の中には，「遺産分割協議が要素の錯誤により無効となり，ひいては法定単純承認の効果も発生しないと見る余地がある」（前掲大阪高決平10・2・9）とするものもあれば，相続財産の不動産について跡取りである長男名義の登記をする際に，長女・二女が「遺産分割協議証明書」に署名押印をしているが，遺産分割協議自体はしていなかったと認定するもの（前掲東京高決平26・3・27）もある。これらの決定例については，要件の欠缺が明白かどうかを判断する際に述べられたものであることに注意が必要である。明白性基準を採用すると明示しない決定例の中で，法定単純承認の錯誤を論じたのが前掲高松高裁平成20年3月5日決定であるが，熟慮期間徒過による法定単純承認が生じた事案である。他の事件では，例外的に熟慮期間の起算点をずらすという構成を採用しているのに対し，錯誤という構成を用いている点に特徴がある（このような構成に対しては，錯誤制度が意思表示を対象とするものであり，一定の事実に対する法定の効果を錯誤を理由に否定することには無理があると批判する見解が現れている〔潮見68-69頁〕）。したがって，遺産分割協議がなされた後に相続債務の存在が明らかになった場合に，遺産分割協議の錯誤が生じると正面から判断したものは以上の裁判例にはない（もっとも，より一般的に，遺産分割協議に錯誤が認められるかという点に関しては裁判例も少なくない。この点につき→§907 II 3を参照）。なお，受理否定例である前掲東京高裁平成14年1月16日決定も，相続人間で遺産分割協議が成立していた事案である。

筆者としては，相続人に予期せぬ相続債務を負わせることは，韓国法と同様（→前注（§§915-919）III 3），憲法上の財産権の保障との関係でも問題があると考える。外国の立法例などを参考にして立法を行う，それができないのであれば，熟慮期間の起算点や錯誤に関する柔軟な解釈を通じて，相続人の財産権を実効的に保障する道を模索することが望ましいと考える。

III 相続人が複数いる場合の熟慮期間の計算

1 原 則

相続人が数人いる場合，本条1項の熟慮期間は，相続人がそれぞれ自己のために相続の開始があったことを知った時から各別に進行するというのが判例の立場である（最判昭51・7・1家月29巻2号91頁。熟慮期間内に放棄した者と同時に熟慮期間経過後に放棄をした者がいた事例で，熟慮期間経過後の放棄の有効性が問題となった事例）。

2 共同相続人の一部につき熟慮期間が経過した場合における限定承認の可否

上記のような原則を前提とすると，共同相続人の1人につき熟慮期間が経過して単純承認とみなされた場合に，もはや全員共同してなすことを要する限定承認（923条）はできなくなるのかが問題となる。この点，学説では，熟慮期間満了前の共同相続人の選択権が失われることになることは妥当ではないという理由で，1人でも期間の満了しない者がいる限り，全員の熟慮期間が満了しないとする立場が通説的地位を占めている（中川＝泉369-370頁，我妻・判コメ176頁，新版注民(27)〔補訂版〕473頁〔谷口知平＝松川正毅〕。この立場をとる下級審裁判例として，東京地判昭30・5・6下民集6巻5号927頁）。これに対して，相続人の1人について熟慮期間が経過した場合に，他の相続人はもはや限定承認はなしえないという立場もある（注解判例683頁〔笹本忠男〕は通説的立場を「相続債権の法的安定を害することは避けられない」と評する）。この点については，937条の解釈とのバランスをとる必要がある。一方で，同条は共同相続人の一部が相続財産を処分したことにより法定単純承認が生じる（921条1号）場合でも，誤って相続人全員による限定承認の申述が受理されたときには，限定承認を有効としながら法定単純承認の事由がある者について一定の責任を負わせている。他方で，937条は，921条2号の事由がある場合を予定していない。937条は，熟慮期間が経過したことにより法定単純承認が生じた共同相続人がいる場合に，限定承認がなされることを想定していないようにも見える。したがって，共同相続人の1人につき熟慮期間が満了した後もなお限定承認をなしうるという解釈をとる場合には，その場合になぜ937条は法定単純承認の事由がある相続人に責任を負わせていないのかについての説明がなされなければならないといえる。ただし，921条2号の事由がある場合に，937条を類推適用するという見解も存在しており（→§937 Ⅳ 1），937条の趣旨に遡った検討が必要な問題であるといえる。

Ⅳ　熟慮期間の伸長

熟慮期間の伸長（家事別表第一90項）は，利害関係人または検察官の請求により，相続が開始した地を管轄する家庭裁判所（家事201条1項）の審判をもって行うことができる（本条1項ただし書）。伸長の申立てを却下する審判に対しては，即時抗告をなすことができる（家事201条9項1号）。

伸長を認めるか否かの判断基準をいかに解すべきかが問題となる。明治民法起草時には，期間の伸長を要する場合として，相続財産の額が大きい場合と，相続人が海外にいる場合を挙げていた（理由書283頁）。大阪高裁昭和50年6月25日決定（家月28巻8号49頁）は，判断方法について「相続の限定承認の期間の延伸の申立を審理するに当っては，相続財産の構成の複雑性，所在地，相続人の海外や遠隔地所在などの状況のみならず，相続財産の積極，消極財産の存在，限定承認をするについての共同相続人全員の協議期間並びに財産目録の調製期間などを考慮して審理するを要するものと解するのが相当である」と判示している。

915条1項の熟慮期間は，相続人がそれぞれ自己のために相続の開始があったことを知った時から各別に進行する（前掲最判昭51・7・1）というのが判例の立場である以上，伸長期間についても，各共同相続人につき各別に認められるということになろう（新版注民(27)〔補訂版〕474頁〔谷口知平＝松川正毅〕も同旨）。もっとも，共同相続人の1人が遠隔地におり，協議をすることが困難な場合など，全員のために期間の伸長を認めるべき場合もあるものと思われる（我妻・判コメ158頁）。

915条1項ただし書の「利害関係人」は，相続人の他，承認または放棄によって相続関係が確定することについて法律上利害関係を有する者，たとえば，被相続人の債権者，相続人の債権者などを指すと解されている（我妻・判コメ158頁）。

V　特定非常災害法一部改正による，災害時における相続の承認または放棄をすべき期間にかかる民法の特例

災害対策基本法等の一部を改正する法律（平成25年法律54号）が成立し，同法第4条により，特定非常災害の被害者の権利利益の保全等を図るための特別措置に関する法律（平成8年6月14日法律85号）の一部が改正され，災害時における相続の承認または放棄をすべき期間（熟慮期間）に係る民法の特例が設けられた（平成25年法律は，東日本大震災を対象とする平成23年法律69号を一般法化したものである）。同法6条は，次のように規定する。

「相続人（次の各号に掲げる場合にあっては，当該各号に定める者）が，特定非常災害発生日において，特定非常災害により多数の住民が避難し，又は住所を移転することを余儀なくされた地区として政令で定めるものに住所を有していた場合において，民法（明治29年法律第89号）第915条第1項の期間（この期間が同項ただし書の規定によって伸長された場合にあっては，その伸長された期間。以下この条において同じ。）の末日が特定非常災害発生日以後当該特定非常災害発生日から起算して1年を超えない範囲内において政令で定める日の前日までに到来するときは，同項の期間は，当該政令で定める日まで伸長する。

一　相続人が相続の承認又は放棄をしないで死亡した場合　その者の相続人

二　相続人（前号の場合にあっては，同号に定める者）が未成年者又は成年被後見人である場合　その法定代理人」

この規定により，大規模な災害が発生した際に，被災者である相続人の熟慮期間を，民法上の3か月から政令で定める日（災害発生日から1年を上限とする）まで伸長することが可能となる。

VI　相続財産の調査権限

相続の承認または放棄をする前の期間において，相続人は，相続財産の調査権限を有する（本条2項）。同様の規定を有していた明治民法1017条2項について，起草者の1人は，相続人が熟慮をする際に，あらかじめ調査しなければ決定しがたい場合が多いため，この調査権限を認めたと説明する（梅155頁）。

〔幡野弘樹〕

第916条　相続人が相続の承認又は放棄をしないで死亡したときは，前条第1項の期間は，その者の相続人が自己のために相続の開始があったことを知った時から起算する。

〔対照〕　フ民775，ド民1952 II
〔改正〕　（1018）

I　本条の趣旨

本条は，915条1項が示した原則に対する特則である。被相続人Aが死亡し，Aの相続人Bが熟慮期間内に相続の承認または放棄をしないで死亡した場合，Bの相続人Cには，Aからの遺産とBからの遺産を相続する地位が生じる。これを一般に再転相続といい，第2の相続の相続人Cを再転相続人という（再転相続については，前注（§§886-895）IIIも参照）。この場合に，AからBへの第1の相続（以下「第1次相続」とする）とBからCへの第2の相続（以下「第2次相続」とする）の熟慮期間がどのように進行するのかが本条の規律対象となる問題である。仮に本条がなかった場合，第1の相続についてBとの関係で進行していた熟慮期間をCが承継することになろう。すなわち，Bが自己のために相続の開始があったことを知った時から2か月経過した後に死亡した場合，Cは第1の相続について1か月しか承認または放棄をするための期間がないこととなる。本条は，そのような帰結にならないよう，第1の相続について，C（「その者の相続人」）「が自己のために相続の開始があったことを知った時から起算する」と規定している。すなわち，本条の趣旨は，Cの認識に基づき，Aからの相続に係るCの熟慮期間の起算点を定めることにより，Cに対し，Aからの相続について承認・放棄の選択を保障することにある（最判令元・8・9民集73巻3号293頁）。

II　再転相続の構造

Aが死亡し，その相続人であるBが第1次相続について承認または放棄をしないで死亡し，CがBの相続人となった事例において，Cが第1次相続を放棄した後に第2次相続を放棄することができるかどうかが問題となったのが最高裁昭和63年6月21日判決（家月41巻9号101頁（以下「昭和63年判決」とする））である。昭和63年判決により，事案の解決を超えて，再転相続というものがどういう構造を有するものなのか，かなりの程度明らかにされている。

この事件では，Cがまず第1次相続について相続放棄をし，その後に第2次相続について相続放棄をした。これに対し，Bの相続債権者であり，Aの相続財産に含まれる不動産に対してBを代位して仮差押えをした上告人は，Cが第2次相続について相続放棄をしたことにより，Cは第1次相続に対する選択権をもたないことになる，つまり第1次相続の放棄は無効になるという主張をしていた。

昭和63年判決は次のように判示している。「民法916条の規定は，甲の相続につきその法定相続人である乙が承認又は放棄をしないで死亡した場合には，乙の法定相続人である丙のために，甲の相続についての熟慮期間を乙の相続についての熟慮期間と同一にまで延長し，甲の相続につき必要な熟慮期間を付与する趣旨にとどまるのではなく，右のような丙の再転相続人たる地位そのものに基づき，甲の相続と乙の相続のそれぞれにつき承認又は放棄の選択に関して，各別に熟慮し，かつ，承認又は放棄をする機会を保障する趣旨をも有するものと解すべきである。そうであってみれば，丙が乙の相続を放棄して，もはや乙の権利義務をなんら承継しなくなった場合には，丙は，右の放棄によって乙が有していた甲の相続についての承認又は放棄の選択権を失うことになるのであるから，もはや甲の相続につき承認又は放棄をすることはできないといわざるをえないが，丙が乙の相続につき放棄をしていないときは，甲の相続につき放棄をすることができ，かつ，甲の相続につき放棄をしても，それによっては乙の相続につき承認又は放棄をするのになんら障害にならず，また，その後に丙が乙の相続につき放棄をしても，丙が先に再転相続人たる地位に基づいて甲の相続につきした放棄の効力がさかのぼって無効になることはないものと解するのが相当である。」

この判決により，次のことが明らかになった。①Cが，まず第2次相続を放棄した場合には，第1次相続についての選択権を失う。②Cが，まず第1次相続を放棄したとしても，第2次相続についての選択権を失わず，その後第2次相続を放棄しても，それにより第1次相続についての放棄が遡って無効とはならない。

昭和63年判決の事案で直接問題となったのは②であるが，この点は，2つの意味を有する。

第1に，第1次相続を放棄した後の第2次相続の放棄について，第2次相続の放棄に遡及効（939条）がある以上，Cは遡って第1次相続についての選択権を失うように思われる（このような立場を主張するものとして，新版注民(27)〔補訂版〕477頁〔谷口知平＝松川正毅〕）が，そのようには解さないこととなる。再転相続の構造について，第1次相続と第2次相続，それぞれについてCが固有の選択権を有するという固有説という立場がある（山本正憲「再転相続について」山本正憲ほか・現代法学の諸相：岡山商科大学法経学部創設記念論集〔1992〕98頁）。固有説を採る山本正憲教授は，選択権は行使上・帰属上の一身専属権であるが，それでは第2次相続の相続人に酷であるから，法は特に第2次相続の相続人に第1次相続の選択権を与えたと解する（同頁）。この立場によれば，判例の立場の説明も比較的容易である。これに対して，学説の多数は第1次相続についての選択権は第2次相続を通じて取得するという承継説をとっている（たとえば，近藤・下666頁では，「再転相続……にありては，相続人乙の相続人丙は，その相続の物体として，最初の被相続人甲に対する相続人乙の法律関係を承継するのであるから」と述べる。その他，我妻・判コメ159頁，新版注民(27)〔補訂版〕476-477頁〔谷口＝松川〕も同様に承継説を前提とした表現を用いる）が，その立場からは承継説との整合性という問題が生じることになる（潮見74頁は，いったんなされた相続放棄は撤回できないとする919条1項と同様，身分関係の安定性を重視した結果であるとの理解を示す)。

第2に，再転相続の際のBの相続財産の中には，第1次相続に対する選択権も含まれており，第1次相続について放棄をした時点で，「B」の相続財産について処分行為を行っている，すなわち第2次相続に対する法定単純承認が生じているようにも思われる（昭和63年判決の評釈である武田聿弘〔判批〕昭63主判解167頁）が，昭和63年判決はそのようには解さないという立場をとる。この点も，固有説の立場からの説明は容易であるが，承継説の立場からはどう整合的に説明するかが問題となる。

以上のような理論的な問題点があるが，昭和63年判決を前提にすると，再転相続の際に次のような選択の方法があることになる。Cは，再転相続に際し，A，Bそれぞれの相続につき選択権を有し，どちらを先に選択するかについても考慮すると，承認（ここでは単純承認と限定承認を含む）と放棄の組合せにより以下のように7通りの選択の仕方があることになる。

まず，第2次相続について先に選択した場合，①第2次相続を放棄すると，Cは第1次相続についてもはや選択権を有しない。②第2次相続を承認すると，Cは，第1次相続について承認，放棄の選択をすることができる。

次に第1次相続について先に選択した場合，①第1次相続を放棄しても，Cは第2次相続について承認，放棄の選択をすることができる。②第1次相続を承認しても，Cは第2次相続について承認，放棄の選択をすることができる。ただし，第1次相続を承認し，第2次相続を放棄することは無意味であるとする指摘がある（高木157頁。ただし，甲の相続の承認後に，乙の相続財産に相続債務が見つかったために相続放棄をするということはありえよう)。

III　令和元年判決

第1次相続の相続人Bが第1次相続の開始を知らないまま死亡した場合の，第1次相続に関するCの熟慮期間の起算点が問題となった事案で，最高裁令和元年8月9日判決（民集73巻3号293頁（以下，「令和元年判決」とする））が判断を行っている（ただし，令和元年判決は，後にみるようにこの問題につきより射程の広い判示を行っている。→2）ため，この問題に関する令和元年判決前の先例，学説の状況を確認した上で，令和元年判決の意義を確認する（以下について，幡野弘樹〔判批〕判例秘書ジャーナル HJ 100157 も参照）。

1　令和元年判決以前の先例・学説

916条の起草者の1人，梅謙次郎は，本条の明文がないと，BがAの相続を「知った」2か月後に死亡した場合，Cがそれから1か月以内に承認または放棄をしなければならないが，その時点でCが自己の相続権の存在を知らない場合もあるとしている。そのため，本条により，Bの死亡から1か月でBの相続についての自己の相続権を知った場合でも，それから3か月以内に承認または放棄をすれば足りることになったとしている（梅156頁）。梅は，本件のように，BがAの相続を「知らない」場合については何も述べていない。

その後の通説は，この規定は，Bが第1次相続の相続人となったことを知らない間に死亡したときにも適用があり，第1次相続についての熟慮期間の起算点はCがBの相続人であることを知った時，すなわち，第2次相続の熟慮期間の起算点と同じであると解していた（我妻・判コメ159頁，注解判例686頁〔笹本忠男〕，注解全集302頁〔中川良延〕，新版注民(27)〔補訂版〕476-477頁〔谷口知平＝松川正毅〕）。その根拠として，明治40年5月18日法曹会決議（法曹会決議要録上巻〔1931〕913-914頁）を引用するものがある。この決議では，①相続の承認・放棄についての選択権は一身専属権ではないので，第1次相続の相続人が選択権を行使せずに死亡した場合には，選択権も含めて第2次相続の相続人に移転する（つまり，選択権も第2次相続の相続財産に含まれる），②それゆえ，再転相続人が第1次相続の選択権を承継したことを知るに至ったとみなしうる時点は，第2次相続が開始したことを知った時点となると解している（ただし，この決議は，直接的には第2次相続の相続人Cが先に第2次相続があったことを知り，その後に第1次相続があったことを知ったという事例における第1次相続の熟慮期間の起算点が問題になった事案を扱ったものである）。これに対して，少数ながら，Cが第1次相続について債務が存在することを知った時から熟慮期間が起算されるとする説もあった（高木156頁）。

令和元年判決以前の先例としては名古屋高裁金沢支部平成9年9月17日決定（家月50巻3号30頁（以下「平成9年決定」とする））が注目される。事案は次のようなものである。再転相続人Cらは，第2次相続の被相続人Bの子であったが，Bの死後，第1次相続人の被相続人Aの債権者からCに対する履行請求がなされるまで，Cらは，BがAの法律上の相続人であることを知らなかった。Cらは，Bの相続の熟慮期間経過後にBの相続放棄の申述を行って却下され（理由はCらによる相続財産の処分行為である），その後第1次相続についての放棄の申述を行った。平成9年決定は，「本件のように，相続人（B）が法律上自己が被相続人（A）の相続人となったことを知らずに死亡し，生前被相続人に対する相続放棄の熟慮期間が進行していなかった場合には，相続により相続人のこの地位を承継する再転相続人（Cら）は被相続人（A）に対する相続の放棄をすることができ，その場合の熟慮期間の起算点は，前記915条1項の『自己のために相続の開始があったことを知った時』と同様に解するのが相当である」と述べている。もっとも，Cらが，Bの相続を通じてAの債務を承継する立場にあることを知った時点から，第2次相続の放棄の申述を却下されるまでに3か月半程度経過していた事案であるため，Cらの認識を基準に熟慮期間の起算点を判断しても，熟慮期間が満了するとの判断がなされうる事案であった。そこで，平成9年決定は「Bに対する相続放棄の申述受理の申立てが却下されたことによって，Cらとしては再転相続人として，自己のために被相続人の相続財産につき相続の開始があったことを知るに至ったものと認められる」として，第2次相続の放棄の申述の却下の時点を熟慮期間の起算点としている。このように平成9年決定は，第1次相続についての熟慮期間の起算点を，再転相続人Cらを基準に判断している（同様の立場を示すものとして，仙台高秋田支決平5・11・4家月47巻1号125頁もある）。同判決の評釈類では，平成9年決定を支持する見解がみられる（同決定の評釈である小野憲昭〔判批〕民商151巻4＝5号〔2015〕450頁，鈴木経夫〔判批〕平10主判解157頁）。この時期以降にも，CがBのために第1次相続が開始されたことを知った時から熟慮期間が開始するという見解（雨宮則夫＝石田敏明編・相続の承認・放棄の実務〔2003〕95頁〔岡部喜代子〕），916条の適用を第1次相続が自己のために開始したことを再転相続人が知っていた場合に限るべきとする見解（松原Ⅲ78頁）が現れていた。

2　令和元年判決の意義

このような文脈において現れたのが令和元年判決である。事案を簡略化すると，以下のようなものである。Aは，貸金債権を主たる債務とする連帯保証債務を負っていたが，その履行を請求する訴訟が提起され，敗訴判決が確定している。Aは平成24年6月30日に死亡したが，妻や子らが相続放棄をしたために，Aの弟であるBが相続人となった。Bは，自らが相続人となったことを知らず，Aからの相続について相続放棄の申述をすることなく平成24年10月29日に死亡した。Bの相続人であるBの子C（原告であるが再転相続人であることを示すため「C」と表記する）は，Bが死亡した日ごろにCがBの相続人となったことを知った。その後，Aの債権者がYに債権譲渡し，YはAの承継人であるCに対して同債権につきCの法定相続分である32分の1の範囲で強制執行ができる旨の承継執行分の付与を受けた。平成27年11月11日に，Cは，上記承継執行文の謄本等の送達を受けた。Cは，この送達により，BがAの相続人であり，CがBからAの相続人としての地位を承継していた事実を知った。Cは，平成28年2月5日，Aからの相続について相続放棄の申述をし，同月12日，上記申述は受理された。そこで，Cが，Yに対し，本件相続放棄を異議の事由として，執行文の付与された本件債務名義に基づくYに対する強制執行を許さないことを求める執行文付与に対する異議の訴えを提起した。

令和元年判決は，「民法916条にいう『その者の相続人が自己のために相続の開始があったことを知った時』とは、相続の承認又は放棄をしないで死亡した者の相続人が，当該死亡した者からの相続により，当該死亡した者が承認又は放棄をしなかった相続における相続人としての地位を，自己が承継した事実を知った時をいうものと解すべき」と判示した。

その理由付けとしては，「相続の承認又は放棄の制度は，相続人に対し，被相続人の権利義務の承継を強制するのではなく，被相続人から相続財産を承継するか否かについて選択する機会を与えるものである」と述べて，相続の承認・放棄制度の趣旨として相続人の選択の機会を与える点にあることを強調し，その上で，916条の趣旨についても，「丙〔筆者注：再転相続人〕の認識に基づき，甲〔筆者注：第1次相続の被相続人〕からの相続に係る丙の熟慮期間の起算点を定めることによって，丙に対し，甲からの相続について承認又は放棄のいずれかを選択する機会を保障することにあるというべき」であると述べ，再転相続人の第1次相続についての選択の機会を保障する点にあるとしている。

Bが第1次相続の開始を知らない場合における熟慮期間の起算点は，従来の通説によれば，Cが第2次相続の相続人であることを知った時と解していたが，令和元年判決はそのような解釈を取らず，Cが第1次相続の相続人としての地位を自己が承継した事実を知った時から起算されることになった。そして，このような起算点の解釈は，Bが第1次相続の開始を知っている場合についても同様に妥当することとなった。

以上が令和元年判決の中心的意義であるが，上記の点以外にも2点指摘できる。

第1に，令和元年判決以前の通説的見解の前提には，明治40年5月18日法曹会決議が示しているように，第2次相続の相続財産の中に第1次相続の選択権が含まれている以上，第2次相続の開始を知ったときから，第1次相続の開始の有無や第1次相続における相続財産も調査すべきという理解があった。これに対し，令和元年判決の立場は，第1次相続の熟慮期間の起算点と第2次相続のそれとを区別し，両者に一定の独立性を与えるという意味があるが，その立場は，第2次相続の相続財産の中に第1次相続の選択権が含まれているという考え方では説明できない。むしろ，第1次相続の選択権は，第2次相続の相続財産には含まれないという考え方と親和的であるといえる。

第2に，昭和63年判決は，先に述べた通り（一II），理論的にみると，①第1次相続を放棄した後の第2次相続の放棄について，第2次相続の放棄に遡及効（939条）がある以上，丙は遡って第1次相続についての選択権を失うように思われるが，そのようには解さない，②再転相続の際の乙の相続財産の中には，第1次相続に対する選択権も含まれており，第1次相続について放棄をした時点で，「乙」の相続財産について処分行為を行っている（第1次相続について承認をした場合も同様であろう），すなわち第2次相続に対する法定単純承認が生じているようにも思われるが，昭和63年判決はそのようには解さない，という2つの意味がある。これらはいずれも，乙の相続財産から，第1次相続に対する選択権を区別するという意味を持つ。そして，先に指摘した通り，令和元年判決は，第1次相続の選択権は，第2次相続の相続財産には含まれないという考え方と親和的である。したがって，これら2つの最高裁判決から，再転相続において，第2次相続は，第1次相続の相続財産を承継する（したがって，第2次相続を先に放棄すると，丙は第1次相続についてもはや選択権を有さないこととなる）が，第2次相続の相続財産から，第1次相続の選択権は切り離されているという統一的な構造のもとに再転相続に関するルールが説明できることになったといえよう（常岡史子〔判批〕令元重判解82頁も，本判決が承継説を前提としつつ，第1次相続につき，第2次相続と独立に再転相続人の認識を基準とすると指摘する。また，松久和彦〔判批〕道垣内弘人＝松原正明編・家事法の理論・実務・判例4〔2020〕117頁も，昭和63年判決は本判決の判断の基礎になっていると評する）。

3　令和元年判決の射程

令和元年判決による民法916条にいう「その者の相続人が自己のために相続の開始があったことを知った時」についての解釈は，同条の適用場面全般に及ぶことになる。

令和元年判決の射程として，学説上，915条の熟慮期間の起算点について，昭和59年判決が認めた例外則が，再転相続の場面にも及ぶのかという点が議論されている（門広乃里子〔判批〕速判解26号〔2020〕120頁，白須真理子〔判批〕リマークス61号〔2020〕73頁，市川英孝〔判批〕法協138巻10号〔2021〕2086頁はいずれも，昭和59年判決の例外則も適用されるとする。村田一広〔判解〕曹時74巻1号〔2022〕230頁も，昭和59年判決の枠組みにより，例外的に熟慮期間の起算点が繰り下げられることはあり得るとする）。

この点につき，東京地裁令和元年9月5日判決（判時2461号14頁）が再転相続の場合にも昭和59年判決の例外則が適用される旨判示している。同判決は，次のような事案である。A銀行（その後B銀行と合併）は，Cに対して住宅ローンの貸付を行い，Cの妻Dはその連帯保証人となった。Dは平成15年1月に死亡し，相続人はDの両親であるEとFであった。Dについては，本件連帯保証債務の他に相続財産は見つかっておらず，相続人間での遺産分割協議においても相続放棄は行われなかった。Eは，平成16年12月に死亡し，相続人はFとE・Fの子Y（Dの弟）であった。Fは，平成30年1月に死亡し，相続人はYであった。B銀行はXに対して本件貸付に係る債権を譲渡し，平成30年6月1日にYに債権譲渡通知書が到達した。Yは平成30年8月29日に相続放棄の申述を行い，受理された。このような事案で，XのYに対する保証債務の履行請求が認められるかが本件で問題となった。

東京地裁は，「民法916条にいう『その者の相続人が自己のために相続の開始があったことを知った時』とは，相続の承認又は放棄をしないで死亡した者の相続人（再転相続人）が，当該死亡した者からの相続により，当該死亡した者が承認又は放棄をしなかった相続における相続人としての地位を，自己が承継した事実を知った時をいうものと解すべきであるが〔引用者注：前掲最判令元・8・9を参照させる〕，再転相続人が同事実を知った場合であっても，再転相続人が同事実を知った時から3か月以内に限定承認又は相続放棄をしなかったのが，被相続人に相続財産が全く存在しないと信じたためであり，信じたことについて……相当理由がある場合には熟慮期間は相続人が相続財産の全部又は一部の存在を認識した時又は通常これを認識しうべき時から起算すべきものと解するのが相当である」と判示している。東京地裁は，事案に対するあてはめの際，Yが再転相続人としての地位を承継した事実は認識していたため，相当理由の有無を問題としており，「本件通知書を受領した平成30年6月1日に至るまでは，訴外Dについて相続財産がないものと信じていたために相続放棄をしなかったこと及び相続財産がないと信じたことについて相当な理由がある」としている。

本件では，YがDに相続財産が全く存在しないと信じていた事案であり，昭和59年判決の射程について限定説に立つ立場からでも熟慮期間の例外が認めることができる事案であったといえる。注意が必要なのは，東京地裁判決が，Yの両親（Dの両親でもある）EおよびFについても，熟慮期間の起算点を例外的に遅らせることができるかについて判断し，E・FがDの死亡を知り，法律上相続人となったことを知った時から3か月以内に限定承認または相続放棄をしなかったのが，Dに相続財産が全く存在しないと信じたためであり，信じたことについて相当理由が認められるかも問題にしている点である。E・FともにDの死亡から3か月以上経過した後に死亡しているために，その間に熟慮期間経過による法定単純承認となっていないことを裁判所も確認する必要があった事案であるといえる。再転相続について承継説を取りつつ，再転相続人の熟慮期間の起算点については再転相続人の認識を基準にするということの具体的な意味を確認するという意味でも，参考になる事案である。

Ⅳ　第1次相続について熟慮期間の伸長が認められた場合

第1次相続について，相続財産の調査のために一定の時間がかかるといった理由により熟慮期間の伸長（915条1項ただし書）が認められる場合がある。たとえば，第1次相続について6か月の熟慮期間が与えられた後，Bが1か月経過時点で承認・放棄の選択をせずに死亡した場合に，第1次相続についてのCの熟慮期間はその起算点から3か月で満了するということになると，第1次相続について熟慮期間が伸長された趣旨が生かされないことになってしまう。そこで，第1次相続の熟慮期間の起算点から6か月の間，Cは第1次相続の承認または放棄が可能であるとする主張がある（新版注民(27)〔補訂版〕477頁〔谷口知平＝松川正毅〕）。この見解は，令和元年判決前の状況を前提に主張されたものである。令和元年判決以降，再転相続人Cの第1次相続の熟慮期間は，第2次相続についてのCの熟慮期間とは独立に判断される。そこで，①伸長が認められたBの第1次相続についての熟慮期間の満了よりも，Cの第1次相続についての熟慮期間の満了が先に到来する場合，②伸長が認められたBの第1次相続についての熟慮期間の満了よりも，Cの第1次相続についての熟慮期間が後に到来する場合の2つの場合があり得ることになる。②の場合は，特に問題はない。①の場合は，令和元年判決以前の学説と同様に，第1次相続の調査に時間を要するなどの事情があり，Bの熟慮期間の伸長が認められた以上，少なくとも伸長が認められたBの第1次相続についての熟慮期間に合わせるという解釈は十分にあり得るであろう（具体的には，①の場合には，特則としての916条の適用範囲外であり，915条1項ただし書の規律により判断するということになろう）。

〔幡野弘樹〕

第917条　相続人が未成年者又は成年被後見人であるときは，第915条第1項の期間は，その法定代理人が未成年者又は成年被後見人のために相続の開始があったことを知った時から起算する。

〔対照〕 ド民1944 II

〔改正〕 (1019) 本条＝平11法149改正

I 総　　説

1 本条の趣旨

本条は，916条と同様，915条1項の示した原則に対する特則としての位置づけを有する。本条は，相続人が未成年者または成年被後見人であるときに，未成年者または成年被後見人自身が「自己のために相続の開始があったことを知った時」ではなく，その法定代理人，すなわち未成年者の親権者，未成年後見人，成年後見人が，未成年者または成年被後見人のために相続の開始があったことを知った時から起算すると規定する。この規定は，上記のような法定代理人がいる場合には，その法定代理人を基準として915条1項の期間を起算して，法定代理人が未成年者または成年被後見人のために相続の承認または放棄の選択をするための期間を確保することを目的としている。本条は，平成11年民法改正以前には「無能力者」と規定されていたが，同改正により「未成年者又は成年被後見人」と改められている。平成11年改正以前より，法定代理人のあることを前提とした規定であると解されており(我妻・判コメ163頁)，平成11年改正後も，保佐人には適用されないと解されている(新版注民(27)〔補訂版〕479頁〔谷口知平＝松川正毅〕)。

2 立法論としての明確性・妥当性

制限行為能力者のうち，「未成年者又は成年被後見人」に915条の特則が適用され，その場合には，法定代理人を基準に熟慮期間が起算されるというのは，ルールとして明確性があるという利点はある。しかし，「未成年者又は成年被後見人」という線引きについても，法定代理人を基準にすることについても，本条の規律に十分な明確性があるのか，あるいは妥当性があるのかについて，検討が必要な場面が存在する。

まず，法定代理人を基準にする点について考えてみると，未成年後見人または成年後見人が被後見人を代理して相続の承認または放棄を行う場合，後見監督人があるときは，後見監督人の同意が必要である(864条)。この場合，後見監督人は，未成年後見人または成年後見人を基準に起算された熟慮期間内に，同意の有無を判断しなければならない。さもなければ，921条2号に基づき法定単純承認が生じてしまうことになる。果たして，このような規律で，後見監督人の同意権を認めた趣旨を十分に生かせるのかという問題がある。解釈論としても対応は可能であるが，立法により明確化をした方が望ましいであろう。その他にも，未成年者の親権者が，相続人である未成年者を代理して相続の承認または放棄をする場合に，826条1項または2項に基づいて特別代理人の選任が必要となるケースもある。この場合に，本条の規定する「法定代理人」が親権者なのか，特別代理人なのかも必ずしも明らかではない。仮に，親権者であるとすると，特別代理人が十分な期間を与えられないまま承認または放棄を強いられるおそれがある。この点についても，立法による明確化が望まれよう。

次に，「未成年者又は成年被後見人」という線引きについても，問題がないわけではない。たとえば，未成年者が自ら相続の承認または放棄をし，親権者が同意をする場合にも，本条の適用がある。これに対し，被保佐人が相続の承認または放棄をするかの選択をし，保佐人が同意をする場合（13条1項6号）には，本条の適用はない。被保佐人の選択が先で，保佐人の同意は後となる場合もあるが，熟慮期間の起算点は被保佐人が基準とされる。被保佐人が相続放棄の申述を希望し，それが被保佐人の利益を害するおそれがないにもかかわらず保佐人が同意をしない場合に，被保佐人は，家庭裁判所に対して，保佐人の同意に代わる許可を請求しなければならない（13条3項）。この請求は，本条の期間内になされるべきであるという学説もある（新版注民(27)〔補訂版〕480頁〔谷口＝松川〕）。保佐の場合に本条を類推適用するのは，被保佐人の意思決定に対する過度の保護・干渉であるという評価もある（新基本法コメ131頁〔中川忠晃〕）。しかし，保佐人の同意に依存しなければならないという意味で，事実上被保佐人に対して行為能力者よりも重い負担を課す場合もあるように思われるため，少なくとも立法論としては本条の妥当性を検討する必要があるように思われる。

II　解釈論上の問題点

相続開始時に，未成年者または成年被後見人に法定代理人が定められていないとき，たとえば相続開始時点で後見人が辞任したまま後任が決まっていなかったとき，熟慮期間は，法定代理人が定められその者が未成年者または成年被後見人のために相続の開始があったことを知った時から起算されると解されている（法曹会決議昭17・11・17法曹会雑誌21巻4号58頁〔未成年者の親権者が熟慮期間中に死亡し，その後後見人が就職した場合について〕。我妻・判コメ163頁，注解全集305頁〔中川良延〕）。

未成年者または成年被後見人の法定代理人が，相続開始後，熟慮期間経過前に相続の承認または放棄について判断しないまま法定代理人の地位を失った場合に，起算点をどのように解すべきかが問題となる。この点，後任の法定代理人が就職した時から，その者について改めて3か月を計算すると解するとする主張が有力である（我妻・判コメ163頁，中川監修・註解164頁〔島津一郎〕，新版注民(27)〔補訂版〕479頁〔谷口＝松川〕）。同一人について3か月の考慮期間を与えることが本条の趣旨と解すべきであるという理由が提示されている（我妻・判コメ同所）。

〔幡野弘樹〕

（相続人による管理）

第918条　相続人は，その固有財産におけるのと同一の注意をもって，相続財産を管理しなければならない。ただし，相続の承認又は放棄をしたときは，この限りでない。

〔対照〕 ド民1959-1961

〔改正〕（1021）〔②③〕＝令3法24削除

（相続財産の管理）

第918条①　（略，改正後の本条）

② 家庭裁判所は，利害関係人又は検察官の請求によって，いつでも，相続財産の保存に必要な処分を命ずることができる。

③ 第27条から第29条までの規定は，前項の規定により家庭裁判所が相続財産の管理人を選任した場合について準用する。

I　本条の趣旨

相続人には相続する自由・しない自由が認められている（915条参照）。それはすなわち，相続開始後，承認または放棄をするまでの間，相続人はその資格が未確定であることを意味する。その一方で，相続人は，一身専属権や祭祀財産を除いて，相続開始の時から，被相続人の財産に属した一切の権利義務を承継する旨規定されている（896条）。そこから，熟慮期間中の相続財産をどのように管理するかという問題が生じる。

この問題に対して，本条は「相続人は，その固有財産におけるのと同一の注意をもって，相続財産を管理しなければならない」と規定し，相続人に相続財産を管理する義務を課している。ただし，「その固有財産におけるのと同一の注意をもって」という文言は，相続財産を相続人の固有財産と区別して管理することを前提としている（我妻・判コメ164頁）。また，ここでの固有財産とは，相続によって取得した財産ではなく，元来自分の有していた財産という意味である。したがって，本条の「その固有財産におけるのと同一の注意をもって」とは，「自己の財産に対するのと同一の注意」（659条），「自己のためにするのと同一の注意」（827条）と同意味であると解されている（我妻・判コメ164頁）。

本条の趣旨につき，民法修正案理由書では，熟慮期間が経過するまでは一応相続人ではあるが，その資格はいまだ確定していないために，相続債権者および受遺者に対し相続財産の管理について注意する責めに任ずるものとしなければならない旨述べている（理由書285頁）。注意義務の程度について，同書では，「相続財産ハ一応相続人ノ遺産ナルガ故ニ」，相続人に対してその固有財産におけるよりも大きな注意を求めるのは酷である旨述べている（同所）。

相続人が注意義務に違反した場合，管理について利益を持つ者に対して損害賠償の責任を負うことになる。具体的には，その相続人が限定承認をした場合には相続債権者に対して，放棄をした場合にはそれにより相続人となった者に対して，財産分離の請求があった場合には相続債権者または相続人の債権者に対して，賠償責任を負う（我妻・判コメ164-165頁）。

なお，令和3年改正前は，熟慮期間中に，家庭裁判所が相続財産の保存に必要な処分を命ずることを認める規定が存在した（改正前918条2項・3項）。同改正により熟慮期間中に限らず，相続人が数人あり相続財産に属する財産が遺産分割前の暫定的な遺産共有状態にある場合なども含める形で，統一的な相続財産の保存に必要な処分に関する仕組みがもうけられることとなったため（897条の2。同条の適用領域については→§897の2 I(2)(ア)を参照），改正前918条2項・3項は削除されることとなった。

II　管理権の内容

(1)「管理」の意義

熟慮期間中の相続人の管理権の内容をいかに解すべきか。この点については，熟慮期間中に相続人が相続財産の全部または一部の処分をしたとき，921条1号により法定単純承認が生じることに注意が必要である。そこで，熟慮期間中になしうる本条における「管理」には，921条1号の意味における処分行為は含まれないことになる。そのため，管理行為か処分行為かの区別が重要な意味を持つ。とりわけ，法定単純承認となることを避けたい相続人から見ると，ある行為が管理行為か処分行為か判然としない場合に，処分行為との性質決定を避けるために当該行為を行わないという選択をする可能性がある。その結果，相続財産の価値が減少することも生じかねない。本条の管理行為の意義を解釈する際には，そのような点について意識する必要があるとともに，立法論としても管理行為の範疇に属する行為を明確化する努力を行う必要がある。

本条における「管理」の意義について，通説的見解は，103条を参照させて財産の保存・利用・改良行為であるとするものがある（注解全集309頁〔中川良延〕，注解判例689頁〔笹本忠男〕，岡本和雄「相続財産の保存・管理に関する審判事件の手続」金法1078号〔1985〕80頁）。897条の2第2項が準用する28条により，相続財産管理人の権限は103条の範囲を標準としている。そこで，相続人が相続財産を管理する場合と第三者が相続財産を管理する場合とで，その管理権の内容を異にすべきでないというのが103条を参照する根拠である（このような説明を行うものとして，近藤・下742頁）。

これに対して，918条の管理に関しては保存行為のみしか許されず，利用行為，改良行為は原則として許されないとする見解（高木322頁）がある。この立場は，相続財産管理人を選任した場合にも，保存行為のみしかなしえないと解する（高木323-324頁）。また，918条の場面では利用・改良行為はできないとしながらも，相続財産管理人の権限については，利用・改良行為ができるとする見解もある（潮見75頁，161頁）。ただし，上記2つの見解は，いずれも利用・改良という外形をとるものであっても，保存と評価される場合はあると考え，保存行為の内容を柔軟に解している（高木322頁，潮見75頁。いずれも相続財産である家に住み続ける行為を例として挙げている）。

上記の2つの立場にどれだけの差異があるかは必ずしも明らかではないが，921条1号にあるように法定単純承認が生じるのは処分行為であることに鑑みると，利用行為・改良行為も熟慮期間中になしうると解するのが自然であるように思われる（なお，近藤・下746-747頁は，921条1号ただし書（明治民法1024条1号ただし書）の保存行為とは，全体としての相続財産を保存するために必要な個々の相続財産の処分行為を意味するとし，そのような理解を前提に，熟慮期間中の相続人の管理権について，保存行為のみなしうるという立場を斥ける（同742頁））。その上で，利用行為・改良行為により相続財産の一部が毀損されたり，価値の減少を生ぜしめた場合には，原則として当該行為の無効という形ではなく，熟慮期間の相続人の責任の問題として対応すべきである。

以下では，103条の解釈も参照しながら，保存行為，利用行為・改良行為の意義を確認した上で，いくつかの行為について，それらのカテゴリーに入り得るか否かに関する検討を行う。

(2) 保存行為

(ア) 意義・裁判例　　保存行為とは，財産の現状を維持するために必要な行為をいう。現状の維持とは，物については物理的状態の維持を原則として指すが，物理的状態を維持することができないときには，経済的価値の維持も含まれうるとする見解が一般的である（引用を含め，新版注民(4)85頁〔佐久間毅〕を参照。以下の叙述は，同論稿に多くを負っている）。損傷した物の修繕や，腐敗しやすい物を売却して金銭に替えるといったことが，保存行為に該当する行為となる。権利に関しては，権利が失われることや損なわれること，負担が増すことのないようにすることが現状の維持にあたる（新版注民(4)85-86頁〔佐久間〕）。未登記不動産につき登記をすることや時効更新の措置をとることも，保存行為に該当する行為となる。

裁判例としては，左官用の道具類，自転車の無償貸与を保存行為の範囲内の行為であるとした最高裁昭和42年4月27日判決（民集21巻3号741頁〔ただし，921条1号ただし書における保存行為の解釈が問題となったもの〕）がある。また，熟慮期間中の裁判例ではないが，最高裁昭和31年5月10日判決（民集10巻5号487頁）は，共同相続人の1人による仮装登記の抹消登記を保存行為として認める。東京高裁昭和35年9月27日判決（下民集11巻9号1993頁）は，共同相続人の1人を除いて行われた相続土地の保存登記を，保存行為として有効としている。保存行為の解釈に関しては，以下の叙述のほか，事案類型が近接する単純承認後の遺産共有状態における保存行為の解釈（→§898 III 2）に関する叙述も参照されたい。

(イ)　弁済　　103条の解釈においては，弁済期の到来した債務の弁済も保存行為に含むとするのが一般的である。なぜなら，弁済をしなければ，債務不履行責任が生じたり，遅延利息が累積することになるため，金銭その他の財産の処分を伴うにもかかわらず，財産全体から見て経済的価値を維持する行為として保存行為であるという理解をするためである（新版注民(4)86頁〔佐久間〕）。

本条あるいは921条1号の解釈として，弁済は処分行為であるという理解を前提に，熟慮期間中の相続人には弁済拒絶権があるとする解釈がある（中川＝泉375頁，注解判例690頁〔笹本忠男〕，新基本法コメ132頁〔中川忠晃〕。松尾知子「相続財産の管理――相続人による管理と各種相続財産管理人の権限」新実務大系III 36頁もこの立場を示唆する）。947条1項により，相続人は，941条1項および2項の期間の満了前に，相続債権者および受遺者に対して弁済を拒むことが認められているため，ここでの問題は，①同条の期間満了後，熟慮期間満了前に弁済を拒むことができるか，そして②熟慮期間中の相続人が任意に行った弁済は有効となるか，処分行為として単純承認にならないかについてである。熟慮期間中の相続人に弁済拒絶権があるとする解釈の論拠は，大きく分けて2つある。第1は，限定承認をした相続人は，927条1項所定の期間満了前は相続債権者や受遺者への弁済を拒むことができる（928条）ため，熟慮期間中に弁済を請求された場合も拒否できるというものである（新基本法コメ132頁〔中川〕）。しかし，熟慮期間中の規律はすべての相続の場合に適用されるものであり，限定承認という清算手続を前提とした規律を，熟慮期間中のみとはいえ包括承継を原則的立場とするすべての相続に適用することには問題があるように思われる（弁済拒絶権を認める中川＝泉374頁もこのような立場をとる）。第2は，債権者の衡平の見地から熟慮期間中は一債権者への弁済をなしえないという論拠である（中川＝泉375頁）。しかし，不平等な弁済を避けたいのであれば，相続債権者および受遺者は財産分離の請求をするか，相続財産の破産を申し立てるべきである（近藤・下750頁）。

そこで，端的に弁済を管理保存行為として認め，単純承認とはならないという解釈（新版注民(27)〔補訂版〕483頁〔谷口知平＝松川正毅（谷口）〕。弁済資金を得るための相続財産の売却については，家庭裁判所の処分命令（改正前918条2項，現897条の2第1項）を得ることとしている。猪瀬慎一郎「共同相続財産の管理」現代家族法大系Ⅴ6頁も期限の到来した債務の弁済を保存行為に含めている。高木320頁も保存行為とする）が妥当であろう。可分債務は共同相続と同時に相続分に応じて当然に分割されるが，熟慮期間中は，相続人が誰か，相続分がどれだけか，未だ明らかではない。この期間中の債務の帰属関係につき，さらなる議論が必要である（例外的に相続財産の費用として扱うことも考えられる）。なお，フランス民法784条3項1号は，「葬儀費用，最終の治療費，被相続人の負っていた税金，賃料，その他支払が緊急の相続債務の弁済」を保存行為に含めることを明示している。また同項3号は，「相続債務の増加を避けることを目指した行為」も保存行為に含めている。これら2つの規定により，弁済期が到来した債務の弁済はいずれも保存行為に含まれると解釈されている（M. Grimaldi, Droit des successions, 7e éd., LexisNexis, 2017, n° 495）。

(ウ)　債権の取立行為　　それでは，相続人による債権の取立行為も保存行為と解釈されるか。この点，最高裁昭和37年6月21日判決（家月14巻10号100頁）は，「債権を取立てて，これを収受領得する行為は民法921条1号本文にいわゆる相続財産の一部を処分した場合に該当するものと解するを相当とする」と判示する。もっとも，103条の解釈に関しては，保存行為にあたるとする見解（幾代通・民法総則〔1969〕339頁，340頁。債務者の資力悪化その他権利の実現についての実際の不安は常に存在するということを根拠とする。新版注民(4)86-87頁〔佐久間〕も参照）と権利を有利なように行使するものとして利用行為にあたるとする見解もある（川島武宜・民法総則〔1965〕344頁）。ただし，利用行為にあたるとする場合に，103条2号の「物又は権利の性質を変えない範囲内」とはいえないとする批判がある（新版注民(4)87頁〔佐久間〕)。いずれにせよ，保存行為あるいは利用行為をめぐる解釈からすると，最高裁昭和37年判決の解釈は自明のものとは言えないように思われる。フランス民法においては，784条3項2号で，果実の取立ては，取立金を公証人のもとに寄託するか，供託するという条件で，あるいは取立金を緊急の相続債務の弁済に充てるという条件で，保存行為にあたるとしている。そして，学説上，この規律を相続債権の取立てにも拡張すべきと述べられている（Grimaldi, *ibid*.)。取立金を相続人自身の手元に置かないことが求められている点に注意が必要である。日本法においても，相続債務者にとって熟慮期間中に債務の弁済ができないこととすると不利益を被ることは十分にあり得るため，相続人による取立行為も相続債務の弁済に充てるという条件，または相続人の固有財産と十分に区別できる状況にするという条件付きで，保存行為と解すべきである。なお，熟慮期間中の可分債権の帰属関係につき検討の余地が生ずることとなるのは，先述した可分債務の場合と同様である。

相続開始後に相続財産から生じた果実に関して，最高裁平成17年9月8日判決（民集59巻7号1931頁）は，「遺産は，相続人が数人あるときは，相続開始から遺産分割までの間，共同相続人の共有に属するものであるから，この間に遺産である賃貸不動産を使用管理した結果生ずる金銭債権たる賃料債権は，遺産とは別個の財産というべきであって，各共同相続人がその相続分に応じて分割単独債権として確定的に取得するものと解するのが相当である。」と判示している。この判決によれば，相続分の範囲内の果実の取立てについては，相続財産とは別個の権利行使として，相続財産の管理行為の埒外の問題となる。しかし，熟慮期間中は，そもそも誰が相続人であるかが確定していない段階であり，誰にどれだけの権利が発生しているのか明らかでない。賃料債務の債務者としては，債務不履行を免れるために熟慮期間中の相続人に対して履行をすることができれば便宜である。そこで，相続人の固有財産と分別可能な状態で管理することを条件として，賃料債権の取立てについても保存行為とすることも考えられる。

(エ)　意思表示の受領　　意思表示の受領権限も，熟慮期間中の相続人の管理権の範囲内と解すべきである（近藤・下745頁，注解全集309頁〔中川良延〕，注解判例690頁〔笹本忠男〕。新版注民(27)〔補訂版〕482-483頁〔谷口＝松川〕によれば，ドイツ法においても明文で受領権限を認める)。熟慮期間中に第三者が有効な意思表示をなしえなくなってしまうからである（近藤・同所)。

(オ)　組合・持分会社に対する持分返還請求権　　組合員たる地位，持分会社の社員たる地位は，被相続人の死亡により消滅するのが原則である（679条1号，会社607条1項3号)。出資の持分返還請求権は相続財産に含まれ，その行使は保存行為に含まれる（新版注民(27)〔補訂版〕484頁〔谷口＝松川〕)。

(カ)　株主の議決権行使　　株主たる地位は，当然に相続人に承継される（最大判昭45・7・15民集24巻7号804頁)。議決権行使については，熟慮期間中の相続人が有効に行使しうるという立場（近藤・下754-755頁）と家庭裁判所の保存に必要な処分命令によるべきという立場（新版注民(27)〔補訂版〕484頁〔谷口＝松川〕）がある。この点について論じている文献自体少ないが，議決権行使を処分行為とするのは難しいように思われる。

(キ)　訴訟の受継　　被相続人が当事者として係属していた訴訟は，被相続人の死亡により中断する（民訴124条1項1号)。その際，相続人は，相続の放棄をすることができる間は，訴訟手続を受け継ぐことができない（民訴124条3項)。

(ク)　破産手続開始申立て　　相続財産をもって相続債権者および受遺者に対する債務を完済することができないと認めるとき（破223条）には，熟慮期間中の相続人は，相続財産の管理人として，破産手続開始の申立てをすることができる（破224条1項)。

(3)　**利用行為・改良行為**

利用行為とは，収益をはかる行為をいう。家屋を賃貸する，金銭を利息付きで貸与するなどがその例となる（我妻栄・新訂民法総則（民法講義Ⅰ)〔1965〕340頁)。改良行為とは，財産の使用価値または交換価値を増加する行為である。家屋に造作を施す，田地を宅地とするなどがその例となる（我妻・同所)。ただし，103条2号は，「代理の目的である物又は権利の性質を変えない範囲内において，その利用又は改良を目的とする行為」を権限の定めのない代理人のなしうる代理権限としている。したがって，物または権利の性質を変える利用行為，改良行為は処分行為の範疇に入ることになる（我妻・同所は，「田地を宅地とするなどは性質の変更である」と述べる)。そして，家屋を賃貸する行為は，借主の占有利用により物が滅失・損傷する危険があるとともに，借主の占有利用を容易に覆すことができない場合には，本人による物の支配が実質的に妨げられることにもなる。そこで，とりわけ借地借家法の適用を受ける不動産の賃貸や，602条の期間を超える賃借権の設定は，処分行為に準ずるあるいは不動産所有権の性質を変えるという理由で，103条の権限を超えるものと解されている（新版注民(4)89-90頁〔佐久間〕）。したがって，これらの行為は，熟慮期間中の相続人の管理権限を超えるものと解すべきである。

なお，被相続人が生前個人事業者として経営活動をしていた場合に，相続人が熟慮期間中にいかなる行為もなしえないことは妥当ではなく，選択権を留保する形で日常的な業務を行うことは許されるような立法を検討すべきである（遺産共有状態における個人事業の承継の問題については，猪瀬・前掲論文11頁以下を参照）。フランス民法784条4項は，「相続財産に属する事業活動の短期的な継続のために必要な日常業務は，一時的な管理行為とみなされる」と規定している。日本においては，897条の2第1項の家庭裁判所の命令が必要となるものと思われるが，立法論として，管理行為としてなしうることを明示することは検討に値するように思われる。

利用行為・改良行為該当性の問題に隣接する問題として，921条1号に規定する「相続人が相続財産の全部又は一部を処分したとき」とはどのような場合かという問題があるが，この点については同条の叙述に委ねる（→§921 II）。

(4)　相続人が複数存在する場合の管理

遺産共有状態における判例によれば，相続財産の共有は，民法249条以下に規定する「共有」とその性質を異にするものではないという立場が一貫して採用されている（最判昭30・5・31民集9巻6号793頁）。そうすると，相続人が複数存在する場合の管理の規律についても，保存行為は単独で行うことができることになろう（252条5項参照）。利用行為・改良行為について，252条1項では「持分の価格に従い，その過半数で決する」と規定されているが，熟慮期間中は抽象的相続分も具体的相続分も未確定の状態にある。したがって，利用行為・改良行為をする際に，相続分による多数決で決すべきか，組合契約の業務執行者（670条3項）や遺言執行者（1017条1項）の規律を参照して頭数の多数で決すべきかが問題となる。この点，具体的相続分が明らかにされない場合が多いため，頭数の多数決が妥当という見解がある（新版注民(27)〔補訂版〕485頁〔谷口＝松川〕）。この見解は，相続人に特別受益がない場合には法定相続分の多数決で決し，特別受益者がある場合には頭数による多数決を提案するものであるが，熟慮期間中に法定相続分や具体的相続分を観念することにどれだけの意味があるのかという問題がある。困難な問題であるが，当該行為時に暫定的に相続人とされている者の頭数の多数と解するのが簡便であるように思われる。その他，立法による解決を示唆しつつ，解釈論としては家庭裁判所の適当な処分に委ねるとする見解もある（於保不二雄「共同相続における遺産の管理」家族法大系Ⅶ 100頁）。

Ⅲ　選択決定後の管理

本条は，選択権行使前の相続財産の管理についての規律であるが，行使後にいかなる管理義務を負うことになるのか，他の規定との関係をここでまとめておく（令和3年改正前の状況については，床谷文雄「遺産分割前の財産管理」水野紀子＝窪田充見編・財産管理の理論と実務〔2015〕297頁以下に詳しい）。

単純承認後，相続人が複数いる場合には，遺産分割が終了するまで遺産共有状態となり，その間の相続財産の管理が問題となる（→§898 Ⅲ）。相続財産と固有財産を区別する必要がなくなるため，相続人の注意義務は消滅する（我妻・判コメ165頁）。ただし，相続人は，単純承認をした後であっても，相続債権者，受遺者，相続人の債権者から財産分離の請求があったとき（財産分離が請求できる期間については，941条1項および950条1項を参照）は，以後，その固有財産におけるのと同一の注意をもって，相続財産の管理をしなければならない（944条1項・950条2項）。ただし，家庭裁判所は，相続財産管理人を選任することもできる（943条1項・2項・950条2項）。

放棄をした場合，放棄をした者は，その放棄の時に相続財産に属する財産を現に占有しているときは，相続人または952条1項の相続財産の清算人に対して当該財産を引き渡すまでの間，自己の財産におけるのと同一の注意をもって，その財産を保存する義務が課される（940条1項）。

限定承認をした場合，限定承認者は，その固有財産におけるのと同一の注意をもって，相続財産の管理を継続しなければならない（926条1項）。相続人が数人ある場合には，家庭裁判所は，相続人の中から，相続財産の清算人を選任しなければならない（936条1項）。

また，令和3年改正により，相続が開始した後，相続の段階に関わらず，いつでも，家庭裁判所は，相続財産管理人の選任その他の相続財産の保存に必要な処分を命じることができることとなった（897条の2第1項）。ただし，①相続人が1人である場合においてその相続人が相続の単純承認をしたとき，②相続人が数人ある場合において遺産の全部の分割がされたとき，③952条1項の規定により相続財産の清算人が選任されているときは，このような処分を命じることはできない（同項ただし書）。

〔幡野弘樹〕

（相続の承認及び放棄の撤回及び取消し）

第919条①　相続の承認及び放棄は，第915条第1項の期間内でも，撤回することができない。

②　前項の規定は，第1編（総則）及び前編（親族）の規定により相続の承認又は放棄の取消しをすることを妨げない。

③　前項の取消権は，追認をすることができる時から6箇月間行使しないときは，時効によって消滅する。相続の承認又は放棄の時から10年を経過したときも，同様とする。

④　第2項の規定により限定承認又は相続の放棄の取消しをしようとする者は，その旨を家庭裁判所に申述しなければならない。

〔対照〕　フ民777・786・801・802・807，ド民1954・1955

〔改正〕　（1022）　③＝平16法147新設（②但→③）　④＝昭37法40新設，平16法147移動（③→④）

細　目　次

I 本条の趣旨

本条は，相続の承認および放棄の撤回および取消しについて規定するものである。

第1項では，いったん承認・放棄をした場合には，915条1項の熟慮期間中においても，撤回することはできない旨規定する。撤回とは，一般的に，法律行為または意思表示をした者が，取消原因に基づかず，その一方的な意思表示により，法律行為または意思表示をなかったものとすることと定義される（中田裕康・契約法〔新版，2021〕190頁）。本条1項は，明治民法1022条1項をそのまま受け継いだものである。ただし，平成16年法律147号以前は，「取り消すことができない」と規定されていたが，同法律により「撤回することができない」と改められている。明治民法1022条1項の趣旨につき，梅謙次郎は，承認および放棄は関係人の利害関係が非常に大きいこと，熟慮期間内は相続人が自由を有するかに見える嫌いがあるので注意的に規定したことを指摘している（梅162-163頁）。その後も，承認・放棄は多くの人の利害に関係するから，相続人が一度これをした以上は，それで相続関係は確定するものとして，その撤回を許さないというのがその趣旨であるとされている（我妻・判コメ166頁）。

第2項では，相続の承認・放棄の撤回とは異なり，民法典第1編および第4編の規定に基づく取消しを認める。ただし，第3項において，取消権の期間制限を126条よりも短縮し，権利関係の早期の安定を図っている。具体的には，追認をすることができる時から6か月，相続の承認または放棄の時から10年と規定する。126条と同様，条文上「時効によって消滅する」と規定されているが，本条の期間制限の法的性質が問題となる。126条では，取消権のような形成権は行使すればそれで目的が達せられる以上，権利者の側からの更新を観念しえないということを根拠に，除斥期間説が通説とされている（たとえば，我妻栄・新訂民法総則（民法講義I）〔1965〕439頁，内田貴・民法I〔4版，2008〕338-339頁，山本敬三・民法講義I総則〔3版，2011〕612頁，佐久間毅・

民法の基礎1総則〔5版，2020〕228頁)。本条の期間制限の性質についても，126条における議論が影響を与えるものと思われる。

なお，平成16年法律147号以前は，現第2項と現第3項が第2項として規定されていたが，同法律により，2つの項に分けて規定されることとなった(それに伴い，改正前第3項が，同法律により第4項となっている)。

第4項は，限定承認または放棄の取消しをする方式として，家庭裁判所への申述を要求している(申述書の記載事項につき家事201条5項)。第4項は，昭和37年法律40号により追加された規定である。改正以前は，限定承認および放棄の取消しの方式について特別の規定がなく，種々の解釈がなされていたため，同法律によりこの点を明確にし，解釈と取扱いの統一がなされることとなった(昭和37年改正の経緯については，加藤一郎「民法の一部改正の解説(3・完)」ジュリ251号〔1962〕46頁以下)。

以下では，関連する問題である承認・放棄の無効についても言及しながら，本条各項に関する各論的問題を論じることとする。

II　承認・放棄の撤回の禁止

1　撤回の禁止の対象

本条1項に関して，限定承認，放棄が撤回の対象になることに異論はないが，単純承認が撤回の対象となるかが問題とされている。この点，単純承認を意思表示と解するのか(たとえば，我妻・判コメ158頁)，単純承認は，無限に承継することであり，特別の行為がない限り原則的に発生する相続の法定効果であると解するのか(たとえば，中川＝泉382頁)といった，単純承認の法的性質についての理解とも関係を有する。単純承認の法的位置づけの問題自体は920条の解説に譲る(→§920 II)が，単純承認を意思表示と解する場合には，たとえば，熟慮期間中に相続財産の一部を売却して法定単純承認が生じた場合には，本条1項により，熟慮期間中でも撤回が許されないこととなる。これに対して，単純承認を意思表示とは解さない場合には，単純承認の撤回や本条2項の取消しの問題も生じえないこととなる(中川＝泉377頁は，単純承認については取消しの問題が起こりえない旨指摘しているが，撤回についても同様にその問題自体生じえないと理解することになろう)。

大審院昭和6年8月4日判決（民集10巻652頁）は，明治民法1024条（現921条）1号の事由があり，相続財産の処分行為があった場合には，明治民法1022条1項によりその取消し（撤回の意味で理解すべきである）をなしえず，熟慮期間内に放棄の申述が受理されたとしても，その放棄は無効であると判示している。この判決は，単純承認を1つの意思表示と理解しているといえよう（吾妻光俊〔判批〕法協51巻8号〔1933〕1541頁も，大審院の立場を「黙示の承認の意思に単純承認の効果を求むる」立場と理解する）。

放棄の撤回を否定する判断を行ったものとして，最高裁昭和37年5月29日判決（民集16巻5号1204頁）がある。事案は次のようなものである。Aが死亡し，妻X，長男Yの他，2男3女が相続人となった。Xは，相続放棄の申述をし，受理された。その後の子らの間で遺産分割調停がなされたが，Xにも相続財産の一部を分配することとなり，Xもこれを承諾したため，Xは利害関係人として調停に参加した。その調停において，農地を相続人からXに贈与する合意が成立した旨，調書に記載された。その後，贈与の対象となった農地の一部をYが耕作するなどしていたため，XがYに対して所有権に基づく引渡しなどを求めた。原審で，Xの遺産分割調停による権利取得を実質的には相続放棄を撤回して遺産分割により権利を取得した場合と異ならないとして，農地法3条1項ただし書7号（現12号）により県知事の許可を不要と解したのに対して，最高裁は，「民法919条1項の規定に照し，一度受理された相続放棄の撤回は許されないことに鑑み，原審の右判断は首肯し難」いと判示している。

2　申述受理前の撤回

申述の受理前であれば，熟慮期間内に限定承認や放棄の申述を撤回することは許されると解されている（注解判例691頁〔笹本忠男〕，岡垣・家審講座II 147頁）。この点，本条1項はひとたび申述受理があった後は撤回を許さないことを意味するにとどまると理解した上で，申述は受理審判があれば受付の時に遡って効力を生ずると解することにより，申述受理の審判があるまでは任意に申述の撤回ができることの説明を行う見解がある（岡垣・前掲書同所）。前掲最高裁昭和37年5月29日判決も，「一度『受理』された相続放棄の撤回は許されない」（二重カギ括弧は筆者）と述べている。

さらに，実務では，申述の受理前ではあるが熟慮期間が経過した後であっても，放棄の申述を撤回することは許されるとしたものがある（大阪高裁管内家事審判官有志協議会協議結果昭和57年1月29日開催分・家月34巻9号〔1982〕219頁。相続人全員で相続放棄の申述をした後，審問の結果，一致して限定承認を希望した事例）。申述者が遠方に居住している場合などには，意思確認等のために，申述書の提出から受理がなされるまでにある程度の日数がかかるという事情もあるようであり（雨宮則夫ほか編・相続における承認・放棄の実務Q＆Aと事例〔2013〕63頁〔岩田淳之〕），このような取扱いに合理性はあるものと思われる。

III　承認・放棄の取消し

1　取消しが認められる事由

(1)　第1編の規定による取消事由

民法第1編総則の規定に基づく取消事由としては，以下のものがある。

未成年者が法定代理人の同意を得ないで承認・放棄をした場合（5条）。

成年被後見人が自ら承認・放棄をした場合（9条）。

被保佐人が承認・放棄を保佐人の同意またはこれに代わる許可を得ないでした場合（13条1項6号・4項）。

錯誤により承認・放棄をした場合（95条）。なお，錯誤は，平成29年法律44号により，要件を満たした場合の効果が「無効とする」から「取り消すことができる」に改められている。

詐欺または強迫により承認・放棄をした場合（96条）。

これらの取消事由のうち，特に問題となっているものにつき，以下で検討を行う。なお，錯誤については，平成29年改正により，新たに取消事由となったものであるため，当初より取消事由であった詐欺または強迫による取消しの場面を先に検討する。

(ア)　詐欺または強迫による取消し　詐欺を理由として，相続放棄申述受理の審判を取り消した事例として，東京高裁昭和27年7月22日決定（家月4巻8号95頁）がある。本決定の事案は，共同相続人の1人Aが被相続人の遺産を独占しようと企て，他の共同相続人Xらに財産を分与する意思がないにもかかわらず，Xらが相続放棄をした場合にはXらに自立しうるだけの財産を必ず分与すると約束したというものである。東京高裁は，「相手方のいない意思表示につき第三者が詐欺を行った場合」であるとして，96条1項に基づき，Xらの相続放棄申述受理の審判の取消しを認めている。

強迫に関しては，札幌家裁昭和55年5月26日審判（家月32巻12号49頁）があり，相続人の後見人が，相続債権者からの厳しくかつ執拗な取立てにあい，相続人を代理して相続放棄の申述をしたという事案で，「特段の事情のない限り，相続債権者らの厳しい相続債権の取立が直ちに相続放棄をなさしめようとの意図の下になされたものとは解し得ない」として，取消しの申述を却下している（ただし，抗告審である札幌高決昭55・7・16家月32巻2号47頁は，相続放棄取消受理申立事件において，家庭裁判所は真に取消事由が存在するか否かについて審理することはできないとして原審判を取り消している。相続放棄取消受理申立事件の性質につき，→§938 III(1)参照）。

詐欺については，善意・無過失の第三者に対する取消しの効力の制限を認めるか（96条3項参照）が問題となっている。この点，善意・無過失の第三者に対する取消主張の制限を認める見解がある（我妻・判コメ167頁，注解判例692頁〔笹本忠男〕，岡垣・家審講座II 172-173頁，潮見78頁）。これに対して，善意の共同相続人に対抗できないとしたのでは，分割後に詐欺の事実を知って取り消してもほとんど無意味となるおそれを指摘し，少なくとも分割審判においては，910条の準用による価額賠償を認めるべきという見解もある（中川＝泉379頁。なお，96条3項の第三者保護要件について，平成29年法律44号による改正前は「善意」であった。この学説は，改正前の法文を前提としている。改正後は「善意でかつ過失がない」となっている）。この見解は，共同相続人の「第三者」性を肯定しつつ，詐欺による意思表示をした者に一定の保護を与えるものである。さらに，放棄の取消しがなされた場合，分割協議は共同相続人の一部を欠いたまま行われたものとして分割のやり直しを認め，その上で，善意の者に対する補償を行うべきとする見解もある（新版注民(27)〔補訂版〕492頁〔谷口知平＝松川正毅〕。平成29年改正前の法文を前提としている）。この見解は，共同相続人の「第三者」性を否定して遺産分割のやり直しを認めつつ，善意・無過失の者に対する一定の補償を行う立場であるといえる。相続する自由・しない自由を実質的に保護する要請を重視するのであれば，共同相続人の「第三者」性を否定する，すなわち，詐欺による意思表示により生じた法律関係について「新たに利害関係を有するに至った者」（最判昭49・9・26民集28巻6号

1213頁）たりえないという評価を行うこともあり得る。その場合，詐欺による単純承認後に相続人の固有財産に強制執行をした相続債権者のような者との関係でも，「第三者」性を否定できるのかが問題となる。さらに，「第三者」性を否定された者であっても，詐欺による意思表示があったことについて善意・無過失の者を（補償という形で）保護すべきか，仮に保護するとしていかなる根拠で保護をするのかが問題となる。解釈論というよりも，立法により解決することが望ましい問題であるように思われる。

(イ)　錯誤による取消し　　錯誤に関しては，平成29年改正により，新たに取消事由となっているが，改正前より承認・放棄の錯誤無効の主張を肯定した事例がある。そこで，以下において，いかなる事例において錯誤無効が認められたのか，認められなかったのかという点に着目して裁判例の概観を行う。

まず，①最高裁昭和30年9月30日判決（民集9巻10号1491頁）は，被相続人Aの相続人として妻X_1と長男Y，さらにはY以外の6人の子X_2–X_7がおり（子はいずれも未成年），Aの死亡により唯一の収入の途が閉ざされたため，生計の維持のために長男以外の者が相続放棄をするのが最善の策と考え，X_1–X_7は相続放棄の申述を行った。しかし，その結果，相続放棄をしなかった場合よりも多額の相続税が課されたため，XらがYを被告として相続放棄の無効の確認を行ったという事案である（Yがこれを認諾していた）。最高裁は，「Yの相続税がXらの予期に反して多額に上った等所論の事項は，本件相続放棄の申述の内容となるものでなく，単なる動機に関するものに過ぎない」とする原審の判断を是認している（なお，本判決は，相続の放棄が無効であることの確認を求める訴えは不適法であるとしている。→IV 2）。

②最高裁昭和40年5月27日判決（家月17巻6号251頁）は，被相続人Aの相続人として，Aの妻Y_1，長男X，長女Y_2，その他の子Y_3–Y_7がおり，Y_1およびY_3–Y_7は，Xが単独相続すると考えて相続放棄の申述をしたのに対して，Y_2が相続放棄をしなかったという事案である。このような事実関係の下，Xは，Yらを被告として，Y_1およびY_3–Y_7が放棄をしたのはXのみが単独相続をすると信じたからであり，当該放棄は要素の錯誤にあたり無効であると主張した。これに対して，最高裁は，Y_1およびY_3–Y_7の「本件相続放棄に関する錯誤は単なる縁由に関するものにすぎなかった」とする原

審の判断を是認している。

錯誤の要件を満たすと判断した事例としては，③東京高裁昭和63年4月25日判決（高民集41巻1号52頁）がある。被相続人Aが死亡し，Aの母Xが相続人となった。Xが相続放棄をした場合，相続人はAの祖母Bとなるにもかかわらず，Aの弟Yや妹らが相続人となるものと誤信をして，Xは相続放棄の申述をした。相続財産である土地・建物についてはY名義とする移転登記がなされた。このような事実関係の下，XY間で紛争が生じ，Xは相続放棄が錯誤により無効であると主張して，Yに対してその確認を求めるとともに，不動産の所有権移転登記を請求した。東京高裁は，動機が家庭裁判所における審問において明確にされていたとして，相続放棄の意思表示には法律行為の要素に錯誤があるとした上で，本件事案で錯誤無効の主張をすることは権利濫用に当たるものとして許されないとしている（なお，本判決の評釈である野村豊弘〔判批〕リマークス1号〔1990〕139頁は，それまで権利濫用の法理により錯誤無効の主張を退けた判決は見当たらず，本件においても放棄者の重過失を認めることができたと論じている）。

④高松高裁平成2年3月29日判決（判時1359号73頁）は，相続放棄の錯誤無効を認めた事例である。交通事故で死亡した被相続人の元妻が，被相続人に多額の借金があるという認識を持つとともに，被相続人の加害者に対する損害賠償債権が相続の対象となるという認識がなかったために，子らを代理して相続放棄の申述をしたが，実際には，それほど多額の債務は存在せず，多額の損害賠償債権も発生していたという事案で，元妻の内心の意思と申述との間に錯誤があり，その不一致は重要な部分にあるから，本件相続放棄は要素の錯誤により無効であると判示している。

⑤福岡高裁平成10年8月26日判決（判時1698号83頁）は，Y_1の代表取締役の地位にあった被相続人Aの相続人Xらによる相続放棄の申述に動機の錯誤があることを認めた事例である。Xらは，(i)Aには一般債権者からの多額の借金がある旨，(ii)Aの遺産であるY_1の株券は所在不明であり，本件株券がなければ株主としての権利行使もできない旨，(iii)Aを相続しても多額の借金を相続するだけである旨の話をY_1の顧問税理士Bから聞かされて，これを信じたために相続放棄の申述をした。ところが，現実には，一般債権者からの多額の借入れなどは出てくることなく，株主としての権利行使に関

しても，法律上誤った情報を聞かされたに過ぎないものであった。そこで，Xらは，Y_1，Y_1の代表者であるY_2，Aを被相続人とする相続財産法人であるY_3を被告として，Aが有していたY_1の株式についてXらが準共有持分を有することの確認を求めた。福岡高裁は，「相続放棄の申述に動機の錯誤がある場合，当該動機が家庭裁判所において表明されていたり，相続の放棄により事実上及び法律上影響を受ける者に対して表明されているときは，民法95条により，法律行為の要素の錯誤として相続放棄は無効になると解するのが相当である」と述べて，本件事案においても相続放棄は無効であることを認めている。

債権者から相続債務に関する誤った情報が伝えられたために熟慮期間が経過した事案において，⑥高松高裁平成20年3月5日決定（家月60巻10号91頁）は，「熟慮期間が設けられた趣旨に照らし，上記錯誤が遺産内容の重要な部分に関するものであるときには，相続人において，上記錯誤に陥っていることを認識した後改めて民法915条1項所定の期間内に，錯誤を理由として単純承認の効果を否定して限定承認又は放棄の申述受理の申立てをすることができる」と判示している（本決定について詳しくは，§915 II 2(3)(イ)を参照）。

以上のように，いずれの事案も動機の錯誤（95条1項2号）が問題となっている。とりわけ，相続放棄の申述という単独行為の場合，表意者が法律行為の基礎とした事情が，法律行為の基礎とされていることが表示されていたかという95条2項の要件がどのような趣旨で課されるのか，いかなる場合にその要件はみたされるのかが問題となる。

①判決では，相続税の額が誤信の対象となっているが，最高裁平成元年9月14日判決（家月41巻11号75頁）では，離婚の際の財産分与に課税されるのが誰であるかについての誤信があった事案で，原審が錯誤無効の主張を認めなかったのに対して，最高裁は，分与者に課税されないという動機は黙示的に表示されている旨判示して原審に差し戻している。最高裁平成元年判決は，相続税の額を誤信して相続放棄をした事案にも影響を与えるようにも思われるが，具体的にどのような影響が生じ得るかは必ずしも判然としない。この点，③判決は，家庭裁判所での審問の内容から動機（あるいは法律行為の基礎とした事情）の表示があったとしている。さらに⑤判決は，動機が家庭裁判所において表示された場合だけでなく，相続の放棄により事実上および法

律上影響を受ける者に対して表明されているときにも動機の表示があったことを認めている。③判決や⑤判決は，相続財産をめぐる利害関係人の利益を保護する要請を考慮したという理解も可能であろう（⑤判決の評釈である安部勝〔判批〕平12主判解31頁ではこのような理解を示す。③判決の評釈である安永正昭〔判批〕判評360号（判時1294号）〔1989〕23頁も，単独行為により他人の権利関係に変動を生ずる場合には，他人の利益を保護すべき必要のある限度で，動機錯誤の扱いに関して，原則的には，相手方の存する通常の意思表示の場合と同様の取扱いをなすべきとする）。もっとも，利害関係人の利益保護の要請は，本条3項で短期の期間制限を認めることにより図られているということもできる。相続を承認する自由・しない自由をより実質的に保護するために，95条2項の要件を重視せず，法的安定性は，95条1項柱書の錯誤の重要性の要件において考慮することもあり得るように思われる。

また，⑥決定のように，熟慮期間経過による法定単純承認に対する錯誤取消しが認められるのかについては，単純承認が意思表示としての性質を有するかという問題とも関連する（この点につき，2(2)も参照）。

(2)　第4編の規定による取消事由

民法第4編親族の規定に基づいて取消しができる場合としては，以下の2つの場合がある。第1が，後見監督人があるときに，後見人がその同意を得ずに被後見人を代理して承認または放棄をしたときである（864条・865条）。第2が，後見監督人があるときに，後見人がその同意を得ずに未成年被後見人が承認または放棄をすることに同意をしたときである（864条・865条）。

(3)　相続放棄と詐害行為取消し

相続人が相続放棄をした場合に，相続債権者，あるいは相続人の固有債権者が詐害行為取消権を行使することができるかが問題となる。この点，相続債権者が詐害行為取消請求をした事案において，最高裁昭和49年9月20日判決（民集28巻6号1202頁）は，「相続の放棄のような身分行為については，民法424条の詐害行為取消権行使の対象とならないと解するのが相当である」と判示している。その理由として，最高裁は，①相続の放棄は，「既得財産を積極的に減少させる行為というよりはむしろ消極的にその増加を妨げる行為にすぎない」という点と，②「相続の放棄のような身分行為については，他人の意思によってこれを強制すべきでない」という点を挙げている。

この判例が，相続人の固有債権者が詐害行為取消権を行使する事案においても射程を有するものであるのか議論のあるところであるが，424条の解説に譲ることとする。

2　取消しの方式

(1)　限定承認・放棄の取消し

本条4項は，「第2項の規定により限定承認又は相続の放棄の取消しをしようとする者は，その旨を家庭裁判所に申述しなければならない」と規定する（家事別表第一91項）。

取消権者は，民法120条に挙げられている者であるが，家庭裁判所への申述という手続が必要となるため，民事訴訟法31条の規定する手続行為能力との関係が問題となる。この点について，家事事件手続法は特則をもうけており，成年被後見人は，法定代理人によらずに，自ら取消しの申立てをすることができることとしている（家事201条4項が準用する同118条）。被保佐人であって保佐人もしくは保佐監督人の同意がない場合，手続行為をすることにつきその補助人の同意を得ることを要することとされた被補助人であって補助人もしくは補助監督人の同意がない場合についても，同様である（家事201条4項が準用する同118条柱書後段）。

家庭裁判所は，取消しの申述の受理の審判をするときは，申述書にその旨を記載しなければならない（申述書の記載事項について家事201条5項，家事規105条2項。なお，令和5年法律53号の改正により家事事件手続法201条7項が改正され，家庭裁判所は，取消しの申述の受理の審判をするときは，その旨の電磁的記録を作成し，ファイルに記録しなければならないこととなる〔公布日から5年内の政令で定める日から施行〕）。この場合において，当該審判は，申述書にその旨を記載した時に，その効力を生ずる（家事201条7項。なお，令和5年法律53号の改正により同項は改正され，上述の記録をした時に，その効力を生ずることとなる〔公布日から5年内の政令で定める日から施行〕）。却下の審判に対して，限定承認または相続の放棄の取消しをすることができる者は，即時抗告をすることができる（家事201条9項2号）。

取消しの申述の受理審判の性質，効力，審理範囲については，相続放棄の申述受理審判におけるのと同様であるため，938条の解説に譲る（→§938 II・III）。

(2) 単純承認の取消し

単純承認の法的性質について，大きく分けて2種類の説がある（詳しくは→§920 IIを参照）。第1が，単純承認は，無限に承継することであり，特別の行為がない限り原則的に発生する相続の法定効果であると解して，意思表示としての性質を認めない説である（以下，「法定効果説」とする）。第2が，単純承認を意思表示と解する説である（以下，「意思表示説」とする）。第1の説を採用する場合には，単純承認の取消しを観念しえないことになる（中川＝泉377頁）が，第2の説を採用する場合には，単純承認の取消しもあり得ることとなる。

判例は，単純承認の取消しを認めている（学説状況につき，詳しくは→§921 II(4)）。大審院大正9年12月17日判決（民録26輯2043頁）は，「右規定〔筆者注（以下同じ）：明治民法1024条1号（現921条1号）〕ニ依リ単純承認アリタルモノト看做サルル場合ト雖モ之ニ関シ要スヘキ親族会ノ同意ヲ欠如スルカ如キ取消ノ原因存スルトキハ其単純承認ヲ取消シ得ヘキモノト解スルヲ相当トス」と判示する。また，大審院明治41年3月9日判決（民録14輯241頁）は，「民法第1024条第2号〔現921条2号〕ノ規定ニ依リ相続人カ単純承認ヲ為シタルモノト看做サレタル場合ニ於テモ相続人カ未成年者ニシテ其後見人カ右単純承認ニ関シ親族会ノ同意ヲ得サルトキハ其単純承認ハ……取消スコトヲ得ルモノト謂ハサルヲ得ス」と判示する（大判大10・8・3民録27輯1765頁も同旨）。もっとも，熟慮期間経過により単純承認ありとみなされたが，その熟慮期間の経過について親族会の同意がない場合に，その単純承認を取り消すことができるとしている点に対しては，学説の批判は強い（たとえば，中川＝泉396頁，我妻・判コメ177頁）。ただし，学説の批判にも，単純承認に意思表示としての性質を認めるか否かにより，ニュアンスの差がある。たとえば，意思表示説の立場からは，相続人の法定代理人が承認・放棄をするのに完全な権限を持たない場合（たとえば，後見人が後見監督人を付された場合）という限定的な場面における921条2号の適用のされ方の問題として論じている（我妻・判コメ同所は，この場合「法定代理人の責任の問題として解決すべき」とする）。これに対し，法定効果説の立場からは，この判例理論の誤りを，単純承認を意思表示と観念したことの帰結と解している（中川＝泉382頁）。

さらに，前掲大審院大正10年8月3日判決は「同法〔民法〕カ第1017条

〔現915条〕第1022条〔現919条〕第1024条〔現921条〕ニ於テ相続人ノ為スヘキ承認拋棄又ハ其ノ取消ニ付夫夫一定ノ期間ヲ定メ相続開始後ノ法律関係ヲシテ永ク不確定ノ状態ニ在ラシメルコトヲ顧慮シタル律意ニ鑑ミ承認又ハ拋棄ノ意思表示ハ取消後遅滞ナク為サシムル旨越（ママ）〔判決要旨では「趣」〕ナリト解スルヲ相当トス」と述べ，取消後遅滞なく承認または放棄を改めてなしうると判示している。同判決は，現行法でいうところの921条2号による法定単純承認の取消しを認めた事案であるため，熟慮期間経過後に取消しがなされたことを前提に判示されている。学説でも，意思表示説からは，取り消した時点で熟慮期間が経過している場合に単純承認をしたものとみなされたのでは，取り消しうるとした意味がなくなるとしている（我妻・判コメ168頁)。これに対して，法定効果説からは，期間の経過は法律行為ではなく，期間中に詐欺・強迫に相当する障害があったとしても，単純承認の効果を阻止できないと解する（新版注民(27)〔補訂版〕526頁〔川井健〕)。

921条1号による単純承認の事案にせよ，同条2号による単純承認の事案にせよ，実際には，単純承認を否定することを前提として行われる，限定承認あるいは相続放棄の申述の手続で問題となるものと思われる（雨宮則夫ほか編・相続における承認・放棄の実務 Q ＆ A と事例〔2013〕351頁〔齊藤充洋〕)。

IV　承認・放棄の無効

1　無効が認められる事由

本条2項により，承認・放棄の取消しについては明文により認められているが，承認・放棄の無効を主張しうるかについては，明文の規定がない。もっとも，一般的に，本条は無効の主張を許さない趣旨ではないと解されている（新版注民(27)〔補訂版〕498頁〔谷口知平＝松川正毅〕，注解全集319頁〔中川良延〕)。

いかなる場合に無効が認められるかについて問題となった裁判例としては，以下のものがある。なお，錯誤に関しては，平成29年改正により取消事由となっているため，ここでは裁判例を紹介しない（平成29年改正前にいかなる場合に錯誤が認められていたかについては，→III 1(1)(イ)を参照)。

浦和家裁昭和38年3月15日審判（家月15巻7号118頁）は，相続人の1人の相続放棄の申述が受理されたが，それは何人かが無権限に署名捺印を冒用したものであったという事案において，放棄は真意に基づくものではなく無効であると判断して，それを前提に遺産分割の審判をしたものである（後掲東京高決昭29・5・7も放棄申述書が偽造されたケースである）。

東京高裁平成27年2月9日決定（判タ1426号37頁）は，相続放棄の申述が受理された後に，相続人の1人が認知症により相続放棄の意思を欠いていたため無効となることを認め，その者を遺産分割調停手続から排除するとの決定（家事258条1項が準用する同43条1項）を取り消したものである。

申述に自署が必要かという点について，最高裁昭和29年12月21日判決（民集8巻12号2222頁）は，「家事審判規則114条2項が，申述書には本人又は代理人がこれに署名押印しなければならないと定めたのは，本人の真意に基ずくことを明らかにするためにほかならないから，原則としてその自署を要する趣旨であるが，特段の事情があるときは，本人又は代理人の記名押印があるにすぎない場合でも家庭裁判所は，他の調査によって本人の真意に基ずくことが認められる以上その申述を受理することを妨げるものではない」と判示し，事案との関係においても，自署がなかったとしても放棄の無効は認められないとしている。なお，家事事件手続法205条5項および家事事件手続規則105条1項では，限定承認および相続放棄の申述の記載事項を規定しているが，本人の署名押印に関する規定はなくなっている。

2　無効主張の方法

無効主張の方法に関係する裁判例として，以下のものがある。

最高裁昭和30年9月30日判決（民集9巻10号1491頁。事案は，Ⅲ1(1)(イ)参照）は，相続放棄無効確認の訴えは，「当該相続放棄の無効なるに因っていかなる具体的な権利又は法律関係の存在，若しくは不存在の確認を求める趣意であるかは，明確でないのである。相続のごとき複雑広汎な法律関係を伴うものについて，本件確認の対象となるべき法律関係は，少しも具体化されていない」ということを理由に不適法であり，却下されると判示している。本判決に対しては，無効確認の訴えを認めるべきであるという批判が存在している（我妻・判コメ171頁，新版注民(27)〔補訂版〕508頁〔谷口＝松川〕など。本判決の評釈である青山義武〔判解〕最判解昭30年175-176頁も疑問を提起する）。

無効原因がある場合に，取消しの申述が認められるかが問題となった事件において，東京高裁昭和29年5月7日決定（高民集7巻3号356頁）は，申述者は，その申述書の偽造なることを理由として右申述受理の審判取消しの申立てをなすことはできない旨判示している。東京高裁は，「審判は判決のように既判力をもっていないのであるから，相続放棄の申述受理後でもこれによる放棄の効力を争うものは訴訟手続においてこれを争うことをうべく，従って職権によりさきになした受理の審判を取消変更することは，恰も執行を要する裁判の執行終了後はこれが取消変更を許さないのと同様，許されない」と述べている。福岡高裁平成16年11月30日決定（判タ1182号320頁）も，相続放棄の申述の無効であることを理由とする取消しの申述を不適法であると判示している。したがって，相続放棄に法律上無効原因があるとしてその無効を主張する利益がある者は，別途訴訟でこれを主張して争うことになる。

〔幡野弘樹〕

第2節　相続の承認

第1款　単純承認

（単純承認の効力）
第920条　相続人は，単純承認をしたときは，無限に被相続人の権利義務を承継する。

〔対照〕 フ民785
〔改正〕 (1023)

I　本条の意義と効力

本条は，相続人が915条1項に基づいて単純承認したか，あるいは921条に基づいて単純承認したとみなされた場合の効果について定めるものである。本条にいう「無限に」の意味は，単純承認した相続人は相続債務につき無限責任を負うという意味である。ゆえに，相続債務が積極相続財産を超過する場合には，相続人は自己固有の財産をもって弁済することになる。つまり，単純承認した相続人は被相続人の財産を積極消極の如何を問わず承継し，その限りでは被相続人の財産と単純承認した相続人の財産は混同する。その意味においては，この効果は，「相続人は，相続開始の時から，被相続人の財産に属した一切の権利義務を承継する」と規定する896条本文のそれとほぼ同旨であるといってよく，本条は相続の本則と密接な関係にあるといってよい。また，被相続人の財産と相続人の財産が混同する結果として，被相続人の財産は相続人が固有に負っている債務の摑取に服しうる。

II　単純承認の法的性質

上述のように，単純承認は2つの方法で成立する。しかし，その法的性質をめぐっては学説の対立がある。なお，各学説の具体的な相違は921条の次元において生じるため，そちらを参照いただきたい。

1　意思表示説（通説・判例）

これは，単純承認を意思表示の一種であると解する説である。この説によると，まず，915条1項を相続人は自己のために相続の開始があったことを知った時から3か月間の熟慮期間のうちに単純承認，限定承認，放棄のうちいずれかの意思表示をしなければならないと定める規定であると解する。その上で，921条が定める要件を満たした場合は相続人が単純承認の意思表示をなしたものと擬制すると考えて相続の効果を896条本文が定める本則に従って生じさせることになる。さらに，近時では，法定代理人も共同相続人である場合に法定代理人による単純承認は利益相反行為となるために特別代理人の選任を要すると解するためには，単純承認を意思表示に基礎を置くものと考える方が適切であると指摘するものもある（伊藤232頁，二宮336頁）。

このように，この説によれば単純承認は意思表示の一種であるから，その無効も取消しも認められる。この結論は，919条1項ないし3項が「相続の承認」として単純承認と限定承認の間に適用対象の区別を設けていないこととも整合的である。また，熟慮期間を徒過したために921条2号によって単純承認の効果が生じた場合であっても，相続人によって実際には意思表示がなされていなかったとしても意思表示したものと擬制されているのだから取り消すことができるということになり，判例もこの説を採っているとみられる（大判明41・3・9民録14輯241頁）。

2　法定効果説

これに対し，単純承認を意思表示の一種とはみない見解も存在する。この説によれば，単純承認とは相続帰属の態様として相続効果が無制限無条件に帰属することであるから，これは無限に承継しようという意思表示でもなければ法律行為でもないと解する。その上で，法が定める場合に896条が定める本則に沿った法的効果が自動的に生じるのであると説明すれば足りるのであるから，あえて意思表示と擬制する必要はないというわけである。そして，限定承認や放棄を，本則に沿った法的効果が自らに生じることを欲しない相続人に対して制度的に特別に与えられた選択肢であると位置づけている。この説は，相続法の本則とその効果だけでなく，実際の相続においては相続人が「単純承認をする」ことはほとんどなく，921条2号が定める熟慮期間の徒過によって単純承認の効果が生じることが専らであるという実態も重視しているものと思われる。

このように，この説では単純承認は本則的な法的効果に過ぎず，意思表示の一種とはみない以上，無効や取消しは基本的に生じないことになる。

〔中川忠晃〕

（法定単純承認）

第921条　次に掲げる場合には，相続人は，単純承認をしたものとみなす。

一　相続人が相続財産の全部又は一部を処分したとき。ただし，保存行為及び第602条に定める期間を超えない賃貸をすることは，この限りでない。

二　相続人が第915条第1項の期間内に限定承認又は相続の放棄をしなかったとき。

三　相続人が，限定承認又は相続の放棄をした後であっても，相続財産の全部若しくは一部を隠匿し，私にこれを消費し，又は悪意でこれを相続財産の目録中に記載しなかったとき。ただし，その相続人が相続の放棄をしたことによって相続人となった者が相続の承認をした後は，この限りでない。

〔改正〕（1024）

細　目　次

I　総　　説

本条は，各号で列挙する3つの場合には相続人は単純承認したものとみなすと定めている。これを法定単純承認という。民法は単純承認を原則とし，その他の選択を例外的なものと位置づけ，本条が定める一定の場合には単純承認という原則を貫くという構造を本条は採っているが，なぜ単純承認したものとみなすという原則を貫くのかという理由は，各号によって異なっている（学説の整理・引用は，新版注民(27)〔補訂版〕517頁以下〔川井健〕に多くを負っている）。

II　相続財産の処分（1号）

(1)　本号の立法趣旨

本号は，相続人が相続財産の全部または一部を処分したときには単純承認したものとみなすと規定している。この立法趣旨については，§920 IIで解説した学説によって若干の相違が生じている。

意思表示説によれば，本号の立法趣旨は以下の点であるとされる。まず，(ア)相続人が相続財産を処分できる権利を得るのはその相続財産が相続人に帰属してからなのだから，相続財産を処分したことから相続人が黙示的に単純承認したと推定あるいは擬制すべきであること（法典調査会民法議事〔近代立法資料7〕422頁〔富井政章〕，梅167頁，柳川・註釈下65頁，仁井田499頁，近藤・下

787頁，我妻＝立石477頁，我妻＝有泉ほか315頁，我妻・判コメ174頁，中川編・註釈上246頁〔舟橋諄一〕），(イ)処分を信頼した第三者は保護されるべきであること（柳川・註釈下65頁，仁井田499頁，近藤・下787頁，我妻＝有泉ほか315頁，中川編・註釈上246頁〔舟橋〕），(ウ)処分後に限定承認や放棄を許すと相続財産の価値が減少して範囲も不明確になってしまって相続債権者，次順位相続人または他の共同相続人，受遺者を害するおそれがあること（梅167頁，近藤・下787頁，我妻＝有泉ほか315頁，中川編・註釈上246頁〔舟橋〕），(エ)処分によって相続財産と相続人の固有財産の混同が生じて限定承認の手続が事実上困難になること（我妻＝立石477頁，我妻・判コメ174頁，中川編・註釈上246頁〔舟橋〕，我妻＝有泉ほか315頁）である。意思表示説を採っているといわれる判例は「黙示の単純承認があるものと推認しうるのみならず，第三者から見ても単純承認があったと信ずるのが当然であると認められる」と述べて，これらのうちの(ア)と(イ)を重視している（最判昭42・4・27民集21巻3号741頁）。これに対して，法定効果説によれば(ア)のように推定や擬制をする必要はないという結論にも至りうるが，処分という事実から限定承認や放棄をしない意思を示したと推定されると言い換えている（柚木249頁，中川＝泉393頁，新版注民(27)〔補訂版〕519頁〔川井健〕）。

(2)「処分」の意義

法律用語としての「処分」は，例えば相続財産の売却等の財産の現状や性質を変化させる行為をいう。では，本号にいう「処分」もそれと同義であろうか。それとも，そのような法律的意義でのそれのみを指す概念ではなく，相続財産を構成する物品を毀損する等の事実的意義でのそれをも含む概念なのかは問題となりうる。この点については，後者を採るのが一般的なようである。もっとも，相続人が過失によって相続財産に軽微な破損を生じさせたとしても，それは相続債権者や他の共同相続人に対する損害賠償義務の問題は生じさせるとしても本号にいう「処分」ではない。

本号の適用によって単純承認の効果を発生させるのであるから，それを正当化するためには，それ相応の理由が要求されるべきである。ゆえに，本号が適用されるためには，相続人が自己のために相続が開始した事実を知りながら相続財産を処分したか，あるいは少なくとも相続人が被相続人の死亡した事実を確実に予想しながらあえてその処分をしたことを要する（前掲最判昭42・4・27。これに対し，法定効果説の立場からは，客観的に処分行為がなされた以上，処分した相続人が相続開始の事実を認識していたか否かにかかわらず，単純承認の効果が認められるとして判例に反対する説もあるが〔森泉章〔判批〕民商57巻5号〔1968〕799頁〕，本号の「処分」は相続財産を処分する意思があることを前提としていることを根拠にして判例を支持する説もある〔中川＝泉375頁。同旨，新版注民(27)〔補訂版〕521-522頁〔川井〕〕)。また，本号により単純承認が擬制されることによって被相続人の債務や責任が相続人に承継され，その結果，場合によっては相続人の固有財産が摑取に服することもありうるため，本号の効果は相続人にとって重大なものであるといえる。ゆえに，本号の適用に際しては，相続人に不意打ち的な効果をもたらすことのないように「処分」の意味を厳格に解釈すべきである（潮見105頁）。

なお，本号の適用対象は「処分」行為に限定される結果，いわゆる管理行為は対象とならない。そこで本号ただし書により，保存行為および602条に定める期間を超えない賃貸は許される。このことは918条からも導き出されうる（管理行為の内容につき，→§918 II）。

本号の「処分」にはどのようなものが含まれるのかも問題となる。この問題につき判断するには，「処分」につき形式的に判断すればよいのか，それとも処分の経済的意義をも考慮して実質的に判断すべきなのかを検討する必要がある。この点につき，判例は「一般経済価額を有するものは勿論相続財産に属する」として「一般経済価額」を有するものの処分を指すとの見解を示し，当該処分の対象が「一般経済価額」を有するか否かが判断の基準となるとしている（大判昭3・7・3新聞2881号6頁）。

死者の愛用品等を近親者や友人に渡す，いわゆる「形見分け」はごく一般的にみられるが，この行為が本号の「処分」に該当するのかはしばしば問題となる。この問題につき，経済的重要性を欠く形見分けのような処分は本号にいう「処分」には当たらないとする見解が多いが（近藤・下788頁，中川監修・註解176頁〔山崎邦彦〕，柚木250頁，森泉章「法定単純承認」家族法大系VII 66頁等），上記判例は，被相続人が所有していた衣類が形見分けされた事案につき，上記規範に基づいてこの行為は本号にいう「処分」に当たるとしている。形見の経済的価値の高さに着眼して同調する見解もあるが（松川303頁），この結論の妥当性を疑問視する見解は多い（近藤・下788頁，中川監修・註解176

頁〔山崎〕，中川＝泉391頁）。その後の下級審裁判例としては，既に経済的交換価値を失う程度に着古した上着とズボン各1着を元使用人に与えた事案において，上記判例に即して「その経済的価値は皆無といえないにしても，いわゆる一般的経済価格あるものの処分とはいえない」として本号の「処分」に当たらないとしたものや（東京高決昭37・7・19東高民時報13巻7号117頁），不動産，商品，衣類等の相当多額の相続財産を遺して亡くなった夫と別居していた妻が相続放棄する前に形見として背広上下，冬オーバー，スプリングコートと位牌を持ち帰り，時計と椅子2脚（うち1脚は脚が折れている）の送付を受けて受領したという事案において，「信義則上相続人に限定承認あるいは放棄の意思なしと認めるに足るが如き処分行為」には該当しないとしたものがある（山口地徳山支判昭40・5・13下民集16巻5号859頁）。

なお，この「処分」には債権の取立てや弁済受領も含まれる（最判昭37・6・21家月14巻10号100頁，中川＝泉386頁，新版注民(27)〔補訂版〕522頁〔川井〕，窪田379頁。→§918 II）。

他に行為の処分性が認められた下級審裁判例として，相続人が被相続人の建物賃借権につき賃貸人に対して賃借権確認の訴訟を提起・追行したこと（東京高判平元・3・27高民集42巻1号74頁），相続人が被相続人の経営していた会社の取締役選任手続において被相続人保有の株主権を行使したことおよび被相続人所有の不動産について入居者の賃料振込口座名義を変更したこと（東京地判平10・4・24判タ987号233頁）がある。

他方で，被相続人の死後被相続人名義の預金を解約して仏壇および墓石の購入費に充てたことにつき，本件において購入した仏壇および墓石が社会的にみて不相当に高額のものとも断定できないことを主たる理由として，これに不足額を相続人らが自己負担していた事実を加味して処分性を否定しており（大阪高決平14・7・3家月55巻1号82頁），相続人による死亡保険金の請求および受領，ならびに，この保険金をもってなした被相続人の相続債務の一部弁済については，死亡保険金の受取人が死亡者の法定相続人と指定されていたとしても，その死亡保険金は相続人の固有財産であるから，本号にいう「処分」には当たらないとして処分性を否定している（福岡高宮崎支決平10・12・22家月51巻5号49頁）。また，相続人が遺産分割協議書を作成したとしても，それが相続財産の一部を被相続人がした遺言の趣旨に沿って他の相続人に相続させるためにしたものであり，自らが相続しうることを前提に他の相続人に相続させる趣旨でしたものではないと認められるとして，これをもって単純承認をしたものとみなすことは相当でないとしたものもある（東京高決平12・12・7家月53巻7号124頁）。

⑶　「処分」の基準時

本号の文言上は処分の時期に関する制限はない。しかし，3号が「限定承認又は相続の放棄をした後であっても」との文言を用いていることから，限定承認や放棄の後の問題は3号が扱って，本号は限定承認や放棄の前の問題を対象としていると解することが条文の構造に素直な解釈であるようにみえる。

この問題につき，大審院はかつて限定承認後に相続人が被相続人の衣類を処分した事例において，これを1号に該当する事案としつつも「之を贈与したるは古来の習慣に基く近親者に対する形身分に過きざるの理由に依り之を別異に取扱ふべきものにあらず」と判示したことがあるが（前掲大判昭3・7・3），その後「第1号ハ未タ相続ノ承認又ハ抛棄ヲ為ササル相続人カ相続財産ヲ処分シタル場合ノミニ関スル規定ニシテ相続人カ一旦有効ニ限定承認又ハ抛棄ヲ為シタル後ニ於テ相続財産ヲ処分シタル場合ニ適用セラルヘキ規定ニ非ス」として時的に制限を加えることを明言し（大判昭5・4・26民集9巻427頁），この判決が現在も判例となっている。学説もこぞってこの見解を採っており，この問題について異論はないといってよいと思われる。

ちなみに，限定承認後の処分は本号の対象外であるから単純承認の問題は生じないが，相続債権者，次順位相続人または他の共同相続人につき損害が生じた場合にはその賠償の問題が生じることがある。

⑷　処分行為の無効・取消し

㈠　処分に取消事由がある場合　　相続人によって本号にいう「処分」がなされたとしてもその処分行為に取消事由が存在する場合，その相続人は単純承認したものとみなされるであろうか。判例は，明治民法の親族会の同意を要する処分行為につき親権者が同意を得ないままに相続財産を処分した事案に対して，本号が適用されるとし，「取消ノ原因存スルトキハ其単純承認ヲ取消シ得ヘキモノト解スル」と判示しており，処分に取消事由が存在するということそれ自体は単純承認の効果発生を阻害する原因にはならず，その上で単純承認の取消しを肯定している（大判大9・12・17民録26輯2043頁，大判昭6・8・4民集10巻652頁)。この見解に対して，学説は，処分行為に取消事由が存在しても単純承認の効力は生ずるとする基本的姿勢にはおおむね賛意が寄せられているが（柚木252頁，我妻＝立石478頁，我妻・判コメ175頁，中川＝泉387頁)，同判決が採る当該処分行為と単純承認の関係につき，意思表示説を採る学者からもその当否は甚だ疑わしいと評価されている（我妻＝立石479頁，我妻・判コメ175頁)。というのも，同判決は取消可能な処分行為がなされた結果として単純承認とみなされた場合，それを別に取り消すことができると考えていたようであり，その理論を貫くならば，処分行為は取り消さずに単純承認とみなされる結果だけを取り消すこともできるということになるだろうが，処分行為は依然として効力を有するのに，それに結び付けられた単純承認の効果だけを取り消すことができると解することは，法定単純承認制度の趣旨に反すると思われるからである。他方で，法定効果説に立つと，そもそも単純承認のみの取消しはあり得ないということになるので，いずれの説に立っても単純承認のみの取消しにつき消極的である点では同じである。

(イ)　処分に無効事由があるもしくは取り消された場合　　次に，処分行為が取り消された，あるいは無効であった場合は，単純承認の効果発生に何らかの影響を及ぼすであろうか。この問題について判例は言及していないが，下級審裁判例には，遺産分割協議をしたことによって「処分」したことになるために法定単純承認が生じているが，それが高額の債務の存在を知らずになしたという場合にあっては，被相続人と当該相続人らの生活状況，他の共同相続人との協議内容の如何によっては，本件遺産分割協議が要素の錯誤により無効となり（平29改正前95条)，ひいては法定単純承認の効果も発生しないと見る余地があるとしているもの（大阪高決平10・2・9家月50巻6号89頁）や，915条1項所定の期間を徒過したことによる法定単純承認（本条2号）の効果につき錯誤を理由として否定するもの（高松高決平20・3・5家月60巻10号91頁）がある。

学説は上記の意思表示説と法定効果説に加えて，基本的に意思表示説に立ちつつも両説の折衷的立場を採るものの3つに分かれており，それぞれに結論は下記の通りとなる。

(a)　意思表示説　　上述のように，この説は単純承認を意思表示の一種とみるため，単純承認も意思表示によって生じうることを前提として，処分行為が無効であったり取り消されたりした場合は単純承認の効果も生じないとしている（中川編・註釈上249頁〔舟橋〕，中川監修・註解177頁〔山崎〕等）。さらに，単純承認をなす行為自体に瑕疵がある場合には919条2項によってその単純承認を取り消しうることとの権衡からも上記の結論を根拠づけている（近藤・下790頁，中川編・註釈上249頁〔舟橋〕，我妻＝立石478頁）。そして，たとえ無効の確定ないし取消しが915条1項の期間経過後に行われた場合でも，遅滞なく限定承認または放棄をすればその効力が認められるべきであるとする（中川編・註釈上249頁〔舟橋〕）。しかし，この説によると，処分行為の取消しが長期間経過後になされた場合もその効力は否定されないために単純承認の効果が覆されることになって大きな混乱が生じる可能性がある。そのため，919条2項ただし書（平成16年改正前。現919条3項）の準用による取消権行使の期間制限を試みるものもある（中川編・註釈上249頁〔舟橋〕。しかし，この見解に対しては，法定効果説を採る論者から，法律行為ではない単純承認には919条は適用されえないとの批判がなされている〔中川＝泉387頁〕）。

(b)　法定効果説　　上述のように，この説は，単純承認とは相続帰属の態様として相続効果が無制限無条件に帰属することであるから，これは無限に承継しようという意思表示でもなければ法律行為でもないと解し，その上で，法が定める場合に896条が定める本則に沿った法的効果が自動的に生じるのであると説明すれば足りると解するものである。このように単純承認を法定効果としてとらえるので，処分行為に無効事由があるからといって単純承認の効果を消滅させると第三者の利益を害することになり，長期間経過後に処分行為の取消しがなされることによって単純承認の効果が覆ることは好ましくないため，処分行為が無効であったり取り消されたりしたとしても，いったん生じた単純承認の効果は消えないとする（中川＝泉387頁，新版注民(27)〔補訂版〕524頁〔川井〕）。

(c)　折衷説　　この説は，単純承認を意思表示とみる点で意思表示説と前提を同じくするが，無効・取消しの原因が相続財産に関連して存在するのではなくそれと無関係の事項について存在した場合，すなわち客観的に単純承認の意思があると認定できる場合には単純承認の効果が生じるとする（我妻＝有泉ほか317頁）。この説によれば，例えば，相続人が相続財産を自己の固有財産と思い込んで処分した場合には単純承認の効果は生じず，他方で，相続財産であることを知って譲渡したが相手方の同一性について錯誤があった場合には単純承認の効果が生じる。

⑸　**相続人の法定代理人による処分と単純承認の効果**

相続人の法定代理人が処分した場合に単純承認の効果が生じるか。この点につき，判例はこれを肯定し（親権者たる母が親族会の同意を得ずに子の相続財産を処分した場合につき前掲大判大9・12・17，前掲大判昭6・8・4），学説もおおむねこれを肯定している（中川監修・註解176頁〔山崎〕，我妻＝有泉ほか318頁，鈴木38頁。なお，鈴木は，状況によっては，相続人は法定代理人に対して損害賠償を請求できるとしている）。

⑹　**一部の共同相続人が処分をした場合**

共同相続人全員で処分をした場合に本号の適用があることにつき異論はないが，一部の共同相続人が処分をしたときに他の共同相続人についても単純承認の効果が生じるかは問題となりうる。923条によって，限定承認は共同相続人が全員共同してのみなしうるとされているからである。この点につき，学説は大きく3つに分かれている。

㋐　第1説　　これは，処分をした相続人を含め共同相続人全員がなお限定承認をなしうるとし，ただ相続債権者は処分をした相続人に対して，937条により，相続財産をもって弁済を受けることができなかった債権額について，その相続分に応じてその者の固有財産から弁済を受けうるとする説である（我妻・解説205頁，我妻＝立石478頁，我妻・判コメ176頁，我妻＝有泉ほか318頁，中川監修・註解177頁・208頁〔山崎〕，中川編・註釈上249頁〔舟橋〕，森泉・前掲家族法大系Ⅶ67頁，高木146頁，犬伏ほか337頁〔常岡史子〕〔ただし，法定単純承認ではなく単純承認の意思表示があった場合は，もはや他の共同相続人も限定承認できないとしている〕）。

㋑　第2説　　これは，処分をした相続人に単純承認の効果が生じ，民法923条の適用上，他の共同相続人はもはや限定承認をすることができず，放棄をするか単純承認を受け入れるしかなくなるとする説である（柚木254頁・281頁，中川ほか・ポケット註釈275頁〔市川四郎〕，中川＝泉388頁，遠藤ほか・双書158-159頁〔石川利夫〕，新版注民(27)〔補訂版〕525頁〔川井〕，潮見91頁〔ただし本条2号の事例〕）。

(ウ)　第3説　　この説は，基本的には第2説の論理に従うものの，923条がある以上，問題になるのはほぼ全て，一部の共同相続人による処分によって本当は限定承認の選択肢が消滅しているにもかかわらず，処分をした共同相続人を含めた全員による申述を裁判所が「誤って」受理した場合に限られ，そもそも個々の共同相続人が処分をしたか否かは裁判所には明らかではないことが一般的であるから，この場合には裁判所は限定承認の申述を「誤って」受理することが一般的であるとの理解を前提として（新基本法コメ139頁〔川淳一〕。家庭裁判所の調査権との関係につき，→§937 II 2)，処分をした共同相続人を加えて限定承認の手続がなされた場合は937条が適用されると解している（中川＝泉389頁，新版注民(27)〔補訂版〕525頁〔川井〕)。この説によれば，いずれの立場を採っても同じ結果となるため，学説の対立は実際上重要ではないことになる（松原III 157頁)。

なお，一部の共同相続人が遺産分割前に第三者へ相続分を譲渡した場合は(905条参照)，相続財産と相続人の固有財産との間に混同が生じないので，単純承認したとみなす必要はないと解されている（我妻＝立石478頁，我妻・判コメ176頁，新版注民(27)〔補訂版〕525頁〔川井〕。これに反対するものとして，近藤・下789頁)。

III　熟慮期間の徒過（2号）

(1)　本号の趣旨

相続人が915条1項所定の期間内に限定承認または放棄をしなかった場合には単純承認となることを規定する本号の趣旨は，相続人の責任についての原則としての無限責任主義を宣言するというものである。しかし，本号の説明は，意思表示説と法定効果説で異なっている。意思表示説は，単純承認は意思表示であるという前提を採るため，民法所定の期間内に単純承認・限定承認・放棄のいずれかを選択しなければならないと構成する。その結果，その期間中に相続人が何もしなかった場合は単純承認したとみなさざるを得ないと説明する（我妻＝立石476頁以下，我妻・判コメ173頁)。これに対して，法定効果説は，単純承認したものとみなすのは法技術上の問題に過ぎず，単純承認の意思表示を認める必要はないとする。その上で，相続開始によって生じる無限責任という効果は不確定的で，熟慮期間中に限定承認や放棄がなされるとその責任を排除できるが，それらをしないまま期間を徒過すると既に生じている無限責任が確定的なものになると説明する（新版注民(27)〔補訂版〕526頁〔川井健〕）。

(2)　共同相続の場合の期間の起算点

915条1項の期間は「自己のために相続の開始があったことを知った時」から起算されるため，各共同相続人につき起算点が異なりうることは当初から予定されている。しかも，家庭裁判所が特定の共同相続人についてのみ期間を伸長することもあるし（915条1項ただし書），相続人を相続した者（再転相続人）についても起算点が遅れることが予定されている（916条）。このようにして各共同相続人につき期間の起算点が異なった結果，一部の共同相続人については期間が徒過したが他の共同相続人についてはまだ徒過していないという場合に，923条の適用上，もはや後者は限定承認をできなくなるのかが問題となる。この点につき，もし後者の限定承認を許さないとすると，自らの期間の満了前，場合によっては自らの期間の起算点より前に既に単純承認の効果が生じていることとなって限定承認の自由が奪われることの不当性を根拠として，この場合の起算点は共同相続人中最後に期間を満了する者を基準とすべきであって，先に期間を徒過する者がいたとしても依然として限定承認をすることができるとする学説が通説である（我妻・解説204頁，我妻＝立石479頁以下，我妻・判コメ176頁，柚木255頁，中川編・註釈上251頁〔舟橋諄一〕，高木147頁，中川＝泉396頁，新版注民(27)〔補訂版〕527頁〔川井〕，梶村ほか・実務講義434頁）。これに対して，限定承認は共同相続人全員で行わなければならないことを理由として，前者につき期間が徒過すると後者は限定承認する余地がなくなるとするものもある（中川編・註釈上229頁〔谷口知平〕，潮見91頁）。この点に関する判例はないが，通説と同様に，相続人が数人ある場合に一部の共同相続人についてのみ期間が徒過していても，他の共同相続人において限定承認できる期間内であれば，なお全員で限定承認することができるとした下級審裁判例がある（東京地判昭30・5・6下民集6巻5号927頁）。

(3)　相続人が制限行為能力者である場合

相続人が制限行為能力者であり，その者のためになされるべき法定代理につき何らかの問題がある場合に，本号はどのように適用されるべきか。この問題については，(ア)法定代理人に完全な権限がない場合と(イ)法定代理人がいない場合が考えられる。

(ア)　法定代理人に完全な権限がない場合　　明治民法下においてではあるが，法定代理人に完全な権限がない場合に期間徒過後も単純承認を取り消すことができるかが争点となった判例がある。未成年者の後見人が行為につき親族会の同意を要する場合に，同意を得ないで期間を徒過した場合は，判例は，単純承認を取り消しうるとし，その理由として，本号が「期間内ニ限定承認又ハ拋棄ヲ為ササリシコトヲ以テ単純承認ヲ為シタルモノト看做シタル以上ハ仮令事実上単純承認ヲ為スノ意思ナカリシトキト雖モ法律上其意思表示アリシモノト看做スモノナルヲ以テ之ニ法律ヲ適用スルニ付テモ実際其意思表示アリシトキト同一視スルヲ当然トス」と述べた（大判明41・3・9民録14輯241頁。大判大10・8・3民録27輯1765頁も同旨）。これに対して学説は，判例同様に取消しを認めるものもあるが（仁井田503頁，近藤・下794頁），相続は単純承認を原則とする以上，一定の期間内に限定承認または放棄をしなければ単純承認したものとして相続関係を確定すべきであるとして取消しを認めない見解の方が有力である。ただ，この否定説は，「一定の不作為に附せられた法律効果を取り消すということも，理論的に，甚だおかしいものであり，実際上も，右のような場合には，ほとんど常に取り消しうることになって妥当ではない」として，制限行為能力者の保護の問題は法定代理人の責任の問題として解決すべきであるという説明するもの（我妻＝立石480頁，我妻・判コメ177頁）と，法定効果説の立場から，およそ単純承認は意思表示によって生ずることがなく法律の与えた効果に過ぎないから，その取消しということはあり得ないと説明するもの（柚木254頁，中川＝泉396頁，森泉章「法定単純承認」家族法大系Ⅶ70頁，新版注民(27)〔補訂版〕528頁〔川井〕）の2つに分かれている。

(イ)　法定代理人がいない場合　　相続人に法定代理人がいない場合には，915条1項が定める期間は，当該相続人につき法定代理人が置かれ，かつ，その法定代理人が相続開始を知った時から起算されるとの学説がある（鈴木37頁，新版注民(27)〔補訂版〕528頁〔川井〕）。

(4)　詐欺・強迫・錯誤による熟慮期間徒過

→§919 III

IV 限定承認または放棄後の事由（3号）

(1) 本号の趣旨

本号は，限定承認または放棄の後に相続人が本号所定の行為をした場合は単純承認となる旨規定している。しかし，本号の理解は一様ではなく，以下の3つに分かれている。すなわち，背信的行動をとった相続人に対する一種の民事的制裁であるとの理解（柳川・註釈下71頁，穂積II 263頁，近藤・下797頁，柚木256頁，中川監修・註解175頁・178頁〔山崎邦彦〕，我妻＝立石477頁，我妻・判コメ174頁，中川編・註釈上252頁〔舟橋諄一〕，森泉章「法定単純承認」家族法大系VII 70頁等），背信的な行動をとった相続人に相続債権者の犠牲において限定承認または放棄という保護を与える必要はないという理解（鈴木38頁，中川＝泉397頁，梶村ほか・実務講義432頁），このような事由が存する場合には限定承認・放棄における公正な処理が達せられないための措置であるという理解（新版注民(27)〔補訂版〕529頁〔川井健〕）である。判例（最判昭61・3・20民集40巻2号450頁）は，本号の規定は，「財産目録に悪意で相続財産の範囲を偽る記載をすることは，限定承認手続の公正を害するものであるとともに，相続債権者等に対する背信的行為であって，そのような行為をした不誠実な相続人には限定承認の利益を与える必要はないとの趣旨に基づいて設けられたものと解される」とする。

(2) 本号を理由とする相続債権者による限定承認・放棄の無効確認の訴えの可否

相続人が限定承認あるいは放棄をしたにもかかわらず本号所定の行動をとった場合，相続債権者はその者がなした限定承認あるいは放棄の無効を確認する訴えを提起しうるだろうか。この問題に言及する判例は見当たらないが，限定承認について「〔921条〕所定の場合に於ては相続人は判決を要せずして当然単純承認を為したるものと看做さるるものなるが故に……限定承認無効確認の判決を俟つまでもなく直に……相続債権給付の訴を提起し得る」として，当該確認の訴えには確認の法律上の利益がないとされた下級審裁判例がある（長崎控判大9・6・22新聞1729号13頁）。

(3) 「した後であっても」の趣旨

本号は「限定承認又は相続の放棄をした後であっても」と規定しているこ

とから，本号所定の事由がそれらの後に生じた場合に適用されることは疑いようがないとして，それらの前に生じた場合にも本号は適用できるのであろうか。この問題について，この文言を制限的に解して適用対象を本号所定事由が限定承認または放棄後に生じた場合に限定し，1号所定事由に該当しない限り，債権者は一般の損害賠償請求権を取得することがあるにとどまるとする制限説（中川＝泉398頁）と，文言に制約がないことと相続債権者の利益を図る必要性が大きいことから限定承認または放棄前に生じた場合でも適用できると解する非制限説（中川編・註釈上252頁〔舟橋〕，我妻＝有泉ほか319頁，新版注民(27)〔補訂版〕529頁〔川井〕，床谷＝犬伏編129頁）に分かれている。

(4) 隠　匿

隠匿とは，容易にその存在を他人が認識することができないようにする行為であり（中川＝泉397頁），故意が要求される。しかし，どの程度の故意が必要かという点については一致した見解があるわけではなく，「債権者の追及を免れるためという故意」（中川＝泉397頁）を要するという見解と，「その行為の結果，被相続人の債権者等の利害関係人に損害を与えるおそれがあることを認識している必要があるが，必ずしも，被相続人の特定の債権者の債権回収を困難にするような意図，目的までも有している必要はない」（東京地判平12・3・21家月53巻9号45頁）という見解に分かれている。

(5) 私に消費したこと

相続人が相続財産の全部または一部を「私に消費」するというのは，ほしいままにこれを処分して原形の価値を失わせることを意味し，公然とその処分がなされたとしても本号の要件を満たすことがありうるため，公然性は必ずしも判断の決定打とはならない（中川＝泉397頁）。

消費は法律上の処分であるか事実上の処分であるかは問われないが（中川＝泉398頁），本号の趣旨に照らして消費に正当事由がある場合には該当しない。この点に関する判例および下級審裁判例としては，相続財産として保管中の玄米が虫害を受けたのでこれを処分して自己の固有財産から別の玄米を振替保管していたという事案において，「玄米ノ代替性ニ鑑ミルトキハ……振替ニヨリナホ相続財産トシテ存在シ債権者ハ之カ換価金ニ付弁済ヲ受ケ得ル」から私に消費したことにはならないとされたもの（大判昭17・10・23判決全集9輯36号2頁）や，死者の臨終の際に使用した夜具や布団を他に施与したり焼棄したりした事案において「我国一般ノ慣習ナルコト顕著ナルヲ以テ斯ル行為ヲ目シテ民法第1024〔現921〕条ニ所謂相続財産ヲ私ニ消費シタリト謂フヲ得サル」としたものがある（東京控判大11・11・24評論11巻民1220頁）。これらに対する異論は見られないが，限定承認後に相続人が相続した賃借権に係る延滞賃料を同じく相続財産である家屋の売得金で弁済したという事案において，傍論において相続人が「家屋ヲ相続財産トシテ目録中ニ記載シ居リ且該家屋ヲ他ニ賃貸シ其賃料ハ相続財産ヨリ生スル果実トシテ尽ク之ヲ相続財産中ニ払込ミ居リタル場合ノ如キハ被上告人〔相続人〕ハ賃借物タル土地ヲ毫モ自己ノ為ニ利用セス其地代ハ云ハハ相続財産タル借地権並地上家屋ヲ保存シ且其果実タル家賃ヲ収取スル手段トモ云フヘキモノナルカ故ニカカル場合ニ於テハ相続人カ其固有財産ニヨリ地代ヲ支払フヘキ理由存スルコトナシ」と述べつつも，「相続開始以後ノ賃料支払ノ債務ハ相続人固有ノ債務」であるから，本件延滞賃料が「若相続開始後ノ地代ヲモ含ムモノトセハ……相続財産ヲ以テ自己固有ノ債務ヲ弁済シタルコトトナリ」私に消費したことになりうるとして，本号に該当しないとした原審を破棄差し戻した判例（大判昭12・2・9判決全集4輯4号20頁）については学説上異論が強く（中川監修・註解71頁〔山崎〕，森泉・前掲家族法大系Ⅶ71頁，新版注民(27)〔補訂版〕531頁〔川井〕等），「賃借権が財産的価値を有する場合――賃借権をもって相続債務の弁済に充てうる場合――には，相続人がこれを利用するときにも，なおこれを相続財産とし，賃料はその保存のための出費として相続財産から支払うことを認め（支払っても単純承認とはみなさずに），相続人からは，別に賃料相当額を支払わせて，これを相続債権者の弁済に充てることにしてもよい」とする学説（我妻＝立石481頁，我妻・判コメ177頁）が有力に主張されている。

(6)　悪意で相続財産の全部または一部を財産目録に記載しなかったとき

(ア)　本号の適用対象　　本号が適用されるのは，相続人が財産目録作成（調製）義務を負っている場合なので，適用対象は限定承認のみであり，放棄は適用の対象外である。これは判例（大判昭15・1・13民集19巻1頁）であり，学説も一般にこれを支持している（柚木256頁，我妻＝立石482頁，我妻・判コメ179頁，中川編・註釈上256頁〔舟橋〕，中川ほか・ポケット註釈277頁〔市川四郎〕，中川＝泉398頁，新版注民(27)〔補訂版〕531頁〔川井〕，森泉・前掲家族法大系Ⅶ72頁。反対するものとして，奥田226頁）。

(イ)　悪意の意義　　悪意の意義をめぐっては，単に問題となっている財産が相続財産であることを知っていたということで足りるのか，それとも財産を隠匿して相続債権者を詐害する意思まで要求されるのかが問題となる。この点につき，判例は，特定の相続財産があることを知っていながらこれを財産目録に記載しなかったという事実があれば十分であって詐害の意思は不要であるとするもの（大判大13・7・9民集3巻303頁。ただし傍論）と，悪意とは財産目録に記載すべきものであることを知りながら記載しなかった場合を指すので，存在を知っていたとしても目録に記載する必要がないと思惟していた場合は悪意ではないと述べ，詐害意思を要するとしたと解することも可能なものがあり（前掲大判昭17・10・23），悪意の内容について一貫しているとは必ずしも言えない状況にある。学説も，隠匿の意思を要するとするもの（穂積265頁，柚木257頁，我妻＝立石481頁，有泉192頁，川島137頁，中川編・註釈上256頁〔舟橋〕，中川＝泉399頁，森泉・前掲家族法大系Ⅶ72頁，二宮337頁）と，それを不要とするもの（中川監修・註解179頁〔山崎〕，中川ほか・ポケット註釈276頁〔市川〕。なお，新版注民(27)〔補訂版〕532頁〔川井〕は，心理的態様自体はあまり重要ではなく，むしろ，極めて少額の債権を記載しなかった等，単純承認の効果を発生させることが苛酷に過ぎる事情があるかによって判断すべきであるとしている）に分かれている。

(ウ)　悪意の主張・立証責任　　限定承認・放棄の効力を争う者が悪意につき主張・立証責任を負う（大判昭15・9・28評論30巻民24頁，我妻・判コメ179頁）。

(エ)　消極財産の不記載　　相続財産中に消極財産がある場合に，その消極財産を目録に記載しない場合には本号によって単純承認したものとみなされるだろうか。判例は，消極財産を記載しないことも，相続債権者等を害し限定承認手続の公正を害するという点においては積極財産を記載しないこととの間に質的な差があるとは解しにくいとして，この場合にも本号の適用を肯定している（前掲最判昭61・3・20）。学説は一般に判例を支持している（新版注民(27)〔補訂版〕533頁〔川井〕等）。中川＝泉400頁は，問題になった消極財産が二重に売買された土地の登記移転義務であることを理由として判例の結論自体には賛成するものの，判例の理由付けについては，不記載によって当該債権者の権利に消長を来さないとして，懐疑的な立場を採っている。

(7) 相続人が制限行為能力者である場合の本号適用の可否

2号の場合と同様に，本号についても相続人が制限行為能力者である場合の処理が問題となる。学説はおおむね相続人たる制限行為能力者の法定代理人が本号本文に該当する行為を行った場合は本人たる相続人につき本条が規定する効力が生じるとしている（近藤・下798頁，我妻＝立石482頁，我妻・判コメ179頁，我妻＝有泉ほか319頁，有泉192頁，森泉・前掲家族法大系Ⅶ72頁，新版注民(27)〔補訂版〕533頁〔川井〕)。判例も，後見人が限定承認をなすにあたって相続財産に属する講金債権を故意に財産目録に記載しなかったという事案において，「後見人カ被後見人ヲ代表シテ為ス行為ハ被後見人ノ行為ト見ルヘキカ故ニ後見人ノ為シタル代表行為ノ欠陥ニ伴フ法律上ノ効果ハ当然被後見人ニ及フヘキナリ」として単純承認をしたものとみなしている（前掲大判大13・7・9)。

(ア) 完全な権限を有しない法定代理人が行った場合　　法定代理人が完全な権限を有しない場合であっても，その権限の不完全性は効果の発生に影響を及ぼさない。本号は隠匿，消費，財産目録への不記載等の行為における事実的側面に着目して単純承認の効果が認められるからである（我妻＝立石482頁，我妻・判コメ179頁)。

(イ) 法定代理人が存しない場合，あるいは存しても制限行為能力者自身が行った場合　　法定代理人が存しない場合，あるいは存しても制限行為能力者自身が本号所定の行為を行った場合に単純承認したものとみなすべきかについては，行為者の行為の有効性という問題とは区別して考えるべきである。本号所定の行為は，法律行為ではなく行為の事実的側面が問題となるからである。そうだとすると，行為者には自らの行為によって生ずべき法的効果を弁識するに足る能力を有することが求められ，それは結果として不法行為における責任能力と一致することになると思われる（責任能力そのものによるとするものとして，柳川・註釈下72頁，近藤・下798頁，中川編・註釈上256頁〔舟橋〕。反対するものとして有泉192頁以下)。

(ウ) 法定代理人が自らの利益のために隠匿・消費等をした場合　　法定代理人が自らの利益のために隠匿・消費等をした場合には，本号は適用されず，法定代理人に対する相続人からの損害賠償請求権が相続財産に含まれることになる（我妻＝立石482頁，我妻・判コメ179頁)。しかし，この見解に対しては，本号の趣旨が相続債権者との関係で限定承認・放棄の公正を維持する点にあることに鑑みて，法定代理人の主観にかかわらず本人についての効果は発生し，あとは法定代理人と本人の内部関係の問題として処理すべきであると主張するものもある（新版注民(27)〔補訂版〕533-534頁〔川井〕，潮見110頁）。

(8)　共同相続の場合における本号適用の可否

本号の場合にも，1号や2号と同様に共同相続において一部の共同相続人が本号所定の行為をした場合の扱いは問題となりうる。この問題についての判例・下級審裁判例は現時点で見当たらないが，学説は下記の3つに分けて論じている。

(ア)　共同相続人の全員が限定承認した場合　　共同相続人全員が限定承認の申述をしたが一部の共同相続人が本号所定の行為をしたという場合であっても，それによって限定承認の効力が妨げられることはない。しかし，相続債権者は本号所定の行為をした者に対して937条の責任を追及することができる（我妻＝立石483頁，我妻・判コメ180頁，中川編・註釈上257頁〔舟橋〕）。

(イ)　共同相続人の全員が放棄した場合　　共同相続人全員が放棄した場合，次順位の相続人が相続人となるが，次順位相続人につき単純承認の効果が生じる前に一部の共同相続人が本号所定の行為をした場合は，その者のみが単純承認したものとみなされ，他の同順位の共同相続人がなした放棄の効力は妨げられることはない。その結果，次順位の相続人は最初から相続権を有しないままということになる（我妻＝立石483頁，我妻・判コメ180頁，中川編・註釈上257頁〔舟橋〕）。

(ウ)　一部の共同相続人が放棄をした場合　　一部の共同相続人が放棄し，かつ，その放棄者が本号所定の行為をした場合に，依然として他の共同相続人が放棄できる自由を有することは当然である。しかし，なお限定承認も可能かについては，複数の考え方が成り立ちうる。この問題について，923条の適用上，放棄者は単純承認したものとはみなされず，他の共同相続人は（放棄者を除いて）限定承認をなしうるとした上で，937条の類推適用によって相続債権者は放棄者に対して相続財産によって弁済を受けられない債権額について，放棄者が限定承認者と共に承認すれば有したであろう相続分に応じて，その者の固有財産から弁済を受けることができると共に，限定承認をする他の共同相続人から放棄者への損害賠償請求を認めるとする説がある（我妻＝立石483頁，我妻・判コメ180頁，中川編・註釈上257頁〔舟橋〕）。これに対して，放棄者につき本号所定の行為があるとその者は単純承認したものとみなされてしまい，923条の適用上，もはや他の共同相続人は限定承認をなしえないという考え方があり得るとしながらも，他の共同相続人が限定承認の申述をしてしまえば937条が類推適用されるために結論は変わらなくなるとしているものもある（新版注民(27)〔補訂版〕535頁〔川井〕）。

(9)　先順位相続人の放棄によって相続権を取得した次順位相続人が承認した後に，放棄した先順位相続人が本号所定の行為をした場合

先順位相続人の放棄によって相続権を取得した次順位相続人が承認した後に，放棄した先順位相続人が本号所定の行為をした場合には，本号ただし書によって，放棄者は単純承認したものとみなされることはない。この規定の趣旨は，もしこの場合に単純承認したものとみなすと次順位相続人の相続権を害し，また，既に次順位相続人につき承認の効果が発生している以上，相続債権者は次順位相続人を追及すれば足り，放棄者につき単純承認をしたものとみなす必要性がないことである。この場合であっても，次順位相続人は放棄者に対して，隠匿・消費についての返還請求権と損害賠償請求権を有する（中川監修・註解179頁〔山崎〕，柚木258頁，我妻・判コメ180頁，我妻＝有泉ほか319頁，中川編・註釈上254頁〔舟橋〕，新版注民(27)〔補訂版〕535頁〔川井〕）。

本号ただし書は次順位相続人が承認した後に放棄者が本号所定の行為をした場合に適用されうると解するのが一般的であるが（中川監修・註解178頁〔山崎〕，我妻＝立石482頁，中川編・註釈上254頁〔舟橋〕），放棄者が本号所定の行為を行った後に次順位相続人による承認がなされた場合にも適用できるのであろうか。この点につき「法条の文字からは，いずれにでも解釈できそう」とするものもあるが（中川編・註釈上253頁〔舟橋〕），この場合には，本号本文を適用して放棄者が単純承認したとみなして相続債権者に責任を追及させることが公平の観念に合致するものと思われる（新版注民(27)〔補訂版〕535-536頁〔川井〕）。

〔中川忠晃〕

第2款　限　定　承　認

前注（§§ 922-937〔限定承認〕）

I　限定承認の意義と財産分離との関係

相続が行われると，被相続人に帰属していた一切の権利義務は，原則として，相続人に承継される（896条）。しかし，相続人の固有財産または相続財産が債務超過である場合には，相続人，相続人固有の債権者，相続債権者，受遺者の間で，利害の衝突が生じるおそれがある。そこで，民法は，かかる関係人間の利害調整を図る制度として，限定承認（922条以下）と財産分離（941条以下）の各制度を設けている。すなわち，限定承認は，相続人が，債務超過の相続財産を承継することによる不利益を回避するため，相続によって得た積極財産の範囲内でのみ，被相続人の債務および遺贈を弁済するという留保付きで相続をするものである。これに対し，財産分離は，相続人の固有財産と相続財産とが混同することにより，相続人の固有財産の資産状況が悪い場合には相続債権者や受遺者が，また，相続財産の資産状況が悪い場合には相続人固有の債権者が，それぞれ不利益を被らないようにするために，必要な限度で，相続財産と相続人の固有財産との混同を阻止しておく制度である。相続人の固有財産の資産状況が悪いときに相続債権者または受遺者が裁判所に請求する場合を第1種財産分離といい（941条），相続財産の資産状況が悪いときに相続人固有の債権者が請求する場合を第2種財産分離という（950条）。

II　限定承認と相続財産破産との関係

(1)　限定承認は，このように，被相続人の相続財産と，相続人の固有財産との混同の防止により，被相続人の債権者（相続債権者）・受遺者，相続人，相続人の債権者等の利害を保護・調整するという機能を有する。しかし，限定承認は，基本的に，相続人の固有財産に対する相続債権者・受遺者の追及を遮断することによって，相続人（ひいては相続人の債権者）が被る不利益を防止しようとするものにすぎず，利害関係人間の衡平を図りつつ相続財産の終局的清算を行う手続としては必ずしも十分な制度ではない。同様に，財産分離も，相続財産と相続人の固有財産とを分離し，第1種財産分離の場合には相続債権者・受遺者に相続財産から，第2種財産分離の場合には相続人の債権者に相続人の固有財産から，それぞれ優先的に弁済を得させるにとどまり（942条・948条・950条），相続財産の終局的清算を行うものではない。そこで，破産法は，相続を機に，債務超過の相続財産を厳格な手続の下で終局的な清算を行うための手続として，「相続財産の破産」（相続財産についての破産）という制度を置いている（破222条以下）。

(2)　しかし，わが国の破産法は，母法であるドイツ法（ド民1975条）とは異なり，相続財産破産に限定承認の効果を与えていないため，相続財産が債務超過の場合には，たとえ相続財産破産が行われても，なお後に相続債権者や受遺者が相続人の固有財産に対して権利行使をしてくる可能性がある（実例として，大阪高判昭63・7・29高民集41巻2号86頁）。そこで，相続人としては，相続放棄または限定承認をして，自らの固有財産への権利行使を阻止しておく必要がある。他方，相続人固有の債権者としても，相続人が相続放棄も限定承認もしないときには，第2種財産分離の請求をして，相続人の固有財産から優先的に弁済を受けられるようにしておく必要がある（破228条本文）。また，限定承認や財産分離については，民法上，期間制限があるので（924条・941条・950条），他日，相続財産の破産手続開始決定が取り消されたり（破33条3項），廃止される場合（破216条1項・217条1項）に備えて，限定承認や財産分離をしておく必要もある。そこで，破産法228条は，相続財産に対して破産手続開始決定があっても，相続人やその固有の債権者は，限定承認や第2種財産分離を請求できることにしている。こうして相続財産の破産は，現象的には限定承認や第2種財産分離と重複して行われることが多いが，限定承認や財産分離による清算手続と相続財産の破産手続とでは，前者より後者の方がより厳格かつ適正であるので，両手続が並行するときには，限定承認や財産分離による清算手続は，破産手続開始決定が取り消されたり（破33条3項），破産手続廃止の決定（破216条1項・217条1項）が確定するか，破産手続終結決定（破220条）があるまで中止されることになっている（破228条ただし書）。

⑶　とはいえ，相続財産破産の手続は，これまで長い間，ほとんど利用されてこなかった。その主たる理由は，限定承認に関する民法929条が，限定承認者に対して相続債権者や受遺者への按分弁済を義務づけているために，限定承認に基づく簡易な清算手続が，事実上，相続財産についての破産手続の代替機能を果たしてきたからである（それにもかかわらず，旧破産法は，限定承認または財産分離がなされた場合において，相続財産が債務超過の状態にあることを相続人が発見したときは，相続財産の破産申立てをしなければならないとして，相続人に相続財産破産手続の開始申立義務を課す〔旧破136条2項〕とともに，相続財産の破産手続が終結するまで限定承認・財産分離の手続を中止する旨を定め〔旧破5条ただし書〕，相続財産の破産手続が限定承認・財産分離手続に優先することを明らかにしていた。以上につき，中野貞一郎＝道下徹編・基本法コンメンタール破産法〔2版，1997〕33頁〔中島弘雅〕，中島弘雅「相続財産破産をめぐる近時の問題」法雑45巻3＝4号〔1999〕501-502頁など参照）。そこで，現行破産法は，かかる実態を踏まえ，相続人の破産手続開始申立義務を廃止し，相続財産の破産手続の優先性に修正を加えている（小川秀樹編著・一問一答新しい破産法〔2004〕310頁，伊藤眞・破産法・民事再生法〔5版，2022〕94頁，中島弘雅・体系倒産法Ⅰ〔破産・特別清算〕〔2007〕524頁など参照）。他方，相続財産破産の手続に関する立法論もかねてより主張されているが（たとえば，山本和彦「相続財産破産に関する立法論的検討」法雑45巻3＝4号〔1999〕539頁，中島・前掲論文514-515頁など），この点は将来の課題である（限定承認による清算手続と相続財産の破産手続の違いを，債権者の公平の実現と手続保障という観点から比較検討し，その問題点を明らかにする近時の研究として，濵田陽子「限定承認と相続財産の破産」岡山大学法学会雑誌68巻3＝4号〔2019〕335頁以下がある）。

Ⅲ　限定承認と民事執行手続との関係

債務者に対して強制執行手続が開始された後に，債務者が死亡したとしても，強制執行の続行は可能である（民執41条1項）。しかし，この状況下において当該債務者の相続人が限定承認をした場合（反対に，相続人が限定承認をした後に相続債権者が相続財産に対して強制執行をしてきた場合）には，強制執行手続と限定承認による清算手続がともに実施される状態が生じ得る。また同様に，被相続人の担保権者が相続財産に属する担保目的物に対して担保権実行をしてきた場合にも，限定承認による清算手続と担保権実行手続との関係が問題となる。しかし，現行法上，これらの場合に，競合する2つの手続を調整する規定は置かれていない。そのため，強制執行手続・担保権実行手続と限定承認による清算手続がどのような関係になるか，特に両手続の優劣が問題となる。本書でも必要に応じて一部の問題を取り上げているが（→§928 Ⅲ，§929 Ⅱ Ⅲ，§932 Ⅳ 1・4，§935 Ⅲ 1参照），この問題に関する全般的な検討はここでは断念せざるをえない（この問題については，さしあたり栗田隆「限定承認された相続財産の清算 ── 配当弁済と強制執行・破産との関係」金法1312号〔1992〕6頁以下，石渡哲「限定承認による清算手続と民事執行手続」横浜法学29巻3号〔2021〕1頁，特に25頁以下を参照のこと）。

〔中島弘雅〕

（限定承認）

第922条　相続人は，相続によって得た財産の限度においてのみ被相続人の債務及び遺贈を弁済すべきことを留保して，相続の承認をすることができる。

〔対照〕　フ民787・791，ド民1975，ス民580 Ⅰ・589
〔改正〕　（1025）

I　本条の趣旨

相続が行われると，被相続人に帰属していた一切の権利義務は，原則として，相続人に承継される（896条）。限定承認は，相続人が，債務超過の相続財産を承継することによる不利益を回避するため，相続によって得た積極財産の範囲内でのみ，被相続人の債務および遺贈を弁済するという留保を付して相続を承認する意思表示をすることができる。本条は，限定承認という単語を用いていないが，実質的には限定承認の定義規定である（新基本法コメ142頁〔川淳一〕）。

II　限定承認の方式・主体

1　限定承認の方式

限定承認をしようとする相続人は，相続開始後の熟慮期間内に（915条1項），所定の方式に従い（924条参照），限定承認の手続を採らない限り，その効果を享受することはできない。現行民法が，相続に際し，相続人が承認するか，放棄するかを自由に選択できることを，立法の理念としていることからすると，相続債権者が被相続人の財産（相続財産）の範囲内でのみ弁済を受けるというのは当然のことのようにも思われる。しかし，現行民法は，限定承認の効果を享受するには，所定の方式を採らなければならないことを明確にしている（詳細については，→§924参照）。

2　限定承認の主体

本条は，相続人が限定承認をすることができると定めているが，包括受遺者（964条）は，相続人と同一の権利義務を有するので（990条），包括受遺者も限定承認をすることができる（我妻＝立石587頁，基本法コメ121頁〔和田幹彦〕，新基本法コメ142頁〔川〕など）。

III　限定承認の効力

1　効力をめぐる学説の対立状況

限定承認の効力については，限定承認によって相続財産は，相続人の固有財産から分別された独立の財団を構成し，相続債務はこの財団が負担すると解する見解もある（川島139頁以下。磯村哲「債務と責任」谷口知平＝加藤一郎編・民法演習III（債権総論）〔1958〕9-10頁，泉久雄「遺産債務の性質」勝本正晃還暦・現代私法の諸問題(上)〔1959〕111頁も参照）。しかし，判例・通説は，限定承認をした相続人は，被相続人の債務全体を承継するものの，その責任が相続財産の限度に限定されると解している（大判昭7・6・2民集11巻1099頁，我妻・判コメ185頁，青山・家族法論II 330頁，新版注民(27)507頁〔小室直人〕，新版注民(27)〔補訂版〕548頁〔小室直人＝浦野由紀子〕など)。判例・通説の見解が妥当である。

2　相続によって得た財産

(1)「相続によって得た財産」の意義

限定承認において相続債務の引当てになるのは，相続人が相続によって得た財産である。これは，相続によって相続人が承継した被相続人の財産に属した一切の権利義務のうち，権利に当たるもの，すなわち，積極財産を指す。消極財産は，「相続によって得た財産」には含まれない(新版注民(27)502頁〔小室〕，新版注民(27)〔補訂版〕542頁〔小室＝浦野〕，基本法コメ121頁〔和田〕，新基本法コメ142頁〔川〕など)。

(2)　生命保険金請求権

相続人が取得した生命保険金請求権が「相続によって得た財産」に当たるか否かが問題となる(詳細については，→§896 III 2参照)。

(3)　相続財産から生じた果実等

相続開始後に相続財産から生じた果実等が「相続によって得た財産」に当たるか。判例は，相続財産から生じた賃料その他の果実につき，これに当たるとし(大判大3・3・25民録20輯230頁)，さらに，相続財産たる株式から生ずる利益配当請求権につき，たとえ相続開始後の株主総会において確定し，相続人の名前で取得したとしても，ここにいう「相続によって得た財産」に当たるとしている(大判大4・3・8民録21輯289頁)。民法926条2項が同646条の準用によって，限定承認をした者に，果実の引渡義務を課していることも，かかる解釈を基礎づけるものといえる(新基本法コメ142頁〔川〕)。

(4)　被相続人による生前処分の対象となった財産と登記

大審院の判例は，被相続人が不動産を第三者に譲渡したものの，移転登記手続をすることなく相続が開始し，限定承認がされた場合につき，限定承認によって未移転登記の財産が相続債権者および受遺者に対する弁済のための引当財産であるという性質が確立することを理由に，第三者は，後日登記を具備したとしても相続債権者および受遺者に対抗できないと判示している(大判昭9・1・30民集13巻93頁)。同様にまた，被相続人が所有不動産に抵当権を設定したものの，未登記のまま相続が開始し，限定承認がされた場合についても，その抵当権者は，相続債権者および受遺者に対し抵当権をもって対抗できないと判示している(大判昭14・12・21民集18巻1621頁)。もっとも，相続開始前に所有権移転登記請求権保全の仮登記がなされていれば，たとえ限定承認後に本登記がなされても，所有権取得をもって相続債権者に対抗することができる（最判昭31・6・28民集10巻6号754頁，中川＝泉410頁）。

以上のように，被相続人による生前処分につき，その相手方は，対抗要件を具備しなければ相続債権者に対抗できないが，他方で，判例（最判平10・2・13民集52巻1号38頁）は，不動産の死因贈与の受贈者が，贈与者（被相続人）の相続人でもあった場合において，その者が限定承認をしたときは，死因贈与に基づく限定承認者（相続人）への所有権移転登記が相続債権者による差押登記よりも先になされたとしても，信義則に照らし，限定承認者は相続債権者に対して不動産の所有権取得を対抗することができないとしている（なお，死因贈与を，限定承認との関係で，遺贈と同様に取り扱うべきか否かという点については，→§931 III 2参照）。これは，相続債務を弁済すべき立場にある相続人が，その責任を相続財産の範囲に限定しておきながら，債務の引当てとなるべき財産を自身が優先的に取得し，もって相続債権者に対する責任を免れようとする態度が公平に反するとの評価に基づくものであり，その判断は妥当と思われる（工藤祐厳〔判批〕法教214号〔1998〕111頁，武川幸嗣〔判批〕民百選III 3版169頁参照。もっとも，内田454頁も参照）。

3　被相続人の債務（相続債務）

相続人が「相続によって得た財産」の中に賃借権が含まれる場合には，相続開始後に賃料債務が発生するのが一般的である。この賃料債務の扱いはどうなるのか。この点につき，大審院の判例は，相続開始後に発生した賃料債務は，管理費用とも目しがたいとして，被相続人の債務ではなく，相続人が固有の財産をもって弁済すべき相続人固有の債務であるとする（大判昭10・12・18民集14巻2084頁）。

しかし，学説には，相続人がその賃貸借を自己固有の契約として存続させる旨を明示または黙示に意思表示したか否かを問題とすることなく，当然に相続人固有の債務とするのは誤りであるとする見解（中川編・註釈上258頁〔吾妻光俊〕）や，賃借権には財産的価値があり，これを換価して相続債務の弁済に充て得る場合には，賃料債務は相続債務となるとする見解（我妻＝立石487-488頁，我妻・判コメ185頁），賃借権を換価して相続債務（被相続人の債務）の弁済に充てることができる場合だけでなく，限定承認者が賃貸借の目的物を管理中に利用しているにすぎない場合も，賃料債務は相続債務であり，ただ，相続人が自己の契約として存続させる意思で目的物を使用している場合には，賃料債務は相続人の固有の債務となるとする見解（新版注民(27)505頁〔小室〕，新版注民(27)〔補訂版〕546頁〔小室＝浦野〕，注解全集341頁〔竹下史郎〕など）等がある。

4　限定承認者の責任――相続財産を限度とする弁済

(1)　債務と責任の分離

本条は，限定承認をした相続人は，積極財産たる相続財産の限度においてのみ被相続人の債務を弁済する旨を規定している。このことの趣旨については，債務と責任の分離として説明される（新版注民(27)507頁〔小室〕，新版注民(27)〔補訂版〕548頁〔小室＝浦野〕，太田112頁，中川＝泉401頁，深谷234頁，有地454頁，内田452頁，二宮339頁，潮見91頁など）。限定承認をした相続人は，債務すべてを承継するが，その責任が相続によって取得した財産に物的に限定されるということである（前掲大判昭7・6・2，新版注民(27)507頁〔小室〕，新版注民(27)〔補訂版〕548頁〔小室＝浦野〕，石渡哲「限定承認による責任制限の手続上の主張」横浜法学27巻3号〔2019〕46-48頁）。

そのため，限定承認をした相続人が，物的有限責任の限度を超えて自己の固有財産をもって任意に相続債務（被相続人の債務）を弁済しても，その弁済は非債弁済とはならず，したがって，不当利得返還請求権も成立しない（我妻・判コメ185頁，新判例コメ(15)74頁〔許末恵〕，新基本法コメ143頁〔川〕）。また，債務自体の縮減は生じないから，相続債務につき保証をした者や重畳的債務引受をした者の債務に対する責任も，相続人の限定承認によって何ら影響を受けない（大判大13・5・19民集3巻215頁，我妻・判コメ185頁，中川＝泉408頁）。

(2)　被相続人に対して債権を有するとともに同種の債務を負担する相続債権者による，限定承認後の相殺の可否

本条にいう弁済は，原則として「債権額に応じた弁済」である（929条）。では，被相続人に対して債権を有するとともに同種の債務を負担する相続債権者がいる場合において，限定承認の申述前に相殺適状にあるときに，相続債権者からする相殺が認められるか。この点につき，下級審裁判例（東京地判平9・7・25判タ971号167頁）は，この場合における相続債権者の相殺に対する期待は合理的なものであるとして，限定承認受理後であっても，相殺を

する相続債権者が限定承認者にとって知れているものであることを前提として，相殺適状に達した後においては，その対当額において相殺することができると判示している（以上につき，新版注民(27)〔補訂版〕547頁〔小室＝浦野〕，新基本法コメ143頁〔川〕参照）。

(3) 手続に関する問題

限定承認がなされても債務そのものには何ら影響はないので，相続債権者としては債務の全額を請求する訴えを提起することができる。しかし，このとき，責任財産は限定承認によって相続財産に限定されているので，裁判所は，相続財産が債務の完済に足りるかどうかを確定することなく，債務の全部につき給付の判決をなし，ただ，相続財産の限度においてのみ執行すべき旨を表示する留保を付さなければならない（前掲大判昭7・6・2，我妻・判コメ185頁，新版注民(27)507頁〔小室〕，新版注民(27)〔補訂版〕548頁〔小室＝浦野〕など）。この留保付き給付判決が確定した後に，相続債権者が，後日，留保付き判決の基礎となる事実審の口頭弁論終結時以前に存在した限定承認と相容れない事実（たとえば，921条所定の法定単純承認の事実）を主張して，同一の相続債権につき無留保の判決を得るために新たに訴えを提起することは認められない（最判昭49・4・26民集28巻3号503頁，新版注民(27)508頁〔小室〕，新版注民(27)〔補訂版〕549頁〔小室＝浦野〕，鈴木76頁，新基本法コメ144頁〔川〕）。

相続債務についての給付訴訟において，相続人が限定承認の抗弁を提出しなかったために，無留保の給付判決が確定した場合に，事実審の口頭弁論終結時（既判力の基準時）以前に存在した限定承認の事実を異議事由として請求異議の訴え（民執35条）を提起できるか否かについては争いがある。この点については，責任の限定は執行文の中に明示すべきであるから，執行文付与に関する異議（民執32条）または執行文付与に対する異議の訴え（民執34条）によるべきであるとする説（兼子一・増補強制執行法〔1951〕52頁）や，相続人は相続財産の範囲内でのみ責任を負うにすぎず，これ以外の財産に対する執行からの救済は，第三者異議の訴え（民執38条）によるべきであるとする説（我妻・判コメ186頁，中川善之助＝兼子一監修・実務法律体系7〔強制執行・競売〕〔1974〕117頁〔石川明〕，鈴木忠一＝三ヶ月章編・注解民事執行法(1)〔1984〕577頁〔吉井直昭〕，中川＝泉412頁，鈴木76頁，石渡・前掲論文51-52頁など）もある。しかし，以下の理由から，請求異議の訴えによると解すべきである（大判昭15・

2・3民集19巻110頁，大阪高判昭60・1・31高民集38巻1号13頁，三ケ月章・民事執行法〔1981〕102頁，福永有利・民事執行法・民事保全法〔2版，2011〕87頁。これに対し，菊井維大・強制執行法（総論）〔1976〕231頁，中野貞一郎＝下村正明・民事執行法〔改訂版，2021〕243頁，浦野雄幸編・基本法コンメンタール民事執行法〔6版，2009〕118頁〔奈良次郎〕は，限定承認を請求異議事由として主張することは，前訴確定給付判決の既判力に抵触するとする)。第1に，責任の範囲を相続財産に限定することは，本来，請求権の属性の問題であるから，限定承認の成否を執行文付与の問題として執行文付与に関する異議の決定手続で処理するのは妥当ではなく，判決手続たる請求異議訴訟における異議事由とするのが適切であるという点である。第2に，限定承認を主張する相続人が求めているのは，「相続財産以外の財産に対する強制執行の一般的不許」であるから，特定の財産に対する強制執行の不許を求める第三者異議の訴えは，この場合，必ずしも適切な救済方法とはいえないという点である。もっとも，現実に差し押さえられた特定財産が相続財産と相続人の固有財産のいずれに属するかが争われている場合には，限定承認をした相続人は第三者異議の訴えを提起できると解される（以上につき，中西正ほか・民事執行・民事保全法〔2版，2021〕95-96頁〔中島弘雅〕)。

〔中島弘雅〕

（共同相続人の限定承認）

第923条　相続人が数人あるときは，限定承認は，共同相続人の全員が共同してのみこれをすることができる。

〔対照〕　フ民792-2，ド民2062，ス民580 Ⅲ

I　本条制定の経緯と本条の趣旨

限定承認について現行民法は，明治民法の規定の多くを引き継いだが，明治民法では，単独相続である家督相続が主要な相続形態であったので，共同相続における限定承認については規定がなく，相続人が単独で限定承認をすることができるか否かは明らかではなかった。単独での限定承認を認めると，その相続分の限度で相続債務の弁済をすることになるので，相続財産の分割前に限定承認による清算手続を行うことには困難を伴うことになる。しかし，明治民法下における遺産相続について，臨時法制審議会（大正8年設置）の民法相続編中改正ノ要綱（昭和2年公表）は，すでに「遺産相続人数人アル場合ニ於テ其一人ガ限定承認ヲ為シタルトキハ相続財産ノ全部ニ付キ限定承認ニ因ル清算手続ヲ為ス趣旨ヲ明ニスルコト」として，相続人単独での限定承認を認める方向を打ち出していた（同要綱7の2）。この要綱の立場に従えば，単独の限定承認を認め，その場合には，相続財産全部について限定承認による清算手続を行い，債務の残額を各共同相続人の相続分の割合に応じて分割し，単純承認をした者にだけ，その割当額を負担させる方法をとることになる。この方法は，手続的には煩雑であるものの，きわめて合理的であり，また債権者にとっても有利である（このことにつき，我妻・解説206頁，中川監修・註解183頁〔山崎邦彦〕参照）。

しかし，本条は，この方法を採用せず，相続人が数人ある場合の限定承認は，共同相続人が全員共同してしなければならないとし，そのうちの1人または数人の者のみで限定承認をすることはできないことにした。このことは，共同相続人の中に，限定承認を希望する者とそれを欲しない者とがいる場合に，前者が相続債務の負担を避けようと思うときは，相続放棄をすればよいとの立場を採ったことを意味する（我妻・判コメ187頁参照）。その主要な目的は，法律関係や手続を簡明にするためであるとともに，わが国には「親のために限定承認をしない」という気持ちの相続人が少なからず存在することに配慮したためであるとされる（このことにつき，我妻・解説206頁，我妻・判コメ187頁参照。また，新版注民(27)512-513頁〔小室直人〕，新版注民(27)〔補訂版〕555頁〔小室直人＝浦野由紀子〕も参照）。

かかる本条の基本的態度に対しては，「法律関係の平明な点のみならず，当然相続主義の下で単純承認を相続の原則的形式とした〔現行民法の〕建前からも，本条の規定の方がよいように思われる」（中川監修・註解183頁〔山崎〕。同旨，山崎邦彦「限定承認」現代家族法大系V 163頁）といった評価もある。

しかし，これに対しては，親のために限定承認をしないという「父債子還」の観念は，現行民法が否定したはずの「家」制度の名残であり，近代相続法の原理からは，単独の限定承認を本則とすべきであって，一部の「父債子還」の観念をもつ相続人のために，他の相続人の限定承認しようとする意思を犠牲にするのは疑問であるとの批判が，立法当初から存在する（中川編・註釈上262-263頁〔吾妻光俊〕。同旨，青山・家族法論II 329頁，新版注民(27)512-513頁〔小室〕，基本法コメ121-122頁〔和田〕)。加えて，本条は，共同相続人の中に単純承認者と限定承認者とが混在する事態を避けて，法律関係や手続の複雑化を防ごうという趣旨の規定であるが，現行法上，少なくとも民法937条が適用される場面では，単純承認と限定承認とが併存する事態がなお生じてしまうことを理由に，むしろ限定承認が各相続人の固有の権利であることを貫徹し，本条を廃止すべきであるとする立法論が有力学者によって主張されている（鈴木78頁，伊藤395頁・396頁)。

II　本条の適用

1　共同相続人全員による限定承認

共同相続人が数人いる場合には，そのうちの1人が限定承認を欲しても，全員が共同してしなければ限定承認をすることができない。そのため，共同相続人の中に1人でも限定承認を欲しない者がいる場合には，他の共同相続人は放棄か単純承認かのどちらかをしなくてはならない（於保106頁，鈴木74頁，太田112頁)。

熟慮期間（915条1項）内に共同相続人全員で限定承認の申述受理の申立てをしたものの，共同相続人の1人が限定承認の意思をなくして取下げをすると，限定承認の申述は却下されることになる。そしてそれが熟慮期間を超えていれば，相続放棄の申述も不可能となってしまう。そこで，実務上は，申立ての趣旨を，限定承認の申述から放棄の申述に変更することを認める取扱いや，却下審判の確定前に放棄の申立てを認める取扱いがなされていたが（このことにつき，遠藤賢治「民法915条1項所定の熟慮期間の起算点」曹時63巻6号〔2011〕1281頁)，家事事件手続法201条5項6項は，その変更の手続を明確にして，この問題を解決した（以上につき，梶村＝徳田編435頁〔稲田龍樹〕参照)。

2　共同相続人の一部の者が行方不明の場合の処理

共同相続人の一部の者が行方不明の場合に，限定承認ができるか否かが問題となる。この点については，まず，他の共同相続人は，家庭裁判所に不在者の財産管理人の選任を求める必要があり（25条，家事別表第一55項），その上で，その選任された財産管理人が，権限超越行為であることを理由に家庭裁判所の許可を得て（28条），不在者を代理して，他の共同相続人とともに限定承認の申述をなせばよいと考えられる（注解判例707頁〔笹本忠男〕）。というのは，判例・通説によると，法定代理人たる親権者は未成年の子に代わって相続放棄や承認ができると解されているので（大決昭4・3・9民集8巻106頁，中川善之助・身分法の総則的課題〔1941〕156頁，穂積重遠〔判批〕判民昭和4年度〔1931〕222-224頁など），かかる理解を前提にすると，法定代理人たる不在者財産管理人としては，民法28条所定の家庭裁判所の許可を得れば，他の共同相続人とともに，限定承認をすることができると解されるからである（谷口知平ほか編・大阪家庭裁判所家事部決議録〔1960〕168頁以下〔塩見秀則〕，新版注民(27)513-514頁〔小室〕，新版注民(27)〔補訂版〕556-557頁〔小室＝浦野〕）。

3　共同相続人中に相続放棄または単純承認をした者がいる場合の処理

前述のように，共同相続人中に，限定承認を希望する者とそれを欲しない者とがいる場合に，相続債務の負担を避けようと思う共同相続人は，相続放棄をすればよい。相続放棄をした者は，はじめから相続人にならなかったものとみなされるから（939条），相続放棄者を除く他の共同相続人全員で，なお限定承認をすることができる。他方，共同相続人中に，単純承認の意思表示をした者がいるときは，他の共同相続人は限定承認をすることができない（新版注民(27)〔補訂版〕557頁〔小室＝浦野〕。→§937 IV 2参照）。

4　共同相続人中に法定単純承認事由に該当する者がいる場合の処理

共同相続人中の1人または数人について法定単純承認事由（921条）がある場合については，検討を要する。

(1)　共同相続の場合の熟慮期間（915条1項）は，各共同相続人がそれぞれ自己のために相続開始があったことを知った時から各別に進行するので（最判昭51・7・1家月29巻2号91頁，中川編・註釈上262頁〔吾妻〕，有地449頁など），共同相続人中に，熟慮期間を徒過したために単純承認をしたとみなされる者がいる場合（921条2号）であっても，熟慮期間が満了していない他の相続人としては，単純承認をしたとみなされる者を含む共同相続人全員の同意を得て，共同で限定承認をすることができると解すべきである（東京地判昭30・5・6下民集6巻5号927頁，我妻＝立石479頁，我妻・判コメ176頁，中川＝泉395-396

頁，深谷236頁，新版注民(27)〔補訂版〕557頁〔小室＝浦野〕，新判例コメ(15)79頁〔許末恵〕など。これに反対するのは，潮見91頁。さらに，→§915 III 2，§937 IV 1参照)。

(2)　これに対し，共同相続人中に，相続財産の全部または一部を処分したために単純承認をしたとみなされる者がいる場合（921条1号），または，限定承認または放棄の意思表示をした後に，相続財産の全部または一部を隠匿したり，私にこれを消費しまたは悪意でこれを相続財産目録中に記載しなかった者がいる場合（同3号）については，検討を要する。というのは，民法937条は，共同相続人の一部に921条1号または3号所定の法定単純承認事由が生じている場合につき，それらの法定単純承認者を除く他の共同相続人については限定承認が有効になされたものとし，当該法定単純承認者についても限定承認が有効なものとして清算手続を進めた上で，相続債権者が相続財産から弁済を受けられなかった債権額につき，法定単純承認者に相続分に応じた単純承認の責任を負わせているからである（→§937 II 2参照）。

このうち，共同相続人中に民法921条1号の法定単純承認事由に該当する者がいる場合につき，その事実が限定承認申述時に家庭裁判所に明白となったときは，もはや限定承認の申述を受理することはできないとする審判例・有力学説がある（富山家審昭53・10・23家月31巻9号42頁，山崎邦彦「限定承認」家族法大系VII 79-80頁，中川＝泉406頁，注民(25)370頁〔川井健〕，新版注民(27)514頁〔小室〕，新版注民(27)〔補訂版〕557頁〔小室＝浦野〕)。しかし，上記の民法937条の趣旨を考慮すると，この場合にも，なお共同相続人全員の同意を得て限定承認をすることができると解すべきであるとする見解もある（泉ほか236-237頁〔上野雅和〕，椿寿夫「相続の承認・放棄と債権者」判タ403号〔1980〕16頁，新判例コメ(15)79頁〔許〕)。共同相続人中に民法921条3号の法定単純承認事由に該当する者がいる場合についても，同様の問題が生じ得る。前者の見解に従えば，限定承認の申述は受理できないことになるが，後者の見解によれば，この場合にもなお限定承認をすることができると解することになろう。

5　限定承認がなされた共同相続財産の管理

共同相続において限定承認がなされた場合には，限定承認の手続進行の円滑のために，家庭裁判所が共同相続人の中から相続財産清算人を選任しなければならない（936条。詳細は，→§936 II参照)。

〔中島弘雅〕

（限定承認の方式）

第924条　相続人は，限定承認をしようとするときは，第915条第1項の期間内に，相続財産の目録を作成して家庭裁判所に提出し，限定承認をする旨を申述しなければならない。

〔対照〕 ド民788〜790，フ民1993〜1995，ス民580Ⅱ・581

〔改正〕 （1026） 本条＝昭23法260改正

Ⅰ　本条の趣旨

限定承認は，本条所定の方式に従ってしなければ，その効力を生じない。限定承認は，単純承認や放棄と比べて複雑な制度であることに加え，相続債権者や受遺者その他の利害関係人に重大な影響を及ぼすため，資産・負債の額や内容を明らかにする必要があることが，こうした方式が要求される理由である（中川編・註釈上263頁〔吾妻光俊〕，新判例コメ(15)80頁〔許末恵〕，基本法コメ122頁〔和田幹彦〕など参照）。

Ⅱ　限定承認の期間

限定承認の意思表示ができる期間（熟慮期間）は，3か月であり，その起算点は相続人が自己のために相続の開始があったことを知った時である（915条1項）。もっとも，この熟慮期間は，家庭裁判所において伸張されることがある（同項ただし書）。相続人が承認や放棄をしないで死亡したときは，その者の相続人が自己のために相続の開始があったことを知った時が，また相続人が未成年者または成年被後見人であるときは，その法定代理人が未成年者または成年被後見人のために相続の開始があったことを知った時が，3か月の熟慮期間の起算点となる（916条・917条）。

相続人が数人ある場合の限定承認は，共同相続人が全員共同してのみすることができるが（923条），熟慮期間は，各共同相続人ごとに各別に進行するので，共同相続人中に，熟慮期間を徒過したために単純承認をしたとみなされる者がいる場合（921条2号）であっても，熟慮期間が満了していない他の相続人は，単純承認をしたとみなされる者を含む共同相続人全員の同意を得て，共同で限定承認をすることができると解すべきである（詳細は，→§923 II 4(1)参照）。

III　限定承認の申述

1　申述の方式

限定承認の申述は，相続財産の目録を作成し，それと限定承認をする旨の申述書とを，相続開始地を管轄する家庭裁判所に提出してしなければならない（本条，家事201条1項5項）。この申述書には，①当事者および法定代理人，②被相続人の氏名および最後の住所，③被相続人との続柄，④相続の開始があったことを知った年月日，⑤相続の限定承認をする旨を記載しなければならない（家事201条5項，家事規105条1項）。管轄権のない家庭裁判所へ申述をしたときは，家庭裁判所は，管轄権のある家庭裁判所に移送してもよいし，事件を処理するために特に必要があると認めるときは，事件を他の家庭裁判所に移送するか，または自ら処理してもよい（家事9条1項。以上につき，中川監修・註解185-186頁〔山崎邦彦〕，新版注民(27)516頁〔小室直人〕，新版注民(27)〔補訂版〕560頁〔小室直人＝浦野由紀子〕参照）。

2　財産目録の作成

(1)　本条にいう目録の形式・内容は特に法定されていない。したがって，それについては，目録作成の目的から推論していくしかない。相続財産目録を作成する目的は，債務の引当てとなるべき財産の範囲を明確にして，相続人の固有財産との混同を防止し，後日の不正行為の予防を図り，そのことを通じて，相続債権者や受遺者の保護を期することにある。したがって，相続人は，基本的に，相続財産が存在する限り，積極財産についてはもちろんのこと，消極財産についても，細大漏らさず，なるべく正確に記載するよう努めなければならない（大阪家審昭44・2・26家月21巻8号122頁）。しかし，必ずしも価格まで記載する必要はない（以上につき，新判例コメ(15)80頁〔許〕，新基本法コメ145頁〔川淳一〕）。

(2)　相続人が故意に相続財産の全部または一部を目録に記載しなかった場合には，限定承認の申述が受理された後でも，単純承認をしたものとみなされることがある（921条3号）。消極財産（相続債務）を悪意で記載しなかった場合にも，背信行為として単純承認をしたものとみなされるか否かについては争いがある。判例は，民法921条3号にいう「相続財産」には，消極財産（相続債務）も含まれるので，限定承認をした相続人が消極財産を悪意で記載しなかったときにも，単純承認をしたものとみなされることがあるとする（最判昭61・3・20民集40巻2号450頁。学説にもこれを支持するものが多い。中川良延〔判批〕昭61重判解84頁，鈴木39頁，注民(25)376頁〔川井健〕，新版注民(27)515頁〔小室〕，新版注民(27)〔補訂版〕559頁〔小室＝浦野〕，基本法コメ118頁〔和田〕，潮見110頁など）。しかし，消極財産の不記載によって当該債権者の権利に消長をきたすものではないので，単純承認とみなすのは疑問である（この種の無知な害意ある行為に対しては損害賠償責任を負わせれば足りる）とする有力学説がある（中川＝泉400頁。同旨，内田貴〔判批〕法協104巻8号〔1987〕1227頁）。

他方，善意の記載漏れについては，後日訂正することができ，利害関係人または検察官の請求によって，財産目録の再作成（再調製）を要求することもできると解されている（近藤・下806頁，中川監修・註解185頁〔山崎〕，新版注民(27)515頁〔小室〕，新版注民(27)〔補訂版〕559頁〔小室＝浦野〕，新判例コメ(15)80頁〔許〕など）。

(3)　相続財産がない場合に，限定承認を認めるべきか否かについては，検討を要する。限定承認は，相続財産の限度で，相続人に相続債務および遺贈を弁済させる制度であるから，相続財産がない場合には，相続放棄をすれば足り，限定承認をする実益が乏しいようにも思われる。しかし，後日，相続財産が発見された場合には，放棄よりも限定承認の方が債権者も弁済が受けられやすく，また残余財産が生じたときには，相続人にも有利なので，申述の際に相続財産が皆無であっても，相続財産をゼロとし，相続債務のみを記載した財産目録を提出させ，限定承認の申述を受理するのが妥当である（谷口知平ほか編・大阪家庭裁判所家事部決議録〔1960〕172頁以下〔谷村経頼〕，新版注民(27)515頁〔小室〕，新版注民(27)〔補訂版〕559-560頁〔小室＝浦野〕，新判例コメ(15)80頁〔許〕など）。この点に関し，相続人の調査にもかかわらず，積極財産，消極財産ともに不明の場合には，財産目録を調製せず，限定承認申述書にその旨を付記すれば足りるとする審判例がある（前掲大阪家審昭44・2・26）。

Ⅳ　家庭裁判所による限定承認受理の審判

限定承認の申述とは，単なる届出ではなく，限定承認の意思表示をして，その真意に出たものであることを，家庭裁判所に認めてもらう審判を求めることである（中川編・註釈上295頁〔中川善之助〕，中川＝泉404頁参照）。受理の審判は，家事事件手続法別表第一事件に属する審判事件である（家事別表第一92項）。限定承認は，その受理審判によって成立する。

限定承認の申述は，法定の記載事項（当事者・法定代理人，限定承認をする旨）を記載した申述書を家庭裁判所に提出してしなければならない（家事201条5項）。家庭裁判所は，限定承認の申述を受理するときは，申述書にその旨を記載しなければならない。そして，限定承認受理の審判は，申述書にその旨が記載された時に，効力が生ずるとされている（同条7項）。なお，家事事件手続法201条7項は，令和5年6月14日に公布された民事関係手続等における情報通信技術の活用等の推進を図るための関係法律の整備に関する法律によって改正された（施行期日は，公布の日から起算して5年内〔令和10年6月13日まで〕の政令で定める日）。したがって，新しい規定施行後は，家庭裁判所は，限定承認の申述を受理するときは，その旨の電磁的記録を作成し，ファイルに記録しなければならず，限定承認受理の審判は，その記録をされた時に，効力が生ずることとなる（家事新201条7項）。

限定承認受理審判の法的性質については，見解が分かれる。すなわち，①申述の受理は，意思表示を受理する事実行為であり，裁判ではないとする非裁判説（大決昭9・1・16民集13巻20頁，中川編・註釈上264頁〔吾妻〕，鈴木忠一・非訟事件の裁判の既判力〔1961〕44頁ほか），②当事者が事件の目的たる私権関係を形成するための受動的裁判であるとする裁判説（中島弘道・非訟事件手続法〔現代法学全集12〕〔1929〕300頁。なお，中川監修・註解185頁〔山崎〕は，申述の受理は審判であるから，申述書の提出だけではまだ成立したわけではなく，審判により成立し，申述者に対する告知によって効力が生ずるとする。これも同旨か），③申述の受理は，申述のあった事実を公証し，その意思表示のあったことを記録する，準審判ともいうべき広義の裁判であるとする準裁判説（東京高判昭27・11・25高民集5巻12号586頁，富山家審昭53・10・23家月31巻9号42頁，山木戸克己・家事審判法〔1958〕46頁）などがある（以上につき，岡垣・家審講座Ⅱ148-149頁，松原Ⅲ178頁，新判例コメ(15)82頁〔許〕参照)。

家庭裁判所が，限定承認の申述を受理するに当たり，申述書に法定の記載事項が記載されているか，共同相続人が共同で申述をしているかなどの形式的要件について審査するのは当然であるとして，それに加えて，実質的要件，たとえば，申述が申述人の真意に基づくか否か，申述人が真正の相続人か否か，単純承認とみなされる場合（921条1号）に当たらないかなどの点も審査できるか否かについては，上記の受理審判の法的性質の理解とも関連して議論がある。この点につき学説では，家庭裁判所の審査の範囲は，申述者の真意（詐欺・強迫，錯誤に基づくものではないこと）の確認と，法定の形式的要件の審査で足り，それ以上に実質的要件の審査をする権限は家庭裁判所にはないとする見解がかねてより有力に主張されている（中川＝泉404頁・406頁・427頁，新版注民(27)516頁〔小室〕，新版注民(27)〔補訂版〕560頁〔小室＝浦野〕，佐上善和・家事審判法〔2007〕276頁など）。しかし，近時は，むしろ，限定承認の申述が実質的要件を明白に欠くかどうかまでも，家庭裁判所の審査対象であると解する見解が有力となっている（岡垣・家審講座Ⅱ146頁，武田央「相続の承認及び放棄」岡垣学＝野田愛子編・講座・実務家事審判法(3)〔1989〕50-51頁，松原Ⅲ178頁など）。かかる近時の有力説に従い，限定承認の申述人につき民法921条所定の法定単純承認事由があることが家庭裁判所に明白になった場合には，裁判所は限定承認の申述を受理できないと判示した審判例もある（前掲富山家審昭53・10・23）。もっとも，実質的要件も審査の対象であるとする見解を採るとしても，実質的要件が具備されていないことが明白でない限り，家庭裁判所としては，受理の審判をなすべきであって，その効力の確定は，別途，民事訴訟に委ねられるべきであることは当然の前提となる（松原Ⅲ179頁，新基本法コメ145頁〔川〕）。

限定承認の申述を却下する審判に対しては，申述人のみが即時抗告をすることができる（家事201条9項3号）。これに対し，限定承認の申述受理の審判に対しては即時抗告は認められていない。受理の審判は，限定承認の意思表示を家庭裁判所が受領し，これが相続人の真意に基づくことを公証するものだからである（佐上・前掲書276頁）。相続債権者であっても不服申立てはできない（前掲大決昭9・1・16）。受理の審判に対して利害関係を持つ相続債権者が審判の無効を主張する方法としては，相続人に対して相続債権の履行を求める訴訟において，先決関係として争うべきである（我妻＝立石494頁，新版注民(27)516頁〔小室〕，新版注民(27)〔補訂版〕560-561頁〔小室＝浦野〕）。

〔中島弘雅〕

（限定承認をしたときの権利義務）

第925条　相続人が限定承認をしたときは，その被相続人に対して有した権利義務は，消滅しなかったものとみなす。

〔対照〕　フ民791①②，ド民1976

〔改正〕　(1027)

I　本条の趣旨

相続の効果は，被相続人死亡時から，相続人が，「被相続人の財産に属した一切の権利義務を承継する」のが原則である（896条本文）。

しかし，この原則を限定承認にそのまま当てはめると，相続財産の限度で，被相続人の債務および遺贈を弁済するという限定承認制度の趣旨を活かすことができず，限定承認制度の目的である，被相続人の相続財産と，相続人の固有財産との混同の防止による，被相続人の債権者（相続債権者）・受遺者，相続人，相続人の債権者等の利害の保護・調整を図ることもできない。そこで，本条は，被相続人と相続人の間でも，相続財産を相続人の固有財産から分離して清算するために，混同による権利義務の消滅を認めないことを明らかにしている。

II 「被相続人に対して有した権利義務」の意義・範囲

被相続人に対して有する権利は，債権も物権も含み，被相続人に対して負う義務は，債務だけでなく物的責任も含む。したがって，相続人が被相続人を相続した場合において，限定承認をしたときだけでなく，たとえば，連帯債務者の1人が他の連帯債務者を相続し，あるいは，保証人が主たる債務者を相続した場合において，それらの者が限定承認したときも，相続人固有の債務と相続により承継した債務とは責任の範囲を異にするので，相続により両債務は混同しないと解される（大判昭3・6・29民集7巻602頁，東京控判昭12・9・30新聞4210号7頁，我妻＝立石494-495頁，中川編・註釈上266頁〔山畠正男〕，我妻・判コメ189頁，新版注民(27)518頁〔小室直人〕，新版注民(27)〔補訂版〕562頁〔小室直人＝浦野由紀子〕，新判例コメ(15)84頁〔許末恵〕，基本法コメ123頁〔和田幹彦〕，新基本法コメ145-146頁〔川淳一〕）。

Ⅲ　限定承認前の相殺の効力

限定承認をする前に，相続債権者が被相続人に対する債権と相続人に対する債務とを相殺していた場合に，これを有効とすると，限定承認制度の目的に反する。そこで，本条の趣旨に照らし，限定承認をした時点で，相殺は遡及的に効力を失うと解されている（中川編・註釈上266頁〔山畠〕，新判例コメ(15)84頁〔許〕，新版注民(27)518頁〔小室〕，新版注民(27)〔補訂版〕563頁〔小室＝浦野〕，基本法コメ123頁〔和田〕，新基本法コメ146頁〔川〕）。他方，相続人自身が上記のような相殺をなしたときは，法定単純承認事由となる（新版注民(27)518-519頁〔小室〕，新版注民(27)〔補訂版〕563頁〔小室＝浦野〕，基本法コメ123頁〔和田〕）。

〔中島弘雅〕

（限定承認者による管理）

第926条①　限定承認者は，その固有財産におけるのと同一の注意をもって，相続財産の管理を継続しなければならない。

②　第645条，第646条並びに第650条第1項及び第2項の規定は，前項の場合について準用する。

〔対照〕　フ民800 Ⅰ～Ⅲ，ド民1978

〔改正〕　(1029)　②＝令3法24改正

（限定承認者による管理）

第926条①　（略）

②　第645条，第646条，第650条第1項及び第2項並びに第918条第2項及び第3項の規定は，前項の場合について準用する。

I　本条の趣旨

相続人が，単純承認をすれば，相続財産と自己固有の財産とは混同するから，相続人の相続財産管理義務は消滅する（918条ただし書）。しかし，限定承認をした場合には，相続財産の清算手続が終了するまでは，その義務を継続させなければならない。本条は，その旨を定めるとともに，管理義務の内容について定めた規定である。

ところで，令和3年改正前の本条2項には，本条1項の場合には，民法918条2項および3項の規定を準用するとの規定があった。同改正前民法918条2項は，熟慮期間中に，相続人が相続財産に注意を払わない場合や相続人が遠隔地に居住している場合，相続人の所在が不明の場合，共同相続人間の争いにより相続財産の管理が困難な場合などに，利害関係人または検察官の請求により，家庭裁判所がいつでも相続財産の保存に必要な処分を命ずることができるとする規定であり，同条3項は，同条2項の規定により家庭裁判所が相続財産管理人を選任した場合に，不在者財産管理人の職務，権限，財産管理人の担保提供・報酬に関する民法の規定（27条から29条まで）を準用するとする規定であった。しかし，令和3年法律第24号により新たに民法897条の2が，上記の段階を含む，相続開始後のすべての段階において，家庭裁判所が，相続財産管理人の選任その他の相続財産の保存に必要な処分を命ずることができることを定めるに至ったことから（→§897の2 I参照），本条2項から，民法918条2項および3項の規定を準用するとの規定は削除された。

II　注意義務の程度

本条は，限定承認者の注意義務を「その固有財産におけるのと同一の注意」義務にとどめ，通常の善管注意義務よりもその程度を軽減している。相続財産は，本来，相続人固有の財産であり，その財産の管理につき善管注意を求めるのは，相続人に酷であるとの立法趣旨に基づく。しかし，限定承認後，相続財産は独立して清算されるため，相続人の固有財産とは別個に管理する必要があるという点を考慮すると，立法論としては，破産管財人が破産財団帰属財産について負う注意義務，すなわち善管注意義務（破85条参照）を負わせる方が適切であるとする見解が有力である（中川編・註釈上267頁〔山畠正男〕，我妻＝立石495頁，我妻・判コメ190頁，新版注民(27)520頁〔小室直人〕，新版注民(27)〔補訂版〕564頁〔小室直人＝浦野由紀子〕，基本法コメ123頁〔和田幹彦〕など）。

III　管理義務者

管理義務を負う者は，①単独相続の場合には，限定承認者たる相続人，②共同相続の場合には，家庭裁判所が共同相続人の中から職権によって選任する相続財産清算人たる相続人である（936条3項による本条の準用）。

②の場合の相続財産の清算人は「職権による相続財産清算人」と呼ばれる（→§936 II参照）。職権による相続財産清算人の権限等，法的地位について詳細は，→§936 III参照。

IV　相続人が管理義務者の場合の管理事務

1　委任規定の準用

限定承認がなされると，相続財産は相続債権者および受遺者のために管理・清算されることになるため，管理義務者は，相続債権者および受遺者から相続財産について管理事務を委託されたかのような関係に立つ。そのため，相続財産の管理事務に関して，本条2項で委任の規定が準用されている。具体的には，受任者の報告義務（645条），受任者の受取物の引渡義務（646条），管理に必要な費用を支出したときの費用等の償還請求権に関する規定（650条1項・2項）がそれである。もっとも，委任とまったく同一の関係に立つわけではないから，準用に当たってはその差異に注意する必要がある（我妻＝立石496-497頁，我妻・判コメ190-192頁，新版注民(27)521頁〔小室〕，新版注民(27)〔補訂版〕565頁〔小室＝浦野〕，新判例コメ(15)86頁〔許〕，基本法コメ123-124頁〔和田〕など）。

2　民法645条の準用

民法645条は，事務処理状況の委任者への報告義務について規定したものである。準用の場合には，委任者をどのように読み替えるかが問題となるが，相続人が管理義務者の場合には，委任者は，相続債権者および受遺者と読み替える必要がある。

民法645条後段の規定する顛末報告義務について，通説はこれを肯定するが（梅181頁，柳川・註釈下99頁，中川ほか・ポケット註釈282頁〔市川四郎〕，注解判例710頁〔笹本忠男〕など），限定承認では認める必要はないとする見解も有力である（近藤英吉・相続法の研究〔1932〕232頁，中川編・註釈上268頁〔山畠〕，中川＝泉413頁，新版注民(27)521頁〔小室〕，新版注民(27)〔補訂版〕566頁〔小室＝浦野〕）。

相続人の相続財産管理義務は，相続開始時から発生し（918条），限定承認をしても継続するが，委任類似の関係が生じるのは限定承認をした時からである。しかしながら，相続財産の管理はそれ以前から継続しているのであるから，限定承認以前の管理中の事項に関しても，限定承認による清算に必要なものについては，本条により報告すべきであると解される（我妻＝立石497頁，新版注民(27)〔補訂版〕566頁〔小室＝浦野〕。反対，中川編・註釈上269頁〔山畠〕）。

3　民法646条の準用

民法646条は，受任者が委任事項を処理するに当たって受け取った金銭その他の物を委任者に引き渡すべきことを定めた規定である。民法646条の準用により，相続人は，相続財産の管理に当たって受け取った金銭や物，取得した権利等を，委任者に当たる者に引き渡さなければならない。しかし，この場合の委任者に当たる者を，2の場合と同様に，相続債権者または受遺者と解することはできない。というのは，それらの者は，相続財産からその債権に応じて弁済を受けるべき者であるからである。したがって，この場合の委任者に当たる者は，相続財産そのものと読み替える必要がある（新版注民(27)522頁〔小室〕，新版注民(27)〔補訂版〕566頁〔小室＝浦野〕，新基本法コメ147頁〔川淳一〕）。

4　民法650条1項2項の準用

民法650条1項2項は，受任者が委任者に対して費用等の償還請求権を有することを定めた規定である。それらの規定の準用により，相続人は，相続財産の管理のために必要な費用（修繕費，公租公課等）を支出したときは，その費用および利息について，委任者に当たる者から償還を受けることができる。ここにいう委任者に当たる者も，相続財産そのものと読み替える必要がある。相続人が，相続財産の管理に必要な債務を負担したときも同様である（新版注民(27)522頁〔小室〕，新版注民(27)〔補訂版〕566頁〔小室＝浦野〕，新基本法コメ147頁〔川〕）。

なお，本条が，受任者が委任事務の処理により被った損害につき賠償請求を認める民法650条3項の規定を準用しなかったのは，相続人としては，自分の財産である相続財産を，自己のためにするのと同一の注意をもって管理する以上，それにより損害を受けても，賠償を請求できないのは当然であるとの考慮に基づく（新版注民(27)522頁〔小室〕，新版注民(27)〔補訂版〕566-567頁〔小室＝浦野〕）。

V　管理義務違反の効果

相続人が管理義務者の場合に，同人が管理義務に違反して相続財産を処分した場合には，この処分行為は無効とはならない。法定単純承認の効果が発生する（921条1号）ほか，損害を被った相続債権者に対し，相続人の固有財産をもって損害賠償をしなければならない（937条）。

〔中島弘雅〕

（相続債権者及び受遺者に対する公告及び催告）

第927条①　限定承認者は，限定承認をした後5日以内に，すべての相続債権者（相続財産に属する債務の債権者をいう。以下同じ。）及び受遺者に対し，限定承認をしたこと及び一定の期間内にその請求の申出をすべき旨を公告しなければならない。この場合において，その期間は，2箇月を下ることができない。

②　前項の規定による公告には，相続債権者及び受遺者がその期間内に申出をしないときは弁済から除斥されるべき旨を付記しなければならない。ただし，限定承認者は，知れている相続債権者及び受遺者を除斥することができない。

③　限定承認者は，知れている相続債権者及び受遺者には，各別にそ

の申出の催告をしなければならない。

④　第1項の規定による公告は，官報に掲載してする。

〔対照〕 フ民788 Ⅱ，ド民1970・1983

〔改正〕（1029） ②＝平18法50全部改正　③④＝平18法50新設

I　本条の趣旨

限定承認がなされる場合には，相続財産は債務超過に陥っているのが一般的である。民法は，かかる相続財産を相続債権者および受遺者に対して公平かつ迅速に弁済するため，本条以下で，相続財産の清算手続を規定している。本条は，その第1段階として，限定承認者が相続債権者および受遺者に対してなすべき公告・催告義務について，その内容・時期を定めた規定である。その趣旨は，限定承認者に対して，相続債権者および受遺者への公告・催告を義務づけることによって，清算の対象となる相続債権者および受遺者の氏名と相続債務の数額を正確に認識させ，公平かつ迅速な弁済を可能にすることにある（新版注民(27)〔補訂版〕568頁〔松原正明〕参照。なお，本条制定の経緯については，同書569-570頁のほか，中川編・註釈上271-272頁〔山畠正男〕，新版注民(27) 525-526頁〔岡垣学〕が詳しい）。

本条については，平成16年法律147号により見出しが付され，1項中の「一切」が「すべて」に改められ，「相続債権者」の直後に「(相続財産に属する債務の債権者をいう。以下同じ。)」が付加された。また，1項のただし書が削除される代わりに後段が追加され，さらに，2項中「これを」が「ついて」に改められ，項番号が付された。続く平成17年法律87号により，2項中「及び第3項」が「から第4項まで」に改められた。さらに平成18年法律50号により，2項が，それまでの「第79条第2項から第4項までの規定は，前項について準用する。」という文言から，現在の文言に改められるとともに，3項・4項が新たに追加された。このように本条については，近年だけでも数度の改正を経ているが，条文の表現方法，あるいは，民法38条から84条の3までが削除されたことに伴う改正であり，本条の実質的内容が変更されたものではない（このことにつき，新版注民(27)〔補訂版〕568-569頁〔松原〕）。

II 相続債権者および受遺者に対する公告および催告

本条にいう限定承認者とは，①単独相続の場合には，その単独相続人であり，②共同相続の場合には，家庭裁判所が共同相続人の中から職権によって選任する相続財産清算人たる相続人（職権による相続財産清算人）（936条3項による本条の準用）である。

限定承認者は，限定承認をした後5日以内に，すべての相続債権者および受遺者に対して，限定承認をしたこと（限定承認の申述が受理されたこと），および，2か月を下らない期間内にその請求申出をすべき旨を公告しなければならない。相続人が数人ある場合において，その中から相続財産清算人が選任されたときは，その選任があった日から10日以内にこの公告をしなければならない（936条3項後段）。

この限定承認に関する公告には，相続債権者および受遺者が公告で定めた期間（請求申出期間）内に申出をしないときは，その債権が清算から除斥（除外）される旨を付記しなければならない（除斥公告という。本条2項本文）。限定承認者は，知れている相続債権者および受遺者を除斥することはできず（本条2項ただし書），知れている相続債権者および受遺者には各別に請求申出を催告しなければならない（本条3項）。「知れている相続債権者及び受遺者」とは，限定承認者が，その者を相続債権者・受遺者と認め，その氏名・債権額とも知っていることを意味する。したがって，もともと被相続人がその者への支払義務を争っており，限定承認者もその者を相続債権者・受遺者として認めていない者には，各別に請求申出を催告する必要はない（横浜地判昭40・3・29下民集16巻3号501頁，新版注民(27)528頁〔岡垣〕，新版注民(27)〔補訂版〕570頁〔松原〕，新判例コメ(15)87頁〔許末恵〕，新基本法コメ148頁〔川〕）。

公告の方法については，従来，直接の規定はなく，法人の清算の場合に準じて，官報に掲載されれば足りる（平18改正前79条4項）と解されてきたが（注民(27)529頁〔岡垣〕参照），平成18年法律50号の改正により，同趣旨を定めた本条4項が新たに設けられた。したがって，この公告は本条4項に基づき官報に掲載される。裁判所の掲示板や日刊新聞紙などによる公告は必要ない（新版注民(27)〔補訂版〕571頁〔松原〕）。

III　催告すべき相手方の範囲

本条の公告および催告をすべき相手方は，相続財産による弁済により清算することのできる相続債権者・受遺者，すなわち，清算によってその権利を失う相続債権者および受遺者に限られる。したがって，限定承認によって影響を受けない相続債権者および受遺者，たとえば，相続財産たる不動産の上に賃借権，地上権，地役権等の権利を有する者には，公告および催告の必要はなく，それらの者もその権利を申し出る必要はない（我妻＝立石499頁，我妻・判コメ193頁，新版注民(27)528-529頁〔岡垣〕，新版注民(27)〔補訂版〕570-571頁〔松原〕，新判例コメ(15)87頁〔許〕，基本法コメ124-125頁〔和田幹彦〕。相続人不存在の場合につき同旨の判例として，大判昭13・10・12民集17巻2132頁がある）。

IV　本条違反の効果

本条所定の公告および催告を怠っても限定承認の効果には影響はない（東京控判昭15・4・30評論29巻民545頁）。また，この手続を怠って一部の相続債権者ないし受遺者に弁済がなされても，その弁済自体は有効である。しかし，その結果，他の相続債権者や受遺者に損害が発生したときは，限定承認者および情を知って不当に弁済を受けた者は，934条所定の損害賠償責任を負う（新版注民(27)530頁〔岡垣〕，新版注民(27)〔補訂版〕572頁〔松原〕）。

〔中島弘雅〕

（公告期間満了前の弁済の拒絶）

第928条　限定承認者は，前条第1項の期間の満了前には，相続債権者及び受遺者に対して弁済を拒むことができる。

〔対照〕　フ民792-1，ド民2015 I

〔改正〕　(1030)

Ⅰ　本条の趣旨

前条が，限定承認者に対して，所定の期間内に，相続債権者および受遺者に対する公告・催告を義務づけたのは，限定承認者に対して，相続債権者および受遺者に対する公告・催告を義務づけることによって，清算の対象となる相続債権者および受遺者の氏名と相続債務の数額を正確に認識させ，公平かつ迅速な弁済を可能にするためである。しかし，前条1項の請求申出期間が満了するまでは，相続債権者および受遺者の申出が出揃っていない可能性が高い。そこで，たとえ弁済期の到来した債権であっても，請求申出期間満了前には，相続債権者や受遺者からの弁済請求を拒絶できる権限を限定承認者に与え，もって適正・公平な配当弁済ができるようにしたのが，本条である（理由書292頁，我妻＝立石500頁，我妻・判コメ194頁，新版注民(27)530-531頁〔岡垣学〕，基本法コメ125頁〔和田幹彦〕など）。

Ⅱ　弁済拒絶権

1　弁済拒絶権の始期

限定承認者は，請求申出期間満了前には，相続債権者および受遺者に対して，弁済期が到来していても弁済を拒絶することができる（本条）。この弁済拒絶権の始期については，2つの考え方があり得る。(a)請求申出期間の開始時とする説（請求申出期間開始時説）と，(b)相続人が家庭裁判所に限定承認の申述をした時とする説（限定承認申述時説）である（栗田隆「限定承認と相続債権の行使(上)」金法1322号〔1992〕8頁がかかる2つの考え方があり得ることを指摘している）。両説の違いは，限定承認の申述（924条，家事39条・別表第一92項）がなされてからその公告がなされるまでの間（927条1項前段・936条3項後段），(a)説だと弁済を拒絶できないのに対して，(b)説だと拒絶できる点にある。本条の弁済拒絶権が，公平な弁済の確保を目的とするもの（請求申出期間満了前の弁済によって適正な配当弁済が阻害されないようにするためのもの）である点を考慮すると，相続人が家庭裁判所に限定承認の申述をした時と解する(b)説が妥当であろう（以上につき，石渡哲「限定承認による清算手続と民事執行手続」横浜法学29巻3号〔2021〕19頁参照）。

2　弁済拒絶義務の有無

本条は，限定承認者の弁済拒絶権について定めているが，さらに進んで，限定承認者が，弁済拒絶義務を負うか否かについては争いがある。

この点については，肯定説，すなわち，限定承認者が，請求申出期間満了前に，相続債権者や受遺者からの弁済請求を拒絶するのは，清算の必要上，限定承認者に課せられた義務であるとする説もある（近藤・下905頁，中川編・註釈上284頁〔薬師寺志光〕，福島四郎・相続法〔1950〕128頁，中川＝泉375頁など。鈴木74頁も同旨か）。しかし，多数説は，弁済拒絶権は，相続債権者や受遺者からの請求申出が出揃うのを待って弁済を開始するという清算の便宜上，限定承認者に与えられた権利であって，義務はないとする否定説に立つ（穂積II 283頁，中川監修・註解191頁〔山崎邦彦〕，中川編・註釈上274頁以下〔山畠正男〕，我妻・判コメ194頁，新版注民(27)531頁〔岡垣〕など）。

そこで，この点をどのように考えるかが問題となるが，限定承認がなされる場合には，相続財産は債務超過に陥っているのが普通であると思われる。したがって，すべての相続債権者や受遺者が出揃うのを待ち，その数額が確定した後に弁済を開始しないと，相続債権者・受遺者間に不公平が生じるおそれがある。しかも，相続財産でもってすべての相続債権者・受遺者に対する債務を弁済できるとの当初の見込みが外れ，一部の相続債権者・受遺者に弁済をした後に，他の相続債権者や受遺者への弁済ができなくなると，限定承認者はそれによって生じた損害を賠償する責任を負い，また情を知って弁済を受けた相続債権者や受遺者は，求償義務を負担しなければならない(934条)。そのため，限定承認者としては，請求申出期間中，事実上，弁済を拒絶せざるを得ない場面が生じてくることは否定できない。そのため，この点を理由に，事実上の弁済拒絶義務があると解する見解もあるが（中川監修・註解191頁〔山崎〕，中川編・註釈上274頁〔山畠〕，我妻・判コメ194頁，新版注民(27)531頁〔岡垣〕），果たして義務とまでいえるかどうかは疑問である。その意味で否定説が妥当である。

3　熟慮期間中の相続人の弁済拒絶権

本条が，請求申出期間内に限定承認者に弁済拒絶権を付与したのは，前述のように，請求申出期間内の一部の相続債権者等に対する弁済により適正な配当弁済の実施が阻害されることを回避するためである（一I参照）。しかし，実は，民法915条1項所定の熟慮期間内に相続人が相続債権者や受遺者から弁済を請求された場合についても，同様に相続人は弁済請求を拒絶できると解さないと，本条が請求申出期間満了前の相続債権者や受遺者からの弁済請求の拒絶を認めた趣旨が無意味となり，複数の相続債権者や受遺者に対する公平な弁済が実現できなくなるとして，熟慮期間中の相続人についても，本条を類推し，弁済拒絶権を認めるべきであるとする学説がある（中川＝泉375頁，新基本法コメ132頁〔中川忠晃〕，石渡・前掲論文23頁。→§918 Ⅱ(2)(イ)参照。同様に，栗田・前掲論文9-10頁も，熟慮期間中の相続人に弁済拒絶権を認めるが，栗田教授は，その根拠を，本条ではなく，相続人による一部の相続債権者に対する弁済が民法921条1号本文所定の法定単純承認事由に該当することに求めている）。

Ⅲ　相続財産に対する優先権の行使と強制執行

(1)　相続財産の上に先取特権，質権，抵当権などを有する相続債権者（特別担保権者）は，請求申出期間内であっても，担保権を実行して優先的に弁済を受けることができる。これらの者は，請求申出期間満了後の配当弁済において優先的取扱いを受ける（929条ただし書）だけでなく，請求申出期間内であっても，担保目的物につき独占的に権利を行使する地位が認められている（935条ただし書。名古屋地決昭4・5・15新聞2992号5頁は，請求申出期間内であっても競売の申立てができるとする）からである（この点については，→§929 Ⅱ 1・§935 Ⅲ 1参照）。もっとも，弁済金が被担保債権の一部についてのみ充当されるときは，残余の債権については，他の相続債権者と同じ立場で弁済を受けることになる（前掲名古屋地決昭4・5・15，新判例コメ(15)93頁〔許末恵〕）。

これに対し，優先権を有しない相続債権者は，本条により，限定承認者に弁済拒絶権が認められているので，請求申出期間内は，相続財産に対して強制執行をすることはできない（福岡区決昭6・2・18新聞3238号10頁）。しかし，相続債権者がすでにその債権につき確定判決その他の債務名義（民執22条）を有している場合には，相続財産に対して強制執行の申立てをすることができる。もっとも，この場合において，相続人が限定承認をし，民法927条所定の請求申出期間中である旨を証する書面を提出したときは，民事執行法39条1項8号の規定を類推して，執行機関は，請求申出期間が満了するまで執行手続を停止しなければならない（前掲福岡区決昭6・2・18，法曹会決議昭44・12・3曹時22巻2号255頁，新版注民(27)533頁〔岡垣〕，新版注民(27)〔補訂版〕574頁〔松原正明〕）。しかし，請求申出期間満了後は，請求異議訴訟（民執35条）等の提起に伴う執行手続の停止がない限り，強制執行手続を続行して差し支えない。

⑵　相続財産に対する権利行使の一形態として，請求申出期間満了前に相続債権者が相続財産に対して反対債務を負担する場合に，限定承認による清算手続によらずに，対当額で相殺することができるかという問題がある。民法に規定はないが，破産法67条の規定を類推し，限定承認手続においても相殺することができるとする見解もある（近藤・下908頁以下）。しかし，現行法上，相続債権者に対し優先的地位を認める趣旨の特別規定がない以上，相殺を認めることはできない（新版注民(27)533頁〔岡垣〕，新版注民(27)〔補訂版〕574頁〔松原〕）。

IV　請求申出期間満了後における弁済拒絶

⑴　本条の弁済拒絶権は，請求申出期間満了前に限って認められるものであるから，期間満了後は，限定承認者は，請求申出をし，あるいは知れている相続債権者・受遺者に対する弁済を拒絶することはできない。したがって，相続債権者および受遺者は，限定承認者に対し，直ちに相続財産をもって弁済することを求めることができる。もっとも，請求申出期間経過後の弁済に関して，次のような問題が議論されてきた。

⑵　まず第1は，申出期間満了後に，相続財産の数額または相続債務の総額が確定しないことを理由に弁済を拒絶できるかという問題である。この点については，それらを口実に弁済を拒むことはできないとする古い判例がある（大判大4・3・8民録21輯289頁，大判昭6・5・1評論20巻商法563頁）。しかし，本条の弁済拒絶権は，民法929条（次条）による公平な弁済を確保するためのものであり，また，相続財産の数額や相続債務の総額が不確定の間の弁済により相続債権者や受遺者に損害が生じた場合には，限定承認者は，民法934条所定の損害賠償責任を負わねばならないことから，限定承認者が，相続財産の数額や相続債務の総額の不確定を理由に弁済を拒否できないとする

のは酷であるとして，限定承認者は弁済を拒絶できるとする見解が，学説上，有力である（たとえば，雉本朗造・判例批評録3巻〔1929〕103頁以下，柳川・註釈下106頁以下，近藤・下907-908頁，於保109頁，中川編・註釈上274頁〔山畠〕，柚木268頁，新版注民(27)534頁〔岡垣〕，新版注民(27)〔補訂版〕575頁〔松原〕など。なお，石渡・前掲論文20頁以下も参照）。また，そのような場合には，信義則上，弁済遅滞の責任を負わないであろうから，強いて期間満了後も弁済を拒絶できると構成する必要はないとする見解もある（中川＝泉420頁）。確かに，弁済遅延による履行遅滞の責任を負わねばならないとする理論はあまり厳格に適用すべきではないが（我妻＝立石501頁，我妻・判コメ194頁がこの点を強調する），弁済拒絶を否定しつつ，弁済遅延の責任は負わないというのは，一貫性を欠くので（新版注民(27)〔補訂版〕575頁〔松原〕），申出期間満了後であっても，信義則上，債権額の割合に応じた弁済額を計算するのに相当な期間内は弁済を拒絶することができ，その場合には，履行遅滞の責任はもとより損害賠償の責任（934条）も負わないと解するのが妥当であろう（中川編・註釈上275頁〔山畠〕，新版注民(27)534頁〔岡垣〕，新判例コメ(15)90頁〔許〕。なお，石渡・前掲論文22-23頁も参照）。

⑶　第2は，請求申出期間満了後に，限定承認者が代物弁済（482条）をすることができるかという問題である。民法932条は，相続財産の換価方法を競売に制限しているが，競売手続によるかどうかは限定承認者が自由に決められるので，これを積極に解する立場も考えられないではない。しかし，相続財産の不当な廉価売却を防ぐため，相続財産を弁済のために換価するときは競売に付すべきであり，もし限定承認者が特に特定の財産を保有したいと希望する場合には，競売差止権の行使を認めるというのが民法932条の趣旨であり（→§932 Ⅰ参照），また，代物弁済を認めることは，相続債権者にはそれぞれの債権額に応じて割合弁済をすべきであるとする民法929条の趣旨（→§929 Ⅰ参照）にも反するので，代物弁済は認められないと解すべきである（法曹会決議大5・2・12法曹会決議要録(上)918頁，近藤・下908頁，柳川・註釈下110-111頁，中川編・註釈上282頁〔山畠〕，中川ほか・ポケット註釈288頁〔市川四郎〕，新版注民(27)533-534頁・549頁〔岡垣〕，新版注民(27)〔補訂版〕575頁・587頁〔松原〕など）。

V　本条違反の効果

本条の規定に違反して限定承認者が一部の相続債権者または受遺者に弁済をしても，限定承認の効力には影響はなく，弁済も有効である（金沢区判大7・10・18新聞1479号26頁）。しかし，その結果，他の相続債権者または受遺者に損害が発生したときは，限定承認者および情を知って弁済を受けた者が，民法934条所定の損害賠償責任を負わなければならない場合もあり得る。

〔中島弘雅〕

（公告期間満了後の弁済）

第929条　第927条第1項の期間が満了した後は，限定承認者は，相続財産をもって，その期間内に同項の申出をした相続債権者その他知れている相続債権者に，それぞれその債権額の割合に応じて弁済をしなければならない。ただし，優先権を有する債権者の権利を害することはできない。

〔対照〕　フ民792 I 2文・796 II III・797 I，ド民1971

〔改正〕　（1031）

I　本条の趣旨

民法927条所定の請求申出期間が満了すると，原則として（例外については，→§928 IV参照），相続財産に対する債権者および債権額が確定する。本条は，そのことを受けて，債権者への公平な弁済を確保するために，限定承認者が申出期間満了後になすべき弁済の方法と順序を定めた規定である。

限定承認は，基本的に，相続人の固有財産に対する相続債権者・受遺者の追及を遮断することによって，相続人（ひいては相続人の債権者）が被る不利益を防止しようとするものにすぎず（922条），利害関係人間の衡平を図りつつ相続財産の終局的清算を行う手続としては必ずしも十分な制度ではない。そこで，破産法は，相続を機に，債務超過の相続財産について厳格な手続の下で終局的な清算を行うための手続として，「相続財産の破産」（相続財産についての破産）制度を置いている（破222条以下）。しかし，相続財産の破産手続は，これまで長い間，ほとんど利用されてこなかった。その主たる理由は，本条が，限定承認者に対して相続債権者や受遺者への按分弁済を義務づけているために，限定承認に基づく簡易な清算手続が，事実上，相続財産についての破産手続の代替機能を果たしてきたからである（→前注（§§922-937）II参照）。

II　弁済の順序

1　優先権を有する債権者への弁済

最初に優先的弁済を受ける相続債権者は，相続財産の全部または一部の上に，先取特権，質権，抵当権等の担保権を有する相続債権者（特別担保権者）である（935条ただし書）。留置権は優先弁済権を有しないが，限定承認がなされた場合でも，留置権者は，債務の弁済を受けるまで目的物を留置する権利（留置的効力）を失わないから，事実上優先弁済を受けたのと同一の結果となる（我妻＝立石502頁，我妻・判コメ195頁，新版注民(27)〔補訂版〕576頁〔松原正明〕，新基本法コメ149頁〔川淳一〕）。

優先権を有する債権者は，一般債権者のように，債権額に応じて按分弁済を受けるのではなく，優先権の内容に応じて担保目的物たる相続財産の限度で優先弁済を受ける。これらの担保権者が優先弁済を受けられるのは，当該担保権の効力として当然のことであるから，本条ただし書は，このことを注意的に規定したものにすぎない。担保目的物の価額が債権額に満たないため，すべての債権について弁済ができないときは，その不足額について，他の一般債権者と同じ立場で弁済を受けることになる（名古屋地決昭4・5・15新聞2992号5頁，新版注民(27)536頁〔岡垣学〕，新版注民(27)〔補訂版〕576頁〔松原〕，新判例コメ(15)93頁〔許末恵〕）。

優先権を有する債権者は，限定承認者から上記の方法による優先弁済を受けられない場合には，自ら担保権を実行して優先弁済を受けることができる。もっとも，前述のように（→§922 III 2(4)参照），抵当権等対抗要件を必要とする権利については，相続開始の時までに対抗要件を具備しなければ，第三者に対抗できないというのが，大審院以来の判例（大判昭9・1・30民集13巻93頁，大判昭14・12・21民集18巻1621頁，最判平11・1・21民集53巻1号128頁）である（このことにつき，新版注民(27)536-537頁〔岡垣〕，新版注民(27)〔補訂版〕576-577頁〔松原〕，窪田382頁，潮見93頁参照）。もっとも，相続開始前に，代物弁済の予約につき，所有権移転登記請求権保全の仮登記がなされていれば，たとえ限定承認後に本登記がなされても，所有権取得をもって相続債権者に対抗することができるとした判例（最判昭31・6・28民集10巻6号754頁）がある（以上につき，新版注民(27)〔補訂版〕577頁〔松原〕，新判例コメ(15)93頁〔許〕参照）。

2　請求申出期間内に申出をした相続債権者その他知れている相続債権者への弁済

優先権を有する相続債権者に弁済して，なお残余財産がある場合に，次に弁済を受けるのは，請求申出期間内に申出をした相続債権者その他知れている相続債権者である。この場合において，債権額が残余の相続財産の額を上回るときは，それぞれの債権額に応じた配当弁済を行うことになる（この配当弁済について詳しくは，石渡哲「限定承認による清算手続と民事執行手続」横浜法学29巻3号〔2021〕15頁参照。また同論文17頁は配当弁済における中間配当の可能性にも言及している）。

「知れている相続債権者」に対しては各別に申出の催告をしなければならず，たとえ申出がなくてもこの債権者を除斥することは許されない（927条3項）。知れている相続債権者とは，限定承認者が，その者を相続債権者と認め，その氏名・債権額とも知っている債権者を意味する（中川編・註釈上276頁〔山畠正男〕）。したがって，債権者であることが確実であっても，催告に対し債権額につき確定的な申出がないため債権額が不明な場合には，弁済から除斥されてもやむを得ない。

相続債権の存否・数額について争いがある債権については，限定承認者の推測にかかる債権額を弁済すれば足りるとする見解もあるが（我妻＝立石502頁，我妻・判コメ195頁，中川編・註釈上276頁〔山畠〕，石渡・前掲論文10頁など），通常の民事訴訟手続によって相続債権の存否・数額を確定すべきであり，限定承認者が推測した債権額を弁済すれば足ると解することはできない（臼田豊「限定承認の手続」家庭裁判所事件の諸問題（判タ臨増167号）〔1964〕73頁，新版注民(27)538頁〔岡垣〕，新版注民(27)〔補訂版〕577-578頁〔松原〕，新判例コメ(15)93頁〔許〕，潮見94頁など。かかる見解に対する批判として，石渡・前掲論文10頁参照）。

弁済を受け得る債権は，金銭に評価し得るものでなければならない。不可分債権，特定物の給付を目的とする債権，作為・不作為を目的とする債権の取扱いが問題となる。これらの債権は，理論的に割合的弁済になじむものではないが，民法は，条件付債権や存続期間不確定の債権であっても換価を認める規定を置いているので（930条2項），この規定を類推し，すべて金銭に評価して弁済をなし得ると解すべきである（近藤・下912頁，我妻＝立石502頁，中川編・註釈上276頁〔山畠〕，新版注民(27)538-539頁〔岡垣〕，新版注民(27)〔補訂版〕578頁〔松原〕など）。もっとも，これらの債権については，債務の履行に代わる損害賠償を請求することも可能である（新版注民(27)539頁〔岡垣〕，新版注民(27)〔補訂版〕578頁〔松原〕，基本法コメ126頁〔和田幹彦〕。これに対し，柳川・註釈下109-110頁は，作為・不作為を目的とする債権は相続財産をもって履行すべきではないとする）。

なお，債権者への弁済の後に受遺者に弁済することになる（931条）。

III　強制競売手続との関係

相続財産の全部または一部の上に優先権をもつ債権者，すなわち，先取特権，質権，抵当権または留置権を有する債権者は，請求申出期間満了前であっても，担保目的物についてその権利を行使することができる（大阪地決明44・7・17新聞735号24頁，前掲名古屋地決昭4・5・15は，上記のような債権者は，請求申出期間満了前に目的物の競売ができるとする）が，この場合に，限定承認に伴う清算手続と担保権実行としての競売手続とが，どのような関係に立つかが問題となる。この点につき，判例（大阪高判昭60・1・31高民集38巻1号13頁）は，担保権実行としての競売開始決定がなされた後に債務者が死亡し，相続人が限定承認をした場合につき，執行裁判所は，売却代金の残余剰余金を民事執行法所定の配当手続により，同法87条に定める債権者に配当すべきであると判示している（以上につき，新判例コメ(15)93頁〔許〕，新基本法コメ149頁〔川〕参照。さらに，岡部喜代子「限定承認による相続財産換価のための競売手続」司法研修所論集71号〔1983〕19頁以下も参照）。

Ⅳ　本条違反の効果

限定承認者が本条の規定に違反して相続債権者または受遺者に弁済をしても，限定承認の効力には影響はなく，弁済も有効である。しかし，その結果，他の相続債権者や受遺者に損害が発生したときは，限定承認者および情を知って弁済を受けた者は，934条所定の損害賠償責任を負う場合があり得る。

〔中島弘雅〕

（期限前の債務等の弁済）

第930条①　限定承認者は，弁済期に至らない債権であっても，前条の規定に従って弁済をしなければならない。

②　条件付きの債権又は存続期間の不確定な債権は，家庭裁判所が選任した鑑定人の評価に従って弁済をしなければならない。

〔対照〕　フ民792Ⅰ3文

〔改正〕　（1032）　②＝昭23法260改正

Ⅰ　本条の趣旨

本条は，限定承認者が相続した債権の中に，弁済期未到来の債権，条件付債権または存続期間不確定の債権が含まれている場合には，限定承認による清算手続を迅速に行うため，それらの債権について直ちに弁済することとし，清算手続を早急に終了させることを明らかにした規定である（理由書293-294頁）。そのため，限定承認と同趣旨の制度である財産分離についても，本条が準用されている（947条3項による本条から934条までの準用）。

Ⅱ　弁済期未到来の債権の弁済

本条1項により，限定承認者は，弁済期未到来の債権についても，直ちにこれを弁済しなければならない。もっとも，このことは，本条1項により，弁済期未到来の債権の弁済期が到来することを意味するものではなく，限定承認者が，期限の利益を放棄したものとみて弁済しなければならないという趣旨である。したがって，相続債権者は，中間利息を控除されることなく債権全額について弁済を受けることになる（梅190頁，新版注民(27)540頁〔岡垣学〕，新版注民(27)〔補訂版〕579頁〔松原正明〕，基本法コメ126頁〔和田幹彦〕，新基本法コメ149頁〔川淳一〕など）。また，これらの債権について第三者が抵当権その他の担保権を設定し，あるいは保証債務を負担している場合には，被担保債権について弁済期が到来するわけではないから，第三者としては当初の弁済期が到来してはじめて責任を負うべきこととなる（水沢区判昭8・7・24新聞3612号18頁，近藤・下911頁，中川編・註釈上277頁〔山畠正男〕，新版注民(27)540頁〔岡垣〕，新版注民(27)〔補訂版〕579頁〔松原〕，新判例コメ(15)96頁〔許末恵〕，基本法コメ126頁〔和田〕）。

III　条件付債権および存続期間不確定の債権の弁済

1　条件付債権および存続期間不確定の債権の取扱い

条件付債権とは，停止条件付きまたは解除条件付きの債権のことをいう。存続期間不確定の債権とは，その債権がいつまで存続するのか，明確に期間が定まっていない債権のことをいう。限定承認者は，それらの債権についても，請求申出期間内に申出があると，債権の現在の価値を定めて弁済する必要がある。しかし，それらは弁済期未到来の債権とは異なり，その価値を評価することは容易ではない。そこで，本条2項は，衡平・妥当な方法により，これらの債権の価値を把握するため，家庭裁判所の選任した鑑定人にこれらの債権を評価させ，これを基準として弁済させることとしている（このことにつき，新版注民(27)541頁〔岡垣〕，新版注民(27)〔補訂版〕579-580頁〔松原〕）。

2　鑑定人の選任

鑑定人は，家庭裁判所の家事審判により選任される（家事別表第一93項）。この審判事件は，限定承認の申述をした家庭裁判所の管轄に属する（家事201条2項。ちなみに，旧家審規99条では相続開始地の家庭裁判所の管轄とされていた）。鑑定に要する諸費用は，相続財産の中から支弁される（885条）。

3　鑑定人による評価

鑑定人は，これらの債権の評価に当たり，条件付債権については，その条件の内容，成否の可能性，条件成就の時期の推定，存続期間の不確定な債権については，存続期間の趣旨，期間終了時期の推定など，その債権の内容に関連する一切の事情を総合考慮して判定をすることになる。漠然とした評価は許されず，明確に鑑定しなければならない。そのため，家庭裁判所は，鑑定対象となる債権の種類・性質に応じて，適正な鑑定ができる専門的知識を有する者（不動産鑑定士，公認会計士等）を鑑定人として選任しなければならない。もっとも，家庭裁判所には，審判事項として単に鑑定人の選任に関与する権限が認められているだけであるから，鑑定人のした鑑定結果についてその適・不適，当・不当を判断することはできない（新版注民(27)542頁〔岡垣〕，新版注民(27)〔補訂版〕580頁〔松原〕）。

他方，本条2項は，「鑑定人の評価に従って弁済をしなければならない」と規定する。一見，限定承認者は確定人の評価した額面通りに弁済しなければならないように読めるが，鑑定人が評価するのは，債権自体の現在の価額であるから，限定承認者は，この評価額を基準として配当弁済すればよい（中川監修・註解195頁以下〔山崎邦彦〕，中川編・註釈上278頁〔山畠〕，新版注民(27)542頁〔岡垣〕，新版注民(27)〔補訂版〕581頁〔松原〕，新判例コメ(15)96頁〔許〕など）。

Ⅳ　本条違反の行為があった場合

限定承認者が，本条の定める手続に違反して相続債権者または受遺者に弁済したり，あるいは弁済しなかったりしても，限定承認の効力には影響はなく，弁済も有効である。しかし，その結果，他の相続債権者や受遺者が弁済を受けられなくなったときは，限定承認者および情を知って弁済を受けた者は，934条所定の損害賠償責任を負う場合があり得る。

〔中島弘雅〕

（受遺者に対する弁済）

第931条　限定承認者は，前2条の規定に従って各相続債権者に弁済をした後でなければ，受遺者に弁済をすることができない。

〔対照〕　フ民796 Ⅳ，ド民1973 Ⅰ・1991・1990

〔改正〕（1033）

I　本条の趣旨

本条は，限定承認者が，相続債権者や受遺者へ弁済をする際の順序・優劣について定めた規定である。限定承認者は，民法929条・930条に基づいて，先に相続債権者に弁済し，それでもなお残余財産がある場合にはじめて，受遺者に弁済しなければならない。それは，次の2つの理由による。第1は，相続債権者の多くは，被相続人の財産を考慮に入れて契約等により債権を取得するのに対し，受遺者は，被相続人の好意によって権利を取得するのが普通であるから，両者への弁済を同順位とすることは相続債権者にとって不当であること，第2は，もしこれを同順位とすると，被相続人が相続債権者を害する目的で容易に遺贈を行うおそれがあることである（中川編・註釈上279頁〔山畠正男〕，我妻＝立石504頁，新版注民(27)543頁〔岡垣学〕，新版注民(27)〔補訂版〕581-582頁〔松原正明〕，新判例コメ(15)97頁〔許末恵〕など参照）。

II　本条の意義――相続債権者優先説と対抗関係説

本条の意義については，(a)相続財産につき受遺者が相続債権者に劣後する旨を定めたものであるとする相続債権者優先説（中川＝泉418頁。窪田383頁も同旨か）がかねてより有力に主張されている。しかし，近時は，むしろ，(b)本条は，もっぱら限定承認者の義務について規定したものであり，限定承認者が，この義務に違反して受遺義務を履行してしまった場合における受遺者と相続債権者間の優劣は，受遺者への移転登記と相続債権者による差押登記の先後によって決せられるとする対抗関係説が多数説のように見受けられる（我妻＝立石496頁，鈴木禄弥・物権法の研究〔1976〕195頁，加藤永一「遺言の効力」家族法大系Ⅶ 211-212頁，山崎邦彦「限定承認」現代家族法大系Ⅴ 174頁，野山宏〔判解〕最判解平10年度上72頁，内田453頁，新版注民(27)〔補訂版〕583頁〔松原〕など）。

(a)相続債権者優先説によれば，相続債権者と受遺者とは対抗関係に立つものではなく，受遺者が先に移転登記等の対抗要件を備えたとしても，差押登記をした相続債権者が常に優先することになる（中川＝泉418頁参照）。これに対して，(b)対抗関係説によれば，限定承認者が本条に違反して相続債権者による差押登記の前に受遺者に対して所有権移転登記を行った場合，受遺者はその財産取得をもって相続債権者に対抗することができる一方，限定承認者の行為は法定単純承認事由に当たり（921条1号），あるいは損害賠償責任の対象となるため（934条1項），限定承認者（さらには情を知って不当に弁済を受けた受遺者）は，相続債権者に対し，934条所定の損害賠償責任を負わなければならなくなる（加藤・前掲論文210頁以下，山崎・前掲論文174頁，新版注民(27)545頁〔岡垣〕，武川幸嗣〔判批〕民百選Ⅲ 3版169頁参照）。

以上のうち(a)相続債権者優先説は，限定承認がなされると，限定承認の効力は相続開始時に遡って相続財産につき差押えあるいは破産手続開始決定がなされたのと同様の状態が生じるため，限定承認者は遡及的に処分権限を失い，相続開始後に受遺者が対抗要件を備えても，相続債権者に対抗できないとする理解を前提としている（このことにつき，中川＝泉418頁，武川・前掲判批169頁参照）。しかし，①限定承認は相続財産の限度における清算手続であって，相続債権者の利益のための制度ではないこと，②限定承認は，何ら公示されていないにもかかわらず，相続債権者にそのように強力な地位を認めると，取引の安全を害するおそれがあること等を考慮すると，本条の意義については，(b)対抗関係説が妥当と思われる（上野雅和〔判批〕判評439号（判時1534号）〔1995〕63頁，野山・前掲判解72頁，内田453頁，新版注民(27)〔補訂版〕583頁〔松原〕，潮見95-96頁など参照）。

III　本条の解釈上の問題点

1　遺贈の目的物が特定物の場合

遺贈の目的物が不特定物である場合には，限定承認者は，目的物を受遺者に移転する債務を負うだけである（債権的効力を有するにすぎない）から，限定承認者が弁済を行う余地がある。したがって，この場合に，本条がそのまま適用されることに争いはない。

これに対して，遺贈の目的物が特定物である場合については，周知のように，その所有権の移転時期につき，遺言の効力発生（相続開始）と同時に物権的効力を生じ当然に受遺者に移転するのか，それとも相続人が当該特定物を移転すべき債務を負担するのか（特定遺贈の効果は物権的か債権的か）をめぐり議論があることから（→第20巻§985参照），この場合に本条が適用されるか否かが問題となり得る。すなわち，判例（大判大5・11・8民録22輯2078頁ほか）・通説（我妻・判コメ272頁，中川＝泉580頁，新版注民(28)〔補訂版〕204頁〔阿部浩二〕ほか）によると，遺言の効力発生（相続開始）と同時に物権的効力を生じ，特定物の所有権は受遺者に当然に移転すると解されている（物権的効力説）。そのため，かかる立場を前提にすると，特定物の遺贈について弁済はあり得ず，本条は適用される余地がないようにもみえる。しかし，遺贈の目的物が特定物であれ，不特定物であれ，受遺者に対する弁済が相続債権者に対する弁済より劣後的地位に置かれるべきであるという点において何ら異なるところはなく，本条は特定物の遺贈にも適用があると解すべきである。また，特定債権が遺贈された場合についても，判例上，受遺者が遺贈による債権の取得を債務者に対抗するためには，遺贈義務者（限定承認者）からの債務者に対する通知が必要となると解されるので（最判昭49・4・26民集28巻3号540頁），この通知をなすことが弁済となる（以上につき，新版注民(27)544頁〔岡垣〕，新版注民(27)〔補訂版〕582頁〔松原〕参照）。

2　死因贈与の場合

死因贈与（554条）は，贈与者の死亡によって効力が生ずる一種の停止条件付贈与である。遺贈が単独行為であるのに対して，死因贈与は贈与契約である点で両者は異なる。しかし，死因贈与は，死後の財産処分に関し，かつ，贈与者の死亡を効力発生要件とする点で遺贈と共通するところがある。そのため，死因贈与には遺贈に関する規定が準用されている（554条）。そこで，死因贈与についても，本条との関係で遺贈と同様の取扱いをすべきか否かが問題となる（ちなみに，最判平10・2・13民集52巻1号38頁の第一審および控訴審ではこの点が問題となったが，最高裁はこの点について判断を示さなかった）。

前述のように，本条の趣旨が，被相続人が多大の債務を負担しておきながら死に際して遺贈をすることで相続債権者を詐害してはならないということにあるとすれば，死因贈与を遺贈と区別する理由はないと考えられる（新版注民(27)〔補訂版〕584頁〔松原〕，河内宏〔判批〕家族百選7版163頁。これに対し，窪田383頁は，死因贈与と遺贈との相違が十分に正当化できるのかという点については，なお検討の余地があるという）。しかし，形式的には死因贈与の形をとっていても，実質的には老親介護等の対価として死因贈与がなされたような場合には，一律に相続債権者に劣後すると解すべきではないように思われる（上野・前掲判批63-64頁参照）。少なくとも，そのような場合に死因贈与に仮登記がなされていれば，受贈者に対して相続債権者に優先する地位が認められるべきであろう（河内・前掲判批163頁。もっとも，潮見95頁は，このような場合には，そもそも死因贈与と性質決定すべきではないとする）。

Ⅳ　受遺者に対する弁済の方法

相続債権者への弁済後，残余財産がすべての受遺者に対して弁済をするのに不足するときに，限定承認者が本条に基づき弁済をする場合の弁済方法について，法は特に規定していない。受遺者はすべて同順位であるから，相続債権者に対する弁済に関する929条を類推適用し，遺贈の対象を価額に転換したうえで，それぞれの遺贈額に応じた割合的弁済を行うことになろう（柳川・註釈下117頁，柚木276頁，新版注民(27)545頁〔岡垣〕，新版注民(27)〔補訂版〕585頁〔松原〕，新判例コメ(15)97頁〔許〕，基本法コメ128頁〔和田幹彦〕など。ただし，梅188頁，中川編・註釈上276頁〔山畠〕は，929条にいう「債権者」には受遺者も含まれるから，類推適用ではなく，929条が直接適用されるとする）。

Ⅴ　本条違反の行為があった場合

本条の規定に違反して，限定承認者が，先順位の相続債権者に先立って，受遺者に弁済を行ったとしても，限定承認の効力には何ら影響はなく，その弁済は有効である。しかし，その結果，先順位の相続債権者が弁済を受けられなくなった場合には，限定承認者および情を知って不当に弁済を受けた受遺者は，相続債権者に対し，934条所定の損害賠償責任を負わなければならなくなる（→Ⅱ参照）。

〔中島弘雅〕

（弁済のための相続財産の換価）

第932条　前3条の規定に従って弁済をするにつき相続財産を売却する必要があるときは，限定承認者は，これを競売に付さなければならない。ただし，家庭裁判所が選任した鑑定人の評価に従い相続財産の全部又は一部の価額を弁済して，その競売を止めることができる。

〔対照〕　フ民793〜795，ド民1973 II

〔改正〕　（1034）　本条＝昭23法260改正

I　本条の趣旨

限定承認による清算を速やかに行うためには，債務の引当てとなる相続財産を換価する必要がある。本条は，その場合に，原則として裁判所による競売に付さなければならないとした規定である。その趣旨については，相続財産を高価にかつ公平な方法で売却するためであるとの説明もあるが（穂積II 284頁，中川監修・註解197頁〔山崎邦彦〕，柚木269頁），競売によって必ずしも高価で売却されるわけではないので，むしろ任意売却により不当な廉価で売却される弊害を阻止し，衡平な換価を実現するための規定と解すべきである（梅195頁，中川編・註釈上281頁〔山畠正男〕，我妻＝立石505頁，我妻・判コメ198頁，新版注民(27)549頁〔岡垣学〕，新版注民(27)〔補訂版〕586頁〔松原正明〕，新判例コメ(15)98頁〔許末恵〕，基本法コメ128頁〔和田幹彦〕，新基本法コメ150頁〔川淳一〕など。もっとも，石渡哲「限定承認による清算手続と民事執行手続」横浜法学29巻3号〔2021〕8頁によると，実務では，限定承認者による任意売却が，特に問題とされることなく行われているとのことである）。

ただし，限定承認者は，家庭裁判所に鑑定人の選任を申し立て，裁判所が選任した鑑定人の評価に従い，相続財産の全部または一部の価額を弁済することによって，換価のための競売手続を差し止めることができる（本条ただし書。その趣旨につき，一IV 1参照）。

II　相続財産の換価方法

1　換価方法としての競売

(1)　本条の「競売」の意味

本条本文によると，限定承認者は，相続財産を売却する必要があるときは，これを競売に付さなければならないとされている。競売は，民事執行法に従って行われるが（民執1条・195条），本条にいう競売は，抵当権その他の担保権の実行としての競売と異なり，債権の満足（配当）を直接の目的とするものではなく，相続財産の換価を衡平に行うために，裁判所または執行官による競売手続を利用するものにすぎないから，形式競売（従来のいわゆる形式的競売）（民執195条）に属する。民事執行法は，担保権実行としての競売の対象として，不動産，船舶，動産のほかに債権およびその他の財産権を挙げているので（民執181条から184条まで，187条から194条まで），これらの財産権のすべてが本条の競売の対象となる（新版注民(27)547-548頁〔岡垣〕，新版注民(27)〔補訂版〕586頁〔松原〕）。

形式競売は，大別して純換価型と清算型に分類される。前者は，さしあたり目的財産の換価だけを目的として競売を行うものであり，後者は，一定範囲の財産につき清算を実施するために競売を行うものである（両者の区別について詳しくは，鈴木忠一＝三ヶ月章編・注解民事執行法(5)〔1985〕366頁・370頁〔近藤崇晴〕，山木戸勇一郎「形式的競売に関する一考察」慶應法学26号〔2013〕100頁以下参照）。前者の代表例は，共有物分割のための競売（258条3項），弁済供託のための競売（497条），商人間の売買の目的物や運送品の保管に際しての競売（商524条・527条1項ただし書・556条・558条・582条2項・583条・615条等）などであり，後者の代表例は，限定承認や財産分離に伴う相続財産の換価のための競売（本条・947条2項・950条2項・957条2項），株式会社の特別清算に伴う清算株式会社の競売（会社538条）である（中野貞一郎・民事執行法〔増補新訂6版，2010〕773-774頁，中野貞一郎＝下村正明・民事執行法〔改訂版，2021〕823-824頁，中野貞一郎編・民事執行・保全法概説〔3版，2006〕314-315頁〔吉村徳重〕，福永有利・民事執行法・民事保全法〔2版，2011〕238頁，山木戸・前掲論文101頁など参照）。

(2)　財産上の物的負担の処遇

形式競売に関して最も重要なのは，相続財産上の抵当権や先取特権が，形式競売によって消滅するか否か（消除主義の適用があるか否か）という点である。この点に関しては，学説上，(a)形式競売では換金がなされれば足り，満足手続ではないので，抵当権等は当然に引受けとなるとする説（引受説）と，これとは逆に，(b)不動産執行におけると同様に，抵当権等は売却によって消滅し，順位に応じた配当に与るとする説（消除説）とが対立し，さらに，(c)場合を分けて，留置権による競売（民執195条）および純換価型形式競売では引受け，清算型形式競売では消除とする折衷説が有力に主張されている（学説状況については，山木戸・前掲論文97頁以下が詳しい。また中野・前掲書776頁，中野＝下村・前掲書825–826頁，山本和彦ほか編・新基本法コンメンタール民事執行法〔2014〕469頁〔小林昭彦〕，石渡・前掲論文78頁以下も参照）。もっとも，実務の大勢は(b)消除説に傾き，判例（最判平24・2・7判タ1379号104頁）も，純換価型形式競売に属する共有物分割による競売（民258条3項）につき，消除説（民執59条準用）を前提に，無剰余の場合の競売手続の取消しに関する規定（民執63条）の準用を認める態度を明らかにしている。

形式競売における物上負担の処遇に関する基本的な考え方としては，(c)折衷説が妥当と思われるが，前述のように，少なくとも本条の競売は，相続財産から弁済を受け得る相続債権者や受遺者に対する一括弁済を目的とする清算型形式競売に属するから，相続財産上の抵当権等は財産の売却によって消滅し（民執188条・59条1項），そのことを前提に，無剰余の場合の競売手続の取消しに関する規定（民執63条）も準用されると解するのが妥当である（本条の競売に民事執行法63条の無剰余措置の規定の適用を認めた裁判例として，東京高決平5・12・24判タ868号285頁がある）。

(3)　限定承認者の買受人資格

本条の競売が行われた場合に，限定承認者自身が対象財産の買受人になれるかという問題がある。限定承認者には本条ただし書の競売差止め制度によって相続財産を保有することが認められている以上，買受人資格を認める必要はないとする見解もある（柳川・註釈下123頁）。確かに，不動産の強制競売では債務者の買受申出は禁止されているが（民執68条），限定承認者は相続債務を負担するものの，責任財産は相続財産に限定され，相続に関しては第三者的地位にあること，形式競売と不動産の強制競売では，対象財産を取得することの趣旨が異なることを考慮すると，限定承認者にも買受人資格があると解すべきである（近藤・下914頁，新版注民(27)549頁〔岡垣〕，新版注民(27)〔補訂版〕587頁〔松原〕，注解判例720頁〔笹本忠男〕，基本法コメ129頁〔和田〕)。

2　その他の換価方法

本条が，前記の通り（→I参照)，任意売却により相続財産が不当に廉価で換価されるのを阻止するための規定であるとすると，任意売却が許されないのはもちろんである。これに対し，相続債権者や受遺者に対して代物弁済（482条）をすることができるか否かについてなお検討を要するが，この点は消極に解すべきことについては，前述した通りである（→§928 IV(3)参照)。

III　本条に違反する売却――任意売却

限定承認者が，本条に違反して任意売却を行った場合に（実務では，限定承認者による任意売却が行われていることにつき，→I参照)，その売却の効力がどうなるかが問題となる。限定承認者の損害賠償責任を規定する民法934条がこの場合の限定承認者の責任について触れていないから，売却はすべて無効であるとする説（梅195頁，柳川・註釈下120-121頁）や，相続債権者や受遺者に対して効力は生じないが，後にそれらの者が承認すれば，売却は確定的に有効となるとする説（近藤・下912頁，中川ほか・ポケット註釈288頁〔市川四郎〕）もある。しかし，売却の効果を否定すると，取引の安全を害すること，限定承認における違反行為に対して法は限定承認の利益の剝奪（921条3号）や損害賠償責任を課する（934条）にとどめていること，本条は任意売却により不当な廉価で換価されるのを阻止するための規定であること等を考慮すると，売却それ自体は有効と解するのが妥当である（東京地判昭7・11・29新聞3516号11頁，東京控判昭15・4・30評論29巻民545頁)。ただ，その売却によって相続債権者や受遺者に損害が発生した場合には，限定承認者は，不法行為に基づく損害賠償責任を負うべきであり，その場合の損害賠償額は，競売に付したならば得たであろう価額と，任意売却によって得た価額との差額である（中川監修・註解198頁〔山崎〕，中川編・註釈上281頁〔山畠〕，我妻・判コメ198頁，新版注民(27)550頁〔岡垣〕，新版注民(27)〔補訂版〕588頁〔松原〕，新判例コメ(15)98頁〔許〕，石渡・前掲論文8-9頁など)。なお，任意売却は，それ自体としては民法921条の法定単純承認事由には当たらないので，限定承認の効力に影響がない（前掲東京控判昭15・4・30，新基本法コメ150頁〔川〕）のは，もちろんである。

IV　限定承認者による競売の差止め――価額による弁済

1　競売差止めの趣旨

相続財産の中に，相続人の今後の生活の基盤となる財産や被相続人との関係等から相続人にとって主観的価値のある財産が含まれていて，限定承認をした相続人がそれらの財産の取得を希望する場合があり得る。他方，相続債権者や受遺者としては，適正な価額での弁済が受けられるのであれば，それらの相続財産が相続人に帰属すること自体に異論のない場合もあり得よう。

かかる趣旨から，本条ただし書は，限定承認者に対して，家庭裁判所が選任した鑑定人の評価に従い，相続財産の全部または一部の価額を弁済することによって，競売を差し止める権利を認めている。鑑定人に評価させるのは，民法930条2項の場合と同様に，公正な判断によって適正な評価をさせるためである。

本条ただし書は，「競売を止めることができる」と規定するが，これは，単に競売手続を中止ないし停止できるというだけでなく，競売による換価をしないで，鑑定人の評価した価額を限定承認者が自己の固有財産から支払うことによって当該財産を取得する権利を認める趣旨である（東京地判明40・6・14新聞436号22頁，新版注民(27)555頁〔岡垣〕，新版注民(27)〔補訂版〕589頁〔松原〕，新判例コメ(15)98頁〔許〕，基本法コメ129頁〔和田〕など）。かかる限定承認者による競売差止め制度は，立法当初は，家制度の下での家産の維持を目的とするものであったが（理由書294頁参照），現代においては，たとえば，限定承認者（相続人）が引き続き相続財産である家屋にそのまま居住することを希望する場合等に意義を有する（新版注民(27)〔補訂版〕589-590頁〔松原〕，新判例コメ(15)98頁〔許〕）。もっとも，本条ただし書については，競売手続を実施すれば，鑑定人の評価額以上の売得金を得られる場合もあり得ることから，この制度は，相続債権者の犠牲の下に限定承認者を保護する結果となるとして，これに疑問を呈する見解も古くより見られる（中川編・註釈上282頁〔山畠〕，柚木270頁）。

2 権 利 者

競売の差止めを求める権利は，限定承認者が有するが，限定承認者が1人ではなく，数人の相続人が限定承認をしたため，その中の1人の相続人が相続財産管理人に選任された場合には（→§897の2参照），競売の差止めを求める権利は，当該相続財産管理人だけでなく，管理権のないその他の相続人全員が有する（中川編・註釈上282頁〔山畠〕，我妻＝立石505頁，我妻・判コメ198頁，山崎邦彦「限定承認」家族法大系Ⅶ93頁，新版注民(27)555頁〔岡垣〕，新版注民(27)〔補訂版〕589頁〔松原〕，新判例コメ(15)98頁〔許〕，基本法コメ129頁〔和田〕，新基本法コメ150頁〔川〕など）。共同相続による限定承認の場合には，複数の相続人間で相続財産を必要とする理由が異なることがあり，相続財産管理人が申し立てた競売手続を，他の相続人が差し止める必要があるからである（新版注民(27)〔補訂版〕589頁〔松原〕）。

3 鑑定人の選任

本条ただし書による鑑定人は，家庭裁判所の家事審判により選任される（家事別表第一93項）。この審判事件は，限定承認の申述をした家庭裁判所の管轄に属する（家事201条2項。ちなみに，旧家審規99条では相続開始地の家庭裁判所の管轄とされていた）。

家庭裁判所は，鑑定対象となる財産の種類・性質に応じて，適正な鑑定ができる専門的知識を有する者（不動産鑑定士，公認会計士等）を鑑定人として選任しなければならない。ただ，法は，限定承認者が弁済すべき価額を決定する方法として鑑定人の選任を定めたにすぎないので，家庭裁判所としては，鑑定人を選任する旨の審判を行い，その告知をすれば，事件は終了する（新版注民(27)556頁〔岡垣〕，新版注民(27)〔補訂版〕590頁〔松原〕）。

鑑定人の選任および鑑定は，競売の差止めを求める限定承認者の利益のためになされるものであるから，鑑定に要する費用は，これを求めた限定承認者が負担すべきである（新版注民(27)556頁〔岡垣〕，新版注民(27)〔補訂版〕590頁〔松原〕）。

4 特別担保権者による担保権実行としての競売との関係

本条ただし書は，限定承認者が主体となって相続財産を形式競売によって換価する場合（本条本文）を前提とした規定であり，相続財産の上に抵当権その他の特別の担保権を有する債権者（特別担保権者）が，優先弁済を受けるために担保権実行としての競売手続を行っている場合を想定した規定ではない。したがって，当然のことながら，特別担保権者が，担保権実行としての競売手続を行っている場合に，限定承認者は，本条ただし書に基づいてその競売手続を差し止めることはできない（大決昭15・8・10民集19巻1456頁，大決昭16・3・26民集20巻361頁，中川編・註釈上282頁〔山畠〕，我妻＝立石505-506頁，我妻・判コメ198頁，青山・家族法論Ⅱ335頁，中川＝泉421頁，新版注民(27)557頁〔岡垣〕，新版注民(27)〔補訂版〕591頁〔松原〕，新判例コメ(15)98頁〔許〕，基本法コメ129頁〔和田〕，新基本法コメ150頁〔川〕など）。もっとも，相続人が，特別担保権者に対して担保目的物の評価額を全部支払えば，特別担保権者の申し立てた担保権実行としての競売手続を止めることは可能である（近藤・下914頁，中川ほか・ポケット註釈288頁〔市川〕，新版注民(27)557頁〔岡垣〕，新版注民(27)〔補訂版〕591頁〔松原〕，基本法コメ129頁〔和田〕。これに対し，石渡・前掲論文89-90頁は，かかる解釈は担保権実行手続の安定を阻害するとして，これに反対する）。

〔中島弘雅〕

（相続債権者及び受遺者の換価手続への参加）

第933条　相続債権者及び受遺者は，自己の費用で，相続財産の競売又は鑑定に参加することができる。この場合においては，第260条第2項の規定を準用する。

〔改正〕（1035）

I　本条の趣旨

相続債権者および受遺者は，限定承認手続において，相続財産の競売手続によって得られた換価代金から（932条本文），あるいは家庭裁判所によって選任された鑑定人の評価額に基づいて（932条ただし書），弁済を受ける。したがって，相続債権者および受遺者は，932条ただし書が規定する相続財産の競売手続または鑑定手続が適正・公平に行われることについて重大な利害関係を有している。そこで，本条は，それらの者が，相続財産の競売や鑑定手続に参加し，これを監視する権利を認めたものである（理由書295頁参照）。

もっとも，後述のように，ここにいう参加とは，競売手続や鑑定手続に立ち会い，競売機関（執行裁判所・執行官），鑑定人選任機関（家庭裁判所）または鑑定人に対して意見を述べる機会が与えられるだけであって，それ以上に積極的にそれらの手続に関与する特別の権限が認められているわけではない。その意味で，それほど実益がある制度とはいえず，実務上もほとんど使われていない（新版注民(27)557-558頁〔岡垣学〕，新版注民(27)〔補訂版〕591-592頁〔松原正明〕参照）。

II　換価手続への参加の手続

1　参加の申出

参加の申出をする先については，競売の場合には，限定承認者が競売機関（執行裁判所・執行官）に対して競売の申立てをし，競売機関が競売手続を実施するのであるから，相続債権者および受遺者は，当該競売機関に参加の申出をすることになる。

これに対し，鑑定の場合には，限定承認者の申立てによって家庭裁判所が鑑定人を選任し，その鑑定人が相続財産を評価し，その評価額に基づいて，限定承認者が弁済を実施する（932条ただし書）という形で一連の手続が進められるため，限定承認者や受遺者は，誰に対して参加の申出をなすべきかが問題となる。

通説は，鑑定人選任機関である家庭裁判所に対して参加の申出をすべきであるとする（中川編・註釈上283頁〔山畠正男〕，我妻＝立石506頁，我妻・判コメ199頁，新版注民(27)558頁〔岡垣〕，基本法コメ129頁〔和田幹彦〕，新基本法コメ151頁〔川淳一〕など）。しかし，これに対しては，家庭裁判所は，鑑定人を選任するのみであり，参加申出人が鑑定人の人選に意見を述べる実益は乏しく，鑑定の実施に際して鑑定人に意見を述べることに意義があるので，鑑定を実際に行う鑑定人に対して参加の申出をすれば足り，家庭裁判所の鑑定人選任手続へ参加を認める必要はないとする見解が，近時の家庭裁判所実務に明るい実務家によって主張されている（新版注民(27)〔補訂版〕592頁〔松原〕）。

2　参加の意義

競売実施期日等の通知（一3参照）を受けた相続債権者や受遺者は，競売手続や鑑定手続に参加することができる。もっとも，ここにいう参加とは，手続に立ち会い，競売機関（執行裁判所・執行官），鑑定人選任機関（家庭裁判所）または鑑定人に対して意見を述べることを意味するにとどまる。それらの機関または鑑定人は，相続債権者や受遺者の意見を参考にすることはできるが，それらの者の意見に拘束されることはない（新版注民(27)558頁〔岡垣〕，新版注民(27)〔補訂版〕593頁〔松原〕，新基本法コメ151頁〔川〕参照）。そのほか，競売手続に参加申出をした相続債権者や受遺者は，競売手続における利害関係人として，執行異議を申し立てることができ，売却許可決定に対しては執行抗告をすることができる（民執195条・182条・11条・12条）。

3　競売実施・鑑定期日等の通知

競売機関は，限定承認者から競売手続への参加申出があった場合，参加申出人に対して，競売実施期日等を通知しなければならない（民執195条・188条・64条，民執規37条）。家庭裁判所から選任された鑑定人が鑑定期日を決めて鑑定する場合には，鑑定人が，参加申出人に対して期日を通知する必要がある。しかし，鑑定人が期日を決めて鑑定を実施することはほとんどなく，実務上通知がなされるのは稀である（このことにつき，新版注民(27)〔補訂版〕593頁〔松原〕参照）。

競売または鑑定が実施される場合に，参加申出人に対する通知に加えて，相続債権者や受遺者にも，それらの手続が実施される旨の通知がなされるべきか否かという問題がある。相続債権者や受遺者が，競売または鑑定手続への参加を保障されるためには，手続が実施されることを事前に知る必要があるとして，競売機関や鑑定人選任機関が，手続実施の通知をしなければならないとする見解もある（新版注民(27)558頁〔岡垣〕）。しかし，それでは本条の実効性に照らし競売機関や鑑定人選任機関にとって加重な負担となること，本条と同趣旨の民法260条においても，共有者に分割の参加資格者への通知義務はないと解されていることを考慮すると，競売機関や鑑定人選任機関には競売等の実施につき事前の通知義務はないと解される（新版注民(27)〔補訂版〕593-594頁〔松原〕）。

4　参加費用の負担

競売手続等への参加は，参加申出人が自らの利益のためにするものであるから，申出人自身が負担することになる（本条前段）。

III　参加申出人を換価手続に参加させなかった場合の効果

相続債権者や受遺者から参加申出があったにもかかわらず，申出人を参加させずに競売や鑑定がなされた場合にはどうなるか。本条が，共有物の分割に関する民法260条2項の規定を準用し，同条項が，「参加の請求があったにもかかわらず，その請求をした者を参加させないで分割をしたときは，その分割は，その請求をした者に対抗することができない」と規定していることから，問題となる。

ここにいう参加申出人に対抗できないということの意義について，通説は，国家が行う競売や国家が選任した鑑定人が行う鑑定の性質上，競売や鑑定の結果を否認できるとするのは妥当ではないから，競売や鑑定それ自体は有効と解した上で，本条に反する競売や鑑定が行われた結果，相続債権者や受遺者に損害が発生した場合には，競売や鑑定手続に参加できなかった当該参加申出人に対して，「その者に対して通知をなすべきであった者」あるいは「〔参加〕申出人に参加の機会を与えなかった者」は，不法行為に基づく損害賠償責任を負うとする趣旨であると解している（我妻＝立石506頁，新版注民(27)559頁〔岡垣〕。同旨，中川編・註釈上283頁〔山畠〕，我妻・判コメ199頁，中川＝泉421頁など）。

もっとも，「その者に対して通知をなすべきであった者」あるいは「〔参加〕申出人に参加の機会を与えなかった者」が，具体的に誰を意味するかも問題となるが，少なくともそれは，競売機関または鑑定人のことではない。競売機関は適法かつ相当な競売を実施すべき職責を有し，鑑定人も相当な鑑定をする義務を負っているので，競売機関や鑑定人が不相当な競売または鑑定によって第三者に損害を与えた場合には，参加申出人に対する通知義務を懈怠したか否かに関係なく，損害賠償責任を負うと解すべきであるからである。では，誰を意味するか。それは，相続債権者や受遺者から競売や鑑定手続への参加を希望する旨が伝えられていたにもかかわらず，それらの手続がなされることを告げることなく，競売や鑑定手続を実行させた限定承認者と解するのが妥当である（中川編・註釈上283頁〔山畠〕，新版注民(27)〔補訂版〕595頁〔松原〕）。

〔中島弘雅〕

（不当な弁済をした限定承認者の責任等）

第934条①　限定承認者は，第927条の公告若しくは催告をすることを怠り，又は同条第1項の期間内に相続債権者若しくは受遺者に弁済をしたことによって他の相続債権者若しくは受遺者に弁済をすることができなくなったときは，これによって生じた損害を賠償する責任を負う。第929条から第931条までの規定に違反して弁済をしたときも，同様とする。

②　前項の規定は，情を知って不当に弁済を受けた相続債権者又は受遺者に対する他の相続債権者又は受遺者の求償を妨げない。

③　第724条の規定は，前2項の場合について準用する。

〔対照〕　フ民800，ド民1978 Ⅰ Ⅱ

〔改正〕　（1036）

Ⅰ　本条の趣旨

本条は，1項において義務懈怠または不当弁済による限定承認者の損害賠償責任を定める。限定承認者は，相続財産の限度において被相続人の債務を弁済する責任を負い（922条），また，その固有財産におけるのと同一の注意をもって，相続財産の管理を継続しなければならない（926条）。このように相続財産の管理を担う限定承認者によって適式かつ適正な弁済の遂行が果たされることで相続債権者および受遺者の保護を図るべく，限定承認者に対して上記の損害賠償責任が課されている。

また，2項は，情を知って不当に弁済を受けた相続債権者または受遺者に対する求償権の行使について定め，3項は，これらの損害賠償請求権および求償権に関する消滅時効を定めている。

Ⅱ　限定承認者の義務懈怠または不当弁済による責任（1項）

1　限定承認者の義務懈怠または不当弁済による損害賠償責任

限定承認者は，以下の各場合において，相続債権者または受遺者に対し，自己の固有財産をもってその損害の賠償をする責任を負う（本条1項）。すなわち，①相続債権者および受遺者に対する公告もしくは催告（927条）を怠った場合，②公告に基づく請求申出期間（927条1項）内に相続債権者もしくは受遺者に弁済をしたことによって他の相続債権者もしくは受遺者に弁済をすることができなくなった場合（以上，本条1項前段），または③929条から931条までの規定に違反して弁済をした場合（本条1項後段）である（なお，③に関して，限定承認の前後において相続債権者の一部によって強制執行手続が開始され，執行債権者となった相続債権者に対してのみ配当等がなされたという場合にも本条1項後段の適用を認めるべき旨を説く見解として，石渡哲「限定承認による清算手続と民事執行手続」横浜法学29巻3号〔2021〕59-62頁参照)。

2　損害賠償請求権を有する相続債権者または受遺者

本条1項における損害賠償請求権を有する相続債権者または受遺者とは，①請求申出期間に請求の申出をした相続債権者および受遺者（927条1項前段)，②知れている相続債権者および受遺者（同条2項ただし書）ならびに③相続財産について優先権を有する債権者（929条ただし書参照）に限られる（新版注民(27)561頁〔岡垣学〕，新版注民(27)〔補訂版〕596頁〔松原正明〕)。よって，請求の申出をしなかったため，清算手続における弁済から除斥された相続債権者または受遺者（927条2項本文参照）は，上記請求権を有しない。

なお，限定承認者には，公告および催告の義務のほか，相続債権者および受遺者を調査し催告すべき注意義務までは課されていない。したがって，上記②の知れている相続債権者または受遺者とは，「限定承認者が相続債権者あるいは受遺者であると認識していたにもかかわらず，あえて当該債権者等に対し個別の催告をせず，または，失念あるいは法律の規定の不知により個別の催告を怠ったような場合に限られる」（東京地判平13・2・16判時1753号78頁)。

損害賠償請求権者として相続債権者と受遺者が競合する場合には，相続債権者の損害が塡補され，かつ受遺者に損害が発生したときでなければ，受遺者は損害賠償請求権を取得することができないと解される（新版注民(27)561頁〔岡垣〕，新版注民(27)〔補訂版〕596頁〔松原〕)。なぜならば，受遺者は，相続債権者に対する弁済がなされた後，なお残余財産があって初めて弁済を受けるという地位を有するにすぎないからである（931条)。

3　損害賠償請求権の法的性質

本条1項における損害賠償請求権の法的性質は，本条3項が不法行為による損害賠償請求権の消滅時効に関する724条を準用していることから，不法行為責任であると解するのが多数説である（新版注民(27)562頁〔岡垣〕，新版注民(27)〔補訂版〕596頁〔松原〕）。これに対して，限定承認者の義務違反に基づく債務不履行責任と解する反対説（中川編・註釈上285頁〔薬師寺志光〕）がある。

本条1項に基づく損害とは，限定承認者による義務懈怠または不当弁済があったため，他の相続債権者または受遺者に対して本来であれば弁済されるべき金額と実際の弁済額との差額分であり，また，この金額は，請求申出期間満了後の段階で計算可能であるから，未だに清算手続が完了していない時点においても，この損害賠償の請求は可能である（最判昭61・3・20民集40巻2号450頁。判例民法XI 241-242頁〔足立文美恵〕）。

III　情を知って不当な弁済を受けた者の責任（2項）

1　情を知って不当な弁済を受けた者に対する求償権

(1)　不当な弁済を受けた相続債権者または受遺者の地位

限定承認者が本条1項所定の不当な弁済を行ったため損害賠償責任を負う場合であっても，弁済を受けた相続債権者または受遺者がその弁済が不当であることを知らなかったときには，弁済は有効であり，その弁済を受領した相続債権者または受遺者は責任を負わない。

これに対して，相続債権者または受遺者が不当な弁済であることを知ってこれを受領したため，他の相続債権者または受遺者が自己の債権につき十全な満足を受けられなくなった場合には，不当弁済を受領した相続債権者等に対して求償することができる（本条2項。なお，石渡・前掲論文62-67頁は，相続債権者の一部が強制執行手続において執行債権者として配当等を受けた場合について，原則として本条2項の適用が否定される旨を説く）。求償が認められる範囲は，前述の限定承認者に対する損害賠償額のうち，相続債権者等が本来の弁済額を超えて不当に受領した弁済額を限度とする（我妻・判コメ200頁，新基本法コメ152頁〔川淳一〕）。

(2) 「情を知って」の意義

本条2項の「情を知って」とは，相続債権者または受遺者が，限定承認者による弁済が本条1項所定の不当なものに該当することを知りながら，その弁済を受領したことを意味する。この点に関して，「自己の弁済受領によって，他の債権者又は受遺者に対する弁済が不可能又は不十分となること，若しくはその恐れがあることまで知っている必要はない」とする見解（新版注民(27)562頁〔岡垣〕。中川編・註釈上285頁〔薬師寺〕も同旨）と，「自己の弁済受領によって他の相続債権者または受遺者に対する弁済が不可能または不十分となることを認識していた場合に求償義務」が課されるとする見解（新版注民(27)〔補訂版〕597頁〔松原〕。なお，前提として，同見解は，927条所定の公告・催告義務懈怠の場合も不当な弁済に含めている）がある。思うに，本条1項所定の「不当」な弁済であること，すなわち，公告に基づく請求申出期間（927条1項）内に行った弁済であること，または929条から931条までの規定に違反した弁済であることの認識さえ弁済受領者にあれば，他の相続債権者または受遺者に損害が生じうることを通常予見しうるため，求償義務を覚悟すべきであるから，前者の解釈が妥当であろう。なお，弁済受領者が「情を知って」いたという事実の証明責任は，求償権者に課される。

(3) 求償権の法的性質

本条2項の求償権の法的性質につき，講学上争いが見られるが，本条1項による限定承認者に対する損害賠償請求権と同様に，不法行為責任と解するのが多数説の立場である（新版注民(27)563頁〔岡垣〕，新版注民(27)〔補訂版〕598頁〔松原〕参照。これに対して，穂積Ⅱ284頁，柚木276頁，中川編・註釈上285頁〔薬師寺〕等は，不当利得と解する）。

(4) 求償権者

求償権者は，本条2項の文言によれば，不当な弁済によって自己の債権につき十全な満足を受けられなくなった他の相続債権者または受遺者である。ただし，受遺者は，相続債権者に対する弁済がなされた後，なお残余財産があって初めて弁済を受ける地位を有するにすぎない（931条）。したがって，不当弁済を受領した相続債権者を相手方として受遺者が求償権を行使するには，相続債権者の債権が弁済され，かつ残余財産が生じることを立証しなければならないと解される（中川監修・註解201頁〔山崎邦彦〕，新版注民(27)563頁

〔岡垣〕，新版注民(27)〔補訂版〕598頁〔松原〕)。

2　限定承認者の損害賠償責任と求償義務の関係

本条2項の「求償を妨げない」とは，本条1項による限定承認者の損害賠償責任が認められる場合であっても，相続債権者または受遺者は，この限定承認者に対する損害賠償請求権のほか，併せて求償権を競合的に行使できるという趣旨に解するのが多数説である(新版注民(27)562-563頁〔岡垣〕，新版注民(27)〔補訂版〕597頁〔松原〕参照)。また，本条1項の損害賠償債務と同条2項の求償義務とは，その目的を同じくし，一方が弁済されれば他方がその限度において消滅するという関係にあるため，いわゆる不真正連帯債務の関係にあると解される(新版注民(27)562頁〔岡垣〕は，限定承認者と求償義務者たる相続債権者または受遺者とは，一種の共同不法行為者〔719条参照〕とみるべきであるとする)。

IV　損害賠償請求権および求償権の消滅時効（3項）

本条1項による損害賠償請求権および同条2項による求償権の消滅時効に関して，不法行為による損害賠償請求の消滅時効を定める724条の規定が準用される(本条3項)。したがって，相続債権者または受遺者が，限定承認者による義務懈怠または特定の相続債権者もしくは受遺者に対する不当弁済による損害を知った時から，損害賠償請求権および求償権は3年間の消滅時効にかかる(本条3項の準用する724条1号)。また，相続債権者または受遺者が損害を知らなかった場合には，上記の各請求権は，義務懈怠または不当弁済の時点から20年間の消滅時効にかかる(本条2項の準用する724条2号)。

〔杉本和士〕

（公告期間内に申出をしなかった相続債権者及び受遺者）

第935条　第927条第1項の期間内に同項の申出をしなかった相続債権者及び受遺者で限定承認者に知れなかったものは，残余財産についてのみその権利を行使することができる。ただし，相続財産について特別担保を有する者は，この限りでない。

〔対照〕 フ民792 II，ド民1973 I 3文
〔改正〕 (1037)

I　本条の趣旨

本条は，請求申出期間内に申出をしなかった相続債権者および受遺者の権利についての規定である。本条本文は，相続債権者および受遺者のうち請求の申出をしなかった者で，限定承認者に知れなかった者は，一応清算手続から除斥されるが，清算手続終了後になお残余財産がある場合には，その残余財産に対して権利行使をすることを認めた規定である（理由書296-297頁参照）。他方，本条ただし書は，相続財産について特別の担保を有する債権者（特別担保権者）は，本条本文の規定にかかわらず，当然に優先弁済を受けられることを明らかにした規定である（新版注民(27)〔補訂版〕599-600頁〔松原正明〕，新判例コメ(15)101頁〔許末恵〕など）。

II　請求申出期間内に申し出なかった相続債権者・受遺者の保護——本条本文

1　本条本文によって弁済を受けられる相続債権者および受遺者

本条本文によって弁済を受けられる相続債権者および受遺者は，民法927条1項所定の期間内にその請求の申出をしなかった相続債権者または受遺者で，期間満了後に申出をした債権者・受遺者および期間経過後に限定承認者に知れた債権者・受遺者である。期間満了前にすでにその存在は知られていたが，期間満了後にはじめて数額が明らかとなった債権者・受遺者も含まれる。請求申出期間内に債権の一部を申し出た者も，残額債権を放棄したと認められない限り，ここにいう相続債権者・受遺者に含まれる（新版注民(27)〔補訂版〕600頁〔松原〕，基本法コメ131頁〔和田幹彦〕）。

2　残余財産

本条にいう残余財産とは，限定承認による清算手続を進め，相続債権者や受遺者にいったん弁済をした後に，なお残っている相続財産をさす。清算手続終了後に，相続財産として残っている物権，債権その他の財産権のことで

ある。その債権の中には，相続財産が第三者によって侵害されたことによって生じた不法行為に基づく損害賠償請求権や，相続債権者または受遺者でない者が誤って相続財産から弁済を受けたことによって生じた不当利得返還請求権なども含まれる。限定承認者が，清算手続中に故意または過失により相続財産を滅失または毀損させたときは，損害賠償義務を負うが，この損害賠償請求権は，限定承認者が相続開始前に被相続人に対して負っていた債務と同様に（925条参照），相続財産に属する。この損害賠償請求権は，民法925条の趣旨に鑑みて，清算手続の終了に伴う混同によって消滅することなく，残余財産に属するものと解される（中川編・註釈上287頁〔薬師寺志光〕，新版注民(27)566頁〔岡垣学〕，新版注民(27)〔補訂版〕600-601頁〔松原〕など）。

3 残余財産存否に関する主張・立証責任

本条が，除斥された相続債権者および受遺者は残余財産についてのみ「その権利を行使することができる」と規定していることから，文理上，それらの者に残余財産の存在についての主張・立証責任があるかのように見える（理由書297頁はこの立場に立つ）。しかし，本条は，相続財産の清算手続終了後になお残余財産が残っていれば，限定承認者は除斥された相続債権者・受遺者に対しても当然に弁済しなければならないことを前提とした規定と解されるから，それらの相続債権者・受遺者が残余財産の存在を主張・立証する必要はなく，むしろ弁済を拒絶しようとする限定承認者が，その不存在を主張・立証すべきである（近藤・下916頁，中川編・註釈上287頁〔薬師寺〕，鈴木76頁，新版注民(27)〔補訂版〕601頁〔松原〕など）。

4 権利行使の終期

相続債権者・受遺者が本条本文による弁済を受けるためには，請求申出期間の満了後，残余財産が相続人の固有財産と混同して識別できなくなるか，限定承認者が残余財産の処分を終えるまでに申出をしなければならないとするのが通説である（中川監修・註解203頁〔山崎邦彦〕，柚木277頁，我妻・判コメ201頁，中川＝泉422頁，新版注民(27)〔補訂版〕601頁〔松原〕など）。

5 弁済の順序および方法

弁済の順序・方法について，本条は特に定めていない。しかし，民法931条の趣旨（→§931 I参照）を類推すると，相続債権者が受遺者に優先して弁済を受けると解すべきである。もっとも，請求申出期間内に申出をした受遺者または知れている受遺者が弁済を受ける前に，期間内に申し出なかった相続債権者が現れた場合に，民法931条に基づき，相続債権者への弁済を優先させると（近藤・下916頁，於保111頁，中川ほか・ポケット註釈291頁〔市川四郎〕は，かかる立場をとる），請求申出期間の経過によりいったん除斥された相続債権者を救済することになるため，期間内に申出をした受遺者への弁済を優先させるべきである（中川編・註釈上286頁〔薬師寺〕，新版注民(27)〔補訂版〕602頁〔松原〕，石渡哲「限定承認による清算手続と民事執行手続」横浜法学29巻3号〔2021〕31頁など）。

同順位の相続債権者が複数いて，しかもそれらの者の債権総額が残余財産の額を超える場合に，どのように処理するかが問題となる。この点につき学説は，一般的にはどの債権者に弁済しても限定承認者は不当弁済の責任は負わないが，債務超過が明らかである場合には，民法929条による弁済と同様に，債権額に按分して弁済をなすべきであると解している（新版注民(27)568頁〔岡垣〕，新版注民(27)〔補訂版〕602頁〔松原〕，基本法コメ131頁〔和田〕など）。

III　特別担保権者の権利——本条ただし書

1　本条ただし書の意義

本条ただし書は，相続財産について特別担保を有する者は，本条本文の規定にかかわらず，当然に優先弁済を受けられることを明らかにしている。ここにいう「相続財産について特別担保を有する者」（特別担保権者）とは，相続財産の一部または全部の上に，担保権，具体的には先取特権，質権，抵当権などの優先弁済権を有する債権者（929条ただし書）のことであるが，ここでは特に請求申出期間内に申出をせず，しかも限定承認者の知らなかった特別担保権者を意味する。そのような特別担保権者が存在し，それが知れている場合には，限定承認者は，申出の有無にかかわらず，優先弁済をしなければならない（929条ただし書）。しかし，その存在が限定承認者に知られず，申出もしなかったために弁済を受けられなかった特別担保権者は，時期のいかんを問わず，担保権を実行して他の債権者に優先して弁済を受けることができる。もっとも，それらの特別担保権者が，かかる権利を行使して優先弁済が受けられるのは，当該担保権の効力からして当然のことである。したがって，本条ただし書は，当然のことを注意的に定めた規定にすぎない（理由書297頁，我妻＝立石510頁，我妻・判コメ201頁，新版注民(27)569頁〔岡垣〕，新版注民(27)〔補訂版〕602頁〔松原〕，新判例コメ(15)98頁〔許〕，基本法コメ131頁〔和田〕，新基本法コメ152頁〔川淳一〕など）。

特別担保権者に以上のような優先弁済権があることから，さらに進んで，特別担保権者は，たとえ限定承認による清算手続から除斥されても，担保目的物の価額を限度として，すでに弁済を受けた相続債権者や受遺者に対して払戻し請求ができるとする見解がある（柳川勝二・日本相続法要論〔1926〕239頁，穂積Ⅱ290頁，青山・家族法論Ⅱ334頁，永田菊四郎・相続法〔新民法要義5巻〕〔1957〕222頁など）。しかし，限定承認者が担保目的物を換価した場合には，特別担保権者といえども，限定承認者がこの換価物を受け取る前に差押えをしなければ，物上代位により換価物に対し担保権を実行することはできない（304条・350条・372条）。したがって，限定承認者がこの換価物を受け取り，これを相続債権者や受遺者に弁済してしまった場合には，換価物の受領者に対して求償権を行使することはできないと解すべきである（中川編・註釈上288頁以下〔薬師寺〕，新版注民(27)569頁〔岡垣〕，新版注民(27)〔補訂版〕603頁〔松原〕）。

2　除斥相続債権者による相殺権行使の可否

特に明文上の定めはないが，相殺にはいわゆる担保的効力が認められているので，相続債権者が，相続財産に対する債務を負担し，相殺適状にあるときは，限定承認により相殺権を失うことはない（→§922 Ⅲ 4(2)参照）。もっとも，債権申出期間内に申出をしなかった相続債権者（除斥された債権者）から債権を譲り受けた者は，相殺についても残余財産の限度においてのみなし得るにすぎない（大判昭6・4・7裁判例5巻民50頁，近藤・下918頁，中川編・註釈上287頁〔薬師寺〕，我妻・判コメ202頁，永田・前掲書221頁，新版注民(27)〔補訂版〕602頁〔松原〕，基本法コメ131頁〔和田〕など）。

〔中島弘雅〕

（相続人が数人ある場合の相続財産の清算人）

第936条①　相続人が数人ある場合には，家庭裁判所は，相続人の中から，相続財産の清算人を選任しなければならない。

② 前項の相続財産の清算人は，相続人のために，これに代わって，相続財産の管理及び債務の弁済に必要な一切の行為をする。

③ 第926条から前条までの規定は，第1項の相続財産の清算人について準用する。この場合において，第927条第1項中「限定承認をした後5日以内」とあるのは，「その相続財産の清算人の選任があった後10日以内」と読み替えるものとする。

〔改正〕 ①＝昭23法260・令3法24改正　②③＝令3法24改正

（相続人が数人ある場合の相続財産の管理人）

第936条① 相続人が数人ある場合には，家庭裁判所は，相続人の中から，相続財産の管理人を選任しなければならない。

② 前項の相続財産の管理人は，相続人のために，これに代わって，相続財産の管理及び債務の弁済に必要な一切の行為をする。

③ 第926条から前条までの規定は，第1項の相続財産の管理人について準用する。この場合において，第927条第1項中「限定承認をした後5日以内」とあるのは，「その相続財産の管理人の選任があった後10日以内」と読み替えるものとする。

I　本条の趣旨

本条は，共同相続人によって限定承認がなされた場合の相続財産清算人の職権による選任とその法的地位について定めた規定である。

相続人が数人あるときは，限定承認は，共同相続人の全員が共同してのみこれをすることができる（923条）。明治民法（昭和22年法222号改正前）においては，単独相続である家督相続が主要な相続形態であったため，共同相続の場合における限定承認に関する規定がなく，相続人が単独で限定承認をできるかどうかが明らかでなかった。そこで，923条は，共同相続人の一部による限定承認を認めないとする立場を採用するのを明らかにした（詳細については，→§923 I参照）。そうすると，同条により共同相続人全員が共同して限定承認をした場合，仮にその共同相続人全員が相続財産の管理および清算を行うとすれば，責任の所在が不明確となり，事務の遂行が煩雑になってしまうほか，場合によっては，利害関係人にとって不公平な事態を生じかねない（新版注民(27)570頁〔岡垣学〕，新版注民(27)〔補訂版〕603-604頁〔松原正明〕参照）。

そこで，本条は，限定承認がなされた場合の相続財産の管理および清算を単一の相続財産清算人に委ねることで，このような弊害を避けようとしたものである。

II　職権による相続財産清算人の選任

家庭裁判所（抗告裁判所が限定承認の申述を受理した場合にあっては，その裁判所）は，相続人が数人ある場合において，限定承認の申述を受理したときは，職権で，相続人の中から相続財産の清算人を選任しなければならない（本条1項，家事201条3項・別表第一94項。旧家審9条1項甲類28号，旧家審規116条参照）。これを，「職権による相続財産清算人」と呼ぶ（なお，令和3年改正による，従来の「相続財産の管理人」から「相続財産の清算人」への名称変更について，→§897の2 I⑵(ア)参照）。

この清算人の選任は，相続の承認および放棄に関する審判事件として，相続が開始した地を管轄する家庭裁判所の管轄に属する（家事201条1項）。清算人選任の審判に対する即時抗告は，認められない（家事201条9項各号のいずれにも該当しない。旧家審法について，札幌高決昭34・9・21家月12巻7号107頁）。本条1項の清算人として1人が選任されるのが前述した本条の趣旨に合致すると考えられ，実務上も通例は1人の清算人が選任されている（新版注民(27)〔補訂版〕604頁〔松原〕）。もっとも，たとえば，多種多様な相続財産や相続債務が各地に分散して存在し，また，限定承認者がいくつかのグループに分かれている等の特別の事情がある場合には，例外的に数人の清算人を選任することも認められると解される（我妻・判コメ203-204頁，新版注民(27)571頁〔岡垣〕，新版注民(27)〔補訂版〕604頁〔松原〕。反対，於保不二雄「共同相続における遺産の管理」家族法大系VII 103頁，中川ほか・ポケット註釈293頁〔市川四郎〕等）。また，本条1項の清算人の改任については，家事事件手続法に明文規定はないものの，審判の取消しまたは変更の規定（家事78条1項）によって対応するものと解される（金子・逐条762頁）。

なお，本条1項の相続財産清算人は必要的機関であり，裁判所の職権によって相続人の中から必ず選任されなければならないという点において，また，相続財産の管理につき善管注意義務ではなく固有財産におけるのと同一の注意義務を負うにすぎないという点において（本条3項前段・926条1項。→III 1(3)(イ)），利害関係人または検察官の請求によって選任される相続財産管理人（897条の2第1項2項）と異なる（→§897条の2 I(2)(イ)参照）。

III　職権による相続財産清算人の地位

1　権限等（本条2項・3項）

(1)　本条1項の清算人は，相続人のために，これに代わって，相続財産の管理および債務の弁済に必要な一切の行為をする権限を有する（本条2項）。この権限は，他の共同相続人によって授与されるものではなく，民法の規定により当然に認められるものであるから，一種の法定代理権としての性質を有する（新版注民(27)572頁〔岡垣〕，新版注民(27)〔補訂版〕604頁〔松原〕。清算人の訴訟上の地位について，後記2(2)参照）。

(2)　本条1項の清算人がその権限に基づいてした相続財産の管理および清算に関する行為の効果は，他の共同相続人全員に帰属する。本条2項は，「相続人のために，これに代わって」と規定するが，共同相続人の中には当然清算人自身も含まれるものの，相続人たる清算人が自分自身を代理するという関係は想定しえない。そこで，この文言は，「相続人全員のために，相続人自身の資格と他の共同相続人の代理人たる資格において」という意味に解すべきである（中川編・註釈上290頁〔薬師寺志光〕。新版注民(27)572頁〔岡垣〕，新版注民(27)〔補訂版〕604頁〔松原〕参照）。要するに，清算人は相続人たる地位と他の共同相続人の代理人たる地位とを併有すると見ることになる（新版注民(27)572頁〔岡垣〕）。

本条1項によって清算人が選任されたときは，他の共同相続人は当然に相続財産の管理および清算についての権限を失うものと解される。仮に清算人以外の他の共同相続人が相続財産を自由に処分する権限を有するとすれば，清算事務の執行に支障を来たすおそれがあるためである（京都地判昭44・1・29判タ233号117頁参照。近藤・下900頁，我妻＝立石511頁，我妻・判コメ202-203頁）。

(3)　本条1項の清算人について，以下の各規定が準用されている（本条3項前段・926条から935条まで）。

(ア)　委任の規定の準用　　委任契約における受任者の①報告義務（645条），②受取物引渡し等の義務（646条）および費用償還請求等（650条1項2項）に関する諸規定がそれぞれ準用されている（本条3項前段・926条2項）。これは，本条1項の清算人が，前述のとおり，一種の法定代理人であるものの，他人の事務を管理するという点において受任者に類似するためである（新版注民(27)575頁〔岡垣〕，新版注民(27)〔補訂版〕606頁〔松原〕）。

(イ)　単独限定承認者の管理および清算に関する規定の準用　　本条1項の清算人は，限定承認者たる立場と他の共同相続人の代理人たる立場とを併有しつつ相続財産の管理および清算を行うため，単独限定承認者が清算を行う場合と異ならない。そこで，単独限定承認者の管理および清算に関する諸規定が清算人に準用されている（本条3項前段・926条から935条まで）。なお，927条1項に定める請求申出の公告をする期間（「限定承認をした後5日以内」）は，「清算人の選任があった後10日以内」と読み替えられる（本条3項後段）。したがって，たとえば，本条1項の清算人は，限定承認者と同様に，その固有財産におけるのと同一の注意をもって，相続財産の管理を継続すれば足りる（本条3項前段・926条1項）。

2　法的地位

(1)　本条1項の清算人（令和3年〔2021年〕改正前の「管理人」）が「家庭裁判所が選任した財産の管理をする者」（旧家審16条。家事125条6項の「財産の管理者」に相当する）に該当するかという点について，かつて解釈論上の対立が見られた（新版注民(27)572-574頁〔岡垣〕，新版注民(27)〔補訂版〕605頁〔松原〕参照）。しかし，この解釈問題は，平成23年（2011年）成立の家事事件手続法において否定説の立場が採用されることをもって決着を見た（令和3年改正前において，「財産の管理者」に関する家事事件手続法125条の規定は，相続財産の保存または管理に関する処分の審判事件（同改正前の同法別表第一90項）についてのみ準用され（同改正前の同法201条10項〔現在の家事190条の2第2項〕），同改正前民法936条1項の職権による相続財産管理人には準用されないことが明確にされていた）。相続財産の管理につき，その固有財産におけるのと同一の注意義務が課されるにすぎない本条1項の清算人（本条3項前段・926条1項）が「財産の管理者」（家事125条6項）に該当するとして善管注意義務（644条の準用）を加重されるとするのは相当ではなく，仮に本条1項の清算人に問題があれば，「相続財産の保存に必要な処分」として管理人を選任することが可能であるから（897条の2第1項本文，家事別表第一89項・190条の2），不都合はないというのがその趣旨である（金子・逐条761-762頁参照）。以上の点は，令和3年改正によって，従来の「管理人」から「清算人」の名称に変更されたことからも明らかである。

(2)　本条1項の職権による清算人の訴訟上の地位について，かつては学説上の対立が見られたものの（新版注民(27)574-575頁〔岡垣〕，新版注民(27)〔補訂版〕606頁〔松原〕，福永有利〔判批〕民商69巻1号〔1973〕105頁等参照），最高裁昭和47年11月9日判決（民集26巻9号1566頁）は，本条1項により相続財産清算人が選任された場合であっても，相続財産に関する訴訟について当事者適格を有するのは相続人であり，相続人全員の法定代理人にすぎない相続財産清算人は当事者適格を有しない旨を判示している（→「相続財産管理人等の訴訟上の地位」参照）。

〔杉本和士〕

（法定単純承認の事由がある場合の相続債権者）

第937条　限定承認をした共同相続人の1人又は数人について第921条第1号又は第3号に掲げる事由があるときは，相続債権者は，相続財産をもって弁済を受けることができなかった債権額について，当該共同相続人に対し，その相続分に応じて権利を行使することができる。

I　本条の趣旨

本条は，限定承認をした共同相続人の1人または数人について所定の法定単純承認事由（921条1号または3号。→§921 II・IV参照）がある場合，その者に対して単純承認があったのと同様の責任（なお，この責任は，後述するように単純承認の場合と厳密に全く同様のものではないため，単純承認的責任または準単純承認責任と呼ばれる。以下では，「単純承認的責任」の用語による）を負わせつつ，他の共同相続人との関係においては，すでになされた限定承認の効果を保持させることにしたものである。

相続人が数人あるときは，共同相続人の全員が共同しなければ限定承認をすることができない（923条）。そうすると，限定承認をした共同相続人の1人または数人に法定単純承認事由があることが判明した場合，本来ならば，すでになされた限定承認は無効とされ，その効果は消滅するはずである。しかし，いったん限定承認の申述（924条）が受理されることで形成された法律関係を覆滅させ，すでに進行していた清算手続も無効とされてしまうとすれば，徒に混乱を来すばかりか，他の共同相続人が限定承認の利益を受けられなくなる事態をもたらし，妥当でない（新版注民(27)〔補訂版〕607頁〔松原正明〕参照）。そこで，本条は，限定承認の効果自体は保持しつつ，相続債権者の保護を図るべく，相続債権者が相続財産をもって弁済を受けることができなかった債権額のうち，法定単純承認事由のある共同相続人の相続分の割合に応じた部分について，その固有財産をもって弁済させるものとする（なお，後述するように，相続人によって限定承認が未だになされていない場合も本条の適用対象となるか否かについては，解釈上，争いがある。→II 2(1)参照）。要するに，当該共同相続人に関しては，前述のとおり，単純承認があったのと同様の責任を負わせられることとなる。もっとも，この責任はあくまで相続債権者に対するものであり受遺者に対しては負わないという点で（→III 1参照），単純承認者の責任（920条）と比較して，その責任範囲は相対的に狭いといえよう。

II　単純承認的責任の要件

1　共同相続人全員が限定承認をしたこと

単純承認的責任の要件として，共同相続人の全員が共同して限定承認の申述をし（923条・924条），家庭裁判所がこれを受理したこと（家事201条5項7項・別表第一92項）が前提とされる。相続放棄をした者は，その相続に関しては，初めから相続人とならなかったものとみなされるから（939条），ここでいう共同相続人に含まれないと解される（新版注民(27)578頁〔岡垣学〕。なお，限定承認がなされる前に，相続放棄をした一部の共同相続人が921条3号所定の法定単純承認事由に該当する行為をした場合，他の共同相続人がなお限定承認をすることが可能か否か，併せて本条の類推適用が認められるかについては，解釈上の争いがある（→2(2)参照））。

本条は,「限定承認をした」という文言からすれば,すでに共同相続人の全員によって限定承認がなされた場合を前提としているように読める。これに対して,限定承認が未だなされていない場合にも,法定単純承認事由の認められる共同相続人に本条の責任を負わせつつ,なお他の共同相続人が限定承認をすることを認めるという解釈が可能か否かについては,後述するように,争いがある(→2参照)。

2　限定承認をした共同相続人の1人または数人について921条1号または3号所定の法定単純承認事由があること

(1)　921条1号所定の法定単純承認事由

本条の定める要件として,限定承認をした共同相続人の1人または数人について921条1号または3号所定の法定単純承認事由があることを要する。このうち同条1号所定の事由とは,相続人が相続財産の全部または一部を処分したこと(ただし,保存行為および602条に定める期間を超えない賃貸は除く)である。このように,同条1号の規定そのものは,相続人が未だに相続の放棄も承認もしていない間に,相続財産の処分がなされた場合を想定している(相続の放棄または限定承認がなされた後の処分については,もっぱら同条3号所定の事由に該当するか否かが問題となるというのが通説および判例の立場である〔中川=泉385頁・389頁,大判昭5・4・26民集9巻427頁。→§921 II(3)参照〕)。他方で,本条の文言は,「限定承認をした共同相続人の1人又は数人について第921条第1号……に掲げる事由があるときは」(傍点は引用者による)となっており,すでに限定承認がなされていることを前提とする規定ぶりとなっている。そこで,両者をどのように整合的に解釈すべきが問題となる。この点に関しては,以下の3説がある(→§921 II(6)も参照)。

①　第一に,921条1号所定の法定単純承認事由に関する限り,同条3号とは異なり,「限定承認をした」という文言を捨象(削除)し,共同相続人が未だに相続の放棄も承認もしていない状態で,共同相続人のうちの1人または数人が同条1号所定の処分を行った場合が本条の適用対象であると説く見解である(我妻・解説205頁,中川監修・註解208-209頁〔山﨑邦彦〕,我妻=立石478頁・513頁,我妻・判コメ204頁,中川編・註釈上249頁〔舟橋諄一〕,注解全集367頁〔竹下史郎〕,森泉章「法定単純承認」家族法大系VII 66-67頁,青山・家族法論II 326頁等)。その帰結として,この立場の論者は,すでに限定承認がなされた後で

共同相続人の一部によって相続財産の処分が行われた場合ではなく，限定承認がなされる前に処分が行われたという場合に，当該処分を行った者についてだけ単純承認があったのと同様の責任（単純承認的責任）を負わせつつ，なお他の共同相続人が改めて限定承認をすることを肯定する。

たしかに，相続財産の処分がなされた時点で，すでに限定承認がなされていたか否かによって本条の適用の有無が異なるとすれば，他の共同相続人の限定承認を行う利益において均衡を失するようにも思われる。しかし，限定承認は，共同相続人の全員が共同してのみすることができる（923条）とされているため，共同相続人の1人でも反対すれば，もはや限定承認をすることは認められない。よって，このことと同様に，限定承認がなされる前に共同相続人の一部によって相続財産の処分が行われ，法定単純承認事由（921条1号）に該当すれば，もはや限定承認をすることができないというのもやむをえない（新版注民(27)579頁〔岡垣〕，山崎邦彦「限定承認」家族法大系Ⅶ80頁，同「限定承認」現代家族法大系Ⅴ164-165頁参照。→§923 II 4(2)参照)。また，限定承認の前に共同相続人の一部が法定単純承認事由たる相続財産の処分を行っていたことが判明し，限定承認の申述を受けた家庭裁判所がそれを知りつつもこの申述を受理しなければならないというのも不合理であろう（新版注民(27)579頁〔岡垣〕参照)。以上から，前記見解のような解釈は，明文の規定に反することはもとより，実質的な論拠も乏しいと言わざるをえない。

② 第二に，「限定承認をした」という文言のとおり，すでに限定承認をした共同相続人のうちの1人または数人が921条1号所定の相続財産の処分を行ったという場合に限り，本条の適用を認めるという見解である（柚木281-282頁，中川ほか・ポケット註釈294頁〔市川四郎〕)。

この見解は，たしかに条文の文言に忠実な解釈ではあるものの，以下のとおり，やはり重大な問題点がある（新版注民(27)579-580頁〔岡垣〕，新版注民(27)〔補訂版〕608-609頁〔松原〕参照)。すなわち，共同相続人全員によって限定承認がなされた後に，一部の共同相続人が相続財産の処分を行った場合は，如上のとおり，そもそも921条1号の適用対象とはならず，法定単純承認事由の存在という前提を欠くこととならざるをえない。この場合，せいぜい当該処分が「相続財産の全部若しくは一部を隠匿し，私にこれを消費し」たこと（921条3号）に該当するかどうか，または，当該処分を行った当該共同相続人に関する不法行為責任の成否が問題となるにすぎない。さらに，この見解によると，すでに相続財産を処分していたという事実が看過されたまま限定承認の申述が受理された後，この事実が判明したという場合は，「限定承認をした」共同相続人による処分に当たらないとして，本条の適用対象外とされる。そのため，原則に立ち返り法定単純承認事由の発生時点で単純承認の効果が生じる結果，限定承認の効果は遡って無効となる。そうすると，すでに限定承認を前提として行われてきた清算手続は全て覆滅することとなり，相続人や相続債権者その他の利害関係人に混乱と不測の不利益をもたらす結果となってしまう。この結果が，本条の趣旨に背馳することは言うまでもないであろう。

③　第三に，共同相続人が共同して行った限定承認の申述が受理される前に921条1号所定の法定単純承認事由たる相続財産の処分が共同相続人の一部によってなされていたが，そのことが家庭裁判所にも判明していなかったために看過された結果，申述が誤って受理されて限定承認の効果が生じ，その後になって初めて法定単純承認事由の存在が判明したという場合に本条が適用されるとする見解である（中川編・註釈上291頁〔薬師寺志光〕，中川＝泉389頁・394頁注(16)，山崎・前掲現代家族法大系Ⅴ 165頁，中川(淳)・逐条中149-150頁，新版注民(27)580頁〔岡垣〕，新版注民(27)〔補訂版〕524-525頁〔川井健〕等)。この見解によると，限定承認の申述が家庭裁判所に対してなされた時点で，すでに一部の共同相続人につき921条1号所定の法定単純承認事由が存在し，そのことが判明しているような場合には，家庭裁判所は申述を受理することはできない。逆に，法定単純承認事由の存在が看過されたために申述が誤って受理された後で当該事由の存在が判明したときには，本条の適用により，当該共同相続人に単純承認的責任を負わせつつ，限定承認の効果が覆滅されるのを阻止することが可能となる。このように，この見解は，すでにみた第1説および第2説の問題点を考慮した折衷的な見解であると言えよう。

なお，この見解の当否を論じる前提問題として，家庭裁判所が限定承認の申述を受理するに際して，いかなる調査や審理が可能かという点が関わってくる（→§924 Ⅳ)。少なくとも審理の段階で当事者の陳述等に鑑みて法定単純承認事由の存在が明白となった場合には，家庭裁判所はこれを理由に申述を却下しうると解すべきであろう（新版注民(27)580頁〔岡垣〕，後掲富山家審昭

53・10・23参照)。

富山家裁昭和53年10月23日審判（家月31巻9号42頁）は，「限定承認の申述があった場合，当事者の自発的陳述等により，調査審理の段階で，申述人中1人または数人につき，法定単純承認に該当する事由のあることが家庭裁判所に明白となった場合のごときは，家庭裁判所は，それが明白である以上，一般的に言ってその点までの調査審理義務がないからとの理由でこれを不問に付することは許されず，従って，まず，当該申述人に対する関係では，限定承認の申述を受理することはできない」とし，本条は，「民法第921条第1号，第923条との関連においてこれをみるとき，共同相続人の全員の限定承認の申述が受理され，既にその効果が発生した後，相続人の1名ないしは数名につき，右申述受理前すでに法定単純承認に該当する事由が存したことが判明した場合に限って狭く適用されるべきものであり，右申述の受理前の時点において，かかる事由のあることが判明した場合，なお，右申述を受理してよいと解する根拠となるものではなく，このような場合は家庭裁判所は右申述の申立を却下するのほかはない」と判示して，この第3説の立場に与している（→§923 II 4(2)参照)。

(2)　921条3号所定の法定単純承認事由

本条の要件とされる921条3号所定の法定単純承認事由とは，相続人が，限定承認をした後に，相続財産の全部もしくは一部を隠匿し，私にこれを消費し，または悪意でこれを相続財産の目録中に記載しなかったことである。

共同相続人が共同して限定承認をした後，その中の1人または数人が同条号所定の行為を行った場合には，本条に基づき当該共同相続人に単純承認的責任を負わせつつ，限定承認自体はなお有効なものとして維持されることとなる。問題は，「限定承認又は相続の放棄をした後であっても」という921条3号の文言との関係で，限定承認がなされる前に，具体的には，限定承認の申述がされたものの，これが家庭裁判所によって受理される前に，同号所定の行為がなされたという場合も法定単純承認事由が認められ，その結果，本条が適用または類推適用されるかである（→§921 IV(3)も参照)。本条の適用対象は限定承認の申述が受理された後の同号所定の行為について限定される旨を強調する見解（中川＝泉398頁）も見られるものの，受理される前に当該行為がなされた場合も921条3号に該当することを前提に（梅170-171頁，奥田226頁，柳川・注釈下73頁，近藤・下797頁，有泉193頁，中川編・註釈上252頁〔舟橋〕，新版注民(27)〔補訂版〕529頁〔川井〕等），本条の適用を認めるべきであろう（新版注民(27)582頁〔岡垣〕，新版注民(27)〔補訂版〕609-610頁〔松原〕）。また，共同相続人の一部の者が放棄をした後に法定単純承認事由に該当する行為をしたという場合についても同様に，本条の類推適用を認めてよい（我妻＝立石483頁・513頁，我妻・判例コメ180頁・204頁。中川編・註釈上257頁〔舟橋〕は，この場合に本条の「準用」を認める。反対，山崎・前掲家族法大系Ⅶ 80頁。→§921 Ⅳ(8)(ウ)も参照）。

3　相続債権者が相続財産をもって弁済を受けられなかったこと

相続債権者が相続財産をもって弁済を受けられなかったことは，法定単純承認事由のある共同相続人の行為との間に因果関係を要しない（中川編・註釈上292頁〔薬師寺〕，新版注民(27)582頁〔岡垣〕，新版注民(27)〔補訂版〕610頁〔松原〕）。たとえば，共同相続人の1人が相続財産の一部を隠匿したが（これが法定単純承認事由に該当する。921条3号），後にその財産が発見され，この隠匿行為によって相続債権者に損害を与えなかったものの，相続財産が僅少であったために相続財産をもって相続債権者を満足させることができなかったという場合は，相続財産を隠匿した当該共同相続人は本条の単純承認的責任を免れることはできない（中川編・註釈上292頁〔薬師寺〕，中川(淳)・逐条中150頁，新版注民(27)〔補訂版〕610頁〔松原〕）。なぜならば，この単純承認的責任は，単独相続人が限定承認をした場合に，921条1号または3号所定の法定単純承認事由があったときには単純承認したものとみなされ（921条柱書），被相続人の義務について無限責任が課されることとの権衡の観点から認められた制度だからである（新版注民(27)582頁〔岡垣〕，新版注民(27)〔補訂版〕610頁〔松原〕参照）。

Ⅲ　単純承認的責任の内容

1　権　利　者

(1)　本条により所定の法定単純承認事由のある共同相続人に対して単純承認的責任を追及する権利を有するのは，相続債権者のみである。

(2)　受遺者は権利者に含まれていない。その根拠として，清算手続での満足において受遺者は相続債権者よりも劣後するものとされている（931条）

こととの関係上，限定承認がなされる場合には債務の総額が相続財産を超過している状況が通常想定されるため，相続債権者でさえ十全な満足を得ることができないことを前提に，受遺者に対しては本条の権利行使を認める余地がないという点が考えられる（新版注民(27)582頁〔岡垣〕参照）。もっとも，債務超過の状況にあっても，優先的地位にある相続債権者が存在せずに受遺者のみが存在するという場合もありうることを考慮すれば，受遺者も権利者に含めることを立法論として検討してもよいであろう（新版注民(27)582頁〔岡垣〕参照）。また，受遺者も，当該共同相続人に対して不法行為責任を追及することは認められる。

(3)　清算から除斥された相続債権者も権利者に含まれないと解される（泉ほか241頁〔上野雅和〕，新版注民(27)582頁〔岡垣〕，新版注民(27)〔補訂版〕610頁〔松原〕。これに対し，中川編・註釈上292頁〔薬師寺〕は，およそ相続債権者は単純承認者との関係では清算から除外されることはないため，法定単純承認事由のある共同相続人に対する関係では，なお本条に基づく単純承認的責任を追及することを肯定する）。たしかに本条の文言ではこのような相続債権者も特段除外されてはいないものの，実質論として，前述のように，請求期間内に申出をした受遺者等も権利者に含まれていないこととの均衡を考慮すれば，これらの受遺者よりも劣後すべき相続債権者に対してまで権利を認めるべきではないからである（新版注民(27)583頁〔岡垣〕，新版注民(27)〔補訂版〕610頁〔松原〕参照）。

2　義　務　者

本条における単純承認的責任の義務者となるのは，921条1号または3号所定の法定単純承認事由のある1人または数人の共同相続人である。

「限定承認をした共同相続人の1人又は数人について」という文言との関係において，共同相続人の全員についてこれらの事由に該当する場合（典型的に想定されるのは，相続財産の全部または一部につき悪意で財産目録中に記載しなかったという法定単純承認事由の場合〔921条3号〕である。この場合，限定承認は共同相続人の全員が共同してのみ行うことができること〔923条〕との関係上，限定承認の申述のための財産目録の提出は共同相続人の全員による行為となるからである。中川編・註釈上293頁〔薬師寺〕），本条が適用されるかについては解釈上の争いが見られる。文言に忠実に，共同相続人の全員に上記の法定単純承認事由がある場合には本条が適用されないと説く見解（中川編・註釈上293頁〔薬師寺〕）もあるものの，たとえば10名の共同相続人のうちの9名か10名全員かによって本条の適用の有無を違えるだけの合理的な根拠を欠くと言わざるをえない。したがって，共同相続人の全員に921条1号または3号所定の事由が存する場合にも，本条の適用を認めてよいであろう（新版注民(27)583頁〔岡垣〕，中川(淳)・逐条中151-152頁。新版注民(27)〔補訂版〕611頁〔松原〕は，この場合に本条の類推適用を認める）。

3　義務の内容

921条1号または3号所定の法定単純承認事由のある共同相続人は，相続債権者が相続財産から弁済を受けることのできなかった債権額のうち，自己の相続分の割合に応じた部分を弁済する義務を負う。たとえば，共同相続人A・B・Cがいて，その相続分は各自3分の1であるとする。このとき，限定承認の申述が受理される前にAが相続財産の一部を300万円で処分し(921条1号。この場合にも本条が適用されるという見解を前提とする。→Ⅱ2(1)③参照)，その後，限定承認の申述が受理され，相続財産が換価・配当された結果，相続債権者Xが合計1200万円の債務の弁済を得られなかったという事例を検討しよう（中川編・註釈上293頁〔薬師寺〕，新版注民(27)583-584頁〔岡垣〕，中川(淳)・逐条中152頁，新版注民(27)〔補訂版〕611頁〔松原〕）。このとき，AはXに対して1200万円の3分の1に当たる400万円を自己の固有財産をもって弁済しなければならない（Aは無限責任としての単純承認的責任を負う以上，その弁済すべき金額は，自らが処分した相続財産の価額である300万円の範囲に限定されない）。また，前記の事例において，AのほかにBも，限定承認が受理された後，相続財産の一部（100万円相当）を私に消費していたこと（921条3号）が後に発覚したという場合には，AおよびBがそれぞれXに対して400万円を弁済する義務を負うことになる。

Ⅳ　本条の類推適用

1　熟慮期間徒過による単純承認（921条2号）との関係

相続人が熟慮期間（915条1項）内に限定承認または相続の放棄をしなかったという法定単純承認事由（921条2号）との関係で，共同相続人の一部につきこの熟慮期間の徒過による法定単純承認がすでに生じている場合，なお熟慮期間を徒過していない他の共同相続人は限定承認をすることができるか，また，本条は法定単純承認事由のうち921条2号所定の熟慮期間徒過を除外しているものの，この場合に本条を類推適用することができるかという解釈上の問題がある（学説の詳細については，→§921 Ⅲ(2)，新版注民(27)584-585頁〔岡垣〕，新版注民(27)〔補訂版〕611-612頁〔松原〕を参照）。

上記の場合にも他の共同相続人による限定承認を認める見解によれば，本条の類推適用を肯定することになる（新版注民(27)584-585頁〔岡垣〕。→§923 Ⅱ 4(1)参照）。また，原則として，共同相続人の一部であっても熟慮期間が徒過すれば，923条との関係で，もはや他の共同相続人も限定承認をすることができないという見解を前提としつつも，家庭裁判所が熟慮期間徒過の事実を看過して限定承認の申述を受理し，その後になって当該事実が判明したような場合には，本条を類推適用し，限定承認の効果の維持を認める見解もある（新版注民(27)〔補訂版〕612頁〔松原〕。中川編・註釈上291-292頁〔薬師寺〕は，このような熟慮期間徒過が看過されたような場合には，限定承認の失格者が相続財産の清算に悪影響を及ぼすような行為をしなかったと評価して限定承認を有効とし，当該失格者に対しても本条の責任を問わないという）。以上に対して，本条が意図的に921条2号の指示を排除しているという点，また，共同相続人の一部につき熟慮期間が徒過したことで相続放棄や限定承認がされることはないという相続債権者の利益が保護されるべきだという点に基づき，本条の類推適用を否定する見解がある（潮見92-93頁）。

2　積極的な意思表示による単純承認（920条）との関係

共同相続人のうちの1人または数人が熟慮期間中に積極的に単純承認の意思表示を行ったという場合（なお，単純承認の法的性質に関しては，→§920 Ⅱを参照），他の共同相続人が限定承認をすることができるか，その場合に本条を類推適用することができるかが問題となる。

この場合には，たとえその意思表示を行った共同相続人本人の同意があったとしても，いったん単純承認をした者があるときには，923条の趣旨に鑑みて，他の共同相続人はもはや限定承認をすることはできないと解すべきである（新版注民(27)585頁〔岡垣〕，新版注民(27)〔補訂版〕612頁〔松原〕。我妻＝立石473頁・480頁，中川＝泉405頁参照）。もっとも，単純承認の意思表示の事実が看過され，限定承認の申述が受理された後になって当該事実が判明したという場合には，本条の趣旨に鑑みれば，本条の類推適用を認め，単純承認をした共同相続人に対しては単純承認的責任を負わせつつ，限定承認の効果を維持せざるをえないであろう（新版注民(27)585-586頁〔岡垣〕。なお，中川編・註釈上291-292頁〔薬師寺〕は，この場合も単純承認をした共同相続人が相続財産の清算に悪影響を及ぼすような行為をしなかったと評価して，限定承認の効果を維持しつつ，当該共同相続人に対して単純承認的責任を問うべきではないとする）。

3　共同相続人の一部が限定承認の申述をしなかった場合との関係

共同相続人のうちの一部だけで限定承認の申述をし，それが受理されたものの，この申述をしなかった他の共同相続人がいたという場合について，以下のような見解がある。すなわち，この場合において，①限定承認の申述をしなかった共同相続人が単純承認をし，または熟慮期間徒過によって法定単純承認となったときも限定承認は無効とならず，また，当該共同相続人自身も限定承認の効果を受け，本条に基づく単純承認的責任を負わない，②当該共同相続人につき921条1号または3号所定の事由があるときは，本条を類推適用して限定承認を無効とせず，当該共同相続人に対して本条に基づき単純承認的責任を問うべきである，と説く見解である（中川編・註釈上293頁〔薬師寺〕）。しかし，そもそも共同相続人の一部だけによる申述が受理されたとしても，限定承認は共同相続人の全員が共同してのみすることができるとする923条の建前からすれば，限定承認の効果が生じる余地はないはずであるから（新版注民(27)〔補訂版〕613頁〔松原〕参照），この見解は解釈論として成立し難いであろう。

〔杉本和士〕

第3節　相続の放棄

前注（§§ 938-940〔相続の放棄〕）

I　相続放棄の意義・問題点

1　相続放棄の意義

(1)　相続放棄の意義

相続放棄とは，相続により被相続人の財産を包括的に承継した効果を遡及的に消滅させるために行う意思表示であり，これにより，相続人が初めから相続人とならなかったものとみなされる（939条）。相続人は，被相続人の死亡により，被相続人の財産に属した一切の権利義務を承継する（896条）が，相続人へ相続の効果が発生するまでは相続財産の承継は不確定である。そこで相続人は，相続放棄という選択権を行使することにより，相続の効果を確定的に発生させることを拒絶することができる。

明治民法における相続には，家督相続と遺産相続とがあり，遺産相続においてはすでに相続の放棄は認められていたものの（→前注（§§ 915-919）II），相続の主流であった家督相続においては，法定家督相続人が家に属する財産ならびに祭祀を一人で相続し，相続を放棄することは許されていなかった（明民1020条）。そこでは「家」の承継とともに債務も当然に相続し，親の負債を子が返す父債子還が存在していた。個人の尊厳と法の下の平等を基本原理とする現行相続法では，家督相続が廃止され遺産相続のみとなり，諸子均分共同相続となった。そして，個人主義，私的自治の下で，相続人となる者には相続放棄の自由が認められた。

⑵　相続放棄の方法と効力

相続放棄は，自己のために相続の開始があったことを知った時から3か月以内に相続の全部についてしなければならず，その意思表示は家庭裁判所への申述という手続により行われる要式行為であり，相手方のない単独行為である。家庭裁判所にて相続放棄受理審判がされ，申述書に受理の旨が記載されることにより，効力が生じる（家事201条7項〔なお，令和5年法律53号による改正により，申述の受理審判は，その旨の電磁的記録が作成され，ファイルに記録された時に，効力が生じることに変更される（令和10年6月13日までに施行）〕）。その効力は絶対的であり，何人に対しても，登記等なくしてその効力を生ずる（最判昭42・1・20民集21巻1号16頁）。相続放棄は本来，特定の共同相続人のために放棄するという相対的放棄は許されないとされるが，どのような理由であれ自由であり，家庭裁判所における申述の審理では放棄の理由如何を問われるべきではなく，たとえ動機が正しくないと思われても，それが真意から出たものであれば，家庭裁判所は受理を拒むことはできない（中川＝泉426頁）。

⑶　相続放棄の自由

相続人は，個々人で期間内に自由に相続を放棄することができる。遺言により放棄を禁じていてもそれに拘束されず，債務のみが相続の対象であるときも放棄をすることができ（大判大10・10・20民録27輯1807頁），放棄が道徳的観念に反しても効力に影響がない（大判昭7・3・8新聞3389号8頁）。相続放棄は主に，被相続人の債務を負担することから解放することをその目的としており，誰かに禁止されたり命じられたりしてはならず，相続放棄の自由は絶対的である（新版注民⑵587頁〔山木戸克己＝宮井忠夫〕）。しかし，債権者から，相続人による相続放棄が詐害行為であるとして取消しが請求されることがある。これに対し判例は，被相続人の債権者が原告となった事案で，「相続の放棄のような身分行為については，民法424条の詐害行為取消権行使の対象とならない」としている（最判昭49・9・20民集28巻6号1202頁）（→§939 Ⅰ⑶）。

2　相続の事前放棄，相続放棄契約

相続放棄は，遺留分の放棄（1049条）とは異なり，事前放棄についての規定はなく，相続開始後に家庭裁判所へ申述し，申述受理の審判によって発生するものであるため，相続開始前に自らの相続権を放棄すること，ないし被相続人または共同相続人間で相続放棄契約を結ぶことは，明治民法時より通説・判例において認められていない（大判昭14・6・7法学9巻93頁，大決大6・11・9民録23輯1701頁，中川＝泉425頁）。裁判例でも，被相続人と相続人間において，または共同相続人間において事前になされた相続放棄契約は無効とされている（東京家審昭52・9・8家月30巻3号88頁，東京高決昭54・1・24判タ380号158頁，札幌高判昭59・10・22判タ545号155頁）。ただし，学説の中には，事前に財産が分けられていたり，対価が支払われていたりした相続放棄契約の場合は，無効とすべき理由はないとする説（右近健男〔判批〕判タ558号〔1985〕255頁，床谷文雄〔判批〕法時57巻10号〔1985〕157頁），権利濫用として無効の主張は許されないとする説（穴澤成巳「相続放棄契約に関する一考察」判タ483号〔1983〕55頁）もある。フランス法は，法定の例外を除いて原則的に将来の相続に関する契約を禁止している（フ民722条・1130条2項）（新版注民(27)〔補訂版〕616頁〔犬伏由子〕）が，ドイツ法は，被相続人の相続人間での相続放棄契約を認めている（ド民2346条以下）（ドイツ法およびフランス法における相続放棄契約について，右近健男「相続ないし持ち分の放棄契約は，どのように考えるべきか」椿寿夫編・講座・現代契約と現代債権の展望6巻〔1991〕223頁）。

II　相続放棄の現状

(1)　旧来の相続放棄の目的と現代の傾向

戦後，諸子均分相続となっても，実際は共同相続人による相続放棄により，旧来の長男単独相続が続くのではないかということが懸念されていた。1950年代に行われた民法学者による全国にわたる農業相続の実態調査によって（中川善之助「農家相続実態調査の中間報告」私法7号〔1952〕25頁，日本私法学会相続調査会編著・農家相続の実態：農家別調査資料〔1952〕），農家ではその後継による農地および農業を守るため，法律上および事実上の相続放棄が数多く行われており，諸子均分相続権の意識が低いことが明らかにされた。

司法統計年報によると，1949（昭和24）年の相続放棄の新受件数は約14万8千件で，審判事件総数の52%を占めており，一子相続が続いていたと推測されるが，1975（昭和50）年頃には一時減少し，審判事件全体に占める割合は23%となった。以後，2005（平成17）年頃から再び増加し，2021（令和

3）年の新受件数は25万1993件と年々増え続けている。高度経済成長により農村から都市部へ人が流動し，給与所得者が増加して核家族化が進んできた頃には均分相続の考えも広く国民に浸透したが，バブル経済崩壊以後経済が停滞し，低所得者層の増加により，債務超過を理由に相続放棄することが多くなったと考えられている（雨宮則夫ほか編・相続における承認・放棄の実務〔2013〕18頁）。

⑵　令和3年民法等改正

2021（令和3）年4月21日に，「民法等の一部を改正する法律」（令和3年法律24号）および「相続等により取得した土地所有権の国庫への帰属に関する法律」（相続土地国庫帰属法）（令和3年法律25号）が成立した。

少子高齢社会となり，人口が減少し経済が停滞している現代において，また相続人が故郷から長年離れてその土地・地域と疎遠になっていることが多い中で，相続する土地は必ずしも相続人にとって必要かつ価値あるものばかりではなくなっている。不要な土地を相続したくない相続人は相続を放棄するか，あるいはやむを得ず土地を相続した相続人は，土地の管理の負担を免れる途を模索していた。裁判例では，将来相続する財産的価値の乏しい土地について父から贈与を受け，所有権放棄の意図をもって直ちにこれを国へ移転登記することを申し立てた事案が登場した。原審は，原告が国に土地の管理に係る多額の経済的負担を余儀なくさせることを認識して本件所有権放棄をしたことを認め（松江地判平28・5・23訟月62巻10号1671頁），控訴審は，「不動産について所有権放棄が一般論として認められるとしても，控訴人による本件所有権放棄は権利濫用等に当たり無効」であると判断した（広島高松江支判平28・12・21訟月64巻6号863頁）。そして学説においても，土地所有権を放棄することができるかについて議論が重ねられてきた（吉田克己・現代土地所有権論──所有者不明土地と人口減少社会をめぐる法的諸問題〔2019〕247-308頁，小柳春一郎・仏日不動産法の現代的展開──所有者不明・無主不動産・土地所有権放棄・相続登記未了〔2021〕，田處博之「土地所有権の放棄は許されるか」札幌学院法学29巻2号〔2013〕169頁，同「土地所有権は放棄できるか──ドイツ法を参考に」論ジュリ15号〔2015〕81頁，同「土地所有権の放棄：再論──所有者であり続けることは，所有者の責務か？」札幌学院法学37巻1号〔2020〕1頁，堀田親臣「土地所有権の現代的意義──所有権放棄という視点からの一考察」広島法学41巻3号〔2018〕246頁，松尾弘

「土地所有権は放棄できるか」法セ777号〔2019〕74頁，新注民(5)472-475頁〔秋山靖浩〕）。そこで，新設された相続土地国庫帰属法は，相続等により得た土地の所有権を手放すことを認め，しかしその仕組みとして，所有権放棄により土地を国庫へ帰属させるという構成は取らず，行政処分により土地所有権を国に帰属させる規律を採用した（→§959 IV）。

では，相続を放棄すれば，相続財産に属する土地等に関し，相続放棄者は一切の責任から逃れられるのであろうか。令和3年改正前940条1項は，次順位の相続人が相続財産の管理を始めるまで，相続放棄者に相続財産の管理の継続を義務付けていたため，法定相続人全員が相続を放棄した場合，また，相続財産管理人が選任されない場合など，放棄者にいつまで不要な土地の管理を強いるのか，明らかではなかった。他方で，相続されず，また売却されない土地が管理されず放置され，土地の管理不全や環境の悪化も問題となっていた。

これに関して，令和3年改正において，財産管理制度として，所有者不明土地管理命令および所有者不明建物管理命令が民法264条の2以下に新設され，法定相続人全員が相続を放棄したような場合など所有者が不明なときに，所有者不明土地・建物管理人を選任して，土地，建物を管理することが可能となった（→前注（§§951-959）III 3）。また，897条の2に，包括的な相続財産管理人の規定が新設され，相続放棄の前および後に相続財産清算以外の管理をする者を家庭裁判所が選任することができるようになった。そして，相続の放棄をした者による管理に関する940条については，相続の放棄をした者にその後の管理まで過大な義務を負わせるべきではない（民不登部会資料45・5頁）との考えから，改正が行われた。そこでは，必要最小限の義務として，相続放棄者の相続財産の管理は保存義務に改められ，保存義務を行う相続放棄者は，相続の放棄時に相続財産に属する財産を現に占有していた者だけに限定され，保存義務の範囲，およびその内容や終期が明らかにされた（→§940）。

(3)　事実上の相続放棄

法律上の相続放棄は，家庭裁判所へ申述することによりなしうるが，事実上の相続放棄は次の形をとることがある。①遺産分割協議において，分割による取得分をゼロとする。②相続分を超える特別受益があることにする。このとき「相続分不存在証明書」（特別受益証明書）および印鑑証明書により所有権移転登記手続を行うことが，古くから行われている（昭8・11・21，昭30・4・23民事局長回答）。③相続分の譲渡（905条）。④相続分の放棄。⑤相続回復請求権を行使しない場合。この態様は，共同相続人に相続の意思がなく，相続人の一人または複数の者が相続財産を占有している状態である（石田喜久夫「事実上の相続放棄」家族法大系Ⅶ145頁）。

ただし，事実上の相続放棄は次の問題を発生させる。全てに係ることは，法定の相続放棄をしていなければ債権者には対抗できず，債権者からの請求を免れることはできないことである。特に①に関しては，遺産分割協議において，積極・消極財産を含めて全て共同相続人の一人が相続したと理解していたが，数年後に債権者より債務支払の通知を受けたことで相続放棄申述を行ったところ，熟慮期間の起算点が問題となった例がある（大阪高判平21・1・23判タ1309号251頁，東京高決平14・1・16家月55巻11号106頁，東京高決平9・11・26家月50巻6号97頁は起算点の変更を認めなかったが，東京高決平12・12・7家月53巻7号124頁，大阪高決平10・2・9家月50巻6号89頁は認めた）。遺産に対する共同持分権を放棄した事実を認めることができる場合には，遺産分割の法定相続分をゼロと認めた例もある（長崎家佐世保支審昭40・8・21家月18巻5号66頁，東京家審昭61・3・24家月38巻11号110頁）。なお，遺産分割による事実上の相続放棄について，最高裁は詐害行為取消しを認めている（最判平11・6・11民集53巻5号898頁）（→§939 Ⅰ(3)）。

②の証明書による場合には，本人不知の間に虚偽の証明書が作成されて，あるいは詐欺により作成されたと主張して，その効果が争われる場合がある。これについては学説も，特別受益の規定は均分相続を実質的に実現することを目的としているものであり，その法的原理に反する目的に利用することは脱法行為であるから，効力を否定すべきとする見解（右近健男「事実上の相続放棄」現代家族法大系Ⅴ184頁）がある。裁判例も証明書が偽造であることにより，何ら効力を生じず，相続人は相続権を失わないとする例（甲府地判昭37・8・10下民集13巻8号1662頁，長野地諏訪支判昭31・8・24下民集7巻8号2290頁，大阪家審昭40・6・28家月17巻11号125頁，名古屋地判昭50・11・11判時813号70頁），民訴法134条の2の法律関係を証する書面に当たらないとして効力なしとする例がある（東京高判昭56・5・18家月34巻8号57頁）。しかし，明らかに他者

からの詐欺・強迫がなく，その当時真意により作成されたと推認される場合は，その証明書をもって相続分の贈与とする（大阪高判昭49・8・5判タ315号238頁，大阪高判昭53・7・20判タ371号94頁），相続分の放棄とする（前掲大阪家審昭40・6・28），相続分の譲渡とする（福島家白河支審昭55・5・24家月33巻4号75頁），遺産分割協議が成立したとする（我妻・判コメ104頁，東京高判昭59・9・25家月37巻10号83頁）と解することで，実務はこれによってなされた相続登記を認めている（南方暁〔判批〕家族百選3版176頁，相原佳子「相続分なきことの証明書」野田愛子ほか編・家事関係裁判例と実務245題（判タ臨増1100号）〔2002〕328頁，糟谷忠男「相続放棄の類似手続」家事調停と家事審判（判タ臨増250号）〔1970〕163頁）。

③相続分の譲渡は，相続開始後遺産分割前に第三者のみならず共同相続人へもすることができると解されており，むしろ相続人間でされることが多い（千藤洋三「相続分の譲渡・放棄」新実務大系Ⅲ192頁）。実務上，遺産分割調停・審判において，相続分譲渡証書などの書類提出が求められている（雨宮ほか編・前掲書295頁）。相続分の譲渡は相続人という地位の譲渡であるので，当事者間では債務も移転するが，譲渡人は対外的に債務を免れない。この場合，両者が併存的に債務を引き受けることになろう（新版注民(27)〔補訂版〕283頁〔有地亨＝二宮周平〕）（→§905 Ⅲ 6(7)）。また，相続分譲渡後に他の相続人が相続放棄した場合，増加した相続分は譲渡人に帰属するのか（中川＝泉304頁），譲受人に帰属するのか（新版注民(27)〔補訂版〕283頁〔有地＝二宮〕），学説は分かれているが，実務は後者を支持する（雨宮ほか編・前掲書281頁）（→§905 Ⅲ 5(4)）。

④相続分の放棄は，遺産分割協議の前，または協議の中で行うことがある。審判では裁量で法律に定まった相続分を変更することはできないが，裁判例は，共同相続人が相続分と異なる遺産分割を希望した場合は，相続分の放棄または譲渡として，遺産分割でそれが認められると同様，審判においても認めることができると解している（大阪高決昭53・1・14家月30巻8号53頁，高松高決昭63・5・17家月41巻6号45頁。池田光宏〔判批〕平元主判解204頁）。その法的性質には見解が分かれている（→§907 Ⅱ 1(4)）が，いずれにおいても相続放棄と異なり，相続人である地位は維持しており，相続債務を負担する。また，放棄される相続分を共有持ち分の放棄とみれば，他の共同相続人に各自

の相続分の割合で分配されることになる。例えば，配偶者と子2人が相続人のうち，子の1人が相続分の放棄をすると，その放棄された相続分4分の1は，配偶者と子に2：1の割合で帰属することになる（潮見284頁。ただし，下級審では，放棄者の意思解釈によりなされている例もある〔東京家審平4・5・1家月45巻1号137頁〕）。

〔山口亮子〕

（相続の放棄の方式）

第938条　相続の放棄をしようとする者は，その旨を家庭裁判所に申述しなければならない。

〔対照〕 フ民804，ド民1945，ス民570

〔改正〕（1038）

細　目　次

I　相続放棄の要件

(1)　相続放棄申述の手続

相続の放棄の申述書は，相続が開始した地を管轄する家庭裁判所に提出しなければならない（家事201条1項）。申述の受理は，家事事件手続法別表第一の91項に当たる審判事項である。相続放棄申述書には，被相続人の氏名および最後の住所，被相続人との続柄，相続の開始があったことを知った年月日を記載する（家事規105条1項）。相続人が未成年者または成年被後見人である場合には，その法定代理人が記名押印のうえ，代理して申述することになる。

申述書には申述者が自署するのが原則であるが（旧家審規114条2項は，申述書に署名押印を要求していた），特段の事情があるときは，本人または代理人の記名押印のみでも，家庭裁判所が他の調査によって本人の真意に基づくことを認めれば，その申述は受理され，自署でなければ無効であるということはできない（最判昭29・12・21民集8巻12号2222頁）。家事事件手続規則においては署名に関する規定はない。ただし，家庭裁判所所定の相続放棄申述書には，本人または法定代理人の記名押印欄があり，家庭裁判所は，照会書を申立人に送付して，本人確認と真意を確認していることが多い（釜元修「家庭裁判所が相続放棄の申述を却下できる場合」判タ1019号〔2000〕53頁）。

相続放棄申述書に放棄の理由を記載することは要件とはなっていない（家事201条5項）が，書式には放棄の理由として，①被相続人から生前に贈与を受けている，②生活が安定している，③遺産が少ない，④遺産を分散させたくない，⑤債務超過のため，⑥その他，が挙げられている。統計の公表はされていないが，実務上，債務超過による理由が多くを占めているとされている（雨宮則夫ほか編・相続における承認・放棄の実務〔2013〕18頁）。

⑵　申　述　者

㈠　制限行為能力者　　相続放棄は財産上の行為であり，申述者には行為能力が必要となる。制限行為能力者は単独で相続放棄ができず，法定代理人（親権者，未成年後見人，成年後見人，保佐人，補助人等）がその者に代わって相続放棄の申述を行うか，本人が法定代理人の同意を得て行う（5条・13条・17条・824条・859条・876条の4・876条の9）。この場合，制限行為能力者と法定代理人の利益が相反しないか否か注意が必要となる。共同相続人である未成年者が複数いる場合は，そのうちの一人につき，相続人ではない親権者が法定代理人となることができるが，他の未成年者にはそれぞれに特別代理人の選任を申し立てる必要がある（一⑶）。

㈡　胎児　　胎児は相続能力がある（886条1項）ため，相続放棄をなしうるかについては議論がある。実務は出生後でなければ相続の放棄をすることはできない（昭和24年12月26日民事局長変更指示）としており，多数説はこれを支持する（松原Ⅲ236頁）。この相続放棄否定説に従うと，915条の熟慮期間も，出生後に起算点が始まると解される（新版注民⑵⑺〔補訂版〕624頁〔犬伏由子〕）。

㈢　包括受遺者　　包括受遺者は，相続人と同一の権利義務を有する

(990条) ことから，通説・判例は，986条の遺贈の放棄ではなく，本条の方式によらなければ相続放棄したものとみなされないとしている（東京地判昭55・12・23判時1000号106頁)。これに対し反対説は，受遺者同様いつでも放棄でき，特段の方式は要求されないとする（伊藤105頁)。

(3) 相続放棄と利益相反

親権者等法定代理人が未成年者を代理して相続放棄をする場合，利益相反行為にならないかが問題となる。利益相反行為の判断基準は，代理人の主観や実質的な利益の対立からみた実質的判断ではなく，専ら行為の形式外形のみからみた形式的判断説が通説・判例である（新版注民(25)〔改訂版〕138頁〔中川淳〕は，ただし近時の学説は，実質的判断説が支配的とする)。親権者とその子との利益が相反するとき，または複数の未成年者の利益が相反する行為になるときには，特別代理人の選任が必要となる（826条)。判例は当初，親権者と数人の子が共同相続人であり，その一人の未成年者を除いて他の子につき親権者が相続放棄をした事案で，相続放棄は相手方のない単独行為であるから，利益相反行為には当たらないとしていた（大判明44・7・10民録17輯468頁)。826条の利益相反の規定は，108条にいう双方代理，自己契約に関する行為を規制し，取引の安全を守るためのものであるから，相手方のない単独行為には適用なしという論理である。これに対し学説の大半は，そのような行為でも未成年の子に不利益を与える場合があるとして，これを批判していた（我妻・親族法343頁，新版注民(25)〔改訂版〕143頁〔中川〕)。

その後，最高裁昭和53年2月24日判決（民集32巻1号98頁）は，共同相続人の一人を除き，後見人が代理した未成年者と後見人を含む全員が相続放棄した事案で，(i)「共同相続人の一部の者が相続の放棄をすると，その相続に関しては，その者は初めから相続人とならなかったものとみなされ，その結果として相続分の増加する相続人が生ずることになるのであって，相続の放棄をする者とこれによって相続分が増加する者とは利益が相反する関係にあることが明らか」であることから，相手方のない単独行為が利益相反行為に当たる余地がないと解するのは相当ではないとして，大審院の判例を変更した。しかし，(ii)後見人が先にあるいは同時に自らの相続放棄をしたときは，「その行為の客観的性質からみて」利益相反行為にはならないと限定的に判断した。学説は(i)については賛成するが，(ii)について説は分かれる。例えば，後見人が生前に遺留分を害するような贈与を受けていたり，後見人が被相続人に多額の債務を負っていたような場合に同時に相続放棄を行えば，利益相反行為となるとし，相続放棄は常に利益相反にあたると主張する立場からは批判されている（鍛冶良堅〔判批〕ジュリ693号〔1979〕92頁，久貴忠彦〔判批〕民商79巻6号〔1979〕848頁）。他方，相続放棄を全て利益相反とみなすことは事件の硬直化を招き，現実の利害関係を生じない場合にまで放棄を否定する必要はないとする説（角紀代恵〔判批〕法協96巻7号〔1979〕899頁），形式説を維持しつつも利益・不利益の判断に実質を取り入れることを認める説もある（沖野眞已「民法826条（親権者の利益相反行為）」百年Ⅳ156頁）。

利益相反行為は，複数の未成年者間において，相続放棄する未成年者とこれによって相続分の増加する未成年者との利益が相反する場合に妥当するが，親権者の子である成年者と未成年者との間でも実質的な問題が生じる場合がある。例えば相続人である親権者Aが債務をかかえる成人の子Bに財産を与える目的で自ら相続放棄を行い，他の共同相続人である未成年の子Cを法定代理して相続放棄をする場合が考えられる。このとき，その親権者Aの動機・目的が不当であれば，またBの債権者がそれを認識していれば，代理権濫用の問題となる。すなわち，民法107条により，親権者のした相続放棄は，無権代理とみなされる場合もある（潮見82頁）。

利益相反であるにもかかわらず特別代理人が選任されない行為は無権代理となり，本人による追認がない限り無効となるが，特別代理人さえ選任されればよいという問題でもない。826条の利益相反の規定が未成年者の利益保護のためにあるとするならば，特別代理人による相続放棄の申述も未成年者の福祉に反していないか家庭裁判所の申述受理審判で判断すべきであろう（辻正美〔判批〕家族百選3版144頁は，それが未成年子の福祉に反していれば家庭裁判所はその申述を却下すべきであるとする）。しかし制度上，特別代理人選任の制度は当該行為の相当性の判断を家庭裁判所にかからせてはいないため，これは立法論の問題となる（花田政道「利益相反行為についての特別代理人選任審判の審理対象」ジュリ654号〔1977〕114頁）。特別代理人が子の利益保護に適った働きをしているかという疑問は早くから指摘されており，より機能的な制度へ向けての改革が必要とされている（渡辺忠嗣「相続放棄と特別代理人の選任」家庭裁判所事件の諸問題（判タ臨増167号）〔1964〕66頁，糟谷忠男「民法第826条について」司

法研究所編・創立10周年記念論文集上〔1958〕362頁)。

II　申述受理の審判

(1)　受理審判の手続

判例では，申述者本人の意思を確認するために，必ずしも本人を審問する必要はないとしており（最判昭29・12・21民集8巻12号2222頁），相続放棄申述の審理は，申述書と申述者が提出した証拠資料に基づいて行われ，必要があれば申述者に対する審問や事実調査が行われる（大阪高決平10・2・9家月50巻6号89頁）（一(3)）。相続放棄は申述書に受理の旨が記載されることにより効力が生じ（家事201条7項〔ただし，令和5年法律53号による改正により，その受理の審判は，電磁的記録が作成され，ファイルに記録されることで効力が生じることとなる（令和10年6月13日までに施行)〕），別途審判書は作成されない（同201条8項)。これについて告知はされないため，審判後裁判所書記官が当事者および利害関係参加人に通知しなければならない（家事規106条2項)。登記等で必要な場合は，相続放棄申述受理証明書交付申請書を提出することにより，証明書が交付される。

申述却下の審判がされた場合，申述人のみがこれを即時抗告することができる（家事201条9項3号。家事審判法では，相続人または利害関係人が即時抗告できるとされていたが，審判の当否を争う利益は当該申述人に固有のものであるとして改められた。金子・逐条642頁)。抗告審において高等裁判所は原審判を取り消すとともに，審判に代わる裁判をするのを相当と認める場合は相続放棄の申述を受理することができる（大阪高決平14・7・3家月55巻1号82頁)。従前は，高等裁判所には相続放棄の申述を受理する権限はないとされ，原審判が取り消される場合には家庭裁判所へ差し戻されていた（釜元修「家庭裁判所が相続放棄の申述を却下できる場合」判タ1019号〔2000〕57頁）が，すでに事実関係が明らかであってさらに家庭裁判所で事実審理を行う必要がない場合等，高等裁判所が相当と認めるときは，審判を取り消して「自ら審判に代わる裁判をしなければならない」と改められたため（家事91条2項，金子・逐条294頁，佐上善和・家事審判法〔2007〕300頁），今日では高等裁判所による受理が行われている。2021（令和3）年の家事審判において相続放棄の申述を認容したのは，既済

25万2176件の約97.6%であり，却下は0.14%であった。

⑵　**受理審判の性質**

㈠　**相続放棄の効力の確定**　　相続放棄の申述が家庭裁判所において受理されると，申請により相続放棄申述受理証明書の交付を受けられ，それに基づき不動産の相続登記を行うことができる。しかし，家庭裁判所の申述受理によって相続放棄の効力が終局的に確定するものではない。最高裁昭和29年12月24日判決（民集8巻12号2310頁）は，「相続の放棄に法律上無効原因の存する場合には後日訴訟においてこれを主張することを妨げない」とした。本件は，熟慮期間徒過後の相続放棄が無効であるとして訴えられたものであり，債権者や利害関係人は，相続放棄の無効を別途損害賠償請求や貸金請求等の民事訴訟で争うことができ，相続放棄の有効性は訴訟において確定される。したがって，家庭裁判所の相続放棄申述の受理は，一応の公証を意味するにとどまると捉えられている（新版注民(27)〔補訂版〕625頁〔犬伏由子〕）。

㈡　**受理審判の法的性質**　　家庭裁判所における相続放棄申述の審理審判がどのような法的性質を持つのかについては，学説の変遷があった。明治民法時は，相続放棄の申述の受理は非訟事件の公証行為である非裁判と解されていた。そして戦後家事審判法の制定により，この審理が家事審判事項とされると，裁判であるとする説，または準裁判とする説が現れてきた（学説判例の変遷について，佐上善和「相続放棄申述受理の審判について」谷口安平古稀・現代民事司法の諸相〔2005〕375頁）。この法的性質は，審理の内容に関わってくる。学説および実務は当初，相続放棄の申述受理は裁判の性質を有しないから，審理は形式的審査で足りると解していた（我妻＝立石493頁，東京高決昭34・1・30下民集10巻1号196頁）。しかし，家庭裁判所発足当初から相続放棄申述は審判事件全体の半数を占め，これら大量の審判事件の法的性格が裁判ではなく単に公証であるにすぎないということは，家庭裁判所の存在意義に関わる問題となると指摘された（佐上・前掲論文376頁）。また，相続放棄が裁判所により受理されたことで，それは有効に放棄が認められたとする信頼性が国民の間にあることを踏まえても，あるいは，単に相続放棄審判が形式的審査により行われると，それに対して債権者等からの訴えを生起することとなり，そのような紛争を将来に持ち越すことを防止するためにも，家庭裁判所により実体的要件を審査すべきとする学説が主張されるようになってきた（谷口知平「相続放棄申述の受理と要件審査」民商30巻5号〔1955〕369頁，山木戸克己「相続放棄の無効を訴訟において主張することの許否」民商32巻5号〔1956〕710頁，加藤一郎「民法の一部改正の解説(3・完)」ジュリ251号〔1962〕46頁)。昭和30年初頭から実質的審査説が台頭し（岡垣・家審講座II 146頁，國府剛「相続放棄をめぐる1，2の問題」法時52巻7号〔1980〕12頁，釜元・前掲論文58頁)，さらに，最高裁昭和59年4月27日判決（民集38巻6号698頁〔以下，「昭和59年最判」とする〕）が，被相続人に相続財産が全く存在しないと信ずるについて相当な理由があるときには，熟慮期間の起算点を，相続財産の全部または一部の存在を認識した時，または通常これを認識しうべき時からと修正することを認めたことで，相続放棄申述の実体的要件を明白に欠いているかどうかについて，家庭裁判所が実質的審査をすべきと解されるようになった。

(3)　審判の範囲と程度

相続放棄申述の審理において，実質的審査の要件となるのは，①申述者が相続人であるか，②申述が真意に基づいているか，③申述が熟慮期間内になされているか，④単純承認がないかである。これらのどこまで審査を行うかは，学説・判例において意見が異なる。①②のみとする説もある（沼辺愛一「相続放棄申述事件の審理」家事調停と家事審判（判タ臨増250号）〔1970〕159頁）が，③④を含む実質的要件を明白に欠いているかことが極めて明らかであるか否かを審理する説（山木戸克己・家事審判法〔1958〕46頁，金山正信〔判批〕家族百選新版・増補259頁）が有力とされている（梶村太市〔判批〕昭62主判解178頁)。

①については，被相続人に債務があることを知っている第2順位者が第1順位者の相続放棄申述の申立ての前にそれを申し立てた場合に，相続人でないことを理由に却下できるかが問題となる。特に第1順位者が行方不明のときに生じやすいが，実務では，受理しても差し支えないとされている（釜元・前掲論文54頁)。②に関しては，実務において，照会書を申立人に送付して真意を確保するとしている（釜元・前掲論文54頁）が，後に放棄意思を欠くとして，本人から申述無効の主張がなされる場合がある。もっとも，受理により放棄の有効性が確定するわけではないため，後に訴訟に訴えることはできる。問題は，③④の審理において，どの程度をもって，その欠缺を極めて明らかと判断するかであり，裁判例では主にこれらについて争われている。

昭和59年最判が，起算点の考慮について客観的基準を打ち立てたが，必ずしもこの定式により基準が定まったわけではなく，むしろその後の裁判例においても判断基準は混沌としている。家庭裁判所は，昭和59年最判基準に基づき実質的判断を行い相続放棄申述を却下するが，それが同じ基準を用いる抗告審において覆され，正反対の結論が導かれることが多い（伊藤昌司〔判批〕民商115巻6号〔1997〕1019頁）。前述のように，家庭裁判所で相続放棄申述が却下される割合は極めて少数ではあるが，却下された審判が抗告審で覆る割合は高い。今日では，家庭裁判所の審理範囲について抗告審は，家庭裁判所の申述受理の審理は一応のものに止め，申述の要件を欠くことが明白な場合においてのみこれを却下し，そうでないかぎり申述を受理し，その効力の有無について本格的審理を必要とするときは，判断を訴訟手続に委ねるべきと判示する例（いわゆる明白性基準）が相次いでいる（大阪高決昭61・6・16判時1214号73頁，仙台高決平元・9・1家月42巻1号108頁，福岡高決平2・9・25判タ742号159頁，仙台高決平4・6・8家月46巻11号26頁，仙台高決平8・12・4家月49巻5号89頁，前掲大阪高決平10・2・9，福岡高宮崎支決平10・12・22家月51巻5号49頁，前掲大阪高決平14・7・3，東京高決平22・8・10家月63巻4号129頁。このうち，仙台高決平4・6・8以外は全て，放棄申述を却下した原審を取り消している）。そうであれば，家庭裁判所による審理は実質的なものであるとはいえ一応のもので足りるものとなり，家庭裁判所は公証機関に徹すればよいのかという，実質説に対する疑問も投げかけられてくるが，学説においては，このような折衷説を支持するものが多い（遠藤賢治「民法915条1項所定の熟慮期間の起算点――訴訟と非訟のねじれ現象」曹時63巻6号〔2011〕1282頁）。それは制度的に，家庭裁判所の審判が当事者主義構造にはないため，手続の効力が結局訴訟手続で争われざるを得ないことや，相続放棄申述が却下されると相続人は即時抗告による不服申立てはあるものの，他に相続放棄の主張をできなくなるという理由があるからにほかならない。しかし何より，昭和59年最判基準からも際限なく広がる熟慮期間の起算点の主観化，あるいは限定説と非限定説（→§915 II 2(5)）の不一致に対する問題が問われるべきであろう（伊藤・前掲判批1002頁，1021頁は，昭和59年最判は従来の「相続人の主観的認識を重視する裁判例や学説の雪崩現象」に歯止めをかけた判決のはずが，依然として主観化が広がっている現状は，最高裁が示した定式自体に欠陥があったと評する。この解決には，新たな構成あるいは今後の展望が必要とされている。→§915 II 2(6))。

III　相続放棄取消申述

(1)　放棄取消しの手続

(ア)　放棄取消しの手続行為能力　　相続放棄の取消しは，主に債権者により詐害行為取消しとして民事訴訟で請求されることがあるが（→§939 I(3)），919条2項および4項は取消原因がある場合に，相続放棄申述をした本人から家庭裁判所へ放棄取消しの申述をすることを認めている。すなわち，民法総則の規定に基づき，未成年者が法定代理人の同意を得ずにした放棄，成年被後見人がした放棄，被保佐人または被補助人が，保佐人もしくは保佐監督人または補助人もしくは補助監督人の同意を得ずにした放棄，および錯誤，詐欺または強迫によってした放棄は，取り消すことができる。また，親族編の規定により，後見監督人があるとき，後見人がその同意を得ずにした放棄も取り消すことができる（865条）。取消申述の審判事件における手続行為能力については従来規定がなかったが，実体法上，未成年者等も自ら有効に確定的に取消権を行使しうると解されていること（120条）に準じ，一般的に手続行為能力の制限を受けていても，自ら有効に相続放棄取消しの申述をすることができることが家事事件手続法に明文化された（家事201条4項において同118条を準用。金子・一問一答206頁）。

(イ)　取消審判の範囲と程度　　相続放棄申述受理審判の範囲の程度と同様の問題がある。学説は，受理してその後訴訟などの手続で放棄の取消しを無効と争うことも可能ではあるが，詐欺・強迫による取消申述の場合には，まさにこれらの要件の存否が問題となるのであり，取消しの申述に対しても，家庭裁判所は取消しの実質的要件の有無にまで立ち入って一応の審理をするのが妥当であるとする（加藤一郎「民法の一部改正の解説（3・完）」ジュリ251号〔1962〕49頁，廣橋次郎〔判批〕法時36巻3号〔1964〕86頁。2021〔令和3〕年の限定承認または放棄取消申立て新受件数は123件で，既済109件に対し認容65件，却下13件，取下げ31件であった）。

したがって，実務の多くは本人を審尋するなど，実質的な要件についての釈明的な審理をしている。ただし，受理の審判がなされたとしても，家庭裁判所は，取消原因があるとまで認めているわけではない（上原裕之「相続放棄の無効と取消」野田愛子ほか編・家事関係裁判例と実務245題（判タ臨増1100号）

〔2002〕308頁)。相続放棄取消しの受理審判は，相続放棄の受理審判と同様，実体的権利関係は民事訴訟法による裁判によってのみ終局的に確定されるからである(福島家白河支審昭38・3・7家月15巻6号88頁，名古屋高金沢支判昭42・11・15判タ216号137頁)。なお，取消申述を却下する審判に対しては，取消しをすることができる者が即時抗告をすることができる(家事201条9項2号)。また，取消しの審判がなされたときは，裁判所書記官が当事者および利害関係参加人に通知しなければならない(家事規106条2項)。

(ウ)　錯誤　　平成29年改正により，錯誤は取り消しうるものとなった。これまでの錯誤無効の判例理論については，§919 III 1(1)(イ)を参照。

(2)　放棄無効の手続

(ア)　無効原因　　相続放棄の有効性を争うことについても，利害関係人や債権者による相続放棄無効の訴えと相続を放棄した本人による無効の訴えとがある。前者については，相続放棄申述が受理されたことに対し，債権者等が放棄無効を訴訟により争えることは先に述べた(一II(2))。ここでは，相続放棄者による無効の主張が対象となる。

相続放棄の申述が本人の意思に基づかない場合は無効となる(東京地判昭53・10・16判時937号54頁，東京地判昭51・5・26判時844号53頁，浦和家審昭38・3・15家月15巻7号118頁)。相続人の成年後見人の就任前に，相続人がした相続放棄は，その手続を理解する能力を欠く状態にあったとして，家庭裁判所による遺産分割審判手続からの排除決定に対して成年後見人が即時抗告(家事43条2項)した事案で，相続人の相続放棄申述の無効が認められている(東京高決平27・2・9判タ1426号37頁)。また，申述書が偽造による場合は，家庭裁判所によって受理された以上，受理審判の取消申立てをすることは許されず(東京高決昭29・5・7高民集7巻3号356頁)，無効の手続による。

(イ)　放棄無効の手続　　手続に関しては，相続放棄の無効申述の特別規定はないため，その主張は，相続放棄無効確認の訴えにおいてなしうるのかが問題となる。長子以外が相続放棄を行ったことにより，予期に反して多額の相続税が賦課されたことをもって相続放棄無効確認を請求した最高裁昭和30年9月30日判決(民集9巻10号1491頁)は，「当該相続放棄の無効なるに因っていかなる具体的な権利又は法律関係の存在，若しくは不存在の確認を求める趣意であるかは，明確でない」とし，本件確認の対象となるべき法律関係は少しも具体化されておらず，適法な「訴の対象」を欠くものであり，このような確認の訴えは不適法であるとした。

すなわちこれは，放棄の無効を主張する者は，家庭裁判所に手続規定のない無効確認，あるいは無効申述の申立てをしても意味がなく，遺産中の財産を特定し，その共有持分の確認を求める訴訟などを提起すべきという考えによる（上原・前掲論文308頁。福岡高決平16・11・30判タ1182号320頁は，相続放棄の無効事由を主張して，相続放棄の取消しの申述の受理を求めたが，不適法とされた）。では，相続放棄者は，個々具体的な訴訟で相続無効を争うべきなのか。これに反対する学説は，確認の訴えは特定の権利または法律関係を対象としかつ確認の利益が備わるかぎり全般的に許されるのであって，法の特別規定を要しないと主張する（中田淳一〔判批〕民商34巻2号〔1956〕271頁，金山正信〔判批〕家族百選新版・増補260頁）。個別の訴訟により相対的に無効確認されるよりは，相続放棄全体として無効確認の手続が認められると解すべきであろう（新版注民(27)〔補訂版〕508頁〔谷口知平＝松川正毅〕）。

〔山口亮子〕

（相続の放棄の効力）

第939条　相続の放棄をした者は，その相続に関しては，初めから相続人とならなかったものとみなす。

〔対照〕　フ民805・806，ド民1953，ス民572-575

〔改正〕　(1039)　本条＝昭37法40全部改正

I　相続放棄の効力

(1)　相続放棄の効果

(ア)　放棄後の相続分　　相続人が相続を放棄すると，その者は初めから相続人とならなかったものとみなされることになる。そのため，相続放棄者を除いた相続人が最初から相続人であったことになり，放棄者を除く相続人に相続分が帰属する。配偶者と子3人が相続人であるとき，子の1人が相続放棄した場合は，900条に従い配偶者2分の1，子2人がそれぞれ4分の1となる（新版注民(27)602頁〔山木戸克己＝宮井忠夫〕）。

(イ)　代襲　　相続放棄の効果として，代襲は生じない。887条2項による相続開始前の死亡，廃除，欠格という代襲原因に，相続放棄は含まれていないからである。その結果，同順位の相続人が存在しなければ，次順位の血族相続人が相続人となる。しかし，昭和37年の改正前にこれは明らかではなく，放棄を代襲原因として認めるか否かは立法問題であり，放棄はあくまで相続人の行為であるから，その子から固有の代襲相続権を剝奪するのは不当だとの意見もあった（中川＝泉431頁）。各国の立法例も分かれている（ドイツ法は相続放棄を代襲原因として認めており〔ド民1953条2項〕，フランス法は2006年6月23日に，相続放棄を代襲原因と認める〔フ民805条2項〕との相続法改正を行った。新版注民(27)〔補訂版〕631頁〔犬伏由子〕）（→§887 IV）。

(ウ)　相続以外の財産　　相続放棄者は積極財産および消極財産のいずれも承継しないが，その者が受取人となっている保険金を請求する権利についてはどうか。判例は，保険金請求権を相続人の固有財産と解しており（最判昭40・2・2民集19巻1号1頁，最判昭48・6・29民集27巻6号737頁），相続放棄をしても当請求権は失わない（東京地判昭60・10・25家月38巻3号112頁，名古屋地判平4・8・17判タ807号237頁）とする。また，保険契約者が死亡保険金の受取人を被保険者の法定相続人と指定して，被保険者の死亡後に法定相続人の一部の者が相続放棄に加えて保険金請求権の放棄または受取拒絶の意思表示をした場合，これによってその者の保険金請求権は他の法定相続人に帰属しない（大阪高判平27・4・23 LEX/DB25541240〔原審・神戸地尼崎支判平26・12・16判時2260号76頁〕）とされた。

国家公務員の死亡退職金は，相続財産に属さず遺族固有の権利であり（最判昭55・11・27民集34巻6号815頁），相続放棄後も固有の権利により受け取ることができる（鳥取地判昭55・3・27判時970号149頁）。遺族給付（遺族厚生年金，遺族補償年金，弔慰金，葬祭料等）も，受給権者固有の権利であり影響はない。また，相続放棄後に放棄者が特別縁故者として財産分与を求めた事案で，裁判所はこれを認めている（広島高岡山支決平18・7・20家月59巻2号132頁）。

さらに，相続放棄した配偶者にも，配偶者短期居住権（1037条1項2号）が認められる。特に，多額の債務から逃れるために相続放棄をした場合，配偶者の短期的な居住を保護する必要性が高いからである（潮見402頁）。配偶者居住権についても，その者に対する配偶者居住権の贈与・死因贈与がされていれば，相続放棄が解除条件になっていない限り，相続放棄しても認められる（潮見421頁）。

(2)　**相続放棄と登記**

相続放棄により他の共同相続人が取得した相続財産を登記なくして第三者に対抗できるかが問題となる。最高裁昭和42年1月20日判決（民集21巻1号16頁）は，相続放棄によって，「相続人は相続開始時に遡ぼって相続開始がなかったと同じ地位におかれることとなり，この効力は絶対的で，何人に対しても，登記等なくしてその効力を生ずると解すべきである」と判示し，相続放棄の効果は絶対的であることを示した。近代法における相続放棄制度は，債務超過の相続財産の負担から相続人を解放しようとする制度であり，相続人に権利義務を強制しないことで相続人を保護するものであるところから，それは放棄者本人に対して絶対的である。本件で問題となっているのは，相続放棄者の放棄分を相続した他の共同相続人と，相続放棄者の債権者の関係である。具体的には，相続人7人のうち長男Xを除く全員が相続放棄をしたが，その旨の登記がないうちに，相続放棄者の1人であるBの債権者Yが当該不動産を7人の相続人が共同相続したものとしてBに代位して所有権保存登記をし，Bの共有持分9分の1について仮差押登記をしたという事案である。これについて判例は，放棄者ははじめから無権利者だったことになるから，Yのした代位による所有権保存登記も実体に合わない無効のものとする。では，他の共同相続人が相続放棄により取得した相続財産について，登記なく第三者に対抗しうる理由はどこに求められるのか。それは，放棄の効果が全体に行き渡らなければ，放棄者は相続債務の負担から免れることができる一方で，個人債務について相続財産を責任財産とできるのでは，他の共同相続人との間で公平性を欠くということから説明される（星野英一〔判批〕法協85巻2号〔1968〕223頁，甲斐道太郎〔判批〕家族百選3版221頁，山本敬三〔判批〕民百選Ⅲ3版161頁。相続と登記については，新版注民(27)〔補訂版〕777頁以下〔二宮周平〕参照）。

平成30年改正で新設された899条の2は，相続による権利の承継は，遺産分割によるものかどうかにかかわらず，第900条および第901条の規定により算定した相続分を超える部分については，登記等の対抗要件を備えなければ，第三者に対抗することができないと規定したが，相続放棄については，従来の判例法を変更せず，登記なくして第三者に対抗できる。その理論は，相続放棄により他の共同相続人が取得する法定相続分は，初めから取得したものであり，それは899条の2第1項の相続分を超える部分に当たらないと考えるからである（山本・前掲判批，山野目章夫・民法概論2物権法〔2022〕98頁）。これに対し，相続放棄者は無権利者であり，放棄者の相続分を差し押さえる債権者は同項の第三者に当たらないとする考え方による説（水津太郎「相続と登記」ジュリ1532号〔2019〕52頁）も主張されている（これを検討する論考として，七戸克彦「民法899条の2をめぐって(1)」法政研究87巻1号〔2020〕140頁以下参照）。

(3)　詐害行為取消権との関係

相続放棄は基本的に自由であるが，それが詐害行為取消権の対象となるかが問題となる。被相続人が債務を負担したまま死亡し，その相続人が相続放棄をしたところ，被相続人の債権者が当該相続放棄は詐害行為に該当するとしてその取消しと支払義務の履行を求めた事案で最高裁昭和49年9月20日判決（民集28巻6号1202頁）は，(i)取消権行使の対象となる行為は，積極的に債務者の財産を減少させる行為であることを要し，消極的にその増加を妨げるにすぎないものを包含せず，相続の放棄は，消極的にその増加を妨げる行為にすぎないこと，(ii)相続の放棄のような身分行為については，他人の意思によってこれを強制すべきでなく，もし相続の放棄を詐害行為として取り消しうるならば，相続人に対し相続の承認を強制することと同じ結果となり不当であることを理由として，詐害行為取消権の適用を消極的に解した。この立場は，明治民法時の大審院昭和10年7月13日判決（新聞3876号6頁）から始まり，東京高裁昭和30年5月31日判決（下民集6巻5号1051頁），最高裁昭和42年5月30日判決（民集21巻4号988頁。本判例は，相続人の債権者が相続放棄を権利の濫用として訴えたものであるが，最高裁は，相続放棄の自由から無効の主張を認めなかった）をほぼ踏襲するものである。

相続放棄に対する詐害行為取消権の行使について，学説は消極説が通説であるが，これまで判例は，取消債権者が相続人の債権者か被相続人の債権者（相続債権者）かを区別してこなかった。しかし，これは分けて論じる必要がある（吉田邦彦〔判批〕家族百選4版204頁，池田恒男〔判批〕家族百選5版208頁，片山直也〔判批〕民百選Ⅱ5版補正版42頁）。本件事案は後者の場合であり，個人主義のもとでは，相続人は自らの行為に基づかない債務は負わない自由があり，また近代法の相続放棄の趣旨が，被相続人の債務承継から解放されるところにあるところからすると，最高裁の結論は正当である。では，相続人の債権者からの請求である場合はどうか。取消権を肯定する説は，相続人は自己の意思に基づいて債務を負担しているのであるから，相続放棄をする自由を認める必要はないとする（大島俊之「相続放棄と債権者取消権(2・完)」法時57巻9号〔1985〕120頁）。また，債権者は，債務者自身の固有の財産を引当てにすべきであり，相続財産を期待するのは反射的利益にすぎないとの考えはあるものの，特に債権者が相続開始後に現れた場合など，相続人の債権者の期待はふくらみ，債権者の利益保護の要請から，相続人に自己の債権者を害する自由はないと主張される（中川良延〔判批〕判評242号（判時916号）〔1979〕31頁，潮見86-87頁）。

他方で，遺産分割により事実上の相続放棄がなされた事案で，最高裁平成11年6月11日判決（民集53巻5号898頁）は，相続人の債権者からの詐害行為取消権請求を肯定している。当該事案は，相続開始十数年経った後，被相続人の配偶者である相続人が連帯保証債務を負うも，履行する資力に乏しく，債権者から相続財産の登記を求められていたところ，本件相続財産の遺産分割協議を行い，自らはその持分を取得せず，他の相続人に各2分の1の持分割合を取得させて登記を行ったものである。最高裁は，遺産分割協議は財産権を目的とする法律行為であるから，詐害行為権行使の対象になりうると判断した。ただし，当判例も，相続人の債権者か相続債権者かの区別を論じるところまでは踏み込まなかった（潮見佳男〔判批〕銀法572号〔2000〕57頁参照）。

II　二重の相続資格者の相続放棄

同一人につき，相続資格の重複を認めるかについては，学説上議論があり，通説は条件付重複肯定説をとる（一前注（§§886-895）II，新版注民(27)〔補訂版〕628頁〔犬伏由子〕）が，相続資格重複者の相続放棄については，次のような問題がある。まず，同順位相続資格が重複している相続人について，例えば，被相続人の子Aが弟Bを養子とし，Aが被相続人よりも先に死亡していた場合にBが相続放棄したとする。このとき，1つの資格でなされた放棄は当然に他の資格に及ぶか，留保すれば他の資格に及ばず選択可能とするかの説が議論されてきた（新版注民(27)601頁〔山木戸克己＝宮井忠夫〕）。先例は，Bは，被相続人の子としての相続権もAの代襲相続人としての相続権も放棄したものとなるとする（昭41・2・21民三発172第3課長回答）。

異順位相続権の重複については，例えば被相続人Aが弟Cを養子とした後，Aが配偶者も子もなく死亡した場合，Cは兄弟姉妹（第3順位）と養子（第1順位）の重複性を有する。先例は，先順位の資格でなされた放棄の効果は当然に後順位の資格に及ぶとする（昭32・1・10民事甲第61号民事局長回答）。それは通常，相続の放棄は，被相続人の債務から解放される目的でされることが多いため，いずれの相続人の資格で放棄されたか明らかでないときは，いずれの資格でも相続放棄をしたものとして取り扱うことが合理的だからである（民月71巻3号〔2016〕80頁，中川＝泉432頁，品川孝次〔判批〕家族百選3版229頁）。これに対し裁判例は，それぞれの相続人の資格において相続の放棄をしたかどうかを判断すべきとしている（大判昭15・9・18民集19巻1624頁，京都地判昭34・6・16下民集10巻6号1267頁〔ただし本件は，債務を相続しないために，相続人全員が相続放棄していたものであり，原告は単に養子としてだけではなく妹としても相続を放棄したものと認められた〕）。

近年，所有権移転登記に際し，配偶者として相続の放棄をしたことを確認できる相続放棄申述書の謄本と，妹としては相続の放棄をしていない旨記載された印鑑証明付きの上申書が提出された件において，配偶者としての相続放棄の効果は妹としての相続人の資格に及ばないものとして取り扱うことができるとされた（平27・9・2民二第363号民事局民事第二課長通知）。ただしこれは，どの資格により相続放棄するかが明らかである場合に限り認められることであり，先例が変更されたわけではない（前掲民月81頁）。なお，家庭裁判所における実務では，相続放棄の申述書に記載される申述人の資格（被相続人との関係）により判断するとしており，重複した資格が記載され同順位であれば1件とし，異順位であれば2件として個別に取り扱われている（雨宮則夫ほか編・相続における承認・放棄の実務〔2013〕278頁）。

このような家族間の養子縁組等による相続資格重複者の相続放棄の他に，家族間における不法行為訴訟において，相続資格の重複が問題となった事例がある（判例民法Ⅺ254頁〔足立文美恵〕）。事案は，実兄Aの運転操作の誤りにより，Ａと同乗していた実妹Ｂが死亡した交通事故において，相続人となった実母ＸがＡにつき相続を放棄してＢを相続し，実父ＹがＢの相続を放棄してＡを相続したうえで，実母Ｘが実父Ｙに対し，損害賠償を請求したものである。この訴訟により，Ａが契約していた保険金請求が問題となったが，裁判所は，XYが合意の上，保険金取得を目的としても，Ｘの相続放棄が権利の濫用に該当するとは認められないと判断した（福岡地判平12・4・28判タ1084号238頁）。

〔山口亮子〕

（相続の放棄をした者による管理）

第940条①　相続の放棄をした者は，その放棄の時に相続財産に属する財産を現に占有しているときは，相続人又は第952条第1項の相続財産の清算人に対して当該財産を引き渡すまでの間，自己の財産におけるのと同一の注意をもって，その財産を保存しなければならない。

②　第645条，第646条並びに第650条第1項及び第2項の規定は，前項の場合について準用する。

〔改正〕（1040）①②＝令3法24改正

（相続の放棄をした者による管理）

第940条①　相続の放棄をした者は，その放棄によって相続人となった者が相続財産の管理を始めることができるまで，自己の財産におけるのと同一の注意をもって，その財産の管理を継続しなければならない。

②　第645条，第646条，第650条第1項及び第2項並びに第918条第2項及び第3項の規定は，前項の場合について準用する。

Ⅰ　令和3年改正の意義

(1)　相続の放棄をした者による相続財産の管理——保存義務

令和3年民法等の一部改正法（令和3年法律24号。以下，「令和3年改正法」とする）により，940条は改正された。そこではまず，相続財産を管理する相続放棄者の範囲が限定された。次に，令和3年改正前940条1項は，相続の放棄をした者による管理の期間を，その放棄により相続人となる者が相続財産の管理を始めることができるまでとしていたが，令和3年改正法では，相続財産が相続人または相続財産清算人に引き渡されるまでの間とされた。これは，法定相続人全員が相続を放棄し，次順位の相続人が存在せず，相続人のあることが明らかでないような，現代において生じうる場面を想定したものである。そして，令和3年改正前規定は，相続の放棄をした者の義務内容を管理義務としていたが，令和3年改正法では，保存義務に変更された。

(ア) 保存義務の発生要件　　令和3年改正前規定では，管理義務者の範囲が明らかでなかったため，第1順位の相続人から順に第2順位，第3順位と法定相続人全員が相続放棄を行い，次順位の相続人が存在しない場合，先順位の相続人がこれまで相続財産を占有して管理していたとしても，何ら相続財産に関与していなかった最後の相続放棄者に管理の負担が及ぶのか，あるいは相続放棄者全員がその義務を負うのか，という問題があった。そこで，令和3年改正前940条1項の管理継続義務は，一種の事務管理に基づくもの（新版注民(27)〔補訂版〕634頁〔犬伏由子〕）であることから，放棄者の中でも相続財産に属する財産の管理事務を始めた者のみが，当該財産の価値を維持する管理継続義務を負うと解釈することとし（民不登部会資料14・11頁），保存義務の発生要件を，相続放棄の時に相続財産に属する財産を現に占有していることとされた。相続の放棄をした者が管理に一切関与していない相続財産に属する財産についてまで保存義務を負うとすることは，相続による不利益を回避するという相続放棄制度の趣旨にそぐわないが，相続財産に属する財産を現に占有する者が相続の放棄をする場合には，当該財産を占有していた事実があるため，当該財産を引き継ぐまでは一定程度の保存義務を負担することはやむを得ない理由があると考えられたためである（民不登部会資料29・2頁，潮見88頁）。

なお，法定相続人全員が相続放棄する前に，相続財産の保存に必要な処分として相続財産管理人の選任が行われたような場合（897条の2）は，その審判を取り消すことなく，その者が引き続き相続財産の管理を継続することになる（村松＝大谷編・Q&A 223頁）。

(イ) 占有の範囲　　保存義務の範囲は，相続人が相続の放棄をしたときに現に占有している財産のみにとどまる。相続財産を占有していたとは，直接占有だけではなく，間接占有も含まれる（民不登部会資料45・5頁）。

直接占有については，自分の意思で支配している必要がある。例えば，当民法改正法制審議会の部会長であった山野目教授によると，相続人が被相続人の建物に被相続人と同居していても，その建物を占有していることにはならず，親から住んでよいと告げられ，借りて住み，子が建物で独立の家庭を営んでいるときに，その建物を占有しているとされる（山野目章夫・土地法制の改革――土地の利用・管理・放棄〔2022〕259頁）。被相続人所有の田畑の耕作を手伝っているような場合も，相続人の関与の度合いによる。時々手伝っていたという程度の占有補助者でしかないときは，占有していることにはならず，被相続人と共同で農業を経営し，同人と共に田畑を管理していた場合などは，相続の放棄の時に占有するものとされる（山野目・前掲書259頁・262頁）。

間接占有については，親が他人に貸しているアパートを相続人である子が手伝い，時々アパートの見回りをしていたとしても，占有者とはならず，子が親から借りた一棟アパートの各室を別の者に転貸して入居者から賃料を得ている場合には，子が間接占有という占有を有するとされる（山野目・前掲書259頁）。

(ウ)　保存義務の内容　　改正により，相続放棄者による相続財産管理義務は，相続財産保存義務に変更された。相続の放棄をした者は，相続財産の管理または処分をする権限および義務は負わず，保存行為をする権限および義務を負う（民不登部会資料29・1頁）。保存義務とは，財産の現状を滅失させ，または損傷する行為をしてはならないことを意味する（同上3頁）。それを超えて，財産の減少を防ぎ，その維持に努める必要まではない（山野目・前掲書260頁）。まして，相続放棄者の占有下にある物が，ほぼ無価値の物であるなど，社会通念上廃棄して処分することが合理的であると認められる場合においては，それを棄て，引渡しをしなかったとしても，保存の義務に反するとはならない（山野目・前掲書263頁）。

保存義務の相手方は，940条1項にいう相続人，または相続人がいないときには952条1項に基づき選任される相続財産清算人であり，940条2項がその準用を定める646条を根拠として，その者に占有する物を引き渡さなければならない。注意義務の程度は，「自己の財産におけるのと同一の注意」

というのと同一程度の注意義務であり（我妻・判コメ211頁），そのような注意をもって管理すれば足りるという意味合いである（山野目・前掲書258頁，民不登部会資料51・18頁）。

㈣　保存義務の終期　　相続放棄者が相続人もしくは相続財産清算人に当該財産を引き渡して占有を移転したとき，または897条の2の相続財産管理人が選任されたときに，相続放棄者の保存義務は終了する。ただし，相続人がおらず，相続財産清算人が選任されない場合には，相続放棄による管理者は，引渡債務の受領不能を原因として弁済供託すること（494条1項1号・2号）により，保存義務を終了させることができることとなった（家事146条の2・147条）（村松＝大谷編・Q&A 235頁）。

⑵　第三者との関係

相続放棄者による相続財産の保存義務は，相続人および相続財産清算人に対してであり，債権者はもとより第三者に対する義務ではない。では別途，第三者に対して損害が生じた場合に，相続放棄者に被害に対する責任を追及することはできるであろうか（令和3年改正法前に公表された吉田克己「不動産所有権放棄をめぐる裁判例の出現」市民と法108号〔2017〕11頁は消極的）。これについて，相続放棄者が管理していない土地が第三者に害悪を及ぼしている場合には，相続の放棄をした者に管理の義務は及ばないが（民不登中間試案補足説明92頁），相続財産に属する土地を占有していた保存義務者に対しては，土地工作物責任の民法717条の適用があることは妨げられず，また，占有していたものを放り投げるなどした場合，その行為が民法709条の一般的不法行為の注意義務違反を構成すると認定されれば，損賠賠償責任の成立の可能性もあるとされる（民不登部会10回議事録75頁〔山野目章夫部会長発言〕）。したがって，相続財産を占有していた相続放棄者は，土地工作物の占有者の責任を負いうるため，損害賠償責任を問われないように，最低限度危険がないように管理をする必要があるとされている（民不登部会13回議事録46頁〔大谷太幹事発言〕）。

⑶　940条2項

940条2項は，令和3年改正前の918条2項および3項の準用により，それが定める相続財産管理人を選任することを認めていたが，令和3年改正法により当条項が削除されたことに伴い，同規定の準用は削除された。それに代わり，包括的な相続財産の管理について定めた897条の2の新設により，相続放棄の前および相続を放棄した後において，相続財産の清算を目的とするものではない相続財産管理人を選任することが認められることとなった。

その他は，2項に基本的に改正点はない。相続財産の保存については，委任の規定が準用される。926条2項と同一の規定である（→§926 IV）。限定承認では，相続債権者および受遺者から相続財産について管理事務を委託されたとの関係を持っているのに対し，ここでの委任者にあたるのは，相続人となる者と，相続財産清算人である（潮見89頁）。そこで，相続放棄者は，相続人または相続財産清算人に対し，管理の状況を報告し（645条），引き渡さなければならない（646条）。また，相続の放棄をした者は，相続財産の管理のために必要な費用を支出したときは，その費用を利息付きで，相続人または相続財産清算人に請求することができ（650条1項），管理に際して債務を負担したときは，弁済または担保の供与を請求することができる（650条2項）（片岡ほか260頁）。

II　法定相続人全員が相続を放棄した場合

940条1項は，法定相続人の誰か，または全員が相続の放棄をした場合の相続放棄者による管理を定めるが，法定相続人全員が相続を放棄し，相続人のあることが明らかでない状態になったときには，令和3年改正法により，940条以外にも以下の相続財産の管理が可能となった。どのような管理を求めるかは，その手続を行う者の求める管理内容によることになろう。

(ア)　940条1項による相続放棄者による管理　　先にみてきた通り，相続放棄者の中で，相続財産に属する財産を現に占有していた者が，その相続財産を保存する義務を負う。

(イ)　897条の2第1項による相続財産管理　　法定相続人が，放棄前の熟慮期間中に利害関係人として，家庭裁判所に対し相続財産管理人の選任を申し立てたときは，選任された者が相続財産管理を行う。その後，法定相続人全員が相続の放棄をしても，この審判を取り消す必要はなく，引き続き相続財産管理人が管理を継続することができる（村松＝大谷編・Q&A 223頁）。放棄前に相続財産管理人が選任されておらず，法定相続人の誰も占有の事実がなく保存義務を負わない場合，または放棄者のうち保存義務者が存在した場合でも，相続財産管理人を選任することは可能である。相続放棄者の管理能力が十分でない場合や，相続放棄者が管理人に任せる意思を有する場合に，相続放棄者が利害関係人となり家庭裁判所にその選任を申し立てることもできるかについては，相続放棄者は本来，相続財産に対する責務はもたない自由がある一方で，社会にとっては土地等の相続財産が切れ目なく管理される必要があるところからも，肯定されよう。また，相続放棄者による管理が不適切な場合に，他の利害関係人が相続財産管理人の選任申立てを行うこともできる。相続財産管理人が選任されると，940条1項の相続人への引渡しと同視され，相続の放棄をした者は，保存義務を免れることになる（民不登会議議事録21回・42頁〔脇村真治関係官発言〕）。

(ウ)　952条1項による相続財産清算　　相続債権者は利害関係人として，相続財産清算人の選任を家庭裁判所に申し立てることができる。相続放棄の前後に選任された897条の2による相続財産管理人も，相続財産清算人の選任の申立てをすることができ，相続財産清算人の選任により，相続財産管理人の職務は終了する（村松＝大谷編・Q&A 232頁）。また，相続放棄者も相続財産保存義務を免れるために，利害関係人としての地位を有する（→§952 II 1(1)，潮見89頁）。

897条の2による相続財産管理人選任，および952条1項による相続財産清算人選任にあたっては，管理・清算費用，および管理人・清算人報酬のために，利害関係人である申立権者に，家庭裁判所に数十万から百万円の手続費用として予納金の納付が求められる場合がある（堀越みき子「相続人不存在の実務」野田愛子＝三宅弘人編・家庭裁判所家事・少年実務の現状と課題（判タ臨増996号）〔1999〕102頁）。これらの選任申立ては相続放棄者の責務ではないが，相続放棄者以外に利害関係人がいないときに，相続放棄者に経済的負担をさせる問題が生じてくることは，法制審議会でも議論された（民不登会議議事録8回・41頁〔潮見佳男委員発言〕，民不登中間試案補足説明92頁）。そこで，土地管理制度による対応が考えられることになる。

(エ)　改正264条の2による所有者不明土地・建物管理　　法定相続人全員が相続財産である土地を放棄した場合は，相続人のあることが明らかでない場合となり，土地の所有者が不明である場合に該当する。民法264条の2以下に新設された所有者不明土地・建物管理命令制度の趣旨に則り，利害関係人が所有者不明土地・建物管理命令を請求することとなるが，どのような者が利害関係人に当たるかは，個別の事案に応じ裁判所において判断される。例えば，その土地が適切に管理されていないために不利益を被るおそれがある隣接地所有者，土地の共有者の一部が相続放棄により不在となった他の共有者，その土地を取得してより適切な管理をしようとする公共事業の実施者，土地の所有権の移転登記を求める権利を有する者等である（村松＝大谷編・Q&A 172頁）。また，所有者不明土地特措法42条により，国の行政機関の長または地方公共団体の長は，その適切な管理のために必要があるときは，所有者不明土地管理命令の請求をすることができる（村松＝大谷編・Q&A 173頁）。

(オ)　供託　　相続人がおらず，または相続財産清算人が選任されていない場合は，弁済者が債権者を確知することができないとき（494条2項）に当たり，相続の放棄をした者は，その財産を弁済供託することができる。相続人または相続財産清算人が財産の引渡しの受領を拒んだとき，またはこれを受領することができないときも同様である（同条1項1号・2号，潮見88頁）。その相続財産が土地などの金銭以外の財産であり，供託に適さない場合や供託することが困難な事情がある場合等には，裁判所の許可を得てこれを競売に付し，その代金を供託することことができる（497条）。これにより，保存義務を有する相続放棄者は，その保存義務を終了させることができる（民不登部会資料45・5頁，村松＝大谷編・Q&A 235頁）。

〔山口亮子〕

第5章　財産分離

前注（§§ 941-950〔財産分離〕）

I　財産分離の意義

相続の開始により，相続人は一身専属的権利義務を除き被相続人の財産を包括的に承継する（896条）。その結果，相続財産および相続人の固有財産ともに，被相続人からの相続債務および相続人自身の固有債務の責任財産となる状態が生じる。相続財産が債務超過である場合は相続人の債権者の債権回収に影響が及び相続人の債権者が損害を被るが，相続人の固有財産が債務超過のときは相続財産もその引当てとなることから相続債権者らが損害を受ける。相続人は自ら限定承認や放棄の手続をとることによって自己の固有財産が相続債務の引当てとなることを回避できるが，相続人の固有財産が債務超過である場合や相続人が限定承認・放棄の手続をとらない場合について相続債権者・受遺者や相続人の債権者に責任財産保全のための措置を認める必要がある。そこで，民法は相続財産と相続人の固有財産との混合を避けることを目的として本章の財産分離制度を置く。同制度の沿革と比較法的概観は，新版注民(27)〔補訂版〕637-640頁〔塙陽子〕参照。

II　わが国における財産分離制度

旧民法第一草案はフランス民法の séparation du patrimoine に倣い，「被相続人ノ債権者及ヒ受嘱者ハ相続人ノ債権者ニ対シテ被相続人ノ資産ト相続人ノ資産トヲ分別シテ被相続人ノ資産ニ付先取権ヲ得可キコトヲ請求スルコトヲ得但シ資産ノ混同ヲ承諾シタル者ハ此例ニ在ラス」（旧民法第一草案財産取得編1690条）等との規定を提案していた。その後，財産分離制度として法律取調委員会案上申案が「財産分別ノ訴権」を規定し（法律取調委員会上申案第2版財産取得編403条〜411条），「相続財産ノ債権者及ヒ受遺者ハ相続財産ト相続人ノ財産トノ分別ヲ請求スルコトヲ得相続人ノ債権者モ亦相続人ノ財産ト相続財産トノ分別ヲ請求スルコトヲ得」（同403条）として，相続債権者・受遺者とともに相続人の債権者にも分別請求権を与えていた（佐野智也・法律情報基盤〔https://law-platform.jp/hist/123028/123098_18900421%233/AQGTAQEB#rev-5b06715aea0bef5da7ffbebc〕参照）。しかし，元老院に提出された「民法編纂ニ関スル裁判所及司法官意見書」において，このような財産分別訴権制度はフランスにも見られず，わが国の慣習にもそぐわないとして廃止を求める意見が出されて（民法編纂ニ関スル裁判所及司法官意見書(中)〔1941〕112丁表），削除されるに至り，旧民法には財産分離に関する規定は置かれなかった。

その後，明治民法の起草に際して，財産分離は限定承認と相対する制度として必要であること，相続人の債権者にも相続財産と相続人の固有財産の混合によって受けうる損失を回避する手段が必要であることを理由に，相続債権者および（比較法的に例が乏しいが）相続人の債権者の財産分離請求権が提案された（法典調査会民法議事〔近代立法資料7〕502頁〔富井政章委員〕）。この財産分離の効力については，フランス民法のような先取特権的性格のものではなく「凡ソ優先権ノ問題，単一ナル配当手続ノ場合ニ起ルモノデアル財産分離ト云フモノハ全クー ト纏メノ財産ヲ区別スルノデアル」（同509頁〔富井〕）と説明され，明治民法では相続債権者や受遺者，相続人の債権者の優先弁済の順序と配当加入手続等に関する規律と位置づけられた（梅208頁以下）。その後1940（昭和15）年の人事法案相続編で財産分離制度を廃し相続財産特別管理制を創設することが提案されたが，実現に至らず，1947（昭和22）年の民法改正に際しては条文の口語化と家庭裁判所（1947年時点では家事審判所）への管轄変更という形式的修正を除いて明治民法の規定がそのまま現行法に受け継がれた。それにより，現行法は明治民法と同様に相続債権者・受遺者の請求による第1種財産分離とともに相続人の債権者の請求による第2種財産分離も認める点で，比較法的に見てわが国独自の制度となっている。

実際には財産分離が利用されることはほとんどなく，2021年の全国家庭裁判所の新受件数で相続財産の分離に関する処分（家事別表第一96項）が2件，財産分離による相続財産管理に関する処分（家事別表第一97項）が0件であり，それ以前についても毎年数件にとどまっている（裁判所・司法統計年報）。破産法に相続財産破産・相続人の破産制度が設けられていることにも鑑み，財産分離を廃止すべきとの意見も根強い（近藤英吉「財産分離制度とその修正（2・完）」論叢38巻2号〔1938〕150頁，中川編・註釈上309頁〔谷口知平〕，柚木289頁）。しかし，たとえば近年の相続放棄件数の増加（2007年前後に放棄の年間新受件数が全国で15万件を超え，2021年の新受件数は25万1993件である〔裁判所・司法統計年報〕）について，必ずしも相続財産が債務超過でなくとも不要で価値の低い不動産のみしかないため相続人全員が放棄するケースがあり，空家等対策の推進に関する特別措置法（平成26年法律127号）の制定などいわゆる空家・放置不動産問題が注目されていることにも鑑みると（放棄した相続人が940条の遺産管理（保存）義務を負う場合それを免れるには相続財産清算人の選任〔952条〕が必要となるが，選任のための予納金が数十万円から100万円〔片岡ほか332頁〕と決して低くないことから，清算人選任請求がなされず国庫帰属〔959条〕手続へ進まないまま管理が放置されることが起こりうる。2018年の空家率は13.6%（別荘等二次的住宅を除く率は12.9%）で過去最高であった〔総務省統計局・平成30年住宅・土地統計調査結果の概要〕），財産分離の単純な廃止ではなく，放棄・限定承認や相続人不存在の場合を通じた民法の遺産管理・清算制度全体の合理化へ向けた検証が求められる。この点に関連して，2021（令和3）年の「民法等の一部を改正する法律」（令和3年法律24号）と「相続等により取得した土地所有権の国庫への帰属に関する法律」（相続土地国庫帰属法）（令和3年法律25号）では，所有者不明土地・建物への対応を図るとともに，民法の相続財産管理についても新たな規定が設けられている。民法の改正規定は2023（令和5）年4月1日から，相続土地国庫帰属法は同月27日から施行されており，相続財産である土地や家屋の管理・処分に関する新制度の効果が今後，注目される。一第6章前注（§§951-959）III。

〔常岡史子〕

（相続債権者又は受遺者の請求による財産分離）

第941条① 相続債権者又は受遺者は，相続開始の時から3箇月以内に，相続人の財産の中から相続財産を分離することを家庭裁判所に請求することができる。相続財産が相続人の固有財産と混合しない間は，その期間の満了後も，同様とする。

② 家庭裁判所が前項の請求によって財産分離を命じたときは，その請求をした者は，5日以内に，他の相続債権者及び受遺者に対し，財産分離の命令があったこと及び一定の期間内に配当加入の申出をすべき旨を公告しなければならない。この場合において，その期間は，2箇月を下ることができない。

③ 前項の規定による公告は，官報に掲載してする。

〔対照〕 フ民878〜881・2383，ド民1981・1983

〔改正〕（1041） ①②＝昭23法260改正 ③＝平17法87新設

I 本条の意義

相続財産の資産状況は健全であるが相続人が債務超過であるという場合，当該相続人が単純承認すると相続人の固有財産とともに相続財産が相続人の固有債務の責任財産となる結果，相続債権者ないし受遺者が本来受けるべき弁済や遺贈の履行を受けることができず不利益を被るおそれがある。第1種財産分離はこのような場合に相続債権者・受遺者の権利を保全するため，これらの者からの財産分離請求を認める。

II 第1種財産分離の要件

1 請求権者

請求権者は相続債権者または受遺者である。相続債権者であれば，担保権・債務名義の有無，条件・期限の有無，存続期間が不確定であると否とを問わない。ただし，相続人自身が相続債権者である場合，分離請求によって優先弁済により得た財産は自らの固有財産となり固有債権者に対する責任財産になるため，財産分離をする実益がなく，分離の請求はできないと解される。また，相続債権者が明示ないし黙示に相続人を債務者として承認したときは，当該相続債権者は本条の第1種財産分離ではなく，相続人の固有債権者として第2種財産分離（950条）の請求のみができるとされている（一種の更改とみる。以上中川編・註釈上310頁〔谷口知平〕，近藤・下923頁，中川監修・註解220-221頁〔山崎邦彦〕）。

本条により受遺者も財産分離請求権を有するが，これは特定遺贈の受遺者を指す。包括受遺者は相続人と同一の権利義務を有するため（990条），請求権者ではなく分離請求の相手方となる（反対：柳川・註釈下160頁）。遺言者は，負担付遺贈として財産分離を請求しない旨の負担を付すことにより，特定受遺者の財産分離請求権を剥奪することもできる（反対：柳川・註釈下153頁）。なお，財産分離が請求された場合，限定承認に倣い弁済に際して受遺者は相続債権者よりも後順位に置かれる（947条3項・931条）。

2 相 手 方

分離請求の相手方は，相続人の債権者ではなく相続人である（穂積Ⅱ301頁，中川・註釈上310頁〔谷口〕，近藤・下925頁，中川監修・註解223頁〔山崎〕）。明治民法の起草過程でも，「能ク分リモセナイ相続人ノ債権者ニ対シテ請求ヲセネバナラヌト云フコトハドウモ難キヲ求メルモノデアル請求ハ矢張リ相続人ニ対シテスルモノトシタ方ガ穏カデアラウ」（法典調査会民法議事〔近代立法資料7〕505頁〔富井政章委員〕）とされていた。共同相続の場合は，相続人全員を相手方として請求すべきことになる。相続人が不明の場合は相続財産管理人・相続財産清算人，破産手続開始決定がされた場合は破産管財人または遺言執行者を相手方とする（破産手続との関係。→§950 Ⅳ）。

3 請 求 期 間

財産分離は相続開始時から3か月以内に請求しなければならない。「相続開始の時」とは，被相続人の死亡その他の相続開始原因発生時を指す。相続人確定時や分離請求権者が相続の開始があったことを知った時ではない。本条の起草過程では，相続債権者や受遺者が財産分離の請求を最も必要とするのは相続人が単純承認した場合であるから，熟慮期間（明民1017条・現915条）の経過を待ち単純承認が確実になってから3か月を請求期間とすべきではないかという意見もあった（前掲法典調査会民法議事506頁〔磯部四郎委員〕）。しかし，単純承認の確定を待って請求を許すとすると相続人が単純承認直後に相続財産を処分した場合などに相続債権者・受遺者に不利益を与え，また「債権者ガ斯ンナ面倒ナコトヲ好ンデスルノハ畢竟愚図々々シテ居ツテハイケナイト云フ状況ガアルカラ」であり，熟慮期間中にすでに分離請求を認めるのが妥当であるとされた（同506-507頁〔富井委員〕)。熟慮期間中であれば，相続人も相続財産の調査を行い，承認か放棄かを検討している期間であるので，相続財産と相続人の固有財産との混合を生じていないことが多く，相続人やその他利害関係人を害するおそれが少ないと考えられる。他方，熟慮期間内であっても財産が混合した場合即座に財産分離請求ができなくなるとすると，財産分離制度を置く意味がなくなる。そこで，本条は原則として相続開始時から3か月間は財産の混合の有無を問わず財産分離の請求ができるとし，さらに，3か月の期間満了後であっても相続財産が相続人の固有財産と混合しない間は分離請求を認めることとした。ただし，本条が一律に相続開始時を起算点として財産分離の請求期間を原則3か月と定めたことに対しては批判があり（誰が相続人か不明の間に3か月が経過した場合，相続開始から3か月経過後であるが915条の熟慮期間内にある資産状況の良好な第一順位相続人が放棄し，債務超過状態にある第二順位相続人が単純承認した場合に相続債権者らは財産分離請求できない等)，「現相続人のために相続が開始した時」（穂積Ⅱ306頁，柚木291頁)，あるいは立法論として「相続人若くは包括受遺者が相続又は包括遺贈を承認した時」（近藤・下927頁。中川編・註釈上311頁〔谷口〕も同旨）または「相続人が特定したとき」（中川監修・註解222頁〔山崎〕）を起算点とすべきとする見解もある。

4 財産の混合

混合とは，事実上相続財産を識別することが不可能または著しく困難な状態をいい，観念的な権利の混同（179条・520条）とは異なる。相続財産中の米麦や無記名証券が相続人の財産と混在化した場合などがこれに当たる。遺産中の不動産は相続人の固有財産との混合を生じることが通常考えられず，いつまでも財産分離請求が可能ではないかという問題が生じるが，本条1項後段にいう相続財産が特定の相続財産ではなく遺産全体を指すと解するならば，通常，遺産には各種動産も含まれ，そのような動産が相続人の固有財産たる動産と混合することは随時起こりうるであろうから，結果として多くの場合3か月経過後の分離請求はできないことになるといわれている（中川編・註釈上311頁〔谷口〕)。すなわち，一部の相続財産の混合であっても遺産全体に対して混合があるという程度に至っていれば全財産について財産分離請求ができなくなり，特定の財産が識別できる形で残っていてもそれのみにつき分離請求することはできないと解される（有泉207頁)。混合していないことの立証責任は，財産分離を請求する者にある（中川監修・註解223頁〔山崎〕)。

なお，相続不動産の売却により得られた金銭の混合について，判例は共同相続人全員の合意により遺産中の不動産を売却した場合について，当該不動産は遺産分割の対象たる相続財産から逸出し，その売却代金は特別の事情のないかぎり相続財産には加えられず，各相続人は持分に応じて個々に取得する（最判昭54・2・22家月32巻1号149頁）とするが，これは不動産売却代金が遺産分割の対象となる相続財産かという観点からのものであり，また財産分離請求のあることが特別の事情に当たると解すれば，相続債務の責任財産という点からは，売却された相続不動産の代償財産は相続財産の性格を保有すると解することができると考えられる。したがって，売却代金たる金銭が相続人の固有財産である金銭と混和したときは本条の混合となり分離請求できなくなることがあるが，混合しない間は3か月の期間満了後も相続債権者・受遺者は分離請求できるといえる（中川監修・註解223頁〔山崎〕)。

III 審　　判

財産分離は，家事事件手続法別表第一事件（96項〜98項）であり，相続債権者または受遺者が相続開始地を管轄する家庭裁判所に申立てをする（家事202条)。家事事件手続法施行前は被相続人の住所地または相続開始地の家庭裁判所が管轄を有するとされていたが（旧家審規99条1項)，資料収集の便宜等を考慮し現行の規定に改められた。

相続債権者・受遺者が分離を申し立てた場合，家庭裁判所は必ず分離命令をしなければならないか，それとも分離を命ずるか否かにつき裁量を有するかは規定上明確ではない。分離請求がされれば裁判所はこれを拒絶すべきでないとする説（絶対説）は，相続人に現実に固有債権者がない場合でも後に出現することはありえ，その場合に備えて相続債権者・受遺者が財産分離の請求をすることには意味があること（柳川・註釈下171頁），また，民法は相続人の固有財産の債務超過を分離請求の要件としておらず，相続債権者・受遺者が適法な手続によって分離請求した以上家庭裁判所は相続人の固有財産の資産状況にかかわりなく財産分離を命ずべきであること（川島172頁，中川＝泉445頁，柳澤秀吉「相続財産の分離清算請求の要件」名城法学34巻4号〔1985〕1頁。明治民法の起草者は絶対説をとっていた〔梅215頁〕。穂積Ⅱ301頁も同旨）を理由とする。一方，家庭裁判所の裁量判断によるとする説（裁量説）は，請求があっても必要のない場合にまで家庭裁判所が分離命令をするべきではなく，相続人の債務超過や無資力により財産の分離をしなければ相続債権者・受遺者の債権を保全することができないことを要件とすべきとする（近藤・下930頁・932頁，中川編・註釈上311頁〔谷口〕，中川監修・註解225頁〔山崎〕，佐上善和・家事事件手続法Ⅱ〔2014〕332-333頁，潮見100頁）。従来公表裁判例はわずかであり，いずれも裁量説に与して分離の必要性を要するとしていたが（新潟家新発田支審昭41・4・18家月18巻11号70頁，前橋家審昭59・2・15家月37巻4号49頁，東京高決昭59・6・20家月37巻4号45頁〔前橋家審の抗告審〕），その後この点について最高裁判所の判断が出された（最決平29・11・28判タ1445号83頁）。同最高裁平成29年決定は，被相続人Aの後見人であった弁護士Xが，後見事務において立て替えた費用等につきAに対し請求権を有する債権者であるとして，本条1項に基づきAの相続人である子Y，Bの財産とAの相続財産との分離を申し立てた事案である。原々審（大阪家審平29・2・15判タ1449号151頁）は，相続人らの固有財産が債務超過の状態にあるか等について明らかにせず，財産分離の必要性を審理することなく，財産分離を相当と認め，職権によりXをAの相続財産管理人（941条1項・943条）に選任した。それに対して，Yのみが即時抗告したところ，原審（大阪高決平29・4・20判タ1449号149頁）は，「民法941条1項の定める第1種財産分離は，相続人の固有財産が債務超過の状態にある場合（もしくは近い将来において債務超過となるおそれがある場合）に相続財産と相続人の固有財産の混合によって相続債権者又は受遺者の債権回収に不利益を生じることを防止するために，相続財産と相続人の固有財産を分離して，相続債権者又は受遺者をして相続人の債権者に優先して相続財産から弁済を受けさせる制度であ」り，「家庭裁判所は，相続財産の分離の請求があったときは，申立人の相続債権，申立期間といった形式的要件が具備されている場合であっても，上記の意味における財産分離の必要性が認められる場合にこれを命じる審判をなすべきものと解する」（傍点筆者）と判示して，原々審判を取り消して原々審に差し戻した（なお，同高裁決定は，原々審がXの自薦に基づきXを相続財産管理人に選任した点についても言及し，相続債権者を相続財産管理人に選任するのは相当でないと述べている）。

そこで，Xが許可抗告の申立てを行ったが，最高裁は，「民法941条1項の規定する財産分離の制度は，相続財産と相続人の固有財産とが混合することによって相続債権者又は受遺者（以下「相続債権者等」という。）がその債権の回収について不利益を被ることを防止するために，相続財産と相続人の固有財産とを分離して，相続債権者等が，相続財産について相続人の債権者に先立って弁済を受けることができるようにしたものである。このような財産分離の制度の趣旨に照らせば，家庭裁判所は，相続人がその固有財産について債務超過の状態にあり又はそのような状態に陥るおそれがあることなどから，相続財産と相続人の固有財産とが混合することによって相続債権者等がその債権の全部又は一部の弁済を受けることが困難となるおそれがあると認められる場合に，民法941条1項の規定に基づき，財産分離を命ずることができるものと解するのが相当である。」と判示し，原審の判断もこの趣旨をいうものであり是認できるとして，抗告を棄却した。同決定により，最高裁は，財産分離を認めるには本条の形式的要件を満たすのみでなく分離の必要性があるか否かについての家庭裁判所の判断を要するとし，裁量説に立つことを明らかにしたものといえる。

第1種財産分離は，相続債権者や受遺者の債権回収が相続人の固有債務の存在によって脅かされることを防ぐことを目的とするが，分離が認められると相続人のみならず相続人の債権者ら第三者に対しても影響が生じることに鑑みれば，財産分離の必要性が具体的に存する場合に限り分離を認めるとするのが相当であると考えられる。特に，明治民法下では財産分離は非訟事件手続法のもとで地方裁判所の管轄に置かれていたのに対して（これについて，明治民法の学説は，財産分離請求は訴訟事件であり，分離請求者が法律上正当な権限を有する者か，混合が生じているか等につき相続人は争うことができるが，これらの要件が満たされる場合には裁判所は分離の判決をしなければならないと述べて絶対説に立つ。梅214-215頁，穂積Ⅱ301頁），1947（昭和22）年の旧家事審判法の制定により家庭裁判所（当時は家事審判所）の管轄に移されたという経緯がある。このことにより，財産分離請求を認めるか否かについての裁判所の裁量判断を可能とする素地が整ったということができる（たとえば，前掲新潟家新発田支審昭41・4・18では，財産分離の処分をなすか否かの判断において家庭裁判所調査官の調査報告書に言及する）。

具体的に「財産分離の必要性」があるときとは，相続財産と相続人の固有財産との混合により相続債権者らが債権の全部または一部の弁済を受けることが困難となるおそれがあるときであり，そのような場合として，前掲最高裁平成29年決定は「相続人がその固有財産について債務超過の状態にあり又はそのような状態に陥るおそれがあること」を挙げている。ただし，財産分離の必要性を固有財産の債務超過またはそのおそれがある場合に限定する必要はないと考えられ，結局は，「相続財産と相続人の固有財産とが混合することによって相続債権者等が債権の全部又は一部の弁済を受けることが困難となるおそれ」があるかどうかを，家庭裁判所が個々の事案においてその裁量に基づき判断することが求められよう。なお，学説には，共同相続人中の1人についてのみ債務超過の事実がある場合であっても，財産分離の必要性が認められると解するものがある（中川監修・註解225頁〔山崎〕，岡垣・家審講座Ⅱ 184頁）。

Ⅳ 分離手続

1 除斥公告

財産分離を命ずる家庭裁判所の審判が確定したときは，分離請求をした者は5日以内に他の相続債権者および受遺者に対し財産分離命令があったことおよび一定期間内に配当加入の申出をすべきことを公告しなければならない（本条2項前段）。なお，第2種財産分離と異なり（950条2項・927条），第1種財産分離では分離請求者に知れている債権者や受遺者に各別に催告することまでは要しない。第1種財産分離の場合，相続債権者・受遺者間で相互にそこまでの義務を負わせるに及ばないと考えられることによる。公告は官報に掲載してこれを行う（本条3項〔会社法の施行に伴う関係法律の整備等に関する法律（平成17年法律87号）で新設〕）。配当加入申出期間は2か月を下ることができず（本条2項後段），相続人はこの期間内は相続債権者・受遺者に対して弁済を拒絶することができる。

2 即時抗告

財産分離の審判に対して，相続人は即時抗告することができる。第1種財産分離の申立てを却下する審判がなされたときは，相続債権者および受遺者が即時抗告することができる（家事202条2項。なお，第2種財産分離申立て却下の場合は相続人の債権者が即時抗告権者）。この即時抗告に関する定めは，2011（平成23）年成立の家事事件手続法以前の規律（旧家審規117条）を基本的に維持したものである。旧家事審判法は財産分離の申立ての却下審判の即時抗告権者につき第1種財産分離と第2種財産分離を区別していなかったが（旧家審規117条2項），家事事件手続法で各申立ての申立権者に即時抗告を認めることが明確化された（金子・一問一答209頁）。

3 財産分離の再請求

財産分離は常にすべての相続財産を対象として包括的に請求すべきか，それとも相続財産の一部に対する分離請求も許されるかにつき，学説は分かれる。包括的請求とする説によれば，相続開始時から3か月を経過した後に混合しない相続財産が一部あっても，他の部分に相続財産と相続人の固有財産との混合が生じていればもはや財産分離の請求はできないことになる（中川監修・註解224頁〔山崎〕）。

他方，一部請求を肯定する説は，相続財産の一部に対する分離命令後もさらに他の相続財産の分離を請求することを認める。ただし，分離請求しまたは配当に加入した相続債権者・受遺者に弁済された後は，財産分離による清算手続は一応終了したといえるため，配当に加入しなかった相続債権者・受遺者は残余の相続財産の分離を請求できないとする（近藤・下933頁，中川編・註釈上312頁〔谷口〕，岡垣・家審講座Ⅱ187頁）。相続財産に不動産や特定物たる動産があるとき，これらの物は換金されないかぎり原則として混合を生じることはない。そのため，財産分離の再請求を許しこれらの財産についていつまでも分離請求可能とすることは，相続人や相続人の債権者その他利害関係人の法的安定性を害することになる。そこで一部請求肯定説も，上述のように一部財産の分離命令後相続債権者らに弁済がされた後は，配当加入しなかった相続債権者・受遺者による残余財産の分離請求を認めないとの制約を付すものといえる。もっとも，この説では配当加入した相続債権者や受遺者には引き続き残余財産の分離請求を認める余地があり，相続財産に関する権利関係の不安定な状態の継続を許すこととなる。また，相続人が行う限定承認の場合には，相続財産の一部に関する限定承認ということはありえず包括的になされる。したがって，財産分離の場合も，分離審判時を基準として確認できる範囲で相続財産を凍結して弁済に充てることとして（中川＝泉444頁），相続財産に関する一括的な処理により相続財産と相続人の固有財産を分離するのが簡明であるとの指摘がある。

〔常岡史子〕

（財産分離の効力）

第942条　財産分離の請求をした者及び前条第2項の規定により配当加入の申出をした者は，相続財産について，相続人の債権者に先立って弁済を受ける。

〔対照〕 フ民878 Ⅰ参照，ド民1975・1985 Ⅰ

〔改正〕 (1042)

第1種財産分離を命ずる審判が確定すると相続財産と相続人の固有財産は分離され，2個の独立した財産群が存在するものと擬制される。本条は，そのうち相続財産については財産分離請求をした相続債権者・受遺者と配当加入の申出をした相続債権者・受遺者が相続人の固有債権者に優先して弁済を受けると定める。これは一種の先取特権的効力を相続債権者・受遺者に与えるもののように見えるが，先取特権とは異なり，財産分離は一まとめの財産を区別して分離し，そのような財産について開始された清算手続において一定の相続債権者らに優先権を与えるものである（法典調査会民法議事〔近代立法資料7〕509頁〔富井政章委員〕）。

分離請求については包括的請求説と一部請求肯定説が対立するが（→§941 Ⅳ3），包括的請求説によれば，分離審判が確定すると相続財産全部について清算が行われ，相続債権者や受遺者へ弁済がなされる。その後，残額があれば，相続人の固有債権者も債権を行使できる。それに対して，一部請求肯定説では，相続財産の一部のみについて財産分離の請求がされたとき，相続債権者・受遺者は分離された当該相続財産からのみ優先的に弁済を受ける。ただし，財産分離による清算手続が終了するまでは，相続債権者および受遺者は原則としていつでも他の相続財産の分離をなお請求することができると解される（近藤・下 968 頁）。

配当加入申出期間内に申出をしなかった相続債権者や受遺者の地位について民法は規定を欠くが，分離された相続財産に対する優先弁済権を有さないにとどまり債権そのものを失うわけではないため，分離された相続財産の清算後残余があれば相続人の固有債権者とともに弁済を受けることができる。この場合，一部請求肯定説によれば，清算手続未了の間は配当加入申出をしなかった相続債権者・受遺者も他の相続財産の分離を請求することができるが，清算終了後はもはやこのような分離請求はできず，相続人の固有財産と混合していない相続財産が残存していたとしても，相続人の債権者とともに平等弁済を受けるにとどまる（以上近藤・下 968-970 頁，中川編・註釈上 312-313 頁〔谷口知平〕）。

〔常岡史子〕

（財産分離の請求後の相続財産の管理）

第 943 条①　財産分離の請求があったときは，家庭裁判所は，相続財産の管理について必要な処分を命ずることができる。

②　第 27 条から第 29 条までの規定は，前項の規定により家庭裁判所が相続財産の管理人を選任した場合について準用する。

〔**対照**〕 ド民 1985・1986 II・1987

〔**改正**〕 （1043） ①②＝昭 23 法 260 改正

I　分離請求と相続財産の管理

財産分離請求がされた場合，通常は相続人が固有財産におけるのと同一の注意をもって相続財産の管理を行う義務を負う（944 条）。しかし，相続人の管理失当により相続財産が危うくなるおそれもあるため，本条は，財産分離の請求があったときは，その審判の確定・不確定を問わず家庭裁判所が相続財産の管理につき必要な処分を命ずることができると規定した。管理のための必要な処分とは，相続財産の封印，目録作成，供託，換価，管理人の選任等を言い，財産分離の審判事件が係属している家庭裁判所（抗告裁判所に係属している場合はその裁判所，財産分離の裁判確定後は財産分離審判事件が係属していた家庭裁判所）が管轄を有する（家事202条1項2号・別表第一97項）。また，家庭裁判所は仮差押え等審判前の保全処分を命じることができる（家事105条）。

II　管理人の選任

相続財産管理人が選任された場合，不在者財産管理人に関する27条から29条が準用され，相続財産目録の作成等を行う（→第1巻§27〜§29）。

家庭裁判所は，いつでも選任した管理人を改任できる。また，管理人に対して財産の状況の報告および管理の計算を命じることができ，その費用は相続財産から支弁される（家事202条3項・125条）。

〔常岡史子〕

（財産分離の請求後の相続人による管理）

第944条①　相続人は，単純承認をした後でも，財産分離の請求があったときは，以後，その固有財産におけるのと同一の注意をもって，相続財産の管理をしなければならない。ただし，家庭裁判所が相続財産の管理人を選任したときは，この限りでない。

②　第645条から第647条まで並びに第650条第1項及び第2項の規定は，前項の場合について準用する。

〔対照〕ド民1978 III・1986 I

〔改正〕（1044）①＝昭23法260改正

I　相続人の管理義務

家庭裁判所による相続財産の管理に関する処分（943条）は必要のある場

合に命じられるにとどまり，裁判所は常に管理を命じなければならないわけではない。そこで本条は，管理人の選任がなされない場合に相続人が相続財産を管理すべきことを規定する。相続人は，単純承認後であっても財産分離の請求がされたときは相続財産の処分を禁じられ，本条に基づき管理義務のみを負うことになる。相続人による相続財産の処分が禁止されるのは分離請求があった旨の通知が所定の手続を経て相続人に到達した時からと解されており，それ以後の相続人による処分行為は原則として無効となる（近藤・下959頁，中川監修・註解230頁〔山崎邦彦〕，中川編・註釈上314頁〔松岡義平〕。反対：柳川・註釈下187頁・191頁）。

相続財産の管理に際して，相続人は固有財産におけるのと同一の注意義務を負う。これは，915条の熟慮期間における相続人（918条）や限定承認者（926条1項）の管理義務，相続放棄者（940条1項）の管理（保存）義務と同様である。財産分離において相続財産は法律上相続人に帰属しているため，善管注意義務まで要求するのは酷であるとの考慮による。相続人の管理義務は，家庭裁判所によって相続財産管理人が選任されたときは消滅する（本条1項ただし書）。

II　委任の規定の準用

本条の相続人の管理義務には，委任の場合の受任者に関する645条から647条までと650条1項・2項が準用される。645条の報告義務については，顛末報告義務（同条後段）まで相続人に課すのは過重な負担となるため，事務処理状況報告義務（同条前段）のみを負うとする見解が有力である（中川監修・註解230-231頁〔山崎〕，中川編・註釈上315頁〔松岡〕）。

本条の準用する647条（金銭消費に関する受任者の責任）は限定承認者や相続放棄者には準用されていない（926条・940条）。限定承認者・相続放棄者が647条に該当する行為をした場合には単純承認とみなされる（921条3号）のに対して，財産分離請求は単純承認後にもなすことができ，本条はその場合も含めて相続人が負う義務を定めるものであることによる。

〔常岡史子〕

（不動産についての財産分離の対抗要件）

第945条　財産分離は，不動産については，その登記をしなければ，第三者に対抗することができない。

〔改正〕（1045）

I　不動産の対抗要件

財産分離請求があると相続人は相続財産を恣意的に処分することはできず，これに反してなされた処分行為は原則として無効となる（→§944 I）。しかし，相続人の処分によって相続財産につき権利関係を取得した第三者の保護と取引の安全を考慮し，本条は，相続不動産について財産分離を第三者に対抗するには登記が必要であると規定する。本条の登記に関し不動産登記法上明文の規定はなく，明治民法の起草過程でもこの点が問題となったが，「処分の制限」の登記に該当するとされ（法典調査会民法議事〔近代立法資料7〕515頁〔富井政章委員〕），現行法下の学説も不動産登記法3条の「処分の制限」の登記と解する（中川監修・註解232頁〔山崎邦彦〕，中川編・註釈上316頁〔松岡義平〕）。なお，本条の第三者は相続人の債権者に限定されず，広く第三者を指す（近藤・下962頁，中川監修・註解232頁〔山崎〕，中川編・註釈上316頁〔松岡〕。反対：柳川・註釈下189頁）。

II　財産分離請求と動産の処分

動産には本条に相当する規定はなく，動産の財産分離は一般に第三者に対抗することができると解される。したがって，分離請求後に相続人が動産を処分した場合，相続債権者や受遺者は第三者に対して譲渡された動産の返還を請求することができる（法典調査会民法議事〔近代立法資料7〕519頁〔梅謙次郎委員〕）。この場合，第三者の保護は即時取得（192条）等によって図られる。

〔常岡史子〕

（物上代位の規定の準用）

第946条 第304条の規定は，財産分離の場合について準用する。

〔改正〕（1046）

財産分離は先取特権とは法的性質を異にするが，相続債権者や受遺者に相続財産からの弁済につき優先権を認める点で先取特権に似た性格を持つ。そこで，本条は304条を財産分離に準用し，相続債権者・受遺者に物上代位権を認めた。本条は，たとえば財産分離請求後に相続人が相続財産である動産を善意無過失の第三者に処分した場合に意味を持つ（→§945 II）。動産を譲渡された第三者が即時取得（192条）の要件を満たすときは，相続債権者・受遺者はこの第三者に対して財産分離を対抗できないが，物上代位により譲渡動産の代価等に対して財産分離の効果を主張することで保護される。また，相続不動産についても財産分離の登記前に第三者に譲渡された場合，相続債権者・受遺者はその代価等に対して物上代位権を行使することができる。

なお，物上代位権行使のために，相続債権者・受遺者は，代価等が相続人に払渡しまたは引渡しされる前に差押えをしなければならない（304条1項ただし書）。同一代位物上に数人の権利者が差押えをした場合には，差押えの前後ではなく，実体法上定められた相続債権者・受遺者の優先順位に従う（中川編・註釈上318頁〔松岡義平〕）。

〔常岡史子〕

（相続債権者及び受遺者に対する弁済）

第947条① 相続人は，第941条第1項及び第2項の期間の満了前には，相続債権者及び受遺者に対して弁済を拒むことができる。

② 財産分離の請求があったときは，相続人は，第941条第2項の期間の満了後に，相続財産をもって，財産分離の請求又は配当加入の申出をした相続債権者及び受遺者に，それぞれその債権額の割合に応じて弁済をしなければならない。ただし，優先権を有する債権者の権利を害することはできない。

③ 第930条から第934条までの規定は，前項の場合について準用す

る。

〔対照〕 ド民1973 Ⅰ
〔改正〕 (1047)

Ⅰ　分離請求と相続人の弁済拒絶権

相続人は，相続開始時から3か月の期間内（941条1項）および相続債権者・受遺者の請求により財産分離の命令があったときはそれに関する公告期間（5日間）と配当加入申出期間としての2か月を下らない期間（941条2項）においては，すべての相続債権者・受遺者に対して弁済を拒絶することができる。この期間満了前に一部の相続債権者や受遺者への相続財産からの弁済を許すと，財産分離の請求期間や公告期間，配当加入申出期間を法定し，相続財産からの公平な分配を図ろうとした制度趣旨に反するためである。ただし，期間満了前であっても相続財産から弁済することによって他の相続債権者や受遺者に損害を与えない場合には，弁済を拒絶するには及ばないとされている（新版注民(27)〔補訂版〕654頁〔塙陽子〕)。

なお，この941条2項の期間が満了した後は，相続人は，財産分離の請求ないし配当加入の申出をした相続債権者・受遺者に対して，各債権額の割合に応じて相続財産から弁済をしなければならない。ただし，相続債権者中に先取特権や質権，抵当権等優先権を持つ者がいるときは，この債権者が優先する。

Ⅱ　弁 済 手 続

財産分離は相続財産の清算手続でありその点で限定承認と同様であるため，限定承認に関する930条から934条が準用される。したがって，弁済期に至らない債権であっても相続債権者が財産分離の請求ないし配当加入の申出をしたときは，弁済の対象となる（930条1項）。

弁済に際して相続財産を売却する必要があるときは，相続人は，原則としてこれを裁判所の競売手続（形式競売）によって行わなければならない（932条本文）。ただし，相続人は，家庭裁判所の選任した鑑定人の評価に従った価額を弁済することによって，競売の差止めができる（同条ただし書）。相続債権者・受遺者も，自己の費用で，相続財産の競売または鑑定に参加することができる（933条）。

弁済における相続債権者と受遺者の順序については，相続債権者の保護の観点から，相続人は，相続債権者に弁済をした後でなければ受遺者に弁済をすることができない（931条）。この場合を含め，相続人が不当な弁済をしたことによって，他の相続債権者や受遺者に弁済をすることができなくなったときは，損害賠償責任を負う（934条1項）。このとき他の相続債権者・受遺者は，情を知って不当に弁済を受けた相続債権者や受遺者に対する求償権も有する（934条2項）。

期限未到来の債権，受遺者に対する弁済，相続財産の換価，不当な弁済をした相続人や相続債権者・受遺者の責任等については，限定承認の箇所を参照（→§930〜§934）。

〔常岡史子〕

（相続人の固有財産からの弁済）

第948条　財産分離の請求をした者及び配当加入の申出をした者は，相続財産をもって全部の弁済を受けることができなかった場合に限り，相続人の固有財産についてその権利を行使することができる。この場合においては，相続人の債権者は，その者に先立って弁済を受けることができる。

〔対照〕　ド民1975，ス民596

〔改正〕　（1048）

I　相続人の固有財産からの弁済

財産分離請求者および配当加入の申出をした者は，相続人の債権者に優先して相続財産から弁済を受ける（942条）。限定承認と異なり，これらの者が相続財産から完全に満足を得ることができない場合には，相続人の固有財産からも弁済を受けることができる。ただし，相続債権者・受遺者は財産分離によってすでに相続財産につき優先権を与えられていることに鑑み，相続人の債権者との均衡を考慮して，本条は，相続人の固有財産については固有債権者が優先的に弁済を受け，財産分離請求または配当加入の申出をした相続債権者・受遺者は，相続財産によって全部の弁済を受けることができなかった場合に限り不足額の弁済を請求できることとした。

II　相続人の債権者の優先権

相続人の固有財産から優先的に弁済を受ける相続人の債権者とは，相続開始時または財産分離命令時の債権者のみならずその後に債権を取得した債権者も含む（近藤・下975頁，中川編・註釈上325頁〔山木戸克己〕）。ただし，財産分離は相続人の固有財産の清算を生じさせるものではないため，本条により相続債権者や受遺者が固有財産から満足を受けようとするとき，相続人の債権者のうち弁済期未到来の債権者はどのように優先弁済を受けるかという問題が生じる。この点に関し，相続人の債権者の優先権は，相続人の固有財産につき破産手続開始決定がなされた場合等配当手続が開始し，清算が行われる場合にのみ現実化し，それまでは相続人は相続債権者・受遺者に対して固有財産による弁済を拒むことができるとする見解が有力である。そうであれば，相続債権者や受遺者が相続人に履行を訴求したとしても，裁判所は請求棄却するほかないことになる（以上近藤・下976頁，中川監修・註解240頁〔山崎邦彦〕，我妻・判コメ219頁。反対：中川編・註釈上326頁〔山木戸〕）。このように解するならば，本条が実際に適用される場面は限られよう。この点に関するフランス，ドイツ，スイス各民法との比較につき，新版注民(27)〔補訂版〕659-660頁〔塙陽子〕参照。

分離請求も配当加入申出もしなかった相続債権者や受遺者は，相続財産につき優先権を持たない。しかし，相続人の固有財産については相続人の債権者に優先されることなく，債権全額に関しこの債権者とともに平等弁済を受けることができると解されている（中川監修・註解241頁〔山崎〕，我妻・判コメ220頁）。

〔常岡史子〕

（財産分離の請求の防止等）

第949条　相続人は，その固有財産をもって相続債権者若しくは受遺者に弁済をし，又はこれに相当の担保を供して，財産分離の請求を防止し，又はその効力を消滅させることができる。ただし，相続人の債権者が，これによって損害を受けるべきことを証明して，異議を述べたときは，この限りでない。

〔改正〕（1049）

I　本条の意義

相続人はその固有財産から相続債権者・受遺者に弁済しまたは相当の担保を提供することによって，財産分離の請求を防止しあるいはすでに命じられた財産分離の効力を消滅させることができる。ただし，相続人の債権者は財産分離により相続人の固有財産から優先弁済を得ることができることから(948条)，分離の阻止により損害を被ることを証明して異議を述べることができる。現実には，相続債権者や受遺者が財産分離を請求する事案において相続人が固有財産から弁済や担保を提供することができる場合は稀であり，本条の適用場面は少ないと考えられる。

II　請求防止と効力消滅

分離請求の防止とは財産分離の効果が発生する前にこれを生じさせないようにすることを指し，分離の効力消滅とは審判が確定していったん効力を生じた財産分離を失効させることをいう。分離請求を防止するためには，相続人は全相続債権者・受遺者に対して弁済や担保の提供を行う。分離請求後であれば，分離請求者および当該審判手続参加者に対してこれを行うことでよい。一方，分離の審判確定後に分離の効力を消滅させるためには，分離請求者や審判手続参加者に限らず配当加入の申出をした相続債権者や受遺者にも弁済ないし担保の提供をすることを要する。なお，分離請求も配当加入申出もしない相続債権者・受遺者に対しては，弁済や担保の提供をする必要はない（近藤・下934頁，中川監修・註解242頁〔山崎邦彦〕，中川編・註釈上330頁〔山木戸克己〕，柳川・註釈下202頁)。

III　分離請求防止・効力消滅の手続

相続人が財産分離請求を防止するには，相続債権者・受遺者の申立てによる分離請求審判手続において，この請求を防止する旨を主張しなければならない。これは審判の告知前に主張しても，または告知後に即時抗告をして主張してもよい。家庭裁判所は，相続人の主張に理由があると認めるときは，財産分離の申立てを却下する。

財産分離の審判が確定した後にその効力を消滅させる場合は，財産分離を命じる審判に対する即時抗告によって行うとする説（中川監修・註解243頁〔山崎〕，我妻・判コメ220頁）と，相続人は財産分離取消しの審判を申し立てることができ，家庭裁判所は，相続人の主張に理由があると認めるときはすでに命じられた財産分離の審判を取り消す審判をするとの説（中川編・註釈上329頁〔山木戸〕）がある。

IV　相続人の債権者による異議申立て

第1種財産分離が請求されるのは，多くの場合，相続人の固有財産が債務超過のおそれがある状態である等，相続財産と混合すると相続債権者や受遺者に不利益を与えるおそれがあるときであると考えられる。そのような場合に相続人が相続債権者・受遺者に対して固有財産から弁済や担保の提供をすると，相続人の固有債権者の利益を害することになり得る。そこで本条ただし書は，相続人の固有債権者が損害を受けることを証明して異議を申し立てたときは，相続人は財産分離請求の防止や効力の消滅をさせることができないと規定する（本条の起草にあたり，原案にこのただし書はなかったが，修正案〔磯部四郎委員〕によって加えられた〔法典調査会民法議事〔近代立法資料7〕772頁〔磯部委員〕，786頁以下〔磯部委員，富井政章委員〕〕)。

固有債権者は財産分離の審判手続に参加して，異議を述べなければならない（家事42条)。相続人は原則として自由に自己の固有財産から弁済ないし担保の提供を行うことができるため，固有債権者による異議の申立ては，相続人が相続債権者または受遺者に弁済または担保の提供をする前に行うことを要する（近藤・下934頁，中川監修・註解244頁〔山崎〕，中川編・註釈上331頁〔山木戸〕）。このような手続面から見ても，実際に本条が用いられるのは稀であると言える。

〔常岡史子〕

（相続人の債権者の請求による財産分離）

第950条① 相続人が限定承認をすることができる間又は相続財産が相続人の固有財産と混合しない間は，相続人の債権者は，家庭裁判所に対して財産分離の請求をすることができる。

② 第304条，第925条，第927条から第934条まで，第943条から第945条まで及び第948条の規定は，前項の場合について準用する。ただし，第927条の公告及び催告は，財産分離の請求をした債権者がしなければならない。

〔対照〕 フ民878～881・2383

〔対照〕 (1050) ①＝昭23法260改正

I 本条の意義

相続債権者・受遺者に第1種財産分離請求を認めたこととの権衡から，相続人の固有債権者にも同様の権利を認める必要があるとして，本条の第2種財産分離が設けられた（法典調査会民法議事〔近代立法資料7〕526頁〔梅謙次郎委員〕）。第2種財産分離が命じられると相続人の債権者は相続人の固有財産から優先弁済を受けることができるが，これは固有財産の清算ではなくあくまでも相続財産の清算を目的とするものであり，その意味で財産分離は1つであって，請求の方法が第1種・第2種の2種類あるにすぎないといわれる（中川監修・註解246頁〔山崎邦彦〕，中川編・註釈上333頁〔山木戸克己〕）。第2種財産分離には第1種財産分離と限定承認の規定の一部が準用される（本条2項）。

Ⅱ 要　　件

第2種財産分離の請求権者は相続人の債権者である。相続開始時に存する債権者に限らず相続開始後に相続人に対する債権を取得した者も含まれる。

分離請求ができるのは,「相続人が限定承認をすることができる間」または「相続財産が相続人の固有財産と混合しない間」である。第1種財産分離で相続債権者・受遺者が分離請求する場合は，相続人が単純承認したときであっても相続開始後3か月間は請求可能であるのに対して，第2種財産分離では，相続人が熟慮期間内に単純承認をしたときは原則として相続人の債権者は分離請求をすることができない。相続人の債権者は自らの判断で相続人に対し与信行為等をするのが通常であるから，相続人が単純承認により相続債務を負担したことに対する異議を許すべきでないとの考えによる（中川監修・註解247頁〔山崎〕，中川編・註釈上334頁〔山木戸〕)。

ただし，単純承認後であっても相続財産が相続人の固有財産と混合しない間は，相続人の債権者はなお分離を請求できる。明治民法の起草過程において，本条の原案は「相続人カ限定承認ヲ為スコトヲ得ル間ハ其債権者ハ財産分離ノ請求ヲ為スコトヲ得」（法典調査会原案第1037条〔前掲法典調査会民法議事526頁〕）とされていたが，これでは短期間にすぎ相続人の債権者による財産分離を認めた効果が薄くなるとの批判が出され（同530頁〔井上正一委員〕)，相続人が「現実ニ相続財産ヲ占有セサル間」とする修正案が出された（同563頁〔富井政章委員〕，778頁〔梅委員〕)。しかし，これに対しても相続人の債権者の保護に不十分であるとして反対が出て（同778頁以下〔磯部四郎委員〕，780頁以下〔井上委員〕)，最終的に「又ハ相続財産カ相続人ノ固有財産ト混合セサル間」という要件が加えられた（明民1050条)。この「混合」は941条と同様である。

本条の財産分離がなされると，相続債権者や受遺者も相続財産の清算や優先弁済の目的を達することができる（→Ⅲ)。したがって，相続債権者・受遺者がさらに第1種財産分離を請求することはできない。一方，第1種財産分離後に本条の財産分離を相続人の債権者が請求することには実益があり（第1種財産分離では相続人の債権者は財産分離の請求または配当加入申出をした相続債権者・受遺者に対して相続人の固有財産に関する優先権を得るにすぎないが，第2種財産分離では相続人の固有財産につき一切の相続債権者・受遺者に対して優先権を得る），これは可能である（中川監修・註解249頁〔山崎〕，中川編・註釈上335頁〔山木戸〕。反対：柳川・註釈下152頁）。

相続人の限定承認後は，相続人の債権者はもはや財産分離を請求することはできない。ただし，限定承認の失効（921条3号等）が予測される場合には財産分離請求が許されるとする見解もある（中川編・註釈上335頁〔山木戸〕）。なお，相続人の債権者による財産分離が行われた後であっても，相続人が限定承認により相続債権者や受遺者に対する弁済を免れることを禁ずる理由はなく，相続人は915条の熟慮期間内であれば限定承認をすることができる。

III　手続と効果

分離請求は相続開始地の家庭裁判所に対して，相続人を相手方として相続人の債権者が申立てをする（家事202条1項1号）。分離を命じる審判に対しては相続人が，分離申立却下の審判に対しては相続人の債権者が即時抗告することができる（家事202条2項1号・3号）。財産分離を命ずる審判が確定すると相続財産と相続人の固有財産は分離され，相続財産につき清算が開始する。その手続につき，物上代位（304条）のほか，限定承認に関する925条と927条から934条まで，第1種財産分離に関する943条から945条までと948条が準用される（本条2項）。

本条の財産分離がされると，相続人が被相続人に対して有した権利義務は消滅しなかったものとみなされる（925条）。第1種財産分離には925条の準用がなく第2種財産分離にのみ準用されたのは，後者が限定承認と同様のものと考えられたことによるが，学説は，相続財産の清算を行う点で第1種財産分離も同様であり，925条を第1種財産分離に類推適用すべきとの見解が有力である（穂積II 315頁，中川監修・註解251頁〔山崎〕，中川編・註釈上336頁〔山木戸〕，潮見99頁。反対：柳川・註釈下215頁）。分離請求した相続人の債権者は，相続債権者および受遺者に対する公告と催告の義務を負う（927条）。

第2種財産分離が命じられると，相続債権者や受遺者は相続人の債権者に先立って相続財産から弁済を受ける。弁済の手続や方法は限定承認（927条～934条）と同様であるが，第2種財産分離では相続債権者・受遺者が相続財産から満足を得られないときは，相続人の固有財産に対しても弁済を請求できる。また，第1種財産分離では，分離請求者および配当加入申出者のみが相続財産について優先弁済を受けるが（942条），第2種財産分離では相続財産につき全相続債権者・受遺者が相続人の債権者に優先して弁済を受ける。一方，相続人の固有財産については相続人の債権者が優先する（948条）。

相続人の管理義務と家庭裁判所による必要な処分，第三者に対する財産分離の効果は第1種財産分離と同様である（943条〜945条）。

Ⅳ　破産手続との関係

相続財産に関する破産手続開始決定は，限定承認ないし財産分離を妨げない。ただし，破産手続開始決定の取消しもしくは破産手続廃止の決定が確定し，または破産手続終結の決定があるまでは，限定承認または財産分離による手続は中止される（破228条）。相続人につき破産手続開始決定がなされたときも，限定承認や財産分離は妨げられない。ただし，当該相続人のみが相続財産につき債務の弁済に必要な行為をする権限を有するときは，破産手続開始決定の取消しもしくは破産手続廃止の決定が確定し，または破産手続終結の決定があるまでの間は，限定承認または財産分離の手続は中止される（破239条）。

なお，相続財産破産の場合に相続人が単純承認したときは，被相続人の一切の権利義務を当然に承継し，相続債権者等は相続人の固有財産に対しても責任を追及できると解される（大阪高判昭63・7・29高民集41巻2号86頁。同判決は，相続財産破産に限定承認と同様の効果を与えている立法例（ドイツ民法1975条によると，相続財産に対する破産が開始されたときは，相続債務に対する相続人の責任は相続財産に限定される旨定められている）もあるが，わが国ではそのような明文の定めがない以上，相続財産に対して破産宣告（破産手続開始の決定）がなされても，相続人は放棄または限定承認をしておかなければ，破産手続の中で弁済されなかった債務を自己の固有財産によって弁済する責めを負うとしている）。一前注（§§922-937）Ⅰ・Ⅱ

〔常岡史子〕

第6章　相続人の不存在

前注（§§ 951-959〔相続人の不存在〕）

I　沿　　革

相続人の存否が不明の場合，民法は相続財産を法人と擬制し（951条），相続財産清算人を選任して相続人の捜索とともに相続財産の管理と清算を行わせる。管理・清算の過程で相続人のあることが明らかになったときは，相続財産法人は成立しなかったものとみなされるが，それによってすでに清算人が行った行為の効力が妨げられることはない（955条）。一方，相続人が現れなかったときは，特別縁故者への財産の分与（958条の2）を経て，最終的に残余した相続財産は国庫に帰属する（959条）。

欧米諸国では，相続人の存否不分明の場合，相続財産の管理・清算手続を国や州（大陸法）ないし人格代表者（personal representative）（英米法）のもとで行うとする制度がとられており，相続財産を法人とする扱いはわが国以外ほぼ見られないといわれる（各国の比較につき新版注民(27)〔補訂版〕670頁以下〔金山正信＝高橋朋子〕）。わが国で相続財産を法人としたのは，明治民法の家督相続制度のもとで，国が家督相続を行うということは「到底我慣習ノ容レサル所」（梅244頁）であり，実際にも国が相続人として戸主権を取得することはありえないと考えられたことによる（理由書308頁）。他方で，帰属主体のない相続財産につき物権法の原則（239条）に従って各個に処理することは妥当といえず，相続財産を法人として法的人格を擬制し，財産の管理・清算手続を行って，相続人のないことが明確になったときは国が相続財産を取得するとしておけば事理が明白で簡便であるとの考慮から（梅245頁），現行の制度が採用された（相続財産を法人とすることは起草者も迷った末に選択した方法であり〔法典調査会民法議事〔近代立法資料7〕592頁〔富井政章委員〕〕，法典調査会では被相続人をなお居るものとみなすとする異見もあった（前掲法典調査会民法議事597頁〔穂積八束委員〕。近藤・下994頁はこれを相続財産管理人（「相続財産清算人」の用語は2021（令和3）年の民法の一部改正（法律24号）で導入されたものであり，それ以前は「相続財産管理人」とされていた。本章では原則として「相続財産清算人」と記述するが，令和3年改正前の規定に関する解説・判例については従来の「相続財産管理人」のままとしている。後述Ⅲも参照）を死者の代理人と見る考え方とする）。その後，1927（昭和2）年の臨時法制審議会「民法相続編中改正ノ要綱」は，相続人不分明の相続財産を法人とはしない方針を示したが（要綱第13の2），それに代わる制度は示さず，無主の財産（権利能力なき財団の一種）とする趣旨か，国庫帰属に相続開始時まで遡及効を与えるのか，あるいは英法のように相続財産管理人を相続財産の信託的包括承継人と扱うのか明らかでない（近藤・下994頁）と指摘されていた（同審議会幹事であった穂積重遠は，相続財産管理人の地位を信託的に解する見解を示している。穂積Ⅲ556頁）。

II　本章の意義

現行法は明治民法の制度（明民第5章「相続人ノ曠欠」）を引き継いだものである。1947（昭和22）年の民法改正（法律222号）で章題が「相続人の不存在」（現第6章）と改められ，家庭裁判所（昭和23年法律260号。当初は家事審判所）の新設に伴い管轄を裁判所（明民1052条等）から家庭裁判所とした点（952条等）を除いて，明治民法の規定が維持されている。なお，1962（昭和37）年の民法の一部改正（法律40号）で958条の公告期間が1年から6か月に改められ，あわせて相続人や相続債権者・受遺者の失権を定める958条の2および特別縁故者への相続財産分与に関する958条の3が新設された。958条の3の新設に伴い国庫帰属に関する959条も修正された。さらに，公告期間については2021（令和3）年の改正（法律24号）で全体として短縮され，また958条，958条の2，958条の3も改定・削除がされている（後述Ⅲ）。

明治民法の家督相続では，戸主の死亡等による相続の開始に際して法定の推定家督相続人がない場合でも，指定相続人や選定相続人制度により家督相続人を確保し家を存続させる仕組みが整えられていた。また，遺産相続でも，被相続人に直系卑属や配偶者，直系尊属といった相続人がないときは戸主が相続人となると法定されており（明民994条〜996条），戸主が相続放棄したような場合を除き「相続人ノ曠欠」が起こることはほとんど考えられなかった。一方，現行法には指定・選定相続人の制度はなく，相続人となる者およびその順序は民法で定められる。相続人の存否は原則として戸籍を通じて明らかとなるが，法定相続人の範囲が第三順位までに限定されていることから，「相続人の不存在」という事態が起こりうる。また，戸籍上相続人となる者がない場合であっても後に遺言認知や死後認知の訴えによって相続人が出現することはありえ，「藁の上からの養子」として他所へ貰われていった子のように，戸籍に表れない相続人がいることも皆無ではない。さらに，全相続人が相続を放棄することによって相続人の不存在が生じるという事態が近年注目されており，統計上も1996年に6万6898件であった相続放棄手続の全国の新受件数が2021年には25万1993件と約3.8倍に増加している（裁判所・司法統計年報）。そのため，本章の相続人不存在制度は明治民法よりも実際的意義を持つようになってきている。

III　2021（令和3）年の法改正と相続財産の管理・清算

1　包括的な相続財産管理制度

2021（令和3）年4月21日に，「民法等の一部を改正する法律」（令和3年法律24号）および「相続等により取得した土地所有権の国庫への帰属に関する法律」（相続土地国庫帰属法）（令和3年法律25号）（同法については，→§959 IV）が成立し，同月28日に公布された。所有者不明土地の発生の予防と利用の円滑化がこの改正の目的であり（「所有者不明土地の利用の円滑化等に関する特別措置法」によれば，所有者不明土地とは，「相当な努力が払われたと認められるものとして政令で定める方法により探索を行ってもなおその所有者の全部又は一部を確知することができない一筆の土地」をいう〔同法2条1号，同法施行令1条〕），相続登記の義務化といった不動産登記法の改正の他，民法についても相続財産の管理に関する包括的な規定が設けられ（897条の2），相続人不分明時の相続財産の管理・清算に関する諸規定も改定された（952条〜958条）。また，物権法の共有に関する諸規定が整備されて，相続財産と共有物分割との関係（258条の2）や相続財産を含む所有者不明土地・建物の管理等に関する規定（所有者不明土地管理命令による管理人の選任等。264条の2〜264条の8）が新設された。この改正法の施行日は，相続財産管理制度の見直し等民法の改正が2023（令和5）年4月1日，不動産登記法の改正のうち①相続登記の申請義務化と相続人申告登記に関する諸規定が2024（令和6）年4月1日，②所有権の登記名義人の氏名等の変更登記の申請義務化や所有不動産記録証明書の交付等に関する諸規定が2026（令和8）年4月27日までの政令で定める日，③①②を除く不動産登記法の改正規定は民法と同じ2023（令和5）年4月1日，相続土地国庫帰属法が令和5（2023）年4月27日である。

⑴　**相続財産管理人の選任**

2021（令和3）年の改正では，相続財産の保存のための包括的な財産管理制度の創設を目的として897条の2が設けられた。同改正前においては，相続開始後の相続財産の管理については，相続の承認または放棄までの相続人による管理に関する918条，限定承認後の限定承認者による管理に関する926条，相続の放棄後次順位の相続人が相続財産の管理を始めるまでの放棄者による管理に関する940条があるのみであった。そのため，「相続人が数人あり，相続財産に属する財産が遺産分割前の暫定的な遺産共有状態にある場合において，共同相続人が相続財産の管理について関心がなく，相続財産の管理をしない」といったケースに対応することのできる相続財産管理制度を欠き，相続財産の管理不全化に対処できないという問題点が指摘されていた（民不登部会資料34・8頁）。今回897条の2が新設されたことによって，「数人の相続人が相続の承認をしたが遺産の分割がされていない相続財産」の管理，および相続人のあることが明らかでない場合（相続人不分明の場合）における「相続財産の清算を目的としない相続財産管理人の選任」が可能となったとされている（民不登部会資料34・9頁）。→§897の2 I⑵，§952 IV

ただし，相続人不分明の場合において，952条1項に基づき相続財産清算人が選任されているときは，897条の2による相続財産管理人の選任をすることはできない（897条の2第1項ただし書）。反対に，897条の2の相続財産管理人が先に選任されており，後に952条に基づく相続財産清算人が選任された場合は，相続財産管理人による相続財産の管理の継続が相当でなくなったとして，相続財産管理人の選任を取り消すことになると考えられる（民不登中間試案補足説明85頁）。

(2) 相続財産管理人の職務

相続人のあることが明らかでない場合に相続財産の保存のために相続財産管理人が選任されたとき，当該管理人は，他の場合の相続財産管理人と同様に，保存行為，利用・改良行為および裁判所の許可を得た処分行為をすることができるが，その職務は保存行為を基本とする。したがって，「相続財産を保存するための費用を捻出するために相続財産の一部を売却することが必要かつ相当であるという事情がないのに，相続財産の一部を売却するなど保存行為を超える行為をすることは職務上の義務に反し，裁判所も許可をしないことを想定している」とされている（民不登中間試案補足説明84頁）。

また，相続債務は，相続人不分明の場合相続財産法人に帰属し（951条），952条以下に従った相続財産清算人による清算手続を通じて，申出をした相続債権者や相続財産清算人に知れている相続債権者に弁済されるものである（957条，929条）。したがって，この手続を経ることなく相続財産管理人が相続債務を弁済することは許されないと解され，相続財産管理人の職務において相続債務の弁済は想定されていない。すなわち，相続債権者が弁済を求めるためには，952条以下の手続によらなければならない（民不登中間試案補足説明86頁）。

なお，897条の2第1項に基づき家庭裁判所によって相続財産管理人が選任された場合において，管理の対象が現金や預金債権のみとなったときでも管理人は管理を継続しなければならないとすると，管理人にとっては負担であり，また管理費用や管理人への報酬も増え続けるという問題が生じる（民不登中間試案補足説明76頁）。これは，従来特に不在者財産管理制度に関して指摘されていたところであるが，今回の改正で，不在者財産管理人は管理している金銭を供託できること，供託がされたときは「財産の管理を継続することが相当でなくなったとき」に該当し，管理人選任処分の取消しの審判によって管理手続を終了させることができることとする規定が家事事件手続法に設けられた（家事146条の2・147条）。これらの規定は相続財産管理人にも準用され（家事190条の2第2項），相続財産管理人はこの供託手続を通じて相続財産の管理を終えることができる。

2　包括的な相続財産清算制度

(1)　相続財産管理制度と相続財産清算制度

2021（令和3）年の法改正で897条の2が新設されたことによって，家庭裁判所は，相続人のあることが明らかでない場合（951条）も含め，相続財産管理人の選任をはじめとする相続財産の保存に必要な処分を命じることができることが法律上明文化された。ただし，897条の2は相続財産の保存を対象とし，相続人のあることが明らかでない場合についても，相続財産管理人は過渡的な状態の相続財産を適切に管理し，相続財産の保存を行うことを目的として選任される（民不登部会資料34・8頁）。したがって，そこでは相続財産の清算までをも目的とするものではない。

しかし，相続人が複数いる場合に限定承認がされたとき（936条1項）や相続人のあることが明らかでないことにより相続財産法人が成立した場合（952条）に選任される管理人は，本来，相続財産の保存に留まらず清算をその職務内容とするものである。そこで，2021（令和3）年の法改正では，897条の2のもとでの相続財産管理制度との区別を明らかにするため，限定承認に関する936条および相続人の不存在に関する952条から958条までにおいて，従来の相続財産の「管理人」という名称を改めて，「清算人」と改定した（民不登部会資料51・19頁）。

(2)　相続人不分明の場合における相続財産の管理と清算

2021（令和3）年の法改正においては，同時に，相続人不分明の場合の相続財産の清算手続について公告期間の短縮を中心に規定が整備された。すなわち，相続財産の清算人の選任後の公告に関する952条2項について公告期間を明記し，また，同項の公告後に行われる957条1項の相続債権者および受遺者に対する公告の期間について限定を付した。あわせて，相続人の捜索の公告に関する令和3年改正前（以下，「旧」とする）958条を削除した。従来の規定では，①家庭裁判所による相続財産管理人の選任の公告が2か月以上（952条旧2項，957条旧1項前段），②相続債権者および受遺者に対し請求の申出を求める公告が2か月以上（957条旧1項後段），③相続人の捜索の公告が6か月以上（旧958条）とされていて，3回の公告を要し，相続財産に関する権利関係の確定に計10か月以上の日数が必要であった。そのため，相続人の不分明の場合の手続が必要以上に重い，相続財産の管理費用が高額になるといった指摘がされていた。今回の改正では，この点に対応することをねらいとして①から③の公告を並行して実施することを可能とし（952 条 2 項，957 条 1 項），公告期間全体を短縮するとともに清算手続の合理化が図られた（民不登中間試案補足説明 88 頁）。

改正後の民法は，952 条 2 項において，家庭裁判所は，相続財産の清算人を選任したときはその旨とともに相続人があるならばその権利を主張すべき旨を公告しなければならず，その期間は 6 か月を下ることができないと規定している。同項の相続人捜索の公告の期間内に相続人としての権利を主張する者がないときは，相続人，ならびに清算人に知れなかった相続債権者および受遺者について，失権効が生ずる（958 条）。したがって，相続債権者および受遺者に請求の申出を促す公告期間は，952 条 2 項の公告期間満了までに満了する必要があることになる（957 条 1 項）。そして，この 957 条 1 項の相続債権者および受遺者に対する公告は，「相続財産の清算人が事案に応じて適切と認める時期」にすれば足りるとされている（民不登部会資料 51・19 頁以下）。

以上について，952 条，957 条，958 条の各項目を参照。

3　所有者不明の土地・建物と管理人による管理

(1)　所有者不明土地・建物管理命令制度

2021（令和 3）年の法改正では，所有者不明の土地・建物の管理に関する規定が新設された（264 条の 2～264 条の 8）。それによって，裁判所は，所有者を知ることができずまたはその所在を知ることができない土地について必要があると認めるときは，利害関係人の請求により，所有者不明土地管理人を選任し，管理人による管理を命じることができる（所有者不明土地管理命令。264 条の 2 第 1 項・4 項）。土地が数人の共有物である場合において，共有者を知ることができずまたはその所在を知ることができない土地の共有持分についても同様である。また，所有者を知ることができずまたはその所在を知ることができない建物や建物の共有持分について，裁判所は，所有者不明建物管理人を選任し，管理人による管理を命じることができる（所有者不明建物管理命令。264 条の 8 第 1 項・4 項）。

所有者不明土地管理命令および所有者不明建物管理命令の立法化の審議過

程においては，所有者不明土地等が発生する典型的場合として，「土地所有者が従来の住所又は居所を去って容易に帰来する見込みがない不在者になっている場合」や「土地所有者が死亡したが，相続人があることが明らかでなく，相続財産法人が成立している場合（民法第951条）」が挙げられた（民不登中間試案補足説明49頁）。そして，同部会では，「土地の所有権の登記名義人が死亡し，当該土地を数人の相続人が相続したが，遺産分割がされないまま放置され，更にその相続人の全部又は一部が死亡していわゆる数次相続が生じ，土地が多数の相続人による遺産共有状態になった場合」には，複数の相続人が不在者になっていたり，相続人不分明のために相続財産法人が成立しているケースが生じるが，そのような土地の管理について民法には不在者財産管理制度（25条1項）と相続財産管理制度（旧952条1項）があるものの，これらの制度では不十分な面が存することが指摘されていた。すなわち，①これらの制度で選任された財産管理人は，不在者の財産全般または相続財産全般の管理を対象とするため，特定の財産についてのみ利害関係を有する申立人の申立てで財産管理人が選任された場合でも，財産全般の管理を前提とした事務作業や費用負担が発生すること，そのため，②事案の処理に時間がかかり，また財産管理人の報酬を含む財産全般の管理費用の支弁のために，申立人が相当額の予納金を納付する必要性が生じること，さらに，③数次相続において複数の相続人が不在者等になっている場合，各自について別々の財産管理人が選任されていると時間的・金銭的にコストが増大することといった事情がそれであり，その結果，土地の管理が必要な状態であるにもかかわらず放置され続けるという事態の発生が懸念された。そこで，このような状況に対応することを目的として，不在者財産管理制度や相続財産管理制度とは異なった，「利害関係人の利益にも配慮しながら所有者不明土地の円滑かつ適正な管理を実現するための新たな財産管理制度」として，所有者不明土地・建物管理命令制度が創設されたと説明されている（民不登中間試案補足説明49-50頁）。なお，あわせて，所有者自身による土地・建物の管理が不適当である場合について，管理不全土地・建物管理命令制度が新設されている（264条の9〜264条の14）。

(2) 所有者不明土地・建物管理命令と相続財産の管理

所有者不明土地管理命令と所有者不明建物管理命令の制度は，土地や建物という特定の不動産ごとの財産管理を内容とするものである（第204回国会衆議院法務委員会会議録5号3頁〔今川嘉典参考人の発言〕）。相続との関係では，「自然人である所有者が死亡しており，戸籍を調査しても相続人が判明しない場合や，相続人全員が相続の放棄をした場合」には，土地・建物の所有者を特定することができず，「所有者を知ることができないとき」に該当し，264条の2の所有者不明土地管理命令や264条の8の所有者不明建物管理命令の対象となるとされている（民不登中間試案補足説明51頁）。

また，「土地が数人の共有に属する場合」（264条の2第1項）や「建物が数人の共有に属する場合」（264条の8第1項）には，土地や建物の所有者が死亡して，当該不動産が複数の共同相続人の遺産共有に属する場合も含まれる。したがって，相続開始後に共同相続人の所在等が不明であるようなケースにおいても，所有者不明土地・建物管理命令制度による土地管理人や建物管理人を通じた土地・建物の管理が可能である。ただし，これらの管理人の管理処分権は当該不動産の共有持分に関するものに限られる。したがって，被相続人が有していたそれ以外の相続財産にまで管理権が及ぶものではないため，土地管理人や建物管理人が遺産分割の当事者になることはできない（土地管理人に関し民不登中間試案11頁（注5），同中間試案補足説明53頁がこのことを指摘する。所有者不明建物管理命令は所有者不明土地管理命令と基本的に法的構造を同じくし〔村松＝大谷編・Q&A 192頁〕，建物管理人についても同様と解される）。遺産分割が必要な場合には不在者である相続人について不在者財産管理人を選任することによって，他の共同相続人はこの者と遺産分割を行うことができる。ただし，遺産分割には家庭裁判所の権限外行為許可を要し（28条），また，複数の相続人が不在者であるときは，各自につき不在者財産管理人を選任しなければならない（村松＝大谷編・Q&A 183頁）。

なお，土地・建物の所有者について不在者財産管理人または相続財産管理人が既に選任されている場合には，所有者不明状態とは言えず，264条の2の土地管理命令や264条の8の建物管理命令を発することはできないと解される（村松＝大谷編・Q&A 169頁）。一方，所有者不明土地管理人や所有者不明建物管理人が選任された後で，不在者の財産や相続財産の全般的な管理のため不在者財産管理人や相続財産管理人が選任されることはありうるが，その場合，土地管理命令や建物管理命令は取り消されることになると考えられている（土地管理命令につき，民不登部会資料33・4頁。建物管理人も同様と解される〔村松＝大谷編・Q&A 192頁，219頁参照〕。なお，相続財産の管理・保存と所有者不明土地管理命令は重なる場面もありつつ，異なる制度であり，事案に応じた使い分けが有用であるといえる〔村松＝大谷編・Q&A 226頁〕）。

〔常岡史子〕

（相続財産法人の成立）

第951条　相続人のあることが明らかでないときは，相続財産は，法人とする。

〔対照〕　ド民1960 I，ス民466・555

〔改正〕　（1051）

I　相続人のあることが明らかでないとき

相続人の存否が明らかでない場合，相続財産は法人となる。相続財産法人は相続人の捜索や相続財産の管理・清算を目的とし，その活動もこれに沿って規律される。

1　相続人の存否不分明

相続人のあることが明らかでないときとは，相続開始時点において被相続人の残した遺産につき相続人が存在するか否かが不明の場合をいう。法定相続人のうち1人でも存在することが明らかである場合には本条は適用されず，当該相続人が相続財産の管理を行う（918条・926条・944条・950条。相続人全員が放棄をした場合は本条に当たると解されるが〔一 I 2(1)〕，放棄時に相続財産に属する財産を現に占有していた放棄者は，940条により当該財産の保存義務を負う）。戸籍上相続人となるべき者が行方不明や生死不明である場合も本条に当たらず，不在者財産管理ないし失踪宣告によって対応する（東京高決昭50・1・30判時778号64頁）。

2　具体的事例

(1)　相続人のないことが明らかな場合

戸籍簿上相続人となる者が最終順位に至るまで記載のない場合や，戸籍簿上最終順位の相続人が相続欠格や廃除に該当しまたは相続を放棄した場合，最終順位の相続人が被相続人とともに同時死亡の推定を受ける場合は，原則として相続人のないことが明らかであるということができる。この場合に本条が適用されるかについて，明治民法1051条（現951条）の法意が類推されるとした大審院の判例（大判昭8・7・11民集12巻2213頁）がある。ただし，学説はこれに反対し，相続人のないことが確定した以上さらに相続人を捜索することは無意味であり（穂積Ⅱ321頁），相続人捜索の規定を除いて本章の規定を適用する（近藤・下992頁）としていた。

現行法下では，「相続人のないことが明らかな場合」は本条の「相続人のあることが明らかでないとき」に当たると解し，管理人を選任して相続財産の管理・清算，相続人の捜索を行わせるとするのが大勢である（中川＝泉452頁，中川編・註釈上347-348頁〔島津一郎〕，中川監修・註解252-253頁〔小山或男〕，四宮和夫「相続人の不存在」家族法大系Ⅶ155頁）。

⑵　**相続人の未確定**

相続人の未確定とは，被相続人に対して離婚無効や離縁無効の訴え，父を定める訴え，認知の訴え等の訴訟が係属している場合を指す。廃除のように，審判に係属し相続権の有無が未確定であってもその間の相続財産の管理につき明文の規定（895条）がある場合には当該規定によるが，そのような規定がない場合，相続財産管理のため本章の規定が適用されるかが問題となる（積極説：我妻＝立石536頁，家審講座Ⅱ195頁〔岡垣学〕。消極説：918条または895条に拠るとする）。消極説のうち，918条説は同条を類推適用して遺産の現状保持を図る（中川＝泉453頁。我妻・判コメ225頁）のに対して，895条説は，身分関係に関する訴訟が長期間にわたり係属する場合も視野に入れて，管理人に保存行為にとどまらず管理行為一般を行わせることを目的とする（中川編・註釈上346-347頁〔島津〕〔895条準用説〕，四宮・前掲論文154-155頁〔895条類推適用説〕）。895条ないし918条に拠った場合，争っている者が相続人に当たらないことが後の判決で確定したときには，すでに管理人が行った管理行為と相続人不存在手続との関係が不明確となる。それに対して，積極説では955条，956条で対応できることになる。そこで，従来の裁判所の実務は積極説に立ち，相続財産管理人（令和3年改正前〔以下，「旧」とする〕952条）を選任したうえで，身分関係に関する訴訟の確定前に清算手続が終了して相続財産が国庫に帰属する等の事態とならないよう，判決確定までは清算手続を進行させない扱いをするとしていた（伊東正彦ほか・司法研究報告書・財産管理人選任等事件の実務上の諸問題〔2003〕30頁）。なお，現行法下では2021（令和3）年の改正で新設された897条の2による対応が可能となる。

⑶　表見相続人

戸籍簿上唯一の相続人が表見相続人である場合，明治民法のもとでは相続回復請求権は真正相続人の一身専属権とされていたこともあり（最判昭32・9・19民集11巻9号1574頁），第三者たる相続債権者らが表見相続人の相続権を否定し旧952条の管理人の選任を請求することはできないと解されていた（近藤・下991頁，朝鮮高院判昭8・2・14評論22巻民315頁）。現行民法のもとでの学説は，同じく相続回復請求権の一身専属性に着目して管理人選任請求（旧952条）を認めない説（我妻・判コメ226頁）と，家督相続を廃した現行法ではもはや一身専属権ではないとしてこれを認める説（中川編・註釈上348-349頁〔島津〕）に分かれる。なお，これは相続回復請求の問題ではなく，相続債権者等は952条の利害関係人として管理人（現952条の清算人）の選任を請求できるとする見解もあるが（新版注民(27)〔補訂版〕679頁〔金山正信＝高橋朋子〕），その場合，管理人選任において家庭裁判所がした表見相続人の占有権原を否定する審判に既判力がない点が問題となろう（島津編・判例コメ405頁〔吉本俊雄〕）。

⑷　包括受遺者

判例は，遺産全部について包括受遺者がいる場合には本条の「相続人のあることが明らかでないとき」に当たらないとする（最判平9・9・12民集51巻8号3887頁。同旨：中川＝泉452頁，島津編・判例コメ403頁〔吉本〕，潮見117頁，松原Ⅲ266頁）。ただし，財産全部の包括遺贈をなす遺言の効力が争われているような場合はこの限りでないと考えられる（新版注民(27)〔補訂版〕681頁〔金山＝高橋〕参照）。

遺産の一部にのみ包括受遺者がいる場合，学説には，他の遺産についてだけ相続人不存在の手続による管理・清算や相続人の捜索をすることは法律関係を複雑にするため，当該包括受遺者が全遺産を取得するとするものがある（鈴木＝唄Ⅱ17頁，鈴木130頁，島津編・判例コメ404頁〔吉本〕）。しかし，包括受遺者が他の遺産も含めて取得することの法的根拠に乏しく，他の遺産につき本章の手続が開始するとの見解（中川＝泉452頁。同旨：東京家審昭47・4・19家月25巻5号53頁〔ただし，遺言によって遺言執行者が指定されていた事案であり，相続人不存在手続によって相続財産管理人（旧952条）が選任された場合には，遺贈物件も含めて相続財産全体の管理は相続財産管理人がなすべきであって，遺言執行者としての職務は相続財産管理人の清算事務終了まで停止するとした〕）が対立する。

(5)　共有者が死亡し相続人がいない場合

1962（昭和37）年の民法の一部改正で958条の3が新設された（2021（令和3）年の改正により958条の2に移動）ことにより，255条との関係が問題となってきたが（従来の裁判例につき新版注民(27)〔補訂版〕682頁〔金山＝高橋〕参照），最高裁平成元年11月24日判決（民集43巻10号1220頁）によって958条の3（現958条に2）を255条に優先して適用するとの判断が示された（→第5巻§255 II 4，§958の2）。

(6)　遺産分割前における共同相続人の死亡

共同相続人中の一部の者が遺産分割前に死亡し，この者に相続人のあることが明らかでないとき，遺産に関する死亡相続人の相続分の帰趨が問題となる。相続開始による共同相続人間の遺産共有（898条）を249条以下の共有と解する判例に従えば(5)の場合と同様の問題となり（2021（令和3）年の改正では，遺産共有にも民法249条以下の規定が適用されることを前提に，898条に2項が追加されている。民不登部会資料51・17頁），死亡相続人の相続分は255条ではなく本章の手続に従って処理されることになる。したがって，死亡相続人の債権者らへの清算と特別縁故者への分与がなされた後，残余の財産が255条によって他の共同相続人へ帰属する（新版注民(27)〔補訂版〕684頁〔金山＝高橋〕。異説：中川編・註釈上348頁〔島津〕〔特別縁故者への分与対象とならず相続債権者らへの清算後の財産が255条により他の共同相続人に帰属するとする〕）。

なお，遺産中に金銭債権等の可分債権がある場合，これは相続開始とともに共同相続人に当然に分割され，各相続人がその相続分に応じて権利を承継するとするのが従来からの判例であった（最判昭29・4・8民集8巻4号819頁〔不法行為に基づく損害賠償請求権の事例〕）。しかし，銀行等の預貯金債権について，最高裁平成28年12月19日大法廷決定（民集70巻8号2121頁）が，共同相続された普通預金債権，通常貯金債権および定期貯金債権はいずれも相続開始と同時に当然に相続分に応じて分割されることはなく，遺産分割の対象となるとする立場を明らかにしたことにより，これらの債権は共同相続人らの準共有（264条）に属するものとなる（さらに，共同相続された定期預金債権および定期積金債権も相続開始と同時に当然に相続分に応じて分割されることはないとの最高裁の判断〔最判平29・4・6判タ1437号67頁〕が出ている。共同相続人らによる預金債権の準共有の法的性質は必ずしも自明ではないが，準共有とするならば「各共同相続人が相続分に応じた各1個の債権を有し，その内容の総和が1個の預金債権の内容と等しくなっている」という構成等が考えられるとされる。中田裕康「共同相続された預金債権の法律関係――普通預金債権を中心に」最高裁大法廷決定（平成28年12月19日）を踏まえた預金債権の相続に関する諸論点（金融法務研究会報告書）〔2020〕10頁以下）。したがって，共同相続人中に遺産分割前に死亡した者があり，その者に相続人のあることが明らかでないとき，遺産中に預貯金債権が含まれる場合には，(5)と同じく当該預貯金債権に関する死亡相続人の相続分につき本章に従って特別縁故者への分与等がなされた後，残余の財産が255条により他の共同相続人へ帰属することになろう。

II　相続財産法人

1　相続財産法人の成立

相続人のあることが明らかでないときは，被相続人の死亡と同時にその相続財産は本条に基づき法律上当然に法人となる（我妻・判コメ226頁，中川編・註釈上350頁〔島津〕，中川＝泉454頁。異説：近藤・下998-999頁〔相続財産管理人（明民1052条・旧952条）選任時に相続財産は法人格を取得するとする〕）。事実上相続財産法人の存在が対外的に明らかとなるのは管理人（明民1052条・旧952条）の選任によるが（前掲大判昭8・7・11），法律上は相続財産法人成立のために特段の手続や公示を備えることを必要としない。

2　相続財産法人の性質と能力

相続財産法人の実体は相続財産自体である。一般財団法人と異なり，定款の作成（一般法人152条・153条）や設立の登記（一般法人163条）を要しない。相続財産法人は，対外的な活動ではなく清算人による相続財産の管理・清算を目的とし，清算人の権限を本人たる法人の代理権と構成するために相続財産を法人とする擬制をしたに過ぎないことによる（明民1052条〔旧952条〕の管理人に関する梅244頁，穂積Ⅱ324頁）。相続財産法人の能力も，相続財産の管理・清算等を目的とする行為に限られる（中川＝泉454頁）。この目的を超えて清算人が行った行為は，相続財産法人に効果帰属しない。

相続財産法人の法的性質については，被相続人の包括承継人とみる（近藤・下997頁，我妻・判コメ226頁），法技術として被相続人の財産主体性を抽出しそれが存続する（兼子一・民事法研究Ⅰ〔1966〕471頁），相続財産自体が特別財産（Sondervermögen）として独自の管理に服する（中川編・註釈上357頁〔磯村哲〕，四宮和夫「相続人の不存在」家族法大系Ⅶ157頁）等の諸説がある。

判例には，被相続人から家屋を贈与され未登記で占有している者に対する相続財産管理人（旧952条）の明渡請求について，相続財産法人は「被相続人の権利義務を承継した相続人と同様の地位にある」とするものがある（最判昭29・9・10裁判集民15号513頁）。同判決は，被相続人からの受贈者との関係において相続財産法人は177条の第三者に該当しないと判示したにとどまり，譲受人に対する被相続人の登記移転義務を相続財産法人が承継するかまで論じるものではないが，他の相続財産によって債権者や受遺者への弁済が可能であれば，相続財産法人は被相続人の承継人として遅くともそれらの弁済完了後，被相続人からの譲受人に対し所有権移転登記義務を負うと解する余地が生じるとされている（近藤崇晴〔判解〕最判解平11年上72頁，田高寛貴〔判批〕民百選Ⅲ3版119頁）。

その後，判例は，被相続人から抵当権の設定を受けた相続債権者が相続財産法人に対して抵当権設定登記手続を請求できるかという事案で，957条2項の準用する929条ただし書の「『優先権を有する債権者の権利』に当たるというためには，対抗要件を必要とする権利については，被相続人の死亡の時までに対抗要件を具備していることを要すると解するのが相当である。相続債権者間の優劣は，相続開始の時点である被相続人の死亡の時を基準として決するのが当然だからである」と述べたうえで，相続財産法人が被相続人から抵当権を取得した者に対してその対抗要件具備のために協力義務を負うことを否定した（最判平11・1・21民集53巻1号128頁）。その理由は，「相続財産の管理人〔旧952条（現952条の清算人）〕は，すべての相続債権者及び受遺者のために法律に従って弁済を行うのであるから，弁済に際して，他の相続債権者及び受遺者に対して対抗することができない抵当権の優先権を承認することは許されない。そして，優先権の承認されない抵当権の設定登記がされると，そのことがその相続財産の換価（民法957条2項において準用する932条本文）をするのに障害となり，管理人による相続財産の清算に著しい支障を来すことが明らかである。したがって，管理人は，被相続人から抵当権の設定を受けた者からの設定登記手続請求を拒絶することができるし，また，これを拒絶する義務を他の相続債権者及び受遺者に対して負う」という点にある。したがって，相続債権者は被相続人から抵当権の設定を受けていても，被相続人の死亡前に仮登記をした場合を除き，相続財産法人に対して抵当権設定登記手続を請求することはできないことになる。また，この場合債権者が被相続人から取得したのは抵当権であり，管理人による清算手続で相続債権者らへの弁済が完済すれば当然にこの債権者の抵当権も消滅する関係にある。その意味において，贈与等による所有権の譲受人とは異なり，相続債権者らへの弁済完了後であっても相続財産法人が抵当権者たる相続債権者に対して抵当権設定登記の協力義務を負うことにはならないと指摘されている（近藤・前掲判解78頁）。

〔常岡史子〕

（相続財産の清算人の選任）

第952条①　前条の場合には，家庭裁判所は，利害関係人又は検察官の請求によって，相続財産の清算人を選任しなければならない。

②　前項の規定により相続財産の清算人を選任したときは，家庭裁判所は，遅滞なく，その旨及び相続人があるならば一定の期間内にその権利を主張すべき旨を公告しなければならない。この場合において，その期間は，6箇月を下ることができない。

〔対照〕　フ民809-1，ド民1960②・1961，ス民554

〔改正〕　（1052）　①②＝昭23法260・令3法24改正

（相続財産の管理人の選任）

第952条①　前条の場合には，家庭裁判所は，利害関係人又は検察官の請求によって，相続財産の管理人を選任しなければならない。

②　前項の規定により相続財産の管理人を選任したときは，家庭裁判所

は，遅滞なくこれを公告しなければならない。

I　本条の意義

相続人の存否が不分明の場合，相続財産の管理を行う相続人（918条〔明民1021条〕）がいないため，そのまま放置すれば相続財産の滅失や毀損のおそれがある。そこで，本条は家庭裁判所が清算人を選任するものとする。利害関係人または検察官（明民1052条および昭和22年法律61号による改正までは「検事」）の請求によるとしたのは，裁判所は直接，相続人の有無を知ることができないと考えられたことによる（梅246頁）。

相続財産清算人が選任されると，家庭裁判所はそれを公告しなければならない。これは，相続債権者ら相続財産に関し法律上の利害関係を有する者および相続権を有する者に対して，相続財産が法人となっていることおよび当該法人を代表する者として清算人が選任されたこと，また相続人がいるときは一定期間（6か月以上）内に権利を主張すべきことを公知させる意味を持つ（本条2項）。

II　相続財産清算人の選任

1　請求権者

(1)　利害関係人や検察官は清算人選任請求をする義務を負うものではなく，選任の請求は相続財産の価額等を考慮し現実の必要性に応じて行われる。利害関係人とは，相続財産の帰属につき法律上の利害関係を有する者を指し，包括・特定受遺者（東京地判昭30・8・24下民集6巻8号1668頁），相続債権者，相続債務者，相続財産上の担保権者，特別縁故者（令和3年改正前〔以下，「旧」とする〕958条の3・現958条の2）に当たると考えられる者（昭和41・8・4家二111号回答・家月18巻8号147頁）等をいう。被相続人の債務の保証人で，被相続人に対して求償権を有する者等も含まれる。

2021（令和3）年の民法の一部改正では897条の2が新設され，本条の相続財産清算人の選任請求をすることができる場合であっても，清算を目的としない相続財産の保存のための管理人を選任することができることとなった。

この相続財産管理人は相続財産の保全をその職務内容とし，相続債務の弁済権限等は有さない。そして，相続人のあることが明らかでない場合には，最終的には相続財産の清算を行うことが望ましいことから，897条の2の相続財産管理人は，本条1項の利害関係人として相続財産清算人の選任の申立てを家庭裁判所にすることができるとされている（民不登中間試案補足説明84頁，87頁，同部会資料34・20頁）。

相続人が相続放棄した場合については，旧940条が，1項で「相続の放棄をした者は，その放棄によって相続人となった者が相続財産の管理を始めることができるまで，自己の財産におけるのと同一の注意をもって，その財産の管理を継続しなければならない。」と規定していた。これは，相続放棄者は，その放棄によって相続人となった者が相続財産の管理を始めることができるまで，次順位相続人，相続債権者，受遺者らのために相続財産の管理を継続する義務を負うとするものである。そして，この旧940条の規定は，共同相続人の一人が相続放棄をした場合において，他の共同相続人が相続財産の管理を始めることができない特別の事情があるときにも，適用があるとされていた（民不登部会資料6・18頁）。一方，法定相続人全員が相続放棄をして，次順位の相続人が存在しない場合については，相続放棄者に相続財産の管理義務を負わせるべきであるとの考え方がある一方で，この場合に旧940条の適用があるかどうかは従来必ずしも明らかでなく，また，そもそも相続放棄者が相続財産を占有していない場合や相続財産を把握していない場合にも管理継続義務を負うのかについても，明確にはされていなかった（民不登部会資料6・18頁，同部会資料29・2頁，同中間試案補足説明90頁）。そこで，2021（令和3）年の改正において940条は改定され，相続放棄者は，放棄の時に相続財産に属する財産を現に占有している場合，相続人または本条1項の相続財産清算人に当該財産を引き渡すまでの間，その保存義務を負うことが明記された（940条1項は引渡しの相手方として「相続財産の清算人」を入れることで，同条が，法定相続人全員の放棄後，次順位の相続人が存在しない場合にも適用されることを明確にした）。相続放棄者のこの保存義務の相手方は，他の相続人（放棄によって相続人となった者を含む）または相続財産法人（相続人の存否が不分明となった場合）である（前掲中間試案補足説明91頁，前掲部会資料29・3頁）。一方，法定相続人全員が相続放棄をした場合において，相続財産に属する財産の保存義務を負う相続放棄者が本条の相続財産清算人の選任請求義務まで負うかについては立案審議の過程で否定されており，その理由として，相続財産清算人の選任請求には予納金が必要となる場合があり，相続放棄者に選任請求義務を課すと予納金を負担しなければならなくなって，相続財産の価値が乏しいときには予納金の回収が困難となり，相続放棄者が相続による不利益を負担させられてしまうといった懸念が挙げられていた（前掲中間試案補足説明92頁）。ただし，相続財産に属する財産の保存義務を負う相続放棄者が自ら利害関係人として相続財産清算人の選任を申し立てることは可能であり，選任された清算人に当該財産を引き渡して自己の保存義務を終了させることができると解される（897条の2の相続財産管理人の選任請求に関する民不登部会資料29・4頁参照）。さらに，940条1項の保存義務を負っていない相続放棄者についても，事務管理の規定（697条）に基づき本条1項の利害関係人として相続財産清算人の選任請求をすることも妨げられないと考えられる。

(2) 相続人が存在しない場合，最終的に相続財産は国庫に帰属することから，国も相続財産に関する利害関係人であるとされる。そして，検察官は国の利益を代表する者として相続財産清算人の選任請求権を有すると解される（梅246頁。法曹会決議昭9・7・6法曹会決議要録追巻151頁。明民1052条（旧952条）の管理人に関するもの）。明治民法の起草過程では，検事は公益の代表者という位置づけであり，国庫には別に代表者があるので検事が直ちにこれを代表するということにはならないのではないかという質疑があったが（法典調査会民法議事〔近代立法資料7〕607頁〔重岡薫五郎委員〕），検事が国家の利益のために自らの発意で請求するか，国庫の代表者が検事に知らせるか，いずれにしても実際には検事が請求するのであろうからどちらにしても害はない，この点は利害関係人の解釈に委ねておいてよいという回答（同607頁〔富井政章委員〕）がなされていた。現行法下では，国庫自身が本条の利害関係人として相続財産清算人（旧952条の管理人）の選任請求を行うことができるかをめぐり学説は分かれており，検察官が請求権者に含まれる以上，国庫は本条の請求権者に当たらないとする否定説（中川監修・註解256頁〔小山或男〕，中川編・註釈上352頁〔島津一郎〕）と，特に相続税を徴収する者（徴税官庁）として国庫も本条の利害関係人に含まれるとする肯定説（我妻＝立石537頁，我妻・判コメ227頁，青山170頁）が対立する。

都道府県知事等行政の長も，相続財産について利害関係を有する場合には清算人の選任を請求することができる。相続人の存否不明な私有地を公共用地として取得する場合（昭和38・12・28家二163号回答・家月16巻2号138頁）や道路敷地買収（法曹会決議昭11・3・25法曹会決議要録追巻151-152頁）がこれに当たる。また，所有者不明土地の利用の円滑化等に関する特別措置法（平成30年法律49号）により，所有者不明土地につき，適切な管理のため特に必要があると認めるときは，国の行政機関の長または地方公共団体の長は家庭裁判所に対して本条1項による相続財産清算人の選任を請求することができる（同法42条）。さらに，令和5（2023）年6月に成立し公布された「空家等対策の推進に関する特別措置法の一部を改正する法律」（令和5年法律50号）でも，市町村長は，空家等の適切な管理のため特に必要があると認めるときは，本条1項による相続財産清算人の選任を請求することができるとの規定（同法14条1項）が設けられている。

2　選任手続

相続財産清算人の選任は家事審判事項である（家事203条・208条・別表第一99項）。選任請求された場合，家庭裁判所は常に清算人を選任しなければならないものではなく，請求者が適格を欠く場合はもちろん，相続財産の価額や管理費用等を勘案し清算人を置くに及ばないと判断すれば，請求を却下することができる。ただし，不動産登記簿上の所有名義人が死亡した場合において相続人が存在しないときは，相続財産の多寡等にかかわらず所有権の確認ないし所有権移転登記手続請求の被告適格者が相続財産そのものであるから，本条により相続財産清算人を選任するかまたは遅滞のため損害を受けるおそれのあるときは相続財産のため特別代理人の選任を得たうえで，相続財産を被告として訴えを提起すべきである（福岡高判昭49・12・23判タ322号157頁〔旧952条の管理人に関する事案〕）。

相続財産清算人に特に資格制限はないが，公平の観点から相続財産に対して直接の利害を有しない者を選任することが望ましいとされている（家庭裁判所実務では，独自の人選による管理人〔旧952条〕候補者名簿が用いられる。伊東正彦ほか・司法研究報告書・財産管理人選任等事件の実務上の諸問題〔2003〕32頁）。家事事件手続法上，清算人の選任審判に対する不服申立てとしての即時抗告は認められていないが（家事85条・206条参照），清算人の改任を求める審判の申立ては可能である（家事208条）。

清算人が選任されると家庭裁判所は遅滞なく公告しなければならない。公告は家庭裁判所の掲示板等への掲示および官報への掲載により（家事規4条1項），申立人の氏名・住所，被相続人の氏名・職業・最後の住所・生年月日と出生地・死亡年月日と死亡地，相続財産清算人の氏名・住所等を掲げる（家事規109条）。→Ⅳ2

3　特別代理人の選任

時効完成猶予・更新や証拠保全の必要から家庭裁判所による相続財産清算人の選任を待つことのできない事由のある場合，民事訴訟法35条，37条に従い特別代理人の選任を請求することができる（大決昭5・6・28民集9巻640頁〔相続財産と特別代理人の選任に関する，旧民訴58条〔現37条〕の事案〕）。なお，特別代理人の選任を求めることと家庭裁判所において相続財産清算人の選任を求めることは要件を異にし，相互に排斥するものではない（水戸家審昭36・6・23家月13巻11号110頁〔旧952条の管理人に関する事案〕）。特別代理人は，相続財産清算人の復代理人ではなく，相続財産法人の直接の代理人である。したがって，相続財産清算人の選任や清算人による訴訟受継によって特別代理人の代理権が当然に消滅することはなく，代理権消滅には裁判所の解任手続を要する（最判昭36・10・31家月14巻3号107頁〔旧952条の管理人に関する事案〕）。

4　遺言執行者と相続財産清算人

相続人なくして死亡した被相続人が遺贈をし，かつ遺言執行者を指定した場合において，遺贈物件以外の相続財産につき管理人（旧952条）が選任されたときは，遺贈物件も含めてこの管理人が相続財産全体の管理を行うとする裁判例がある（東京家審昭47・4・19家月25巻5号53頁〔遺言執行者の職務は管理人による清算事務の終了まで停止する〕）。

2018（平成30）年7月6日に成立した「民法及び家事事件手続法の一部を改正する法律」（平成30年法律72号。以下，「平成30年改正」とする）では遺言執行者の権限の明確化が図られ，1012条に第2項として「遺言執行者がある場合には，遺贈の履行は，遺言執行者のみが行うことができる。」との規定が挿入された。また，1015条は「遺言執行者がその権限内において遺言執行者であることを示してした行為は，相続人に対して直接にその効力を生ずる。」と改められ，平成30年改正前の1015条の「遺言執行者は，相続人の代理人とみなす。」とする規定は廃止されている。そして，これらの改正の趣旨は，「遺言執行者は，遺言者の意思を実現することを任務とする者」であることを明らかにする点にあった（部会資料9・16頁）。

そこで，相続人の不存在により受遺物以外の相続財産について本条の清算人が選任された場合において，現行法下でもなお従前と同様に解することができるかが問題となる。この点については平成30年改正に至る審議過程でも特に言及はされておらず，今後の裁判実務に委ねられることになる。ただし，遺言執行者は包括的な遺産の管理権限を有するものではなく，遺言の内容を実現するのに必要な範囲で権利義務を有するにとどまること（1012条1項），他方，相続人不存在の場合における相続財産清算人は管理権（953条）とともに相続債権者および受遺者に対する弁済権限を持ち（957条），さらにその清算において受遺者は相続債権者に劣後すると定められていること（957条2項・931条）に鑑みれば，平成30年改正前と同様に，遺贈物件を含む相続財産が相続財産清算人の管理に服すると解してよいと考えられる。その場合，清算終了後の遺贈の履行が遺言執行者の職務となり，特定物の遺贈であっても清算手続において遺贈物件が換価されたときは，これは金銭債務の履行に変わる（957条2項・932条本文・933条参照）。

III　相続財産清算人の改任・辞任と選任の取消し

家庭裁判所は相続財産清算人をいつでも改任することができる（家事208条・125条1項）。相続財産清算人の辞任については現行法上規定がなく（旧家審規118条・32条2項には辞任を認める規定があったが，現行法は家庭裁判所の関与なしに管理人の任意の辞任を認めることは妥当でないとする立場による），改任権限の職権発動を求める手続をとることになる（増田勝久編著・Q&A家事事件手続法と弁護士実務〔2012〕310頁〔今井孝直〕）。

家庭裁判所は，相続財産清算人による管理の継続が相当でないと認めたときは選任取消しの審判をすることができる（家事78条・208条・125条7項。取消審判がなされるのは，具体的には相続人が管理できるようになったとき，管理すべき財産がなくなったとき，その他管理の継続が相当でない事情〔不相当に高額な管理費用がかかる等〕が生じたときである。新版注民(27)〔補訂版〕693頁〔金山正信＝高橋朋子〕参照)。相続財産清算人の選任の取消しは公告を要しないが，当該清算人にその職務を解かれたことを通知するため取消審判をこの清算人に告知する。その費用は，清算人選任を申し立てた者が負担する（昭和32・7・17家甲72号回答・家月9巻7号115頁。旧952条の管理人に関するもの)。選任の審判が前提要件を欠くため不当であることを理由として取消しの審判がなされたときは，本来の相続権者の利益保護の必要上この取消しは遡及効を有し，先の選任審判を前提として行われた諸手続も遡って違法なものとなる（東京高決昭50・1・30判時778号64頁)。

IV 相続人の捜索の公告

1 改正の経緯

2021（令和3）年の改正（令和3年法律24号）前の本条は，第1項「前条の場合には，家庭裁判所は，利害関係人又は検察官の請求によって，相続財産の管理人を選任しなければならない。」，第2項「前項の規定により相続財産の管理人を選任したときは，家庭裁判所は，遅滞なくこれを公告しなければならない。」という規定であった。これは，事実上相続人の第1回目の捜索の意味を持ち，旧957条1項および旧958条と合わせて3回の公告を通じて相続人の捜索が行われることとなっていた。それによれば，最短でも，①家庭裁判所による選任の公告（旧952条2項）を2か月間，その後に②相続債権者および受遺者に対して請求の申出を求める公告（旧957条1項）を2か月間以上行い，さらに，③相続人捜索の公告（旧958条）を6か月間以上行うことが必要で，相続人の捜索に計10か月以上を要していた。

公告期間全体について10か月以上を設定するこの扱いは，1962（昭和37）年の民法の一部改正で相続人捜索の公告期間につきそれまで1年以上とされていたのを6か月に短縮して以来維持されてきたものであるが，公告を何回も行わなければならず，権利関係の確定に10か月以上を要する点で重い手続となっていること，それに伴い必要以上に相続財産の管理費用が高額となっていること，通信・交通手段の発達を踏まえると現在では10か月は長きに失すること等が指摘されていた（民不登中間試案補足説明88頁，89頁)。特に，旧952条2項による①の公告と旧958条による③の公告は，相続人に出現や権利の主張を促すものである点で，旧957条1項による②の公告と旧958条による③の公告は相続債権者と受遺者に権利主張を促すという点で趣旨が共通しており，これらの公告が当該順序で行われなければならない必然性はない（民不登部会資料6・17頁）。そこで，「失権の前提として権利主張を促す機会が与えられていれば十分である」との考えから（同17頁），2021（令和3）年の改正によって本条および957条1項は現行の条文に改められ，旧958条は削除されて，①②③の公告を同時並行的に行う手続となった。

2　相続人の捜索の期間

本条2項は，家庭裁判所が相続財産清算人を選任したときは，遅滞なくその旨および相続人があるならば6か月を下らない期間内にその権利を主張すべき旨を公告しなければならないと定める。これにより相続財産清算人の選任の公告（前記1の①）と相続人の捜索の公告（前記1の③）は統合され，家庭裁判所による一つの公告で同時に行われる（2021〔令和3〕年の改正前は③の公告は相続財産管理人または検察官の請求によって家庭裁判所が行うものであったが〔旧958条〕，現行法では本条2項にあるように①とともに家庭裁判所が公告の実施主体となる）。公告において，家庭裁判所は，申立人および被相続人，相続財産清算人の氏名・住所等（前記Ⅱ2参照）とともに，相続人が一定の期間までにその権利の申出をすべきことを掲げなければならない（家事規109条5号）。

本条2項の公告と並行して，957条1項により，相続財産清算人は，相続債権者および受遺者に対して，2か月以上の期間内に請求の申出をすべき旨の公告（前記1の②に対応する）を行わなければならない。この957条1項の公告期間は，本条2項の相続人の権利主張の期間として家庭裁判所が設定した公告期間内に満了するものであることを要する（957条1項後段）。

本条2項の期間内に相続人として権利を主張する者がないときは，相続人および相続財産清算人に知れなかった相続債権者・受遺者は失権する（958条）。したがって，現行法では最短6か月で相続財産に関する権利関係が確定することになる。

なお，新旧条文の適用は，相続財産の管理人（旧952条）または清算人（本条）の選任時期が施行日（2023（令和5）年4月1日）前か施行日以後かによって区別される。すなわち，施行日前に旧952条1項により相続財産管理人が選任された場合，当該相続財産管理人の選任の公告，相続債権者および受遺者に対する請求の申出をすべき旨の公告および催告，相続人の捜索の公告，公告期間内に申出をしなかった相続債権者および受遺者の権利，相続人としての権利を主張する者がない場合における相続人，相続債権者および受遺者の権利等については，旧規定に従う（令和3年法律24号附則4条4項）。

3 相続人の申出

本条の公告期間内に申出をする相続人がいない場合，相続人の不存在が確定する。公告期間内に相続人が現れて家庭裁判所に申出をしたときは，家庭裁判所から相続財産清算人に通知する。当該申出人が相続人であるか否かは第一次的には清算人の判断に委ねられ，終局的には訴訟で決せられるべきものと解される（注解家審法291頁〔稲田龍樹〕参照）。明らかに相続権のない者からの不適法な申出について，裁判実務では，旧958条に関するものであるが，家庭裁判所は受理すべきでないとするもの（東京高決昭39・3・30東高民時報15巻3号69頁）と一応受理すべきとするもの（裁判所書記官会同協議要録：家庭関係（訟廷執務資料43号）〔1973〕79頁）に見解が分かれる。

相続権を申し出た者を相続人であると相続財産清算人が認めないときは，申出をした者は清算人を被告として自らが相続人であることの確認訴訟を提起することができる（最判昭56・10・30民集35巻7号1243頁〔旧958条に関する事案〕）。期間内に申出があれば，申し出た者の相続人たる地位が訴訟で争われている間に公告期間が満了したとしても，相続人の不存在は確定しない（松原Ⅲ278頁。旧958条に関するもの）。ただし，本条2項の公告期間内に相続人であることの申出をしなかった者については，たとえこの期間内に相続人であることの申出をした他の者につき相続権の存否が訴訟で争われていたとしても，当該訴訟の確定に至るまで公告期間が延長されるものではないと解される（前掲最判昭56・10・30参照）。

なお，相続人不存在の場合に特別縁故者となりうる者は，相続権の確認訴訟において相続財産管理人（旧952条。現952条では清算人）の側に補助参加することができるとする見解がある（新版注民(27)〔補訂版〕718頁〔谷口安平〕）。ただし，特別縁故者として相続財産分与を受ける権利は家庭裁判所の審判によって形成される権利にすぎず，審判前に相続財産に対して私法上の権利を有するとはいえない（最判平6・10・13家月47巻9号52頁）ことに鑑みると，補助参加についても，法律上の利害関係を有する者（私法上または公法上の法的地位または法的利益に影響が及ぶおそれのある者。最決平13・1・30民集55巻1号30頁）ということは難しいのではないかと考えられる。

〔常岡史子〕

（不在者の財産の管理人に関する規定の準用）

第953条　**第27条から第29条までの規定は，前条第1項の相続財産の清算人（以下この章において単に「相続財産の清算人」という。）について準用する。**

〔対照〕　フ民809-2，ド民1960②・1962・1915①・2012①，ス民554

〔改正〕（1053）　本条＝令3法24改正

> （不在者の財産の管理人に関する規定の準用）
>
> **第953条**　第27条から第29条までの規定は，前条第1項の相続財産の管理人（以下この章において単に「相続財産の管理人」という。）について準用する。

Ⅰ　清算人の権限

本条は，相続財産を一種の特別財産と見て家庭裁判所の選任による清算人の管理下に置くとともに，不在者財産管理に関する27条から29条までを準用させる点で，895条2項，897条の2第2項，943条2項等と同様である。ただし，不在者の財産管理は当該財産の保存を目的とするが，相続人の不存在における清算人は相続財産管理とともに相続債権者・受遺者への清算や相続人の捜索も目的とする点で性格を異にする。

1　代理権の範囲

相続財産清算人は，相続財産を代表して通常の管理行為（103条）から相続債権者・受遺者への清算までを行う。清算人の権限は相続財産法人の法定代理権であり，主体は相続財産法人である（大判昭18・12・22民集22巻1263頁，東京地判平7・4・26判タ920号230頁〔令和3年改正前（以下，「旧」とする）952条，953条に関する事案〕）。相続財産に関する訴訟については，相続財産法人が当事者適格を持つ（北野俊光＝梶村太市編・家事･人訴事件の理論と実務〔2版，2013〕

340頁，片岡ほか340頁)。

裁判例には，死者を相続する者がなく無主物となって国庫に帰属した土地を時効取得した者は，民法423条，不動産登記法46条ノ2（現59条7号）により，自己の国に対する登記請求権を保全するため，国に代位して死者の相続財産管理人（旧952条）を相手として死者から国への所有権移転登記手続を請求することができ，この場合の登記義務を負うのは相続財産管理人であるとするものがある（東京高判昭49・10・28下民集25巻9〜12号874頁)。これは，相続財産管理人（現相続財産清算人）を登記義務の主体者ではなく相続財産法人の代理人ととらえるものであると解されている（新版注民(27)〔補訂版〕696頁〔金山正信＝高橋朋子〕)。

相続財産清算人が103条の権限を超える行為をなす必要がある場合，家庭裁判所の許可を得てこれを行うことができる（28条前段)。許可の申立てを却下する審判に対して不服申立てをすることはできない（家事事件手続法は不在者財産管理に関する処分の審判につき不服申立てを認めていない。同法施行前の東京高決昭32・7・24高民集10巻5号328頁も同旨)。

2　相続財産清算人の無権代理行為

家庭裁判所の許可を要する行為につき，清算人が許可を得ずに行ったときは無権代理行為になる（青山・家族法論Ⅱ346頁，中川編・註釈上358頁〔磯村哲〕参照。旧952条の管理人に関するもの)。清算人のした無権代理行為の追認は，本人を相続財産法人とする以上ありえないと解される。ただし，家庭裁判所が事後に清算人のなした行為に許可を与えることは妨げられず，それにより当該無権代理行為に関する清算人の権限は補完され，有効な行為として相続財産法人に効果が帰属する。また，清算人による無権代理行為があった後に相続人が現れた場合には，相続人が当該行為を追認すれば有効な代理行為となる。無権代理行為の本人は相続財産法人であって相続人ではないが，相続人は法人となっている相続財産を引き継ぐ者であることによる（新版注民(27)〔補訂版〕697頁〔金山＝高橋〕)。

清算人の無権代理行為に110条の表見代理が成立するかについては，見解が分かれる。110条の適用を肯定する説は，一般に法人の代表者または法定代理人の無権代理行為と同様にとらえる（島津編・判例コメ412頁〔吉本俊雄〕。旧952条の管理人に関するもの)。それに対して，否定説は，相続財産法人が相続財産の管理・清算を目的とし，法人の権利能力もその限度でのみ認められる点で通常の法人とは異なることを理由とする（新版注民(27)〔補訂版〕698頁〔金山＝高橋〕。旧952条の管理人に関するもの）。

他方，代理権授与の表示による表見代理を規定する109条が本章の相続財産清算人の無権代理行為に適用の余地がないことについては異論がない。また，112条の代理権消滅後の表見代理については，相続財産の管理・清算の終了後は相続財産法人は存在しないため，適用の余地はない。相続人が現れ相続を承認したことにより，相続財産清算人の代理権が消滅した後も同様である。その場合，清算人の無権代理行為の本人たる相続財産法人も存在していないからである。したがって，112条の適用があるのは，相続財産清算人が管理継続中に解任された後に行った無権代理行為ということができる（新版注民(27)〔補訂版〕699頁〔金山＝高橋〕は，その場合も，管理人〔旧952条〕の行為は相続財産の管理・清算権限の範囲内のものであることを要するとする）。

II　清算人の権利義務

相続財産清算人は家庭裁判所の監督に服し（家事208条・125条），相続財産目録の作成（27条）や必要に応じて担保を提供する義務を負う（29条）。清算人には委任に関する規定も準用され（家事208条・125条6項），善管注意義務（644条）や受取物の引渡義務（646条），金銭の消費に関する責任（647条）等を負い，他方で費用等の償還請求をなすことができる（650条）。また，家庭裁判所は相続財産清算人に相当の報酬を与えることができる（29条2項）（大阪家審昭50・12・26家月28巻11号99頁〔旧952条の管理人に関する事案。500万円を付与〕）。

〔常岡史子〕

（相続財産の清算人の報告）

第954条　相続財産の清算人は，相続債権者又は受遺者の請求があるときは，その請求をした者に相続財産の状況を報告しなければならない。

〔対照〕 フ民 810-7，ド民 2012 ①

〔改正〕（1054） 本条＝令 3 法 24 改正

（相続財産の管理人の報告）

第 954 条 相続財産の管理人は，相続債権者又は受遺者の請求があるときは，その請求をした者に相続財産の状況を報告しなければならない

相続債権者や受遺者は相続財産に対して法律上の利害関係を有し，最も関心を持つ者である。本条は，これらの者に清算人に対する財産状況報告請求権を認めることによって相続債権者や受遺者を保護し，清算人による管理の適切さを確保する（梅 248 頁。明民 1054 条の管理人に関するもの）。清算人は相続債権者や受遺者に対して直接に報告義務を負い，清算人がその責めに帰すべき事由によって報告義務に違反したことにより相続債権者・受遺者に損害を与えたときは，債務不履行責任を負う（中川編・註釈上 356 頁〔磯村哲〕。令和 3 年改正前（以下，「旧」とする）の本条の管理人に関するもの）。

清算人に報告を請求できるのは，相続債権者または包括・特定受遺者である。その他の利害関係人に本条の報告請求権を認めるかについて学説は分かれる。被相続人が物上保証人になっていた担保権者は相続債権者ではないが，相続債権者と同様に相続財産中の担保物について利害関係を有するといえ，報告請求権を認めるべきであり（島津編・判例コメ 415 頁〔吉本俊雄〕），また，被相続人の負っていた債務の物的・人的保証人も，相続財産法人に対して求償権を有する場合には相続債権者と同様に報告請求権を有すると解されている（新版注民(27)〔補訂版〕701 頁〔金山正信＝高橋朋子〕。反対：中川編・註釈上 356 頁〔磯村〕。旧本条の管理人に関するもの）。財産状況の報告に要する費用は相続財産の管理のために必要な費用に当たり，相続財産から支出できる（家事 208 条・125 条 3 項）。

〔常岡史子〕

（相続財産法人の不成立）

第 955 条 相続人のあることが明らかになったときは，第 951 条の法

人は，成立しなかったものとみなす。ただし，相続財産の清算人がその権限内でした行為の効力を妨げない。

〔改正〕（1055）本条＝令3法24改正

（相続財産法人の不成立）
第955条　相続人のあることが明らかになったときは，第951条の法人は，成立しなかったものとみなす。ただし，相続財産の管理人がその権限内でした行為の効力を妨げない。

I　相続財産法人の不成立

相続財産法人の成立後に相続人のあることが明らかとなったときは，相続財産法人は成立しなかったものとみなされる。しかし，第三者の取引の安全を考慮し，清算人がその権限内で行った行為の効力は失われない。相続人不存在の場合に相続財産を法人と擬制し，その後に相続人の存在が判明したときは相続財産法人をなかったものとみなし，さらにその場合において清算人がその権限内でした行為については効力を失わないとするこの三重の擬制は，明治民法が採った法技術上のフィクションを現行法に受け継いだものである。相続人が出現した場合，それまで相続財産法人の法定代理人であった清算人は，相続人の法定代理人とみなされる（穂積Ⅱ326頁，理由書311頁。同旨：法典調査会民法議事〔近代立法資料7〕594頁〔富井政章委員〕。明民1055条の管理人に関するもの）。

1　相続財産法人の消滅事由

「相続人のあることが明らかになったとき」とは，相続人となる者が自ら死者の相続人であることを証明し（東京地判昭50・11・27高民集32巻2号152頁），相続人としての身分関係が法律上確定したときをいう。

相続人ではなく包括受遺者のあることが明らかになった場合に相続財産法人の消滅事由になるかについて，判例には，「遺言者に相続人は存在しないが相続財産全部の包括受遺者が存在する場合は，民法951条にいう『相続人のあることが明かでないとき』には当たらない」。「包括受遺者は，相続人と同一の権利義務を有し（同法〔民法〕990条），遺言者の死亡の時から原則として同人の財産に属した一切の権利義務を承継するのであって，相続財産全部の包括受遺者が存在する場合には前記各規定による諸手続を行わせる必要はない」（最判平9・9・12民集51巻8号3887頁）とするものがあり，財産全部の包括受遺者があるときは消滅を肯定する立場と見ることができる。ただし，包括受遺者が相続人と同一の権利義務を持つといえるかそれとも完全には同一でないかで見解が分かれるところであり，学説には肯定説（中川ほか・ポケット註釈316–317頁〔市川四郎〕，島津編・判例コメ416頁〔吉本俊雄〕）と否定説（我妻・判コメ228頁）がある（→§951 I 2(4)）。

2　法人消滅の時期

相続財産法人の消滅時期については，相続人の出現によって①法人は遡及的に消滅し，初めから存立しなかったとみなされる（中川＝泉456頁），②法人は遡及的に消滅するが，当該相続人が相続放棄（939条）すれば法人は存立当初に遡って復活する（中川編・註釈上357頁〔磯村哲〕），③当該相続人が被相続人の死亡時から当然に相続財産の主体となり，法人は存立しなかったものとみなされる（松坂301頁）等の説がある。いずれの説をとっても相続人の出現により法人が当初より存立しなかったとみなされるべきことになる。さらに，学説では，相続人が相続放棄をした場合の不都合を回避するため，④出現した相続人が相続を承認した時に相続財産法人が消滅する（有泉212頁。島津編・判例コメ416頁〔吉本俊雄〕，新版注民(27)〔補訂版〕705頁〔金山正信＝高橋朋子〕。同旨：大阪高決昭44・2・7判時557号244頁），あるいは⑤当該相続人による相続の承認を停止条件として相続人の出現により相続財産法人が存立しなかったとみなす（我妻＝立石539頁，我妻・判コメ229頁）とする見解が有力である。

II　清算人の管理・清算行為と相続財産法人の消滅

相続人不存在の手続開始後に相続人が出現すると，その相続人は相続開始の時より被相続人の財産を包括的に承継するものではあるが（896条），いったん相続財産法人が成立し清算人が相続財産の管理・清算をした事実は残り，相続を承認した相続人は現実にはその状態の相続財産を取得する。そこで本条は，相続財産法人という法主体は遡及的に存立しなかったとみなしつつ，そのことが相続財産につき行われた管理・清算行為の効力に影響を及ぼさないと規定する。

1　権限の範囲内の行為

管理人が権限内で行った行為は，相続財産法人が消滅してもその効力を失わない。管理行為や清算が失効して，相続債権者や受遺者らに不利益を与え取引の安全を害するのを避けることを目的とする（明民1055条・令和3年改正前〔以下，「旧」とする〕955条の管理人に関する梅249-250頁，穂積Ⅱ325頁，中川監修・註解259頁〔小山或男〕。なお，学説には，それ自体が特別財産（Sondervermögen）である相続財産は独自に管理されるべきもので，特別財産として扱う必要性が消滅した場合はそのままの状態で本来の財産主体の支配下に入り，本条ただし書はこれを宣言したにとどまるとする見解もある（中川編・註釈上358頁〔磯村〕。新版注民(27)〔補訂版〕706頁〔金山＝高橋〕は，相続人の相続承認による相続財産の帰属確定まで管理人の管理〔旧955条〕を継続させ，そのままの状態で相続人が引き継ぐことを定めた規定とする)。

2　権限外の行為

清算人が権限外の行為を行った場合，本条ただし書の適用はない。したがって，出現した相続人がそのような行為の効果を引き継いで相続債権者や受遺者その他第三者に対して責任を負うことはない。

清算人による管理が失当であり，それによって相続債権者や受遺者に損害を与えた場合，当該清算人が直接に損害賠償責任を負うかについて，①清算人が善管注意義務を負うのは本人である相続財産法人に対してであって，相続債権者や受遺者は清算人ではなく相続財産法人に対して賠償請求すべきである（相続財産法人に代位して清算人に賠償請求することはできる）とする説（新版注民(27)〔補訂版〕707頁〔金山＝高橋〕。旧955条の管理人に関するもの）と，②相続財産を特別財産ととらえる立場（一1）から，清算人は相続人の出現によって相続人の法定代理人となるが，相続人の全財産ではなく特別財産たる相続財産についてのみ代理し，清算人の失当行為によって生じた債務は相続債務となるとする説（中川編・註釈上359頁〔磯村〕。旧955条の管理人に関するもの）があると見ることができる。②によれば，限定承認の場合相続人は相続財産の範囲内でのみ責任を負う（そのため相続債権者や受遺者が損害を被るときは，清算人が直接これらの者に損害賠償責任を負う）が，単純承認であれば相続人が相続債権者らに対して無限責任を負い，相続人から清算人の責任を問うことになる。

〔常岡史子〕

（相続財産の清算人の代理権の消滅）

第956条① 相続財産の清算人の代理権は，相続人が相続の承認をした時に消滅する。

② 前項の場合には，相続財産の清算人は，遅滞なく相続人に対して清算に係る計算をしなければならない。

〔対照〕 フ民811-2

〔改正〕 （1056） ①②＝令3法24改正

（相続財産の管理人の代理権の消滅）

第956条① 相続財産の管理人の代理権は，相続人が相続の承認をした時に消滅する。

② 前項の場合には，相続財産の管理人は，遅滞なく相続人に対して管理の計算をしなければならない。

I 相続財産清算人の代理権の消滅

相続人のあることが明らかになった場合，相続財産法人は955条により遡及的に成立しなかったものとみなされる。それにより，相続財産法人を本人とする清算人の代理権も遡及的に消滅することになるが，相続財産の管理が中断することを避けるため，清算人の代理権は相続人が相続の承認をしたときに消滅するとの規定が本条に置かれた。

相続財産清算人の代理権の消滅時期は相続人出現の時ではなく，相続人が相続の承認をした時である。現れた相続人が相続の承認をするまで相続財産の管理をなす者が確定せず，また，相続人による即時の管理着手が困難な場合もあり，特に相続人が相続放棄をした場合清算人をあらためて選任するか従前の相続財産清算人が管理を継続するかという問題を，これによって回避する（理由書311-312頁。同旨：梅250-251頁，我妻＝立石540頁，我妻・判コメ229頁，中川＝泉456-457頁，新版注民(27)〔補訂版〕709頁〔金山正信＝高橋朋子〕。明民1056条・令和3年改正前〔以下，「旧」とする〕956条の管理人に関するもの）。相続人が出現し相続の承認をしても速やかに自ら管理を行うことができない等の事情があるときは，相続財産清算人は事務管理に類するものとして相続財産の管理を継続すべき場合があると考えられる（神戸家審昭43・12・14判時547号

76頁参照〔旧956条1項の類推に関する事案〕)。

相続財産清算人の代理権消滅の手続について，本条の文理によれば家庭裁判所の手続は不要と考えられる（島津編・判例コメ418頁〔吉本俊雄〕，松原Ⅲ308頁。同旨：大阪高決昭44・2・7判時557号244頁〔旧956条の管理人に関する事案〕)。しかし，裁判実務では，相続を承認した相続人が清算人から相続財産の引渡しを受け自ら管理できるようになるまで清算人の職責は存続すると解し，清算人選任の取消しの審判（家事208条・125条7項）を要するとする見解が有力である（片岡ほか412頁。同旨：大阪高決昭40・11・30家月18巻7号45頁〔旧956条の管理人に関する事案〕)。

Ⅱ　清算人の計算義務

相続財産清算人の代理権が消滅すると，清算人は遅滞なく相続人に対して清算の計算をし報告する義務を負う。すでに清算手続が完了して残余の相続財産が国庫に帰属した場合には，清算人は国庫に対して清算計算義務を負い(959条後段)，残余財産がない場合には清算人は家庭裁判所に対して遅滞なく同様の義務を負う（中川編・註釈上361頁〔磯村哲〕。旧956条の管理人に関するもの)。

〔常岡史子〕

（相続債権者及び受遺者に対する弁済）

第957条①　第952条第2項の公告があったときは，相続財産の清算人は，全ての相続債権者及び受遺者に対し，2箇月以上の期間を定めて，その期間内にその請求の申出をすべき旨を公告しなければならない。この場合において，その期間は，同項の規定により相続人が権利を主張すべき期間として家庭裁判所が公告した期間内に満了するものでなければならない。

②　第927条第2項から第4項まで及び第928条から第935条まで（第932条ただし書を除く。）の規定は，前項の場合について準用する。

〔比較〕 フ民 810-4，ド民 1964

〔対照〕（1057） ①＝令 3 法 24 改正 ②＝平 17 法 87・平 18 法 50 改正

（相続債権者及び受遺者に対する弁済）

第 957 条① 第 952 条第 2 項の公告があった後 2 箇月以内に相続人のあることが明らかにならなかったときは，相続財産の管理人は，遅滞なく，すべての相続債権者及び受遺者に対し，一定の期間内にその請求の申出をすべき旨を公告しなければならない。この場合において，その期間は，2 箇月を下ることができない。

② （略）

（相続人の捜索の公告）

第 958 条 前条第 1 項の期間の満了後，なお相続人のあることが明らかでないときは，家庭裁判所は，相続財産の管理人又は検察官の請求によって，相続人があるならば一定の期間内にその権利を主張すべき旨を公告しなければならない。この場合において，その期間は，6 箇月を下ることができない。（本条は令和 3 年改正により削られた）

I 債権請求申出の公告

本条 1 項の公告は，相続債権者や受遺者に対して相続財産の清算手続開始を知らせる公告である。本条の公告期間内に申出をしなかった相続債権者・受遺者は相続財産の清算について除斥され，申出をした債権者らへの弁済終了後に残余財産があるときにそこから弁済を受けうるにとどまる。本条の公告に応じた相続債権者の請求は 150 条の催告と同様であり，なされた請求に対して債権が確定されたときは 152 条の承認に当たり，時効更新の効力が生じる。

2021（令和 3）年の改正前は，本条 1 項の公告は相続人捜索の第 2 回の公告の意味を持ち，相続債権者・受遺者への公告および弁済の後に，第 3 回の相続人捜索の公告（令和 3 年改正前〔以下，「旧」とする〕958 条）が行われることとされていた。そして，第 3 回目の相続人の捜索に際しては手続を急ぐ必要がなく，可能な限り相続人を探すべきであるとの趣旨から，明治民法は公告期間につき「1 年ヲ下ルコトヲ得ス」としており（明民 1058 条），1947（昭和 22）年の民法改正もこれを受け継いだが，交通や通信網の発達，相続財産管理人（旧952条）の管理負担の軽減に鑑みて，1962（昭和37）年の改正で最短6か月に短縮された（旧958条。民不登部会資料6・17頁）。さらに，2021（令和3）年の改正によって，相続人捜索の公告（952条2項）から権利者の失権（958条）までの期間が全体で最短6か月とされるに至っている。

相続債権者および受遺者に請求の申出を促す本条1項の公告期間は，952条2項の公告期間満了までに満了するものでなければならない。ただし，相続財産の清算人は，「事案に応じて適切と認める時期」に公告すればよいとされている（民不登部会資料51・19頁以下）。

本条の公告には，限定承認の公告・催告の規定が準用される（927条2項～4項）。公告手段は，相続財産清算人選任の公告（952条2項）と同様である（→§927，§952）。

II 相続財産の清算手続としての弁済

相続債権者や受遺者への清算手続としての弁済について，本条2項は限定承認の規定の一部を準用する。これは，弁済のための責任財産が相続財産のみである点において，限定承認に準じることによる。相続財産清算人は，本条1項の公告期間満了前は，弁済期の到来した相続債権者・受遺者から弁済請求を受けたとしても，弁済を拒むことができる。ただし，清算人は弁済を拒絶する義務を負うものではなく，自己の責任において弁済することを妨げない（新版注民(27)〔補訂版〕713頁〔金山正信＝高橋朋子〕。反対：中川編・註釈上362頁〔柳瀬兼助〕。旧957条の管理人に関するもの）。債権者・受遺者への弁済の順序，相続財産の換価，不当弁済に関する相続財産清算人らの責任については本条2項の準用する限定承認の各条文の解説を参照。

なお，本条2項が準用する929条ただし書の「優先権を有する債権者」というためには，被相続人の死亡時点において当該優先権の対抗要件を具備していることを要する（最判平11・1・21民集53巻1号128頁）。また，限定承認と異なり，相続財産清算人は相続財産の全部または一部の価額を弁済することにより競売を止めることはできない（本条2項による932条ただし書の排除）。相続人不存在における清算では，鑑定価額を弁済すべき固有の財産がないことがその理由である（中川＝泉460頁。旧957条の管理人に関するもの。→§927～

§935)。

相続財産によって相続債権者および受遺者に対する債務を完済できないことが明らかとなった場合，相続債権者，受遺者，相続財産清算人等は破産手続開始の申立てをすることができる（破224条)。

〔常岡史子〕

（権利を主張する者がない場合）

第958条　第952条第2項の期間内に相続人としての権利を主張する者がないときは，相続人並びに相続財産の清算人に知れなかった相続債権者及び受遺者は，その権利を行使することができない。

〔改正〕　本条＝昭37法40新設，令3法24改正移動（958条の2→958条）

（権利を主張する者がない場合）

第958条の2　前条の期間内に相続人としての権利を主張する者がないときは，相続人並びに相続財産の管理人に知れなかった相続債権者及び受遺者は，その権利を行使することができない。

Ⅰ　2021（令和3）年の法改正による条名の整序

2021（令和3）年の「民法等の一部を改正する法律」（令和3年法律24号）によって，①家庭裁判所による相続財産清算人の選任，②相続債権者および受遺者に対する請求の申出，③相続人の捜索に関する各公告の期間が整理され，①と②の公告が952条2項で統合されたことに伴い，相続人の捜索の公告について独立に規定していた令和3年改正前（以下，「旧」とする）958条は削除された。それに伴い条名が整序されて，旧958条の2は本条（958条）に，特別縁故者への相続財産の分与に関する旧958条の3は958条の2に改められている。→§952 Ⅳ，§958条の2

Ⅱ　本条の意義

1962（昭和37）年の民法の一部改正前は，相続人の捜索公告期間（1年間以上）の満了によって相続財産は国庫に帰属し（昭和37年改正前959条1項），相続債権者・受遺者は国庫に対してその権利を行うことができない（同条2項）と規定されていた。しかし，1962年の改正で特別縁故者への財産分与制度（旧958条の3）が新設されたことに伴い，相続人捜索の公告期間（旧958条）の満了の効果として相続人，相続債権者，受遺者を失権させたうえで特別縁故者への分与が行われるべく本条（旧958条の2）が設けられた。なお，本条による失権の効果はその前提となる一連の手続が適法かつ有効に行われたことを前提とし，たとえば戸籍簿の記載により相続人の存在が当初から明らかであって951条の要件を欠く場合には，失権の効果は生じない（長崎家上県出審昭57・1・6家月35巻6号117頁）。

相続人捜索の公告期間内に相続人であると申し出た者についてその相続権が争われ訴訟となっている場合，当該自称相続人は公告期間が満了しても失権することはないが，他に相続権を主張する者は公告期間内に自ら申出をしていないかぎり失権する（958条の2による特別縁故者への分与後の残余財産に対して相続権を主張することもできない。最判昭56・10・30民集35巻7号1243頁〔旧958条の3の事案〕）。ただし，訴訟で相続権を争っている者が勝訴した場合には相続人不存在ではなかったこととなり，相続財産法人は遡及的に消滅するから，相続人捜索の期間内に相続人である旨の申出をしなかった他の者も相続権を主張することができることになる（鷺岡康雄〔判解〕最判解昭56年629頁。新版注民(27)〔補訂版〕721頁〔谷口安平〕はこの他の者は係属中の訴訟につき自称相続人の側に補助参加できるとする）。

本条により失権するのは，相続人の相続権および弁済によって消滅する性質の権利である（中川編・註釈上367頁〔柳瀬兼助〕，我妻・判コメ232頁）。957条2項が限定承認の弁済の規定を準用していること，957条1項が「請求の申出」と規定し，清算の対象となる相続債権は弁済によって消滅する内容のものであることが推認されることがその理由である。したがって賃借権，地上権，地役権等は本条によって消滅することはない（大判昭13・10・12民集17巻2132頁）。相続財産に付された担保権は，本条によって被担保債権そのものが失権した場合，付従性により消滅する（新版注民(27)〔補訂版〕722頁〔谷口〕）。

〔常岡史子〕

（特別縁故者に対する相続財産の分与）

第958条の2① 前条の場合において，相当と認めるときは，家庭裁判所は，被相続人と生計を同じくしていた者，被相続人の療養看護に努めた者その他被相続人と特別の縁故があった者の請求によって，これらの者に，清算後残存すべき相続財産の全部又は一部を与えることができる。

② 前項の請求は，第952条第2項の期間の満了後3箇月以内にしなければならない。

〔改正〕 本条＝昭37法40新設，令3法24移動（958条の3→958条の2）
②＝令3法24改正

（特別縁故者に対する相続財産の分与）

第958条の3① （略）

② 前項の請求は，第958条の期間の満了後3箇月以内にしなければならない。

I 本条の意義

本条は1962（昭和37）年の民法の一部改正で新設されたものである。相続人の不存在が確定した場合，相続財産を直ちに国庫に帰属させるのではなく被相続人と一定の関係のあった私人に取得させるべきであるとの考えはすでに明治民法のもとでも論じられており，1927年の臨時法制審議会「民法相続編中改正ノ要綱」は「相続人曠欠ノ場合ニ於ケル相続財産ノ管理人ハ，家事審判所ノ許可ヲ得，前戸主ノ扶助ニ依リ生計ヲ維持シタル者其他前戸主ト特別ノ縁故アリタル者又ハ社寺等ニ対シ，国庫ニ帰属スベキ相続財産中ヨリ相当ノ贈与ヲ為スコトヲ得ルモノトスルコト」（第13の3）として，それが死者の意思や相続財産の効用にも沿うと考えていた（穂積Ⅲ557頁）。また，その後公表された人事法案（仮称）相続編（1939年8月整理）には，「344条 前条ノ期間内ニ相続人ノ権利ヲ主張スル者ナキトキハ特別管理人ハ前戸主ノ扶助ニ依リ生計ヲ維持シタル者其ノ他前戸主若ハ其ノ家ト特別ノ縁故アリタル者又ハ社寺其ノ他公益ヲ目的トスル施設ニ対シ家事審判所ノ許可ヲ得テ残余財産中ヨリ相当ノ額ヲ贈与スルコトヲ得 前項ノ規定ニ依リテ処分セラレザル財産ハ国庫ニ帰属ス」という規定が置かれていた。

1947（昭和22）年の民法改正により家督相続は廃止され，相続人の範囲も血族相続人は第3順位までと狭められたため，法定相続人の存在しない場合が明治民法下よりも起こりやすくなった。また，相続人がいても相続放棄により相続人不存在となる相続財産が増加しており，本条の特別縁故者への分与が機能する場面が増えている。家庭裁判所への特別縁故者の相続財産分与の申立ては，1985年に全国で新受件数369件であったものが2011年に1000件を超え2021年には1000件であった（裁判所・司法統計年報）。特別縁故者への分与審判の特徴として却下・取下げ率の高さが挙げられる。すなわち，2021年では別表第一事件の全既済事件（94万3963件）の認容率が97.8%，却下率0.25%，取下げ率1.4%であるのに対して，特別縁故者への分与事件は全既済事件（1050件）に対して認容率84.7%（889件），却下率7.1%（75件），取下げ率7.7%（81件）であった。家庭裁判所の実務では，被相続人の死亡後事務処理や祭祀法要等を行った者が費用の清算を求めて特別縁故者として分与を申し立てた事案において，具体的・現実的縁故関係が認められない場合には，直ちに申立てを却下するのではなく，相続財産清算人に当該費用の清算を認める権限外行為の許可審判を行って，申立人に取下げを促すケースも多いといわれている（片岡ほか386頁。令和3年改正前〔以下「旧」とする〕952条の管理人に関するもの）。

特別縁故者制度は遺言制度や遺贈，死因贈与を補完し，死者が有したであろう意思を実現する点にその眼目がある。しかし，このように解することは，他方で，法定相続人と同視される者への血縁の拡張による新たな相続人類型の作出や明治民法における選定相続制度・祭祀相続（明民987条）の復活に繋がる懸念をもたらすとして，批判も根強い（新版注民(27)〔補訂版〕726–728頁〔久貴忠彦＝犬伏由子〕）。

II　特別縁故者の範囲

1　特別の縁故

特別縁故者への相続財産分与は，「特別の縁故の存在」と「分与の相当性」を要件とする。本条は被相続人と生計を同じくしていた者（内縁配偶者，事実上の養親子，継親子，子の配偶者，未認知の子等），療養看護に努めた者（生計を同じくしない親戚，看護師，被用者，隣人等）を特別の縁故の例として掲げる。さらに，これらに準ずる者としていかなる者が「その他被相続人と特別の縁故があった者」に該当するかは，被相続人との具体的・現実的な精神的・物質的に密接な交渉と被相続人の意思が基準となる（大阪高決昭46・5・18家月24巻5号47頁）。

なお，平成30年改正により新設された1050条の「特別の寄与」に関する条文によれば，被相続人に対して無償で療養看護その他の労務の提供をしたことにより被相続人の財産の維持または増加について特別の寄与をした被相続人の親族（特別寄与者）は，相続の開始後，相続人に対して，特別寄与者の寄与に応じた額の金銭（特別寄与料）の支払を請求することができる（同条1項。ただし特別寄与料の支払について家庭裁判所の処分を請求できるのは，特別寄与者が相続の開始および相続人を知った時から6か月，または相続開始の時から1年以内に限られる。同条2項）。特別縁故者制度が相続人不存在の場合に限って適用されるのに対し，この1050条は，相続人が存在する場合であっても，特に相続人以外の者が被相続人の療養看護等を行った場合に，その貢献を被相続人の死亡に際して考慮することをねらいとする。

ただし，本条の特別縁故者をめぐっても，被相続人と分与請求者との間の血縁・婚縁の存在を特別縁故関係認定の要素として過重にとらえることには懸念が示されているところである（久貴忠彦「特別縁故者に対する相続財産の分与」民商56巻2号〔1967〕208頁）。このことからすれば，1050条が「特別の寄与をした被相続人の親族」という要件を設けることで請求権者を限定し，紛争の複雑化を避けることとしたという立法目的はもっともとしても，親族であること自体が要件として強調されることは妥当でないと考えられる。958条の2に基づく請求者を特別縁故者と認定し，財産の分与を認めた近時の裁判例においても，被相続人との親等の遠近よりも日常生活における具体的な関係性や被相続人の意思の推認が判断基準として重視されていることが注目される（鳥取家審平20・10・20家月61巻6号112頁，大阪高決平20・10・24家月61巻6号99頁，東京家審平24・4・20判タ1417号397頁，東京高決平26・1・15判タ1418号145頁，東京高決平26・5・21判タ1416号108頁，大阪高決平28・3・2判時2310号85頁等）。

また，1050条は，寄与行為の態様につき無償の療養看護をその一例として明記する。本条の特別縁故者に関する裁判例でも，被相続人の療養看護への具体的貢献の種類や程度がしばしば争点となる。しかし，近時は，同居や訪問による介護や看護等の事実行為よりも，老人ホームへ入所した被相続人の身元引受人や成年後見人・任意後見人を引き受けかつ通常の職務を超える寄与を行ったことが，特別縁故者の認定において着目されるようになってきている（前掲鳥取家審平20・10・20，前掲大阪高決平20・10・24，前掲大阪高決平28・3・2）。現実にも，老人ホームに限らず「サービス付き高齢者向け住宅」の増加など療養看護の場が多様化する中で，療養看護要件を「特別の縁故」や「特別の寄与」の一典型として法律条文中に規定することの意義を今一度問うてみる必要があると考えられる。

2　特別縁故者となりうる者

⑴　法　　人

法人も特別縁故者となりうることにつき，学説と裁判例は概ね肯定的である。近時の裁判例には，具体的事案に応じて肯定例（高松高決平26・9・5金法2012号88頁〔全身麻痺となった被相続人が約6年間にわたり手厚い介護・介助を受け，ほぼ満足できる生活状況を維持することができた介護付き入所施設を運営する一般社団法人を療養看護に努めた者として特別縁故者と認めた〕）と否定例（札幌家滝川支審平27・9・11判タ1425号341頁〔被相続人に対して介護予防支援事業契約に基づき予防訪問介護サービスを提供したことを理由として地方公共団体が申し立てた分与請求を却下〕）が見られる。

⑵　相続放棄者等

相続放棄をした者も，本条の特別縁故者となることを妨げない。特別縁故者への財産分与は相続権を根拠とするものでないことによる（広島高岡山支決平18・7・20家月59巻2号132頁。ただしこれは限定承認で対応できたと考えられる事案）。また，相続人の不存在確定後に申し出た相続人は相続権を失権するが（958条），特別縁故者にはなりうる。

⑶　死 後 縁 故

被相続人の死亡後に葬儀や法要等を行い祭祀を主宰し，あるいは遺産の管理を行っている者を特別縁故者とみることができるかについて，学説は家制度の選定相続や祭祀相続の復活に繋がりうるとして否定的なものが多く（中川＝泉475等），少なくとも死後のみの縁故関係を肯定することはできないとしている（我妻・判コメ234頁）。一方，裁判例は分かれるが，近時のものでも，被相続人との生前の密接な交流や財産分与に同意するであろう被相続人の意思の推認とあわせて，被相続人の葬儀や納骨・永代供養等の法要を実施したことを特別縁故関係肯定の考慮事由として挙げるものが少なくない（前掲鳥取家審平20・10・20，前掲大阪高決平20・10・24，前掲東京家審平24・4・20。否定例として東京高決昭53・8・22判時909号54頁）。

なお，被相続人の死亡後に出生した者が特別縁故者として本条の分与を請求できるかについても，本条が被相続人の生存中に請求者との間に特別の縁故があったことを前提とすることを理由として，学説は否定的である（中川＝泉475頁，久貴・前掲論文202頁）。しかし，裁判例にはこのような者も特別縁故者となりうることを認め，特別縁故者制度には同時存在の原則は該当しないとするものが見られる（岡山家備前出審昭55・1・29家月32巻8号103頁等）。

III　分与の相当性

分与の相当性の判断では，被相続人との縁故関係の厚薄，度合，特別縁故者の年齢，職業等に加えて，相続財産の種類，数額，状況，所在等記録に現れた一切の事情を考慮して，分与すべき財産の種類，数額等を決定すべきであり，特別縁故者が複数存在する場合には具体的，実質的な縁故の濃淡を中心にしてその程度に応じた分与がなされるべきものとされている（広島高決平15・3・28家月55巻9号60頁）。相続財産の全部か一部の分与か，被相続人の死亡後長年月経過後の分与請求が認められるかについても，個々の事件ごとに判断される。

特別縁故者に関するその他の裁判例および個々の分与対象財産例につき，新版注民(27)〔補訂版〕728-764頁〔久貴＝犬伏〕参照。

IV　分与の手続

1　申立権者と申立期間

特別縁故者として被相続人の残余財産から分与を得ようとする者は，952

条2項の公告期間満了後3か月以内に家庭裁判所に申立てをしなければならない（本条2項，家事204条・別表第一101項，家事規110条1項）。期間経過後の申立ては，たとえ他の者が期間内に分与の申立てをしておりその審判がなされる前であっても，不適法なものであり許されない（大阪高決平5・2・9家月46巻7号47頁，福岡高決平16・12・28家月57巻11号49頁）。952条2項の公告期間内に申出をした相続人がいるがその相続権の存否が訴訟で争われ，相続人の不存在が確定しない間に同条の期間が満了した場合，本条の特別縁故者の財産分与申立期間は，当該相続権申出人が相続人でない旨の判決が確定するまで進行を開始しない（大阪高決平9・5・6判時1616号73頁。注解家審法304頁〔宗方武〕等。反対：加藤一郎「民法の一部改正の解説(3)・完」ジュリ251号〔1962〕54頁）。また，957条の公告期間中に請求の申出をした債権者や受遺者等に対する清算が，清算人の懈怠や債権の存否・額に関する争いのため未了のまま952条2項の公告期間が満了したときは，清算人は清算を続行し，特別縁故者への分与を残余財産の見込みに基づいて行うことができる。

特別縁故者として相続財産の分与を受ける権利は家庭裁判所の審判によって形成される権利にすぎず，自らを特別縁故者であると主張する者は審判前に相続財産に対し私法上の権利を有するものではない（最判平6・10・13家月47巻9号52頁）。また，被相続人と特別の縁故があったと考えられる者が本条による分与の申立てをせずに死亡した場合，その者の相続人がその地位を承継し特別縁故者として財産分与の申立てをすることはできない（東京高決平16・3・1家月56巻12号110頁等）。一方，特別の縁故を主張する者が申立てをした後に死亡した場合は，一種の期待権として分与申立人たる地位が相続の対象となるとする説（大阪高決平4・6・5家月45巻3号49頁。久貴忠彦「特別縁故者に対する相続財産の分与」民商56巻2号〔1967〕201頁。なお，近時の裁判例には，特別縁故者の申立人としての地位をその相続人らが承継して財産の分与を求めうるとした上で，相続人に相続財産を分与することの相当性を，被相続人と死亡した特別縁故者の相続人との関係，死亡した特別縁故者と相続人との関係，死亡した者が特別縁故者と認められる事情への相続人の関わりの有無・程度等を勘案して判断することが相当であり，各相続人に分与する財産の割合も必ずしも法定相続分に従う必要はないとしたものがある〔山口家周南支審令3・3・29判タ1500号251頁〕）と，申立人が生存していれば縁故者となりえなかった者が申立人の死亡を契機に遺産の分与を受けることは不都合であるとして分与請求を否定する説（福島家郡山支審昭43・2・26家月20巻8号84頁。中川＝泉465頁）に分かれる。

分与の対象となるのは「清算後残存すべき相続財産」である。1962（昭和37）年の改正前の民法は，959条1項で「前条の期間内に相続人である権利を主張する者がないときは，相続財産は，国庫に帰属する。」と規定し，相続人が存在せず，相続債権者・受遺者への清算手続が終了した後の残存財産は国庫に帰属すると定めていた。そのため，相続財産が共有持分の場合にこの扱いを貫くと，国と他の共有者との間に共有関係が生じて財産管理上不便であり，実益もないことから，相続財産の国庫帰属に対する例外として255条が設けられ，当該共有持分を他の共有者に帰属させることとしていた。しかし，1962（昭和37）年の改正で特別縁故者への財産分与に関する旧958条の3が新設されたため，従来959条1項の特別規定であった255条と旧958条の3のいずれが優先するのかが問題となっていた。その後，この点は，判例（最判平元・11・24民集43巻10号1220頁）によって，共有者の1人が死亡し，相続人の不存在が確定して相続債権者や受遺者に対する清算手続が終了したときは，その持分は，旧958条の3に基づく特別縁故者に対する財産分与の対象となり，この財産分与がされないときに255条により他の共有者に帰属することが明らかにされた。そこでは，特別縁故者制度の基礎にある被相続人の合理的意思の推測，共有物ではない他の相続財産との均衡，特別受益者の利益の保護等が理由とされている。

なお，建物区分所有における敷地利用権には255条の適用がない（建物区分24条）。したがって，区分所有者が死亡して相続人がなく管理・清算手続が終了した場合，相続財産である専有部分の敷地利用権は，特別縁故者に分与されなかったときは国庫に帰属する（山田誠一〔判批〕民百選Ⅲ2版113頁）。

2　分与の審判

本条の分与申立てがあった場合，家庭裁判所は遅滞なくそれを相続財産清算人に通知しなければならない（家事規110条2項）。複数の者から申立てがあったときは，審判手続および審判を併合する（家事204条2項）。特別縁故者へ分与をなす旨の審判に対し申立人または相続財産清算人は即時抗告をすることができ，分与の申立てを却下する審判については，申立人のみが即時抗告できる（家事206条1項1号2号）。

分与審判後に，裁判所に知れなかったため審判の対象とならなかった相続財産が発見されたときの扱いについては説が分かれるが（沼辺愛一「相続財産分与審判後に判明した遺漏相続財産の取扱いと相続財産分与請求権の相続性について」ジュリ477号〔1971〕143頁に詳細な検討がある），民事訴訟法258条1項（旧民訴195条1項）の準用により追加審判ができるとする説（福島家審昭44・12・22家月22巻5号81頁，福岡家審昭46・5・24家月24巻5号59頁。注解家審法309頁〔宗方〕）が有力である。

〔常岡史子〕

（残余財産の国庫への帰属）

第959条　前条の規定により処分されなかった相続財産は，国庫に帰属する。この場合においては，第956条第2項の規定を準用する。

〔対照〕　フ民724 Ⅲ・810-12④，ド民1936・1966，ス民466D

〔改正〕　(1059)　本条＝昭37法40全部改正

Ⅰ　本条の意義

1962（昭和37）年の改正前は，本条は第1項「前条〔958条〕の期間内に相続人である権利を主張する者がないときは，相続財産は，国庫に帰属する。この場合には，第956条第2項の規定を準用する。」，第2項「相続債権者及び受遺者は，国庫に対してその権利を行うことができない。」という条文であったが，同改正によって令和3年改正前（以下，「旧」とする）958条の3が新設されたことに伴い，本条は第1項を特別縁故者への財産分与規定を受けた形に直し，第2項は修正を加えて独立の条文（旧958条の2）となった。これにより，相続債権者・受遺者は相続財産の国庫帰属前に失権することとなったが，内容の実質的な変更がなされたものではない（我妻・判コメ238頁）。

相続財産が法人となり公告（952条2項・957条）がされ，特別縁故者への財産分与が行われた後に残余財産が国庫へ帰属すると，相続財産法人は消滅する。国庫による相続財産の取得は，被相続人からの承継ではなく本条の特別規定に基づく取得であると解されている（新版注民(27)〔補訂版〕770頁〔久貴忠彦＝犬伏由子〕)。

II 国庫への帰属の時期

明治民法の起草者は，公告期間満了により相続財産は直ちに国庫に帰属するととらえていたと考えられる（梅 256 頁)。現行法では，1962（昭和 37）年の民法改正を受けて，特別縁故者からの財産分与申立てがあればその審判が確定した時，申立てがなければ相続人捜索の公告期間（旧 958 条・現 952 条 2 項）満了後 3 か月の申立期間満了時に国庫に帰属するとする説が有力であったが（加藤一郎「民法の一部改正の解説(3)・完」ジュリ 251 号〔1962〕57 頁。我妻・判コメ 238 頁，中川＝泉 477 頁)，その後，家庭裁判所の実務では相続財産管理人（旧 952 条。現 952 条では相続財産清算人）による残余財産の国庫への引継時に国庫に帰属するとする見解（昭和 36 年度第 2 回身分法研究会における多数説〔「身分法研究会議事録〔昭和 36 年度第 2 回〕」家月 13 巻 8 号〔1961〕144 頁〕）が支持されるようになり，判例も国庫引継時説を採るに至っている（最判昭 50・10・24 民集 29 巻 9 号 1483 頁〔特別縁故者に分与されなかった相続財産は相続財産管理人（旧 952 条）がこれを国庫に引き継いだ時に国庫に帰属し，相続財産全部の引継が完了するまでは相続財産法人は消滅せず，相続財産管理人（旧 952 条）の代理権も引継未了の相続財産につき存続する〕。同旨：星野英一〔判批〕法協 94 巻 3 号〔1977〕410 頁，高木多喜男〔判批〕家族百選 3 版 172 頁等)。

III 財産の引渡し

相続財産の国庫帰属が確定すれば，相続財産清算人はこれを国庫に引き渡す。その方法は財産の種類に応じ，不動産や船舶，航空機，地上権，地役権，株式等（国財 2 条）は財務省所管の普通財産であることから所轄財務局長が，それ以外の現金や金銭債権，動産は相続財産清算人から管理報告書の提出を受けて家庭裁判所が（債権管理 12 条・13 条，同施行令 11 条・13 条，会計 6 条，歳入徴収官事務規程 9 条 1 項 2 項）引き継ぐ（平成 22 年 6 月 25 日財理第 2532 号・令和 2 年 12 月 14 日財理第 3992 号)。不動産等は財務局長が引き継ぐが，管理費用等の問題から実務では相続財産清算人が権限外行為許可審判を得て換金のうえ，家庭裁判所に納入されるのが通例であるとされている（片岡ほか377頁，418-424頁。旧952条の管理人に関するもの）。

特許権（特許76条），著作権（著作62条），商標権（商標35条），実用新案権（新案26条）その他これらに準ずる権利（国財2条1項5号）については，特則が置かれている（商標35条，新案26条，意匠36条は特許76条を準用）。著作権法62条1項1号は，著作権者が死亡した場合にその著作権が本条の規定によって国庫に帰属すべきこととなるときは，著作権は消滅すると規定する。すなわち，著作権は958条の2による特別縁故者への分与の対象となり，その後本条の例外として国庫帰属ではなく権利消滅する。それに対して，特許法76条は，特許権は民法952条2項の期間内に相続人である権利を主張する者がないときは消滅すると規定し，特別縁故者が特許権を取得することは認めていない（反対：中山信弘編著・注解特許法(上)〔3版，2000〕810頁〔中山〕）。その理由は，相続人がいないときは「特許権を消滅せしめて一般公衆に公開し，その特許発明の実施を容易ならしめることが政策上適切と考えられる」（特許庁編・工業所有権法（産業財産権法）逐条解説〔22版，2022〕292頁）ことによる。

国庫への財産の引渡しが完了すると，相続財産清算人は管理終了報告書を作成し，家庭裁判所に提出する。さらに，清算人選任その他の財産の管理に関する処分の取消手続により，取消しの審判がなされて相続財産清算人の職務は終了する（家事208条・125条7項）。

Ⅳ　相続土地国庫帰属法

(1)　土地所有権国庫帰属制度の新設

2021（令和3）年の民法・不動産登記法等の改正に際しては，所有者不明土地の発生の予防を目的に，新たに「相続等により取得した土地所有権の国庫への帰属に関する法律」（相続土地国庫帰属法）（令和3年法律25号）が制定された。これは，法定相続ないし遺贈によって土地の所有権または共有持分を取得した相続人は，法務大臣の承認を得て当該土地の所有権または共有持分を国庫に帰属させることができるとする制度である（相続国庫帰属1条・2条1項）。この制度の創設にあたっては，土地所有権の放棄を認めると，所有者が土地の管理コストを国へ転嫁し，財産の管理を疎かにするといったモラルハザードの発生や，民法において不動産所有権の放棄を可能とすべきかといった理論面の問題が懸念されていた（民不登中間試案補足説明153頁，同部会資料36・5頁）。最終的に，所有権の放棄に関する新たな規定を民法に設けるのではなく，土地の所有権の国への移転を一定の要件のもとで行政処分として認める特別法を制定することとなり，相続土地国庫帰属法によって土地所有権を国に直接移転させる方法が取られた（民不登部会資料48・4頁）。

⑵　承認申請権者

相続土地国庫帰属法により土地の所有権または共有持分の国庫帰属の承認申請ができるのは，相続または相続人に対する遺贈（以下「相続等」という）によって土地の所有権または共有持分を取得した者に限られる（相続国庫帰属2条1項）。ただし，土地が数人の共有に属するときは，法務大臣への承認の申請は，共有者全員が共同して行わなければならないとされている（相続国庫帰属2条2項前段）。そのため，共有土地については，共有持分の全部を相続等以外の原因によって取得した者であっても，相続等により共有持分の全部または一部を取得した共有者と共同して，承認申請をすることができる（相続国庫帰属2条2項後段）。

相続土地国庫帰属法において承認申請ができる者をこのように原則として相続人に限った理由として，相続や遺贈によって相続人が取得した土地については，利用の見込みや受益がないにも拘わらずやむを得ず所有し続けているケースが類型的にあると考えることができ，そのような場合には，所有者不明土地の発生を防止する観点から国が当該土地を引き受けて，「国民全体の負担で管理することとする必要性が高い」という点が指摘されている（遺贈の場合は放棄が可能であるが，受遺者が相続人であるときは相続の放棄をしない限り遺贈を放棄しても当該土地を承継することになり，同様の状況となる。村松＝大谷編・Q&A 350頁，351頁）。

⑶　国庫帰属が認められる土地

相続土地国庫帰属法は，国への所有権移転が認められない土地の類型（相続国庫帰属2条3項各号）および不承認事由に当たる要件（相続国庫帰属5条1項各号）を規定している。前者は，①建物の存する土地，②担保権または使用および収益を目的とする権利が設定されている土地，③通路その他の他人による使用が予定される土地として政令で定めるもの（相続土地国庫帰属法施行令

〔令和4年政令316号。以下，施行令〕2条）が含まれる土地，④土壌汚染対策法2条1項に規定する特定有害物質（法務省令で定める基準（相続土地国庫帰属法施行規則〔令和5年法務省令1号〕14条）を超えるもの）により汚染されている土地，⑤境界が明らかでない土地その他の所有権の存否，帰属または範囲について争いがある土地であり，①から⑤のいずれかに該当する土地については，承認申請ができない。これらの類型の土地はその管理や処分が国の過重な負担となることが予想され，そのような土地を法律の条文に明記することによって，承認に関し国民の予測可能性を担保することが意図されている（民不登部会資料48・8頁以下）。これらの類型の土地は承認申請をすることができず（相続国庫帰属2条3項），却下事由となる（相続国庫帰属4条1項2号）。

一方，後者の不承認事由となるは，①崖（勾配，高さその他の事項について政令で定める基準（施行令4条1項）に該当するもの）がある土地のうち，その通常の管理に当たり過分の費用または労力を要するもの，②土地の通常の管理または処分を阻害する工作物，車両または樹木その他の有体物が地上に存する土地，③除去しなければ土地の通常の管理または処分をすることができない有体物が地下に存する土地，④隣接する土地の所有者その他の者との争訟によらなければ通常の管理または処分をすることができない土地として政令で定めるもの（施行令4条2項），⑤ ①～④に掲げる土地のほか，通常の管理または処分をするに当たり過分の費用または労力を要する土地として政令で定めるもの（施行令4条3項）のいずれかに該当する場合である。これは，「土地の種別や現況，隣地の状況等を踏まえ，実質的に見て通常の管理又は処分をするに当たり過分の費用又は労力を要する土地に当たると判断すべき土地の類型を定め，これに該当する土地については，国庫帰属を承認しない旨の処分をする」趣旨のものとされている（村松＝大谷編・Q&A 359頁）。したがって，法務大臣は，承認申請に係る土地がこれらのいずれにも該当しないと認めるときは，その土地の所有権の国庫への帰属についての承認をしなければならない（相続国庫帰属5条1項柱書）。なお，申請承認者が偽りその他の不正な手段によって相続土地国庫帰属法5条1項の承認を受けたことが判明したときは，法務大臣は同項の承認を取り消すことができる（相続国庫帰属13条1項）。また，相続土地国庫帰属法5条1項の承認に係る土地について，承認の時に同法2条3項各号または5条1項各号のいずれかに該当する事由があったことによって国に損害が生じた場合，当該承認を受けた者がその事由を知りながら告げずに承認を受けたときは，その者は国に対してその損害を賠償する責任を負う（相続国庫帰属 14 条）。

国庫帰属の承認申請の審査のため必要があると認めるときは，法務大臣は法務局職員に事実の調査をさせることができる（相続国庫帰属 6 条 1 項）。そして，実際の調査においては，相続土地国庫帰属法 2 条 3 項の却下事由に該当する要件か，同法 5 条 1 項の不承認事由に該当する要件かで調査方法に大きな違いは生じないとされている（村松 = 大谷編・Q&A 364 頁）。

⑷　負担金の納付

法務大臣の承認があったときは，承認申請者は，当該土地の管理に要する 10 年分の標準的な費用の額を考慮して政令で定めるところにより算定した額の金銭（負担金）（施行令 5 条）を納付しなければならない（相続国庫帰属 10 条 1 項）。承認申請者が負担金を納付したときは，納付時に当該土地の所有権は国庫に帰属する（相続国庫帰属 11 条 1 項）。

〔常岡史子〕

相続財産管理人等の訴訟上の地位

I　総　　説

(1)　相続の局面において登場する財産管理人，すなわち，(a)相続財産管理人（いわゆる請求による相続財産管理人〔令和3年改正後897条の2〕，財産分離の請求があった場合の相続財産管理人〔943条〕），(b)相続財産清算人（限定承認の際に相続人が数人ある場合の，職権による相続財産清算人〔令和3年改正後936条〕，相続人不存在の場合の，請求による相続財産清算人〔令和3年改正後952条〕），および(c)遺言執行者（1012条）（以下，それらを総称して「相続財産管理人等」という）について，その訴訟上の地位が相続人の法定代理人か，それとも法定訴訟担当者のいずれに該当するのかが，従来，民事訴訟法上，論議の対象とされてきた（福永有利・民事訴訟当事者論〔2004〕75頁以下，梅本吉彦「代理と訴訟担当との交錯」新堂幸司編集代表・講座民事訴訟③〔1984〕145頁以下，山本克己「信認関係として見た法定訴訟担当」論叢154巻4・5・6号〔2004〕236頁以下，高橋宏志・重点講義民事訴訟法(上)〔2版補訂版，2013〕267-292頁など参照。さらに，誰を代理するのかという問題もあることにつき，梅本・前掲論文146頁，岡成玄太・いわゆる財産管理人の訴訟上の地位――代理・訴訟担当・民訴法29条の基礎理論〔2021〕6頁以下参照）。

この点は，民法の規定上も明らかでないだけでなく，後述のように（→VI参照），平成30年改正前民法1012条1項（遺言執行者の権利義務に関する規定）と同1015条（遺言執行者の地位に関する規定）のような，かえって疑義を生じさせる規定が存在したことも相俟って，相続財産管理人等が，法定代理人または法定訴訟担当者のいずれに該当するのかについては，長く解釈に委ねられてきた。本項目では，相続財産管理人等の訴訟上の地位について判示した最高裁判例を中心に，問題の整理を試みる。

(2)　法定代理人説と法定訴訟担当者説による帰結の相違は，以下のとおりである。すなわち，相続財産管理人等が相続人の法定代理人に当たるとすれば，訴訟上の当事者本人の地位は相続人に認められるため，相続財産管理人等は，本人（相続人）の名において，代理人として訴訟行為を行う。したがって，当事者ではない相続財産管理人等には確定判決の効力は及ばない。

これに対して，法定訴訟担当者説によると，第三者である訴訟担当者自身が，自己の名において，つまり当事者の地位において訴訟行為を行うことになる。そのため，確定判決の効力は，当事者たる相続財産管理人等に生じる（民訴115条1項1号）が，それとともに，第三者の訴訟担当という構成であれば，民訴法115条1項2号を介して，相続財産管理人等の受けた判決の効力は相続人に直接及ぶ（判決効の主観的範囲の拡張）。このように，いずれの見解によっても相続財産管理人等による訴訟の結果としての判決効は，相続人に対して及ぶという実態に変わりはない。

(3) もっとも，当事者が誰であるかによって，土地管轄，除斥・忌避，当事者能力，証人能力，訴訟費用の負担，訴訟救助の申立て等々で差異が生じ得る。ただし，後にも触れる，令和3年改正前民法936条1項所定の「相続財産の管理人」（同条項は，限定承認をする際に共同相続人が数人ある場合には，家庭裁判所は，共同相続人の中から相続財産管理人を選任しなければならないと規定していた。改正後936条1項では，「相続財産の清算人」に呼称が変更された。→§936 II参照）が，法定代理人か訴訟担当者かが争われた最高裁昭和47年11月9日判決（民集26巻9号1566頁）の事案に即していえば，本件訴訟の訴訟費用を，相続財産管理人個人が負担するのは疑問であり，相続財産（共同相続人）が負担するのが妥当なように思えるし，同様に，訴訟救助の申立てにあたっても，その資力（民訴82条）は相続財産管理人個人の資力ではなく，相続財産を基準に判断するのが筋というべきであろう。また，証人尋問か当事者尋問かという問題についても，法定代理人説では，財産帰属主体（共同相続人）は本人として当事者尋問となり，他方，相続財産管理人は法定代理人として当事者尋問となる（民訴211条）。この点につき，法定訴訟担当者説だと，相続財産の主体である共同相続人は証人となりそうであるが，実質を鑑みれば当事者尋問と解することもできなくはない（高橋・前掲書268頁参照）。このように，法定代理人であるか法定訴訟担当者であるかの違いが，「実質的には法的構成の相違にすぎ〔ず〕」（山木戸克己〔判批〕判タ294号〔1973〕93頁〔同・民事訴訟法判例研究〔1996〕53頁〕），両説間に実質的な差異が認められないのにもかかわらず，前掲最高裁昭和47年11月9日判決の原判決（仙台高秋田支判昭47・3・29民集26巻9号1571頁参照）のように，相続財産管理人が当事者（法定訴訟担当者）として訴訟追行をしていた事案につき，相続財産管理人には当事者適格が認められないとして訴えを不適法却下するといった取扱いには疑問がある（以上につき，福永有利〔判批〕民商69巻1号〔1973〕107頁以下，高橋・前掲書268頁など参照）。

II　請求による相続財産管理人（897条の2）

民法897条の2は，令和3年民法改正で追加された条文である（→§897の2 I参照）。同条は，令和3年改正前民法918条2項の趣旨を引き継いだ規定である。民法897条の2第1項は，家庭裁判所は，利害関係人または検察官の請求によって，いつでも，相続財産の管理人の選任を命ずることができる旨を定める。この請求による相続財産管理人の訴訟上の地位について判示した，令和3年改正前民法下における判例は見当たらない。

ただ，同条2項は，請求による相続財産管理人が選任された場合には，不在者財産管理人に関する民法の規定（27条から29条まで）が準用される旨を定めているところ，不在者財産管理人は，不在者の法定代理人に当たるとする判例がある（大判昭15・7・16民集19巻1185頁，最判昭47・9・1民集26巻7号1289頁）。これに対し，不在者財産管理人の権限は，財産の管理に必要な一切の権限を含むと解されており，不在者財産管理人は，裁判外の行為のみならず，裁判上の行為についてもすることができること（このことにつき，我妻・有泉コンメンタール民法 総則・物権・債権〔8版，2022〕91頁参照）を理由に，民事訴訟法54条1項（旧民訴79条1項）にいう「法令により裁判上の行為をすることができる代理人」（法令上の訴訟代理人）の一種であるとする判例もみられる（大判昭9・4・6民集13巻511頁）。

なお，民法897条の2の相続財産管理人の訴訟上の地位に関連する，令和3年改正前民法下における判例として，最高裁昭和47年7月6日判決（民集26巻6号1133頁）がある。同判決は，遺産分割の審判の申立てがあった場合に家庭裁判所が選任した相続財産管理人（旧家審規106条1項。家事200条1項）が，相続財産に関して，相続人を被告として提起した訴えについて，相続人の法定代理人の資格において，保存行為として，家庭裁判所の許可なくして応訴することができる旨を判示している。また，前述のように，前掲最高裁昭和47年11月9日判決は，令和3年改正前民法936条所定の相続財産管理人（令和3年改正後の相続財産清算人）に関する訴訟上の地位について，相続人全員の法定代理人にすぎない旨を判示している。

Ⅲ　限定承認の際に相続人が数人ある場合の職権による相続財産清算人（936条）

相続人が数人あるときは，限定承認は，共同相続人の全員が共同してのみこれをすることができるとされていることから（923条），民法936条1項は，限定承認の際に相続人が数人ある場合には，家庭裁判所は，相続人の中から，相続財産の清算人を選任しなければならない旨を定めている。この相続財産清算人（令和3年改正前は，相続財産管理人という名称であった）の訴訟上の地位について，学説は多岐に分かれており，また，下級審裁判例の立場も分かれていたが（学説・下級審裁判例の詳細については，福永・前掲判批109頁以下参照），Iで紹介した最高裁昭和47年11月9日判決は，相続財産管理人（現在の相続財産清算人。以下同様）が選任された場合であっても，相続財産に関する訴訟について当事者適格を有するのは相続人であり，相続人全員の法定代理人にすぎない相続財産管理人は当事者適格を有しない旨を判示した（これを支持する学説として，中野貞一郎＝松浦馨＝鈴木正裕編・新民事訴訟法講義〔3版，2018〕177頁〔福永有利〕，新堂幸司・新民事訴訟法〔6版，2019〕171頁，伊藤眞・民事訴訟法〔7版，2020〕143頁，小林秀之・民事訴訟法〔2版，2022〕119頁など）。その上で，同判決は，「亡A相続財産管理人X」を原告とする訴えを不適法却下とした原判決（前掲仙台高秋田支判昭47・3・29）を維持した。しかし，この点に関しては，前述のように（一I参照），法定代理人か法定訴訟担当者であるかの違いが実質的には法的構成の相違にすぎず，法定代理人説と法定訴訟担当者説との間に実質的な差異が認められないとすれば，前掲最高裁昭和47年11月9日判決の原判決のような処理（訴えを不適法却下するという処理）が妥当であったといえるかどうかは疑問である。

また，最高裁昭和49年4月26日判決（民集28巻3号503頁）は，前訴（建物返還に代わる価額償還請求訴訟）の第1審係属中に被告が死亡したが，その共同相続人 Y_1 らが限定承認をし，相続財産管理人に選任された共同相続人の1人 Y_1 が訴訟を受継したところ，第1審裁判所が，相続財産の限度で支払いを命じるいわゆる留保付判決をし，同判決確定後に，前訴原告Xが，前訴係属中に Y_1 らに単純承認事由（921条3号）があったとして，改めて相続財産管理人 Y_1 に対して，前訴で認容された金額について相続財産の限度にかかわらず支払うよう求めた事案に関する裁判例である（なお，同判決は，前訴の確定判決が認めた限定承認の存在および効力を争うことは，前訴確定判決の既判力に準ずる効力によって許されないと判示した点でも重要な裁判例である）。同判決は，前訴では相続財産管理人たる Y_1 のみが当事者（被告）として訴訟追行をしたと捉えている。したがって，民法936条所定の相続財産清算人（令和3年改正前の相続財産管理人）の訴訟上の地位に関する判例の立場は，依然としてはっきりしていないとも評価することができる（菱田雄郷〔判批〕高橋宏志＝高田裕成＝畑瑞穂編・民事訴訟法判例百選〔5版，2015〕181頁，岡成・前掲書8頁参照）。

IV　財産分離の請求があった場合の相続財産管理人（943条）

相続開始後に財産分離の請求があったときは，家庭裁判所は，相続財産の管理について必要な処分として相続財産管理人を選任することができる（943条1項）。この場合，当該相続財産管理人について，不在者財産管理人に関する規定（27条から29条まで）が準用される（同条2項）。

財産分離の請求があった場合の相続財産管理人の訴訟上の地位に関する判例は，見当たらない。前述のように，民法943条2項が，この場合の相続財産管理人に，不在者財産管理人に関する民法の規定（27条から29条まで）を準用しているので，当該相続財産管理人の地位が不在者財産管理人の地位と同じであるとすれば，IIにおいて不在者財産管理人の訴訟上の地位について述べたことが，そのまま当てはまる。

V　相続人不存在の場合の請求による相続財産清算人（952条）

相続があったが，相続人の存在が不分明の場合，相続財産の管理をなす相続人（918条）がいないため，そのまま放置すれば相続財産の滅失や毀損のおそれがある。そこで，民法952条1項は，相続人のあることが明らかでない場合（相続人不存在の場合）には，家庭裁判所は，利害関係人または検察官の請求によって，相続財産の清算人を選任しなければならない旨を定めている（→§952参照）。そして，民法953条は，当該相続財産清算人について，不在者財産管理人に関する民法の規定（27条から29条まで）を準用すると定めている（→§953参照）。

相続人不存在の場合の相続財産清算人（令和3年改正前の相続財産管理人）の訴訟上の地位が争われた判例は，見当たらない。民法953条が，この場合の相続財産清算人に，不在者財産管理人に関する民法の規定（27条から29条まで）を準用しているので，Ⅳの財産分離の請求があった場合の相続財産管理人の場合と同様に，Ⅱにおいて不在者財産管理人の訴訟上の地位について述べたことが，そのままこの場合の相続財産清算人に当てはまることになろう（なお，相続人不存在の場合の請求による相続財産清算人と破産管財人の地位を比較するものとして，野村剛司「破産管財人と相続財産管理人の異同――生前の債務整理と死後の債務整理」戸時821号〔2022〕41頁参照）。

Ⅵ　遺言執行者（1012条）

(1)　遺言執行者とは，遺言者に代わって遺言の内容を実現するために必要な事務処理を公正に執行するものをいい，相続財産の管理その他遺言の執行に必要な一切の行為をする権利義務を有する（1012条1項）。そのため，遺言執行者がある場合には，相続人は相続財産の処分その他遺言の執行を妨げる行為をすることはできない（1013条1項）。また，遺言執行者がその権限内において遺言執行者であることを示してした行為は，相続人に対して直接にその効力を生ずるものとされている（1015条）。

このような遺言執行者の訴訟上の地位について，かつては平成30年改正前民法1015条が「遺言執行者は，相続人の代理人とみなす。」と規定していたことも相俟って，その文言どおりに相続人の法定代理人となるのか，それとも法定訴訟担当者となるのかについて疑義があった。また，遺言執行者が存在する場合に，遺言執行者と相続人のいずれに当事者適格がみとめられるのかが争われた裁判例もある。この点については，平成30年民法改正前より，遺言執行者を法定訴訟担当者であるとするのが通説（斎藤秀夫・民事訴訟法概論〔新版，1982〕185頁，小山昇・民事訴訟法〔5訂版，1989〕97頁，梅本・前掲論文154頁，同・民事訴訟法〔4版，2009〕407頁，上田徹一郎・民事訴訟法〔7版，2011〕232頁，河野正憲・民事訴訟法〔2009〕184頁，松本博之＝上野桊男・民事訴訟法〔8版，2015〕265頁〔松本〕，中野＝松浦＝鈴木編・前掲書177頁〔福永〕，新堂・前掲書296頁，高橋・前掲書272頁，伊藤・前掲書198頁，小林・前掲書119頁など）および判例の立場である（最判昭31・9・18民集10巻9号1160頁，最判昭43・5・31民集22巻5号1137頁など）。

(2)　ただし，遺言執行者に対して求める行為が遺言の執行という職務権限の範囲を超える場合には，遺言執行者の法定訴訟担当者としての当事者適格を否定するのが，近時の有力学説の立場である（議論状況および判例の概観については，高橋・前掲書271-292頁のほか，中野貞一郎・民事訴訟法の論点Ⅰ〔1994〕106頁，高橋宏志「遺言執行者の当事者適格」福永有利古稀・企業紛争と民事手続法理論〔2005〕73頁，山本弘「遺言執行者の当事者適格に関する一考察」谷口安平古稀・現代民事司法の諸相〔2005〕11頁〔同・民事訴訟法・倒産法の研究〔2019〕139頁〕，同「遺言執行者の当事者適格」法教372号〔2011〕123頁，八田卓也「遺言執行者の原告適格の一局面」井上治典追悼・民事紛争と手続理論の現在〔2008〕370頁，新堂・前掲書297-298頁，長谷部由起子・民事訴訟法〔3版，2020〕157-158頁，伊藤・前掲書198-199頁参照。特に平成30年改正民法を踏まえて，遺言執行者の訴訟上の地位を検討するものとして，笠井正俊「相続法改正と手続法上の問題点」ジュリ1541号〔2020〕67頁，特に71-72頁，岡成玄太「遺言執行者の訴訟上の地位・権限」法時93巻11号〔2021〕34頁参照）。

判例の立場も基本的に同様である。たとえば，最高裁昭和51年7月19日判決（民集30巻7号706頁）は，遺贈の目的不動産につき遺言の執行としてすでに受遺者宛に遺贈による所有権移転登記あるいは所有権移転仮登記がされているときに相続人が当該登記の抹消登記手続を求める場合には，被告適格は，遺言執行者ではなく，受遺者に認められる旨を判示する。また，特定財産承継遺言（1014条2項）との関係につき，最高裁平成10年2月27日判決（民集52巻1号299頁）は，遺言執行者があるときであっても，遺言によって特定の相続人に相続させるものとされた特定の不動産についての賃借権確認請求訴訟の被告適格を有する者は，特段の事情のない限り，遺言執行者ではなく相続人である旨を判示している。

以上の2判決とは異なり，最高裁平成11年12月16日判決（民集53巻9号1989頁）は，他の相続人Yが相続開始後に当該不動産につき自己名義の所有権移転登記を経由したため，〔特定の不動産を特定の相続人甲に相続させる趣旨の〕遺言（相続させる遺言）の実現が妨害される状態が出現した場合には，遺言執行者Xは，遺言執行の一環として，この妨害行為を排除するため，上記所有権移転登記の抹消登記手続を求めることができ，さらには相続人甲への真正な登記手続の回復を原因とする所有権移転登記手続を求めることもできるとして，これらの訴訟の原告適格を遺言執行者Xに認めている。これらはいずれも遺言の執行権限の範囲内に属する行為であるから，当然の結論であろう（以上の裁判例につき，高橋・前掲書273-277頁，同・前掲論文75-82頁参照）。

さらに，最高裁令和5年5月19日判決（民集77巻4号1007頁）は，相続財産である不動産に関し，遺言の内容に反する所有権移転登記がされたという事例において，①共同相続人の相続分を指定する旨の遺言部分との関係では，当該登記の抹消登記手続を求めることは遺言執行者の職務権限に属するものではないとして，遺言執行者につき，所有権移転登記の抹消登記手続を求める訴えの原告適格を有するものではない旨を判示している。これに対して，同判例は，②相続財産の全部または一部を包括遺贈する旨の遺言部分との関係においては，前掲最高裁昭和51年7月19日判決および最高裁昭和51年7月19日判決（裁判集民118号315頁）を参照した上で，遺言執行者は，上記の包括遺贈が効力を生じてからその執行がされるまでの間に包括受遺者以外の者に対する所有権移転登記がされた不動産について，当該登記のうち，上記不動産が相続財産であるとすれば包括受遺者が受けるべき持分に関する部分の抹消登記手続または一部抹消（更正）登記手続を求める訴えの原告適格を有する旨を判示している。

〔中島弘雅＝杉本和士〕

相続の要件事実

細　目　次

I　はじめに

本稿では，民事訴訟において，相続による権利義務の承継が問題となる場合における相続の要件事実について検討を行う。

II　相続の要件事実

1　相続の要件事実

896条本文は，「相続人は，相続開始の時から，被相続人の財産に属した一切の権利義務を承継する。」と定めており，相続により，被相続人のもとで形成された財産関係が一体として相続人によって承継される。したがって，被相続人Aに帰属した権利または義務が，相続によって相続人Bに承継されたことを主張するためには，Aに権利または義務が帰属していたことのほか，相続が開始したこと，BがAの相続人であることの主張を要する。

相続は，死亡によって開始する（882条）ことから，相続が開始したことを主張するには，Aの死亡を主張する必要がある。

Bがの相続人であるとの主張については，相続人全員の主張を要し，他に相続人がいないことまで主張すべきだとする見解（すなわち，Bのみが相続人であることの主張を要するので，「のみ説」と呼ばれる）と，Bが相続人であることだけ主張すれば足り，他に相続人がいることは抗弁になるとする見解（「非のみ説」と呼ばれる）がある。

両説の帰結を比べると，BがAを単独相続したことを主張する場合，「のみ説」では，

①　Aは，令和○年○月○日，死亡した

②　Bは，Aの子であり，他にAの相続人はいない

と主張することになるのに対して，「非のみ説」では，

①　Aは，令和○年○月○日，死亡した

②　Bは，Aの子である

との主張で足りることになる。

実務は，「非のみ説」をとっており（司法研修所編・10訂民事判決起案の手引〔補訂版，2020〕別冊事実摘示記載例集5頁），通説である（村田渉＝山野目章夫編著・要件事実論30講〔4版，2018〕485頁〔後藤巻則〕，伊藤滋夫＝山崎敏彦編著・ケースブック要件事実・事実認定〔2版，2005〕242頁〔佐伯俊介〕，加藤新太郎＝細野敦・要件事実の考え方と実務〔3版，2014〕218頁，大江・相続37頁，大島眞一・完全講義民事裁判実務の基礎入門編〔2版，2018〕315頁，吉川愼一「所有権に基づく不動産明渡請求訴訟の要件事実①」判タ1172号〔2005〕40頁等）。

死亡による権利の承継は，896条本文により，相続により発生するところ，子であることを主張立証すれば承継の効果を生じ，他に相続人がいることは権利の承継を部分的に障害するだけであると解されるから，「非のみ説」が相当である（加藤新太郎「法曹養成教育としての要件事実論——要件事実論の再生」ジュリ1288号〔2005〕54頁，大島・前掲書315頁）。もっとも，他の相続人の存在は相続関係資料により容易に確認できる場合が多いことから，実務的には，相続による権利承継を主張する者において，全ての法定相続人を主張立証することが多い（高須順一＝木納敏和＝大中有信編著・事案分析要件事実〔2015〕173頁〔徳増誠一〕）。

2　相続人であることの要件事実

そこで，上記「非のみ説」の立場から，相続人であることの要件事実とし

て，いかなる事実の主張を要するかを検討する。

(1) 子または配偶者が相続する場合

被相続人の子は相続人となる（887条1項）から，被相続人Aの子Bが相続したことを主張するには，BがAの子であることが要件事実であり，それで足りる。

配偶者は，常に相続人となるから（890条），被相続人Aの配偶者Bが相続したことを主張するには，BがAの配偶者であることが要件事実であり，それで足りる。

同順位の相続人が存在する場合は，共同相続となり（900条），承継の割合が一部分に制限されることになる。そのことが意味を持つ場合には，他に相続人が存在することが抗弁となる。

(2) 直系尊属，兄弟姉妹が相続する場合

直系尊属は，「第887条の規定により相続人となるべき者がない」場合に第一順位の相続人となるから（889条1項1号），被相続人Aの父であるBが相続したことを主張するには，①BがAの父であること，②Aには子およびその代襲者がいないことが要件事実となる。先順位の相続人がいないことは，相続人となるための要件であるから，「のみ説」か「非のみ説」かの問題とは場面が異なり，「非のみ説」の立場からも，先順位相続人の存在が抗弁とされるものではないと解される（村田＝山野目編著・前掲書486頁〔後藤〕。なお，定塚孝司・主張立証責任論の構造に関する一試論〔1994〕241頁は，第2，第3順位の法定相続人を被告として相続債務の履行請求をした場合であれば，被告において自己より先順位の法定相続人がいることを抗弁として主張すべきとしている）。

兄弟姉妹は，「第887条の規定により相続人となるべき者がない」場合に，直系尊属の次順位相続人となるから（889条1項2号），被相続人Aの兄であるBが相続したことを主張するには，①BがAの兄であること，②Aには子およびその代襲者がなく，直系尊属もいないことが要件事実となる。

同順位の相続人が存在し，そのことが意味を持つ場合には，他に相続人が存在することが抗弁となるのは，上記(1)の場合と同様である。

III　紛争類型に応じた攻撃防御の構造

以上を前提に，相続による権利義務の承継が問題となるいくつかの紛争類型について，事例を用いて主張立証責任の構造と要件事実の分析を試みる。

1　消費貸借契約に基づく貸金返還請求訴訟の事例

(1)　請求原因および抗弁

まず，XがAに100万円を貸し付けたが，その後，Aが死亡したため，XがAの子であるYに対し，貸金返還請求訴訟を提起する事例について考察する。

この場合，訴訟物は，消費貸借契約に基づく貸金返還請求権であり，Xは，請求原因として，①XがAに対し，100万円を貸し付けたこと，②弁済期が到来したことを主張するほか，相続による権利の承継を主張するため，

③-1　Aは，令和○年○月○日，死亡した

③-2　Yは，Aの子である

との事実を主張することになる。

Yに，兄Zがいる場合，ZもAの子であるから共同相続となり，その相続分は相等しいものとされる（900条4号）ため，承継の割合は2分の1となる。この事実は，請求原因事実により生じる法律効果の発生を一部障害するものであるから，抗弁として，Yにおいて，

①　Zは，Aの子である

との事実を主張することになる。

(2)　再抗弁以下――相続放棄の要件事実

(ア)　相続放棄の要件事実　　相続放棄とは，自己に対する関係で不確定的にしか帰属していなかった相続の効果を確定的に消滅させる相続人の意思表示である（潮見64頁）。

Zが，相続放棄をしていた場合，Zは，その相続に関しては，初めから相続人とならなかったものとみなされる（939条）。相続人が915条1項所定の期間内に家庭裁判所に放棄の申述をすると，相続人は相続開始時に遡って相続開始がなかったと同じ地位に置かれることになり，この効力は絶対的で，何人に対しても，登記等なくしてその効力を生ずる（最判昭42・1・20民集21巻1号16頁）。

したがって，相続放棄は，上記の同順位相続人の存在の抗弁に対し，その効果を障害する再抗弁となる。

相続放棄をするには，相続人は，自己のために相続の開始があったことを知った時から3か月以内に，相続について放棄の意思表示をしなければならない（915条1項）。この3か月の熟慮期間は，原則として，相続人が，相続開始原因たる事実およびこれにより自己が法律上相続人となった事実を知った時から起算すべきものであるが，相続人がこれらの事実を知った場合であっても，これらの事実を知った時から3か月以内に限定承認または相続放棄をしなかったのが，被相続人に相続財産が全く存在しないと信じたためであり，かつ，相続人においてそのように信じたことについて相当な理由があると認められるときには，熟慮期間は，相続人が相続財産の全部または一部の存在を認識した時または通常これを認識し得べき時から起算すべきものとされる（最判昭59・4・27民集38巻6号698頁）。

相続人が，被相続人の死亡を知ったことと，相続放棄の意思表示をしたことを時的因子により特定することにより，相続人が被相続人の死亡を知った時から3か月の期間内に相続放棄したことは自ずと明らかになる。相続放棄の申述が，相続人が被相続人の死亡を知った時から3か月を経過してされた場合，そのことについては，再々抗弁として，反対当事者が主張立証責任を負うと解すべきである（これに対し，長秀之「家事審判と要件事実論」伊藤滋夫＝長秀之編・民事要件事実講座2総論II〔2005〕112頁は，相続放棄の申述が自己のために相続の開始があったことを知った時から3か月以内にされたことも，相続放棄の効果を主張する者が主張立証しなければならないとする）。

相続放棄の意思表示は，家庭裁判所に申述する方式によりしなければならない（938条）。しかし，後述のとおり，家庭裁判所の相続放棄の申述受理審判は，一応の公証にすぎず，既判力を有するものではないから，家庭裁判所が相続放棄の申述を受理する審判をしたことは，要件事実として主張することを要しないと解される。

以上によれば，相続放棄の再抗弁の要件事実としては，その効果を主張するXにおいて，既に主張に現れている，Aが死亡したこと，Zが相続人であることのほか，

①　Zは，令和○年△月□日，Aが死亡したことを知った

② Ｚは，令和○年□月□日，Ａの相続につき，○○家庭裁判所に対し，相続放棄の申述をした

との事実を主張立証すべきことになる。

相続人が被相続人の死亡を知った時から3か月が経過したとの再々抗弁に対し，相続放棄の効果を主張する者は，再々々抗弁として，前記昭和59年最判の示した要件である，

① Ｚは，Ａに相続財産が全く存在しないと信じたこと

② Ｚにおいてそのように信じたことについての相当な理由

③ Ｚが相続財産の全部または一部の存在を認識したこと，または通常これを認識し得たこと

を主張して，相続放棄の申述が，相続人が相続財産の全部または一部の存在を認識した時または通常これを認識し得べき時から3か月以内に行われたことを主張立証することができる。

②の「相当な理由」は，規範的評価をもって記載された法律要件（規範的要件）であり，規範的評価自体ではなく，その評価を基礎付ける具体的事実である評価根拠事実が主要事実になると解される（村田渉＝山野目章夫編著・要件事実論30講〔4版，2018〕91頁〔村田〕）。かかる規範的評価を障害する具体的である評価障害事実は，反対当事者が主張立証責任を負う主要事実である。

(イ) 相続放棄の意思表示に取消事由または無効事由がある場合

(a) 取消事由がある場合　　相続の放棄を一度行うと，915条1項の期間内でも撤回することはできないが（919条1項），民法総則編および親族編の規定により取消しをすることは妨げられない（同条2項）。民法総則編の規定により取り消し得る場合には，未成年者が法定代理人の同意なしに単独でした場合（5条2項），成年被後見人がした場合（9条）などがあり，親族編の規定により取り消し得る場合には，後見人が後見監督人の同意を得ずにした場合（865条）などがある。相続放棄の取消しをする者は，その旨を家庭裁判所に申述しなくてはならない（919条4項）。

したがって，相続放棄の申述をした者が，その取消しを家庭裁判所に申述したことは，相続放棄の効果発生を障害する事実であり，再々抗弁となる。

(b) 無効事由がある場合　　家庭裁判所の相続放棄の申述受理は，一応の公証を意味するにとどまり，相続放棄が有効か無効かを終局的に確定する

ものではなく，その認定は民事訴訟によってのみ終局的に解決することができるとされる（新版注民(27)〔補訂版〕625頁〔犬伏由子〕)。

したがって，相続放棄の意思表示に無効事由がある場合には，これを訴訟において主張して相続放棄の意思表示の効力を争うことができ（最判昭29・12・24民集8巻12号2310頁)，かかる無効原因があることは，再々抗弁となる。

なお，最高裁昭和40年5月27日判決（家月17巻6号251頁）は，相続放棄の意思表示について95条の適用を認めている。従前，相続放棄申述が錯誤により無効であることを理由とする相続放棄の取消しの申述は，実定法上の規定を欠く上，訴訟において争うことができることを理由に，不適法であると解されてきた（福岡高決平16・11・30判タ1182号320頁)。平成29年法律44号による民法の改正により，錯誤の効果が取消しに変更されたため，現在は，相続放棄の錯誤を主張する場合には，相続放棄の取消しの申述によることになる。

(ウ) 法定単純承認行為があった場合　法定単純承認行為があった場合は，単純承認をしたものとみなされ（921条)，その後の相続放棄は，申述が適法に受理された場合であっても無効である（大判昭6・8・4民集10巻652頁)。

したがって，相続放棄前に921条各号所定の法定単純承認行為があったことは，相続放棄の効果発生を障害する再々抗弁となり，単純承認の効果を主張する者が主張立証責任を負うとされている（大判大9・12・17民録26輯2043頁)。

2 所有権に基づく土地明渡請求訴訟の事例

(1) 所有権の取得原因として相続を主張する場合

(ア) 次に，甲土地を所有していたAが死亡し，Aの子であるXが，甲土地を占有しているYに対し，所有権に基づき土地の明渡請求訴訟を提起する事例について考察する。

この場合，訴訟物は，所有権に基づく返還請求権としての土地明渡請求権であり，請求原因は，①Xが甲土地を所有していること，②Yが甲土地を占有していることである。Yが，Aが甲土地をもと所有していたことを認めた上で，Aから甲土地を承継取得したとして，所有権喪失の抗弁を主張する場合には，YのAからの所有権取得原因事実の発生当時におけるAの所有について権利自白が成立し，Xは，その時点におけるAの所有が認められ

ることを前提として，相続開始の事実を主張することにより，AからXへの所有権の承継を主張できるので，Xは，①については，

①-1　Aは，甲土地をもと所有していた

①-2　Aは，令和○年○月○日，死亡した

①-3　Xは，Aの子である

との事実を主張することになる。

この事例で，Xに兄Zがいる場合，共同相続人であるZが存在する事実は抗弁となるから，Yにおいて，

①　Aの子であるZが存在する

との事実を主張することになる。

(イ)　なお，持分権に基づく物権的請求権の行使は，保存行為（252条5項）として可能であるから，Xが共有持分権を有する場合，持分権者として，単独で不動産の明渡請求をすることができる（大判大7・4・19民録24輯731頁）。したがって，Xが，訴訟物として持分権に基づく返還請求権としての土地明渡請求権を選択した場合は，「Aの子であるZが存在する」との事実は，抗弁としての意味を持たないことになる。このように，Xが，所有権に基づく物権的請求権を選択するのか，持分権に基づく物権的返還請求権（保存行為）を選択するのかによって，攻撃防御方法が異なり，前者を選択した場合には請求棄却となる可能性もあることに照らすなら，訴訟物の選択について釈明を求めるべきである。

(2)　占有権原の抗弁において相続が主張される場合

(ア)　上記事例で，Yにおいて，Xが甲土地を現在所有していることは認めるが，YがAと賃貸借契約を締結し，この契約に基づく引渡しを受けていたとして，占有権原の抗弁を主張する場合について考察する。

所有権については，権利自白が認められるので，Xは，請求原因事実として，①Xが甲土地を所有していること，②Yが甲土地を占有していることを主張することが考えられる。

これに対し，Yは，Aとの間の賃貸借契約を前提とする占有権原の抗弁を主張することになる。賃借権を占有権原として主張する場合の一般的な要件は，①賃貸借契約の締結，②①に基づく引渡しである。①は占有権原の発生原因として，②は請求原因で主張された目的物に対するYの占有が，①

の契約に基づく適法なものであることを示すために必要である。②の事実を主張立証すれば，引渡し時の占有と，請求原因で主張された口頭弁論終結時の占有と，2つの占有が主張されることになり，その占有は引渡し時から口頭弁論終結時まで継続したものと推定され（186条2項），口頭弁論終結時の占有が①の契約に基づく適法なものであることが主張立証されたことになる（村田＝山野目編著・前掲書269頁〔村上正敏〕）。

Yが主張する賃借権はAとの間で締結されたものであるから，賃借権をXに対して主張できることを基礎づけるためには，賃貸人Aが死亡したことにより，Xが相続によって甲土地の所有権を取得するとともに，本件賃貸借における賃貸人たる地位を承継した事実を主張立証することになる。そこで，Yは，Aの死亡の事実と，XがAの子であることを主張する必要があるとともに，Yの賃借権がAの所有していた甲土地についてのものであることを基礎づけるため，Aが本件賃貸借当時，甲土地を所有していたこと（権利自白）を主張する必要があると解される。

以上によれば，Yは，抗弁事実として，①AとYは，甲土地の賃貸借契約を締結したこと，②Yは，①に基づき甲土地の引渡しを受けたことに加えて，

③-1　Aは，甲土地をもと所有していた

③-2　Aは，令和○年○月○日，死亡した

③-3　Xは，Aの子である

との事実を主張することになる。

この場合のXが相続によって甲土地を取得したとの主張は，Yが，甲土地に対する占有が前主Aとの賃貸借契約に基づく適法なものであることをXに主張するにあたって，Xが賃貸人の地位を相続によって承継していることを基礎づけるために必要となるにすぎない。Xが賃貸人の地位を相続によって承継したことを基礎づけるためには，XがAの唯一の相続人であることを主張する必要はないから，「のみ説」に立っても，Yは，XがAの子であることだけを主張すれば足りると解される（高須ほか編著・前掲書196頁〔木納敏和〕）。

(イ)　なお，Yは，Aとの間の賃貸借契約を前提とする占有権原の抗弁の主張との関係でAのもと所有を認めていることから，Aのもと所有について

権利自白が成立するとした上で，相続開始によるAからXへの所有権の承継を請求原因として摘示することも考えられる（司法研修所編・改訂新問題研究要件事実〔2023〕112頁）。この考え方によれば，Xは，請求原因事実として，②Yが，甲土地を占有していることのほか，

①-1　Aは，甲土地をもと所有していた

①-2　Aは，令和◯年◯月◯日，死亡した

①-3　Xは，Aの子である

との事実を主張することになる。

このように請求原因事実を整理した場合は，Yは，抗弁として，①AとYは，甲土地の賃貸借契約を締結したこと，②Yは，①に基づき甲土地の引渡しを受けたことを主張すれば足りることになる。

IV　遺産分割による相続の要件事実

次に，甲土地を所有していたAが死亡し，Aの子であるXが，甲土地を占有しているYに対し，遺産分割により甲土地の所有権を取得したとして，所有権に基づき土地の明渡請求訴訟を提起する事例について考察する。

1　遺産分割の意義

898条1項は，「相続人が数人あるときは，相続財産は，その共有に属する」と定めているところ，907条1項は，共同相続人が原則としていつでも，その協議によって遺産の全部または一部の分割をすることができることを定め，同条2項は，共同相続人間に協議が調わないとき，または協議をすることができないときは，各共同相続人は，その全部または一部の分割を家庭裁判所に請求することができることを定める。

そして，909条本文によれば，遺産の分割は，「相続開始の時にさかのぼってその効力を生ずる」とされ，各相続人は被相続人から直接分割による財産を取得したものと扱われる。

遺産分割は，家事事件手続法別表第二に掲げられる審判事項であり，当事者が協議によって定めることができるが，協議が調わないときは，申立てによって裁判所が具体的な法律関係を形成する。したがって，遺産の分割に関する審判は，遺産の終局的な帰属を確定する形成的な審判といえる（佐上善

和・家事事件手続法 I〔家事審判・家事調停〕〔2017〕350頁）。

遺産分割協議の法的性質については，遡及効のない258条1項所定の共有物の分割協議と異なり，上記909条本文の規定に照らし，相続の時に遡って相続人らの遺産に対する権利の帰属をいわば創設的に定める相続人間の一種特別の合意であり，贈与，交換，売買，和解，あるいは権利の放棄等の一つ，または数個の行為が合わさったものとみるべきではないとする見解（河野信夫〔判解〕最判解平元年6頁）もあるが，実質的には，各共同相続人が相続分の範囲内で相続財産について有する処分権に基づき，各自が個々の相続財産上の持分権の相互的交換，譲渡，または放棄に相当する処分を行っているとみることができる。

2　遺産分割の要件事実

(1)　被相続人の死亡

遺産分割が行われるのは，相続が開始していることが前提となるから，被相続人が死亡したこと（882条）の主張立証が必要となる。

(2)　相続人であること

907条1項は，遺産分割の主体を「共同相続人」と規定している。したがって，遺産分割協議の主体とされている者または遺産分割審判の当事者が被相続人の相続人であること，つまり，887条から890条までに定める相続人に該当することを主張する必要がある。

ところで，遺産分割協議は相続人全員が関与しなければ有効に成立せず，当事者の一部を除外した分割協議は，原則として無効である（東京地判昭39・5・7下民集15巻5号1035頁）。また，相続人の一部を除外してなされた遺産分割の調停または審判は，全部が無効になると解されている（片岡＝管野12頁，金子修ほか編著・講座実務家事事件手続法下〔2017〕270頁〔加藤祐司〕）。

しかし，遺産分割協議については，少なくとも，成立した遺産分割協議の主体が被相続人の共同相続人であることを主張立証すれば，協議の効果は発生するというべきであって，相続人全員が遺産分割協議に関与していることを主張する必要はなく，遺産分割協議の主体となっている者以外に相続人等遺産分割協議の当事者となるべき者がいることが，遺産分割協議の無効事由として再抗弁になると解すべきであろう（相続における「非のみ説」と同様の解釈となる）。

(3) 相続財産の帰属を定めた遺産分割協議の成立または遺産分割審判の事実

(ア) 遺産分割協議の場合　　遺産分割の実行は，共同相続人の協議によるのが原則とされ（907条1項），相続財産の帰属を定めた遺産分割協議が成立したことを主張立証することが必要である。共同相続人は，遺産に属する個別財産につき自由に分割合意をすることができるため，分割協議の内容は，必ずしも法定相続分または遺言による分割方法の指定に従う必要はなく，当事者の合意による限り，法定相続分に従わない財産配分が行われても，原則として有効である。

遺産分割協議の成立要件は，当事者全員の合意である。要式行為ではないので，口頭での合意でも足りる。

遺産分割は，個々の財産についての共有関係の解消を主眼とするのではなく，相続財産全体を目的として行われるべきものであるが，必ずしも全相続財産を一括して行わねばならないとまではいえず，平成30年法律72号による民法改正前も，共同相続人が協議によって遺産の一部分割を行うことができることには異論がなかった。

同法による改正後の民法では，適正公平な遺産分割の実現のため，原則として全ての遺産を1回で分割すべきとの従来の考え方から，共同相続人の遺産についての処分権限を基礎として，遺産分割の対象を自由に選択させる考え方にシフトさせ，907条1項においては，「共同相続人は，……その協議で，遺産の全部又は一部の分割をすることができる。」ことが明記された（山川一陽＝松嶋隆弘編著・相続法改正のポイントと実務への影響〔2018〕105頁）。

よって，遺産分割協議の要素は，相続財産の全部または一部の帰属について合意されたことと考えられる。

以上によれば，上記設例において，Xは，遺産分割協議の要件事実として，

① Aは，令和○年○月○日，死亡した
② Xは，Aの子である
③ Zは，Aの子である
④ XとZは，令和○年△月△日，Xが甲土地を取得する旨の遺産分割協議をした

との事実を主張することになる。

(イ)　遺産分割審判の場合　　遺産分割の審判は，既判力はないと解されているが，形成権である遺産分割請求権に基づき，既に確定されている実体的な権利義務関係を前提として，具体的に遺産の分割方法や個々の財産の帰属を確定するものであるから，遺産分割審判により財産の帰属が定められたことは，当該財産の所有権の取得原因事実になると解される。

上記設例において，Xが，遺産分割審判により甲土地を取得したことを主張する場合には，

①　Aは，令和○年○月○日，死亡した

②　Xは，Aの子である

③　Zは，Aの子である

④　○○家庭裁判所において，令和○年△月△日，Xに甲土地を取得させるという遺産分割審判がされ，同審判は，同年□月△日に確定した

との事実を主張することになる。

3　遺産分割と法定相続の関係

前記II 1のとおり，相続の要件事実について「非のみ説」に立つと，法定相続で主張整理した場合の請求原因事実は，①Aは，令和○年○月○日，死亡したこと，②Xは，Aの子であることだけで足りるため，③他の相続人Zが存在することや，④XとZが相続財産の帰属を定めた遺産分割協議をしたことまたは遺産分割審判があったことの主張は，いわゆる「a＋b」（司法研修所編・増補民事訴訟における要件事実第1巻〔1986〕284頁，村田渉＝山野目章夫編著・要件事実論30講〔4版，2018〕117頁〔村田〕）として過剰主張になるのではないかとの疑問もあり得るかもしれない。しかしながら，遺産分割による相続は，Xが法定相続したとの請求原因事実と，他にも相続人Zがいる旨の抗弁事実を前提とする，予備的請求原因と位置づけられるべきである（なお，遺産分割は，法定相続を復活させるものではないので，再抗弁と位置づけることは相当でないであろう）。もとより，Xは，法定相続の請求原因を主張することなく，上記抗弁事実を先行自白した上で，当初から予備的請求原因のみを主張することもできる。

4　抗　　弁

(1)　遺産分割協議に無効または取消事由がある場合，遺産分割協議の効果発生を障害する事由であるから，抗弁となる。

すなわち，相続人でない者が参加して行われた遺産分割協議，共同相続人の一部を除外して行われた遺産分割協議は，無効であるから（ただし，相続開始後に認知された者が出現した場合については，910条の規律に従う），かかる事由の存在を主張する者において，主張立証責任を負う。

遺産分割協議に，錯誤，詐欺，強迫などがある場合や，相続人のうちに制限行為能力者がいる場合は，民法総則規定が適用され，遺産分割協議の取消事由となるから，かかる事由の存在を主張する者において，主張立証責任を負う。

(2)　共同相続人は，既に成立している遺産分割協議につき，その全部または一部を全員の合意により解除した上，改めて分割協議を成立させることができる（最判平2・9・27民集44巻6号995頁）。これは成立した遺産分割協議の効果発生を消滅させる事由であるから，抗弁となり，解除の合意をした事実を主張する側が主張立証責任を負う。

他方，遺産分割協議に当たり，共同相続人中のある者に債務を負担させることをも内容として分割協議が成立したが，債務を負担した共同相続人が分割協議の成立後にその債務を履行しなかった場合に，541条により同協議を解除をすることは，判例上，否定されている（最判平元・2・9民集43巻2号1頁）。したがって，債務不履行解除を抗弁として主張することはできない。

〔関根澄子〕

事 項 索 引

あ 行

か 行

さ　行

た 行

な 行

は 行

ま　行

や　行

ら　行

わ　行

判例索引

昭和 22〜30 年

昭和 31〜40 年

昭和 41～50 年

昭和51～60年

昭和 61～64 年

平成元～10 年

平成11～20年

平成 21〜31 年

令和元～5 年

新注釈民法(19)　相　続(1)〔第2版〕
New Commentary on the Civil Code of Japan Vol. 19, 2nd edition

令和元年10月20日　初　版第1刷発行
令和5年 8 月30日　第2版第1刷発行
令和5年12月20日　第2版第2刷発行

編　者　潮　見　佳　男

発行者　江　草　貞　治

東京都千代田区神田神保町 2-17
発行所　株式会社　有　斐　閣
郵便番号 101-0051
https://www.yuhikaku.co.jp/

印　刷　株式会社　精　興　社
製　本　牧製本印刷株式会社

ISBN 978-4-641-01771-9

◎	第16巻	債 権 9	712条～724条の2 不法行為(2)	大 塚　直編
◎	第17巻	親 族 1	725条～791条 総則・婚姻・親子(1)	二 宮 周 平編
	第18巻	親 族 2	792条～881条　親子(2)・親権・後見・保佐及び補助・扶養	大 村 敦 志編
◎	第19巻	相 続 1 〔第2版〕	882条～959条　総則・相続人・相続の効力・他	潮 見 佳 男編
	第20巻	相 続 2	960条～1050条 遺言・配偶者の居住の権利・遺留分・特別の寄与	水 野 紀 子編